Tarouca, Ernst Graf Silva,

Unsere Freiland-Laubgehölze

Tarouca, Ernst Graf Silva; Schneider, Camillo

Unsere Freiland-Laubgehölze

Inktank publishing, 2018

www.inktank-publishing.com

ISBN/EAN: 9783747764466

UNSERE

FREILAND-LAUBGEHÖLZE

ANZUCHT, PFLEGE UND VERWENDUNG ALLER BEKANNTEN IN MITTELEUROPA IM FREIEN KULTURFÄHIGEN LAUBGEHÖLZE

UNTER MITWIRKUNG VON
ISTVÁN GRAF AMBRÓZY-MIGAZZI, GEORG ARENDS, C. HEICKE, HERM. A. HESSE, P. KACHE, WILHELM KESSELRING, A. PURPUS, ALFRED REHDER, PROF. SCHWAPPACH, FRITZ GRAF SCHWERIN, HELLMUT SPAETH, EGBERT WOLF UND FRANZ ZEMAN

HERAUSGEGEBEN VON

ERNST GRAF SILVA TAROUCA UND CAMILLO SCHNEIDER

ZWEITE, GÄNZLICH UMGEARBEITETE UND VERMEHRTE AUFLAGE. MIT 499 ABBILDUNGEN IM TEXT UND 24 FARBIGEN ABBILDUNGEN AUF 16 TAFELN

1 9 2 2

HÖLDER-PICHLER-TEMPSKY A.G.

WIEN / G. FREYTAG G.M.B.H. / LEIPZIG

KULTURHANDBÜCHER FÜR GARTENFREUNDE

ES SIND ERSCHIENEN:

BAND I: UNSERE FREILANDSTAUDEN

MIT 451 ABBILDUNGEN IM TEXT UND 23 FARBIGEN BILDERN

BAND II: UNSERE FREILANDLAUBGEHÖLZE

MIT 499 ABBILDUNGEN IM TEXT UND 24 FARBIGEN BILDERN

BAND III: UNSERE FREILANDNADELHÖLZER

MIT 218 ABBILD. IM TEXT, 6 SCHWARZEN U. 13 FARB. BILDERN

DER URSPRÜNGLICH GEPLANTE

BAND IV: GARTEN UND PARK

WIRD VORAUSSICHTLICH NICHT ERSCHEINEN

DRUCKEREI THALACKER & SCHÖFFER, LEIPZIG, INSELSTR. 12

VORWORT ZUR ZWEITEN AUFLAGE.

Wie wir in dem Vorwort zur eben erschienenen dritten Auflage des ersten Kulturhandbuches: Unsere Freiland-Stauden ausführlich dargelegt haben, erscheint auch diese zweite Auflage des Laubholzbuches unter so ganz anderen Bedingungen. Es ist fürwahr erstaunlich, daß sie unter den heutigen Verhältnissen überhaupt erscheinen kann. Gerade weil es in jeder Beziehung mit so großen Mühen und Kosten verbunden war, das Buch neu herauszugeben, haben wir es für unsere doppelte Pflicht gehalten, es den Bedürfnissen der Zeit aufs Beste anzupassen.

Der Besondere Teil ist auf das Gründlichste umgearbeitet worden, wobei wir uns weitgehend auf die im Laufe des letzten Jahrzehntes erschienenen Arbeiten unseres verehrten Mitarbeiters Alfred Rehder stützen konnten, der unbestritten heute unser erfahrenster Dendrologe ist. Er hat die meisten Gehölzgattungen für die ausgezeichnete „Standard Cyclopedia of Horticulture" von L. H. Bailey bearbeitet und hat auch brieflich noch manche Anregung gegeben, soweit seine neuesten Forschungen nicht im „Journal of the Arnold Arboretum" bereits veröffentlicht worden sind. Dort hat auch Professor C. S. Sargent wertvolle Studien publiziert. Der Unterzeichnete konnte während seines vierundeinhalbjährigen Aufenthaltes im Arnold Arboretum (Mai 1915 bis August 1919) ebenfalls sehr viele hier verwertete Beobachtungen machen. Von größter Bedeutung sind auch die oft monographischen Behandlungen für uns sehr wichtiger Gattungen in Sargent, Plantae Wilsonianae, Band I—III (1911—1917), über deren Inhalt eine kurze Uebersicht in den Mitteilungen der D. D. G. von 1920 zu finden ist. Diese Jahrbücher der Deutschen Dendrologischen Gesellschaft wurden bis einschließlich 1921 durchgesehen. Wir möchten bei dieser Gelegenheit alle Gehölzfreunde dringend auf die von unserem verehrten Mitarbeiter Dr. Fritz Graf von Schwerin so trefflich geleitete Gesellschaft hinweisen, deren Sitz in Wendisch Wilmersdorf bei Thyrow, Kreis Teltow ist.

Auch das Buch „Trees and Shrubs hardy in the British Isles" von dem vortrefflichen englischen Dendrologen W. J. Bean, das 1914/15 in zwei Bänden erschien, hat uns viele höchst bedeutsame Hinweise geboten. Reich an wichtigen Angaben für die praktische Verwendung der Laubgehölze und ihre ästhetische Verwertung in unseren Anlagen ist auch die „Gartenschönheit", deren Gründung wir im Vorwort zum Staudenbuch besprachen. Ihr Bilderschmuck wird in vielen Anmerkungen zitiert.

Daß sich in Prag eine neue Dendrologische Gesellschaft gebildet hat, die im Sinne unserer alten Gesellschaft für Oesterreich-Ungarn tätig sein will, ist ein bedeutsames Zeichen dafür, wie stark die Teilnahme an deren Bestrebungen trotz der schweren Zeitläufte noch ist. An der Spitze dieser neuen D. G. steht wiederum Graf Ernst Silva Tarouca, mit dem zusammen der Unterzeichnete jetzt die Kulturhandbücher herausgibt. Der Dendrologische Garten in Pruhonitz wird nach wie vor von Franz Zeman verwaltet, dessen eifriger und erfahrener Mitarbeit die alte Wiener D. G. nicht zuletzt ihre Erfolge verdankte.

Von alten Mitarbeitern schied aus Harry Veitch, da die Firma Veitch & Sons leider aufgelöst wurde. Dadurch hat nicht nur England, sondern der gesamte Gartenbau einen seiner größten Förderer verloren. Als neuen Mitarbeiter gewannen wir Garteninspektor Paul Kache, der sich durch langjährige Tätigkeit bei Hesse in Weener und bei Späth in Berlin-Baumschulenweg hervorragende Gehölzkenntnisse erworben hat und für diese Auflage die am Schlusse gegebenen Tabellen einer gründlichen Durchsicht unterzog.

Allen Mitarbeitern sind wir für ihre Hilfe zu herzlichem Danke verpflichtet. Vor allem aber dem neuen Verlag, der allen Schwierigkeiten zum Trotz die Neuauflage herauszugeben sich nicht scheute, für deren gute technische Herstellung die Druckerei alle Kräfte einsetzte.

Auch jetzt richten wir wieder die herzliche Bitte an alle Leser, uns ganz offen auf Mängel und Lücken hinzuweisen. Der Unterzeichnete übernimmt die volle Verantwortung für alle Angaben, auch wenn einzelne Beiträge von bestimmten Mitarbeitern gezeichnet sind. Er erbittet alle Zuschriften an seine Adresse in Charlottenburg, Bismarckstr. 19, oder zu Händen der Schriftleitung der Gartenschönheit, Berlin-Westend, Akazienallee 14.

Charlottenburg, im Dezember 1922.

CAMILLO SCHNEIDER.

VORWORT ZUR ERSTEN AUFLAGE.

Die überaus freundliche Aufnahme, welche unser erstes, der Allgemeinheit gewidmetes, illustriertes Kulturhandbuch „Unsere Freilandstauden", von dem schon in Kürze ein Neudruck veranstaltet werden kann, in den Kreisen gefunden hat, für die es bestimmt war, ermutigt uns, bei der Herausgabe des vorliegenden zweiten Kulturhandbuches die für das erste gewählte Form der Gliederung beizubehalten. Wir waren bestrebt, die besten Laubholzkenner zur Mitarbeit heranzuziehen, und wir dürfen wohl sagen, daß es uns gelungen ist, dies zu erreichen.

Allen diesen unseren, auf dem Titelblatt genannten, verehrten Herren Mitarbeitern fühlen wir uns für die uns gewährte gütige Unterstützung sehr zu Danke verpflichtet. Insbesondere müssen wir unseren Dank abstatten an Herrn Garteninspektor A. Purpus, der uns nicht nur so überaus zahlreiche und wertvolle Photographien besorgte, sondern sich auch der Mühe unterzog, im Verein mit unserem ausgezeichneten Obergärtner, Herrn Franz Zeman, den speziellen Hauptteil des Buches im Manuskript kritisch durchzusehen und zu ergänzen.

Ferner stellte uns Herr Alfred Rehder, der unter den Dendrologen unserer Zeit in der ersten Reihe steht, außer seinem Aufsatz eine große Anzahl prächtiger Aufnahmen zur Verfügung, die meist von der Stätte seiner Tätigkeit, dem weltberühmten Arnold-Arboretum, stammen. Auch der Direktor dieses Institutes, unser hochverehrtes Ehrenmitglied, Herr Professor C. S. Sargent, gewährte uns freundlichst die Erlaubnis, einige schöne Aufnahmen des erfolgreichsten Gehölzsammlers unserer Tage, Herrn E. H. Wilson, aus China, hier wiederzugeben, wofür wir beiden Herren aufs verbindlichste danken.

Nicht minder fühlen wir uns unserem hochverehrten Ehrenmitgliede Herrn H. Veitch verpflichtet für die gütige Überlassung der schönen Bilder der chinesischen Neuheiten. Auch Herrn Georg Arends, unserem verehrten Ehrenmitgliede und getreuen Mitarbeiter des Staudenbuches, haben wir für Bilder zu danken. Ebenso zwei weiteren geschätzten Ehrenmitgliedern, den Herren Kommerzienrat Hesse und Maurice L. de Vilmorin, sowie unserem verehrten korrespondierenden Mitgliede Herrn Gartendirektor Heicke, der auch die Tabelle über Straßenbäume mitbearbeitete.

Weiter vermittelten uns Aufnahmen die Herren Hofgartendirektor Graebener, Karlsruhe, Stadtobergärtner Glogau, Hannover, Obergärtner Johannes Hartmann, Dresden, Rosenschulbesitzer Peter Lambert, Trier, Rittergutsbesitzer v. Obeimb, Woislowitz, Garteninspektor Rehnelt, Gießen, Garteninspektor Rettig, Jena, und Rudolf Seidel, Grüngräbchen.

Alle übrigen als Originale gekennzeichneten Aufnahmen fertigte der mitunterzeichnete Generalsekretär unserer Gesellschaft selbst an. Er fand auf seinen Reisen insbesondere noch gütige Unterstützung durch folgende Herren: Kurator Bean, Kew; Professor Bois, Paris; Exzellenz Geheimrat Fischer v. Waldheim, Petersburg; Direktor E. Jouin, Plantières; Wilhelm Kesselring, Petersburg; Regierungsrat Lauche, Eisgrub; Professor Lecomte, Paris; V. Lemoine, Nancy; Obergärtner Mottet, Verrières; Direktor Colonel Prain, Kew; Garteninspektor Siber, Marburg; Exzellenz v. Sivers, Römershof; Kurator Dr. Stapf, Kew; Philippe de Vilmorin, Paris; Kurator W. Watson, Kew.

Auch dem Direktor des Wiener Botanischen Gartens, Herrn Hofrat Professor Dr. v. Wettstein, und dem Leiter der Botanischen Abteilung des k. k. Hofmuseums in Wien, Herrn Kustos Dr. Zahlbruckner, sowie den Herren Assistenten dieser Abteilung, Kustos-Adjunkt Dr. v. Keißler und Kustos-Adjunkt Dr. K. Rechinger, ist unser Generalsekretär für liebenswürdige Unterstützung zu besonderem Danke verpflichtet.

Mit außerordentlicher Freude begrüßen wir die gütige Mitarbeit des hochverehrten Herrn Präsidenten der deutschen Schwestergesellschaft, Fritz Graf v. Schwerin.

Welche Bedeutung die aus langjähriger Erfahrung geschöpften Darlegungen unseres hochverehrten Freundes, des Herrn Baron István Ambrózy, für unser Buch besitzen, brauchen wir wohl nicht besonders hervorzuheben.

Schließlich dürfen wir nicht verfehlen, unserem Verleger, Herrn Georg Freytag, aufs herzlichste dafür zu danken, daß er in jeder Weise auf unsere Wünsche einging und insbesondere die Zahl der Abbildungen gegen die des Staudenbuches sehr wesentlich vermehrt hat. Die farbigen Tafeln wurden mit noch größerer Sorgfalt als damals hergestellt, indes bietet die Wiedergabe nach Lumièreschen Autochromien noch so bedeutende Schwierigkeiten, daß die Feinheiten der Originale sich kaum übertragen lassen.

Auch bei diesem Handbuch möge der billige Preis dem Leser sagen, daß wir nicht die Absicht haben, ein Geschäft zu machen, sondern der Allgemeinheit dienen und für die Gehölzliebhaberei und Gartenkunst immer mehr den Boden bereiten wollen.

Wir richten zum Schluß noch die herzliche Bitte an alle Leser, uns ganz offen auf alle Mängel und Lücken des Buches hinzuweisen, die sich unzweifelhaft beim Gebrauche eines solchen Werkes bemerkbar machen. Alle Zuschriften erbitten wir an die Geschäftsstelle der Dendrologischen Gesellschaft, Wien, VIII., Blindengasse 42.

Wien, im September 1912.

CAMILLO SCHNEIDER
Generalsekretär
der Dendrologischen Gesellschaft.

ERNST GRAF SILVA TAROUCA
Präsident
der Dendrologischen Gesellschaft.

VERZEICHNIS DER FARBIGEN ABBILDUNGEN.

ALPHABETISCHES VERZEICHNIS DER IM ALLGEMEINEN TEIL EINGEORDNETEN SCHWARZEN ABBILDUNGEN.

INHALT.

Frühlingsszenerie im Parke zu Grafenegg (Nied.-Östr.)
Im Vordergrunde Baumpäonien, dahinter eine Fichte

ALLGEMEINER TEIL.

I.

EINLEITUNG.

Die Gesichtspunkte, die uns bei der Herausgabe der dritten Auflage des ersten Kulturhandbuches „Unsere Freilandstauden" leiteten, waren auch bei der Ausarbeitung der vorliegenden neuen Auflage des zweiten Buches für uns maßgebend. Auch hier ist es in erster Linie unsere Absicht, ein Nachschlagebuch für den Liebhaber und Gärtner zu schaffen, das alle die unzähligen in den Katalogen und Dendrologien geführten Gattungen verzeichnet und schnelle Auskunft über deren Kulturwert gibt. Der Gehölzfreund soll sofort aus den Angaben ersehen, ob eine bestimmte Gattung oder deren verschiedene Formen irgend einen besonderen Wert besitzen, sei es für kulturelle und gartenkünstlerische Zwecke oder lediglich für dendrologische Liebhaberei. Wir haben dabei alle Gattungen aufgenommen, die im Handel den Liebhabern angeboten zu werden pflegen, obwohl sicherlich verschiedene darunter sind, die sich nur in den Katalogen finden oder heutigen Tages in Mitteleuropa nicht zu beschaffen sind. Bei den Hinweisen befleißigten wir uns der größten Knappheit, da die Zahl der Gattungen und erwähnenswerten Formen nur allzu groß ist.

Daß unser Buch einem wirklichen Bedürfnis entspricht, hatte der schnelle Absatz der ersten Auflage bewiesen, die bereits seit anfangs 1921 vergriffen war. Was es an dendrologischen Werken für den Praktiker gibt, ist ungemein gering, wenn wir nicht zu Werken in englischer Sprache greifen wollen. Die besten deutschen Werke waren bisher Jäger und Beissner, „Die Ziergehölze der Gärten und Parkanlagen", 2. Auflage, 1884 und Hartwig, „Illustriertes Gehölzbuch", 2. Auflage, 1892. Sie sind in ein halb wissenschaftliches Gewand gekleidet und können nicht mehr den Anforderungen entsprechen, die der Gehölzfreund an ein praktisches Kulturhandbuch stellen muß, ganz abgesehen davon, daß sie jetzt veraltet sind und ihren Gesichtskreis zu eng ziehen. Das neueste und beste uns bekannte Gehölzbuch für die Praxis ist Wocke's „Illustriertes Gehölzbuch für Gartenfreunde und Gärtner" 1910, das mit großem Verständnisse für die Bedürfnisse des Liebhabers geschrieben ist, aber in seinem beschränkten Umfange und in den zum Teil recht mäßigen und wenig zahlreichen Bildbeigaben nicht den Zwecken entspricht, die wir im Auge haben. K. Foerster behandelt in seinem sonst so vortrefflichen Buche: „Winterharte Blütenstauden und Sträucher der Neuzeit", 1911, die Gehölze recht stiefmütterlich und mehr anhangsweise, doch soll die neue jetzt erscheinende Auflage gerade in diesem Abschnitt viele Verbesserungen bringen.

An wissenschaftlichen Dendrologien in deutscher Sprache herrscht kein Mangel. Die neueste und umfangreichste ist C. Schneider's „Illustriertes Handbuch der Laubholzkunde". Dies 1912 abgeschlossene Werk kann als Grundlage für wissenschaftliche Benennung und Bewertung der Laubgehölze angesehen werden, und wir schließen uns auch, soweit es geht, in dieser Hinsicht an Schneiders Dendrologie an. Freilich war es nicht möglich, die Namengebung ganz einheitlich nach diesem Buch durchzuführen, da die wissenschaftliche Bewertung vieler wichtiger Kulturformen noch recht unsicher ist. Wir waren bemüht, die populären lateinischen Namen dort, wo sie auf Grund der internationalen botanischen Wien-Brüsseler Nomenklaturbeschlüsse von 1905 und 1910 verschwinden müssen, wenigstens als Synonyme deutlich hervortreten zu lassen. Es wird sich aus verschiedenen Ursachen, auf die wir hier nicht eingehen können, wohl nie erreichen lassen, daß die Namengebung der wissenschaftlichen Botanik mit der der Gärtner, Forstleute und Liebhaber sich deckt, immerhin halten wir es aber doch für notwendig, soweit es irgend geht, der einheitlichen botanischen Namengebung auch in der Praxis zum Durchbruch zu verhelfen. Anderseits waren wir auch bemüht, den deutschen Namen ihr Recht nicht zu kürzen, doch ist es wohl ohneweiteres klar, daß all die vielen Neueinführungen der letzten Zeit sich nicht anders als durch lateinische Namen deutlich kennzeichnen lassen. Eine sehr wichtige Grundlage bildet auch für die Laubgehölze Bailey's „Standard Cyclopedia of Horticulture" (Ausgabe 1919), die wir in den Anmerkungen oft zitieren. Ebenso das aus einer Fülle reichster Erfahrungen geschöpfte Werk von Bean: „Trees und Shrubs hardy in the British Isles" (1915).

Schwierig ist es oft zu entscheiden, ob wir noch einen Strauch, beziehungsweise einen Halbstrauch vor uns haben, oder schon eine Staude. Die Zahl der Halbsträucher ist sehr groß, und es gibt eine ganze Anzahl Gattungen und Arten, die am Grunde mehr oder weniger verholzen und vielleicht noch als Halbsträucher anzusprechen sind. Daher ergaben sich nicht selten Hinweise auf das Staudenbuch.

Wir haben schon in diesem Buche betont, wie wenig eindeutig der Ausdruck „winterhart" oder „im Freien kulturfähig" ist. Der Kenner und ernste Liebhaber vermag selbst unter anscheinend sehr ungünstigen Verhältnissen Formen oft lange am Leben zu erhalten und zu recht guter Entwicklung zu bringen, die sonst allgemein als Kalthauspflanzen gelten. Für die große Menge kommen natürlich solche nicht in Betracht. Die Allgemeinheit wird sich zunächst auf das beschränken, was in den Hauptlisten hervorgehoben wird. Aber selbst Gartengestalter können weit über das hinausgehen, wenn sie die nötigen Kenntnisse besitzen, und können eine Menge als heikel geltender Formen unter geeigneten Bedingungen verwenden und dadurch ganz neue Wirkungen in den Anlagen erzielen. Man vergleiche nur die bedeutsamen Darlegungen von Graf Ambrózy-Migazzi. Es sind in der letzten Zeit viele wertvolle Neuheiten zu uns gekommen, wie etwa *Carrierea, Davidia, Poliothyrsis,* zahlreiche *Cotoneaster, Lonicera, Viburnum, Philadelphus, Spiraea, Cornus, Hydrangea, Rosa, Syringa* usw., von denen sich einige schon einen ersten Platz in unseren Gärten zu erobern beginnen. Und die Zahl der chinesischen Gehölze, die schon in England, Schottland und auch in den Vereinigten Staaten (Arnold Arboretum) in Kultur sind, bei uns in Mitteleuropa aber noch erprobt werden müssen, ist eine überaus große. Wir haben diese aussichtsreichen Neuheiten zum großen Teile mit besprochen und in jeder Weise danach getrachtet, dem Leser Auskunft über das Beste und Neueste zu geben. Wir bemühen uns, schon auf alles das hinzuweisen und zu Versuchen anzuregen. Die im Vorwort besprochene Gründung der neuen dendrologischen Gesellschaft in Prag bedeutet eine wertvolle Anregung und stellt eine wichtige Fortsetzung der Ziele dar, die die alte Wiener Gesellschaft verfolgt hat. Infolgedessen ist der Umfang des Besonderen Teiles ganz außerordentlich vermehrt worden. Wir mußten deshalb im Allgemeinen Teile folgende Abschnitte der 1. Auflage diesmal wegfallen lassen: H. A. Hesse: Auswahl der schönsten Laubgehölze für den Liebhaber; L. Späth: Die empfehlenswertesten Arten und Formen für allgemeinen Anbau; H. Veitch: Wertvolle und neue Laubgehölze aus China; und A. Rehder: Die wertvollsten harten Laubgehölze Nordamerikas. Das dort Gebotene ist bei den verschiedenen Gattungen im Besonderen Teile verarbeitet worden.

Wie im Staudenbuche, sind wir auch hier bestrebt, gute Bilder für uns sprechen zu lassen. Es gibt kein Gehölzbuch, das auch nur annähernd so viele Bilder enthält, die ja in erster Linie dazu dienen, das, was wir wollen, zu lebendigem Ausdruck zu bringen. Leider verboten die heute herrschenden Teuerungsverhältnisse die Erneuerung mancher alter Bilder und eine reichere Einschaltung guter neuer Aufnahmen. Bei künftigen Auflagen werden wir danach streben, durch gute Bilder von Blüten und Früchten viele Trachtbilder zu ergänzen.

Auch für dies Buch gilt das im Ersten Gesagte, daß wir ein gewisses Maß von Erfahrung in Pflanzenkultur bei dem Leser voraussetzen müssen. Wir können immer nur Andeutungen geben, verweisen aber ausdrücklich auch auf die Anmerkungen, die am Schlusse des Buches zusammengestellt sind [1].

Über die richtige Betonung der lateinischen Namen wird viel geschrieben. Wir legen fast durchweg die Angaben in Bailey's Cyclopedia zu Grunde. Gegen eine Verbesserung der Rechtschreibung alter Namen, wie überhaupt gegen alle sog. philologischen Änderungen legen wir Verwahrung ein. Die Schreibweise des Autors ist allein maßgebend, und nur ganz offensichtliche Druckfehler werden richtig gestellt.

Wenn unser Buch wirklich seinen Zweck erfüllen soll, so müssen alle Leser daran mitarbeiten, damit wir in künftigen Auflagen immer Besseres bieten können.

II.

DIE LAUBGEHÖLZE IN DER LANDSCHAFTLICHEN ANLAGE, IM PARKE.

Von Ernst Graf Silva Tarouca.

Qui bene distinquit bene docet! Ich lege Wert darauf, vor allem anderen festzustellen. 1. daß die Verwendung und Behandlung der Gehölze in Landschaftsgärten, wo sie in erster Linie ästhetischen Zwecken dienen sollen, eine andere sein muß als im Walde, der heutzutage einen Wirtschaftsbetrieb zur Anzucht möglichst großer Holzmassen darstellt, wo der Baum also nur Nutzzwecken zu dienen hat, – und 2., daß der Begriff Landschaftsgarten (Park) mit den Begriffen Garten und Pleasure ground nicht verwechselt werden darf. „Der Park soll nur den Charakter der freien Natur und der Landschaft haben, die Hand des Menschen also wenig darin sichtbar sein. . . . wenn der Park eine zusammengezogene, idealisierte Natur ist, so ist der Garten eine ausgedehntere Wohnung. Hier also mag der persönliche Geschmack aller Art sich wohl ein wenig gehen lassen, ja sogar Spielereien und überhaupt das freieste Hingeben an die Phantasie erlaubt sein. Alles biete hier Schmuck, Bequemlichkeit, sorgfältigste Haltung und soviel Pracht dar, als die Mittel erlauben." (Pückler.) Wir sprechen von Blumengärten, architektonischen, japanischen, botanischen Gärten, Schloß-, Kloster-, Bauerngärten usw.

Ein Mittelding zwischen Garten und Park ist der Pleasure ground der Engländer, wofür wir kein deutsches Wort haben; er bildet dort ein Verbindungsglied zwischen dem kunstvollen Schmuck der Umgebung des Hauses und der natürlichen Landschaft. Man kann sagen, daß sehr viele kleinere Parks bei uns richtiger als Pleasure grounds denn als Landschaftsgärten zu bezeichnen wären.

Und nun zur Sache.

„Mögen die Bewegungen der Bodenoberfläche noch so abwechslungsvoll und mannigfaltig gestaltet sein, mögen Seen die Ebene unterbrechen oder Bergzüge sich in ihnen widerspiegeln, mögen Flüsse oder Bäche silberne Fäden durch Niederungen oder Talpartien ziehen, fehlt der Schmuck der Bäume und Wälder, so wird doch immer der Anblick ein im höchsten Grade trostloser sein. Um so öder würden unsere Gärten erscheinen, wenn die Bäume und Sträucher fehlten, ohne welche eine landschaftliche Szenerie gar nicht denkbar ist. Die Wirkung derselben ist sehr mannigfaltig; die Schönheit und die Harmonie ihrer Formen geben ein charakteristisches Ganzes und verleihen in ihrer Zusammenstellung und Verbindung untereinander Flächen, in welchen sie auftreten, einen bestimmt ausgesprochenen Grundzug."

„Die Bäume und Sträucher bedingen die Abwechslung und Mannigfaltigkeit der Szenerie, verdecken, was das Auge nicht sehen soll, und lassen das Sehenswerte noch mehr hervortreten; sie begrenzen und schließen ab Nah- und Fernsicht und geben den Bildern Leben und Bewegung dadurch, daß sie Licht und Schatten in die Landschaft bringen. Durch Anpflanzung kann man Gegenstände, unerläßliche Nebengebäude, nahe Grenzen, überhaupt alles, was unschön und nicht zu beseitigen ist, verdecken, durch sie kann man auch wieder andere Gegenstände, die unentbehrlich sind, verschönern, indem man solche teilweise verdeckt und teilweise erscheinen läßt. Durch das Zwischentreten von Baum- und Strauchmassen ist man imstande, verschiedene Ansichtspunkte, die unter sich nicht harmonieren, wie z. B. näher aneinander liegende Gebäude in verschiedenem architektonischem Stil, in eine harmonische Verbindung zu bringen oder sie so zu trennen, daß jedes für sich als ein gesonderter Ansichtspunkt erscheint."

„Die Anpflanzungen unterbrechen die Einförmigkeit von Flächen und geben dem ebenen einförmigen Boden Abwechslung und Ausdruck; sie bedingen und begleiten die Wegeführung in den Anlagen, umrahmen und beleben die Wasserflächen, verdecken die Grenzen und geben denselben abwechselnde Horizontlinien. Sie umfassen und vereinigen die einzelnen Teile

1*

eines Landsitzes und vermitteln den Übergang aus der Regelmäßigkeit der unmittelbaren Nähe des Wohnsitzes durch die freiere und ungebundene Szenerie des Parkes in die umgebende Landschaft".)

— Diese wenigen Sätze geben uns ein Bild der vielfachen Verwendung der Bäume und Sträucher im Landschaftsgarten. Warum, wie und was wir pflanzen sollen, werde ich versuchen, etwas ausführlicher darzulegen, wobei ich es nicht vermeiden kann, die wichtigsten Grundbegriffe und Regeln der Landschaftsgärtnerei im Zusammenhange mitzuerörtern, soweit diese auf die Art und Weise der Verwendung der Bäume und Sträucher im Landschaftsgarten bestimmenden Einfluß haben.

Abb. 1. *Quercus palustris*, Sumpfeiche, 15 *m*. (Orig.: Hort. Muskau, Lausitz.)

Zunächst müssen wir uns mit den Eigenschaften vertraut machen, durch welche die Gehölze sich unterscheiden und welche die verschiedenen Bäume und Sträucher für die verschiedenen Zwecke der Landschaftsgärtnerei verwendbar erscheinen lassen.

1. Jedes Kind weiß, daß es Laub- und Nadelhölzer gibt, welch letztere Gegenstand des dritten Kulturhandbuches sind und uns daher hier nicht interessieren.

Ebenso bekannt ist die Unterscheidung der ersten in laubabwerfende und immergrüne Gehölze; letzte dienen als Vor- und Zwischenpflanzung großer Baumgruppen und beleben und erheitern das Landschaftsbild besonders im Winter, wenn die anderen Bäume und Sträucher kahl und tot dastehen.

2. Je nach Heimat und Klima sprechen wir von einheimischen und fremden (exotischen) Gehölzen. Jene bilden naturgemäß den Kern der Bepflanzung unserer Anlagen, während die Verwendung der ausländischen Gehölze davon abhängt, ob sie unser Klima vertragen, ob sie winterhart sind, oder gegen Frost und Nässe unserer Winter durch Bedeckung mit Laub, Reisig, Dünger, Brettern usw. geschützt werden müssen.

Im Landschaftsgarten sollten nur die winterharten und allenfalls solche Gehölze Verwendung finden, die ohne besondere Schutzmaßregeln in unserem Klima noch freudig und üppig gedeihen. Der Sammler, den ja oft auch ein armer magerer Krüppel noch mit stolzer Freude erfüllt, weil er in ihm eine botanische Rarität verehrt, sollte seine seltenen Gehölze nicht im Park, sondern in besonderen Gärten kultivieren, in denen es auf Reichhaltigkeit des Arboretums und nicht auf Schönheit und Natürlichkeit des Landschaftsbildes ankommt. In großen Parks, wo vielseitige Terraingestaltung passende Standorte und günstige Gelegenheiten für verschiedenartige Kulturen bietet, mögen botanische oder pflanzengeographische Szenerien ihren Platz finden, vorausgesetzt, daß sie im Gesamteindruck der Landschaft nicht störend wirken und, für sich betrachtet, ein natürliches und gefälliges Vegetationsbild darstellen.

3. Nach der Art des Wuchses können wir die Gehölze unterscheiden: Je nachdem sie hoch emporwachsen oder niedrig bleiben, in Bäume und Sträucher; je nachdem sie sich rasch und üppig oder langsam und träge entwickeln, in schnellwüchsige und trägwüchsige Gehölze (siehe Tabelle XXVI).

Manche Straucharten sind so schwachwüchsig und bleiben so klein, daß sie in großen Landschaftsbildern verschwinden würden; ihre Verwendung beschränkt sich daher auf intime Szenerien, die aus nächster Nähe betrachtet werden können. Felsen- oder auch Wüstensträucher, die an ihren natürlichen Standorten zwergartig bleiben, können in nahrhaftem Boden zu üppigen Sträuchern heranwachsen; umgekehrt nehmen Baumarten, die in besserem Klima zu hohen Baumriesen sich entwickeln, bei uns Strauchform an. Dies können wir kaum verhindern, aber im allgemeinen sollten wir die Gehölze ihrem natürlichen Standort gemäß im Park verwenden, damit sie auch bei uns ihren charakteristischen Habitus zeigen. In der ersten Jugend, als Samenpflanzen, wachsen die meisten Gehölze langsam, dann erst, bei einigen früher, bei anderen später, zeigt sich eine schnellere Entwicklung, die bei den schnellwüchsigen Arten sich so sehr steigert, daß sie die anderen, die trägwüchsigen, in verhältnismäßig kurzer Zeit weit überholen. Sträucher, die aus Stecklingen erzogen wurden, wachsen gleich anfangs so schnell, daß sie in kurzer Zeit ihre normale Größe erreichen; später tritt dann bei den trägwüchsigen Straucharten eine langsame Weiterentwicklung ein. Abgesehen von der frühzeitigen Verwendbarkeit zu Pflanzungen, haben Stecklingspflanzen vor Sämlingen den Vorzug größerer Blühwilligkeit.

Abb. 2. *Salix alba*, Silberweide, im Winter, 20 *m*.
(Orig., Donauauen bei Wien.)

Die Berücksichtigung des schnelleren oder langsameren Wachstums, sowie der größeren oder geringeren Höhe, welche die Baumarten erreichen können, ist für die Verwendung der Gehölze im Park von großer Wichtigkeit. Pflanzt man rücksichtslos allerlei Arten durcheinander, so werden die raschwüchsigen die anderen bald unterdrücken, während jene zurückbleiben und allmählich eingehen. Bisweilen pflanzt man ja besonders raschwüchsige gewöhnliche Bäume zwischen die edleren, zur bleibenden Gruppenbildung berufenen Gehölze, um störende Gegenstände in kurzer Zeit zu verdecken oder überhaupt um schnell einen landschaftlichen Effekt zu erzielen. Man muß sie aber dann rechtzeitig, sobald sie lästig werden, aushauen und eventuell den Stockausschlag als Unterholz verwerten. Will man einer Gruppe dauernd die Eigenschaft der Unregelmäßigkeit in der Massenwirkung wie in der Horizontallinie geben, so pflanzt man am besten die raschwüchsigen Arten horstweise zwischen die Grupen von trägwüchsigen Gehölzen, wobei vermieden werden muß, jene nur in der Mitte oder im Hintergrund zu verwenden, wodurch die Pflanzung ein pyramiden- oder dachartiges Aussehen bekäme. Die Sträucher verwendet man je nach ihrem Lichtbedürfnis als Unterholz oder als Vorpflanzung in größeren Gehölzpartien. Wenn hier und da am Rande oder zwischen den niederen Sträuchern ein einzelner hoher Baum mit leichter, also nicht zu viel Schatten werfender Krone vorgepflanzt wird, kann dadurch die Gehölzpartie an Natürlichkeit, Bewegung und Unregelmäßigkeit nur gewinnen.

4. Nach der Gestalt und Form der Gehölze, die durch Stellung und Stärke der Äste und Zweige bedingt erscheint, unterscheiden wir Bäume mit runden Kronen und breiten Wipfeln, solche mit spitzwipfeligen Kronen (hierher gehören die meisten Koniferen), ferner Bäume mit kegel- und pyramidenförmigem Wuchse, endlich solche mit Hänge- oder Trauerform.

Die meisten Laubgehölze haben runde Kronen und besonders im Alter breite Wipfel. Durch die Mannigfaltigkeit ihrer Formen, die in voller Entwicklung oft sehr malerisch wirken; durch die wechselnde Linie ihres Umrisses, der meistens durch tiefe Einschnitte und starkes Hervortreten einzelner Teile sich auszeichnet, was eine kräftige plastische Wirkung von Licht und Schatten zur Folge hat, sind sie zur Einzelstellung wie zu Gruppen und Massenpflanzungen hervorragend verwendbar.

Pyramidenbäume (siehe Tabelle XXV *a*) sollen im Landschaftsgarten nur ausnahmsweise und dann möglichst in größeren Gruppen Verwendung finden, z. B. zur Erzielung von Kontrasten mit abweichenden Baumformen, zur Unterbrechung gleichförmiger Horizontlinien in der Ebene oder an Wasserflächen, und endlich zur Verdeckung unschöner Gegenstände, wenn nur ein schmaler Streifen Landes zur Bepflanzung zur Verfügung steht; in diesem Falle muß allerdings die monotone Linie der dadurch entstehenden einförmigen Baumwand durch Vorpflanzung mit anders geformten Gehölzen unterbrochen werden.

Die Trauerbäume, deren es bei vielen Baumarten verschiedene Vertreter gibt (siehe Tabelle XXV b), eignen sich in den Anlagen hauptsächlich zur Einzelstellung. Die kleineren Formen passen besser in den Ziergarten und Pleasure ground, im Landschaftsgarten dürfen sie nicht zu häufig verwendet werden, doch nehmen sich die üppigwachsenden Arten (Weiden, Eschen, Erlen, Espen und Ahorn) am Rande von Bächen und Teichen sehr gut aus; sie und andere Trauerbäume können an steilen Hängen und Böschungen, über welche die schlanken Zweige zierlich herabhängen, sowie an den Rändern größerer Baumgruppen von schöner Wirkung sein, weil sie mit der Umgebung einen angenehmen Gegensatz bilden.

5. Nach Form und Größe der Blätter unterscheiden sich die Laubhölzer vielfach: Wir haben Bäume mit einfachen und solche mit zusammengesetzten (gefingerten oder gefiederten) Blättern; bei der ersten Art unterscheiden wir wieder verschiedene Formen, längliche, runde, geschlitzte, zackige usw. Für die Verwendung im Landschaftsgarten dürfen wir die Laubhölzer nicht allein nach Form und Größe der Belaubung beurteilen, deren Verschiedenheiten doch nur in der Nähe wirken und in den Pflanzungen längs der Wege angenehme Abwechslung bieten, wir müssen vielmehr Art und Größe der Belaubung, Gestalt des Stammes, Form der Krone, Stärke und Stellung der Äste und Zweige in ihrem Zusammenwirken in Betracht ziehen und den Eindruck, den die verschiedenen Bäume infolge dieser zusammenwirkenden Momente auf den Beschauer machen, also den dadurch bedingten Charakter der Bäume. Solche mit dunklem, massivem Stamme, starken knorrigen Ästen, runden geschlossenen Kronen, dichter, großblättriger Belaubung, die dem Sonnenlicht keinen Einlaß gewährt, wirken schwer, dunkel und ernst; — Bäume mit schlankem, geradem Stamme, leichtem Kronenbau und lockerer kleinblättriger oder gefiedertblättriger Belaubung, die das Sonnenlicht freier beleuchten und durchleuchten kann, wirken leicht, hell, anmutig und heiter! Zwischen den Bäumen der schweren und leichten Form gibt es zahlreiche Übergangsformen: Zwischen der Rotbuche (siehe farbige Abb. auf Tafel V), Roßkastanie und Linde als Vertretern der schwersten Form und den Weiden (Abb. 2), Birken (Abb. 120) und Akazien (Abb. 417) als Vertretern der leichtesten Form, sehen wir in den Erlen, Edelkastanien, Ulmen, Weißbuchen, Ahorn, *Juglans*, *Carya*, Platanen, Eschen, *Gymnocladus*, Pappel (Abb. 3 und 33), *Sophora* u. a. alle Abstufungen in Form und Charakter.

Die Kenntnis und Unterscheidung der Baumformen ist für die Pflanzungen in Landschaftsgärten sehr wichtig. Aus der richtigen Verwendung und Verteilung der Bäume beider Formen

Abb. 3. *Populus canadensis*, sog. kanadische Pappel, in Breslau.
[Photo erhalten durch die Stadtgartendirektion.]

ergibt sich die natürliche Wirkung der Gehölzpartien im Landschaftsbilde: Plastisch durch verständige Steigerung der Effekte von Licht und Schatten, lebendig und interessant durch reiche Abwechslung und durch richtige Charakterisierung der einzelnen Szenerien.

„Die Bäume ‚schwerer Form' sind besonders geeignet, die Schattenpartien der Landschaft zu bilden, wozu sie schon der dunkle Farbenton ihres Laubes geschickt macht. Wollte man sie ausschließlich anwenden, so würde die Gruppierung zu schwerfällig und massig erscheinen; leichtere Formen müssen ihnen das Gleichgewicht halten; dagegen wird das Landschaftsbild unruhig und mager, wo die letzten vorherrschen“[3]).

Man hat oft versucht, für die Verwendung der Gehölzformen, für ihre Mischung und kontrastierende Anordnung Regeln aufzustellen, doch waren diese meistens nur geeignet, den praktischen Gärtner konfus zu machen. Der Geschmack des Gartenkünstlers ist mehr wert als die schönsten Regeln und Rezepte, wenn er Terrain und Bodenverhältnisse sorgfältig beachtet und die natürliche Pflanzengenossenschaft in ähnlichen Szenerien, wie er sie schaffen will, an schönen Vorbildern in der Natur studiert hat. Auf dieses Moment werde ich noch zurückkommen.

Abb. 4. Alte Kopfweiden bei Hochstadt a. M. (Phot. C. Heicke.)

6. Durch die **Farbe** des Laubes, der Blüten und Früchte, ja auch des Stammes und der Zweige sind die Gehölze voneinander verschieden, und auch diese Unterscheidung ist für ihre Verwendung im Park von großer Bedeutung. Die Einförmigkeit unserer heimischen Landschaften erklärt sich teils daraus, daß unsere Wälder und Baumgruppen aus nur wenigen, überall in den Gehölzpartien sich wieder vorfindenden Arten bestehen, teils daraus, daß Grün in der Landschaft die einzige alles beherrschende Farbe ist; grüne Wiesen, grüne Bäume und Sträucher, Grün in Grün, — nur im Frühling stehen einige Bäume und Sträucher in meistens weißem oder gelbem, seltener in rosafarbigem Blütenschmuck da, während auf den Wiesen und Rainen, zwischen Gebüschen und an Bachesrand ein bunter Blumenflor das Auge erfreut; im Herbste bringt dann das gelb gefärbte Ahornlaub und das rötlichgelbe Buchenlaub etwas Abwechslung in die braune und grüne Herbstlandschaft.

Dieser Monotonie muß die Kunst des Gärtners abhelfen durch **maßvolle, wohlüberlegte** Verwendung von farbig austreibenden Gehölzen, solchen mit roten, gelben und weißen Blättern, mit leuchtender Herbstfärbung ihrer Belaubung, welche die ganze Farbenskala von Violett, Rot, Braun und Gelb aufweisen kann, von Bäumen und Sträuchern mit bunten Blüten in üppiger Fülle und in reicher Farbenpracht, endlich mit weißen, gelben, roten und dunkelfarbigen Früchten. Die verschiedenen Farben des Laubes, der Blüten und Früchte kontrastieren lebhaft mit dem herrschenden Grün der Landschaft in der guten Jahreszeit; die hellen und dunkeln Baumstämme, die weißen, roten und gelben Zweige mancher Gehölze spielen zwar im Sommer keine besondere Rolle, werden aber in der eintönigen toten Winterlandschaft als Abwechslung und Zierde gewiß angenehm empfunden werden (Tabelle XIX).

Die Gehölze mit buntem Laube (Tabelle XVIII *a—b*), sowie jene mit schöner Herbstfärbung (Tabelle XVIII *c*), dann die reichblühenden und die zierende Früchte tragenden Bäume und Sträucher (Tabelle XVII) sollte man in der Regel in größeren Massen gleicher und verschiedener Art zusammenpflanzen, da sie sonst im Landschaftsgarten sich verlieren und den gewünschten Farbeneffekt nicht erzielen würden. Panachierte Gehölze und gefülltblühende Gartenformen gehören in den Ziergarten oder Pleasure ground, da sie im Park unnatürlich und daher störend wirken dürften. Einfärbig rot, gelb oder weiß belaubte Gehölze sowie die Blütensträucher sollten nicht buntscheckig durcheinander gepflanzt werden, was unruhig aussieht, vielmehr sollten die hellen Farben mehr zur Beleuchtung, die dunklen Farben zur Schattierung der betreffenden Gehölzgruppen ausgenützt werden. Ich fühle mich verpflichtet, hier die abweichende Ansicht des Fürsten Pückler, dessen Autorität ich mich in schuldiger Demut unterwerfe, zu zitieren: „Inwieweit man nach künstlicher, vorher berechneter Schattierung und Farbenabstufung pflanzen soll, wage ich nicht zu entscheiden. Die Sache hat ihre großen Schwierigkeiten und nach meiner Erfahrung gelangen mir wenigstens diese Versuche nie sonderlich, wenn ich dabei zu sehr ins Detail ging . . . und hier abermals, wo es schwer wäre, ganz sichere Regeln für das Detail aufzustellen, muß der Geschmack des Besitzers selbst ihm zum besten Wegweiser dienen."

Immerhin können, wie ich glaube, wenn man zu grelle Kontraste und besonders Wiederholungen der gleichen Farbeneffekte vermeidet, durch Verwendung verschieden gefärbter Gehölze im Landschaftsgarten sehr schöne Wirkungen erzielt werden, wobei ich erwähnen muß, daß nicht nur Weiß, Gelb und Rot, sondern auch die Hauptfarbe Grün in ihren verschiedenen Schattierungen landschaftlich verwertet werden kann. Die Bäume der schweren Form zeigen in der Regel ein dunkles, jene der leichten Form ein helles Grün, während die immergrünen Gehölze am dunkelsten wirken.

Bei diesen sei nebenbei des eigenartigen Effektes gedacht, den die meisten bei entsprechender Beleuchtung auch auf weitere Entfernung durch den Glanz ihrer undurchsichtigen Blätter machen; dies gilt auch von manchen laubabwerfenden Bäumen, wie z. B. Rotbuche, *Crataegus lucida*, *C. Crus-galli* u. a.

Es sei mir gestattet, nur zwei Beispiele der Verwertung der verschieden gefärbten Gehölze im Parke anzuführen:

Die Plastik der in einer landschaftlichen Szenerie figurierenden Gehölzgruppen wird durch die Verteilung von Licht und Schatten bedingt. Diese Wirkung kann gesteigert werden durch Bepflanzung der Schattenpartien mit dunklen Gehölzen (Koniferen, Blutbuchen und anderen roten Gehölzen, Erlen, Ulmen u. a.) — der belichteten Partien mit heller gefärbten Gehölzen (weißblättrigen Bäumen und Sträuchern und Bäumen der leichten Form, wie Birken, Weiden u. a.).

Die Erfahrung lehrt, daß Weiß die meisten Lichtstrahlen zurückwirft, daß daher entfernte weiße Gegenstände näher erscheinen, als sie wirklich sind; ein dunkler Gegenstand auf hellem Hintergrund sieht kleiner aus als ein gleich großer heller Gegenstand auf dunklem Hintergrund. Diese Erfahrung gestattet uns bei Fernsichten, wo das verfügbare Terrain nicht so ausgedehnt ist, um den Vorder-, Mittel- und Hintergrund in ein perspektivisch richtiges Verhältnis zu bringen, die Luftperspektive in ihren Wirkungen zu unterstützen und eine scheinbar größere Tiefe der Fernsicht zu erzielen, indem wir im Vordergrund Gruppen dunkel belaubter Bäume, im Mittelgrund größere Massen weiß- oder gelbblättriger Gehölze pflanzen, während der Hintergrund in grünen Tönen gehalten sein kann. Denken wir uns z. B. einen durch Talsperre entstandenen Teich, dessen Zufluß ein durch eine Wiese fließender Bach bildet; Teich und Wiesental sind von steilen, gegen den Hingrund abflachenden Hängen eingeschlossen. Von dem mit alten Eichen bestandenen Teichdamme aus sieht man, eingerahmt von den schweren, dunklen Ästen der Eichen, die scheinbar weite Fernsicht, welche im Hintergrunde in einer Aulandschaft mit Gruppen von Erlen, Weiden, Pappeln und Eschen sich verliert, während der helle Mittelgrund von massigen Gruppen weißer Silberpappeln beim Einlauf des Baches in den Teich leuchtend mit dem dunklen Vordergrunde der schattenseitig mit Tannen und Buchen, sonnenseitig mit Eichen und anderen Bäumen schwerer Form bewachsenen Hänge kontrastiert.

Bezüglich der schönblühenden Gehölze muß ich auch erwähnen, daß manche sie nur im Ziergarten und Pleasure ground, nicht aber im Landschaftsgarten dulden wollen. Ich bin nicht dieser Ansicht. In der freien Natur verwandelt der Zauberstab des sonnigen Lenzes sterile Hügel, die das übrige Jahr einen traurigen Anblick gewähren, in lachende Blumengefilde. Der Blütenschnee der Vogelkirsche und des Schlehdorn, wilde Rosen, goldgelber Geißklee, Besenstrauch und Ginster, die duftenden Blütendolden der wilden Birne, die Weißdorn, *Amelanchier*, Loniceren, *Daphne* usw. vereinigen sich zu so reichen, üppigen und bunten Bildern, wie wir sie mit den vielen Blütensträuchern unserer Gärten kaum übertreffen können! Oder macht es etwa einen unnatürlichen Eindruck, wenn im Hochkar unserer Alpen, wo am Fuße schroffer Felswände nur ein paar sturmzerzauste Wettertannen und dunkle Krummholzbüsche aus Schnee und Eis hervorragen und während des größten Teiles des Jahres als einzige Vertreter des Pflanzenlebens in diesem ernsten todtraurigen Bilde erscheinen, wenn dann endlich die warmen Sonnenstrahlen den endlosen Winter besiegen und plötzlich unter der grauen Wand ein Rosengarten von ungezählten leuchtenden Rhododendren erblüht und die bunten Kinder der Alpenflora aus jeder Felsritze und im Steingeröll in allen Farben hervorsprießen? Ich finde es nur natürlich, wenn in der hohen Zeit des Jahres, wo die liebe Frühlingssonne alles in der Natur zu neuem Leben weckt, wo in Baumkronen und Gebüschen die kleinen Vögel ihr tausendstimmiges Liebeslied erschallen lassen, und alles grünt und blüht und duftet, auch der Landschaftsgarten ein hochzeitliches Gewand anlegt von Blumen-

Abb. 5. *Hippophaë salicifolia*, Sanddorn, 7 bis 8 *m*. (Phot. A. Purpus.)

herrlichkeit und Farbenpracht: „Nur einmal blüht im Jahr der Mai, nur einmal im Leben die Liebe!"

Die Herrlichkeit dauert ja nicht lange und dann sind die Blütensträucher und Bäume wieder so grün und unscheinbar wie alle andern.

Unsere schönblühenden Gehölze brauchen Licht und Sonne; wenn wir sie als Vorpflanzung vor größeren Baumgruppen, zur Bepflanzung von sonnigen Hängen und trockenen Hügeln in großen Massen verwenden, können wir mit ihnen zur Blütezeit herrliche Effekte hervorbringen. Auch hier sind Geschmack und liebevolles Verständnis für naturwahre Landschaftsbilder die Voraussetzung des Gelingens solcher Pflanzungen; wer seine Blütensträucher schön regelmäßig pflanzen will, wie Johannisbeersträucher im Küchengarten, wird allerdings damit nicht viel Ehre aufheben.

7. Endlich und schließlich **unterscheiden sich die Gehölze nach ihrem Standorte**, und dieses Unterscheidungsmerkmal erscheint mir deshalb geradezu als das Wichtigste, weil von den hier in Betracht kommenden Momenten nicht nur das Gedeihen, sondern auch

die landschaftliche Wirkung und darum die richtige Verwendung der verschiedenen Gehölze im Park abhängt! Diesbezüglich kommt es nicht darauf an, wie das Land heißt, wo eine Gehölzart vorkommt, sei es Siebenbürgen, Arizona oder Mandschurei, sondern darauf, ob wir in unseren Anlagen dem betreffenden Baum oder Strauch einen Platz anweisen können, der hinsichtlich der Bodenbeschaffenheit, der Boden- und Luftfeuchtigkeit, der Lage und des Klimas seinem natürlichen Standorte entspricht!

Abgesehen von Gehölzen, die an bestimmte Lebensbedingungen gebunden sind und deshalb eine spezielle Bodenbereitung mit Moor- und Heideerde, Sand, Kalk oder Steingerölle (Schotter), anderseits besonders feuchte bzw. trockene Lage erfordern, wie z. B. Sumpf-, Moor-, Heide-, Felsen- und Wüstenpflanzen, sind ja die meisten bei uns winterharten Gehölze infolge einer durch Generationen wirkenden Gartenkultur so anspruchslos, daß sie bezüglich Boden und Lage nicht mehr heiklig sind und in jedem besseren Gartenboden gedeihen. Ausgesprochene Gebirgsbäume, sagen wir Bäume des amerikanischen Felsengebirges, wachsen freudig in der Tiefebene und Sumpfeichen gedeihen anstandslos im Mittelgebirge. Immerhin möchte ich, ohne eine Regel aufstellen zu wollen, empfehlen, mit dem natürlichen Vorkommen der verschiedenen Gehölze in der Heimat sich möglichst vertraut zu machen, um ihnen nicht nur überhaupt den richtigen Standort im Parke anzuweisen, sondern die einheimischen Gehölze und ihre fremdländischen Artgenossen mit jenen Bäumen und Sträuchern, in deren Gesellschaft sie in der Heimat vorzukommen pflegen, zu natürlich wirkenden Vegetationsbildern zu vereinigen. Diese Kenntnis sollte sich nicht allein auf Bodenbeschaffenheit, Lage und Klima beschränken, sondern sich auch auf den Charakter der Gegend ausdehnen, wo die betreffenden Gehölze vorkommen und allein oder mit anderen Pflanzen, je nach den Terrainverhältnissen (Berg und Tal, Wiesen und Sumpf, Felsen und Wasser), am Zustandekommen charakteristischer Landschaftsbilder mitwirken!

Mag man durch eigene Anschauung und liebevolle Beobachtung bei Spaziergängen, gelegentlich von Jagdausflügen oder auf Reisen derartige Vorbilder für die landschaftliche Gartengestaltung sich aneignen oder solche nur durch Lektüre guter Naturschilderungen sich einprägen, immer werden es gute Ideen und fruchtbare Anregungen sein, die in naturwahren und durch die Verwendung der richtigen Gehölze am richtigen Orte richtig charakterisierten Szenerien im Parke zu künstlerischem Ausdruck gelangen können.

Vergegenwärtigen wir uns das auf Seite 9 gebrachte Beispiel einer durch Pflanzung künstlich vertieften Fernsicht und denken wir uns im Vordergrunde zwischen den Buchen und Tannen Gruppen ausländischer Koniferen und Blutbuchen, sonnseitig Edelkastanien, amerikanische Eichen und Ahorn mit Unterpflanzung immergrüner Sträucher und im Hintergrunde neben den einheimischen Arten amerikanische Sumpfeichen und Eschen, ostasiatische Pappeln und nordische Weiden, so wird das Landschaftsbild an Natürlichkeit nicht verlieren, an Vielseitigkeit durch Form und Farbe aber nur gewinnen.

Erwähnen muß ich noch am Schlusse dieses Absatzes, daß manche in unserem Klima sonst nicht winterharte oder doch heiklige Gehölze sogar strenge Winter unter leichter Bedeckung überdauern, wenn sie an geschützte, ihrem natürlichen Standorte in Lage und Bodenbeschaffenheit entsprechende Plätze im Garten gepflanzt werden. Schutz gegen Morgen- und Mittagsonne im Winter, also Pflanzung in Nord- und Nordwestlagen ist bei empfindlichen Gehölzen sehr zu empfehlen. Gehölze, die größere Luftfeuchtigkeit lieben, wie die immergrünen Gehölze und die meisten Gebirgspflanzen, gedeihen am besten, wenn sie in der Nähe größerer Wasserflächen gepflanzt werden.

Und nun sei mir gestattet, im Anschluß an die vorstehenden Ausführungen einige Gedanken über landschaftliche Gartengestaltung zu entwickeln, welche das, was ich über die Pflanzungen im Park noch zu sagen habe, verständlicher machen sollen.

Man spricht viel von der leitenden oder Grundidee einer Anlage; zur Zeit der Romantiker verstand man darunter Stimmungen, die durch griechische Tempel, Trauerweiden, Mausoleen oder Ruinen angedeutet werden sollten; ich glaube aber, wenn von einer leitenden Idee die Rede ist, dürfte es sich darum handeln, im Rahmen und im Charakter einer gegebenen Gegend unter Verwertung der vorhandenen Mittel (Vegetation, Wasser, Felsen usw.) eine schöne, natürlich wirkende Landschaft zu gestalten. Die Gegend, um die es sich handelt, kann entweder eine wasserreiche Aulandschaft sein, oder sie besteht aus ausgedehntem Weideland, worin wir zweifelsohne die Anfänge der alten englischen Parks erblicken dürfen, die, wie Pückler sagt: „im Grunde genommen nichts sind als unermeßliche Wiesen mit malerisch

Abb. 6. *Elaeagnus angustifolia*. Ölweide, 5 *m*. (Orig., Hort. Vilmorin, Les Barres.)

verteilten Gruppen hoher und alter Bäume, die teils der Belebung der Landschaft wegen, teils auch des Nutzens willen zur Weide für zahlreiche Herden dienen müssen"; oder es steht ein Wiesental in Hügelland zur Verfügung oder in bewaldeter Gegend eine fruchtbare Niederung mit Teichen, die der Fischzucht dienen: immer wird die Aufgabe des gestaltenden Gärtners darin bestehen, die leitende Idee der Anlage festzuhalten, indem der Charakter der Gegend im Gesamteindruck der zu schaffenden Landschaft großzügig und harmonisch zur Darstellung gelangt. Gleichzeitig muß er prüfen und überlegen, welche Bilder und landschaftlichen Szenerien im Rahmen der leitenden Idee und im gegebenen Raume aufgenommen und gestaltet werden können; wie die Schönheiten, die lieblichen oder großartigen Naturbilder, welche die Gegend bietet, hervorgehoben und durch entsprechende Bepflanzung in ihrer Wirkung gesteigert werden können; anderseits wie das Unschöne, die Mängel der Gegend entfernt, oder durch geschickte Vorpflanzung verborgen werden können.

Wenn die Kunst des Landschaftsgärtners in der Beachtung dieser beiden Momente vorzugsweise besteht, so ergibt sich die Frage: Von welchen Punkten aus hat er und nach ihm der Besucher und Beurteiler der Anlage diese Gegend zu betrachten? Darauf können wir antworten: 1. Der leitende Gedanke, die charakteristischen Züge einer Parkanlage sind in Betracht zu ziehen als möglichst vollständiges Landschaftsbild in der Aussicht vom Wohnhause selbst oder, wo dessen Lage dies verhindert, von einem für das Alltagsleben der Bewohner bedeutungsvollen Punkte, z. B. von einem Gloriette, Gartenhaus, Frühstücksplatz u. dgl. 2. Im Rahmen der Grundidee gelangen Einzelbilder, die verschiedene ins Detail eingehende Ideen darstellen, je nach den sich bietenden Verschiedenheiten der Terraingestaltung und der Bodenbeschaffenheit in möglichst reichem Wechsel als Sichten von den Wegen aus zur Anschauung, die uns als Führer durch die Anlagen dienen sollen. Diese Einzelbilder können im Charakter wesentlich abweichen vom allgemeinen Typus des Landschaftsbildes, vorausgesetzt, daß dessen Harmonie nicht durch zu schroffe Gegensätze in Form und Farbe gestört wird. Dies wird vermieden, wenn die Effekte jener Einzelbilder sich sozusagen hinter den

Kulissen abspielen, d. h. durch vorgepflanzte Gehölzgruppen oder vorspringende Terrainerhöhungen verdeckt im Gesamtlandschaftsbilde nicht zur Geltung gelangen.

Je größer das Terrain ist, desto großartigere Gesamtbilder in der Fernsicht, desto mehr und verschiedenartigere Einzelbilder kann die Anlage bieten. Dies gilt um so mehr, wenn das Terrain bewegt ist und die Ausgestaltung von Haupt- und Nebentälern und die Bepflanzung der sie trennenden und umschließenden Anhöhen der Kunst und dem Geschmack des Gärtners eine Fülle von Möglichkeiten erschließt.

Da, wo nur ein räumlich beschränktes Terrain zur Verfügung steht, wird das eine, vom Wohnhaus in Betracht zu ziehende Landschaftsbild den ganzen Park vorstellen: Es muß harmonisch und einheitlich wirken und durch Tiefe und geschicktes Verbergen der Grenzen einen größeren Eindruck machen.

Nach dieser scheinbaren Exkursion von meinem eigentlichen Thema auf das Gebiet der Landschaftsgärtnerei, deren Quintessenz ich dem geduldigen Leser nicht ersparen konnte, da die Frage der Verwendung der Gehölze im Parke innig damit zusammenhängt, will ich zum Schlusse noch versuchen, die Art und Weise der Pflanzungen so kurz wie möglich zu besprechen.

In einer landschaftlichen Szenerie bilden Rasen- und Wasserflächen sowie die Wege die Elemente des Lichtes, während Terrainerhöhungen (Berge, Hügel, Anhöhen) und Baummassen, bzw. die Vereinigung beider, den Schatten bewirken; diese erheben sich über den Flächen und werfen Schatten je nach der Stellung der Sonne. In bewegtem Terrain wird die Schattenwirkung um so mächtiger sein, wenn der Gegensatz von Berg und Tal gesteigert wird durch die Bepflanzung der Anhöhen, die sich dann noch dunkler von den Flächen im Tal (Wiesen und Wasser) abheben; je flacher die Gegend, desto sorgfältiger muß jede Terrainerhebung durch Bepflanzung ausgenützt werden; in der Ebene fällt die Schattenwirkung den Baummassen allein zu; je größer die Flächen sind, desto größer und massiger müssen auch die Gehölzpartien sich gestalten. Zwischen beiden muß Gleichgewicht und das richtige Verhältnis bestehen, daher auch zwischen Licht und Schatten; beide dürfen sich nicht in langgezogenen, einförmigen Linien und Umrissen absetzen, auch nicht zu oft wechseln und sich nicht in gleichen Formen wiederholen. „Große Lichtflächen mit großen Schattenpartien, die sich scharf voneinander abheben, geben nur geringe Abwechslung. Sind dagegen wieder die Schattenpartien zu schmal, fallen sie zu häufig und in schmalen Linien in die Fläche, so daß das Licht streifenweise in zu häufiger Wiederholung durchbrochen wird, so kommt zwar Bewegung in die Fläche, doch diese ist zu lebhaft und macht den Eindruck der Unruhe. Die Ruhe tritt ein, wenn bald breitere, bald schmälere Schattenmassen auf den Rasen fallen und mit hellerleuchteten größeren Flächen abwechseln. Es ist auf die Verteilung von Licht und Schatten auch die nähere und fernere Umgebung nicht ohne Einwirkung. Ist die Gegend sehr waldig, so daß der Schatten im allgemeinen vorherrscht, so wird in der zu schaffenden Anlage darauf Rücksicht zu nehmen sein, daß hier das Licht mehr vorherrscht, und man hat mehr für offene Flächen zu sorgen. Ist dagegen die Gegend mehr sonnig und hell, sind nur geringe oder gar keine Baummassen in ihr vorhanden, so mag die Anlage schattiger gehalten werden, sie wird auf das Auge um so wohltuender wirken".[4]

Je nach den gegebenen Verhältnissen also werden die Gehölzpflanzungen im Landschaftsgarten verschieden zu behandeln sein, aber auch je nach dem Zwecke, dem sie dienen sollen, und nach dem Gesichtspunkte, von welchem sie zur Anschauung gelangen.

In ausgedehnten großartigen Parkanlagen werden im Verhältnis zu den umfangreichen Rasenflächen und weiten Fernblicken auch große geschlossene waldartige Gehölzmassen am Platze sein, die sozusagen das Skelett der ganzen Anlage darstellen; in bewegtem Terrain übernehmen diese Rolle die Hügel und Höhenzüge, die, wie früher bemerkt wurde, entsprechend zu bepflanzen sind. In kleineren Anlagen fehlt es natürlich an Raum für große waldartige Gehölzpartien, hier muß der gewünschte Effekt scheinbar zusammenhängender Gehölzmassen durch kulissenartige Anpflanzung größerer und kleinerer Gruppen, die sich gegenseitig decken, künstlich erreicht werden. Diese kulissenartige Aufstellung von Gehölzgruppen dient auch bei Fernsichten zur Erzielung der perspektivischen Wirkung von Vorder-, Mittel- und Hintergrund; wie diese Wirkung durch Bepflanzung mit Gehölzen verschiedener Form und Färbung gesteigert werden kann, wurde oben in einem Beispiele gezeigt.

Bei jeder Gruppe hängt die landschaftliche Wirkung von zwei Linien in der Formbildung ab: Vom Grundriß oder der Linie, welche die äußere Grenze der Gruppe in der Ebene um-

Abb. 7. *Castanea sativa*, Edelkastanie, etwa 15 : 1 *m*. (Orig., Hort. Rotenhaus, Böhmen.)

läßt, und vom Aufriß oder der Horizontlinie, welche die Kontur der Baumwipfel, sich vom Himmel abhebend, beschreibt. Diese wirkt nur dann schön und interessant, wenn sie weder gerade noch in langweiliger Wellenform verläuft, sondern durch unregelmäßige Erhöhungen und Vertiefungen unterbrochen wird; eine unregelmäßige Horizontlinie erreichen wir durch horstweise Pflanzung von Bäumen verschiedener Höhe und von verschieden schnellem Wachstum. Bezüglich des Grundrisses sagt Fürst Pückler, „daß die wahre Schönheitslinie der Außenseite einer Pflanzung in unbestimmtem Überwerfen, kühnen Vorsprüngen und weitem Zurückweichen, hier und da wohl auch in fast geraden, wiewohl immer durch einzeln vorgepflanzte Bäume und Sträucher unterbrochenen und dadurch locker erhaltenen Linien bestehen müsse; nie aber in jener idealen Wellenlinie, besser Korkzieher-Form genannt, welche die unnatürlichste von allen ist und jeden Effekt von Licht und Schattenmassen, das große Geheimnis der Landschaftsmalerei, hindert, auch von vorn gesehen trotz ihrer Windungen dennoch immer nur eine scheinbar gerade Linie bilden wird, von der Seite aber ein bloß widerliches Auf- und Abwogen ohne allen Charakter darbietet. Scharfe Ecken dagegen tun selten Schaden und runden sich auch immer mit der Zeit durch die Vegetation hinlänglich von selbst."

Was über die landschaftliche Wirkung der Horizontlinie und des Grundrisses gesagt wurde, gilt nicht nur für einzelne Gruppen, sondern auch für die Zusammenstellung mehrerer Gruppen und Gebüsche mit einzelnen Bäumen und Sträuchern, die gewissermaßen wie große und kleine Truppenkörper mit ihren Vorposten im Landschaftsbilde zur Aufstellung gelangen.

Die Schönheit eines derartigen Gehölzzuges besteht in dem Wechsel der Gruppierung, die größere und kleinere Zwischenräume und Einblicke in das Innere der Pflanzung gewährt.

die Aussicht bald öffnet, bald schließt. Nach allen Seiten können sich die größeren geschlossenen Kernmassen auflösen in lockere Gruppen und einzeln gestellte, besonders schöne Exemplare, wodurch angenehme Abwechslung erzielt wird, die durch geschmackvolle Verteilung verschieden geformter und gefärbter Gehölze gesteigert wird. Diese Wirkungen machen sich besonders geltend in der Aussicht auf große Landschaftsbilder, sind aber auch von der größten Bedeutung für die Einzelbilder, die von den Wegen aus zur Anschauung gelangen.

Wege an und für sich sind nicht schön anzusehen, sie werden daher möglichst innerhalb der Pflanzungen und nicht über freie Rasenflächen geführt. In nächster Nähe der Wege dienen also die Gehölze dazu, diese zu verbergen und zu beschatten, ferner auch als Rahmen für die Bilder, die in Sichten vom Wege aus gezeigt werden. Hierzu eignen sich Bäume mit vollen, breit ausladenden Kronen, die den Vordergrund wirksam beschatten und verdunkeln, so daß sich der helle Mittelgrund gut abhebt und die Aussicht um so schärfer hervortritt. Längs der Wege finden auch die seltenen und besonders schönen Gehölze ihren Platz, und zwar in kleinen Gruppen oder in Einzelstellung, welch letzte die freie Entwicklung jeder Pflanze zu ihrer größten Vollkommenheit gestattet. Dadurch, daß die Wege den Besucher in anregendem Wechsel, bald durch diese, bald durch jene Gehölzpartie führen, die infolge des Dominierens einer oder der anderen Baumart besonders charakteristisch wirkt, dadurch, daß sie im Wechsel der Terrain- und Bodenverhältnisse dem weiterschreitenden Besucher allmählich den Anblick aller Pflanzenschätze des Parkes gewähren, ist die Bepflanzung der Wege und ihrer nächsten Umgebung wichtig und bedarf besonderer Überlegung und Sorgfalt.

In vorstehenden Ausführungen war so häufig vom Kontrast die Rede, daß ich darüber einige Worte bemerken muß. Um Kontraste in der Form zu erzielen, werden wir zur Unterbrechung großer Flächen verschieden geformte Bäume einzeln oder in Gruppen anpflanzen, z. B. Gruppen von Pyramidenbäumen am Wasser, ebenso in der Nähe von Gebäuden mit flachen Dächern und kahlen Wandflächen Bäume mit schlanken geraden Stämmen und mehr kegelförmiger Kronenbildung; zu Gebäuden mit vielfach bewegter Architektur, hohen Türmen und spitzen Dächern passen des Gegensatzes wegen wieder besser Laubbäume mit runden Kronen; in der Landschaft nützen wir die Wirkungen aus des Gegensatzes von Bäumen schwerer und leichter Form, von hohen und niederen, großblättrigen und kleinblättrigen Gehölzarten. Farbenkontraste können dauernd wirken durch Verwendung verschieden gefärbter Gehölze oder auch nur vorübergehend: im ersten Fall kontrastieren verschiedene Gruppen durch die Färbung des Laubes oder der Blüten, im zweiten Fall ergibt sich ein Kontrast der Wirkung derselben Gehölzpartie im Wechsel der Jahreszeiten. So kontrastiert dauernd eine Gruppe von Blutbuchen mit einer solchen von weißen Ölweiden oder Silberpappeln, während z. B. ein licht gehaltener Kiefernbestand mit Unterpflanzung von Rhododendrenmassen, die zur Blütezeit ein heiteres farbenprächtiges Bild gewähren, das übrige Jahr hindurch als ernste Waldszenerie wirkt, oder ein Wiesental von mit amerikanischen Eichen, mit Buchen und Ahorn bewachsenen Hängen eingeschlossen als Landschaftsbild im Sommer Grün in Grün sich präsentiert, dagegen im Herbst wie ein Flammenmeer in allen Schattierungen von Gelb, Rot, Violett und Braun erglüht. Kontraste dürfen nicht zu oft auftreten und vor allem darf der gleiche Kontrast im Park sich nicht wiederholen, weil das langweilig wirkt und ein Armutszeugnis für die Phantasie des Gartenkünstlers bedeutet. Über die Wahl der geeigneten Gehölzarten für die verschiedenen Pflanzungen wage ich keine Grundsätze aufzustellen. In großen Gehölzgruppen, den waldartigen Massenpflanzungen, werden gemischte Bestände, wie sie ja auch in der Natur sich vorfinden, wo diese sich selbst überlassen blieb, gewiß am Platze sein. Welche Arten zusammengepflanzt werden sollen, darüber hat die künstlerische Absicht des Gärtners unter Berücksichtigung des Standortes zu entscheiden. (Siehe auch S. 10.) Im Interesse der Abwechslung einer Anzahl Gehölzgruppen, jede nur mit einer Gehölzart allein zu bepflanzen, erscheint mir unrichtig und naturunwahr. Auch Fürst Pückler sagt: „Nichts ist monotoner und schwerfälliger als eine Gegend, wo man hier bei einem Klumpen Fichten, dort einem langen Strich Lärchenbäumen, hier wieder einem Fleck Birken, da einer Sammlung von Pappeln oder Eichen vorbeikommt und nach tausend Schritten denselben langweiligen Reigen von neuem beginnen sieht. Eine Ausnahme bilden hainartige Anpflanzungen, welche nur aus einer oder doch nur aus wenigen verwandten Holzarten bestehen sollen. Als Übergang des Parkes in den Wald ist der Hain zur Anlage von Wegen sehr geeignet, und zwar wegen der angenehmen Beschattung und Kühle und wegen des Reizes, welchen die verschiedenartige Beleuchtung der bald dichter, bald locker stehenden Stämme

Abb. 8. Efeu an Pappeln kletternd. (Phot. C. Heicke, Frankfurt a. M., Holzhausenpark.)

und das wechselnde Spiel der durch die lockeren Baumkronen hereinfallenden Sonnenstrahlen gewährt."

Im übrigen kann ich zum Schluß nur wiederholen, daß **künstlerischer Blick und Geschmack im Verein mit Phantasie, welche die künftige Wirkung einer Pflanzung im voraus empfindet, alle Schulweisheit reichlich ersetzt,** soweit es sich nicht um die technische und mechanische Seite der Frage handelt, die allerdings tüchtige Kenntnisse und praktische Erfahrungen vom Gärtner verlangt. Hält man fest, daß Abwechslung in den Landschaftsbildern und darum auch Abwechslung in der Bepflanzung wünschenswert erscheint, daß aber in jeder Gehölzpartie, wenn sie den lokalen Verhältnissen entsprechend gepflanzt wird, die gerade an diesem Standort und in dieser Szenerie am natürlichsten und darum am schönsten passende Gehölzart in der Pflanzung dominieren muß, so wird die richtige Wahl und Mischung der richtigen Gehölzarten für die verschiedenen Zwecken dienenden Pflanzungen sich von selbst ergeben. Das Dominieren einer Holzart in einer bestimmten Szenerie dient auch dazu, diese zu charakterisieren, z. B. kann längs eines abwechselnd durch offenes Wiesenland oder geschlossene Waldschluchten fließenden Baches in der Uferbepflanzung abwechselnd die Weide, die Erle oder die Ulme dominieren, um jeder Strecke des Bachlaufes einen besonderen Charakter zu geben.

Endlich sei daran erinnert, daß, im Gegensatz zum Maler oder Bildhauer, der nach Vollendung seines Werkes diesen Erfolg seines künstlerischen Wirkens als eine abgeschlossene und erledigte Sache betrachten kann, der Gartenkünstler die fertiggestellte landschaftliche Anlage niemals als vollendet und erledigt ansehen darf! Viele Jahrzehnte hindurch verlangt der Park die größte Aufmerksamkeit und Sorgfalt und beständige Korrekturen mit Axt und Spaten. Im Laufe der Jahre wachsen die Bäume hoch empor und weit hinaus über kleinliche Schönheitsregeln und engherzige Pläne; darum soll der Schöpfer eines Landschaftsgartens auch weiter denken, weit über die nächste Zukunft hinaus, und Vorsorge dafür treffen, daß, wenn er selbst vorzeitig abberufen würde, ein anderer seine künstlerischen Absichten auszuführen in der Lage sei.

Herbstszenerie aus dem Branitzer Parke.

Hauptblick in den Branitzer Park aus dem Arbeitszimmer des Fürsten Pückler.

III.

DIE LAUBGEHÖLZE IN DER ARCHITEKTONISCHEN ANLAGE. IM GARTEN.

Von Camillo Schneider.

Welche Rolle die Gehölze in einer architektonischen Gartenanlage spielen, dessen werden wir uns sofort bewußt, wenn wir an einen alten Garten im französischen Stil denken. So sehr auch hier architektonische Hauptstücke ausschlaggebend sind, so bilden doch Gehölze gerade die entscheidenden Züge einer Anlage im Stile Lenôtres. Und zwar sind es Laubgehölze, aus denen zumeist die Mauerhecken gebildet werden, wie etwa Hainbuche, Feldahorn, Winterlinde oder ähnliche, die das Beschneiden so ausgezeichnet vertragen. Auch in den noch älteren Renaissancegärten Italiens sind Gehölze tonangebend, und neben den Zypressen finden sich eine ganze Reihe immergrüner Laubgehölze wie Lorbeer, Myrte, Orange, *Quercus Ilex* und wie sie alle heißen, die sich mit ihren strengen Formen so prächtig in den Rahmen der steinernen Architektur eingliedern.

Für unser Klima sind allerdings die südlichen Schöpfungen in ihrer vollen Großartigkeit unnachahmbar, immerhin aber haben auch wir jetzt Pflanzstoff, mit dem wir ähnliche Wirkungen hervorrufen können. Stehen doch auch uns immergrüne Laubgehölze zur Verfügung, die wir leider bisher in ihrer Brauchbarkeit recht unterschätzt und meist für viel empfindlicher gehalten haben, als sie in der Tat sind. Der Buchsbaum ist altbekannt und geschätzt, wird aber in seinen unbeschnittenen Verwendungsmöglichkeiten noch längst nicht voll zur Geltung gebracht. Die winterharten Rhododendren fangen endlich an, nach Gebühr gewürdigt zu werden. Auch der Kirschlorbeer, insbesondere der Schipkalorbeer, ist eine unverwüstliche Pflanze, und ebenso *Pyracantha coccinea*, der Feuerdorn. Der *Ilex* kommt vor allem, aber nicht nur, für Seeklima in Betracht. Die Mahonie kennt ein jeder. Vom japanischen *Evonymus* sind manche Formen ganz hart, und die Aucube ist an geschützten Stellen viel brauchbarer, als

Abb. 9. Roßkastanien-Allee. (Phot. A. Allegau; Park zu Tiefurt.)

Abb. 10. Begrünter Laubengang in der Kaiserpfalz in Gelnhausen. (Phot. A. Glogau.)

man allgemein annimmt. Vortrefflich ist *Phillyrea decora*, *Daphniphyllum glaucescens*, verschiedene *Elaeagnus* (*E. pungens*) und Kalmien dürfen wir nicht vergessen. Sehr wertvolle immergrüne Neuheiten, wie *Viburnum rhytidophyllum*, *V. utile*, *Stranvaesia undulata*, *Berberis acuminata*, *B. Julianae*, *B. verrucosa*, *Cotoneaster foveolata*, *C. Dammeri*, *C. salicifolia*, *Ligustrum Henryi*, *L. Delavayanum*, *Lonicera pileata*, *L. nitida*, *Rosa Wichuraiana*, *Sarcococca saligna* und viele andere brachte uns China (siehe Liste XXI).

Abb. 11. Architektonische Gartenszenerie aus dem Schloßgarten zu Herrenhausen-Hannover. (Phot. A. Glogau.)

Was aber für die rauheren Gebiete Mitteleuropas noch wichtiger ist, wir besitzen eine ganze Anzahl wintergrüner Gehölze, die dort, wo die meisten Immergrünen versagen, an ihre Stelle treten können, z. B. *Ligustrum ovalifolium*, *Quercus Pseudoturneri*, *Q. Ambrozyana*, manche *Cotoneaster*, Loniceren, *Rubus*, Rosen usw. (siehe Liste XXII der Wintergrünen).

Aus allen diesen Formen läßt sich unschwer in nicht allzu ungünstiger Lage ein immergrüner Garten schaffen, doch kennen leider unsere Gartengestalter die Pflanzen viel zu wenig oder scheuen sich, mit als nicht ganz hart und robust geltenden Formen Versuche zu

Abb. 12. *Wisteria sinensis* zur Blütezeit, eine Laube überkleidend. (Orig., Kew Gardens.)

machen. Einen Versuch im ganz Großen, in landschaftlicher Gestaltung, führt seit Jahren Graf István Ambrózy-Migazzi in Malonya durch, und ich verweise ausdrücklich auf dessen ausgezeichnete Darlegungen im Abschnitt IV. Hier wird wirklich ein ganz eigenartiger Weg der Gartengestaltung eingeschlagen, der außerordentlich lehrreich für die Zukunft sein muß. In dieser Auflage unseres Buches können wir schon zahlreichere Motive aus Malonya zeigen[5].

* * *

Es ist hier nicht meine Aufgabe, über architektonische Gartengestaltung zu schreiben, ich muß mich vielmehr darauf beschränken, den Werkstoff zu schildern, den wir im regelmäßigen Garten verwenden können, soweit er aus Laubgehölzen besteht. Über Stauden habe ich im ersten Handbuch gesprochen und über Nadelhölzer wird im dritten Handbuch berichtet.

Im kleinen Garten — und die architektonische Anlage beschränkt sich heute fast nur auf ziemlich eng begrenzte Flächen — werden wir die Gehölze nach wesentlich anderen Gesichtspunkten bewerten als im Parke. Hier treten sie im natürlichen Verband auf und beherrschen das Ganze, bauen das Bild auf, — im Garten, wie ich schlechtweg die architektonische oder regelmäßige Anlage nennen will, gliedern sie sich einem Gesamtwerke ein, dessen Brennpunkt meist ein Gebäude oder ein rein architektonisches Hauptstück ist. Die

2*

Pflanzen werden hier völlig aus ihrem natürlichen Zusammenhange gerissen und als einzelne Bausteine verwendet. Allerdings heute nicht mehr ganz in dem Sinne, wie zur Zeit des Sonnenkönigs, wo sie gleichsam wie toter Werkstoff umgeformt wurden und der Künstler auf ihre eigenen Wesenszüge wenig oder gar keine Rücksicht nahm. So gewaltsam gehen wir heute nur noch selten und nur in ganz bestimmten Fällen vor, wenn es möglich ist, durch bestimmt geformte Pflanzen eine künstlerische Wirkung zu erreichen, ohne dadurch aus der Pflanze ein Zerrbild ihrer Natürlichkeit zu machen. Wir schätzen die Eigenheiten der Pflanze, ihre sich klar ausprägenden Züge, und suchen durch diese zu wirken.

Abb. 13. Trauerbuche *Fagus silvatica var. pendula*, 18 m. (Phot. Graebener.)

So eignen sich denn in erster Reihe für den Garten solche Gehölze, die durch ihre Wuchsart sich als fest umrissene Formen darstellen: man denke an die Pyramidenform der Eiche oder Ulme, an Traueresche, Kugelahorn, Schirmrobinie und ähnliches. Ferner sind ohne weiters brauchbar alle Gehölze, die durch leichten Schnitt sich formen lassen, wie Liguster, Maßholder, japanische Quitte, Weißdorn oder Kornelkirsche. Schließlich die Schlingpflanzen, wie etwa Waldrebe, Jelängerjelieber, Bignonie und die Kletterpflanzen, wie Efeu, wilder Wein, *Evonymus radicans* u. dgl.

Auch die immergrünen Laubgehölze, auf die ich oben schon hinwies, sind im Garten gewöhnlich ohne weiteres zu verwenden.

Allerdings müssen wir unterscheiden zwischen größeren Gärten bei Villen und Landhäusern, den regelmäßigen Anlagen in der Umgebung von Schlössern und zwischen den sogenannten Hausgärten im engeren Sinne, insbesondere den Vorgärten. In beengten Gärten, die vielleicht noch stark beschattet sind, läßt sich sehr oft nur wenig tun. Man wird dann genügsame Pflanzen wählen, wie Buchsbaum, Liguster, Haselnuß und zur Bodenbegrünung Efeu, Singrün und ähnliches, außerdem aber vorzüglich mit Stauden arbeiten.

Im allgemeinen müssen wir bei der Betrachtung der geeigneten Gehölze diese nach ihrer Größe und Wuchsform einteilen. Wir unterscheiden also B ä u m e, G r o ß s t r ä u c h e r, K l e i n s t r ä u c h e r und S c h l i n g g e w ä c h s e. Aus diesen Gruppen will ich im folgenden kurz das kennzeichnen, was in erster Linie für uns von Wert ist. Als wichtige Ergänzungen meiner kurzen Worte sollen nicht nur die Angaben im besonderen Teile, sondern vor allem die am Schluß des Buches gegebenen, von mir hier angemerkten Listen dienen.

Ganz allgemein muß gelten, daß ein Vielerlei in der Gehölzpflanzung stets zu vermeiden ist. Die Hauptlinien im Garten, die durch Gehölze gekennzeichnet werden sollen, müssen aus einheitlichem Pflanzstoff erbaut werden. Hierzu braucht man aber nicht die allergewöhnlichsten Formen zu wählen, sondern kann bereits die Räume im Garten durch erlesenere Sachen in ihren Grundzügen festlegen. Auch von den gewöhnlichen Decksträuchern, wie Pfeifenstrauch, Loniceren, Haseln, Liguster, Weißdorn, Berberitzen, Flieder usw. besitzen wir heute stark verbesserte Kulturformen; es ist für die Wirkung nicht gleichgültig, ob wir uns mit dem gewöhnlichen Pfeifenstrauch begnügen oder Formen wie *Philadelphus insignis*, *maximus* u. a. nehmen, um nur ein Beispiel anzuführen. Gerade auch in Unterholz besitzen wir treffliche neuere Sachen und brauchen nicht nur die Glanzpunkte des Gartenbildes mit dem besten zu schmücken. Freilich kann ein geschickter Gartengestalter auch mit den ein-

Abb. 14. *Cotoneaster multiflora*, vielblütige Zwergmispel, 1,5 *m*. (Phot. A. Rehder.)

fachsten Mitteln Gutes erzielen, aber erst das rechte Vertrautsein mit seinem Werkstoff ermöglicht die höchste Steigerung im ästhetisch-künstlerischen Sinne. Da der beschränkte Raum ein Eingehen auf diese wichtigen Grundsätze für die Gartengestaltung hier verbietet, so verweise ich ausdrücklich auf die Zeitschrift „Die Gartenschönheit", worin auch der Gehölz-Werkstoff des Gartens und seine Verwendung im Garten von immer neuen Gesichtspunkten aus besprochen und veranschaulicht wird.

BÄUME

werden wir im kleinen Garten oft gar nicht oder nur mit Vorsicht verwenden, aber richtig gewählt und angebracht, können wir mit einem einzigen Baum nicht selten eine vollendete Wirkung erzielen. So finden wir zuweilen auf dem Lande in Pfarr- oder Bauerngärten Trauereschen, die mit ihrem herabhängenden Geäst eine natürliche Laube bilden. Auch Hängebuchen sind dazu geeignet. Wer einen sehr dicht beschatteten Platz haben will im Sommer, der wähle eine Roßkastanie, oder im kleineren Raum ihre rotblühende Schwester, *Aesculus carnea*. Linden sind ebenfalls zur Beschattung von Sitzplätzen sehr beliebt. Auch alte Obstbäume, Birnen wie Äpfel, können sehr malerisch sein. Dann weise ich hin auf Zieräpfel (Abb. 309 bis 314) und Zierkirschen, Magnolien (Abb. 302 bis 306) und ähnliches. Alte Quitten (Abb. 182) und Mispeln wie auch der Holunder können zu den Bäumen gezählt werden. Für **sehr große Ziergärten** seien als gute Bäume für Einzelstellung empfohlen: *Catalpa* (Abb. 16); *Castanea* (Abb. 7); *Cercidiphyllum* (Abb. 143), *Cladrastis* (Abb. 155), *Gleditsia*; *Gymnocladus*; *Juglans* (Abb. 41); *Liriodendron* (Abb. 42); *Magnolia acuminata* (Abb. 31); *Paulownia* (Abb. 334); *Platanus*, *Populus* (Abb. 3); *Quercus borealis* (*Q. rubra*), *coccinea* u.a.; *Robinia Pseudoacacia* und *luxurians* (Abb. 417); *Salix alba vitellina* und *blanda*;

Sorbus torminalis (Abb. 455); *Sorbopyrus* (Abb. 453); *Ulmus* und *Zelkova* (Abb. 499). Für kleinere Gärten kämen als Bäume, die keinen allzu großen Umfang erreichen, in Betracht solche wie: *Acer carpinifolium*, *A. nikoënse*; *Amygdalus persica* „Clara Meyer"; *Carpinus caroliniana*; *Cercis* (Abb. 144); *Chionanthus* (Abb. 150); *Cornus florida* (Abb. 173); *Elaeagnus angustifolia* (Abb. 61); *Fraxinus longicuspis*; *Koelreuteria*; *Morus*; *Prunus Fontanesiana* (Abb. 359); *P. Padus*, *P. cerasifera* var. *Pissardii* (Abb. 362); *Quercus Pseudoturneri* (Abb. 22); *Robinia hispida*; *Sorbus aria* var. *majestica*; *Syringa japonica* und *pekinensis* (Abb. 39 und 471); *Tamarix* (Abb. 472); *Ulmus pumila* und *Xanthoceras* (Abb. 496).

Abb. 15. *Clematis montana*, Berg-Waldrebe, 2,5 *m*, in Kew. (Orig.)

Sehr reich ist die Zahl der

GROSSSTRÄUCHER.

Ich verweise hier auf die Liste XXVII a und nenne nur kurz unter Anführung der Abbildung nachstehende Arten, deren Bilder dem Leser besser als viele Worte einen rechten Begriff von der Brauchbarkeit der Art in bestimmten Fällen vermitteln: *Amelanchier* (Abb. 26); *Asimina* (Abb. 100); *Buddleia* (Abb. 122); *Cotoneaster multiflora* (Abb. 141; *Exochorda grandiflora* (Abb. 229); *Halesia* (Abb. 246); *Hydrangea* (Abb. 29); *Lindera* (Abb. 285); *Lonicera* (Abb. 294); *Parrotia* (Abb. 331); *Philadelphus* (Abb. 341); *Prunus* (Abb. 355 und 364); *Rhus Cotinus* (Abb. 408); *Sassafras* (Abb. 442); *Viburnum* (Abb. 485 und 40).

Im allgemeinen hüte man sich, wie bereits oben betont wurde, zu viel und zu verschiedene Arten durcheinander zu pflanzen. Deckpflanzungen wirken am besten, wenn sie möglichst einheitlich sind, und wenn sich ihnen dann hübsche Einzel- und Gruppensträucher vorlagern, die die Eintönigkeit der Massen unterbrechen und beleben. Zu Vorpflanzungen und Gruppen, wie zu Rabatten blühender oder sonst ziereuder Gehölze verwenden wir in erster Linie die

Im Herbst zierende Gehölze: Oben wilder Wein, unten Cotoneaster horizontalis.

KLEINSTRÄUCHER.

Ihre Zahl ist Legion. Sie ordnen sich je nach ihrer Tracht in Mittelsträucher (Liste XXVII b), Kleinsträucher (Liste XXVII c) und Zwergsträucher (Liste XXVII d); nach ihren Ziereigenschaften in schönblühende (Liste XVI), durch zierende Früchte (Liste XVII) wirkende und schön belaubte (Liste XVIII). Zuweilen besitzt ein Strauch alle diese Eigenschaften, wie etwa viele Pomaceen aus den Gattungen *Aronia*, *Cotoneaster*, *Crataegus*, *Photinia* und *Sorbus*, ebenso verschiedene *Viburnum* u. a. Besondere Gruppen bilden die Moorbeetpflanzen (Abschnitt VIII), die im Garten eine große Rolle spielen, wie z. B. Azaleen und Rhododendren.

Abb. 16. *Catalpa bignonioides*, Trompetenbaum, 7 *m*.
(Wien, Rathauspark [aus der „Gartenwelt"]; phot. C. Schneider.)

Wichtig sind die Schattengehölze (Liste XIV d) und solche, die durch Holzfärbung sich auszeichnen (Liste XIX). Dann beachte man vor allem die Blütezeit und Blütefarbe. (Tabellen XV und XVI).

Wir verfügen, wie gesagt, über eine ungeheure Anzahl von wertvollen Formen, und im Verein mit Stauden läßt sich jeder Garten mit größter Leichtigkeit hübsch ausstatten, wenn der Gestalter seinen Werkstoff kennt. Auch hier sollten wir von den Engländern lernen. Unsere meisten Gärten sind geradezu armselig zu nennen, gegenüber englischen, in denen deutlich die Liebe und Erfahrung des Besitzers wie des Gärtners zu uns spricht. Dabei dürfen wir das englische Klima nicht gar zu sehr überschätzen, denn auch dieses hat seine großen Nachteile, gerade bei Laubgehölzen. Viele Arten aus dem nordamerikanischen und ostasiatischen Kontinentalklima gedeihen bei uns viel besser, weil hier das Holz gut ausreift, was im feuchteren englischen Klima nicht der Fall ist.

Ich will auch bei den Kleinsträuchern wieder einige Abbildungen für mich sprechen lassen, wie z. B.: *Andromeda* (Abb. 45); *Berberis* (Abb. 112); *Calycanthus* (Abb. 127); *Caragana* (Abb. 55); *Clethra* (Abb. 164); *Cotoneaster* (Abb. 177); *Cytisus* (Abb. 186); *Daphne* (Abb. 187); *Diervilla* (Abb. 200); *Erica* (Abb. 49); *Genista* (Abb. 239); *Hedysarum* (Abb. 252); *Ilex* (Abb. 263); *Kalmia* (Abb. 275); *Paeonia* (Abb. 329); *Pyracantha* (Abb. 375); *Rhamnus* (Abb. 388); *Rhododendron* (Abb. 405); *Rosa* (Abb. 426); *Rubus* (Abb. 434); *Spiraea* (Abb. 459); *Vaccinium* (Abb. 477).

Sehr wichtig ist für den Garten das im besonderen Teil über Bambusen, Rhododendren und *Rosa* Gesagte. Diese Gattung weist uns hin auf die

SCHLINGSTRÄUCHER.

Auch hier genügt es eigentlich, wenn ich die Liste XXIV für mich sprechen lasse. Ich will jedoch die Abbildungen vom wilden Wein (Abb. 333), den begrünten Laubengang (Ab. 10), die farbige Tafel X mit *Clematis* und die farbige Tafel XVI mit der von blühenden Wistarien übersponnenen Laube noch hervorheben, um im Leser Erinnerungen an viele schöne Gartenbilder zu wecken, deren malerische Reize vor allem durch Schling- und Kletterpflanzen hervorgerufen wurden.

Zum Schlusse meiner flüchtigen Andeutungen, in denen ich mich auf weitere Einzelheiten nicht einlassen kann, möchte ich nochmals ausdrücklich betonen, daß im regelmäßigen Garten nicht die Vielheit der Gehölze, sondern die richtige Auswahl und gute Pflege der einzelnen Pflanzen für die Wirkung von Belang ist. Zu den Laubgehölzen treten mit Vorteil noch Nadelhölzer und vor allem Stauden. In der geschickten Zusammenstellung dieser drei Bausteinarten, wenn ich so sagen darf, muß der Schwerpunkt der Tätigkeit des Gartengestalters liegen. Grundriß und architektonische Momente (Haus, Treppen, Wasserbecken, Skulpturen usw.) geben die Richtlinien, innerhalb derer der Ausbau durch den Werkstoff der Pflanzen sich vollzieht.

Eine einzige gesunde, willig gedeihende Pflanze wirkt zumeist viel besser als eine Gruppe. Aber auch bei Gruppenpflanzung ist Einheitlichkeit immer ratsamer als bunte Zusammensetzung: der größte Fehler der Laubholzgruppen unserer allermeisten Gärten. Beim Zusammenpflanzen von verschiedenen Laubgehölzen sei man vorsichtig. Gewiß wirkt ein Nebeneinander von Goldregen und Flieder, wie die auf der Farbentafel XI dargestellte Szenerie zeigt, recht gut. Ja häufig steigert sich die eine Form durch ein Gegenstück in ihrer Schönheit. Doch eben nur bei richtiger vorsichtiger Auswahl und bei wohlabgewogener Zusammenstellung von nur zwei oder wenigen Farbentönen. So, um nur einige kurze Hinweise zu geben: rote *Ribes Gordonianum* neben weißen Spiraeen, gelbe Forsythien unter rosa Mandeln, usw. Wer die Blütezeit- und Farbenlisten Nr. XV und XVI vergleicht, kann viele Zusammenstellungen ohne weiteres ablesen. Die Wahl der Farbentöne bestimmt der persönliche Geschmack. Alle Regeln hierüber sind ziemlich zwecklos, am besten lehrt es uns die Natur, wenn wir beachten, was gleichzeitig auf gleichem Raume erblüht.

IV.

IMMER- UND WINTERGRÜNE LAUBGEHÖLZE.

Von István Graf Ambrózy-Migazzi.

Meine Kenntnisse und Erfahrungen scheinen mir noch zu lückenhaft, um andere zu belehren. Wenn ich zagend doch zur Feder greife, so tue ich es aus Freundschaft und Sympathie für die in diesem Buche zum Ausdruck kommenden Bestrebungen.

Für Menschen, nicht für Gärtner sind die Gärten da. Die Pflanzen darin sind uns nur Mittel zum Zweck. Wertvoll ist also eine Art, die etwas anderes oder mehr leistet wie die übrigen. Je größer das Bedürfnis, dem sie entspricht, die Lakune, die wir durch sie ausfüllen können, desto wertvoller ist sie. Es können Pflanzen von botanischem Interesse sein, einen kulturellen Fortschritt bedeuten, unter Umständen zu Züchtungszwecken einen Handelswert repräsentieren, auch mag es für uns Gärtner symptomatisch erfreulich sein, einen Exoten, wenn auch krüppelhaft, durch den Winter zu bringen, das alles gehört samt Sortimenten und Sammlungen in die interne Werkstatt des Gärtners.

Wertvoll für den Garten ist uns diejenige Pflanze, die, richtig verwendet, jedem vernünftigen, wenn auch gärtnerisch ungebildeten Menschen gefallen kann oder dienlich ist.

Besieht man sich die Listen der Kataloge und das übliche Material der kontinentalen Gärten, so wird man finden, daß sie das Kriterium dieses Maßstabes nicht bestehen. Die Resultate stehen nicht im Verhältnis zu den Möglichkeiten, die eine zweckdienliche Verwendung der uns heute zur Verfügung stehenden Mittel gestatten würde.

Die schöne Jahreszeit noch schöner machen sollen Hunderte von Neuheiten, die, alljährlich auf den Markt geworfen, in den Katalogen gepriesen und auch gekauft werden, während die treuen Freunde der schlechten Zeiten, die im Winter grünen, fruchten, blühen, die wohl geeignet sind, das ganze Landschaftsbild zu verändern, nicht zur Geltung kommen können.

In höheren Breiten und Gebirgslagen, wo allwinterlich monatelang tiefer Schnee liegt, da wird er selbst zum Quell einer eigenen reichen Poesie, die wir aber in den meisten Gärten und Städten Mitteleuropas in der Regel nur kurze Zeit genießen können. Es bleibt uns ein langweiliger, langer bleierner Winterschlaf. Traurig nehmen wir im Herbst Abschied von unseren Gärten. Ein halbes Jahr sind sie ausgeschaltet und leisten nichts. Kahl stehen die Bäume da und nackt, oder starr und düster, wo Koniferen vorherrschen, das Sinnbild des Todes. Hie und da ein Strohwisch; vermummte Popanze; Erdgräber, Laubhügel und Misthaufen: der Zierat unserer winterlichen Pleasure grounds.

Abb. 17. Im Vordergrund links: Schipka-Kirschlorbeer, 2,8 *m*, rechts: *Evonymus japonica*, 2,5 *m*, im Hintergrund an der Mauer: *Evonymus radicans Carrièrei*, 4 *m*.
(Orig., Malonya, im Februar.)

In Englands Gärten gibt es gar keine tote Jahreszeit. Dort lebt und grünt jahraus, jahrein eine subtropische Welt mit ihren immergrünen Laubgehölzen.

Warum haben wir das nicht?

„Weil" — so lautet die salbungsvolle Belehrung — „diese wohl im ozeanischen Klima Englands gedeihen, unsere kontinentalen Winter aber nicht vertragen."

Nein! Hundertmal nein! Nicht das Klima, wir selbst sind daran schuld, das Vorurteil, das uns in seinem Banne hält.

Ich arbeite seit fast dreißig Jahren in Oberungarn in Malonya, das strengere Winter, mehr und stärkere Spät- und Frühfröste hat als Wien. Fast alle älteren Bäume zeigen Frostsprünge. Der Boden ist ein magerer, lichter, undurchlässiger, schlechter, schwerer Tonboden, der im Sommer rissig wird. Die Lage sehr exponiert und stürmisch. Hier kultiviere ich zwischen 600 und 700 Arten und Formen immergrüner Laubgehölze ungedeckt.

Das sind die Tatsachen, die ich dem auf Ignoranz beruhenden, durch Indolenz erhaltenen Vorurteil gegenüberstelle. Diesem nun auch aktenmäßig an den Leib zu rücken, den Bann zu brechen, mit diesem den Fortschritt hemmenden Unsinn womöglich ein für allemal aufzuräumen und den Kobold aus der Welt zu schaffen, ist der einzige Zweck dieses Kapitels.

Die Entstehung des Vorurteiles reicht weit zurück in eine Zeit, da meteorologische Beobachtungen, Pflanzenphysiologie oder gar die ökologische Pflanzengeographie noch sehr im argen lagen. Menschen, die das Klima Englands so wenig kannten wie das heimische und von den Lebensbedingungen der Pflanzen nicht mehr verstanden, maßten sich an, ihnen unbekannte Objekte zu vergleichen, und zogen aus falschen Prämissen selbst logisch unhaltbare Schlüsse.

Tatsächlich bestehende klimatische Unterschiede wurden und werden in der Gärtnerwelt je nach Bedarf übertrieben oder ignoriert. So entstanden in trocken-heißen Lagen weite Rasenflächen, nicht lebensfähige Koniferenpflanzungen und dem vollen Sonnenbrand exponierte freistehende Schlösser, eine sinnwidrige Nachäffung der für unser Klima wirklich nicht passenden englischen Schablone, während man bei den immergrünen Laubhölzern ins andere Extrem verfiel und das Kind mit dem Bad ausgoß. Ja, weil in England mehr immergrüne Arten gedeihen, sind wir noch nicht berechtigt, zu behaupten, daß sie bei uns überhaupt nicht fortkommen.

Weil das Klima Englands milder ist, ist Mitteleuropa noch kein Sibirien. Auch in England sind die subtropischen Gärten nicht von selbst gewachsen. Sie sind die Frucht der schwärmerischen Liebe zur Natur und jener zähen Ausdauer, mit der der Engländer nach langem mühseligen Ringen sich enorme praktische Kenntnisse erworben hat und schließlich auch zum Ziel gelangt ist.

Am Kontinent fand man schon nach den ersten mißlungenen Versuchen in kontinentalem Klima die gewünschte bequeme und plausible Ausrede, die ja wirklich allen Anforderungen entspricht, die man an eine solche stellen kann. Sie schreibt die eigene Schuld und des

Abb. 18. Schipka-Kirschlorbeer, *Prunus Laurocerasus schipkaensis Zabeliana*, 2 m.
(Orig., Malonya, im Februar.)

andern Verdienst dem Schicksal zu. Man hat die schöne Rolle und ist gegen weitere Insinuationen gesichert. Der Gärtner kann beim bequemen alten Schlendrian bleiben, der Parkbesitzer auch weiter den Pfau spielen mit den schadhaft gewordenen Federn des Großvaters. Er kann stolz bleiben auf einen Park, dessen er sich eigentlich schämen müßte. Ja, das Sicherheitsventil „Klima" paßt auch auf unvorhergesehene Fälle und tritt auch heute noch überall augenblicklich in Funktion, so oft sich jemand unterfängt, etwas Immergrünes im Freien zu überwintern. So war es mit Dresden gelegentlich der Rhododendren, so ist es heute mit Malonya auch. Am Anfang lächelt man, dann wird von Winter zu Winter gehofft, und wenn die Pflanzen doch nicht erfrieren wollen, ja zum grimmen Ärger edler Rivalen immer schöner werden, dann heißt es eben: Ja das ist eine exzeptionell günstige klimatische Insel. Immer wieder dieselbe Ausrede. Im kleinen wie im großen.

Wie die insulare Lage Englands bei Schiffahrt und Industrie wohl fördernd gewirkt hat, ohne ein ewiges Monopol zu ermöglichen, so ist sie auch keine conditio sine qua non der immergrünen Gärten, und haben wir heute dennoch keine, so ist der springende Punkt, der wahre Grund nicht das Klima, auch nicht die Pflanze, sondern der Mensch.

Den Engländer hat uns England voraus!

Das Fehlen der immergrünen Anlagen ist weiter nichts als der Gradmesser jener kulturellen Inferiorität, in der wir uns England gegenüber, wie auf vielen anderen Gebieten, so auch in der Freilandgärtnerei, befinden. Befreit vom Vorurteil, das auf Wissenschaft und Praxis gelastet, und unterstützt durch die bedeutenden Errungenschaften der Neuzeit, werden aber auch wir hier durch reelle Arbeit die bisher unausgenützten Möglichkeiten utilisieren und zum Ziele gelangen.

Freilich am ganzen Repertoir der Insel Wight und Cornwalls werden wir uns auch dann so wenig erfreuen wie an den saftgrünen Rasen Irlands, es bleibt uns aber innerhalb des Möglichen auch nach strengster Sichtung des Pflanzenmaterials viel, viel mehr zur Verfügung, als wir brauchen, um unsere Gärten und Städte auch im Winter zu beleben.

Woher rekrutiert sich diese große Zahl.

Beginnen wir mit jenen, die anerkannt immergrün und winterhart sind, wie Mahonien. Nun die mageren, hungrigen Exemplare, denen man überall begegnet, die man insgeheim auch noch zu Kranzzwecken plündert, können in ihrer Ruppigkeit schwerlich jemand begeistern; nimmt man sich aber die Mühe, ich gestehe, die Baumschulen machen einem das nicht leicht — alles, was es in Europa an längsteingeführten harten Arten und Formen dieser Gattung gibt, zu beschaffen, zusammenzupflanzen und anständig zu ernähren, so wird sich auch ein Engländer wundern über die Vielgestaltigkeit dieser in Größe, Form, Frucht, Farbe und Ausdruck so variabeln Gattung.

Abb. 19. Großblättriger Kirschlorbeer, *Prunus Laurocerasus Bertini*, 3 m. (Orig., Malonya.)

Kaum mehr als Lebewesen erscheinen uns die in Formen geschnittenen *Buxus* und ihre stereotypen Begleiter, die zum Teppichornament verdammten *Evonymus japonicus radicans*, die allesamt den „Herren" Hunden mehr Zerstreuung bieten als ihren Gebietern. Aber auch der Buchsbaum kann in unseren Breiten Tüchtiges leisten, wenn man ihm nur wachsen läßt. Man erlaube dies doch auch den rankenden *Evonymus*. Noch in Boston, wo unser Efeu nicht mehr durch den Winter kommt, überzieht er Mauern, bei uns wuchert er. Auch von ihm gibt es habituell sehr verschiedene Formen. Als Teppichpflanze leidet er oft, an Mauern, Bäumen nie.

Beträchtlich ist auch die Zahl der *Buxus*-Formen, die vom starren Typus abweichen, so daß der Laie manche graziöse, locker gebaute Form in ihrem frischen Gewande gar nicht zu agnoszieren vermag, noch mehr gilt dies bei *Ilex aquifolium*. Ein wahrer Mimicri-Meister, dessen Formen- und Farbenreichtum in Wuchs, Blatt und Beeren fast alles bietet, was das Herz eines Gärtners begehrt, und wem auch das noch nicht genügt, dem werden die polymorphen Amerikaner und lichtgrünen Asiaten die fehlenden Nuancen ersetzen. Ganze Gärten könnte man aus dieser einen Gattung bilden, die uns zu einer anderen Gruppe hinüberführt. Diese gehören zum alten Bestande unserer Glashäuser, werden da und dort seit langem auch im Freien kultiviert, nur ist ihre Winterharte nicht ins Allgemeinbewußtsein gedrungen, wie Aukuben, *Osmanthus*, *Skimmia*, *Elaeagnus*, *Phillyrea* und, nebst vielen anderen, Kirschlorbeer mit *Prunus lusitanica*, die alle zu meinem Massenmaterial gehören, und hier und überall, wo ich deren Pflanzung inspirierte, prächtig gedeihen. Von *Evonymus japonica* fand ich dort, wo gärtnerische Kenntnisse zum Glück nicht hingelangten, auf Friedhöfen und in Höfen kleinbürgerlicher Häuser in verschiedenen Städten Ungarns viele Prachtexemplare. In der Jugend gegen Insolation etwas empfindlich, gedeihen sie aber zumindest an oder in der Nähe von Gebäuden in fast allen Formen vorzüglich.

Die bisher behandelten Pflanzen, denen habituell noch die meisten immergrünen Ericaceen wie Rhododendren, Kalmien, Andromeden usw. beizuzählen sind, haben alle mehr oder

Abb. 20. Im Vordergrund: Serbischer Kirschlorbeer, 1,5 *m*; im Mittelgrund: *Ilex Aquifolium*, 4 *m*; im Hintergrund: *Cryptomeria japonica*, 8 bis 10 *m*. (Orig., Hort. Malonya, im Februar.)

weniger starre, lederartige, glänzende, mehrere Jahre lebende Blätter, also ausgesprochen immergrünen Charakter. Sie ermöglichen es uns im Verein mit Yukkas und Kakteen Anlagen zu schaffen, die auch schon im Sommer exotisch wirken, im Winter den Eindruck des südlichen Klimas machen.

Nun gibt es eine Reihe von Holzgewächsen: Kreuzungen, Formen oder Verwandte unserer bekannten laubabwerfenden Arten, bei denen der Laubfall je nach Art, Standort, Ernährung, lokalem Klima viel später eintritt, so daß sie halb- oder ganz-, bedingt- oder unbedingt-, winter- oder immergrün sind, ohne dies schon im Sommer zu verraten, da ihr weniger auffallendes Laub in seiner meist lichtgrüneren Farbe und dünneren Struktur jenem der einheimischen Brüder ähnelt. Das Vegetationsbild, das sie uns gewähren, ist im Sommer gar nicht, im Winter weniger südlich und prunkhaft, es hält auch zum Teil nicht oder nicht immer bis zum Frühjahr, dafür wirkt es schon durch die weniger starren Blätter und deren lichtere Farbe freundlicher. Es ist das um Monate bis tief in den Winter hinein prolongierte Bild unserer eignen Sommerlandschaft. Und diese Vorteile bieten sie uns sozusagen unentgeltlich, ohne jegliches Risiko, da sie fast ausnahmslos ganz winterhart und anspruchslos sind und die durch exzeptionelle Ungunst der Witterung vorkommende frühzeitigere Zerstörung des Laubes ohne jeglichen Schaden vertragen. Dabei haben viele dieser unschätzbaren Pflanzen auch noch den Vorteil, sehr früh zu ergrünen, wie die rankenden *Lonicera japonica* und var. *Halliana* usw. und *Ligustrum vulgare sempervirens*, oder mit dem frühen Triebe auch noch sehr früh zu blühen, wie die strauchartigen *Lonicera Standishii* und *fragrantissima*.

Unmöglich übergehen kann ich hier den allbekannten Blütenstrauch *Spiraea cantoniensis* (*S. Reevesiana*), die bei genügender Nahrung auf nur halbwegs geschütztem Standort ihr schönes Laub fast regelmäßig bis Ende Jänner oder bis Mitte Februar behält. Ähnlich und noch bedeutend besser sind, um nur einige zu nennen, an Sträuchern: *Evonymus americana* und *Bungeana semipersistens*, *Myrica cerifera*, alle *Pyracantha*, eine Menge *Cotoneaster*, mehrere sehr schöne *Rhamnus* und ein Heer von Ligustern; an Bäumen: *Ulmus parvifolia*

Abb. 21. *Quercus Ilex*, Immergrüne Steineiche, 3 *m*. (Orig., bei Ragusa, Dalmatien.)

(unter welchem Namen von deutschen Baumschulen regelmäßig die laubabwerfenden *pumila* oder *pumila* var. *aborea* geliefert wird) und die ganz- und halbimmergrünen Eichen, eine ganze Menge.

Ich muß mich mit Typen begnügen und wähle für die halbimmergrünen die *Quercus Lucombeana*. Ein raschwüchsiger, schlanker *Cerris*-Blendling. Anspruchslos an Boden und Klima, geht er willig in die Höhe, seine kleinen graugrünen Blätter im Ton der Olive bilden eine lockere Krone, gegen Schneedruck gefeit. Bis gegen Februar ist er hier grün. Frieren dann die Blätter ab, so verändern sie ihre Farbe langsam und kaum merklich und fallen ab, ehe sie tot erscheinen. Die Sempervirenz nimmt bei dieser Gruppe mit dem Alter zu.

Von hier ganz Immergrünen die beste ist wohl die *Q. Pseudoturneri* (Abb. 22), die alte *austriaca sempervirens* der Gärten, die, wenn genügend genährt und vor Stürmen geschützt, auch bei starker Insolation vollkommen immergrün ist und den taufrischen Farbton der Stieleiche auch mitten im Winter behält. Guten Boden und Dünger lohnt sie durch üppiges Wachstum.

Das größte Hindernis der Verbreitung genannter und vieler anderer mehrwenig immergrüner Eichen ist, daß die Baumschulen die wenigsten Arten und auch die nur in geringen Quantitäten und meistens in miserabler Qualität liefern. Ein hoher Prozentsatz der Veredlungen ist meistens gar nicht lebensfähig. Das schlechte Wachstum und frühzeitige Ende geht dann beim Publikum auf Konto der Art.

All diese Gehölze gewähren uns, wie erwähnt, an einem sonnigen Wintertag die Illusion des nordischen Sommers oder des südlichen Winters, die Bambusen gestatten uns einen weiteren Schritt. Ihr lichtes, lachendes Warmgrün mit dem tropischen Habitus verleiht der Szenerie auch im Winter den Charakter des südlichen Sommers.

Von charakteristischen Gehölzen, die sich hier bewähren, verdienen noch ein allgemeineres Interesse: *Magnolia grandiflora*, *Trochodendron*, *Daphniphyllum*, *Viburnum macrophyllum* Bl., *Photinia glabra* und *Camellia japonica*, die alljährlich blüht und manchmal auch fruchtet.

Abb. 22. *Quercus Pseudoturneri.*
(Phot. C. Schneider. Hort. Späth, Berlin, aus der „Gartenwelt".)

Und nun, da wir all das schon hatten, wird es seit einigen Jahren in Ostasien rege. Mühsam beginnt auch China seine Tore zu öffnen und sendet uns von rauhen Höhen aus seinem kontinentalen Innern allein eine ganze Welt von immergrünen Gehölzen. Phantastische rauhe Gesellen, wie *Viburnum rhytidophyllum*, ein ökologisches Exempel. Der weiß, wie man sich schützen muß: seine langen, breiten, zottigen, wolligen Blätter zieht er sich eng an den Leib, rollt sie um die Äste und pfeift auf unsere Winter.

KULTUR.

Ausführliche Kulturangaben gestattet der Raum nicht; allgemeine haben keinen praktischen Wert. Ich muß mich also auf einige Winke beschränken, die mir nützlich scheinen.

Vor allem pflanzen wir nicht, wo wir es wünschen, sondern wo es der Pflanze paßt.

Durch Wahl oder Schaffung geeigneter Standorte nach Exposition, Boden und Feuchtigkeit können wir die Temperaturen beeinflussen, also die Vegetationszeit verlängern, die Wärme absolut und relativ erhöhen, desgleichen die Kälte vermindern und den Einfluß von Wind und Insolation mäßigen oder ganz paralysieren. Ebenso liegt es in unserer Macht, durch Kombinieren dieser Behelfe den vegetativen Reiz der Gehölze und das Ausreifen der Triebe derart zu regulieren, daß sie niederen Temperaturen gegenüber in die Kondition maximaler Widerstandsfähigkeit gelangen.

Welche Betrachtung die entscheidende, welche Gefahr die größte ist, das kann je nach Örtlichkeit, Boden und Art, ja unter Umständen sogar bei Formen einer Art variieren.

So zeigen die zwei nördlichsten und geographisch nächsten Kirschlorbeerformen, die bulgarische *schipkaënsis* (Abb. 18) und die *serbica*, ein verschiedenes Betragen. Die in der Heimat mehr niederliegende, hier, wie Abb. 20 zeigt, aufrecht wachsende *serbica*, eine von allen Brüdern abweichende starre, besonders schöne Form, scheint sich immer noch nach dem Schatten der heimatlichen Buchen zu sehnen. Pralle Wintersonne mag sie einmal nicht. Berücksichtigt man diesen ihren einzigen Wunsch, so ist sie eine harte prachtvolle Massenpflanze. Ganz anders die *schipkaënsis*. Ich habe um 100000 Stück, auch über drei Meter hohe. Sie streut sich auch durch Samen aus und vermehrt sich asexuell, gedeiht an der grellen Sonne, auf stürmischen Terrassen wie im Schatten, auf trockenem Tonboden wie im feuchten Moorboden; ich behandle sie wie eine einheimische Pflanze, nur in einem Punkt versteht sie als echter Kirschlorbeer keinen Spaß, sie ist unersättlich. Schwarzgrün sollen ihre Blätter sein und turgent, da schadet ihr der strengste Winter nicht; hungrige Pflanzen mit schlaffen, gelblichen Blättern, die ungedüngt in trockenem Boden oder im Wurzelfilz hoher Bäume stehen, verhungern auch in milden Wintern. Die ungenügende Ernährung ist wohl der allgemeinste Fehler bei der Kultur der immergrünen Laubhölzer. Bei größerer Feuchtigkeit und sehr reichem Boden muß man ja im Gegenteil sogar die Wucht der Vegetation mäßigen. In meinem schwachen Boden verdanke ich aber die Erfolge zum großen Teil der sehr reichlichen Düngung. Mit kaum in Betracht kommenden Ausnahmen werden bei mir alle Neupflanzungen mit einer Schicht, wenn auch ganz frischem Stallmist belegt. Es geschieht dies unmittelbar nach der Pflanzung und wird nach Maßgabe der Notwendigkeit wiederholt. Wann immer, nur nicht im Spätsommer, zur Vermeidung eines späten Triebes.

Arten wie *Magnolia grandiflora* und Kamellien, die nicht trocken stehen sollen, vertragen wenig Wintersonne, Aukuben und *Viburnum macrophyllum* Bl. vertragen sie zwar, sind aber dann weniger dekorativ.

Von den *Phillyrea* sind die mediterranen bei uns merkwürdigerweise gegen Insolation empfindlicher wie die kaukasischen, während *Cistus laurifolius* seine xerophilen Allüren auch bei uns bewahrt, im Sommer will er braten.

Abb. 23. *Berberis sanguinea*. 1 m.
(Phot. A. Purpus.)

An der Sonne gut, im Halbschatten noch schöner ist die auf Abb. 25 ersichtliche *Pachysandra*, die wie Preiselbeeren oder *Polygala chamaebuxus*, aber viel üppiger, auch im Winter frischgrüne Bodendecken bildet.

Verfügt man in der Zeit des Haupttriebes über genügend Wasser, so gibt es bei der recht beträchtlichen Zahl von winterharten Bambusen kulturell überhaupt keine Schwierigkeiten. Die Ansichten und Vorschriften Houzeau de Lehaies werden durch meine hiesigen Erfahrungen vollauf bestätigt. Schutz gegen Stürme und je mehr Sonne im Sommer. Hier gedeihen sie aber auch im Halbschatten und vertragen Wintersonne ganz gut. Bei Bambusen befinden wir uns England und Belgien gegenüber klimatisch im Vorteil. Infolge unserer wärmeren Sommer vertragen sie hier noch schadlos Wintertemperaturen, die sie dort schwer schädigen. Das einzige Hindernis einer rascheren Verbreitung der Bambusen ist die Schwierigkeit, sich aus erreichbarer Nähe verläßlich bestimmtes Material zu beschaffen.

Bei Rhododendren stehen wir vor zwei Rätseln, die uns die Wissenschaft erst lösen muß. Das eine betrifft die Pflanzenphysiologen. Es sind die bisher ungenügend geklärten Ernährungsverhältnisse der Erikazeen. Das zweite noch viel schwierigere, das einen Stab von

Fachmännern erfordert, ist das Kapitel Humus, ein wahres Kompossessorat aller Naturwissenschaften, das diese nur mit vereinten Kräften ergründen können.

Erst wenn wir die Gesetzmäßigkeiten dieser komplizierten Welt genau kennen, werden wir imstande sein, an einem beliebigen Ort unsere Humusbeete mit Sicherheit dauernd in jenem chemischen, physikalischen und biologischen Gleichgewicht zu erhalten, das den jeweiligen Erikazeen, also auch *Rhododendron*, entspricht. Nur auf solider wissenschaftlicher Basis wird es möglich sein, unbedingt verläßliche Kulturvorschriften zu geben. Alle aus der Praxis hervorgegangenen heutigen Kulturrezepte bewähren sich hier, versagen dort, je nach-

Abb. 24. Lorbeer-Seidelbast, *Daphne Laureola*, 1 m. (Orig., Hort. Malonya.)

dem die derzeit unbekannten Faktoren, auf die sie weder Rücksicht noch Ingerenz nehmen können, günstig oder ungünstig wirken, was sich aprioristisch nie bestimmen läßt. Daher die vielen Widersprüche, Versager und Zufallserfolge. Gelingt es einem, nun als Bahnbrecher, Pflanzen zum üppigen Gedeihen zu bringen, so rühre man diese ja nicht an. Wenn die Rhododendren auch das Verpflanzen selbst gut vertragen, so können wir nie wissen, ob uns der Zufall auch ein zweitesmal so gnädig sein werde.

Zum Teil nicht immergrün und holzig, aber von ihnen unzertrennlich, ihr Korollar, die Schlaglichter auf unseren immergrünen Bildern, sind die ziemlich zahlreichen Winterblüher, die das Kunststück zuwege bringen, bis zu fünf und sechs Monate hindurch zu blühen, und die überwältigende Masse von Singvögeln, die für die warmen Schlupfwinkel und lauschigen Brutstätten dem Gärtner treue Hilfe leisten und ihren Dank fröhlich in die Lüfte schmettern.

Die Konklusionen sind gegeben.

Die immergrünen Gehölze werden nicht zum Ersetzen oder Verdrängen, wohl aber zum vorteilhaften Ergänzen unserer eigenen Baumwelt dienen. Als üppiger Unterwuchs unter alten Bäumen zu Hecken und Spalieren, im Garten und Park, wo auch ganze südliche Partien entstehen werden. Praktischer Nutzen dürfte Kuranstalten erwachsen, bei deren Rentabilität die durch unsere Pflanzungen verlängerbare Saison ausschlaggebend sein kann. Die allergrößte Zukunft haben aber unsere immergrünen Laubgehölze in den Städten, wo man am meisten von ihnen hat, wo sie die günstigsten Vorbedingungen finden, weil das Klima schon etwas gemildert erscheint, Höfe, Mauern, ja ganze Straßenzüge als fertig vorhandene Schutzvorrichtungen sich darbieten, wo derzeit für gärtnerische Zwecke die reichsten Mittel zur Verfügung stehen, wo das bisherige Gehölzmaterial mit seinen weichen Blättern Hitze, Staub und Rauch ohnedies so schlecht widersteht, daß die heutigen Gärten und Straßenpflanzungen oft schon von Juli an alles eher als zierend sind, da können wir sie nicht nur haben, da brauchen wir direkt die xerophilen Hartlaubgehölze, denn sie allein sind sommer- und wintergrün, winter- und sommerhart.

Bei meinen Bestrebungen fand ich seinerzeit Anregung in den Berichten, die der leider so

Abb. 25. *Pachysandra terminalis* in Blüte. 15 *cm*. (Orig., Hort. Malonya.)

früh heimgegangene Geheimrat Pfitzer (Heidelberg) in den Jahrbüchern der Deutschen Dendrologischen Gesellschaft veröffentlicht hat; auch die ebendort und im Bulletin de la Société Dendrologique de France enthaltenen vielen Listen waren mir von Nutzen. Ich habe viel aus diesen Publikationen gelernt und bin herzlich dankbar dafür.

Besonders ehrend möchte ich den Portugiesen Pereira Coutinho erwähnen. Er ist der einzige mir bekannte Autor, der schon im Jahre 1886 in seinem „Curso de Silvicultura" die Sempervirenz seiner heimatlichen Flora einer sehr scharfen Beobachtung würdigt.

V.

DIE FÜR DEN NORDEN TAUGLICHEN GEHÖLZE.

Von E. Wolf und W. Kesselring.

Das Material zu dieser Veröffentlichung gaben uns hauptsächlich das außerhalb der Stadt St. Petersburg gelegene Arboret des damals kaiserlichen Forstinstitutes, sowie der Pomologische Garten von Dr. E. Regel und J. Kesselring, der leider durch den Krieg und seine Folgen so gut wie vernichtet worden ist.

St. Petersburg ist wohl der äußerste nordöstliche Posten, auf dem noch mit Erfolg Gehölze in so ansehnlicher Artenzahl kultiviert werden können.[*)] Wir beschränken uns hier auf eine kurze Übersicht des Wichtigsten.

Für das gute Fortkommen mancher, hauptsächlich baumartiger Gehölze scheint es nicht gleichgültig zu sein, in welcher Größe sie ausgepflanzt werden, denn viele von denen, die zu den mehr oder weniger harten Arten gerechnet werden müssen, sind in hiesigen Baumschulen aus dem Samenkorn kaum zur Stammbildung oder über die Schneedecke zu bringen.

Ebenso ist es hier, sozusagen an der äußersten Grenze des Möglichen, von größter Wichtigkeit, den richtigen Standpunkt zu finden, da sich infolge des extremen Klimas von St. Petersburg die Verhältnisse, unter denen ein fremdländisches Gehölz wachsen kann, nicht immer mit denen des natürlichen heimatlichen Standortes decken. Denn wir sehen es nur allzu häufig, daß die selbe Art, aus ein und derselben Saat erhalten, aber auf verschiedenen Standorten ausgepflanzt, sich hart oder zart erweisen kann. Dies ist auch ein Faktor, mit dem eine Baumschule wohl zu rechnen hat, da sie nicht immer geeignete Böden und Lagen zur Verfügung hat: ob hoch oder niedrig, Sand, Lehm, Humus oder Torfboden, feucht oder trocken, geschützt oder ungeschützt.

Abb. 26. *Amelanchier spicata*, ährige Felsenbirne, 3 *m*. (Phot. A. Rehder.)

Nachstehend führen wir die Gattungen in alphabetischer Reihenfolge:

Acanthopanax *ricinifolium* wird nur in geschützter, warmer Lage an sonnigem Standort baumartig, in gewöhnlicher Lage friert diese Art fast jährlich bis auf den Wurzelhals zurück. *A. (Eleutherococcus) senticosus* ist hart und blüht alljährlich. – ***Acer:*** Verhältnismäßig wenige der zahlreichen Ahorn-Arten haben sich bei uns völlig winterhart erwiesen. Während die typischen *Acer Negundo* (nur wenn nordischer Herkunft), *platanoides*, *saccharinum* (nur nordischer Herkunft), ferner *campestre* und *Pseudoplatanus* (letzte beide nur in trockener hoher sonniger Lage, wenn nordischer Provenienz) zu großen Bäumen heranwachsen und Früchte zeitigen, sind die allermeisten Gartenvarietäten dieser fünf Arten sehr empfindlich, frieren alljährlich mehr oder minder stark zurück und bilden nur monströse Büsche. Die so schönen Gartenformen kommen also für Petersburg nicht in Betracht, bis auf *Acer platanoides Schwedleri* (in geschützter Lage Bäume bildend), *saccharinum Wieri laciniatum* (in warmer Lage große Büsche vorhanden) und *A. Pseudoplatanus purpurascens* „Prinz Handjery" und *bicolor*, die beide noch die härtesten der *Pseudoplatanus*-Formen sind, aber doch nur in sehr geschützter Lage noch einigermaßen gut gedeihen. Große fruchttragende Sträucher finden sich vor von den völlig harten: *A. Ginnala*, *barbinerve*, *spicatum*, *tegmentosum*, *tataricum*. Noch nicht gefruchtet haben, obschon hart: *A. mandshuricum*, *Miyabei*, *rubrum* (hat geblüht), *ukurunduense*, *saccharum* var. *pseudoplatanoides* (nur wenn nordischer Herkunft einigermaßen hart). *Acer Heldreichii* Orph. scheint sich wie *Pseudoplatanus* zu verhalten. — ***Actinidia*** *Kolomikta* ist die widerstandsfähigste Art unter den Aktinidien. *A. arguta* ist nur in frischem Boden und warmer Lage annähernd hart zu nennen. – ***Aesculus:*** Kulturwerte harte Arten selbst für unser Klima sind: *A. glabra*, *octandra (lutea)*, ferner *Hippocastanum* (ausgeschlossen die sehr zarten Varietäten). Letzte Art ist in der Jugend empfindlich, es gibt aber nichtsdestoweniger an geschützten Stellen davon große blühende und fruchtende Bäume. – ***Alnus:*** *A. glutinosa* nebst var. *quercifolia* und *rubrinervia* (ausgenommen die sehr empfindliche Form *imperialis*), *A. incana*, nebst Formen, sowie der Bastard *glutinosa×incana (A. barbata)*, ferner *A. sitchensis* (fruktifizierend), *rugosa*, *hirsuta* var. *sibirica*, *tenuifolia*, *viridis* sind völlig winterhart zu nennen. *A. japonica*, obwohl fruktifizierend, ist doch etwas empfindlich, ebenso *subcordata* und *rubra (oregona)*. — ***Amelanchier:*** Zu unseren besten, absolut winterharten Blütensträuchern gehören: *A. alnifolia*, *A. spicata (ovalis)* (selbst baumartig werdend) und *A. rotundifolia (vulgaris)*; zarter hingegen, wenigstens in ungeschützter Lage, sind: die schöne *A. canadensis*, *utahensis*, *florida*, *oligocarpa*, obwohl sie fast alljährlich blühen und fruchten. — ***Ampelopsis:*** Unter den echten *Ampelopsis*-Arten wäre nur *A. brevipedunculata* als in geschützter Lage einigermaßen hart und blühend zu zitieren. Die sonst unter dem üblichen Namen *Ampelopsis* kultivierten Arten der Jungfernrebe finden sich unter *Parthenocissus* verzeichnet. — ***Andromeda:*** Die einheimische *A. polifolia* mit ihren Formen ist völlig hart. Die übrigen erprobten Arten sind hier unter *Cassandra*, *Leucothoë* und *Lyonia* angeführt. — ***Aralia*** *chinensis* var. *mandshurica* ist in unserem Klima nur für trockene, hohe und geschützte Lagen zu empfehlen. — ***Arctostaphylos:*** Die einheimische *A. Uva-ursi* sowie *A. alpina (Arctous alpina)* sind wohl völlig hart, aber schwierig in Kultur. — ***Aristolochia:*** Völlig winterhart (wenn auch in der Jugend empfindlich) ist *A. durior (A. Sipho)*. — ***Aronia:*** *A. melanocarpa*, *A. arbutifolia*, sowie *A. floribunda* sind völlig winterharte Zwergsträucher. — ***Artemisia*** *abrotanum*, *frigida*, *Absinthium*, *procera*, *suavis* sind alle gleich empfindlich und leiden selbst in geschützter Lage jährlich, wachsen sich jedoch im Sommer immer wieder zu hübschen Büschen aus. — ***Arundinaria:*** *A. nitida* (syn. *Bambusa* spec. Kansu) ist das einzige verhältnismäßig harte Bambusengewächs in unserem Klima. In warmer Lage auf humosem Boden bis zu 2 *m* hohe Büsche bildend, friert sie in rauher Lage ohne Schutz häufig bis auf den Schnee ab. — ***Atraphaxis:*** Völlig winterhart ist *A. frutescens (A. lanceolata)*, bedeutend empfindlicher ist die höher werdende *A. Muschketowii*. Sie verlangen einen trockenen sonnigen Standort und entwickeln sich nur da gut.

Berberis: Von den zahlreicheren *Berberis*-Arten gehören *B. vulgaris* mit allen Formen, einschließlich der rothlättrigen, sowie die ihr nächst verwandten Arten: *B. amurensis*, *canadensis (caroliniana)*, *emarginata*, *Regeliana* zu den völlig winterharten. *B. (Mahonia) Aquifolium* und *B. (Mahonia) repens* sind auch hart, halten jedoch ihr Laub besser in halbschattiger Lage. *B. cerasina*, *sinensis*, *Thunbergii* (nebst Formen), *Guimpelii*, *integerrima*, *heteropoda*, *sibirica* kommen nur in hoher trockener Lage gut durch den Winter. Von dem Bastard zwischen *B. vulgaris* und *Aquifolium*, der *Mahoberberis*, ist sonderbarerweise die Form *ilicifolia* viel härter als *Neubertii*. Letzte will gar nicht gedeihen. — ***Betula:*** Die meisten Arten sind bei uns völlig winterhart, und zwar: *B. alaskana*, *coerulea* (nebst var. *Blanchardi)*, *davurica* (fruktifizierend), *fruticosa* (fruktifizierend), *glandulosa* (fruktifizierend), *Gmelinii* (fruktifizierend), *humilis* (fruktifizierend), *intermedia*, *japonica*, *lutea* (fruktifizierend), *microphylla* (fruktifizierend), *kenaika*, *nana* (fruktifizierend), *papyrifera (papyracea)* (fruktifizierend), *pubescens (alba)* (fruktifizierend), *pumila* (fruktifizierend), *pumila Grayi* (fruktifizierend), *pumila occidentalis* (fruktifizierend), *ulmifolia (grossa)* (fruktifizierend), *pendula (verrucosa)* (fruktifizierend), nebst allen Formen, ausgenommen var. *purpurea*, die absolut nicht gedeihen will und regelmäßig erfriert. Als mehr oder minder schutzbedürftig sind zu nennen: *B. globispica*, *lenta*, *Maximowiczi*, *Medwediewi*, *nigra*, *occidentalis*, *populifolia*. Eigentümlicherweise ist die rotblättrige Form dieser letzten Art (von Barbier et Co. in Orléans bezogen) härter als die rotblättrige *verrucosa*-Form der Gärten, wenn auch nicht so dunkel belaubt. — ***Buxus*** *Harlandi* (blüht), *microphylla*, *sempervirens* (mit den Formen *suffruticosa*, *arborescens*) überwintern nur in geschutzter Lage, verlangen Schutz gegen Frühlingssonne.

Calluna: Die einheimische *C. vulgaris* mit ihren Formen *alba* und *pygmaea* ist hier vollkommen winterhart. — ***Calophaca*** *grandiflora* erfror als kleine Pflanze. *C. wolgarica* dagegen scheint etwas härter zu sein, ist jedoch nur für sonnige, trockene, hohe und geschützte Lagen zu empfehlen. — ***Caragana:*** Dank ihrer absoluten Winterhärte findet die weitestgehende Verwendung *C. arborescens* mit allen Formen, darunter die schöne Trauerform und die neue feinblättrige f. *Lorbergii*, ferner sind hervorzuheben die ihr nahestehende *C. fruticosa*, die durch ihre silberige Frühjahrsbelaubung hervortritt, *C. frutex (C. frutescens)* nebst der Form *glomerata*, *C. pygmaea* und var. *angustissima*, *C. aurantiaca* und *C. jubata*, die indessen einen trockenen sonnigen Standort zu bevorzugen scheint. Leichten Schutz bedürfen: *C. brevispina*, *cuneifolia*, *microphylla*, *spinosa*. — ***Carpinus:*** Auf trockenem, hochgelegenem

3*

geschütztem Standort werden *Carpinus Betulus* und *caroliniana* zu großen baumartigen Sträuchern und kleinen Bäumen, die jedoch, obwohl häufig blühend, selten fruchten; in rauher Lage bilden diese Arten nur krüpplige, die Schneedecke kaum überragende, der Erde angedrückte Büsche und sind daher dort nicht zu empfehlen. Ähnlich verhalten sich die nur in jungen Exemplaren vertretenen: *C. Betulus* var. *Carpinizza, cordata, yedoensis.* — **Cassandra** *calyculata (Chamaedaphne calyculata)* mit ihren Formen, bei uns einheimisch, ist absolut winterhart. — **Cassiope:** Die arktischen *C. hypnoides* und *C. tetragona* sind schwer gedeihende, jedoch völlig winterharte Moorpflanzen; *C. fastigiata* vom Himalaya ist

Abb. 27. *Crataegus monogyna*, eingriffliger Weißdorn, 3 *m*, im Winter. (Orig., Wien, Prater.)

unter Fichtenreisigdecke recht widerstandsfähig und entfaltet fast jährlich ihre weißen zierlichen Blütenglöckchen. — **Castanea** *dentata (C. americana)*, in einem alten lichten Kiefernbestand stehend, ist ziemlich winterhart — in freier Lage noch nicht erprobt. — **Ceanothus** *Fendleri* ist in trockener, sonniger Lage recht winterhart, verliert indessen häufig im Winter die Blätter. — **Celastrus** *flagellaris* ist ein schöner, selbst in rauher Lage völlig winterharter mandschurischer Schlingstrauch, während die übrigen Arten: *C. punctatus*, *C. scandens* (fruktifizierend) nur in geschützter Lage hart zu sein scheinen und hoch schlingen. — **Cercidiphyllum** *japonicum* bildet nur in warmer Lage und auf trockenem Standort schöne große Büsche (bis $2^1/_2$ *m* hoch und höher). Hält sich nur, wenn als ältere Pflanze ausgesetzt. — **Chaenomeles:** Nur die alpinen Formen *C. Maulei* und var. *alpina (C. Sargentii)* blühen und fruchten in geschützter Lage, die Stammart, *C. japonica (C. Lagenaria)*, dagegen leidet fast alljährlich an gleichem Standort. — **Chiogenes** *hispidula* ist eine harte kriechende Moorpflanze. — **Cladrastis** *lutea* ist nur für warme Lagen und trockenen Standort zu empfehlen, dort bis zu 3 *m* Höhe erreichend. — **Clematis:** Von den zahlreichen verholzenden Arten sind bloß die beiden zur *Atragene*-Gruppe gehörenden *C. alpina* (nebst Farbenvarietäten) und *C. sibirica* vollkommen hart und gehören zu unseren schönsten blühenden Schlinggewächsen. — **Clethra** *acuminata* blüht nur in geschützter Lage, in rauher da-

Tulpenbäume im Herbstschmuck.

gegen leidet diese Art alljährlich. **Colutea:** Sämtliche Arten: *arborescens, brevialata, cilicica (longialata), media (arborescens × orientalis), orientalis* frieren sowohl in geschützter als auch in ungeschützter Lage mehr oder minder stark, oft bis zur Wurzel ab, blühen aber nichtsdestoweniger jeden Sommer und bringen auch Früchte. — **Cornus:** Vollständig hart sind und Früchte bringen: *alba (stolonifera), Baileyi*, die sich durch dunkles Laub und Triebe auszeichnende *Kesselringii, sibirica* und *tatarica (alba L.)*; von buntblättrigen Formen *alba argenteo-variegata* und die gelbbunte *sibirica Kerni*. Etwas empfindlicher, aber noch kulturwert sind: *alternifolia* (nur monströs blühend), die nur an trockenen sonnigen Abhängen vollständig harte und blühende *circinata (rugosa)* und *Purpusii*. — **Corylus:** Reife Früchte bringen die Waldhasel, *C. Avellana*, und *C. rostrata*. Gut aushaltend, aber bis jetzt noch nicht fruchtend sind: *mandshurica* und *Colurna* (letzte wohl nur als Ausnahme in warmer Lage und frischem humosen Boden). — **Cotoneaster:** Vollständig winterhart sind und fruchten: *acutifolia (C. lucida), ignava, multiflora* (verlangt sonnigen und trockenen Standort), *melanocarpa (nigra), pekinensis (C. acutifolia* Turcz.) (manchmal etwas vom Frost leidend), *racemiflora Desfontainesii* (ebenso wie *multiflora*), *tomentosa, uniflora, vulgaris (integerrima)*. Empfindlicher, aber doch nicht selten Früchte bringend und für Liebhaber noch zu empfehlen sind: *adpressa, horizontalis, Dammeri* und *congesta (pyrenaica)*. — **Crataegomespilus** *Dardarii* ist wenigstens in geschützter Lage winterhart; *Crataemespilus grandiflora* blüht alljährlich. **Crataegus:** Alle hier im Laufe der Zeit geprüften Arten aufzuführen würde den Rahmen unserer Aufgabe bei weitem überschreiten; wir müssen uns daher auf eine engere Auswahl beschränken. Ältere Arten, die ihre Widerstandsfähigkeit durch gutes Wachsen und Fruchtbarkeit im Laufe mehrerer oder vieler Jahre bewiesen haben, sind: *altaica* h. Späth, *atrocarpa, chlorosarca* und seine Form *pubescens, Douglasii, flabellata, glandulosa, Lambertiana, macracantha, monogyna, nigra, oxyacantha, pinnatifida, punctata* mit Formen, *rivularis* (weniger hart als *Douglasii*), *rotundifolia, sanguinea typica* und *xanthocarpa* (und andere gelb-, rot- und schwarzfrüchtige und geschlitztblättrige, noch ungenügend bekannte Dorne aus der Verwandtschaft der *sanguinea*), *Schroederi, submollis* (*coccinea* der russischen Gärten). Ältere, etwas empfindliche, in guten Jahren aber noch fruchtbringende Arten: *dahurica* h. Späth, *dsungarica*

Abb. 28. *Daphne Blagayana*, 15 *cm*.
(Phot. A. Purpus.)

Abb. 29. *Hydrangea Bretschneideri*. 2 *m*. (Orig., Hort. Vilmorin, Les Barres.)

h. Späth, *orientalis*, *pectinata*, *pentagyna*, *tanacetifolia*, *tomentosa*; gefüllt blühende Formen der *monogyna* und *oxyacantha* sind oft etwas empfindlicher als die Stammarten, buntblättrige und Hängeformen dieser Arten fast wertlos. **Cydonia** *vulgaris (C. oblonga)* ist fast zu empfindlich, nicht höher als 1 *m* werdend. **Cytisus:** Die Spitzen der Zweige frieren oft ab bei folgenden Arten, die aber dennoch alljährlich reich blühen und reife Samen bringen: *decumbens*, *elongatus*, *glabrescens*, *Heuffelii*, *hirsutus*, *hirsutus*×*austriacus (C. Neilreichii)*, *hirsutus*×*purpureus (C. versicolor)*, *hirsutus*×*ratisbonensis*, *leucanthus* und seine Form *schipkaensis*, *nigricans* nebst Formen, *purpureus*, *ratisbonensis* und die Form *biflorus*, *sessilifolius* (nur für sonnige Abhänge empfehlbar).

Daphne: Hart sind und dankbar blühen: *alpina*, *altaica* und ihre südrussische Form *Sophia*, *Blagayana*, *caucasica*, *Cneorum* var. *Verloti*, *glomerata*, *kamtschatica*, *Mezereum* mit der weißblütigen *alba* und Zwergform *alpina* reife Früchte bringend (*alba* aber etwas weniger hart); junge Pflanzen der *D. tangutica* erwiesen sich als hart, sind aber noch nicht blühstark. -- **Deutzia:** Nicht ganz winterhart, auf günstigen Standorten jedoch blühend (wo natürlicher Schutz nicht vorhanden, besser einzudecken) sind: *scabra (crenata)* var. *plena*, *gracilis* mit der var. *distincta*, *parviflora*, *Sieboldiana* und die Hybriden: *discolor floribunda*, *gracilis carminea*, *kalmiaeflora*, *Lemoinei*, *Lemoinei* „Boule de neige“, *Lemoinei compacta*. *D. parviflora* und deren Bastard *D. Lemoinei* sind noch die härtesten, die übrigen frieren in rauher Lage und ungedeckt bis auf den Wurzelhals zurück. — **Diervilla:** Zu den besten Ziersträuchern unserer Gegend gehören *D. florida* und *Middendorffiana*, die, wenn sie in geschützter Lage und in frischem humosen Boden ausgepflanzt sind, alljährlich überreich blühen und reifen Samen bringen; trocken und zugig stehend, leiden sie mitunter vom Frost. Nicht weniger kulturwürdig sind *D. Lonicera*, die in ihr zusagenden Verhältnissen zum Unkraut werden kann, *rivularis*, *sessilifolia* und *splendens*. **Dirca** *palustris* scheint nicht lange auszuhalten, müßte aber hart sein. — **Dryas** *Drummondii* und *octopetala* mit der Form *minor* bilden hübsche, reichblühende und reife Samen bringende Polster.

Abb. 30. Einige blühende Zweige der in Abb. 31 dargestellten *Magnolia acuminata*. (Orig., Hort. Grafenegg.)

Elaeagnus: Von allen Arten ist nur die nordamerikanische, durch ihre silbrige Belaubung äußerst zierende *argentea* hart und bringt reife Früchte. **Empetrum** *nigrum* ist natürlich hart; seine var. *rubrum* und *scoticum* sind empfindlicher (aber immer noch kulturwert) als die hier wild wachsende typische Form. — **Evonymus:** Hart oder fast hart und durch ihre Fruchtkapseln zierend sind: *alata*, *Bungeana* (wohl nur in geschützter Lage hoch werdend und Früchte bringend), *europaea* mit den Formen: *angustifolia*, *latifolia*, *ovata* und *argenteo-variegata* (jung und in Frostlöchern auch empfindlich), *latifolia* (wie *Bungeana*), *Maackii* und *verrucosa*. Ebenfalls aushalten und blühen, aber bis jetzt keine Früchte bringen:

obovata und *yedoensis*. Junge Pflanzen von *macroptera* überwintern gut. ***Exochorda** grandiflora* ist sehr empfindlich. Etwas härter erwies sich *Korolkowii (Albertii)*.

Fagus: Buchen können hier nur in geschützten Lagen mit einiger Aussicht auf Erfolg kultiviert werden. Unter solchen Umständen erwiesen sich als winterhart, aber auch ungemein langsam wachsend: *F. americana, F. sylvatica* und ihre Form *purpurea*. Als bedeutend wüchsiger erwies sich *F. orientalis*. — ***Forsythia** europaea* und *Sieboldii* leiden nicht allzu stark, verholzen und blühen nach guten Jahren. — ***Fraxinus:*** Von Eschenarten kommen nur wenige für den Norden in Betracht: an erster Stelle *pennsylvanica (F. pubescens)*, dann *excelsior* (die in der Jugend empfindlicher als *pennsylvanica* ist), beide in großen fruchtenden Bäumen vorhanden; *obovata* und vielleicht noch *mandshurica*, die zwar Kälte nicht fürchtet, aber an ein mehr kontinentales Klima gebunden zu sein scheint, da sie im Seeklima von St. Petersburg nicht selten die ungenügend ausgereiften Zweigspitzen durch Frost verliert, in Moskau jedoch leicht zu fruchttragenden Bäumen heranwächst. Die Formen der *F. pennsylvanica: albo-variegata, aucubifolia* und *cristata* sind ebenfalls vollständig hart. Von Formen der *F. excelsior* erwies sich als die härteste *monophylla*, die zwar empfindlicher als die Stammart ist, aber in geschützter Lage immerhin noch annehmbare Bäumchen bilden kann.

Abb. 31. *Magnolia acuminata*, 12 m.
(Orig., Hort. Grafenegg, Nied.-Österr.)

Gaultheria: Von fünf hier angebauten Arten erwiesen sich als die härtesten *myrsinites* und die Früchte bringende *trichophylla*. ***Gaylussacia** resinosa* ist empfindlich, aber noch kulturwürdig.

Genista: Mehr oder weniger abfrierend, aber dennoch kulturwert, da im Frühjahr wieder austreibend, blühend, meist auch Früchte bringend sind: *anglica, dalmatica* (nach dem Abfrieren nicht blühend), *eriocarpa, scariosa, tinctoria* mit den Formen *angustifolia, ovata, plena* und *virgata*. *G. sagittalis* leidet nicht vom Frost und bringt jährlich Früchte.

Hamamelis** virginiana* ist, geschützt und auf Torfboden stehend, fast hart. ***Hedysarum** multijugum* ist fast vollständig hart und nur die Triebspitzen erfrieren, sonst verholzt es und bringt reife Samen, aber wählerisch in bezug auf Boden und Standort. ***Hemiptelea** Davidii* kann in St. Petersburg, wenn in geschützter Lage ausgepflanzt, zu einem fruchttragenden Bäumchen heranwachsen. ***Hippophaë** rhamnoides* wird hier in zwei geographischen Formen kultiviert, von denen der sibirischen, weil härter, der Vorzug zu geben ist, die zu reich früchtetragenden, strauchigen Bäumchen heranwächst. ***Holodiscus *discolor* verlangt Schutz; gewöhnlich frieren alle über den Schnee hervorragenden Teile ab; blüht nicht alljährlich. ***Hydrangea:*** *H. Bretschneideri* ist die harteste und einer unserer besten Sträucher in allen Lagen. Von anderen asiatischen Arten gebührt, was Widerstandsfähigkeit anbetrifft, *H. paniculata* der zweite Platz; sie blüht alljährlich und leidet vom Frost nur an den Triebspitzen; die var. *grandiflora* ist etwas empfindlicher, aber doch noch sehr zu empfehlen; *H. petiolaris* ist hart und wuchert stark in humosem Boden, hat aber bis jetzt noch nicht geblüht. Von amerikanischen Arten sind kulturwert und blühen, trotzdem sie alljährlich vom Froste leiden und mehr krautartig bleiben: *arborescens*, *radiata* und deren Bastard. ***Hypericum*** *Androsaemum*, *calycinum* und *hircinum* frieren fast bis auf den Wurzelhals zurück, treiben aber im Frühjahr wieder aus und erfreuen im Sommer durch ihre leuchtend gelben Blumen. — ***Ilex*** *verticillata* ist fast vollständig hart und büßt nur seine Zweigspitzen durch Frost ein; blüht ohne zu fruchten.

Abb. 32. *Phyllodoce coerulea*, 20 cm.
(A. Purpus, Lappland.)

Jamesia *americana* ist vollständig hart und dankbar blühend. — ***Juglans:*** Von asiatischen Arten scheint *J. cordiformis* vollständig hart zu sein, ein kleines, vor 10 Jahren gepflanztes Exemplar entwickelte sich schnell zu einem ansehnlichen Baume und blühte vor zwei Jahren, ohne aber Früchte anzusetzen; es steht auf einem sonnigen Abhange mit feuchtem Untergrund. Auch *J. mandshurica* wächst in gleicher Lage zum fruchtenden Baume heran. Von amerikanischen Arten ist *J. cinerea* vollständig hart; im Arboretum des Forstinstitutes befinden sich große, reife Nüsse tragende Bäume.

Laburnum *alpinum* ist die härteste Art, aber nur auf geschütztem Standort zu einem fruchttragenden Großstrauch heranwachsend. — ***Lespedeza*** *bicolor* ist empfindlich, aber doch ihrer hübschen Blumen wegen eines Versuches wert. — ***Leucothoë*** *(Andromeda) axillaris* und *Catesbaei* sind beide winterhart und blühen alljährlich. — ***Ligustrum*** *acuminatum*, *ciliatum*, *macrocarpum* und *vulgare* (mit der var. *italicum* und der buntblättrigen Form *glaucescens*) haben sich als ziemlich hart und kulturwert erwiesen; blühen nicht selten, bringen auch manchmal reife Früchte und frieren in guten Jahren nur ganz unbedeutend, in schlechten jedoch mehr oder weniger stark ab, ohne aber vollständig zugrunde zu gehen. ***Linnaea*** *borealis* ist hier einheimisch, aber schwer zu kultivieren. ***Loiseleuria*** *procumbens* ist vollständig hart und bringt reifen Samen. ***Lonicera:*** Alljährlich blühend und fruchtend und vollständig winterhart sind (wenn nichts anderes bemerkt) folgende: Europäer und Asiaten: *L. alpigena* mit den Formen *nana* und *semiconnata*; *Altmannii* mit den var. *hirtipes* und *pilosiuscula* (in offenen Lagen gegen strenge Kälte empfindlich); *amoena*; *Chamissoi*; *Caprifolium* (etwas Schutz von Nutzen); *chrysantha* mit den var. *turkestanica* und *villosa* und den Bastarden *Regeliana* und *pseudochrysantha*; *coerulea* und ihre var. *altaica*, *dependens* (etwas empfindlicher als die anderen), *edulis*, *glabrescens*, *stipuligera*; *hispida* var. *typica* und *chaetocarpa*; *Karelini* (junge, noch nicht blühreife Pflanzen); *Maackii*; *Maximowiczii*; *micrantha*; *microphylla*, die var. *robustior* und *gracilior*; *Morrowii* (geschützte Lage, sonst empfindlich), ihre Bastarde: *bella* und *minutiflora* sind hart; *nervosa*, *nigra* mit der Form *pyrenaica*; *orientalis* und var. *caucasica* häufig vom Frost leidend, var. *longifolia*, hart; *Periclymenum* (empfindlicher als *Caprifolium*); *purpurascens* (auf geschütztem Standorte hart, sonst leidend); *Ruprechtiana* mit Bastarden: *Ruprechtiana* × *tatarica*, *mündeniensis* und *salicifolia* × *segreziensis* (etwas Schutz). *Semenowii*; *spinosa* var. *Alberti* (häufig über dem Schnee

Blutbuche im Vorsommer.

abfrierend); *tatarica* mit den var. *micrantha, parvifolia* und allen Gartenformen; *Xylosteum: typica* und *mollis*. — Amerikaner: *L. conjugialis; dioica: glaucescens; hirsuta; involucrata* und ihre var. *flavescens*, der Bastard mit *Ledebouri* ist empfindlicher: *sempervirens* (verlangt zum Blühen geschützte Lage); *Sullivantii*. — **Lycium:** Als die härtesten Arten erwiesen sich *halimifolium* und *rhombifolium* (*L. chinense* var. *ovatum*), die bei einiger Pflege und auf geeigneten Plätzen hier zu großen fruchttragenden Büschen heranwachsen.

Maackia *amurensis* ist, geschützt und sonnig stehend, hart, blüht auch, ohne aber Früchte anzusetzen. — **Magnolia** *acuminata* ist, wenn die Lage geschützt und der Boden ein hu-

Abb. 33. *Populus nigra*, heimische Schwarzpappel, 30 *m*. (Orig., Donauauen bei Wien.)

moser und frischer ist, fast hart. — **Malus:** von Apfelbaumarten sind hart und bringen Früchte: *astrachanica*; die drei folgenden, zu unseren besten Zierbäumen gehörenden: *baccata, cerasifera* und *prunifolia*, dann *orthocarpa* Lav., *pumila* mit den Varietäten im Sinne C. Schneiders und *sylvestris*; *M. Sargentii* (hat geblüht) und *Zumi* passen sich unserem Klima gut an. Fast hart sind *Toringo*, in guten Jahren Früchte bringend, und *rivularis*. — **Menispermum** *dahuricum* ist vollständig hart, *canadense* etwas empfindlicher, aber immer noch gut wachsend.

Menziesia *ferruginea, glabella* und *globularis* (*M. pilosa*) sind hart. — **Mespilus** *germanica*, an trockenen exponierten Orten empfindlich, wächst in geschützter Lage und frischem Humusboden gut; wird nicht hoch und blüht nur in günstigen Jahren. — **Mitchella** *repens*, ein kleines, dem Habitus nach der Moosbeere ähnliches zierliches Pflänzchen, gedeiht gut, fürchtet aber trockenes Sommerwetter. — **Morus** *alba* ist in geschützter Lage einigermaßen winterhart; alljährlich die Zweigspitzen durch Frost verlierend, wächst sie zu Buschbäumchen bis zu 2,5 *m* Höhe heran. — **Muehlenbeckia** *axillaris*, ein kleines, einer *Salix* ähnliches, kriechendes, in Neuseeland und Australien heimisches Sträuchlein, durchwintert gut unter der hier selten fehlenden Schneedecke. — ***Myrica*** *Gale* ist als hier einheimischer Strauch vollständig hart.

Ostrya virginiana kann zu den hier harten Gehölzen gerechnet werden; *carpinifolia* ist etwas empfindlicher, aber immerhin noch genügend hart; *japonica* überwinterte bis jetzt gut, nur die Zweigspitzen litten vom Frost.

Pachysandra *procumbens, terminalis* und ihre buntblättrige Form sind hart, die beiden letzten sogar stark wuchernd und alljährlich blühend. — ***Pachystima*** *Myrsinites*, harter Felsenstrauch für halbschattige Lage. — ***Panax*** *sessiliflorum (Acanthopanax sessiliflorus)* ist vollständig winterhart und in riesigen fruchtenden baumartigen Sträuchern vorhanden. — ***Parthenocissus:*** Nur *P. vitacea* und ihre Varietäten *macrophylla* und *dubia* sind vollständig winterhart und (ältere Pflanzen) blühend; in der Jugend sind sie etwas empfindlicher. Alle Selbstklimmer: *P. quinquefolia* mit ihren Varietäten *hirsuta, murorum* und *Saint-Pauli* sind empfindlich, aber doch kulturwert. — ***Pentstemon*** *Menziesii* ist hart und gut blühend. — ***Peraphyllum*** *ramosissimum* überwintert gut nur in geschützter Lage. — ***Petrophytum*** *caespitosum* ist vollständig hart. — ***Phellodendron*** *amurense* ist hier durch ziemlich alte blühende Bäume vertreten. Bei *P. sachalinense* verlieren junge Pflanzen ihre Zweigspitzen, da nicht genügend ausgereift, durch den Frost, nehmen aber dessenungeachtet schnell an Größe zu, vielleicht werden sie mit vorschreitendem Alter unempfindlicher. ***Philadelphus:*** Als dankbar blühend und vollständig hart, wo nicht anders bemerkt, erwiesen sich *acuminatus, columbianus, coronarius* und seine Formen *aureus, subplenus, salicifolius*; undankbar oder überhaupt nicht blühend sind *dianthiflorus plenus, Keteleeri, primuliflorus plenus, nanus, cochleatus* und noch etwas empfindlicher sind *deutziiflorus plenus, multiflorus plenus, nivalis, rosiflorus plenus; floribundus* (verlangt etwas geschützte Lage), *Gordonianus, hirsutus* (noch nicht genügend erprobt, die echte Art wahrscheinlich empfindlich); *incanus*; *latifolius* Schr. und seine Hybriden mit *pubescens* Koch.; *laxus* (geschützten Standort); *monstrosus; Lemoinei* „Mont Blanc" und var. *erectus* (etwas empfindlich); *Lewisi; microphyllus* (geschützter Standort); *pubescens* Koch.; *Satsumi; Schrenkii; tenuifolius; tomentosus; Zeyheri; Yokohamae* h. Spaeth (etwas empfindlich). *P. brachybotrys* und *sericanthus* erwiesen sich als ziemlich hart, blühen fast alljährlich, wenn auch spärlich. — ***Phyllodoce*** *taxifolia (coerulea)* und *empetriformis* (ein wenig zarter als erstere) sind hart und bringen reife Samen. — ***Physocarpus*** *amurensis, monogynus* und *opulifolius* (mit den Gartenformen: *heterophyllus, luteus* und *nanus*) sind vollständig harte, reife Samen bringende Sträucher. — ***Plagiospermum*** *sinense* kann unter ihm zusagenden Bedingungen zu einem hübschen, aber selten blühenden Strauche aufwachsen, der, trotzdem er früher als alle anderen hiesigen Gehölze austreibt, von Spätfrösten nicht leidet; in rauher Lage jedoch empfindlich und von Spätfrösten leidend. — ***Polygonum*** *baldshuanicum* ist des Schutzes bedürftig, in guten Jahren auch blühend, aber dennoch nicht lange aushaltend. ***Populus:*** In großen blühenden Bäumen sind vorhanden: *alba* var. *genuina* und *nivea* (in der Jugend etwas empfindlich), *candicans* (jung empfindlich), *canescens, Catherinae, laurifolia, Lindleyana, moscoviensis, nigra* und var. *Puschkiniana, odorata, Petrowskyana, Rasumowskyana, Simonii, suaveolens* und die var. *pyramidalis* (besonders wertvoll), *tremula* und var. *pendula, tremuloides* und var. *pendula, trichocarpa, tristis, Wobstii. P. alba* var. *globosa* h. Spaeth ist hart. *Tacamahaca (balsamifera)* in jungen Pflanzen empfindlich, ältere vielleicht widerstandsfähiger. — ***Potentilla*** *dahurica* und ihre Bastarde mit

Abb. 34. *Potentilla dahurica*, 80 *m*
(Phot. A. Purpus.)

fruticosa (*P. Friedrichsenii* und andere) und *fruticosa* mit den Varietäten *humilis, tenuifolia, micrandra, grandiflora* sind dankbar blühende, harte Ziersträucher. Etwas empfindlicher ist *P. Salessowii* (überhaupt launisch) und *P. Veitchii*. *P. fruticosa* var. *manshurica* (*P. manshurica*) war völlig winterhart. *P. Vilmoriniana* untauglich. — **Prunus:** Sekt. *Padus: P. Maackii* vollständig hart und reife Früchte bringend, ebenso eine aus der Mandschurei als *glandulifolia* erhaltene kleinfrüchtige Varietät. Ebenso hart und in stattlichen fruchttragenden Bäumen vorhanden sind: die einheimische *Padus* (ebenfalls hart die Formen *dahurica* und *pubescens* und viele Gartenformen), *Padus* var. *sibirica* (*P. commutata* Dipp., *Regeliana* Zab.?) und *virginiana* (auch var. *aucubifolia*); hart ist auch *P. demissa*. *P. serotina*, je nach der Herkunft fast hart und einige Früchte bringend oder mehr oder weniger empfindlich; ihre Formen *asplenifolia* und *pendula* sind untauglich. — Sekt. *Mahaleb:* Vollständig hart ist und reife Früchte bringt *P. pennsylvanica* (für trockenen Boden weniger geeignet). *P. Mahaleb* nur in geschützter Lage zu einem alljährlich blühenden, aber selten Früchte tragenden Buschbaum heranwachsend. *P. mollis* fast hart, auch *emarginata* scheint sich naturalisieren zu wollen. — Sekt. *Pseudocerasus:* die vielleicht hierher gehörige *glandulifolia* Rupr. et Maxim. wird sich möglicherweise als hart erweisen. — Sekt. *Eucerasus:* Gut wachsen und blühen, ohne aber häufig Früchte zu bringen: *fruticosa, Chamaecerasus, intermedia, marasca, acida, Cerasus*. *P. Cerasus semperflorens* und *avium* werden nur unter günstigsten Bedingungen baumartig. *P. Maximowiczii* ist hart und bringt reife Früchte. — Sekt. *Spiraeopsis:* Hart und Früchte bringend ist *P. pumila* mit ihren Varietäten *Besseyi* und *depressa*. *P. japonica*, aus Deutschland erhalten, erfror bald, mandschurische Exemplare (dem Typus angehörend) leiden verhältnismäßig wenig und blühen. — Sekt. *Microcerasus:* Ziemlich hart sind auf trockenem, sonnigem Standort *microcarpa* und *prostrata*, letzte niedrig, manchmal spärlich blühende Büsche bildend. *P. tomentosa* überwintert ziemlich gut und blüht in guten Jahren. — Sekt. *Amygdalus:* Als die härtesten erwiesen sich die in der Blüte ähnlichen, aber durch

Abb. 35. *Rhododendron punctatum*. 80 *cm*. (Phot. A. Purpus.)

Abb. 36. *Ribes alpestre*. 1 *m*. (Phot. A. Purpus.)

Form und Nervatur der Blätter etwas verschiedenen *P. baldschuanica* und *ulmifolia* Hort. Bot. Petrop., nicht Fr., beide sind jedoch nicht ganz hart und verlangen geschützte Lage, in der sie alljährlich blühen. *P. Petunikowii* scheint auf trockenen, sonnigen Stellen ziemlich hart werden zu wollen. *P. nana*, die typische Form ist hart und fruchtend: empfindlicher sind die Formen: *alba, georgica, Gessneriana*. — Sekt. *Euprunus*: Als die relativ härtesten und reich blühendsten sind anzunehmen: *P. divaricata* (die härter ist als *cerasifera, fruticans, spinosa*, und die aus der Mandschurei erhaltene *triflora*: alle drei werden unter günstigen Bedingungen buschbaumartig: Früchte brachten bisher nur *P. fruticans* und *divaricata*. Mit einigem Erfolg können immerhin noch kultiviert werden: *cardica* (in geschützter Lage), *domestica* im Sinne Schneiders und *cerasifera*. *P. cerasifera* var. *Pissardii* friert stark ab und ist nur für ganz geschützte Lagen zu empfehlen. — **Ptelea** *mollis* leidet im Arboretum des Forstinstituts von der Kälte im allgemeinen weniger als *trifoliata*, die meist bis auf den Wurzelhals abfriert, dann wieder stark austreibt und üppig bis in den Spätherbst hinein wächst. Ganz anders verhält sich *P. trifoliata* im freier gelegenen und besser durchlüfteten Pomologischen Garten, wo sie ihr Holz besser zur Reife bringt und nicht selten Früchte zeigt. — **Pterocarya** *rhoifolia* wächst flott (besonders in frischem Humusboden) und überwintert gut.

Abb. 37. *Rubus parviflorus*, 2 m.
(Orig., Hort. Vilmoria, Les Barres.)

Pyracantha *coccinea* bildet nur niedrige, alljährlich mehr oder weniger vom Froste leidende Büsche. **Pyrus** *(Pirus)*: In großen, reich blühenden, aber nicht immer Früchte bringenden Exemplaren sind nur vorhanden *P. communis* und *ussuriensis*. Die empfindlicheren Formen japanischer Provenienz, die bis auf den Wurzelstock zurückfroren, stellten sich als die chinesischen *P. ovoidea* und *P. serotina* heraus. Als hart und gut wachsend erwies sich auch *P. Calleryana*; *P. salicifolia* (in günstigen Jahren blühend) und *canescens* sind fast hart, wachsen aber langsam. —

Quercus: Wohl die am schwersten sich naturalisierende Gattung. In großen fruchttragenden Bäumen sind hier nur vorhanden: *pedunculata* und die härteste aller amerikanischen Eichen: *ambigua (Q. borealis* var. *ambigua)*, die aber ihre zwei Jahre zur Entwicklung brauchenden Eicheln selten zur vollen Reife bringt. Die Formen der *Q. pedunculata (Q. robur)* haben, mit Ausnahme der harten esthländischen *pulverulenta*, wenig oder gar keinen Wert. *Q. castaneifolia* (etwas höher werdend als die folgende), *macranthera* und *sessiliflora* bleiben buschartig und wachsen schlechter als die Rotbuche: *grosseserrata* scheint ziemlich hart werden zu wollen. *Q. alba* und *rubra (Q. borealis)* werden kaum baumartig (würden aber in geschlossenen Beständen vielleicht besser wachsen).

Rhamnus: Die härtesten, zu starken Exemplaren heranwachsenden und dann fruchtenden Arten sind: *cathartica* mit der var. *caucasica, davurica, intermedia, mandshurica, japonica, pumila*. Etwas empfindlich sind: *alnifolia* (in offener Lage sehr empfindlich), *alpina* (auf günstigem Standort aber doch fruchtend und schöne Sträucher bildend), *caroliniana, chlorophora, Frangula* var. *asplenifolia, imeretina* (etwas empfindlicher als *alpina*, aber trotzdem noch sehr kulturwert), *infectoria, Purshiana, rupestris, saxatilis, spathulifolia*. — **Rhododendron:** Die harten Arten reife Samen bringend. *Eurhododendron*: Sekt. *Lepidorhodium* und Bastarde: *R. dahuricum* mit var. *atrovirens* (var. *sempervirens)* und *mucronulatum* (in großen Exemplaren vorhanden) sind hart und dankbar blühend; ferner: *lapponicum*, *parvifolium*, *hirsutum*, seine Formen und Hybriden mit *ferrugineum* (*R. intermedium*) und *punctatum* (*R. myrtifolium*); *ferrugineum* mit Gartenformen und dem Bastarde mit *minus* (*R. arbutifolium*), *R. Wilsonii*. Empfindlicher ist, blüht jedoch noch, *R. praecox*. Sekt. *Leiorhodium*: Die besten der bei uns kultivierten Arten sind: *R. Smirnowii* und sein Bastard mit *ponticum* (*R. Kesselringii*); ebenfalls hart und schön sind: *chrysanthum* (launisch in der Kultur), *brachycarpum*, *Metternichii*, *Cunninghamii*, *campanulatum* (aber selbst große Büsche etwas faul blühend), die beiden letzten Arten ein wenig empfindlicher. Hart, aber noch nicht blühend: *fulgens*, *Przewalskii*, *Ungernii*. Etwas empfindlicher, aber doch noch blühend: *caucasicum*, *californicum*. — *Anthodendron*, Azaleen: Sekt. *Tsutsutsi*, *Sciadorhodion* und *Pentanthera*: *R. luteum* (*Azalea pontica*) (kaukasischer und südrussischer Herkunft) und *R. molle* (*sinense*) sind die härtesten und am dankbarsten blühenden. Etwas empfindlicher, aber noch genügend hart und blühend: *viscosum*, *nudiflorum*, *arborescens*, *occidentale*, *calendulaceum*. — Sekt. *Rhodora*: *R. canadense* und *Vaseyi*, beide hart und gut blühend. — Sekt. *Therorhodion*: *R. kamtschaticum* ist einer unserer schönsten dankbar blühenden Zwergsträucher, besonders gut gedeihend in lichten Kiefernbeständen. — **Rhodothamnus** *Chamaecistus* schwer zu kultivieren, aber nicht empfindlich gegen Kälte. — **Rhodotypus** *kerrioides* nur in sehr geschützter Lage aushaltend, niedrig bleibend, jedoch nicht selten blühend. — **Rhus** *radicans* ist die einzige harte Art, auf Humusboden stark wuchernd und blühend. **Ribes**: Vollständig hart und dankbar blühen (viele von ihnen auch reiche Früchte bringend): *aciculare*, *alpestre*, *alpinum* (mit allen Formen), *altissimum*, *arboreum* Hort., *aureum* mit den beiden Varietäten *leiobotrys* und *tenuiflorum*, *burejense*, *Carrièrei*, *caucasicum*, *cereum*, *coloradense*, *Culverwellii* (*Schneideri*), *Cynosbati*, *diacantha*, *dikuscha* (zu früh austreibend), *distans*, *floridum*, *fontenayense*, *fuscescens*, *gracile*, *Grossularia*, *heterotrichum*, *hirtellum* mit *Purpusii*, *Houghtonianum*, *hudsonianum*, *inebrians*, *irriguum*, *Koehneanum*, *lacustre*, *macrobotrys* Hort., *manshuricum*, *montigenum subglabrum* und *villosum*, *Meyeri* mit den var. *tanguticum* und *turkestanicum*, *mogollonicum*, *multiflorum*, *nigrum* mit Formen und var. *caucasicum* und *pauciflorum*, *niveum*, *orientale*, *oxyacanthoides*, *pennsylvanicum*, *petraeum* mit var. *Biebersteinii*, *procumbens* (gegen Sonne empfindlich), *prostratum*, *rotundifolium*, *rubrum* und Kultursorten, *succirubrum*, *tenue*, *triste*, *urceolatum*, *ussuriense*, *utile*, *vulgare* und Kultursorten, *Warsczewiczii*. — **Robinia** taugt nicht für den Norden. — **Rosa**: Die beliebtesten und dankbarsten Rosen sind: *rugosa* mit den var. *ferox* und *Lindleyana* und den Gartenformen *alba* und der gefülltblühenden „Kaiserin des Nordens", *alba* „Maidensblush", *cinnamomea* × *gallica plena*, *rubrifolia* Vill. Im hiesigen Rosarium wurden weit über 300 Arten und Varietäten von Wildrosen kultiviert; leider sind die interessantesten — Kaukasier und Asiaten — noch nicht zur Bestimmung reif. Hart und früchtebringend sind: *acicularis*, *Alberti*, *alpina* und Formen, *Beggeriana*, *blanda* mit Formen, *Boissieri*, *canina* und ihre Formen, *carolina*,

Abb. 38. *Petrophytum caespitosum*, Rasenspire, etwa 20 *cm* Durchm. (Phot. A. Purpus.)

cinnamomea, cin. flore pleno, collina, coriifolia, dahurica, dumetorum, elliptica, glauca, glutinosa h. Spaeth, *Jundzillii* mit *trachyphylla, kamtschatica, lucida, micrantha* (geschützt), *nitida, nutkana, oxyodon, haematodes, pimpinellifolia* mit Formen und *semiplena, pisocarpa, pomifera, praecox, rubiginosa, tomentella, tomentosa, tuschetica, villosa, virginiana, Woodsii.* — ***Rubus:*** Die besten *Rubus*-Arten unseres Gebietes sind, von aufrecht wachsenden, die prächtig blühenden: *deliciosus, nobilis, nutkanus* oder *odoratus*; dann *phoenicolasius* (unter günstigen Verhältnissen fast verwildernd), *spectabilis* und *crataegifolius*; die Himbeeren: *Idaeus* mit *melanolasius, leucodermis, strigosus, occidentalis, japonicus* h. Kew. (die prächtige *biflorus*, etwas sehr empfindlich); von Brombeeren: *caesius, turkestanicus, dumetorum, hystrix*, die sehr guten *laciniatus* und *platyphyllos macrophyllus. R. Koehneanus* kann auch empfohlen werden.

Abb. 39. *Syringa japonica*, japanischer Flieder, 4 *m*.
(Orig., Hort. Vilmorin, Les Barres.)

Salix: Allgemein gesagt, sind alle in Mitteleuropa heimischen (mit Ausnahme der etwas empfindlichen *incana*) und nordischen Weiden hier vollständig winterhart. Alle hier in der Kultur befindlichen Weiden — das hiesige Salicetum zählt ihrer über 600 — aufzuführen wäre zwecklos[6]). ***Sambucus:*** Die härteste Art ist die hier überall verwilderte *racemosa*, besonders schön sind die ebenfalls wie die Stammart reife Früchte bringende Form *laciniata* und die wohl etwas empfindlichere *tenuifolia*. Weniger hart, aber doch zu Großsträuchern heranwachsend: *glauca, arborescens, pubens, canadensis* mit der Form *maxima*, von denen die beiden ersten (*glauca* — blaubeerig, *arborescens* — rotbeerig) durch prächtig gefärbte Beeren bemerkenswert sind. Auch *S. nigra* mit den Formen *laciniata* und *laeta*, wenn auch oft stark abfrierend, bilden noch ansehnliche, alljährlich blühende, aber selten reife Samen bringende Büsche; die Form *rotundifolia* bleibt niedrig. ***Shepherdia*** *argentea* und *canadensis*, ebenso wie ihr Bastard, sind vollständig hart und in großen, alljährlich reich blühenden Sträuchern vorhanden. ***Sibiraea*** *laevigata* und var. *croatica* sind vollständig hart und erste bringt reifen Samen. — ***Solanum*** *Dulcamara* und die var. *persicum* bringen reife Beeren. — ***Sorbaria*** *sorbifolia* und *stellipila* sind vollständig hart und reife Samen bringend, leicht zum Unkraut werdend; *alpina (grandiflora)* ebenso hart, aber schwach wachsend. — ***Sorbus:*** Als härteste erwiesen sich folgende Arten (die mit * bezeichneten brachten Früchte): *alnifolia (Micromeles alnifolia), americana**, *Aria** mit den Formen und Varietäten: *chrysophylla, flabellifolia, glabrata, graeca**, *tomentosa*; *Aucuparia** mit den Formen *moravica**, *rossica**, *fol. aureis**, *pendula**, *fruct. lut.** und *laciniata*; *Bollwilleriana (Sorbopyrus auricularis)*; *Chamaemespilus*; *commixta**, *discolor*; *Hostii**; *hybrida**; *japonica*; *lanuginosa* Hort.*, *latifolia*; *pohuashanensis**; *sambucifolia, scandica** und *Mougeotii* Hort.*, *serotina, splendida**, *thianschanica** mit gelben und roten Früchten. ***Spiraea:*** Vollständig harte (oder nicht zu stark abfrierende, sich schnell wieder herauswachsende und dankbar blühende Sorten sind: *S. acutifolia, albiflora* (friert bis auf den Boden ab), *assimilis, bella, betulifolia, bullata, Bumalda* „Anthony Waterer" und *ruberrima, caespitosa, cana, chamaedryfolia* mit *flexuosa* und *ulmifolia, cinerea, concinna, conspicua, crenata, decumbens, Douglasii, Foxii, gemmata, Gieseleriana, Hacquetii, hypericifolia, inflexa, japonica, longigemmis, macrothyrsa, Margaritae, Menziesii, microthyrsa, mollis, multiflora, Nobleana, notha, oxyodon, pachystachys, pikowiensis, pumila, Pumilionum, salicifolia* mit var. *alba* und var. *latifolia, sanssouciana, Schinabeckii, semperflorens, splendens, superba, syringiflora, tomentosa, trilobata, Vanhouttei.*

Stephanandra *incisa* ist ein schöner (in günstiger Lage alljährlich blühender), vom Froste unbedeutend leidender Strauch. — **Symphoricarpus:** Vollständig hart: *racemosus* und *mollis*, oder wenig frostempfindlich: *acutus, montanus, occidentalis* mit *Heyeri, oreophilus, rotundifolius*, Sträucher, die alljährlich im Schmucke ihrer Früchte prangen. — **Symplocos** *crataegoides (S. paniculata)*, eine sechsjährige, geschützt stehende Pflanze, überwinterte bis jetzt gut. **Syringa:** In großen, alljährlich reichblühenden Exemplaren sind vorhanden: *amurensis, japonica, Josikaea* und *Josikaea* × *villosa, villosa, vulgaris* (die gefülltblühenden, mit Ausnahme der alten *ranunculiflora* empfindlicher) und die neue mandschurische *Wolfii*. Auch *S. reflexa* ist ganz hart. Nicht ganz hart, aber auf geschützten Orten doch noch zu schönen blühenden Sträuchern heranwachsend: *chinensis, oblata, pekinensis, persica, pubescens, velutina.*

Abb. 40. *Viburnum Sargentii*, 2,5 m.
(Phot. A. Rehder, Arnold Arboretum.)

Tilia: Die härtesten, keimfähige Samen bringenden Linden sind: *cordata* und *vulgaris;* hart, aber nur taube Früchte bringend und in schönen Exemplaren vorhanden sind: *platyphyllos* mit der Form *asplenifolia, caucasica* und *euchlora*. Die Asiaten: *mandshurica* (geschützt stehend nicht leidend) und *Miqueliana* sind etwas empfindlicher als die vorher genannten. Von amerikanischen Arten erwies sich als relativ die härteste die Buschbäume bildende, manchmal blühende *americana*, der zweite Platz gebührt *heterophylla* und *pubescens.*

Ulmus: Vollständig hart sind und reife Samen bringen die Großbäume *U. effusa (U. laevis)* und *montana (U. glabra), foliacea (campestris)* (je nach Herkunft zum fruchtenden Baume heranwachsend, oder mehr weniger stark frostleidend) und die Zwergbäume: *arbuscula (montana* × *pumila)* und, wenn geschützt stehend, *pumila*. Von Gartenformen sind hart: *montana fastigiata, laciniata, nana, pendula;* etwas empfindlich, aber noch brauchbar: *montana atropurpurea, crispa, latifolia purpurea.*

Vaccinium: Die härtesten sind unsere einheimischen fruchttragenden Arten: *Myrtillus* mit dem Bastard *intermedium, Oxycoccus, uliginosum, Vitis-Idaea*, ferner von Amerikanern: *erythrocarpum, hirsutum, macrocarpum.* **Viburnum:** Vollständig winterhart sind und zu starken, (wo nicht anders bemerkt) fruktifizierenden Exemplaren wachsen heran: *V. americanum, cassinoides, Lantana* (mit den Formen *aurea* und *marmorata*), *dentatum, lantanoides* (beide vorläufig ohne Früchte), *Lentago, Opulus* (25 jährige Büsche der Form *pygmaeum* niemals blühend), *Sargentii* in beiden Formen. **Vinca** *minor typica* blühend und kulturwert, verlangt aber freistehend etwas Deckung. **Vitis:** Ein ziemlich harter, auf warmen Stellen bis 3 *m* hoch werdender, in guten Jahren blühender, aber selten Trauben bringender starker Schlingstrauch ist *V. amurensis;* an Härte ihm nahe kommend, aber weniger starke Büsche bildend sind: *Coignetiae* und *Thunbergii.*

Xanthorrhiza *apiifolia* ist ein vollständig winterharter, stark wuchernder und fruchttragender Strauch.

Yucca *angustifolia* ist wohl die härteste der Gattung und ziemlich gut aushaltend.

VI.

DIE BUNTBLÄTTRIGEN GEHÖLZE UND IHRE VERWENDUNG.

Von Fritz Graf von Schwerin.

Jeder Anfänger im Gartenbau wird zunächst erstaunt und erfreut sein über den großen Formenreichtum der meisten Gehölze; er wird, wie jeder Sammler, vorerst Freude an Seltenheiten und Merkwürdigkeiten haben, und das um so mehr, je abweichender und auffallender vom Gewöhnlichen die letzten sind. Fast jedem Anfänger tut es dieser Farbenreichtum an, das ist etwas ganz Natürliches. Sehen wir doch bei den Völkern, die noch auf einer niederen Kulturstufe stehen, die Freude an recht bunter Nationalkleidung, an bunten Tapeten, ja an bunten Häusern, und wir selbst in unserer Kindheit greifen sicher zuerst nach dem Spielzeug, das am auffallendsten und grellsten bemalt oder bekleidet ist.

Mit dem Wachsen der allgemeinen Bildung ändert sich erfahrungsgemäß auch der allgemeine und mit dem Wachsen der Fachbildung der spezielle Geschmack. Der erfahrenere Gartenliebhaber beginnt einzusehen, daß alle die weiß- und gelbbunten „Schäcken", die er bisher bewunderte, nichts weiter sind als krankhafte, durch Veredlung mühsam vermehrte Individuen, die oft nicht einmal beständig bleiben. Vom ästhetischen Standpunkte ist etwas Krankhaftes aber niemals schön. Hierzu kommt, daß in der freien Natur Varietäten und Naturspiele nur überaus selten vorkommen. Erst in der Kultur beginnen sich sehr oft solche abweichende Formen zahlreicher zu zeigen; je länger eine Pflanze in Kultur genommen ist, desto mehr Varietäten und Formen werden wir von ihr besitzen, diese sind also eine Folge der durch Generationen fortgesetzten unnatürlichen Lebensweise auf gedüngtem Boden, der zudem oft andersartig ist, als ihn die betreffende Pflanzenart von Natur aus verlangt und benötigt.

Es tritt nun an uns die Frage heran, wo sollen wir buntblättrige Gehölze verwenden und wo nicht. Wir haben zwei Arten von Gärten, den Park und den Hausgarten; der erste soll eine möglichst getreue Wiedergabe der Natur sein, seine Baumgruppen, Gebüsche, Wiesenflächen sollen so angelegt sein, wie wir sie in wiesenreichen Wäldern erblicken und in ihrer natürlichen Schönheit bewundern, und diese Schönheit können wir noch erhöhen durch den uns durch die Einführung fremdländischer Gewächse möglichen größeren Formenreichtum in Wuchs, Blattform und Nuancierung der grünen Farbe. Wir können die allgemeine grüne Tönung noch freundlicher machen, durch Einstreuen schöner Blumen und Stauden, doch muß dies überaus vorsichtig geschehen, um ja kein grellbuntes, farbenschreiendes Bild zu erzielen, das dem natürlichen Vorkommen solcher Pflanzen nicht entsprechen würde. Richtige Blumenbeete oder gar Teppichgärtnerei muß dem eigentlichen Parke fernbleiben, ebenso die grellbunten fleckigen Gehölzformen, denn sie alle sind unnatürlich. Die Wirkung einer nach Wuchs, Blattform und grünen Farbennuancen mühsam zusammengestellten und abgetönten Gehölzgruppe oder größeren Parkwand kann durch das Einfügen eines einzigen goldgelben oder weißbunten Baumes vollständig zerstört werden; dieser bildet dann einen unschönen weithin sichtbaren Farbenklecks, durch den der Blick von der Gesamtheit unweigerlich abgelenkt wird. Hieraus folgt von selbst, daß solche auffallenden Farben nur in ganz seltenen Fällen anzuwenden sind, und auch dann nur dort, wo sie im fernen Hintergrunde weiter Durchblicke dem Auge den Weg in die Ferne weisen und auf die Größe und Weite einer Fernsicht aufmerksam machen sollen.

Das Vorgesagte bezieht sich vor allem auf die weiß- und gelbbunten, noch mehr auf die völlig gelben Gehölzformen. Ein kränkelnder Baum sieht auch gelblich aus. Eine von Natur gelbe Pflanze wird in dem von dieser Eigenart nicht ausdrücklich unterrichteten Beschauer daher zunächst immer den Eindruck einer kränkelnden Pflanze machen, also einen unschönen

Roßkastanie im Herbst im Parke zu Eisgrub.

Unter Buchen im Herbst im Parke zu Muskau

und unerfreulichen. Eine einzige Farbe kann man hiervon ausnehmen, und das ist die rote. Die düstere Pracht einer einzelnen Blutbuche oder einer Gruppe davon kann auch dem Naturparke nur zur Zierde gereichen, doch muß bei der Anwendung solcher roter Gehölze ökonomisch vorgegangen werden; ein völlig roter Parkteil würde düster und nicht freundlich wirken. Nur wenige solcher rotblättriger Gehölze behalten die rote Farbe das ganze Jahr hindurch. Bei vielen ist es nur eine Frühjahrserscheinung, und ihre Blätter verblassen im Sommer zu einem dunklen Olivengrün.

Auch die Gewächse mit weißen Blattunterseiten rechne ich nicht zu den „bunten" Gehölzen, denn die weiße Unterseite ist keine krankhafte Entartung, sondern gerade das typische Merkmal der betreffenden Art, also vollständig normal und natürlich. Silberpappel, Silberahorn, Silberlinde und so mancher schöne Strauch mit weißer Blattunterseite bildet, besonders bei bewegter Atmosphäre, oft den schönsten Schmuck des Parkes.

Ganz andere Gesichtspunkte haben wir beim kleineren Haus- und Blumengarten zu beachten. Eine der Natur abgelauschte großartige Gruppierung der Pflanzen verbietet der Mangel an Platz; im kleinen Raume soll jedes Eckchen auf sich aufmerksam machen, und keine hohen schattigen Baumkronen sollen die wenigen duftenden Blumenbeete im Schatten dahinsiechen lassen. Je bunter ein Gehölz ist, desto schwachwüchsiger ist es meist, desto weniger also wird es dem beschränkten Rasenfleck und seinen Blumen schaden. Hier sind die in allen Farben buntbemalten Naturspiele unseres Pflanzenreiches also so recht am Platze, und es läßt sich ein Farbenmosaik erreichen von einer ungeahnten Vielseitigkeit. Selbst Vasenbuketts und Tischdekorationen, aus buntblättrigen Zweigen zusammengestellt, werden nie ihre Wirkung verfehlen und sind eine lange haltbare Zimmerzierde.

Aber auch die Besitzer großer Parke brauchen der bunten Gehölze nicht völlig zu entraten, denn sie werden meist neben dem schönen Naturpark auch einen Blumengarten, ein Rosarium oder ähnliches haben und die allernächste Umgebung des Wohnhauses, auch wenn es mitten im Park liegt, rechnet nicht mit zu den eigentlichen Parkanlagen, sondern bildet gewissermaßen die Fortsetzung des Hausinnern, den allmählichen Übergang von diesem in die weite Natur.

Haben wir in Vorstehendem nun gesehen, wohin die „bunten" gehören, so wollen wir uns diese nun einmal selbst ansehen. Wie schon gesagt, ist die Buntheit fast immer etwas Krankhaftes. Geht die Farbe der weißen oder gelben Flecken durch das Ganze hindurch, so besitzen die davon betroffenen Teile kein Chlorophyll, d. h. keine der kleinen grünen, in die Zellen des Blattes eingeschlossenen Körperchen, die der Pflanze das grüne Aussehen geben, ganz ähnlich wie die roten Blutkörperchen dem Menschen die Rosigkeit. Eine solche ganz weiße oder ganz gelbe Pflanze, wie sie oft aus Samen erwächst, ist nicht lebensfähig und siecht schon in kürzester Zeit an Bleichsucht dahin.

Solche bunten Flecken können groß sein, d. h. einen großen Teil des ganzen Blattes bedecken und sind dann meist nur auf einige Blätter beschränkt, also nicht konstant; oder sie sind klein, und dann an sämtlichen Blättern der Pflanze vorkommend, oft nur wie ein darüber hingestäubtes weißes oder gelbes Pulver. Am besten wirkt es noch, wenn nur ein weißer oder gelber Rand auftritt, oder ein grüner Rand ein farbiges Blattinnere umgibt.

Eine andere Art der Färbung ist die, bei der nur die Blattoberseite die bunte Färbung behält, wie bei den meisten rotfarbigen Gehölzen und einigen goldgelben, wie *Acer Pseudoplatanus Worleei*, *Fagus sylvatica Zlatia* u. a. m. Hier ist nicht das ganze Blatt von der abweichenden Färbung betroffen, sondern nur seine alleroberste Schicht, die Pflanze ist also durchaus lebensfähig und meist ebenso wüchsig wie die typische grüne.

Eine dritte Art der Färbung ist die Frühjahrsfärbung, wo die Zweigspitzen nur beim Austreiben eine rote, gelbe oder weiße Färbung zeigen, die gegen die älteren grünen Teile, oft sehr schön kontrastiert, zum Sommer aber allmählich in Grün übergeht.

Schließlich sei noch der Herbstfärbung gedacht. Wir haben in Deutschland nur wenige Gehölze, deren Blätter im Herbste nicht gelb werden, z. B. *Cornus sanguinea*, schwarzrot und die gewöhnliche Sauerkirsche schön orange. Nordamerika und Ostasien bieten uns dagegen eine Fülle von Gehölzen von einer solchen Farbenpracht der herbstlichen Belaubung, daß den Beschauer Staunen ergreift vor den einzigartigen Wirkungen, die sich dadurch erzielen lassen.

Eine genaue Zusammenstellung der durch bunte Färbung zierenden Gehölze findet der Leser in Tabelle XVIII im besonderen Teile des Buches.

VII.

DIE ZUM FORSTLICHEN ANBAU GEEIGNETEN FREMDLÄNDISCHEN LAUBHÖLZER.

Von Geh. Regierungsrat Prof. Dr. Schwappach.

Obwohl fremde Laubhölzer schon seit mehr als 150 Jahren in ziemlich großer Anzahl in Deutschland und Österreich eingeführt worden sind und viele hochwertige Exemplare in den verschiedensten Landesteilen bis zum äußersten Nordosten zu finden sind, so haben sie doch bisher, abgesehen von der Akazie und von der Roteiche, im forstlichen Großbetriebe nur wenig Verwendung gefunden. Ja selbst in den Parkanlagen werden neuerdings die Laubhölzer trotz der hohen Vorzüge, die sie in ästhetischer Beziehung für die Landschaftsgärtnerei besitzen, gegenüber den immergrünen Nadelhölzern in fast ungerechtfertigter Weise vernachlässigt. Im Walde treten die fremden Laubhölzer hauptsächlich deshalb zurück, weil sie fast sämtlich besseren Boden beanspruchen, den man meist der Eiche einräumt, und weil der Anbau gerade der wertvollsten Arten eine gewisse Vorsicht und eigenartige Technik beansprucht.

Bezüglich der für den Großbetrieb im Walde und im Parke besonders wichtigen fremden Laubhölzer läßt sich in Kürze folgendes ausführen:

Acer-Arten. Hiervon sind bei den Anbauversuchen besonders berücksichtigt worden: *Acer Negundo, Acer saccharinum* L. *(A. dasycarpum* Wangh.) und *Acer saccharum* L. *(A. saccharinum* Wangh.). Der Anbau des kalifornischen Ahorns muß vom forstlichen Standpunkt als ein vollständiger Mißgriff bezeichnet werden, nur als Parkbaum und für Gartenanlagen kommen die buntblättrigen Abarten in Betracht. Aber auch der Silber-Ahorn und der Zucker-Ahorn werden sich in unserem gleichartigen Hochwalde ebensowenig behaupten können wie die einheimischen Arten. Nur für die ungleichaltrigen Waldformen — Plänterwald und Mittelwald — sowie im Parkwald besitzen sie wegen ihres ästhetischen Reizes hohe Bedeutung. Ihr Holz hat gegenüber jenem der einheimischen Arten keinerlei Vorzüge, nur die Maserbildungen des Zuckerahorns (Bird's eye maple) werden teuer bezahlt.

Von den Birken-Arten ist **Betula** *lenta* insbesondere umfangreicher angebaut worden, sie hat aber hinsichtlich der Anspruchslosigkeit an den Boden und der Schnellwüchsigkeit doch nicht den gehegten Erwartungen voll entsprochen. Besseres scheint die *Betula lutea* zu leisten, die von Prof. Fernow schon seit längeren Jahren warm empfohlen worden ist.

Die **Carya**-Arten verbinden mit hohem Gebrauchswert auch ästhetische Reize, namentlich wenn sie ihren Ansprüchen gemäß genügend freiständig erzogen werden. Ihre Kultur wird erschwert durch die Langsamwüchsigkeit und Frostempfindlichkeit in der Jugend, sowie durch die Schwierigkeit, mehrjährige Pflanzen zu versetzen; ältere als ein- oder höchstens zweijährige Sämlinge sollten im Großbetrieb überhaupt nicht zur Verwendung gelangen, am empfehlenswertesten ist Saat. Von den zahlreichen Arten kommt für Norddeutschland eigentlich nur *Carya ovata (C. alba* Nutt.) in Betracht. *C. alba* Koch *(C. tomentosa* Nutt.) und *C. glabra (C. porcina)* verlangen schon ein milderes Klima. *C. cordiformis (C. amara)* scheidet wegen ihres geringwertigen Holzes aus. Unter einem mäßigen, rechtzeitig gelichteten Schirm von Birken, Erlen und Kiefern, ferner zwischen Buchen entwickeln sie sich selbst auf Boden von nur mittlerer Güte (lehmhaltigem Sand mit genügender Frische) gut und entfalten etwa vom 10. Jahre ab ein energisches Höhenwachstum. Auf Aueböden wird *C. alba (C. tomentosa)* mit 20 Jahren bis 11 *m* hoch, bei einem Brusthöhendurchmesser von 15 *cm*. Die *Carya*-Arten wollen im Gegensatze zu unseren Eichen und Buchen in lockerem Schlusse aufwachsen. Dichter Stand verzögert nicht nur die Entwicklung, sondern wirkt auch noch dadurch schädlich, daß die schwachen Stämme durch die Last der außerordentlich üppigen Belaubung zu Boden gebogen werden. Bei bestandsweiser Anlage sind daher frühzeitig beginnende, häufig wiederkehrende und kräftige Durchforstungen notwendig.

Zu den ältesten der in Deutschland bereits forstlich kultivierten Laubhölzer gehört **Fraxinus** *americana (F. alba)*. Auf mildem, nicht saurem Moorboden und namentlich bei Überschwemmungsgefahr während der Vegetationszeit leistet sie mehr und ist widerstandsfähiger als die heimische *F. excelsior*. Im Wachstume bleibt sie auf einem Standorte, welcher der letzten zusagt, hinter ihr zurück. Die Urteile über die Güte des Holzes von *F. americana* gegenüber *F. excelsior* schwanken, in den meisten Fällen wird erste bevorzugt, doch findet sich auch das Gegenteil.

Das wertvollste, aber auch das anspruchsvollste der anzubauenden Laubhölzer ist ***Juglans** nigra*. Sie verlangt einen sehr tiefgründigen, milden und frischen Lehmboden und ist die

Abb. 41. *Juglans nigra*, Schwarznuß, 20 *m*. (Orig., Libejice, Böhmen.)

eigentliche Holzart der Aueböden. Bei ihrem Anbau müssen zwei Eigentümlichkeiten berücksichtigt werden, nämlich einerseits das schwere Keimen der dickschaligen Nuß und die frühzeitige Entwicklung einer ungemein kräftigen Pfahlwurzel, die fast nur an ihrem unteren Ende Faserwurzeln trägt. Um die rechtzeitige Entwicklung der Keimlinge und deren Verholzen vor Eintritt des Frostes zu sichern, müssen die Nüsse vor der Aussaat tunlichst mehrere Monate hindurch in feuchtem Sande, der wiederholt mit Wasser oder Jauche begossen wird, vorgekeimt werden. Wegen der starken Pfahlwurzel sollte die Bestandesbegründung nur durch Saat oder höchstens durch Verwendung einjähriger Sämlinge erfolgen. *Juglans nigra* ist eine ausgesprochene Lichtholzart und verlangt reichlich Raum zur Entwicklung einer guten Krone. Die Bemühungen, die Frostgefahr durch einen Bestandesschirm zu mindern, haben den Nachteil, daß das Verholzen der jungen Triebe verzögert wird und diese dann unter Frühfrösten leiden. Bei der Bestandeserziehung müssen Individuen mit schlechten und sperrigen Kronen frühzeitig entfernt werden.

Bei angemessener Berücksichtigung dieser Eigentümlichkeiten vermag sich *Juglans nigra* in Deutschland und Österreich, sowohl im Park wie Walde, gut zu entwickeln, was dort

4*

zahlreiche stattliche Exemplare, hier schon mehrfach vorhandene, ziemlich ausgedehnte Anlagen beweisen. In der Nähe von Halle übertrifft die Schwarznuß auf Aueboden Eiche und Esche im Höhenwachstum und erreicht im Alter von 25 Jahren bis zu 20 *m* Höhe. Es wäre dringend zu wünschen, daß die Kultur dieses hochwertigen, im Handel immer seltener werdenden Holzes in Deutschland und Österreich eifriger betrieben würde.

Eine erst verhältnismäßig neue Einführung ist **Magnolia** *hypoleuca*, die von Mayr wegen ihres vortrefflichen Holzes, aber auch ihres guten Aussehens wegen, warm empfohlen wird. Nach meinen Erfahrungen gedeiht diese Art auf unseren mittleren und besseren Laubholzerböden zwischen Eiche und Buche ausgezeichnet und überholt diese Arten in der Jugend durch rascheres Wachstum erheblich. Nach ihrem Habitus in unbelaubtem Zustande erinnert sie an Esche, das 30 bis 50 *cm* lange Blatt gewährt einen prachtvollen Anblick, mit 20 Jahren beginnt sie zu blühen. Am zweckmäßigsten wird sie als einjähriger Sämling oder zweijährige verschulte Pflanze in Laubholzverjüngungen eingesprengt.

Abb. 42. Gruppe von *Liriodendron tulipifera*, Tulpenbaum, ca. 20 *m*. (Phot. Hort. Grafenegg, Nied.-Österr.) Vergleiche auch die Farbentafel IV.

Quercus *rubra (Qu. borealis)* mit den ihr nahestehenden Arten: *Qu. coccinea, Qu. velutina (Qu. tinctoria)* ist seit mehr als 100 Jahren nicht nur in Parkanlagen, sondern auch im Walde heimisch. Mit Raschwüchsigkeit und Anspruchslosigkeit an den Boden verbindet sie ein hohes Maß von ästhetischem Reiz. Gerade durch den vielfachen Farbenwechsel der Roteiche vom Ausbruche des Laubes bis zu dessen Abfalle im letzten Spätherbst gewinnt unser Wald ungemein an Mannigfaltigkeit. Waldbaulich bietet die Roteiche den großen Vorzug, daß sie auch noch auf frischem Sandboden gedeiht und so die Möglichkeit der Einbürgerung eines Laubholzes auf Standorten bietet, die der Rotbuche nicht mehr zusagen. Strengen Tonboden meidet die Roteiche und bleibt hier gegen die deutschen Eichen im Wachstume zurück. Wenn ihr Holz zur Verwendung als Faßdaube auch ungeeignet ist, so besitzt es doch andere gute Eigenschaften, die auch mit Rücksicht hierauf den forstlichen Anbau der Roteiche empfehlenswert erscheinen lassen. Wo *Quercus pedunculata* und *Qu. sessiliflora* gut gedeihen, sollte man die Roteiche höchstens aus ästhetischen Gründen kultivieren, erst da, wo die heimischen Arten wegen der geringeren Bodengüte nachlassen, beginnt der ihr zuzuweisende Standort. Bei ihrer Kultur muß ebenfalls vor der Verwendung zu starken Materials gewarnt werden. Stärkere Pflanzen als 1 *m* hohe Loden wachsen schwer an.

Zu den schon von Wangenheim empfohlenen und bereits längere Zeit in Deutschland heimischen nordamerikanischen Holzarten gehört **Prunus** *serotina*. Anfangs glaubte man, daß diese wegen ihres guten Holzes schon empfehlenswerte Art auch auf geringem Sandboden noch gut gedeihe. Dieses trifft jedoch nicht zu, da sie nur auf mittleren und besseren Böden, namentlich bei genügender Frische, den gehegten Erwartungen entspricht. Freistehend und in reinen Beständen wächst *Prunus serotina* sparrig. Dagegen entwickelt sie zwischen anderen Arten, namentlich in Buchenverjüngungen eingesprengt, einen geraden Schaft. Besonders zu empfehlen ist ihr Anbau an Bruchrändern und im Auewald. Schon im jugendlichen Alter trägt sie Früchte, die von den Vögeln gerne genommen werden, auf diesem Wege wird ihre Weiterverbreitung sehr gefördert.

H. Mayr hat an Stelle von *serotina* die japanische *Prunus Ssiori (P. Shiuri)* mehr empfohlen, weil sie geradschäftiger wächst. Leider ist es bisher weder mir noch der Deutschen Dendrologischen Gesellschaft gelungen, keimfähigen Samen hiervon zu erhalten.

Kaum noch als Fremdländer wird **Robinia** *pseudoacacia* betrachtet, die in neuerer Zeit namentlich als Stickstoffsammler und Dünger für die beigemischten Holzarten vielfach angebaut wird. In Norddeutschland entwickelt sie nur selten einen geraden Schaft von starken Abmessungen, auch ist sie, wenigstens in kälterem Klima, keineswegs so anspruchslos hinsichtlich der Bodengüte, wie früher vielfach angenommen wurde. In wärmeren Gegenden, schon in Süddeutschland, erlangt sie einen ungleich besseren Habitus. Vorzügliche Erfolge sind ja mit ihrem Anbau bei der Aufforstung der Flugsandflächen Ungarns erzielt worden.

Neben den genannten Arten, die bereits in größerem Umfange forstlich angebaut werden, verdienen auch noch verschiedene andere Arten Berücksichtigung. Als solche nenne ich namentlich:

Cercidiphyllum *japonicum* wegen ihres guten Holzes und vor allem wegen ihrer prachtvollen Laubfärbung, die von der Entfaltung der Blätter bis zu deren Abfall ständig wechselt. Auf Buchenboden gedeiht sie selbst in Norddeutschland bei Aufzucht im Bestandesschutz recht gut.

Liriodendron *tulipifera* liefert gutes Holz, wächst durch ganz Norddeutschland, ist ein sehr schöner Parkbaum und verdient weitere Beachtung. Der Tulpenbaum ist nur schwer zu verpflanzen, namentlich als Heister, man muß den Moment der Blattentfaltung zu diesem Zweck benützen.

Zelkowa *serrata (Z. Keaki)* wurde wegen der Güte ihres Holzes warm empfohlen, findet aber in Norddeutschland nicht mehr die zu ihrer guten Entwicklung nötige Wärme.

Versuchsweisen Anbau scheinen außer den oben bereits genannten *Prunus Ssiori* die noch seltenen japanischen Arten: **Pterocarya** *rhoifolia* und **Juglans** *Sieboldii*, beide von H. Mayr empfohlen, zu verdienen.

VIII.

UNSERE WICHTIGSTEN MOORBEETPFLANZEN (ERICACEEN).

Von Georg Arends.

Die umfangreiche Familie der Ericaceen mit ihren Unterfamilien der *Rhododendreae, Arbuteae, Vaccinieae* und *Ericeae* liefert unseren Gärten eine große Zahl wertvoller Ziergehölze, die gewöhnlich unter dem Sammelnamen „Moorbeetpflanzen" zusammengefaßt werden.

Die in unserem Klima winterharten oder mit geringem Schutz aushaltenden Arten sind hartholzige, meist kleine oder mittelgroße Sträucher, die sich selten zu kleinen Bäumen entwickeln. Zum großen Teile immergrün, teils aber auch laubabwerfend, sind unter ihnen manche der schönsten Blütensträucher unserer Gärten. Besonders wertvoll sind sie noch dadurch, daß sie an die Kultur nicht allzu große Ansprüche stellen.

Ihrer außerordentlich feinen Bewurzelung wegen verlangen sie zum guten Gedeihen einen humosen, lockeren, durchlässigen und dennoch feuchten Boden. Es wurden deshalb wohl in schweren Böden besondere Beete ausgehoben und mit Moorerde, Heideerde, Lauberde usw. gefüllt; daher auch der Name Moorbeetpflanzen.

Ganz soviel Umstände sind jedoch nicht notwendig, um die Ericaceen zum guten Gedeihen zu bringen. Schwerer, lehmiger oder toniger Boden sollte durch reichliche Vermischung mit Torfmull, nötigenfalls auch etwas Sand, oder durch Heide- und Lauberde gelockert werden. Aber auch bei reinem Sand ist Zusatz von Torf zu empfehlen, um dem Boden den nötigen

Humus zuzuführen. Alle diese Zusatzmittel sollten mit dem vorher umgegrabenen Boden richtig durchgehackt werden, so daß ein gleichmäßiges Gemisch entsteht. Wenig empfehlenswert ist es, nur in das Pflanzloch ein paar Schaufeln des oben genannten Materials einzufüllen.

Obwohl einzelne Ericaceen, namentlich die Heidekrautarten, in voller Sonne gut gedeihen, liebt die Mehrzahl doch eine etwas absonnige, östliche Lage, wo vor allen Dingen die Wintersonne die Pflanzen nicht trifft. Der Boden zwischen den Pflanzen sollte im Herbst mit Laub oder grobem Torf und ähnlichem bedeckt werden, um ein zu tiefes Einfrieren zu verhindern. Nach dem Wegräumen dieser Schutzdecke im Frühling ist dann das Aufbringen einer dünnen

Abb. 43. *Ledum groenlandicum*, breitblättriger Porst, 0,7 *m*. (G. Arends, Ronsdorf.)

Lage verrotteten Düngers sehr zweckmäßig. Gerade wegen der feinen, wenig sich ausbreitenden Wurzeln ist auf genügende Ernährung sowie das Feucht- und Lockerhalten des Bodens besonders zu achten.

Die Vermehrung der Ericaceen erfolgt entweder durch Samen oder durch Teilung, Senker, Stecklinge und Veredlung. Da sie bei den meisten Arten und Gattungen wenig voneinander abweicht, sei sie hier kurz angegeben.

Besonders feinsamige Arten wie *Ledum*, Eriken und manche Rhododendren, Andromeden usw. sät man im Winter in Schalen oder Kistchen mit recht sandiger Laub- oder Heideerde. Um die Samen gleichmäßig zu verteilen, empfiehlt es sich, sie vor dem Ausstreuen mit trockenem Sand zu vermischen. Ein Bedecken dieser feinen Samen erfolgt nicht. Nachdem sie einige Wochen dem Schnee und der Kälte ausgesetzt waren, bringt man sie in ein mäßig warmes Treibhaus oder einen Mistbeetkasten, wo sie meist nach ein paar weiteren Wochen aufgehen. Die sehr feinen Sämlinge werden recht bald pikiert und bei guter Weiterentwicklung noch im Laufe des Sommers, sonst im Laufe des nächsten Frühlings, in die zur Weiterzucht bestimmten Mistbeetkästen in ähnliche Erdmischung ausgepflanzt. Arten mit größerem Samen, z. B. *Rhododendron*-Hybriden, Azaleen, manche Andromeden, sät man im März direkt in gut vorbereitete Kästen oder auf geschützte Freilandbeete, wo sie bei Halbschatten und Feuchtigkeit sehr bald aufgehen und später wie die im Hause angezogenen weiter behandelt werden.

Die einfachste Form der vegetativen Vermehrung ist die durch Teilung. Manche Arten entwickeln ausläuferartige Triebe, die sich bei genügender Erstarkung abtrennen und als selbständige Pflanzen behandeln lassen, z. B. *Vaccinium*-Arten, Gaultherien, *Kalmia angustifolia* und weitere. Andere Arten, die sich nahe dem Boden stark verzweigen, treiben aus diesen

Abb. 44. *Loiseleuria procumbens*, Zwergporst, 5 cm. (Orig., Schneeberg bei Wien.)

Zweigen mit Leichtigkeit Wurzeln, wenn man sie etwas tiefer pflanzt oder mit lockerer Erde anhäufelt und feucht hält. Sie lassen sich auf einzelne Triebe auseinanderreißen, die gleich gut bewurzelte Pflanzen bilden. So ist es bei Eriken, Menziesien, *Kalmia glauca* usw. — Wieder andere, mehr stammbildende Arten, wie Azaleen, *Rhododendron*, Andromeden können noch durch Ableger vermehrt werden. Wenn die sehr spröden, leicht brüchigen Zweige zu weit von der Erde entfernt sind, um sie herabbiegen zu können, setzt man die Pflanze etwas schief in den Boden, um die Äste leichter herunter zu bekommen. Nach vorsichtigem Herabbiegen werden sie mit langen Holzhaken gut festgesteckt und mit sandiger lockerer Erde bedeckt. Wenn dies im Frühling geschieht und die Pflanzen während des Sommers gut feucht gehalten werden, ist meist schon im Herbst oder nächsten Frühling die Bewurzelung stark genug, um die jungen Pflanzen abtrennen und aufpflanzen zu können, anderenfalls läßt man sie noch ein weiteres Jahr liegen.

Die Vermehrung durch Stecklinge wird namentlich vorgenommen bei Eriken, Callunen, Bruckenthalien, Menziesien, Gaultherien, *Arctostaphylos*, einigen Andromeden, *Rhododendron*- und *Azalea*-Arten. Das Schneiden der Stecklinge erfolgt entweder im August-September, wenn das Holz halbreif ist, oder auch von ausgereiften Trieben im Winter. Im Sommer steckt man sie in Mistbeetkästen in Schalen oder Kistchen, im Winter hält man sie im mäßig warmen Gewächshause. Immer muß man möglichst dünne, schwache Seitentriebe wählen, die sich besser bewurzeln als die kräftigen Haupttriebe. Geschlossene Luft, gleichmäßige Feuchtigkeit sind natürlich Hauptbedingung.

Abb. 45. *Andromeda floribunda*, reichblühende Lavendelheide, 1,25 *m*. (Phot. A. Rehder, Arnold Arboretum.)

Abb. 46. In der Mitte *Andromeda polifolia*, 25 *cm*, links und rechts *Rhododendron* (*Rhodora*) *canadense*. (G. Arends, Ronsdorf.)

Die letzte der Vermehrungsarten ist schließlich die Veredlung. Sie kommt vor allem bei Namensorten von *Azalea* und *Rhododendron* in Betracht, wenn es sich darum handelt, schnell große Massen heranzuziehen. Die zu Unterlagen dienenden Wildlinge werden ein Jahr vorher in Töpfen zur Durchwurzelung kultiviert und im Frühling im Treibhause kopuliert. Als Unterlagen benützt man für *Rhododendron* gewöhnlich Sämlinge von *Rhod. ponticum*, aber auch wohl von anderen härteren Arten, für Azaleen Sämlinge des gewöhnlichen *Rhod. molle (Azalea mollis)* oder *Rh. luteum (A. pontica)*.

Im folgenden seien ganz kurz die wertvollsten Arten und Formen angeführt, wobei der Leser auch das im Besonderen Teil bei den einzelnen Gattungen Gesagte berücksichtigen möge.

Unterfamilie *Rhododendreae*:

Azalea: Die hierhergehörigen Arten sind im besonderen Teil unter *Rhododendron* mitbesprochen.

Daboecia *(Menziesia) cantabrica* ist nur in sehr geschützten Lagen winterhart und bedarf sonst guter, aber lockerer Deckung. Von den zahlreichen Varietäten sind die schönsten: var. *alba*, reinweiß, Maiblumenerika, var. *atropurpurea*, dunkelpurpurrot, var. *bicolor*, Blüten weiß und purpurn, var. *globularis*, Blüten purpurn, kugelig und var. *grandiflora*, Blüten großglockig, purpurn.

Kalmia siehe im besonderen Teile.

Abb. 47. *Rhododendron kamtschaticum*, 8 *cm*, 35 *cm* Durchm. (Phot. A. Purpus.)

Ledum *palustre*, unser gemeiner Sumpfporst ist absolut winterhart, bedarf aber feuchten Boden und nicht zu sonnigen Standort. *L. groenlandicum (L. latifolium)* wächst dichter und gedrungener und hat breitere Blätter. *L. hirsutum* ist wahrscheinlich ein Bastard beider Arten. Sie alle vermehren sich durch Senker oder Samen.

Leiophyllum *buxifolium*, die Sandmyrte, ist ein niedriges bis 30 *cm* hohes Sträuchlein, das nicht zu sonnigen Standort und leichten Winterschutz verlangt. Für Gesteinsanlagen eignet sich besonders var. *prostratum*. Vermehrung durch Ableger und Aussaat. — *Loiseleuria (Azalea) procumbens* (Abb. 44) eignet sich als rasiges Sträuchlein sehr für nicht zu sonnige Felspartien, die Vermehrung ist jedoch ziemlich schwierig, am besten durch Ableger oder Samen.

Menziesia *pilosa (M. globularis)* ist ein aufrechter, laubabwerfender, bis 70 *cm* hoher Strauch, mit ziemlich großen, rosafarbenen Blütenglocken im Mai, der sich als recht hart erwiesen hat.

Phyllodoce *coerulea (P. taxifolia)* ist echt sehr selten in den Gärten, meist geht unter diesem Namen *P. empetriformis*, welche Abb. 343 zeigt. Sie besitzt prächtige, leuchtend rosafarbene Blütensträußchen und ist ganz hart, verlangt aber Schutz vor zu starker Besonnung; Vermehrung durch Teilung, Ableger und Stecklinge. *P. erecta (Phyllothamnus erectus)* ähnelt der vorigen, wächst aber straff aufrecht und ist hybriden Ursprungs.

Rhododendron: Siehe die Abhandlung im besonderen Teile. Hier sei nur erwähnt *Rhododendron kamtschaticum*, die in Abb. 47 dargestellt ist und eine schöne, aber noch seltene Pflanze für nicht zu sonnige Stellen in Felspartien darstellt. — **Rhodothamnus** *Chamaecistus* ist das bekannte Zwergrösel aus den Alpen, das sich in Kultur als schwierig erweist und sandigen Boden verlangt. Vermehrung durch Teilung und Samen.

Aus der zweiten Unterfamilie, den A r b u t e e n, seien hervorgehoben:

Andromeda *axillaris*, kleiner Strauch mit glänzenden immergrünen Blättern; sehr nahe steht *A. (Leucothoë) Catesbaei*, die bis 1 *m* hoch wird und deren elegant gebogene Zweige meist aus dem Wurzelstock kommen, ist besonders wegen der im Winter sich herrlich rotbraun färbenden Blätter ein in Amerika zu Weihnachten beliebtes Wintergrün. Vermehrung

Abb. 48. *Erica multicaulis*, 50 *cm*. (G. Arends, Ronsdorf.)

durch Samen und Ableger; *A. (Chamaedaphne* oder *Cassandra) calyculata* ist sehr hart und widerstandsfähig und sollte mehr angebaut werden; außer der Stammart noch in Kultur var. *minor*, in allen Teilen kleiner und zierlicher und var. *nana (A. vaccinioides)* ganz besonders niedrig und reich blühend; *A. Davisiae*, bis 2 *m* hoch, mit glänzendgrüner Belaubung und

Abb. 49. *Erica vagans*, 30 *cm*. (G. Arends, Ronsdorf.)

großen weißen Blütenglocken und aufrechten Trauben im Mai-Juni; *A. floribunda* (Abb. 45), prächtiger, harter Zierstrauch, der viel mehr Verbreitung verdient. *A. japonica* siehe Abb. 90, ein harter guter Zierstrauch, mit einer weißbunten Varietät, var. *albomarginata*. Vermehrung durch Samen, Senker und Stecklinge; *A. polifolia*, bekannte europäische Art, die auf Abb. 46 dargestellt ist. Sie liebt Moorboden und feuchte Heideböden und ist durch Teilung leicht zu vermehren. Die schönsten Kulturformen sind: var. *angustifolia*, Wuchs aufrecht, Blätter schmal lineal, var. *latifolia* (var. *major*), Blätter breit, Wuchs kräftig; *A. pulverulenta (Zenobia speciosa)* bis über meterhoher Strauch und hübsche, ziemlich harte Art. Bei der typischen

Abb. 50. *Bruckenthalia spiculifolia*, Ährenheide, 25 *cm*. (G. Arends, Ronsdorf.)

Form sind die jungen Blätter und Kelche wenig weiß bestäubt; bei var. *nuda* sind die Blattunterseiten grün. — **Arbutus:** Die verschiedenen Arten dieser Gattung sind im allgemeinen für das mitteleuropäische Klima als Freilandpflanzen nicht geeignet. — **Arctostaphylos** *Uva-ursi* ist das immergrüne Gegenstück zu *Arctous* und sehr hübsch für Felspartien. Vermehrung durch Senker, Stecklinge und Samen; eine Form davon, die als *A. nevadensis* in den Gärten geht, wächst viel stärker und bildet längere Ranken, ebenfalls eine gute Bodenbedeckungspflanze. — **Arctous** *(Arctostaphylos) alpina* ist laubabwerfend und durch prächtige Herbstfärbung ausgezeichnet, sonst wie vorige fürs *Alpinum*.

Cassiope *tetragona* vergleiche Abb. 136, ein niedriges Zwergsträuchlein mit schuppenartigen Blättern, ganz hart und hübsch für Liebhaber. Vermehrung durch Senker, Stecklinge und Samen. — **Chiogenes** *hispidula* ist ein ganz dicht an der Erde kriechender Zwergstrauch mit feinen, immergrünen Blättchen. Für Liebhaber im Moorbeet verwendbar und durch Senker und Stecklinge zu vermehren.

Epigaea *repens:* ein kleines kriechendes Pflänzchen mit weißlichen Glöckchen im Sommer, das Winterschutz verlangt und durch Stecklinge vermehrt wird.

Gaultheria *procumbens*, ein kleiner kriechender, unterirdische Ausläufer bildender Zwergstrauch, im Herbst durch schöne, leuchtendrote Früchte ausgezeichnet, die sehr wohlschmeckend sind, eine reizende Pflanze für halbschattige Stellen in Felspartien, vor *Rhodo-*

dendron- und Azaleengruppen. Vermehrung durch Teilung; *G. Shallon* (siehe Abb. 238) besitzt schwärzliche Früchte und ist leicht durch Teilung zu vermehren. *G. acutifolia* der Gärten ist nur eine Form mit spitzeren Blättern.

Pernettya: Die aus den Hochgebirgen Südamerikas stammenden Arten der Torfmyrte sind nur in sehr geschützten Lagen und bei guter Bedeckung einigermaßen hart, am verbreitetsten sind die Varietäten von *P. mucronata* und ihre Hybriden.

Die Unterfamilie der Vaccinieen enthält eigentlich nur in der Gattung ***Vaccinium*** kulturwerte Arten, von denen ich folgende hervorheben möchte: *V. corymbosum* (siehe Abb. 477) ist sehr viel üppiger als unsere Heidelbeere und bringt ebenfalls schwarze wohlschmeckende Früchte, als interessanter Fruchtstrauch für Liebhaber sehr zu empfehlen; *V. erythrocarpum* bildet kleine aufrechte Sträucher mit schönen roten Früchten; *V. macrocarpum* ähnelt sehr unserer Moosbeere, ist aber in allen Teilen größer und hat bis kirschgroße Früchte, die wie unsere Preißelbeeren verwendet werden. Vermehrung durch Stecklinge und Ableger; *V. ovatum* wird bis 60 *cm* hoch, besitzt schöne glänzendgrüne Belaubung, verlangt aber sehr geschützten Standort oder gute Winterdecke. Vermehrung durch Senker und Ableger; *V. Oxycoccus*, unsere gemeine Moosbeere, läßt sich auch an geeigneten Stellen im Moorbeet anpflanzen; *V. pennsylvanicum* ähnelt dem *corymbosum*, bleibt aber niedriger und bringt nicht so lange Trauben; *V. Myrtillus*, unsere gemeine Heidelbeere, wird hier und da im Park zum Begrünen lichter Holzpartien verwendet, gedeiht aber in stark kalkhaltigem Boden nicht, in Kultur findet sich auch eine weißfrüchtige Form, var. *leucocarpum* und ein Bastard mit *V. Vitis Idaea*: *V. intermedium*; *V. uliginosum*, die Sumpfheidelbeere oder Moorbeere, wächst straffer und aufrechter als die Heidelbeere, der sie sonst in Belaubung und Frucht ähnlich sieht; *V. Vitis Idaea*, die Preißelbeere, ist wegen ihrer Früchte bekannt und eine vorzügliche Pflanze zur Bodenbedeckung in geeigneten Lagen lichter Parks; noch besser für diesen Zweck ist var. *minor* (var. *nanum*).

Abb. 51. *Abelia triflora*, dreiblütige Abelie, 1,5 *m*. (Phot. A. Purpus.)

Wir kommen nun zu der Gruppe der echten Heidekräuter, den Ericaceen.

Während die Heidekräuter der südlichen Länder stattliche Sträucher oder gar kleine Bäume bilden, die im Schmucke ihrer meist großen, lebhaft gefärbten Blüten schon als einzelne Büsche ins Auge fallen, sind die in normalen Verhältnissen bei uns ohne oder mit geringem Winterschutz ausdauernden Arten nur kleine niedere Sträucher, die gewöhnlich sich nicht mehr wie 30 bis 60 *cm* über dem Boden erheben und selten eine größere Höhe erreichen. Als einzelne Individuen verhältnismäßig unscheinbar, sind sie in größeren Trupps und in ihrer Gesamtheit dennoch von wunderbarer Wirkung.

Welcher Zauber liegt über der blühenden Heide, sei es in der schwach welligen, endlos erscheinenden Ebene oder in der Hügellandschaft der Mittelgebirge, wo sie ganze Berghalden mit ihrem purpurnen Schein überzieht und in malerischer Weise die Wegränder schmückt. Wie im Norden die gemeine Heide, *Calluna vulgaris*, ist es in den Kalkbergen des südlichen Europa die Schnee-Heide, *Erica carnea*, die so manchen sonst kahlen Hang belebt. Zum Unterschied von ihren sommerblühenden Schwestern schmückt sie sich schon bald nach der Schneeschmelze im März-April mit den leuchtend karmin-fleischfarbenen Blüten und läßt die Berge bis in den Mai hinein flammendrot erscheinen.

Abb. 52. *Anthyllis Hermanniae*, Wundklee, 35 *cm*. (Phot. A. Purpus.)

In England wird die Eintönigkeit weiter Flächen des schwarzgrünen Stechginsters (*Ulex europaeus*), der sein gelbes Hochzeitskleid nur kurze Zeit im Frühling trägt, unterbrochen durch die prächtige purpurblühende graue Heide, *Erica cinerea*. Wenn sie auch gewöhnlich nicht in so dichten Beständen vorkommt wie die gemeine Heide, ist sie mit den verhältnismäßig großen Glocken dennoch recht wirkungsvoll. Jedoch nicht allein im blühenden, auch im nicht blühenden Zustande sind die Heidekräuter schön. Die nadelartige, immergrüne Belaubung ist bei einzelnen Arten graugrün, bei anderen saftiggrün, teils im Winter sich bräunlich oder auch rötlich verfärbend, ähnlich manchen Koniferen, und dadurch Abwechslung in die Landschaft bringend.

Wer als Naturfreund und Gartenliebhaber die Heide in ihrer vollen Schönheit sah, der wird gewiß versuchen, sie auch im Garten zu pflegen, um sich dort ihrer zu erfreuen. Das ist um so leichter durchführbar, als die Heidekräuter keine allzu großen Ansprüche in der Kultur stellen. Die Natur selbst zeigt uns die beste Art der Anpflanzung oder Anordnung im Garten. In größeren Flächen oder Tuffs sollten sie vereinigt werden, um ihre Eigenart zur vollen Geltung zu bringen. So eignen sie sich für landschaftliche Anlagen, Felspartien und vor Gruppen anderer Moor- und Heidepflanzen, wie *Rhododendron*, *Azalea* etc. In großen Parks können Heidelandschaften geschaffen werden, wo die Heidekräuter in Verbindung mit einigen Birken, Kiefern, Wacholder und anderen Heidebewohnern schöne Stimmungsbilder geben.

Abb. 53. *Artemisia tridentata*, gezähnter Beifuß, 1,2 *m*. (Phot. J. Hartmann, Dresden, Botan. Garten.)

Es möge nun eine kurze Übersicht der einzelnen Arten und Formen dieser Gruppe folgen:

Bruckenthalia *spiculifolia* (siehe Abb. 50) wird nur bis 20 *cm* hoch.

die in dichten endständigen Ähren stehenden hellrosa Blütenglöckchen erscheinen im Juni und eröffnen den Reigen der sommerblühenden Heidekräuter.

Calluna *vulgaris* ist das im ganzen mittleren und nördlichen Europa verbreitetste Heidekraut, das man immer in größeren Massen zur Anwendung bringen sollte. Von den vielen Kulturformen seien als die schönsten genannt: *Alportii*, Blüten leuchtend dunkelrot, Wuchs aufrecht; *argentea*, Belaubung silbergrau, Blüten lila, Wuchs niederliegend; *aurea*, junge Triebe hell goldgelb, im Winter leuchtend rotgelb, schutzbedürftig; *compacta*, *Foxii*, *minima* und *pygmaea* sind vier sehr ähnliche, ganz feinlaubige, niedrige Polster bildende Formen, Blüten leuchtend lilarot; *cuprea*, junge Triebe dunkelgelb, im Winter leuchtend kupferrot; *dumosa*, Zweige sich flach auf der Erde ausbreitend, Blüten weiß; *elata alba*, aufrecht wachsend, dunkelgrün belaubt, weißblühend; *elegantissima*, feinzweigig, aufrecht, weißblütig; *flore pleno*, Blüten dichtgefüllt, leuchtend lilarosa, sehr schön; *Hamiltoniana*, hoch, feinzweigig, weiß; *Hammoniae* und *Reginae* (siehe Abb. 126), beide hochwachsend, weißblühend; „Scarly", hellgrün belaubt, aufrecht, spätblühend, weiß; *tetragona*, Blätter vierzeilig angeordnet, Triebe daher vierkantig erscheinend, Blumen weiß; *tomentosa*, weißwollig behaart, sonst wie Stammart.

Abb. 54. *Astragalus tragacantha.*
(Phot. A. Purpus.)

Erica *arborea* (siehe Abb. 216), bis 2 *m* hoch, für uns nur ganz im Süden wertvoll, blüht im Frühling weiß, weit härter ist var. *alpina*, die von Dieck aus den Hochgebirgen Spaniens eingeführt wurde, sie hält im westlichen Deutschland bei guter Reisigdecke und Wurzelschutz durch Laub bis minus 12 Grad C gut aus. — *E. carnea* (siehe Abb. 215) bewohnt vorwiegend Kalkberge, wird bis 20 *cm* hoch und bildet weitverzweigte dichte Rasen. Sie blüht prächtig dunkelrosa bis leuchtendrot im April-Mai. Neben der mehr kriechenden rosa Stammart befindet sich noch eine aufrecht wachsende, dunkelrote Form in Kultur, sowie eine weißblühende var. *alba*. Es ist die härteste aller echten Ericen. — *E. ciliaris* aus Westeuropa bringt ihre leuchtend purpurrosa, großen Blütenglocken vom Juli bis zum Frost; sie bedarf eines guten Winterschutzes aus Reisig, ist aber für warme geschützte Lagen der schönsten eine. — *E. cinerea* stammt ebenfalls aus Westeuropa und blüht im Juli-August mit zahlreichen, gipfelständigen Trauben purpurner, ziemlich großer Blütenglocken. Verlangt leichten lockeren Winterschutz oder warme Lage. Sehr zu empfehlen auch die Kulturformen *alba* und *alba grandiflora*, reinweiß, *atropurpurea*, karminpurpurn, *coccinea nana*, leuchtend karminrot, sehr niedrig, *grandiflora*, großglockig, purpurn, stark wachsend und *rosea*, leuchtend carminrosa. — *E. Mackayi* ist eine reizende reichblühende Zwergform aus Spanien und Irland, die teils als Varietät von *Tetralix*

Abb. 55. *Caragana pygmaea*, niedriger Erbsenstrauch, 60 *cm*.
(Phot. A. Purpus.)

oder als Bastard dieser mit *ciliaris* betrachtet wird. Sie verlangt etwas Winterschutz. Eigenartig und schön ist auch die gefüllte Form. — *E. multiflora* ist kaum echt in Kultur. Was man als solche erhält, sind Formen von *E. vagans*. — *E. multicaulis* (siehe Abb. 48) wird bis meterhoch und ist für warme Lagen sehr dekorativ, sonst gebe man Tannenreisigdecke. Die Blüten sind leuchtendrosa. — *E. scoparia* und ihre Formen sind trotz Decke nicht hart genug. — *E. Tetralix* ist in den Sumpf- und Moorgegenden des nördlichen Europa zu Hause und durch krugförmige, ziemlich große rosenrote Glocken ausgezeichnet, in Kultur auch eine var. *rubra* und eine var. *alba*, sowie eine silbrig behaarte var. *tomentosa*. — *E. vagans* (siehe Abb. 49) stammt aus dem südwestlichen Europa bis Irland, wächst bis 80 *cm* hoch und verlangt geschützten Standort oder etwas Winterschutz, die rosa Blüten erscheinen im August-September; am schönsten ist die Form *rubra*, wie auch die weißblütige var. *alba* mit gedrungenem Wuchs. — *E. Watsoni* ist ein Bastard von *ciliaris* mit *Tetralix*. Sie verlangt etwas Winterschutz.

Alle Heidekräuter vermehren sich leicht durch Stecklinge, Teilung, Ableger; die reinen Arten kommen auch echt aus Samen.

IX.

DIE FELSENSTRÄUCHER UND IHRE VERWENDUNG.

Von A. Purpus.

Bei der Bepflanzung von natürlichen und künstlichen Felspartien bevorzugt man in der Regel Stauden und Alpenpflanzen, während Sträucher weniger Beachtung und Verwendung finden. Das mag wohl seinen Grund darin haben, daß die zu solchen Zwecken geeigneten Gehölze ungenügend bekannt sind und daß man über ihre Verwendung zu wenig unterrichtet ist. In den Alpenpflanzenwerken werden die Felsensträucher oder die zur Bepflanzung von Felsgruppen geeigneten Gehölze nur stiefmütterlich behandelt und meist nur wenige einheimische Arten aufgeführt. Auch die Gehölzbücher geben uns über die Standortsverhältnisse und Verwendung der beschriebenen Arten wenig Auskunft. Mit der Beschaffung von Felsensträuchern hat es oft auch seine Schwierigkeiten. Wohl führen die Alpenpflanzen- und Staudengärtnereien nebenbei eine Anzahl von brauchbaren Arten, auch in den Baumschulen findet man ziemlich verstreut etwas Material, allein wer sich eine größere Sammlung zulegen will, muß schon lange suchen, bis er eine reiche Kollektion zusammenbringt.[7]

Viele Gehölze müssen wir, wenn sie gut gedeihen, sich richtig entfalten und zur Geltung gelangen sollen, auf der Felsanlage unterbringen. Ja, wir können manches kleine, niedliche Sträuchlein gar nicht anders verwenden, als an solchen Plätzen, es würde in eine andere Umgebung gar nicht passen und völlig darin verschwinden. Wie viel mehr Reiz und Abwechslung bietet nicht auch eine Felsgruppe, die neben Stauden mit passenden Sträuchern bepflanzt ist.

Abb. 56. *Cytisus purgans*, 50 *cm*.
(Phot. A. Purpus.)

Es ist nun nicht gesagt, daß wir auf der Felsgruppe ausschließlich solche Gehölze pflanzen müssen, die auf Felsen oder felsigem Terrain vorkommen. Hierzu eignen sich neben ausgesprochenen Felsbewohnern alle kleineren Sachen, namentlich solche, die an sehr trockenen, sonnigen Standorten sich finden. Auch die Steppen- und Wüstensträucher bringen wir, falls es an anderen, ihren heimatlichen Lebensbedingungen entsprechenden Plätzen mangelt, am zweckmäßigsten auf der Felsanlage unter. Gerade diese eignen sich vortrefflich für die sonnigsten, trockensten Stellen. Viele Felsengewächse kommen auch gelegentlich auf dem Boden vor, andererseits gelangen Bodenpflanzen zufällig auf Felsen und gedeihen dort ebenso vergnügt wie an ihren eigentlichen Standorten.

Abb. 57. *Eriogonum cognatum*, Wollknöterich. (Phot. A. Purpus.)

Die sachgemäße Bepflanzung, sei es von einer natürlichen oder künstlichen Felspartie, eines steinigen Abhanges oder einer Böschung, erfordert Kenntnis und völliges Vertrautsein mit dem Pflanzmaterial. Man muß nicht allein über die Standortsverhältnisse der betreffenden Gewächse, ob sie an sonnigen, feuchten oder trockenen Stellen vorkommen, orientiert sein, sondern auch über Wuchs, Höhe und spätere Entfaltung. Manche Arten gehen in die Höhe, andere mehr in die Breite; diese bilden kleine Büsche, jene kriechen über das Gestein oder sie bilden kleine, dichte Polster und Rasen. Alles das sind Dinge, die der Pflanzer kennen und berücksichtigen muß. Bei der Auswahl der Sträucher müssen wir auch in Betracht ziehen, ob sie für eine größere, ausgedehnte Anlage oder für eine sich in kleinerem Rahmen bewegende Fels- oder Alpenpflanzengruppe Verwendung finden sollen. Größere, sich weit ausbreitende Gehölze, wie *Pinus montana*, *Pinus Mughus*, *Sorbus Chamaemespilus* oder gar *Alnus viridis*, gehören sicher nicht auf eine kleine Anlage; auch *Juniperus Sabina*, *J. prostrata* und andere niedrige Koniferen-Arten breiten sich schon zu sehr aus. Ich sah solche kleinere Anlagen, die fast ganz von *Pinus Mughus* und *Juniperus* eingenommen waren, welche die umgebenden kleineren Sachen völlig erstickt und verdrängt hatten. Hohe und sich weit ausbreitende Gehölze gehören auf eine große Anlage und man verwende sie auch hier mehr im Hintergrund oder an Stellen, wo sie sich ungeniert ausbreiten können, ohne andere Sachen zu belästigen.

Kleinere Gewächse gehören mehr in den Vordergrund, in die Nähe der Pfade, welche die Anlage durchkreuzen. Hier kommen sie besser zur Geltung und können bequem gesehen werden. An senkrechten Felswänden, auf großen Blöcken usw. bringt man kriechende, dem Gestein sich anschmiegende Arten unter. Welch reizenden Anblick bietet z. B. eine Felswand, an die sich *Rhamnus pumila* dicht anschmiegt, wie wir das in den Alpen oft sehen können, oder ein Felsblock, der mit *Dryas octopetala* bekleidet ist. Solche Beispiele aus der Natur beherzige man und bemühe sich, sie möglichst nachzuahmen, um natürliche, malerische und harmonische Bilder zu schaffen. Vor allem vermeide man eine Überladung und stopfe die Anlage nicht zu voll.

Abb. 58. *Genista anxantica*, südlicher Färberginster. (Phot. A. Purpus.)

Gehölze, die sonnige und trockene Standorte bevorzugen, dürfen natürlich nicht schattig und feucht gepflanzt werden und umgekehrt. Auch die Bodenverhältnisse darf man nicht außer acht lassen. Doch braucht man in dieser Beziehung nicht zu ängstlich zu sein. Die meisten Sträucher bedürfen keiner besonderen Bodenmischung. Für humusliebende Pflanzen mischt man den natürlichen Boden mit Torf- oder Moorerde. Die heikelsten Arten, welche einer sorgsamen Pflege bedürfen, müssen dem Liebhaber und Kenner überlassen bleiben. Über den Aufbau einer Felsenanlage und instruktive Anleitung, wie man eine solche sach- und naturgemäß bepflanzt, bietet die Abhandlung von Graf Silva Tarouca in dem Buche „Unsere Freilandstauden" treffliche Winke. Ich will mich daher nur auf kurze Angaben beschränken[*]), welche Sträucher sich für diese oder jene Stelle der Anlage eignen und ihren heimatlichen Standortsverhältnissen und Lebensbedingungen entsprechend am besten hinpassen, gedeihen und sich entwickeln. Befinden sich auf der Anlage Wasserrinnen, Felspartien, wo Wasser herabsickert, oder Stellen, die stets etwas feucht sind, so bringt man hier am besten die kleinen, kriechenden Zwergweiden unter, obgleich sie auch zum Teil an trockeneren Stellen noch gut fortkommen. Sie breiten sich fast alle weit aus und bilden mit ihrem dichten Geflecht fast in der Erde verborgener Stämmchen und feinen Zweigen prächtige, die Felsen überziehende Rasen. Ich nenne vor allen die prächtigen, dicht dem Gestein sich anschmiegenden *Salix retusa, serpyllifolia, reticulata*, auch *Salix Fenzliana, Sommerfeldii* und *Jacquinii* wachsen ähnlich. Ferner dürfen auch *Salix herbacea* und selbst *S. polaris* nicht fehlen. *Salix vestita* und *S. artica* werden etwas höher, *S. myrsinitis*, die prächtige *S. lanata* und die meisten *S. glauca*-Formen beanspruchen schon ziemlich Raum. Alle die zuletzt genannten eignen sich für feuchte Stellen nahe der Wasserläufe und verlangen zum guten Gedeihen Moorerde oder Torfmischung.

Abb. 59. *Hymenanthera crassifolia*, 40 *cm* Durchm.
(Phot. A. Purpus.)

Für senkrechte Felswände ist *Rhamnus pumila* als vorzüglicher Strauch, der sich dicht dem Gestein anschmiegt, bekannt. Ebenso vorzüglich eignen sich hierzu *Cotoneaster adpressa* und *C. Dammeri*, die sich ebenfalls dicht an die Felswände und Blöcke anschmiegen. Ferner nenne ich noch *Arctostaphylos Uva-ursi* und die als *nevadensis* gehende Form, *Dryas octopetala, D. Drummondii, Cytisus decumbens, C. procumbens, C. leucanthus* var. *schipkaensis, Eriogonum umbellatum*, das große Flächen überzieht, ebenso *Anthyllis montana, Genista pilosa, G. adpressa, G. humifusa, Petrophytum caespitosum, Spiraea Hacquetii, S. decumbens* und *S. Pumilionum*.

In die kleinsten Felsspalten und -ritzen, an die sonnigsten Stellen pflanze man *Alyssum spinosum, Vella spinosa* und *Pseudocytisus, Erinacea*

Abb. 60. *Lonicera pileata*, 30 *cm*.
(Phot. A. Purpus.)

pungens, *Helianthemum*-Arten, *Moltkia petraea*, *Lithospermum fruticosum*, *Teucrium creticum*, *Haplopappus cuneatus*, *Eriogonum stellatum*, *E. Wrightii*, *Aethionema grandiflorum* und *Ae. cordatum*, *Alyssum saxatile*, *Iberis*-Arten. Auch *Cotoneaster integerrima* (*C. vulgaris*), *C. tomentosa*, *Amelanchier rotundifolia* (*A. vulgaris*) sah ich wild wachsend an solchen Stellen.

Abb. 61. *Polygonum equisetiforme*, Schachtelhalm-Knöterich. (Phot. A. Purpus.)

Für sehr sonnige, trockene Stellen mit etwas mehr Raum zwischen dem Gestein eignen sich eine Menge Arten. Von höheren Sträuchern nenne ich *Fendlera rupicola*, *Chamaebatiaria Millefolium* (liebt Kalkboden), *Philadelphus microphyllus*, *Physocarpus monogynus*, *Holodiscus dumosus*, *Caragana jubata*, *C. Gerardiana*, *C. pygmaea*, *Ceanothus Fendleri*, *Garrya flavescens*, *Fallugia paradoxa*, *Cowania mexicana*, *Cercocarpus parvifolius*, *C. ledifolius*, *C. intricatus*, *Purshia tridentata*, *P. glandulosa*, *Rosa pimpinellifolia*, *R. glutinosa*, *R. manca*, *Cytisus praecox*, *C. albus*, *C. purpureus*, *Ononis fruticosa*, *Rhamnus rupestris* und *R. saxatilis*, *Symphoricarpus oreophilus*, *Ribes cereum*, *R. alpinum* (auch für tiefen Schatten vorzüglich), *R. orientale*, *R. pinetorum*, *R. leptanthum*, *R. diacantha*, *R. cruentum*, *R. amictum*, *R. curvatum*, *Forestiera neomexicana*, *Lonicera spinosa* var. *Alberti*, *L. pyrenaica*, *L. depressa*, *L. rupicola* *L. syringantha*.

Auch die Wüstensträucher gehören, falls man sie auf der Anlage unterbringen will, hierher: z. B.: *Bigelowia graveolens*, *B. Douglasii*, *Artemisia tridentata*, *Mahonia Fremontii* und *M. haematocarpa*, *Lycium pallidum*, *Atriplex canescens*, *Sarcobatus vermiculatus* u. a.

Von niedrigen Sträuchern und Halbsträuchern sind für solche Stellen trefflich geeignet: *Loiseleuria procumbens* und *Arctous alpina* (sehr heikel), *Anthyllis Hermanniae*, *Astragalus Drusorum*, *A. tragacantha*, *A. aristatus*, *A. sirinicus*, *Ononis aragonensis*, *Cytisus Ardoini*, *C. glabrescens*, *C. purgans*, *Genista tinctoria plena*, *G. aspalathoides*, *G. radiata*, *G. nyssana*, *G. dalmatica* und die ähnliche *G. germanica*, *Medicago cretacea*, *Daphne*-Arten, ausgenommen *D. Blagayana*, die Schatten oder Halbschatten vorzieht, *Andrachne colchica*, *Hypericum Coris*, *H. empetrifolium*, *H. lysimachioides*, *Se-*

Abb. 62. *Rhododendron hirsutum*, 60 cm. (Phot. A. Purpus.)

dum populifolium, Dorycnium suffruticosum, Lavandula Spica, Satureja montana, die prächtigen *Pentstemon Menziesii* und var. *Scouleri, P. Newberryi, Helichrysum angustifolium, Santolina virens* und *S. Chamaecyparissus, Staehelina uniflosculosa, Gutierrezia Sarothrae, Eurotia lanata* und *E. ceratoides*. Diese drei Wüstensträucher, ferner *Atraphaxis*-Arten, *Zauschneria californica*, auch *Rhododendron hirsutum* und andere kleinere *Rhododendron*-Arten dürfen wir nicht übersehen. Die meisten sollen aber nicht an zu brennend heiße und trockene Stellen gepflanzt werden, auch die übrigen Ericaceen. Sie verlangen alle mehr Humus.

Zur Bekränzung von Felsblöcken und Bekleidung sonstiger passender Stellen der Anlage

Abb. 63. *Salix polaris*, Polarzwergweide. (Phot. A. Purpus, Lappland.)

verwenden wir die niedrigen, sich weit ausbreitenden *Cotoneaster*-Arten, namentlich *C. horizontalis, Symphoricarpus acutus, S. mollis, Berberis sibirica, B. empetrifolia, B. stenophylla* (*B. buxifolia* wächst aufrecht und breitet sich durch Ausläufer aus). Für größere Anlagen ist auch noch *B. Thunbergii* geeignet. Ferner *Rhamnus saxatilis* und *R. procumbens*. Auch *Rosa Wichuraiana* sah ich auf einer Gruppe große Blöcke überziehen, was sich sehr schön ausnahm. Ferner *Lonicera pileata, L. spinosa* var. *Alberti, L. syringantha, Ceanothus Fendleri* u. a. m.

Felsensträucher, die ausgesprochene Schattenpflanzen sind, gibt es eigentlich nicht, denn ursprünglich haben sich nur solche Sträucher an Felsen angesiedelt, die licht-, luft- und sonnebedürftig sind, was ihnen an solchen Standorten in reichem Maße geboten wird. Für wärmere Gegenden, Gebiete mit Seeklima, geschützte Orte eignen sich noch vortrefflich für die Anlage alpine und subalpine Sträucher und Halbsträucher aus Neuseeland. Man sieht sie namentlich viel auf den sogenannten „Rockeries" in England und es befinden sich darunter ganz reizende Sachen. Ferner Felsen- und Gebirgspflanzen aus dem südlichen Europa, Himalaya, Mexiko etc. Sie bedürfen bei uns des Schutzes; einige, namentlich ganz niedrige Sachen halten aber doch ziemlich gut aus, wenn sie durch eine mäßige Schneedecke geschützt sind oder in Ermangelung dieser mit Fichten- oder Tannenreisig bedeckt werden.

Prächtige, hochinteressante Erscheinungen bieten z. B. die neuseeländischen *Veronica*-Arten, die zum Teil kleine, kompakte Büsche oder niedrige Rasen bilden. Besonders hervorzuheben sind *Veronica cupressoides* (hält hier gut aus), *V. loganioides*, *V. chatamica*, *V. anomala*, *V. pinguifolia* und var. *decumbens*, *V. Godefroyana*, *V. Guthriana*, *V. Hektorii*, *V. Traversii*, *V. Bidwillii*. — Sehr schön und interessant sind auch die strauchigen neuseeländischen Kompositen wie *Cassinia fulvida*, *C. Vauvilliersii*, *Olearia Haastii* und *O. nummularifolia*, *Senecio Greyi*, *Ozothamnus rosmarinifolius*. Ich sah die meisten der genannten *Veronica*-Arten und die Kompositen außer in England auf den Felsanlagen des Botanischen Gartens in Bremen, wo sie augenscheinlich trefflich gedeihen. Ferner führe ich noch von Neuseeländern an: *Hymenanthera crassifolia*, die an etwas schattigen Stellen unserer Anlage recht gut aushält.

Abb. 64. *Senecio Greyi*, 20 *cm*. (Phot. A. Purpus.)

Empfindlich ist dagegen *Corokea Cotoneaster*. Sehr gut kommen bei uns unter Schneedecke oder leichter Bedeckung durch die kriechenden, sich weit ausbreitenden, einander sehr ähnlichen *Mühlenbeckia*-Arten, z. B. *M. axillaris*, *M. varians*, *M. adpressa*, *M. sagittifolia*, *M. complexa*; ferner die reizende, dichte große Rasen bildende *Coprosma Petriei* und die weit auslaufende *C. acerosa*.

Die im Mittelmeergebiet vorkommenden, an Felsen oder felsigen Orten wachsenden Sträucher, wie *Cneorum tricoccum*, *Convolvulus Cneorum*, *Poterium spinosum*, *Silene fruticosa*, das interessante *Polygonum equisetiforme* etc. erfrieren bei uns leicht; auch die meisten *Cistus*-Arten eignen sich nur für südliche Lagen.

Von Mexikanern habe ich hier die felsbewohnenden *Oxylobus arbutifolius*, *Eupatorium vernicosum*, *Senecio calcarius* und *Acaena elongata* probiert. Sie bedürfen alle sorgfältigsten Schutzes. *Acaena elongata* wird etwa bis 1 *m* hoch und liebt Schatten, sie kommt auch nicht oder selten auf Felsen vor. *Polygonum vacciniifolium* aus dem Himalaya hält ziemlich gut aus und bildet große Rasen. Es eignet sich trefflich zur Bekleidung von Felsblöcken.

X.

KURZE ANGABEN ÜBER ANZUCHT, VERMEHRUNG, SCHNITT UND KULTUR DER LAUBGEHÖLZE.

Von Franz Zeman.

Wie in dem ersten Kulturhandbuche „Unsere Freilandstauden“, so seien auch in diesem zweiten einige kurze Winke über all das gegeben, was der Liebhaber über Anzucht und Vermehrung, sowie Schnitt und Kultur der Laubgehölze wissen muß. Im Besonderen Teile müssen wir uns zumeist auf ganz kurze Hinweise beschränken, und die folgenden Zeilen sollen nur eben erklären, was unter Angaben, wie krautige oder Sommerstecklinge, Teilung, Veredlung usw. zu verstehen ist. Den Fachleuten werden wir nichts Neues sagen, allein unser Leserkreis wird sich zum großen Teil aus Gartenfreunden zusammensetzen, denen diese Winke willkommen sein dürften.

Wir haben zwei Hauptvervielfältigungsarten zu unterscheiden: die Vermehrung auf geschlechtlichem Wege, d. h. durch Samen — und die Vermehrung auf ungeschlechtlichem Wege, d. h. durch vegetative Teile der Pflanze. Man bezeichnet die erste auch kurz als sexuelle und die letzte als vegetative Vermehrung.

Wir beginnen mit der sexuellen Vermehrung oder der

Anzucht aus Samen.

Diese Vermehrungsweise ist die natürlichste und sollte überall da Anwendung finden, wo es sich um Aufzucht von Bäumen und Sträuchern in großem Maßstabe handelt, die für Forstzwecke verwendet werden. Im allgemeinen ist diese Methode die billigste und erwiesenermaßen auch die ratsamste für langlebige Arten, namentlich Bäume, weil diese vor allem ein viel stärkeres Wurzelvermögen entwickeln, als wenn sie auf vegetativem Wege vermehrt werden.

Für den Liebhaber freilich, dem es meist darauf ankommt, schnell eine geringe Zahl größerer Pflanzen zu erhalten, ist die Anzucht aus Samen nur dann bedeutungsvoll, wenn dieser verläßlich und schnell keimt, und wenn die jungen Pflanzen sofort üppig wachsen. Ausgeschlossen ist die sexuelle Vermehrung bei allen Gartenformen, die nicht samenbeständig sind, d. h. aus Samen nicht oder nur zum Teil rein fallen, wie Rhododendren, Deutzien, Weigelien, *Ceanothus*, *Chaenomeles*, *Hibiscus syriacus*, *Philadelphus*, Rosen, Spiraeen und Syringen; dann bei solchen Formen, die wenige oder gar keine Samen ansetzen und ausreifen und schließlich bei solchen, von denen frische keimfähige Samen nur schwer zu erlangen sind.

Erste Bedingung für das glückliche Gelingen der Saat ist die Beschaffung von bestem Saatgut. Wenn man in der Lage ist, dieses selbst zu sammeln, so muß man darauf achten, daß die Mutterpflanzen, von denen man die Samen nimmt, alle jene guten Eigenschaften zeigen, die wir an der betreffenden Pflanze schätzen. Man vermeide es, von kränklichen oder schwachen Exemplaren Samen zu ernten und ebenso auch von jungen, zum ersten Male tragenden Stöcken, da hier die Samen oft noch nicht genügend ausgebildet sind. Man beachte auch, daß kränkliche Exemplare oder auch unzureichend ernährte, oft besonders reich Samen ansetzen, doch empfiehlt es sich keineswegs, solches Saatgut zu benützen.

Beim Selbstsammeln ist es auch sehr wichtig, die Reifezeit der verschiedenen Sämereien genau zu kennen. Oft wird es notwendig sein, die Samen ziemlich früh zu ernten, da besonders die beerenartigen Früchte vielfach von Vögeln sehr gesucht sind. Im allgemeinen empfiehlt es sich, schöngefärbte Früchte sofort abzunehmen, wenn die Färbung eingetreten ist.

Bezieht man Samen aus fremder Hand, so wende man sich nur an zuverlässige Quellen.

Die Zeit der Aussaat

ist nicht immer die gleiche. Es erscheint naturgemäß, alle Samen unmittelbar nach der Reife auszusäen, wie dies ja die Natur selbst zu tun pflegt. Indes geht bei der natürlichen Aussaat stets ein großer Teil zugrunde, weshalb es sich empfiehlt, in der Kultur praktischer vorzugehen.

Um den Zeitpunkt der Aussaat zu bestimmen, ist es wichtig, die **Dauer der Keimfähigkeit** bei den einzelnen Gehölzarten zu kennen. Diese schwankt beträchtlich, und im allgemeinen ist sie keine große. Es empfiehlt sich daher, alle Samen, die bald ihre Keimfähigkeit verlieren, wie z. B. die Arten von *Alnus*, *Betula*, *Castanopsis*, *Fagus*, *Juglans*, *Populus*, *Quercus*, *Salix*, *Ulmus* usw. gleich nach der Reife oder jedenfalls im Herbst auszusäen. Um jedoch zu verhindern, daß solche Sämereien, die bald keimen, zu ungünstiger Jahreszeit aufgehen, so pflegt man sie meist zu stratifizieren. Man versteht darunter die Einschichtung der Sämereien in feuchten Sand. Auf diese Weise aufbewahrt, behalten die Samen ihre Keimkraft, so daß man sie erst im Frühjahr auszusäen braucht. Dies letzte gilt auch für alle sehr schwer keimenden Sämereien, die zum Teil auch ihre Keimfähigkeit bald verlieren, wie z. B. *Acer campestre*, *Carpinus*, *Celtis*, *Crataegus*, *Elaeagnus*, *Evonymus*, *Halesia*, *Hamamelis*, *Hedera*, *Ilex*, *Liquidambar*, *Liriodendron*, *Magnolia*, *Neillia*, *Nyssa*, *Osmaronia*, *Paeonia*, *Prunus*, *Raphiolepis*, *Rhodotypus*, *Rhus*, *Rosa*, *Staphylea*, *Styrax*, *Symplocos*, *Viburnum*, *Xanthoceras*, *Xanthoxylum* usw., ferner alle fleischig umhüllten Samen, von denen einige wie *Crataegus* und *Viburnum* schon genannt wurden, wie *Amelanchier*, *Ampelopsis*, *Aralia* (auch im Frühjahr), *Aronia*, *Aucuba*, *Berberis*, *Celastrus*, *Cornus*, *Cotoneaster*, *Ligustrum*, *Lonicera*, *Ribes*, *Rubus* usw. Außerdem sollen noch folgende nach der Reife gesät oder stratifiziert werden: *Azara*, *Clerodendron*, *Daphne*, *Dirca*, *Disanthus* (keimt schwer), *Eucommia*, *Gymnocladus*, *Koelreuteria*, *Kolkwitzia*, *Lindera*, *Liquidambar*, auch *Pyrus*, *Malus* und *Sorbus* im Frühjahr, ferner *Neillia*, *Nothofagus*, *Physocarpus*, *Pyracantha*, *Rhamnus*, *Sarcococca*, *Stranvaesia*, *Sycopsis*, *Tilia* u. a. m.

Beim Stratifizieren schichtet man die Samen in Töpfe oder Kästen zwischen leicht feuchten Sand oder recht sandiges Erdreich, so daß 4 bis 6 Schichten übereinander kommen. Dann stellt man die stratifizierten Sämereien an einen kühlen Platz, am besten in ein kaltes Mistbeet, wo man sie im Winter der Einwirkung eines leichten Frostes aussetzen kann. Es ist oft sehr vorteilhaft, wenn man die Sämereien 2 bis 5 *cm* hoch beschneien läßt. Natürlich müssen die Gefäße ordentlich bis zum Rand in die Erde des Mistbeetes eingegraben werden, damit sie nicht unter der Einwirkung des Frostes leiden. So behandelte Sämereien pflegen im Frühjahr sicher aufzugehen.

Dieses Stratifizieren empfiehlt sich auch bei solchen Samen, die aus fremden Ländern zu einer ungünstigen Jahreszeit ankommen, so daß die Aussaat nicht sofort erfolgen kann.

Im Februar-März empfiehlt sich die Aussaat bei *Ailanthus, Broussonetia, Buddleja, Carpenteria, Carrierea, Caryopteris, Catalpa* (warm), sowie *Paulownia, Diospyros,* allen Ericaceen, *Cistus, Elsholtzia, Leptospermum, Pyxidanthera, Schizophragma* und anderen feinkörnigen Samen.

Die Aussaat selbst erfolgt je nach der Art oder Empfindlichkeit der Sämereien entweder in Gefäße, in ein Mistbeet oder direkt in das freie Land. In Gefäße sät man alle selteneren und neueren Arten und auch die harten dann, wenn nur wenig Samen zur Verfügung steht und wir besondere Sorgfalt darauf verwenden müssen, um möglichst wenig Sämlinge zu verlieren. Bei geringem Vorrat wählt man flache, handliche Töpfe, Schalen oder Holzkästen. Diese sollen im allgemeinen eine Breite von 30 *cm*, eine Länge von 40 bis 50 *cm* und eine Höhe von 9 bis 10 *cm* nicht überschreiten. Man gibt zunächst über die am Grunde vorhandenen Abzuglöcher eine fingerdicke Schicht von Scherben oder kleinen Steinen und füllt dann die Gefäße mit Erde so weit an, daß diese nach der Glättung der Oberfläche bis etwa 1 *cm* unter den Rand reicht. Als Erde empfiehlt sich folgende Mischung: zwei Teile nahrhafte Rasenerde, ein Teil gut abgelagerte Lauberde und ziemlich reichlicher Sandzusatz. Für leichtere Erde, bestehend aus gleichen Teilen Laub-, Moor- oder Heideerde mit Zusatz von Rasenerde und Sand, sind jedoch folgende Gattungen dankbar: *Arbutus, Daphne, Decumaria, Hydrangea, Loropetalum, Myrica, Sarcococca, Skimmia, Stuartia,* auch *Actinidia* in der Jugend; ferner alle Ericaceen, wie *Rhododendron, Andromeda, Pernettya, Gaultheria, Calluna;* besonders die *Erica*-Arten verlangen reine Moor- und Heideerde mit entsprechend Sandzusatz. Die Oberfläche wird mit einem Brettchen geglättet und leicht angedrückt. Die Samen verteilt man dann dünn über der Fläche, so daß die Pflänzchen jedes für sich Platz zur Entwicklung haben. Die Bedeckung der Samen richtet sich nach ihrer Dicke, und im allgemeinen soll man sie nicht höher mit Erde bedecken, als sie dick sind, doch kann man nicht allzu feine Samen meist etwas reichlicher mit Erde überziehen. Über die Behandlung der sehr feinen Sämereien wird weiter unten berichtet. Die Saatgefäße werden stets mäßig feucht gehalten, damit die Samen gleichmäßig keimen.

Für die Aussaat in das freie Land richtet man besondere Saatbeete her. Für diese wählt man eine geschützte, namentlich gegen Nordwinde gesicherte, aber sonst genügend sonnige, helle Lage und einen guten durchlässigen, weder zu schweren noch ganz leichten Boden. Wenn der vorhandene Boden nicht wunschgemäß ist, so muß er besonders hergerichtet werden. Zu schweren Boden entfernt man zum Teil und ersetzt ihn durch Zufuhr von Sand und leichtem Humus, während man bei zu leichtem Boden schwerere Erde beifügen muß. Der Boden soll wohl gut sein, aber nicht zu nahrhaft, damit die Sämlinge nicht zu geil heranwachsen.

Solche Saatbeete können eine Reihe von Jahren hindurch benutzt werden, wenn man nach dem Räumen den Boden wieder entsprechend behandelt. Wie schon gesagt, muß ihre Lage eine geschützte sein, vor allem auch gegen Frühjahrsfröste, die besonders auf immergrüne Sämlinge schädlich wirken, wenn die Morgensonne die gefrorenen Pflänzchen treffen kann. Man gibt daher mit Vorteil einen seitlichen Schutz durch immergrüne *Thuja*-Hecken oder dergleichen gegen Osten und Nordosten.

Bei der Aussaat ins freie Land kann man die Reihensaat anwenden, wie auch die Breitsaat. Beide haben ihre Vorzüge wie Nachteile. Die Breitsaat wendet man vor allem bei feineren Sämereien an, die sich dadurch gleichmäßiger über die Fläche verteilen lassen. Bei größeren Sämereien dürfte die Reihensaat vorteilhafter sein, weil die Sämlinge dann sich leichter herausnehmen lassen. Im allgemeinen ist der Unterschied zwischen beiden Methoden kein erheblicher und die Reihensaat nur mit größerem Zeitverlust verbunden. Denn daß man bei dieser die Beete von Unkraut reinhalten kann, darf man nicht zu hoch anschlagen, da es ja überhaupt notwendig ist, für die Saatbeete recht unkrautfreies Land zu verwenden.

Nach der Aussaat bedeckt man die Beete am besten mit Fichtennadeln und beschattet sie mit Nadelholzreisig, welches auch als Schutz der jungen Pflänzchen gegen Fröste usw.

dient. Die Pflege der Sämereien besteht hauptsächlich darin, daß man ein Trockenwerden der Beete vermeidet und diese immer frisch und feucht erhält, sowie das doch auftretende Unkraut entfernt und zu harten Boden auflockert. Ferner sei man, namentlich wenn die Sämereien schon keimen, sehr auf der Hut gegen Mäuse, Vögel, Schnecken und andere Feinde. Vor allem im Winter müssen die Saatbeete sehr gegen Wild, wie Kaninchen, und auch gegen Wühlmäuse und Maulwürfe geschützt werden. Sonst deckt man im Winter die Samenbeete am besten mit Reisig und nur in strengeren Wintern mit Laub, da dieses beim Verfaulen die Sämlinge nur schädigt.

Die in Gefäßen herangezogenen Sämereien werden gewöhnlich noch im ersten Jahre vereinzelt oder, wie man sagt, pikiert. Auch bei den Saatbeeten empfiehlt sich meist ein baldiges Pikieren auf ähnlich hergerichtete Beete, damit die jungen Pflanzen sich reicher bewurzeln. Die beste Zeit hierfür ist meist das auf die Aussaat folgende Frühjahr. Beim Pikieren bemißt man die Entfernung zwischen den Sämlingspflanzen je nach der Stärke dieser und gibt um so mehr Raum, je länger die pikierten Pflanzen noch auf dem Beete stehen sollen.

Besondere Schwierigkeiten bietet die Anzucht aus Samen bei meist sehr feinsamigen Moorpflanzen, vor allen den Ericaceen. Über diese vergleiche man den Artikel von G. Arends. S. 53. Aber auch andere feinkörnige und heiklige Sämereien wollen ähnlich behandelt sein, so z. B. *Alnus* (feucht halten!), *Andrachne*, *Artemisia*, *Arundinaria*, *Atraphaxis*, *Atriplex*, *Azara*, immergrüne *Berberis*, *Betula*, *Bigelowia*, *Bignonia*, *Broussonetia*, *Buddleja*, *Buxus*, *Callicarpa*, *Caryopteris*, *Ceanothus*, *Cephalanthus*, *Cestrum*, *Chamaebatia*, *Cistus*, *Colletia*, *Decumaria*, *Diapensia*, *Diervilla*, *Deutzia*, *Diospyros*, *Diostea*, *Dirca*, *Drimys*, *Dryas*, *Eccremocarpus*, *Edgeworthia*, *Ehretia*, *Elsholtzia*, *Forsythia*, *Fallugia*, *Frankenia*, *Helianthemum*, *Heteromeles*, *Hibiscus*, *Hydrangea*, *Hypericum*, *Idesia*, *Jamesia*, *Itea*, *Illicium*, *Kadsura*, *Litsaea*, *Lycium*, *Meliosma*, *Medicago*, *Moltkia*, *Myrsine*, *Neviusia*, *Olearia*, *Osmanthus*, *Pachysandra*, *Paliurus*, *Pentstemon*, *Persea*, *Phlomis*, *Phyllostachys*, *Plagianthus*, *Poliothyrsis*, *Polygala*, *Paulownia*, *Potentilla*, *Pueraria*, *Purshia*, *Ribes*, *Sarcobatus*, *Sarcococca*, *Schizandra*, *Schizophragma*, *Senecio*, *Solanum*, *Spiraea*, *Stephanandra*, *Suaeda*, *Tamarix*, *Veronica*, immergrüne *Viburnum*, *Wickstroemia*.

Die Hülsenfrüchte, Leguminosen, sät man im späteren Frühjahr, Ende März bis Anfang Mai, je nach der Samenmenge in Gefäße oder ins Freie, wo sie gewöhnlich bald aufzugehen pflegen. Es empfiehlt sich hier, der Erde etwas Kalkstaub beizumischen, da die Leguminosen für ihr Wachstum zumeist Kalk benötigen.

Im folgenden wollen wir nun

die vegetative Vermehrung

behandeln. Diese ist, wie wir schon oben hervorgehoben haben, für uns von ganz besonderer Bedeutung, da sie uns die Möglichkeit bietet, solche Pflanzenformen zu vermehren, die keinen Samen bringen oder nicht treu aus Samen fallen würden. Die wichtigste Form der vegetativen Vervielfältigung ist

die Vermehrung durch Stecklinge.

Hierbei unterscheiden wir zwei verschiedene Vermehrungsformen, und zwar zunächst die Vermehrung durch **Stecklinge aus reifem Holz** oder durch **Steckholz**. Hierfür kommt die Ruheperiode der Gewächse, d. h. etwa die Zeit vom November bis Anfang April in Betracht. Man spricht auch von Frühjahrsvermehrung, da das im Winter geschnittene Steckholz im Frühjahr auf die dazu vorbereiteten Beete gesteckt zu werden pflegt.

Man schneidet das Steckholz im Spätherbst und Winter und benutzt dazu meistens solche Tage, wo man im Freien nicht gut arbeiten kann. Die Länge der Stecklinge richtet sich nach dem Charakter der Pflanze und beträgt etwa je nach der Entfernung der Augen (Knospen) 10 bis 30 *cm*. Das Schneiden erfolgt derart, daß man mit einem scharfen Messer unter einem Auge den Trieb schräg nach oben abschneidet. Es ist nicht immer notwendig und bei nicht gut ausgereiftem Holze sogar falsch, nur die Spitze des Triebes als Steckling zu verwenden. Aus einem längeren guten Trieb kann man auch oft zwei oder vier Stecklinge schneiden. Diese werden am oberen Ende ebenfalls glatt abgeschnitten. Sie länger als 20 *cm* zu machen, ist im allgemeinen nicht zu empfehlen, da man sie sonst zu tief in den Boden hineinstecken muß.

Nach dem Schneiden pflegt man die Stecklinge sortenweise zu Bündeln von 25 bis 50 Stück zusammenzubinden (je nach Art und Stärke der Ruten) und an einem frostfreien Orte genau etikettiert einzuschlagen, bis es im Frühjahr möglich wird, sie auf die schon im Herbst vorbereiteten, etwa 50 *cm* tief rigolten Beete zu bringen. Beim Einstecken schnürt man auf dem Beete in zirka 20 *cm* Entfernung Reihen ab und steckt die Stecklinge einzeln so tief in den gut gelockerten Boden, daß nur das oberste Auge über die wieder geglättete Erde herausschaut. Die Entfernung der einzelnen Stecklinge in den Reihen beträgt je nach Art 5 bis 20 *cm*. Für die Anlegung der Stecklingsbeete gilt etwa das gleiche wie für die Anlage der Saatbeete.

Im zweiten Hauptteile des Buches haben wir bei den einzelnen Gattungen angegeben, auf welche Weise man sie vermehrt; wir nennen daher als zur Vermehrung durch Steckholz geeignet nur kurz folgende Gattungen: *Ampelopsis, Artemisia, Buddleja Davidii, Cornus alba, stolonifera* und Verwandte, *Cydonia vulgaris, Deutzia, Diervilla, Forsythia, Jasminum revolutum, Kerria, Leycesteria* (etwas besser durch Sommerstecklinge), *Ligustrum ovalifolium* und *vulgare, Lonicera, Lycium europaeum, horridum* und *Trewianum, Neillia, Philadelphus, Populus, Ribes, Rubus, Salix, Sambucus* (nur schwächere Ruten nehmen), *Spiraea, Stephanandra* (besser Sommerstecklinge), *Symphoricarpus, Tamarix* (besser durch Sommerstecklinge), *Vitis* u. a. m.

Die zweite Stecklingsmethode ist die **Vermehrung durch Sommerstecklinge** (**krautige oder halbreife Stecklinge**). Diese Vermehrungsweise wird besonders dann angewendet, wenn man nur wenig Material hat und z. B. Neuheiten schnell vermehren will. Im allgemeinen schneidet man die krautigen Stecklinge in der Zeit vom Juli bis September, kann aber diese Vermehrungsart im Kalthause unter Umständen auch den Winter hindurch fortsetzen, namentlich bei immergrünen Sachen, wie z. B. bei *Adenocarpus, Andromeda, Arbutus, Aucuba, Ceanothus, Cyrilla, Daboecia, Daphne, Daphniphyllum, Decumaria, Desfontainea, Drimys, Enkianthus, Ercilla, Griselinia, Illicium, Jasminum, Kadsura, Lardizabala, Olearia, Osmanthus, Pernettya, Poliothyrsis, Prunus (Laurocerasus), Quercus, Raphiolepis, Rhamnus, Sarcococca, Skimmia, Umbellularia, Veronica, Vinca* usw.

Beim Schneiden dieser halbreifen Stecklinge verfährt man derartig, daß man sie dicht unter einem Gelenkknoten oder einem Auge, welches noch am älteren Holz sitzt, abschneidet. Dies empfiehlt sich besonders bei immergrünen oder bei weich- und saftig-holzigen Formen. Auch hier richtet sich die Länge der Stecklinge nach der Entfernung der Augen am Zweig, und es genügt meist, wenn der Steckling 3 bis 4 Augen besitzt. Die Blätter von den Stecklingen zu entfernen, ist nicht empfehlenswert, außer sie sind nicht gesund oder sonstwie verdorben.

Für die Stecklinge verwendet man am besten rein gewaschenen Fluß-Sand, in dem die Stecklinge meist willig Wurzeln bilden; nachher als Erde für die Stecklinge eine Mischung aus $^1/_2$ guter Lauberde mit etwas Zusatz von Heide- oder Moorerde und $^1/_2$ möglichst rein gewaschenen Sand. Die Stecklinge kommen dann in ein präpariertes Beet in einem kalten Kasten oder in einem Vermehrungshause, oder auch in Gefäße und werden feuchtwarm unter Luftabschluß gehalten. Bodenwärme braucht man im Sommer den Stecklingen nicht zu geben, doch ist es nötig, sie durch Beschattung gegen die Sonne zu schützen.

Nach dem Anwurzeln behandelt man die Stecklinge in gleicher Weise wie größere Sämlingspflanzen. Durch halbreife Sommerstecklinge vermehrt man mit Vorteil folgende Gehölze: *Abelia, Acanthopanax* (besser durch Wurzelschnittlinge), *Acer palmatum, Actinidia, Akebia, Azara, Berberis, Berchemia, Buddleja, Buxus, Callicarpa, Ceanothus, Cephalanthus, Cistus, Citrus trifoliata, Celastrus, Coriaria, Cornus, Corokia, Coronilla,* viele *Cotoneaster, Davidia* (Erfolg stets mäßig), *Deutzia, Diervilla, Elsholtzia, Escallonia, Eucryphia* (besser durch angetriebene Stecklinge), *Evonymus, Forsythia, Hedera, Hibiscus, Hovenia, Hydrangea, Hymenanthera, Hypericum, Itea, Kerria, Leycesteria, Ligustrum, Lonicera, Loropetalum* (besser durch angetriebene Stecklinge), *Margyricarpus, Menispermum, Menziesia, Metaplexis, Microglossa, Neillia, Neviusia, Osmanthus, Pentstemon, Philadelphus, Phyllodoce, Phillyrea, Plagiospermum, Poliothyrsis, Potentilla,* einige *Rhamnus, Ribes, Rosa, Rubus, Sambucus, Schizophragma, Securinega, Syringa, Smilax, Spiraea, Stephanandra, Stranvaesia, Tamarix, Tecoma, Vaccinium, Veronica, Viburnum, Vitex, Vitis, Zanthorrhiza, Zauschneria, Zygophyllum* usw. Vor allem alle Ericaceen, worüber man den Artikel von G. Arends vergleichen wolle.

Eine zweite Hauptmethode der ungeschlechtlichen Vermehrung ist die

Vermehrung durch Veredlung.

Diese Methode wird man überall da zur Anwendung bringen müssen, wo eine Vermehrung durch Stecklinge aussichtslos erscheint. Man erzielt durch Veredlung meist schnell und kräftig wachsende Pflanzen, die man sehr bald im Garten oder Park verwenden kann. Manche Arten pflegen auch, wenn man sie veredelt, schneller zum Blühen und Fruchttragen zu gelangen. Viele Gartenformen sind wohl überhaupt nur auf diese Weise dauernd zu erhalten.

Soll nun eine Veredlung erfolgreich sein, so muß die Unterlage (der Wildling), auf welche die zu vermehrende Form, das Edelreis, aufgesetzt wird, mit jener verwandt sein. Ferner sollen die Unterlagen nach Möglichkeit widerstandsfähig gegen Kälte und andere schädlichen Einflüsse sein, ein gutes Wurzelvermögen besitzen und kräftig wachsen.

Es gibt eine sehr große Anzahl von Veredlungsmethoden, von denen jedoch für die Praxis nur eine beschränkte Anzahl von wirklichem Wert ist. Es ist unmöglich, bei dem knapp bemessenen Raume, der uns hier zur Verfügung steht, die Veredlungsarten eingehend zu besprechen. Wir müssen uns darauf beschränken, einige Worte über das Okulieren, das Kopulieren, das Veredeln mit dem Geißfußschnitt (Triangulieren), das Spalt- und Rindenpfropfen und das Ablaktieren zu sagen.

Bei der Okulation haben wir zu unterscheiden das Okulieren auf das schlafende Auge, wobei das eingesetzte Edelauge erst im kommenden Frühjahr treiben soll. Diese Methode ist der Okulation auf das treibende Auge vorzuziehen, denn diese letzte muß man schon vom Juni ab ausführen und dazu recht saftreiche, kräftige Unterlagen verwenden, damit das Auge bald austreibt und der Veredlungstrieb noch bis zum Herbst ausreift. Das Okulieren auf das schlafende Auge erfolgt im allgemeinen von Mitte Juli bis September, je nachdem die Unterlagen lange in Saft zu bleiben pflegen. Bei Unterlagen, wie z. B. *Aesculus*, *Prunus Padus* und *Syringa*, läßt die Saftzirkulation schon früher nach, so daß man etwa um Mitte Juli okulieren kann. Andere Unterlagen, wie z. B. *Acer* (besonders *A. Negundo*), *Crataegus monogyna* oder *Prunus Mahaleb* sind im Juli noch zu saftreich, so daß man hier erst Ende August oder Anfang September die Veredlung vorzunehmen pflegt.

Es empfiehlt sich, wenn möglich die Edelaugen auf der Nord- oder Ostseite der Unterlage einzusetzen, weil sie so am besten gegen die Sonne geschützt sind.

Hat man nicht genügend saftreiche Unterlagen, so pflegt man die „Forkertsche Okulationsmethode“ anzuwenden, wobei man die Rinde nicht zu lösen braucht, sondern an der Unterlage durch einen Schnitt von der Größe des Edelauges von oben nach unten einen Rindenstreifen entfernt, der zur Hälfte stehen bleibt. Das Edelauge wird, wie Olbrich sagt, mit etwas Holz ausgeschnitten, in seinem oberen Teile etwas länger gelassen (um es gut anfassen zu können), und an den Ausschnitt des Wildlings derart angesetzt, daß wenigstens an einer Seite genau Rinde auf Rinde paßt und der stehengelassene Rindenstreifen als Schildchen das Edelauge bis zum Auge selbst deckt. Es wird dann so dicht wie gewöhnlich verbunden und nachher noch der Verband mit Wachs verstrichen. Der nur zum Anfassen bestimmte länger gebliebene Teil des Edelaugschildchens wird nach dem Ansetzen an den Wildling abgeschnitten.

Das einfache Kopulieren ist wohl die leichteste Vermehrungsart und wir können sie gewiß als bekannt voraussetzen.

Da in den meisten Fällen das Edelreis etwas schwächer als die Unterlage zu sein pflegt, so wendet man eine etwas veränderte Kopulationsmethode an, und zwar vor allem das Anplatten oder Sattelschäften oder Kopulieren mit dem Klebreis genannt. Man nimmt hierbei vom Wildling durch einen einfachen Schrägschnitt nur soviel weg, daß das wie gewöhnlich zugeschnittene Edelreis genau darauf paßt. Auch das Kopulieren mit Gegenzungen ist sehr gebräuchlich, hierfür ist aber wie beim einfachen Kopulieren die gleiche Stärke von Edelreis und Unterlage Bedingung, während man an Stelle des Sattelschäftens auch das Triangulieren oder das Veredeln mit dem Geißfußschnitt treten lassen kann. Für Wurzelveredlungen von *Cornus*, *Cydonia*, *Rosa* und *Syringa* empfiehlt sich diese Art mehr als das Pfropfen in den Spalt, welches in früherer Zeit die am meisten angewandte Methode war. Das Pfropfen hinter die Rinde wird für starke Unterlagen von *Gleditschia*, *Morus*, *Robinia* und *Sophora* empfohlen.

Für die **Veredlung unter Glas**

ist die beste Zeit der „Januar" also etwa zweite Hälfte Dezember bis erste Hälfte Februar. Für diesen Zweck pflanzt man die Unterlagen in entsprechend große Töpfe; doch kann man sie auch aus Ersparnisrücksichten mit den Wurzeln in Moos einpacken, wobei das Moos mit Weidenruten fest umschnürt wird. Diese Moosballen taucht man dann in einen Brei, der aus drei Teilen Lehmerde und einem Teil Kuhfladen, halbverdünnt mit Wasser, besteht. So eingepflanzte oder vorbereitete Unterlagen werden etwa anfangs Dezember in ein temperiertes Haus gebracht, zuerst lauwarm gehalten und dann bei etwa 16 bis 20 Grad C eingestellt. Man bespritzt sie während des Tages einigemale mit lauwarmem Wasser, damit feuchte Luft entsteht, die das Austreiben der Unterlagen wesentlich begünstigt. Sobald die erste halbentwickelte Blätter zeigt, kann man mit dem Veredeln beginnen, das nach drei bis vier Wochen beendet sein soll. Man kann hierbei alle die oben besprochenen Methoden verwenden, die häufigsten sind aber Anplatten, Kopulieren und Triangulieren. Wo, wie meist bei Neuheiten, wenig Veredlungsmaterial zur Verfügung steht, empfiehlt sich als beste Methode die Okulation nach Forkert, wobei nur je ein Auge benötigt wird.

Nach erfolgter Veredlung soll man nach Möglichkeit eine gleichmäßige warme Temperatur erhalten, etwa 18 Grad C, und für intensiv feuchte Luft (durch Wasserzerstäuber) sorgen, da dies die Verwachsung der Edelreiser mit der Unterlage begünstigt. Ist ein inniges Verwachsen erfolgt, so hört man nach und nach mit dem Bespritzen auf und läßt die Temperatur sinken. Jetzt werden gut angewachsene Veredlungen das dritte bis vierte Blatt entwickeln, worauf man sie über dem dritten Blatte entspitzt, damit sie buschig werden. Man gewöhnt sie nach und nach an Luft oder bringt sie in ein Kalthaus, wo man zunächst eine mittlere Temperatur hält, um sie dann ganz abzuhärten. Etwa Mitte Mai kann man dann die Veredlungen auf gut vorbereitete Beete in den rechten Abständen im Freien auspflanzen, worauf man sie wie die größeren Sämlingspflanzen behandelt.

Unter Glas veredelt man in erster Linie solche Gehölze, die bei einer Veredlung im Freien ganz versagen oder nur schlecht anwachsen, sodaß man also große Verluste haben würde. Ferner wendet man dies Verfahren an, um recht schnell von Neuheiten oder seltenen Formen Nachzucht zu erhalten. Auch für gewöhnliche Gehölze wird die Methode benutzt, da man hierbei die Vermehrung zu einer Zeit ausführen kann, in der man wenig dringende andere Arbeiten zu erledigen hat. Jedenfalls empfiehlt sich die Veredlung unter Glas besonders bei folgenden Gehölzen: *Acer palmatum*-Formen, *Berberis*, *Betula*, *Caragana*, *Chionanthus*, *Corylus*, *Cotoneaster*, *Cydonia*, *Cytisus*, *Evonymus*, *Exochorda*, *Fagus*, *Fraxinus*, *Genista*, *Halimodendron*, *Hibiscus*, *Laburnum*, *Ligustrum*, *Magnolia*, *Osmanthus*, *Photinia*, *Populus lasiocarpa*, *Prunus*, *Quercus*, *Rhododendron* (am besten Februar-März), *Stranvaesia*, *Syringa*, *Viburnum*.

Ein ganz ähnliches Verfahren ist die **Sommerveredlung**,

die man mit Erfolg von Anfang Juni bis zum September vornehmen kann. Für diesen Zweck soll man die Unterlagen im April in Töpfe einpflanzen, damit sie zur Veredlungszeit gut bewurzelt sind, denn davon hängt der ganze Erfolg der Veredlung ab. Setzt man die Unterlagen erst kurze Zeit vor der Veredlung in Töpfe, so ist der Erfolg sehr unsicher, ausgenommen bei Wurzelveredlung von Formen von *Clematis* und *Paeonia arborea*, wozu man frisch ausgegrabene Wurzeln verwenden kann. Die sonst im Frühjahr eingetopften Unterlagen werden anfangs Juli ins Glashaus gebracht und dort, wie oben angegeben, veredelt. Ich ziehe hierbei das Pfropfen hinter die Rinde und den Geißfußschnitt vor, weil dabei die Reiser leichter und besser anzuwachsen pflegen.

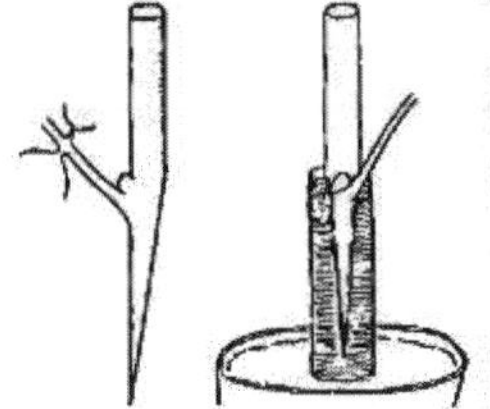

Das Edelreis schneidet man zu diesem Zwecke auf **ein** Auge, wie die Figur links zeigt, wobei der Schrägschnitt etwas höher hinauf gehen soll, als das gegenüber stehende Auge ansitzt. Über diesem bleibt ein etwa *2 cm* langes Stück (Zapfen) stehen, das beim Einsetzen des Reises als Angriffsstelle dient. Hat die Unterlage genug Saft, so pfropft man hinter die Rinde; andernfalls wählt man eine der oben genannten Methoden und setzt das Edelreis so ein, wie die Figur rechts zeigt, sodaß das Auge etwas tiefer steht als der Rand der glatt geschnittenen Unterlage.

Nach der Veredlung wird das Glashaus geschlossen gehalten und täglich einige Male, besonders an sonnigen Tagen, mit lauwarmem Wasser bespritzt; sonst ist die weitere Behandlung die gleiche wie bei den Winterveredlungen.

Wir wenden uns nun zur

Vermehrung durch Ableger.

Diese Methode tut bei manchen Arten sehr gute Dienste. Man muß aber für diesen Zweck möglichst üppige Mutterpflanzen besitzen, deren Zweige nach allen Richtungen strahlenförmig abgelegt werden können. Heiklige Pflanzen, die man in Töpfen hat, senkt man in Mistbeetkästen ein und behandelt sie dann wie solche im freien Grund. Soll diese Vermehrungsart im großen Stil betrieben werden, so legt man besondere Beete an, auf denen die Mutterpflanzen in sehr nahrhaftes Erdreich kommen. Am besten ist ein nicht zu schwerer, etwas feuchter Boden. Man biegt die geeigneten jungen Zweige vorsichtig zum Boden nieder, ohne sie vom Mutterstock abzutrennen, und bedeckt sie 6 bis 12 *cm* hoch mit Erde, die fest angedrückt wird, so daß nur die Spitze des Zweiges hervorsieht. Außerdem werden die Zweige mit hölzernen Haken in ihrer Lage festgehalten.

Ein ganz ähnliches Verfahren ist das Absenken, wobei der einzulegende Zweig zunächst dicht unter einem Gelenkknoten halb durchgeschnitten und dann mit dem Messer nach oben auf 3–6 *cm* Länge aufgespalten wird. Dann legt man diese Stelle so in die Erde wie bei den Ablegern, muß aber sehr vorsichtig verfahren, da die Zweige nicht selten brechen.

Durch Ableger vermehrt man mit Vorteil: alle Formen von *Acer palmatum, Actinidia, Amelanchier, Cercocarpus, Cotoneaster, Corylopsis, Cydonia* und *Chaenomeles, Eucryphia, Exochorda, Fothergilla, Fraxinus, Garrya, Halesia, Hamamelis, Hibiscus, Hydrangea scandens* und *quercifolia, Hymenanthera, Ilex, Magnolia, Menispermum, Parrotia, Phillyrea, Potentilla, Pyracantha* und Formen, *Styrax, Sycopsis, Symplocos, Syringa, Tilia, Ulmus* usw.

Die beste Zeit für Ableger scheint der Herbst (September und Oktober) zu sein. Manche Gehölze, deren verholzte Triebe sich nur schwer bewurzeln, lassen sich gut während des Sommers durch Ableger halbreifer Triebe vermehren, wie vor allem Hamamelidaceen und Magnolien, auch Styracaceen und viele Oleaceen, sowie schließlich eine ganze Reihe Ericaceen.

Sollen die Ableger sich recht gut entwickeln, so müssen sie stets gleichmäßig feucht und unkrautfrei gehalten werden. Ist die Bewurzelung genügend eingetreten, so schneidet man oberhalb der Erde die Triebe zunächst zur Hälfte und nach völliger Bewurzelung ganz durch, worauf man am besten im Frühjahr die Ableger unter Schonung der Wurzeln abnimmt und als selbständige Pflanzen weiter behandelt.

Eine ähnliche Vermehrungsart ist das Anhäufeln. Hierbei häufelt man mit nahrhafter sandiger Erde die reichverzweigte Mutterpflanze an, so daß die Triebe genügend tief in der Erde stecken. Diese Methode empfiehlt sich bei den meisten *Berberis, Cornus, Corylus, Cotoneaster, Cydonia, Hedysarum, Ligustrum, Ribes, Viburnum* u. a.

Eine ganze Anzahl von Gehölzen läßt sich durch Teilung vermehren, und diese Methode ist so einfach und bekannt, daß wir nicht näher darauf einzugehen brauchen. Sie empfiehlt sich bei allen Ausläufer bildenden Gehölzen, wie *Ailanthus, Berberis, Hippophaë, Kerria,* vielen *Rhus, Rubus* usw. Sowie ferner bei *Andrachne, Arctostaphylos, Aronia, Artemisia, Callicarpa americana,* einigen *Cornus,* niederliegenden *Cotoneaster, Deutzia, Erica, Evonymus radicans, Hedysarum, Hedera, Hypericum, Jasminum,* buschigen *Lonicera, Myrica, Pachysandra, Perowskia, Philadelphus, Ribes, Sarcococca humilis, Spiraea, Symphoricarpus, Syringa, Vaccinium, Veronica, Yucca.* Man vergleiche im übrigen die Angaben im Besonderen Teil.

Schließlich sei noch die

Vermehrung durch Wurzelstücke

oder Wurzelstecklinge kurz erwähnt. Sie kommt in Betracht für *Acanthopanax, Aralia chinensis* und *spinosa, Aristolochia, Ailanthus, Asimina, Berchemia, Calycanthus, Campsis, Cestrum, Chaenomeles, Clerodendron, Coriaria, Doxantha, Gymnocladus, Paliurus, Paulownia, Pueraria, Rhus, Rubus, Sassafras, Xanthoceras, Zanthoxylum, Zizyphus* usw.

Zu diesem Zwecke werden im Herbst oder zeitig im Frühjahr von den genannten Pflanzen einige gesunde, bleistift- bis fingerdicke Wurzeln abgenommen und in 4 bis 8 *cm* lange Stücke zerschnitten. Diese Wurzelstecklinge bringt man dann je nach ihrer Menge in Töpfe, Kästen usw. in eine sandige, nicht zu humose Erde. Man kann sie auch in ein lauwarmes Vermehrungsbeet einfüttern, wo sie sich schneller zu bewurzeln und Sprosse zu bilden pflegen. Dann gewöhnt man sie nach und nach an die Luft und behandelt sie wie Stecklingspflanzen. Wurzelschnittlinge von *Ailanthus, Clerodendron, Paulownia, Rhus, Zanthoxylum* und anderen können gleich Steckholz ins freie Land gesteckt werden.

Von besonderer Wichtigkeit erscheint es uns, noch einige Worte über den

Schnitt der Laubgehölze

zu sagen. Das Schneiden dient im wesentlichen dazu, die Pflanze gesund und üppig zu erhalten und ein regelrechtes Wachsen und Blühen zu gewährleisten. Wenn wir beim Auspflanzen die Arten immer so anbringen könnten, daß sie sich ihren Eigenheiten gemäß unbehindert entwickeln würden, so wäre der Schnitt nur in sehr untergeordnetem Grade notwendig. Allein zumeist setzen wir notgedrungen verschiedenartige Pflanzen nebeneinander und müssen durch den Schnitt zu erreichen suchen, daß keine die andere unterdrückt und daß alle naturgemäß sich entfalten. Wir müssen auch sehr oft allzu üppig gedeihende in

Schranken halten und anderseits durch den Schnitt gewisse Formen zu lebendigerem Wachstum anregen.

Meist pflegt man zu schematisch vorzugehen und die Gehölzgruppen wie die Einzelpflanzen alle in gleicher Weise zu „verschneiden". Das Ergebnis sind die gewohnten Gestrüppe, die wir auf Schritt und Tritt in den Anlagen sehen können. Beim Schneiden heißt es im Gegenteil, die Gehölze individuell zu behandeln und auf ihre Eigenheiten größte Rücksicht zu nehmen. Wir wollen nur ganz kurz die Hauptpunkte andeuten, die es zu beachten gilt, damit der Leser die im Besonderen Teil bei den einzelnen Gattungen gebrauchten Schlagworte versteht.

Ein großer Fehler, der zumeist gemacht wird, besteht in dem zu dichten Pflanzen der Gehölze bei der Ausführung der Anlage. Wird dann später das überflüssige „Füllmaterial" nicht rechtzeitig entfernt, so hilft gewöhnlich auch das Schneiden nicht recht. Daher haue man zu dichte Gruppen zunächst rücksichtslos mit der Axt aus und entferne alles mit Stumpf und Stiel, was überflüssig ist.

Die Art des Schnittes richtet sich in erster Linie nach der Blütezeit der Pflanzen, bzw. danach, ob diese am vorjährigen oder alten Holze blühen, oder ob die Blüten an diesjährigen Trieben erscheinen. Zu der ersten Gruppe gehören alle frühblühenden Arten, wie z. B. *Amelanchier, Amygdalus*, gewisse sommergrüne *Berberis, Forsythia, Hamamelis, Philadelphus, Potentilla, Spiraea Thunbergii*, frühe *Syringa*, frühe *Viburnum* u. a. m. Würde man solche Arten im Winter in der gewohnten Weise zurückschneiden, so entfiele der Flor des nächsten Frühjahres. Man beschränkt sich bei ihnen im Winter auf ein Auslichten (Ausdünnen): Entfernen alter, zu dichtstehender, schlechter Triebe und kurzes Einstutzen zu üppiger Triebe. Wenn bei ihnen ein starker Rückschnitt nötig wird, so hat er gleich nach der Blütezeit zu erfolgen. Dies gilt auch für Gattungen wie *Aesculus*, viele Magnolien, *Paeonia*, ferner für die meisten Pomaceen (Kernobstgewächse). Wir sprechen bei solchen Gattungen im Besonderen Teile von Auslichten oder Schnitt nach der Blüte.

Anders verhält es sich bei den Gehölzen, die an diesjährigen Trieben blühen. Diese verlangen meist einen starken Rückschnitt im Winter und erzeugen gewöhnlich auch Wurzeltriebe, wie z. B. *Buddleja, Ceanothus, Hydrangea, Hypericum, Indigofera, Leycesteria, Ligustrum, Lonicera involucrata* u. a., *Microglossa, Ononis, Pentstemon, Perowskia, Sorbaria*, spätblühende Spiraeen, *Veronica* usw. Diejenigen von ihnen, die auch aus dem älteren Holz junge Triebe mit Blüten hervorbringen, schneiden wir weniger stark zurück; im Besonderen Teile sprechen wir hier vom Winterschnitt.

Außer dem regelmäßigen Schnitt ist aber von Zeit zu Zeit ein Verjüngen nötig, um zu vermeiden, daß die Sträucher innen kahl und durchsichtig werden und dabei natürlich im Blühen stark nachlassen. Dieses Verjüngen muß je nach Bedarf geschehen, und zwar nicht erst in einem so späten Zeitpunkt, wenn die Sträucher schon ganz verwahrlost sind.

Bei Bäumen beschränkt sich der Schnitt meist auf Auslichten, doch muß auch hier gelegentlich ein starkes Verjüngen oder Zurücksetzen eintreten, wenn der Baum zu viel Raum beansprucht. Bei einem derartigen gewaltsamen Vorgehen empfiehlt es sich aber, nicht mit einemmal den ganzen Baum zu köpfen, sondern das Verjüngen nach und nach erfolgen zu lassen.

Im allgemeinen schneiden wir nach dem Blattfall bis kurz vor dem Austrieb im Frühjahr, wobei wir zunächst diejenigen Arten zu berücksichtigen suchen, welche am frühesten treiben. Bei starkem Frost setze man mit dem Schneiden aus und verschiebe besonders bei den heikleren, zarteren Formen den Schnitt bis nach dem eigentlichen strengen Winter. Ein so später Schnitt ist auch bei allen Gehölzen mit schöngefärbtem Holze angebracht, da ihr Zierwert ja gerade im Winter am besten zum Ausdruck kommt.

Zum Schluß noch einige ebenfalls nur kurze Worte über

Kultur und Pflege der Laubgehölze.

So anspruchslos im allgemeinen die meisten Deck- und Ziersträucher sind, so lohnen sie doch ein wenig Pflege durch üppigeres Gedeihen und Blühen. Wir sagen im Besonderen Teile bei den einzelnen Gattungen Näheres über Boden und Lage. Hier sei nur ganz allgemein bemerkt, daß bei ungeeigneten Bodenverhältnissen eine Verbesserung vor der Pflanzung immer notwendig ist. Man tut am besten, das Erdreich 50 *cm*, manchmal sogar bis 1 *m* tief zu rigolen und dabei nach Bedarf durch Zusatz von verrottetem Dung, Kompost oder entsprechender guter Erde zu verbessern. Man kann nie leicht des Guten zu viel tun, außer bei gewissen Arten und den meisten Felspflanzen und Wüstensträuchern, die magerere Bodenarten lieben. Bei Bäumen lasse man die Baumlöcher je nach Größe ausheben, etwa 2 bis 3 mal so breit wie der Wurzelballen beträgt und zweimal so tief.

Man streitet nicht selten über die beste Pflanzzeit. Wir möchten im allgemeinen den Herbst vorziehen, ausgenommen in sehr kalten Gegenden und in sehr feuchten Lagen. Heiklere Sachen natürlich pflanzt man immer besser im Frühjahr. Im Herbst dauert die Pflanzzeit etwa von Anfang Oktober bis Ende November, doch kann man, solange kein stärkerer Frost eintritt, auch im Dezember noch pflanzen. Die Frühjahrspflanzzeit richtet sich ganz nach der Beendigung des Winters, und man kann zuweilen schon Mitte Februar beginnen. In wärmeren Lagen muß man schon im April aufhören, während in kälteren und höheren Lagen oft bis tief in den Mai gepflanzt werden kann. Zu stark angetriebene Gehölze soll man im großen ganzen nur dann noch pflanzen, wenn man sie durch Bespritzen usw. frisch erhalten kann. Hat man Pflanzen mit Topfballen, so kann man natürlich immer pflanzen und man vergleiche die Hinweise bei einzelnen Gattungen.

Man vermeide im allgemeinen zu tief zu pflanzen und gieße nach der Pflanzung gut ein, damit das lockere Erdreich gut zwischen die Wurzeln eingeschlemmt wird. Im Herbst empfiehlt es sich, nicht nur bei jungen Pflanzungen den Boden mit kurzem Dung oder Laub 6 bis 8 cm hoch zu bedecken, welcher Belag im Winter verrottet und im Frühjahr untergegraben wird. Vor allem bei immergrünen Pflanzen ist eine derartige Bodendecke, zu der mit Vorteil sich auch Nadelhumus verwenden läßt, sehr angebracht und oft direkt notwendig.

Wie weit man die einzelnen Sachen voneinander setzen soll, hängt sehr von der Wuchsform usw. ab. Man wird gut tun, unsere Abbildungen recht genau zu vergleichen, um einen Begriff davon zu erhalten, wie die verschiedenen Gattungen und Arten sich entwickeln. Allgemeine Regeln lassen sich schwer feststellen und führen meist nur zu einer schematischen Anwendung.

Selbstverständlich ist es, daß man die Gehölzgruppen nicht verunkrauten läßt, doch müssen wir uns gegen das übliche Abstechen der Ränder nach der Rasenfläche zu wenden, da hierdurch die Gehölzgruppe eine künstliche Form erhält, während ihre Ränder sich doch in den Rasen verlieren sollen, bzw. dieser in die Lichtungen der Gehölzgruppen übergehen muß. Dies schließt das Umstechen des inneren Teils der Gehölzgruppen nicht aus.

Wichtig ist es, in einem trockenen Herbst die Gehölzgruppen vor Eintritt des Winters reichlich zu bewässern. Ebenso sollte man nie versäumen, namentlich dort, wo der Boden minderwertig ist und wo die Gruppen schon lange auf demselben Platz stehen, diese, wie auch alle Einzelpflanzen, gelegentlich mit Jauche oder künstlich zu düngen. Besonders in leichten Böden ist das Düngen unerläßlich, wenn man gute Resultate haben will. Es empfiehlt sich vor allem auch bei immergrünen Gehölzen.

BESONDERER TEIL.

XI.

ALPHABETISCHE AUFZÄHLUNG ALLER ZURZEIT IM HANDEL, BEZIEHUNGSWEISE IN KULTUR BEFINDLICHEN GATTUNGEN NEBST ANFÜHRUNG DER WICHTIGSTEN ARTEN UND FORMEN MIT KURZEN HINWEISEN AUF IHRE KULTURBEDINGUNGEN, IHR AUSSEHEN, IHRE BLÜTEZEIT UND IHREN KULTURWERT.

Wir haben schon in der Einleitung betont, daß wir uns in Anbetracht der großen Zahl der Laubholzformen bei unseren Angaben der größten Kürze befleißigen müssen. Immerhin glauben wir, nichts Wertvolles außer Acht gelassen zu haben. Die Leser wollen jedoch das in den Abschnitten I bis X Gesagte im Auge behalten. Wo sich Hinweise als unzutreffend erweisen, bitten wir um freundliche Berichtigungen. Wer sich nur ein wenig mit Pflanzen beschäftigt, weiß, daß innerhalb gewisser Grenzen alle Angaben über Höhe, Blütezeit usw. schwanken. Ganz besonders sind alle Wertangaben subjektiv, da hier der Geschmack des Liebhabers eine große Rolle spielt. Man bedenke vor allem, daß bei ungenügender Pflege oder unrichtiger Behandlung auch die schönste und beste Pflanze versagen wird.

Die Listen XII bis XXX mögen zur Erleichterung der Auswahl in bestimmten Fällen dienen, aber gerade derartige Übersichten bedürfen der Prüfung durch alle ernsten Fachleute und Gehölzfreunde, um die Spreu recht vom Weizen zu sondern. Wir haben uns in dieser Auflage bemüht, das Wichtigste noch schärfer herauszuheben, als es früher geschehen war.

***Abēlia*, Abelie** — Caprifoliaceen. — Niedrige Sträucher, sommer- oder immergrün, Blätter gegenständig, Blüten weiß oder rosa, meist zu 1 bis 3 achselständig, Frucht lederig; Kultur in leichtem, etwas sandigem Boden in sonniger Lage, auch Felspartie; Winterschnitt, Auslichten; Vermehrung durch Sommerstecklinge oder Ableger im Frühjahr; Verwendung in Gesteinspartien oder auf Rabatten in warmer, geschützter Lage.

Abb. 65. *Abelia grandiflora*, großblütige Abelie, 60 *cm*. (Phot. A. Purpus)

A. Graebneriāna, China, 1 bis 2,5 *m*, sommergrün, Blätter lang zugespitzt, Blüten blaßrosa mit gelbem Schlunde, Kelchabschnitte zwei, Sommer; hart; reicher blüht die neue sonst sehr ähnliche, zierlichere ***A. Engleriāna***, Zentralchina; ***A. chinēnsis*** (*A. rupestris*), Nord- und Mittelchina, 0,6 bis 1 *m*, sommergrün, Blüten zu zwei, Staubgefäße weit hervorragend, Kelchabschnitte fünf, selten echt, meist dafür die folgende, die härter ist; ***A. grandiflora*** (*A. rupestris hybrida*) (Abb. 65), Kreuzung zwischen *A. chinensis* (*A. rupestris*) und *A. uniflora*, 0,75 bis 1,50 *m*, Blätter glänzend dunkelgrün, spitzoval, halbimmergrün, Blüten rosaweiß, duftend, Kelchabschnitte 2 bis 5, Juni bis

Tafel VII.

Herbststimmung (Roßkastanie) im Loudon-Parke zu Hadersdorf bei Wien.

Herbst, härteste und reichstblühende Form; Bodenschutz im Winter ratsam; **A. triflora**, NW.-Himalaya, bis 2,5 *m*, Blüten rosaweiß, unscheinbar, duftend, Juni, Kelchabschnitte fünf, lineal, federig behaart.

Abeliceа siehe *Zelkova*.

Acácia decúrrens var. **dealbáta** (*A. dealbata*): sommergrüner, bis über 15 *m* hoher Baum aus den Gebirgen Südaustraliens mit fein doppelt gefiederten Blättern und tiefgelben kopfigen zusammengesetzten Blütenständen im Januar-Februar, der an der Riviera viel kultiviert wird und sich auch in Südtirol in geschützten Lagen hält. Sonst für uns nur Kalthauspflanze.

Acacia Julibrissin siehe *Albizzia*.

Acaéna elongata var. *gracilis*, **Stachelnüßchen** — Rosaceen. Immergrüner, aufrechter bis 1 *m* hoher Strauch (Abb. 66) aus den Gebirgen von Mexiko bis Peru, Blätter unpaar gefiedert, lebhaft grün, Blättchen 9—17, tief kerbzähnig, Blüten unscheinbar, grünlich, ohne Blumenblätter, mit purpurnen Staubgefäßen in verlängerten Trauben, Früchte mit Widerhakenstacheln; Kultur in trockenen, mehr halbschattigen, geschützten Lagen in durchlässigem Boden; Vermehrung durch Samen und Sommerstecklinge; Verwendung nur in milderen Gegenden in Gesteinsanlagen.

Abb. 66. *Acaena elongata* var. *gracilis*, Stachelnüßchen, **45** *cm*. (Phot. A. Purpus.)

Acanthopánax[1]), **Stachelkraftwurz** — Araliaceen. — Aufrechte, meist derbtriebige Sträucher (siehe Abb. 67 bis 69), seltener Bäume, meist bestachelt, Blätter wechselständig, sommergrün, gelappt, Blüten unansehnlich, im Juni bis August, aber Blütenstände meist groß, vielblütig, Frucht meist schwarz, beerenartig; Kultur in jedem nicht zu armen oder zu schweren Boden, in nicht zu trockener Lage, sonnig oder besser halbschattig; Winterschnitt; Vermehrung durch Samen oder Wurzelschnittlinge im Warmbeet, *A. pentaphyllus* und *spinosus* durch Hartholzstecklinge, manche Arten auch durch krautige Stecklinge aus angetriebenem Holze; Verwendung meist als Einzelpflanze oder in Vorpflanzungen; die genannten Arten winterhart.

A. Blätter 3—5zählig gefingert. I. Griffel bis zur Spitze verwachsen mit fünf kleinen Narbenlappen (Gruppe *Eleutherococcus*): 1. Zweige kahl, nur meist mit schlanken dünnen Stacheln besetzt: ***A. leucorrhizus***, China: Hupeh, Schensi, 1 bis 3,5 *m*, Zweige fast nur unter Blattstiel bestachelt, Blättchen 5, spitz lanzettlich, kahl, oder bei var. *fulvescens* unterseits gelbbräunlich behaart, Dolden einzeln, langgestielt, hübsche Art; nahe steht ***A. setchuenensis***, meist unbewehrt und Blättchen nur 3; ***A. senti-***

Abb. 67. *Acanthopanax senticosus*, Stachelkraftwurz, **1,3** *m*. (Phot. A. Purpus.)

cosus, Amur-, Ussurigebiet, Nordchina (Abb. 67), 1 bis 3 *m*, wenig verzweigt, Zweige dicht fein hell bestachelt, Blätter sattgrün, ohne Stachelborsten, Blättchen 5(–7); ***A. Simonii*** (Abb. 69), China, (Hupeh), bis 1,25 m, mit bestachelten Zweigen und stachelborstigen 5 zähligen Blättern. — 2. Zweige etwas rauhhaarig und mit zerstreuten, dicken, oft gekrümmten Stacheln besetzt: ***A. Hénryi,*** Mittel-China, 1 bis 2,5 *m*, Blättchen (3–)5, beiderseits behaart, Grund keilförmig, kaum gestielt, Früchte tintenschwarz, eigenartig. — II. Griffel nur am Grunde oder höchstens bis Mitte verwachsen: ***A. pentaphyllus*** *(A. spinosus* der meisten Gärten; *Aralia pentaphylla),* Japan, 1,5 bis 3 *m*, übergebogen locker verästelt, Stacheln kräftig, meist einzeln am Grunde der Kurztriebe, Blättchen 5 bis 7, kahl, glänzend grün, Belaubung hübsch, Blüten ohne Zierwert, brauchbare Heckenpflanze: ***A. sessiliflorus*** *(Panax sessiliflorum, P. sessilifolium),* Mandschurei, Nordchina, 2 bis 5 *m*, breitbuschig, fast stachellos, Blättchen 3 bis 5, fast kahl, Blüten purpurgrün, fast sitzend, die dichten glänzend schwarzen Fruchtköpfe zierend im Herbst; hart. Hierher auch der neue ***A. ternátus,*** Westchina, kahler Strauch, bis über 2 *m*, Blätter 3 zählig; soll das Laub bis tief in den November halten, hart im Arnold Arboretum.

B. Blätter nur gelappt oder ganz geteilt, groß, derb (Gruppe *Kalopanax*): ***A. ricinifolius*** *(Panax ricinifolium; A. acerifolium; A. ricinifolius* var. *magnificus),* Japan, Mandschurei, China, Baum, bis 27:0,8 *m*, beim Typ Blätter gelappt, bis 40 *cm* breit, Zweige dick, mit kurzen, aufwärts gekrümmten Stacheln, Blütenstände groß, doldenrispig, im Sommer; häufiger ist var. ***Maximowiczii*** *(Aralia Maximowiczii)* mit geteilten Blättern, sehr dekorativ, etwas feuchten, sandigmoorigen Boden, im Sommer reichlich Wasser und Dung.

Abb. 68. *Acanthopánax Henryi,* junge Pflanze, 90 *cm*. (James Veitch and Sons.)

Acer, Ahorn — Aceraceen

Kleine Sträucher bis hohe Bäume, Blätter gegenständig, meist sommergrün, einfach, gelappt, gedreit bis gefiedert, Blüten klein, in Trauben oder Doldentrauben, Frucht aus zwei Flügelfrüchten zusammengesetzt: Kultur im allgemeinen in jedem guten, nicht zu feuchten tiefgründigen Boden in offener Lage, man vergleiche aber das bei den Formen Gesagte; Winterschnitt, im allgemeinen nur Auslichten oder gelegentlich starker Rückschnitt, wenn zu üppig; Vermehrung durch Samen (Saat stets gleich nach Reife); Varietäten der typischen Arten okuliert man meist auf diese; von manchen, wie *saccharinum, rubrum, Negundo* wachsen Ableger in feuchtem Boden; die japanischen Ahorne kann man durch krautige Stecklinge angetriebener Pflanzen und Ableger vermehren oder sonst durch Veredlung (Ablacktieren) auf *A. polymorphum*; **Verwendung** vergleiche bei den Formen. Wir beschränken uns darauf, hier nur die schönsten und interessantesten zu nennen [24].

ALPHABETISCHES VERZEICHNIS DER ERWÄHNTEN LATEINISCHEN NAMEN.

(Die Ziffern bezeichnen die Seitenzahlen.)

A) **Blätter 3–5zählig**, Blüten 2häusig: I. Winterknospen 2schuppig, Blüten in seitenständigen lockeren Trauben (oder bei *A. Negundo* die männlichen doldentraubig) (Gruppe *Negundo*): a. Blättchen 3 bis 5, Blüten ohne Petalen, vor den Blättern, April: ***A. Negundo*** (*Negundo fraxinifolium*; *Rulac Negundo*), **Eschenahorn,** O.-Nordamerika, sehr wüchsiger, bis über 25 *m* hoher Baum. Tracht im Alter etwas überhängend, malerisch, Typ für feuchte Sandböden brauchbar, von den zahlreichen Gartenformen nennen wir var. *argenteo-variegatum* (var. *variegatum*), prächtig weißbunt, meist buschig, sehr auffallend in der Landschaft, üppiger ist var. *argenteo-limbatum* mit breit gerandeten Blättern; var. *elegans* (verbesserte var. *aureo-marginatum*) breite goldgelbe oder rahmweiße Blattberandung; var. *auratum* (var. *californicum aureum*) gute gelbe Blattfärbung; var. *violaceum* (*A. californicum* Hort.) im Herbst dunkelviolett bereiftes Holz, wüchsig, großblättrig; var. *californicum* (*A. californicum* Dietr., *Negundo californicum*), westl. Nordamerika, junge Zweige und Blätter behaart, diese 3zählig, derber, nicht so hart wie Typ. — b. Blättchen stets nur 3, Blumenblätter vorhanden: ***A. cissifolium***, Japan, kleiner rundkroniger Baum, bis 12 *m*, Blättchen groblappig gezähnt, hellgrün, rot gestielt, zuletzt kahl, schöne orange und scharlach Herbstfärbung. Blütenstände dicht.

langtraubig, im Mai mit den Blättern. Blüten vierzählig: ***A. Henryi,*** Mittelchina, Baum bis 12 m. Blättchen fast ganzrandig, unterseits nebst Stielen behaart. Blüten im Mai meist vor Blattausbruch, 5 zählig. — II. Winterknospen mehrschuppig. Blüten in endständigen Doldentrauben, nach Blattausbruch. Blätter 3 zählig. — a) Blattstiele, Blattunterseiten und Blütenstände kahl: ***A. mandshuricum,*** Mandschurei, strauchig oder kleiner Baum. Blätter fein gezähnt. Herbstfärbung rot und grün, junge Früchte purpurn, für kleinere Anlagen. — b) Blattstiele, Blattunterseiten und Blütenstände behaart: ***A. griseum,*** Mittelchina, Baum bis 15 *m*, Rinde zimmetbraun, birkenartig abblätternd. Blätter trübgrün, grobzähnig, Stiele rot; auffällig; ***A. nikoënse,*** Japan, China, hoher Baum. Blättchen sattgrün, fast ganzrandig, Herbstfärbung schön scharlach. Blütenstände 3 blütig, guter Typ.

Abb. 69. *Acanthopanax Simonii*, 1,3 *m*.
(Phot. A. Purpus.)

B) Blätter einfach, ungelappt oder 3 bis 7 lappig.

I. Blätter ungelappt (siehe eventuell auch *Acer tataricum*): ***A. carpinifolium*** (Abb. 70), **Hainbuchen-Ahorn**, Japan, hoher Baum, eine der eigenartigsten Formen, im Laub täuschend einer Hainbuche gleichend. Blattunterseiten behaart, Blattnervenpaare bis über 18; sehr empfehlenswert und hart: ***A. catalpifolium,*** Westchina, Baum bis 18 *m*, Blätter sehr groß, oval, zuweilen mit 3 bis 5 lappigen gemischt. Blütenstände groß, doldentraubig, fast sitzend, prächtige zu erprobende Art der *campestre*-Gruppe; ***A. crataegifolium,*** Japan, kahlender kleiner Baum, bis 8 *m*, Blätter klein, unterseits blaugrau, zuweilen am Grunde 3 lappig, schöne rote Herbstfärbung, für kleinere Anlagen recht zu empfehlen; ***A. Davidii,*** Zentralchina, Baum bis 18 *m*, Zweige weiß längsstreifig. Blätter einfach, eng gesägt, rot austreibend. Herbstfärbung gelb oder purpurn; ***A. tetramerum,*** Mittelchina, Baum bis 12 *m*, junge Triebe purpurn bereift. Blätter oval, grob gezähnt, unterseits in den Nervenwinkeln hell behaart. Blüten in kurzen, wenig blütigen Doldentrauben aus besonderen Knospen bei Blattaustrieb, in Kultur var. *lobulatum* mit 3 lappigen Blättern.

II. Blätter stets 3 bis 5 bis 7 lappig (siehe oben *A. tetramerum lobulatum*).

a) Blüten vor dem Blattausbruch im zeitigen Frühjahr erscheinend. Früchte meist nach Reife gleich abfallend (Mai-Juni): ***A. diabolicum,*** Japan, Baum bis 12 *m*. Zweige behaart. Blätter sehr groß, 5 lappig, männliche Blüten ohne Petalen, schön var. *purpurascens (A. purpurascens, A. pulchrum)*. Blüten purpurn im April. Blätter im Herbst sich rötend; ***A. rubrum,*** O.-Nordamerika, **Rotahorn**, bis 35 *m*. Krone aufrecht ausgebreitet. Blätter mehr breit und kurz gelappt als bei folgender Art. Blüten mit Kronenblättern, rot, deutlich gestielt, Früchte rot gefärbt, hübsche scharlach oder orange Herbstfärbung, besonders bei var. *tomentosum*, die unterseits bleibend behaarte Blätter hat, schöner harter Park- und Alleebaum; zu erwähnen auch die Pyramidenform var. *columnare* und die kugelig-kompakte var. *globosum*; ***A. saccharinum*** L., nicht Wangh. ***(A. dasycarpum,*** *A. eriocarpum)*, **Silberahorn**, O.-Nordamerika, bis über 35 *m*, bildet sehr malerische, überhängend verzweigte

Kronen, Blätter ziemlich spitz und tief 5 bis 7lappig, unterseits meist silbriggrau, sehr viele Formen, wir nennen als beste mit tief und schmal zerteiltem Laube var. *Wieri* (var. *laciniatum Wieri* Hort.), ferner var. *pendulum*, Zweige sehr stark hängend, und var. *pyramidale*, Wuchs aufstrebend, sowie var. *lutescens*, Blätter beim Austrieb leuchtend gelb, auch prächtig goldgelbe Herbstfärbung; am schönsten sind alle Formen in freier Stellung.

b) Blüten mit (bei *argutum* und *platanoides* oft kurz vor) oder nach Blattausbruch, Früchte meist erst im Sommer und Herbst reifend.

1. Blütenstände gestreckt, länger als breit, langtraubig oder scheinährig: ***A. argutum***, Japan, kleiner buschiger aufrechter Baum, Triebe behaart, Blätter breit eiförmig, 5-(7) lappig, Lappen langspitzig, Blüten vierzählig, grüngelb, April, kurz vor den Blättern, harte graziöse Art; ***A. caudatum*** var. ***ukurunduense*** (*A. ukurunduense*, *A. spicatum* var. *ukurundnense*), Mandschurei-Japan, kleiner Baum, wie *spicatum*, aber Blätter 5 bis 7 lappig, hart; ***A. ginnala*** (*A. tataricum* var. *ginnala*), Mandschurei bis Japan, Strauch oder etwas baumartig, bis 5 *m*, Blätter zierlicher, deutlicher gelappt als bei *tataricum*, prächtige Herbstfärbung, Blütenstände aufrecht, für kleine Anlagen hübsch und hart; ***A. Heldreichii***, SO.-Europa, Baum bis 10 (bis 12) *m*, Blätter spät im Frühjahr erscheinend, tief 5 lappig, zuletzt fast kahl, Blütenstände gelb, kurz und breit im Mai, später überhängend; ***A. insigne***, Kaukasus bis Persien, hoher Baum, Blätter sehr groß, früh austreibend, eine ganz kahlende Form ist var. *Van Volxemi* (*A. insigne* var. *glabrescens*, *A. Volxemi*), eine auf den Blattunterseiten stärker behaarte Form ist var. *velutinum*, im Gegensatz zum Typ spät austreibend; raschwüchsige hübsche Art für nicht zu rauhe Lagen, in Jugend Schutz; ***A. macrophyllum***, NW.-Nordamerika, bis über 30 *m* hoher Baum, rundkronig, Blätter sehr groß, meist 7 lappig, Herbstfärbung hellorange, Blütenstände hängend, recht schön gelb, April, jung Schutz; ***A. pennsylvanicum*** (*A. striatum*), **Schlangenhautahorn**, östl. Nordamerika, Baum bis 12 *m*, durch die fein hellstreifigen älteren Zweige und die großen Blätter mit drei spitzen, nach vorn gezogenen Lappen sehr gut gekennzeichnet, Blütenstände hängend, gelb, Mai, hübsch, auffallend var. *erythrocladum*, Triebe lebhaft gerötet im Herbst und Winter; ähnlich ist in der Weißstreifung der Rinde das japanische ***A. rufinerve***, nur Triebe hier bereift, Behaarung der Blattunterseiten rostfarben, Herbstfärbung mehr rot; dieser Art steht nahe das japanische *A. capillipes*, Blätter unterseits kahl, rot im Austrieb; ***A. pseudoplatanus***, **Platanenahorn** oder **Bergahorn**, Europa-Kaukasus, bis 40 *m*, Blätter 5 bis 7lappig, unterseits fast kahlend, sehr schöner Park- und Alleebaum mit vielen guten Formen, z. B. var. *purpurascens* (var. *atro-*

Abb. 70. *Acer carpinifolium*, Hainbuchen-Ahorn, junge Pflanze, 2 *m*. (II. A. Hesse, Weener.)

6*

Abb. 71. *Acer palmatum* var. *Schwerini*, Form des japanischen Fächerahorn, 1,5 m. (H. A. Hesse, Weener.)

purpureum, var. *purpureum*), Blattunterseite purpurviolett, üppig; bei var. *Handjeri* (var. „Prinz Handjeri“ Hort.), junge Blätter lebhaft rot, später ähnlich voriger. var. *erythrocarpum*, Früchte rot geflügelt, auffallend; var. *Leopoldi*, Blattaustrieb kupfrig, dann Blätter weiß, gelb und rot gescheckt; var. *Worleei*, Blätter beim Austrieb dunkelorange, später goldgelb usw.; **A. Oliverianum**, Westchina, Baum bis 12 *m*, ähnlich *tataricum*, die Blätter 5 lappig, scharf und einfach gesägt, an *palmatum* gemahnend; **A. spicatum** *(A. montanum)*, Nordamerika, Strauch oder kleiner Baum, bis 9 *m*, Blätter seicht 3- (oder 5) lappig, unterseits behaart, Herbstfärbung schön orangescharlach, Blütenstände aufrecht, spät, Mitte Mai, Fruchtstände hängend, hübsche Art, auch für kleinere Anlagen, verträgt frische, etwas schattige Lagen; **A. tatáricum**, Südosteuropa bis Kaukasus, üppiger als *ginnala*, Blätter häufig ungelappt, die aufrechten, jung roten Früchte schön wirkend, bekannt und hart, liebt frische Lagen; **A. Trautvetteri**, Transkaukasien, hoher Baum, ähnlich dem Bergahorn, aber Knospen vor Austrieb lebhaft gerötet, Laub größer, unterseits bleichgrün, Stiel gerötet, hübsch und härter als das ähnliche *A. insigne*.

2. Blütenstände mehr doldentraubig, breiter als lang, oft wenigblütig (siehe auch oben *A. Oliverianum*):

a) (b siehe S. 86) Winterknospen mit mehreren dachziegeligen Schuppen, Blattlappen grob gezähnt oder ganzrandig: **A. campestre, Feldahorn, Maßholder,** Europa, Westasien, Strauch oder Baum bis kaum 15 *m*, Blätter ziemlich klein, stumpf 3—5 lappig, Blütenstände aufrecht, Fruchtflügel wagrecht abstehend, sehr anspruchslos, gute Heckenpflanze, von den vielen belanglosen Formen nur erwähnenswert var. *compactum*, dichte rundliche Büsche bildend; var. *laetum*, Wuchs mehr aufrecht, Belaubung lichtgrün; var. *postelense*, an sonnigen Plätzen bräunlich austreibend, dann gelb, Blattstiele gerötet, Färbung recht dauerhaft; var. *Schwerini*, bräunlich purpurn austreibend, dann grünlich purpurn bis dunkelrot; **A. cappadócicum**

Tafel VIII.

Spitzahorn (Acer platanoides) im Herbst.

Abb. 72. *Acer palmatum*, in verschiedenen Sorten. (Hort. v. Oheimb, Woislowitz.)

*(**A. laetum**, A. colchicum, A. pictum* var. *colchicum* Hort.), Pontus bis China, Tracht wie *platanoides*, Borke lange glatt bleibend, Blätter dünn, metallisch glänzend grün, spitz fünflappig, prächtig goldgelbe Herbstfärbung, bei var. *horticola* (var. *rubrum*, *A. colchicum* var. *rubrum)* junge Blätter und Triebe tief gerötet, sonst wie *pictum*, gut auch var. *aureum (A. laetum* var. *aureum)*; ***A. Durettii***, Hybride zwischen *A. pseudoplatanus* und *monspessulanum*, Blätter klein, rundlich, kurz 3lappig, rot gestielt, bei var. *aureo-marginatum* gelb gerandet; ***A. grandidentatum***, Felsengebirge, kleiner Baum, mit *saccharum* verwandt, Blätter klein, unterseits grau behaart, 3–5lappig, Blütenstände kurz gestielt; ***A. Lobelii***, Süditalien, ähnlich dem Spitzahorn, Wuchs säulenförmig, junge Triebe bereift, Blätter fünflappig, Lappen ganzrandig, ziemlich hart; ***A. lóngipes***, Westchina, kleiner Baum, Blätter groß, hellgrün, meist nur 3lappig, Lappen ganzrandig, langzugespitzt, unterseits behaart, Blütenstände sehr groß, doldentraubig, fast sitzend, prächtige Art; ***A. Miyábei***, Japan, bis 15 *m*, Zweigrinde korkig, Blätter groß, 5lappig, unterseits grün, behaart, Blütenstände langgestielt, aufrecht, gute harte Art; ***A. monspessulanum***, wärmeres Mitteleuropa, Mittelmeergebiet und Kleinasien, ähnlich dem Feldahorn, aber Blätter noch kleiner, derber, deutlich 3lappig, langsam wüchsig, liebt warme Lagen, ist aber beste Art für Felsen und felsigen, trockenen Boden; ***A. nigrum*** *(A. saccharum* var. *nigrum)*, mittl. Verein. Staaten, dem Zuckerahorn sehr nahe Art, Blattunterseiten aber glänzend hellgrün; ***A. pictum***, Japan, China, Baum bis 20 *m*, Blätter dünn, fest, lebhaft hellgrün, meist mit 7 spitzen ganzrandigen Lappen, ist *cappadocicum* recht ähnlich, aber Zweige schon vom zweiten Jahre ab farbig gestreift, hierher var. ***parviflorum*** *(A. parviflorum, A. mono, A. pictum* var. *mono, A. crassipes)*, China, früh treibend, Blätter dunkler, mehr herzförmig (Abb. 73); ***A. platanoides*, Spitzahorn**, Europa, Kaukasus, bis 30 *m*, prächtiger Park- und Alleebaum, Blätter spitz fünflappig, hellgrün, unterseits glänzend, Herbstfärbung hellgelb, Blüten gelbgrün, oft vor den Blättern im April in aufrechten Doldentrauben, von den zahllosen Formen nennen wir nur: var. *dissectum*, Blätter tief eingeschnitten, doppellappig; var. *globosum* (Abb. 74), dichte, runde, kugelige Kronen bildend; var. *rubrum* (var. *Reitenbachii)*, Austrieb rotgrün, aber Blätter zum Herbst sich tief rötend; var. *Schwedleri*, Blätter jung tief blutrot, dann mehr dunkelolivgrün; var. *Stollii* (var. „Ökonomierat Stoll“), Wuchs straffer aufrecht, Blätter meist rein 3lappig, ganzrandig, var. *Walderseei*, Austrieb grünlichbraun mit rosa, ältere Blätter

Abb. 73. *Acer pictum* var. *parviflorum*, dickstieliger Ahorn, 5 *m*. (H. A. Hesse, Weener.)

auf hellgrünem Grunde weiß bepudert: ***A. saccharum*** (*A. saccharinum* Wangh., *A. barbatum*), echter **Zuckerahorn**, O.-N.-Amerika, bis 40 *m*, rundkronig. Blätter unterseits blaugrau, 3 bis 5lappig mit großen Lappenzähnen. Stiel rötlich, Herbstfärbung schön goldgelb. Blüten ohne Blumenblätter an behaarten, hängenden Stielen in sitzenden Doldentrauben, eine pyramidale Form ist var. *monumentale*; in der Heimat wertvoller zuckerliefernder Nutzbaum, bei uns von *saccharinum (dasycarpum)* an Zierwert übertroffen: ***A. truncatum***, Nordchina, kleiner Baum, der oft mit *cappadocicum* verwechselt wird, aber Rinde bald rissig, die 5lappigen Blätter am Grunde abgestutzt und Fruchtflügel kaum länger als Nüßchen. Blattaustrieb rot.

b) Winterknospen mit nur zwei äußeren Schuppen. Blattlappen einfach oder doppelt gesägt: ***A. glabrum***, westliches Nordamerika, aufrechter Strauch oder kleiner Baum, bis 10 *m*. Triebe

Abb. 74. Allee mit Kugelahorn (*Acer platanoides* var. *globosum*). (Phot. A. Glogau.)

Abb. 75. *Actinidia chinensis* in der Heimat in Zentral-China, W.-Hupeh, westlich von Kuan Hsien.
(Phot. E. H. Wilson, mit Genehmigung von Prof. C. S. Sargent.)

glatt, rot, Blätter 3- (selten 5-)lappig oder fast dreizählig, glänzend grün, Stiele gerötet, bei var. *rhodocárpum* Früchte bis Reife lebhaft rot, hübsch; ***A. circinátum***, nordwestl. Amerika, Strauch oder kleiner rundlicher Baum, Zweige purpurn, Blätter unten hellgrün, fast rundlich, 7 bis 9lappig, prächtige orange und scharlach Herbstfärbung, Blüten im April mit roten Kelchen und weißer Blumenkrone, schöne harte dichte Art für feuchtere Lagen, verträgt Halbschatten; ***A. japónicum***, Japan, Strauch oder kleiner Baum, Triebe, Blattstiele und Blütenstände jung behaart, Blätter 7 bis 11lappig, im Austrieb seidig, Blüten rotpurpurn, oft schon vor den Blättern anfangs April, schön var. *aureum* und die tief zerschnittene var. *Parsonsii* (var. *filicifolium*, var. *laciniatum*), diese Art und die folgenden bilden die japanischen Ahorne: ***A. palmátum*** *(A. polymórphum)*, **Fächerahorn,** Japan, bei uns Strauch, in Heimat gelegentlich kleiner Baum, Zweige und Blattstiele kahl, Blätter 5 bis 9lappig oder -teilig, Blüten purpurn und weiß; viele wundervolle Formen[18], durch prächtigste Färbungen beim Austrieb und vor allem im Herbst ausgezeichnet, lieben etwas feuchte sonnige Lage, in der Jugend etwas Schutz, sonst aber viel härter, als man gemeinhin annimmt, wir können hier nur hervorheben: var. *aureum*, 5lappig, gelb, bis goldgelb, var. *atropurpureum*, 7lappig, tief purpurn, var. *atrolineare* (var. *pinnatifolium atropurpureum*), ähnlich, aber fast bis zum Grund geteilt, var. *bicolor* (var. *atropurpureum variegatum*), purpurn und karminrot, var. *dissectum (A. polymorphum* var. *decompositum* oder *palmatifidum*), Blätter bis zum Grund 5 bis 9 teilig, var. *Frederici-Guilelmi* (var. *pinnatifidum roseopictum*), fein zerschnitten, grün mit rosa und weißen Flecken, var. *Schwerini*, Austrieb grün, dann dunkelrot (Abb. 71), var. *septemlobum* breit, 7lappig; ***A. Sieboldiánum*** *(A. japonicum* var. *Sieboldianum)*, Japan, wie vorige Art, aber Zweige und Blattstiele anfangs behaart, Blüten gelblich, Blätter 7 bis 9lappig, wirkt nicht ganz so zierlich wie *palmatum*.

Acidóton siehe *Securinega*.

***Actinidia*, Strahlengriffel** — Dilleniaceen. — Sommergrüne Schlingsträucher, Blätter wechselständig, einfach, Blüten achselständig, ziemlich ansehnlich, weiß, mit sehr zahlreichen Staubblättern und Griffeln, Juni-Juli, Früchte vielsamige, 2 bis 2,5 *cm* lange,

Abb. 76. *Actinidia Kolomikta*, Strahlengriffel. (Phot. E. Rettig, Jena.)

eiförmige oder rundliche Beeren, oft eßbar; Kultur in jedem frischen, guten nahrhaften Gartenboden; lieben leichten Halbschatten; Auslichten wenn nötig im Winter; Vermehrung durch Samen und Hartholzstecklinge unter Glas sowie durch Sommerstecklinge oder auch Ableger; Verwendung als ausgezeichnete Schlingpflanzen zur Bekleidung von Mauerwerk, Lauben usw., unempfindlich gegen Insekten und Pilze, doch muß *A. polygama* gegen Katzen geschützt werden.

A. arguta, Japan-Mandschurei, hochschlingend, Blätter beiderseits glänzend grün, derb, spät abfällig, Blüten im Juni, duftend, Staubbeutel purpurn, Früchte grüngelb, ellipsoid, säuerlich; ***A. callósa***, Mittelchina, Mark der Triebe gefächert, Blätter einfarbig grün, kahl, feiner gesägt als bei *Kolomikta*, noch zu erproben, als *callosa* var. *Henryi* geht *A. coriacea*, die durch derbere, entfernt gesägte Blätter und rötliche Blüten abweicht; ***A. chinénsis***, West- und Mittelchina, üppig, Triebe und Blätter dicht bräunlich-filzig, diese rundlich, derb, Blüten weiß, dann gelblich, Frucht walnußgroß, behaart, wohlschmeckend (stachelbeerartig), prächtig, hart, in kalten Lagen Schutz; die echte *A. Henryi* steht ihr nahe, kaum hart, dies gilt auch von der kahlen *A. rubricaulis* aus Yunnan, die mit ihren derben spitz lanzettlichen Blättern mit roten Haaren und Stielen auffällig ist; ***A. Kolomikta*** (Abb. 76), Japan, Mandschurei, Nordchina, Zweige purpurn, schwach schlingend, Blätter häutig, an Spitze oft weiß, später rot gefärbt, Staubbeutel gelb, Frucht blau, süß; ***A. polygama***, wie vorige, aber Blätter nicht herzförmig, mehr borstlich behaart, Blüten größer, bis 3 *cm* breit, Frucht gelb, bitter.

Adélia siehe *Forestiera*.

Adenocárpus decórticans — Leguminosen. — Spanischer Strauch mit langen behaarten Trieben, 3zähligen Blättern und goldgelben Blüten in dichten aufrechten Trauben im Mai-Juni, der kaum in Kultur ist, aber in Südungarn z. B. wohl hart sein dürfte; Kultur in lehmigem Sandboden in geschützter Lage an Südwand; Vermehrung durch krautige Stecklinge im Sommer oder im Frühjahr unter Glas.

***Adenóstoma fasciculatum*, Scheinheide** — Rosaceen. — Bei uns niedriger, steif aufrechter heideartiger Strauch aus Kalifornien, Blätter nadelartig, immergrün, Blüten klein, weißlich, in vielblütigen, rispigen Scheinähren im Mai-Juni; Kultur in sonniger Lage und gut mit Lauberde oder Torfmull versetztem, lehmig durchlässigem Boden versuchswert; Vermehrung durch Samen und Frühjahrsstecklinge im Glashause; Verwendung nur in sonnigen Lagen im Alpinum im Süden des Gebietes.

Abb. 77. *Aesculus octandra*, gelbblütige Pavie, 15 *m*.
(Phot. C. Schneider, Botan. Garten, Wien [aus der „Gartenwelt"].)

Adnaria siehe *Gaylussacia*. – **Adodéndron** siehe *Rhodothamnus*. — **Aegle sepiaria** siehe *Citrus trifoliata*. **Aehrenheide** siehe *Bruckenthalia*.

Aesculus[14]**, Roßkastanie** Hippocastanaceen. Meist hohe Bäume mit großen gegenständigen, fingerförmig 8 bis 9 zähligen, sommergrünen Blättern, Blüten in endständigen, ansehnlichen Rispentrauben, Früchte meist einsamige, glatte oder bestachelte Kapseln; Kultur in jedem tiefgründigen, frischen, etwas lehmigen Boden; Schnitt meist auf Auslichten im Winter beschränkt, doch vertragen die *Aesculus* ziemlich derben Schnitt; Vermehrung durch Samen (Saat gleich nach Reife, sonst stratifizieren). *A. parviflora* und die anderen Strauchformen durch Ableger und Wurzelstücke, die seltenen Arten oder Gartenformen durch Veredlung (Okulieren) auf *A. Hippocastanum* und *A. Pavia*; Verwendung siehe bei den Arten.

ALPHABETISCHE LISTE DER ERWÄHNTEN LATEINISCHEN NAMEN.
(Die Ziffern bezeichnen die Seitenzahlen).

A. Blättchen sitzend, fünf Blumenkronblätter, Bäume (Gruppe *Hippocastanum* oder *Euaesculus*): ***A. Hippocástanum***, N.-Griechenland, Bulgarien, allgemein bekannter, bis über 30 *m* hoher Baum, ausgezeichnet für Alleen (Abb. 9) und Einzelstellung, gibt tiefen Schatten.

Blütezeit Mai. Frucht stachelig, beim Typ Blüten weiß mit rot, viele Gartenformen: f. *Baumannii* (var. *flore pleno*), Blüten weiß gefüllt, f. *Schirnhoferi*, Blüten gelblichrot gefüllt, f. *incisa*, Blättchen kurz und breit, tief eingeschnitten lappenzähnig, f. *laciniata* (var. *dissecta*, var. *heterophylla*), Blättchen lanzettlich, fiederig gezähnt, f. *Memmingeri*, Blätter weißgelb bestäubt, f. *umbraculifera*, Krone dicht, kugelig; sehr häufig angepflanzt und wertvoll ist ***A. carnea*** (*A. intermedia*, *A. rubicunda*) und ihre Formen, die Kreuzungen mit *A. Pavia* darstellen und in verschiedenen roten Tönen blühen, vergleiche die farbige Abbildung auf Tafel IX; als beste Form gilt var. ***Briotii*** (*A. rubicunda* var. *Briotii*), dunkelste rote; ferner var. ***plantierénsis*** (*A. plantierensis*), der *Hippocastanum* näher stehend, aber Blüten weich rosa überhaucht; ***A. turbinata*** (*A. sinensis* Hort.), Japan, wie *Hippocastanum*, aber Blätter größer, jung unterseits behaart, Blüten kleiner, weniger deutlich gerötet, Juni, Früchte nur warzig, ähnlich *Pavia*; hart.

Abb. 78. *Aethionema grandiflorum*, Steinkresse, 25 *cm*. (Orig., Hort. Vilmorin, Les Barres.)

B. Blättchen gestielt, Blumenkronblätter vier (sonst Strauch). — I. Winterknospen klebrig, Kelch 2lippig, Frucht glatt (Gruppe *Calothyrsus*): ***A. chinensis***, China, kleiner, der gewöhnlichen Roßkastanie ähnlicher Baum, Blüten nur zirka 1 *cm* lang, weiß, Mai-Juni, Früchte fast kugelig, selten echt. — II. Winterknospen nicht klebrig, Kelch 5zähnig. — a) Staubgefäße die Blüte kaum überragend, Blüten gelb oder rot, Blumenkronblätter vier (Gruppe *Pavia*): ***A. discolor*** (*A. Pavia* var. *discolor*), südöstl. Verein. Staaten, wie *Pavia*, aber Blätter unterseits weißlich filzig behaart, besonders schön var. *mollis* mit dunkelroten Blüten; ihr steht ganz nahe die strauchige ***A. spléndens***, Alabama, die nach Rehder als schönste Form der Gruppe gilt; ferner hat sich im Arnold Arboret als hart und brauchbar erwiesen ***A. Búshii***, eine Hybride der *discolor mollis* mit *A. glabra leucodermis*; ***A. Pávia*** (*Pavia rubra*), östliches Nordamerika, kleinerer, meist nicht über 6 *m* hoher Baum, Blüten röhrig, Blumenblätter drüsig gewimpert, rot, besonders tief bei var. *atrosanguinea*, hiervon noch var. *humilis* (*A. humilis*, *A. Pavia* var. *nana*, *A. rubra* var. *humilis*), niedriger Strauch; in dieser Gruppe noch zu nennen ***A. octándra*** (*A. flava*, *A. lútea*, *Pavia lutea*), östliches Nordamerika, Tracht wie Abb. 77, Blüten gelb, Petalen am Rande nur zottig gewimpert; nahe steht die ***A. woerlitzénsis***, eine unbestimmte Gartenform, mit gelb und roten Blüten und der var. ***Ellwángeri*** (*A. Pavia* var. *Whitleyi*, *A. Pavia atrosanguinea* Hort. zum Teil), Blüten dunkler rot; beide Formen ähneln *A. Pavia*, es fehlen aber jede Drüsen an dem Petalenrand; dagegen hat die Hy-

Abb. 79. *Agave Parryi*, 30 *cm*. (Phot. Graebener, Karlsruhe.)

Rotblühende Roßkastanie (Aesculus carnea) im Parke zu Grafenegg (Nied. Östr.).

bride *octandra*×*Pavia* drüsige und auch zottig behaarte Petalenränder, sie geht als ***A. hybrida*** *(Pavia hybrida, A. versicolor, A. Lyonii)* in mehreren gelb und roten Formen in Kultur, auch als *A. discolor* und *A. Pavia* var. *arguta*. — b) Staubgefäße zweimal so lang wie Blumenkrone, diese weiß. Strauch (Gruppe *Macrothyrsus*): ***A. parviflóra*** (*A. macrostachya*), südl. Verein. Staaten, breite schöne Büsche bildend. Blüten in ährigen, schmalen Rispen im Juli bis August über dem Laube stehend. Staubblätter die 4—5 Petalen lang überragend, schöner Zierstrauch für Einzelstellung, auch in mehr sandigen Böden und für Halbschatten, durch Ausläufer sich weit ausbreitend.

Abb. 80. *Alangium platanifolium.* (Orig.: Hort. Simon Louis, Plantières.)

Aethionéma grandiflórum*, Steinkresse** Cruciferen. — Niederliegender, am Grunde verholzender kahler Halbstrauch (Abb. 78), aus Armenien, Persien, Zweige bis 50 *cm* hoch aufstrebend, Blätter klein, lineal, blaugraugrün, Blüten rosapurpurn, in endständigen Trauben, Juni; Kultur in etwas sandigem, durchlässigem Boden in mehr trockener, sonniger, warmer Lage oder in Felspartien; Vermehrung durch Samen, Teilung und Stecklinge; Verwendung für Liebhaber in milderen Gegenden. — Ähnlich ***A. cordátum (*Eunomia cordata*), aber niedriger. Vergleiche auch im Staudenbuche.

Aethionéma Balansae und ***eunomioides*** siehe *Crenularia*.

Agáve Párryi — Amaryllidaceen. — Stammloser Halbstrauch (Abb. 79) mit dicken, fleischigen, bis 30 *cm* langen, blaugrauen, rosettig grundständigen, stechend zugespitzten Blättern, Blüten an älteren Pflanzen in bis 4 *m* hohen Rispen, grünlichgelb, Sommer, nach Blüte stirbt Pflanze ab; **Kultur** in recht geschützten, prallsonnigen Lagen in lockerem, durchlässigem, kalkhaltigem Boden an Felshängen, im Winter eventuell Tannenreisigdecke in rauheren Lagen; Vermehrung durch am Grunde erscheinende Seitensprosse; Verwendung als sehr interessante Pflanze für Liebhaber; im Süden gegen das Mediterrangebiet ist ***A. americána***, die sog. **hundertjährige Aloë**, verwildert und dort können noch viele andere Agaven im Freien gezogen werden, wogegen im mittleren Teile des Gebietes nur *A. Parryi* sich bisher als ziemlich hart bewährte.

Abb. 81. Links Oleander, *Nerium Oleander*; rechts *Albizzia Julibrissin*, Schirmakazie. (Orig.; Ragusa, Dalmatien.)

Agerátum arbutifolium siehe *Oxylobus arbutifolius*. — **Ahlbeere** siehe *Ribes nigrum*. — **Ahle** siehe *Prunus Padus*. — **Ahorn** siehe *Acer*.

Ailánthus, Götterbaum

Simarubaceen. — Hohe Bäume mit großen, sommergrünen, wechselständigen, unpaar gefiederten Blättern, Blüten klein, grünlich, übel duftend, in reichverzweigten, großen endständigen Rispen, Juni-Juli, im August mit den sich gelbrot färbenden Flügelfrüchten sehr auffallend; Winterschnitt; Kultur in jedem Boden; Vermehrung durch Samen (Frühjahr) und Wurzelschnittlinge (am besten auf warmem Fuß) und Wurzelausläufer; Verwendung als üppig wachsender Parkbaum, auch für breite Alleen, obwohl sparrig wachsend, verträgt rauchige Stadtluft und Gaseinflüsse[14]) gut, belaubt sich aber sehr spät.

Abb. 82. Schwarzerle, *Alnus glutinósa*, in Blüte. (Phot. C. Beicke.)

A. altissima** (A. **glandulosa**)*, China, bis 25 *m* hoch. Stamm mit auffallenden hellen Längsstreifen in Rinde, Blättchen 13 bis 25, am Grunde geöhrt, verwildert bei uns jetzt ähnlich der Roßkastanie, hübsch ist f. *pendulifolia* mit sehr langen, graziös hängenden Blättern, sowie f. *erythrocarpa (A. erythrocarpa, A. rubra)* mit im Sommer und Herbst auffallend geröteten Fruchtständen; var. **sutchuenénsis** *(A. sutchuenensis)* ist eine kahle westchinesische Form; ***A. Giraldii, Westchina, weicht vor allem durch längere Blätter mit 33 bis 41 Blättchen ab; ***A. Vilmoriniana*** (*Pongelion Vilmorinianum*, *A. glandulosa* var. *spinosa)*, Westchina, sofort kenntlich an den (wenigstens jung) bestachelten Zweigen und Blattstielen und den unterseits behaarten Blättchen, interessant, so hart wie *altissima*.

Ailanthus glabrescens siehe *Cedrela*. — **Akazie** siehe *Albizzia* und *Robinia*.

***Akébia*, Akebie** — Lardizabalaceen. — Kahle Schlingsträucher, bis 5 *m*, mit langgestielten, gefingerten, wechselständigen, halbimmergrünen, von Insekten nicht angegriffenen Blättern, Blüten einhäusig, achselständig, bräunlich-violett-rot, Ende April bis Mai, Frucht große, längliche, saftige, vielsamige Beere, Samen schwarz in weißem Fruchtbrei; Kultur in gutem, durchlässigem, etwas sandigem Boden in warmer Lage; Rückschnitt wenn nötig nach Blüte; Vermehrung durch Samen (unter Glas), krautige Stecklinge, Ableger und Wurzelschnittlinge; Verwendung als hübsch tiefgrün belaubte Schlingpflanzen, besonders an warmen Mauern.

A. lobata, Japan, Blätter 3 bis 5 zählig, sommergrün, Blättchen eirundlich, etwas kerbzähnig, Blüten in langen Trauben, männliche klein, heller purpurn, weibliche größer, dunkler, Früchte hellviolett, hart, wohl schöner als ***A. quinata***, China, Japan, Blätter 5 zählig, Blättchen mehr länglich, ganzrandig, Früchte gurkenartig, braunrot.

Alángium platanifolium (*Marlea platanifolia*). — Alangiaceen. — Sommergrüner, japanisch-chinesischer kleiner Baum (Abb. 80), Zweige sehr markreich, behaart, Blätter rundlich, 3 bis 5 lappig, Blütenstände achselständig aus jungem Holz, 2 bis 4 blütig, Blüten weiß, Juni-Juli, Petalen lineal, Frucht steinfruchtartig; hat sich bei uns in warmen Lagen als hart erwiesen, treibt nach Abfrieren aus Wurzelstock wieder aus; noch härter hat sich in Darmstadt *A. begoniifolium* (*M. begoniifolia*, *M. tomentosa*), Himalaya, gezeigt.

Alatérnus angustifolia und ***latifolia*** ist ***Rhamnus Alaternus***.

Albizzia (*Acacia*, *Mimosa*) ***Julibrissin*, Albizzie, Schirmakazie** — Leguminosen. — Sommergrüner, bis 12 *m* hoher Baum aus Transkaspien mit breit-schirmförmiger Krone (Abb. 81) und großen, doppelt-paarig gefiederten Blättern, Blüten im Sommer, fein, hellrosa, in dichten rispig angeordneten Köpfen über dem Blattwerk, Staubfäden sehr zahlreich, fein und lang, Hülsen flach, bis 15 *cm* lang; Kultur bei uns nur im Süden in warmen Lagen in durchlässigem, lehmigem Boden; Vermehrung durch Samen und Stecklinge aus halbreifem Holze; Verwendung an der Riviera als Alleebaum, sonst in Lagen wie Südtirol; als härter gilt var. *rosea*. In Südtirol wird auch *A. (Acacia) lophantha* gelegentlich kultiviert, die halbimmergrün ist und zylindrische Blütenähren hat.

Alexandrinischer Lorbeer siehe *Ruscus hypoglossum*.

***Alhági camelorum*, Kamelsdorn** Leguminosen. Transkaspischer, sparriger niedriger Wüstendornstrauch, mit kleinen länglichen Blättchen und roten Blütchen in achselständigen Trauben im Sommer; wohl noch nicht in Kultur, etwa wie manche *Astragalus* von besonderen Liebhabern zu versuchen. (Näheres C. Schneider, Ill. Handb. d. Laubholzk. II., S. 105.)

Almrausch siehe *Rhododendron ferrugineum* und *hirsutum*. — ***Alnáster, Alnobétula*** siehe *Alnus*.

Alnus[15]**, Erle, Eller, Else** Betulaceen. — Meist Bäume, Blätter sommergrün, abwechselnd, einfach, Blüten unscheinbar, in kätzchenartigen Blütenständen (Abb. 82), die sich meist sehr früh im Februar oder März entfalten. Schuppen der Fruchtstände verholzend; Kultur meist in feuchten Lagen; Vermehrung durch Samen (Frühjahr), die Strauchformen auch aus reifen Holzstecklingen, auch Ableger und zum Teil Ausläufer, sowie besondere Formen durch Veredlung auf Stammarten; Verwendung im Park an Wasserläufen, in sumpfigem Grunde, oder auch die besseren Zierarten, wie *cordata, hirsuta, japonica, nitida* für trocknere, aber doch frische Lagen.

ALPHABETISCHES VERZEICHNIS DER ERWÄHNTEN LATEINISCHEN NAMEN.

(Die Ziffern bezeichnen die Seitenzahlen.)

A. Knospen gestielt, stumpf, zweischuppig, auch weibliche Kätzchen schon im Herbst deutlich entwickelt (echte Erlen): I. Männliche Kätzchen im Herbst erblühend: ***A. marítima*, See-Erle,** mittlere östl. Verein. Staaten, kleiner Baum, bis 10 *m*, Blätter oboval, keilförmig, glänzend grün, Früchte zu zwei bis vier, eiförmig, schöne harte im September blühende Art, zur Blütezeit sehr hübsch; auch die im Herbst blühende *A. nitida* aus dem westl. Himalaya ist zu erproben. — II. Männliche Kätzchen erst im Februar-März vor dem Blattausbruch sich öffnend: ***A. cordáta*** *(A. cordifólia, A. tiliaefólia* Hort.), Süditalien, Kaukasus, pyramidaler Baum bis 20 *m*, Blätter lindenähnlich, rundoval-herzförmig, oberseits glänzend, unterseits hellgrün, nur gebartet, Zapfen zu 1 bis 3, für wärmere Lagen sehr hübsch; ***A. glutinósa*** *(A. vulgáris, A. rotundifólia, A. communis)*, **Schwarzerle,** Europa, Asien, Nordafrika, bis 35 *m*, Triebe drüsig, Blätter stumpf dunkelgrün, meist breit oder rundlich oboval, unterseits hellgrün, fast kahl, Zapfen gestielt, bekannte Art für feuchte Plätze, viele Formen, von denen nur genannt seien: var. *aurea*, Blätter gelb, schwach wachsend, var. *imperialis*, Blätter tief fiederlappig, Wuchs mäßig, var. *incisa* (var. *oxyacanthifolia)*, Blätter klein, meist Strauch, var. *laciniata*, Lappung kürzer, var. *pyramidalis*, pyramidal wachsend, var. *rubrinérvia*, üppig, Blätter glänzender, mit roten Nerven und Stielen; ***A. incána*, Grau- oder Weißerle,** nördliche Halbkugel, bis 25 *m*, junge Triebe grauhaarig, Blätter unterseits weißgrau, meist reich behaart, Zapfen meist sitzend, ebenfalls allbekannt, verträgt trockenere Standorte, von den vielen Formen nur zu nennen: var. *aurea*, Winterholz gelbrot, Blätter etwas goldgetönt, var. *péndula* (var. *pendula nova*), Trauererle, var. *pinnatifida* (var. *acuminata*, var. *incisa*, var. *laciniata*), fiederig gelappt oder eingeschnittene Blattformen; ***A. japónica*** (*A. firma* vieler Gärten), Japan, bis 27 *m*, pyramidaler schöner Baum, Blätter spitzelliptisch, oberseits glänzend grün, fein gezähnt, Fruchtstände zu 4 bis 6, schöne Art; ***A. rúbra*** *(A. oregána, A. orégona)*, westl. Nordamerika, bis 25 *m*, pyramidal, aber Äste etwas überhängend. Zweige kahl, kantig, Blätter oval, oberseits dunkel, unterseits graugrün, Nerven gerötet, Fruchtstände zu 3 bis 6, recht gute Art; ***A. rugósa***, östl. Verein. Staaten, Strauch oder kleiner Baum, junge Zweige rostfarben filzig, kahler ist die höhere var. ***serruláta*** (*A. serrulata*), ähnlich *incana*, aber Blätter beiderseits grün, weibliche Blütenstände aufrecht, hart, aber ohne besonderen Wert; ***A. Spaethii***, hübsch belaubter Bastard zwischen *japonica* und der selteneren *A. subcordata* aus dem Kaukasus; ***A. spectábilis***, Hybride zwischen *japonica* und *incana*; ***A. hirsúta*** (***A. tinctória***), Nordostasien, Japan, Baum bis 18 *m* (Abb. 83), schön belaubt, Blätter meist tief lappenzähnig, unterseits graugrün, was als *tinctoria* in Kultur ist fast alles *hirsuta* var. ***sibírica*** (*A. sibirica*, *A. incana sibirica*) mit kahleren Trieben und Blättern. — B. Knospen sitzend oder fast sitzend, zugespitzt, mit 3 bis 6 (selten nur 2, aber dann ungleichen) Schuppen, weibliche Blütenstände während des Winters noch in Knospe verborgen (Untergattung *Alnaster* oder *Alnobetula*): I. Blätter eilänglich oder lanzettlich, Nervenpaare 12 bis 27; ***A. péndula*** (*A. firma* var. *multinervis*, *A. multinervis*), Nordjapan, Strauch oder kleiner Baum, Blätter kurz gestielt, Nervenpaare 18 bis 27, Zapfen 2 bis 5, kaum 1,5 *cm* lang, hübsche harte Art, in Kultur dafür meist ***A. firma*** var. ***hirtélla*** (*A. Yasha*, *A. firma* var. *Yasha*, *A. hirtella*), Baum bis 8 *m*, Nervenpaare 12 bis 17, Zapfen groß, zu 1 bis 2. — II. Blätter breit eiförmig oder elliptisch, Nervenpaare 5 bis 10 (bis 12); ***A. víridis*** (*A. Alnobetula*), **Grünerle**, Europäische Gebirge, 1,5 bis 3 *m*, Blätter stumpflich breit eiförmig, unterseits kahl, blüht meist erst im April, Zapfen zu 3 bis 5 (bis 7) traubig; für große schattige steinige Hänge, große Felsanlagen; in Amerika vertreten durch ***A. Mitchelliána*** (*A. crispa*, *A. mollis*), die noch hübscher, etwas üppiger ist, unterseits behaarte Blätter hat; auch die Formen aus Ostasien ***A. fruticósa*** und ***A. Maximowiczii*** sind sehr kulturwert, letzte wird bis 10 *m* hoch.

Abb. 83. *Alnus hirsuta* var. *sibirica*, Färber-Erle, zur Blütezeit, 5 m. (Phot. A. Rehder.)

Abb. 84. *Alyssum spinosum*, Steinkraut, 10 *cm*. (Phot. A. Purpus.)

Alpenrose siehe *Rhododendron*. — ***Althaea Frutex*** mancher Gärten ist *Hibiscus syriacus*.

***Alýssum (Ptilotrichum) spinósum*, Steinkraut** — Cruciferen. — Kleiner, 10—25 *cm* hoher, reich, fein und verworren verästelter Dornstrauch (Abb. 84) aus Südfrankreich, Spanien und Nordafrika. Blätter abwechselnd, fein spatelig lanzettlich, gleich den Zweigen und Blütenständen silberschülfrig. Blüten kurztraubig, weiß mit rötlichem Hauche, Mai bis Juni; **Kultur** in sonnigen Lagen zwischen Gestein; **Vermehrung** durch Samen und Stecklinge; **Verwendung** nur für Liebhaber, doch ziemlich hart. — Sonst siehe „Unsere Freilandstauden".

Amberbaum siehe *Liquidambar*.

Amelánchier[1]**, Felsenbirne** — Rosaceen. — Sträucher oder kleine Bäume mit einfachen, sommergrünen, wechselständigen Blättern, Blüten weiß, meist April-Mai, lockertraubig oder büschelig. Früchte erbsengroße Äpfelchen, rot oder schwärzlich, meist süß, saftig; **Kultur** in jedem guten Gartenboden, lieben Kalk, nicht zu feucht; Schnitt im Sommer; **Vermehrung** durch Samen, Wurzelausläufer, auch durch Veredlung auf *Crataegus*; **Verwendung** für Vorpflanzungen, Halbschatten, zum Teil in Gesteinspartien; verdienen viel mehr Beachtung als Blüten- und Fruchtsträucher.

ALPHABETISCHES VERZEICHNIS DER ERWÄHNTEN LATEINISCHEN NAMEN.
(Die Ziffern bezeichnen die Seitenzahlen.)

A. Griffel fast stets fünf. I. Griffel stets frei, Blumenkronblätter außen stets locker behaart: ***A. rotundifolia*** Dum.-Cours. (*A. ovalis* Medikus, *A. vulgaris*). Süd- und Mitteleuropa, 0,5 bis *2 m*, selten höher. Blätter eng gezähnt ringsum, unterseits weißlichgrün, jung wollig behaart. Blüten Mai, Griffel die innere Einfügungslinie der Staubblätter nicht oder kaum überragend. Frucht schwarz, bereift, August-September, zur Blütezeit schön, sonnige Lagen an Felsen; verträgt aber auch lichten Halbschatten (unter Kiefern). — II. Griffel stets verwachsen, fast so lang wie Staubblätter, Blumenkrone außen kahl oder kaum behaart. — a) Blattzähnung sehr fein und eng, 5 bis 12 Zähne auf 1 *cm* Blattrand, Nervatur unregelmäßig, *Pyrus*-artig: α) Blätter ganz kahl: ***A. laevis*** (*A. canadénsis* Gray, nicht Medikus), östl. Verein. Staaten, meist baumartig, breit verzweigt (Abb. 85), junge Blätter bronzerot, Blütentrauben hängend, Mai. Frucht schwarz-purpurn, bereift, süßlich, Juni, schöne Art, liebt trockenere Lagen, lichten Wald; eine als Hybride mit *canadensis* geltende als ***A. grandiflóra*** gehende Form gilt am kulturwertesten. — β) Blätter jung filzig behaart: aa) Blätter scharf zugespitzt: ***A. asiática*** (*A. canadensis* var. *japonica*, *A. japonica* Hort.), Japan, Korea, meist kleiner Baum. Tracht sparrig, etwas über-

Abb. 85. *Amelanchier laevis*, kahle Felsenbirne, 5 *m*. (Phot. A. Rehder.)

hängend. Blütenstände dicht, nickend. Ende Mai. Frucht blauschwarz. September. hübsch: **A. canadénsis** Medikus (*A. Botryápium*), aufrechter buschiger Baum. Blätter jung beiderseits filzig, meist herzförmig. Blüten April bis Mai, vor Blättern. Frucht braun-purpurn, geschmacklos, die reichen Blüten und die jüngsten silbrig behaarten Blättchen wirken sehr zierend. — bb) Blattspitzen stumpflich oder abgerundet: **A. oblongifólia** (*A. canadensis* var. *oblongifolia* oder var. *obovalis*, *A. obovalis*), östl. Verein. Staaten, Strauch wie Abb. 86, bis 6 *m*, ohne Wurzelausläufer, Blätter länglich. Blüten im Mai, Ovarspitze kahl. Frucht fast schwarz, bereift, süßlich. Juni. hübsch; ebenso die vielleicht eine Hybride dieser Art mit *stolonifera* bildende **A. ovális** Borkhausen, nicht Medikus (*A. spicata* Koch und vieler Gärten), vielstämmiger Busch. Ovarspitze behaart. Kelchzipfel der unreifen Früchte wie bei *oblongifolia* aufrecht; **A. stolonífera** (*A. spicata* und *A. ovalis* vieler Autoren), östl. Verein. Staaten. Ausläufer treibender, breite Massen bildender Strauch, bis 1 *m*, Ovarspitze wollig, blüht etwas nach *laevis*. Frucht schwarzpurpurn, bereift, süßlich, Juli. — b) Blattzähnung gröber, 3 bis 5 Zähne auf 1 *cm*, Nerven deutlicher, parallel, Ulmen- oder Erlen-artig: **A. alnifólia** (*A. canadensis* var. *alnifolia*), mittl. und norwestl. Verein. Staaten, etwas steif aufrechter Strauch, bis 4 *m*, Blätter sehr bald kahl, Spitzen rundlich, Blütenstände aufrecht, dicht, Mai, Ovarspitzen behaart, Früchte fast schwarz, bereift, Juli, hierher die kahlere var. **flórida** (*A. florida*, *A. oxyodon*), sowie die brauchbare var. **púmila** (*A. canadensis* var. *pumila*), sehr niedrig, Ausläufer treibend; **A. sanguinea** (*A. rotundifolia* Roemer und *A. spicata* vieler Autoren), östl. Nordamerika, lockerer Strauch, bis 2 *m*, Blätter spitz, unterseits jung dicht behaart, Blütenstände nickend, Mai, Frucht fast schwarz, bereift, süß, spät, August-September, gut. — B. Griffel fast stets nur zwei bis vier, meist niedrige Zwergsträucher für sonnige Felspartien: **A. utahensis**, Utah, Arizona, sparrig, feinfilzig, Blätter graugrün, Trauben kurz, Blüten sehr klein, für die sonnigsten und dürrsten Plätze der Gesteinsanlagen geeignet, doch nicht echt in Kultur.

Abb. 86. *Amelánchier oblongifolia*, 3 *m*. (Phot. A. Rehder)

Abb. 87. *Amórpha canescens*, Bastard-Indigo, 50 *cm*. (Phot. A. Purpus)

Amelanchier racemosa siehe *Exochorda.* — **Amerikanischer Lorbeer** siehe *Kalmia.*

Ammodéndron Conóllyi, Sandbaum — Leguminosen. Hier gilt das bei *Alhagi* Gesagte, erinnert etwas an *Halimodendron,* Aufzucht bei uns noch nicht gelungen. (Näheres C. Schneider, Ill. Handb. d. Laubholzk. II., S. 20.)

Ammyrsine siehe *Leiophyllum.*

Amórpha, Bastard-Indigo, Unform — Leguminosen. Aufrechte, sommergrüne Sträucher aus Nordamerika mit unangenehm riechendem Holz und wechselständigen, unpaar gefiederten Blättern, Blüten meist violettblau, klein, in dichten, ährigen, endständigen Blütenständen, Fruchthülsen meist einsamig, nicht aufspringend; Kultur siehe Arten, Schnitt im Frühjahr, meist längeres Rückschneiden nötig; Vermehrung durch Samen, Sommerstecklinge (zeitig unter Glas) und Stecklinge aus reifem Holze im Beet, auch Ableger, Ausläufer; Verwendung für Vorpflanzungen, auch im großen Alpinum.

A. fruticosa, 1 bis 5 *m*, steif aufrechter, wenig verästelter Strauch, Blätter bis 30 *cm* lang, unterstes Paar deutlich vom Stielgrund entfernt, blüht Mai-Juli, gedeiht in allen nicht zu sandigen Böden, auch feucht, in Kultur verschiedene Formen; ***A. microphylla*** *(A. nana),* kaum bis 50 *cm*, dichtbuschig, feinblättrig, zuletzt stark kahlend, Blütenstände kurz, einzeln, dadurch gleich abweichend von der grau behaarten ***A. canescens*** (Abb. 87), bei welcher das unterste Blättchenpaar am Blattstielgrund sitzt und die Blütenstände sich rispig drängen, Juli-September, die erste für sonnige, trockene Felslagen, die zweite mehr für Sandboden.

Ampelocissus ist eine mit *Vitis* verwandte, tropisch-subtropische Gattung, die für uns nur Kalthauspflanzen enthält.

Ampelópsis (ohne *Parthenocissus*[17]), **Doldenrebe** — Vitaceen. — Bekannte Schlingpflanzen mit Wickelranken, über dem Knoten meist deutlich leicht eingeschnürt, Rankenenden stets ohne Haftscheiben (nicht selbst kletternd), Blätter sommergrün, einfach, gefingert oder gefiedert, Blütenstände traubig-rispig, Blüten unscheinbar, grünlich, Früchte meist hübsch gefärbte Weinbeeren, meist ungenießbar; Kultur in jedem Gartenboden, der nicht zu trocken und arm ist, verträgt zum Teil ziemlich viel Schatten; Vermehrung durch Samen, Ableger, krautige und reife Stecklinge oder die selteneren Sorten durch Veredlung; Verwendung für Lauben, Mauern usw.; man vergleiche das bei den Arten Gesagte! Alle Arten gehen auch als *Vitis!*

ALPHABETISCHE LISTE DER ERWÄHNTEN LATEINISCHEN NAMEN.
(Die Ziffern bezeichnen die Seitenzahlen.)

A. Blätter einfach, nur gelappt oder gefingert, nicht gefiedert: ***A. aconitifólia*** *(A. dissecta, A. aconitifolia* var. *dissecta, A. affinis* var. *dissecta),* Nordchina, Triebe kahl, Blätter fünfteilig, Lappen fiederschnittig, Blattunterseiten grün, Blüten Juli-August, Frucht erst bläulich, dann orange, September-Oktober, sehr hübsch, bei var. *palmilóba (A. palmiloba, A. tripartita, A. rubricaulis),* Blätter meist nur 3 teilig; ***A. brevipedunculáta*** *(A. heterophylla* var. *amurensis, Cissus brevipedunculata),* Ostasien, junge Triebe behaart, Blätter herzförmig, seicht 3 lappig, häutig, unterseits grün, etwas behaart, Frucht zuletzt dunkel amethystblau, schön; var. ***Maximowíczii*** *(A. heterophylla, Vitis heterophylla, A. heterophylla* var. *Maximowiczii)* hat tiefer 3 bis 5 lappige kahlere Blätter und Triebe, Frucht zuletzt zuweilen fast weiß, hierher als Formen f. *citrulloides (A. citrulloides),* noch feiner gelappte Blätter, und f. *elegans (A. tricolor, A. Sieboldii, Vitis heterophylla variegata),* Blätter weiß und rosa gescheckt, schwach wüchsig; ***A. Delavayána,*** Mittelchina, üppig, junge Triebe behaart und purpurn überlaufen, Blätter herzförmig, 3 lappig oder 3 teilig, Frucht schwarzblau, hart; ***A. humulifólia,*** Nordchina, ähnlich *brevipedunculata,* aber Blätter derber, unterseits weißlich, breitoval, schwach gelappt, Frucht klein, hellgelb, bläulich überlaufen, sieht wie eine *Vitis* aus; nahe steht ***A. micans*** *(Vitis repens* Hort.*),* Mittelchina, junge Triebe purpurn, Blätter samtiggrün oberseits, unten blaugrau, Frucht dunkelblau, hart; ***A. japónica*** *(A. serjaniaefolia, A. napiformis, A. tuberosa)*, Japan, Nordchina, Wurzelstock knollig, Blätter satt glänzendgrün, kahl, die 3 bis 5 tiefen Segmente wieder fiederschnittig, Früchte klein, blau, gepunktet, hübsch, aber etwas Winterschutz. — B. Blätter einfach oder doppelt gefiedert, groß: ***A. megalophýlla*** *(Vitis megalophylla)*, Westchina, üppig, siehe Abb. 88, kahl, Blätter häutig, unterseits blaugraugrün, Blüten August, Früchte blau, September, schöner Schlinger; verwandt aber empfindlicher ist die südjapanische ***A. leeóides*** mit meist nur einfach gefiederten Blättern.

Abb. 88. *Ampelópsis megalophylla*, 2,5 *m*, junge Pflanze. (James Veitch and Sons.)

Ampelopsis Engelmannii, A. Henryana, A. quinquefolia, A. tricuspidata, A. Veitchii, A. vitacea u. a. siehe *Parthenocissus*. — ***Ampelovitis*** siehe *Vitis*. — ***Amphirápis*** siehe *Microglossa*. — ***Amygdalópsis Lindleyi*** siehe *Prunus triloba*. — ***Amýgdalus*** siehe unter *Prunus* (Gruppe *Amygdalus*).

Anagýris foétida — Leguminosen. — Mediterraner, bis 3 *m* hoher, übelriechender Macchienstrauch, Tracht usw. ähnlich *Petteria*. Blätter 3zählig. Blüten gelb, in Trauben, nur in wärmsten Lagen von Liebhabern als Felsenstrauch versuchswert; Vermehrung durch Samen und angetriebene Stecklinge. (Näheres C. Schneider, Ill. Handb. d. Laubholzk. II., S. 21.)

Andráchne cólchica — Euphorbiaceen. — Kleiner, aufrechter, bis 60 *cm* hoher, fein verästelter sommergrüner Strauch (Abb. 89), aus Kleinasien, Blätter eiförmig, abwechselnd, blaugrün, Blüten unscheinbar, grünlich, einhäusig, fein gestielt, einzeln, April bis Mai (oder Herbst), Frucht hellbraune Kapsel; Kultur in jedem Boden; Vermehrung durch Ausläufer oder Samen (nach Reife), auch durch Sommerstecklinge oder angetriebene, unter Glas; Verwendung etwa wie *Securinega*.

Andrómeda (einschließlich *Leucóthoë, Lyónia, Pieris*), **Lavendelheide** — Ericaceen. — Immer- oder sommergrüne Sträucher oder seltener baumartig. Blätter abwechselnd, einfach, Blüten klein, weiß oder rosa, in achsel- oder endständigen, doldigen, traubigen oder rispigen Blütenständen, Frucht 5klappige Kapsel; Kultur in sandigem, genügend frischem Heide- oder Moorboden in halbschattiger Lage. Schnitt ohne besondere Gründe nicht notwendig; Vermehrung durch Samen (vgl. das im Artikel VIII, S. 54 Gesagte), reife Stecklinge oder Ableger und zum Teil Ausläufer; Verwendung als fast durchweg sehr wertvolle Ziersträucher im Garten, Park und Moorbeet, man vergleiche bei den einzelnen Arten.

A) Blätter deutlich lederig, immergrün (siehe auch unten *A. pulverulenta*): **A.** (*Leucothoë*) ***axillaris***, O.-Nordamerika, kaum über 1 *m*, Zweige ausgebreitet, zurückgebogen, Blätter kurz gestielt, kurz oder plötzlich zugespitzt, glänzend grün, Blüten weiß, in bis kaum 5 *cm* langen, achselständigen Scheinähren, April bis Mai, Antheren grannenlos; meist verwechselt mit der wertvolleren **A.** (*Leucothoë*) ***Catesbaei*** (*L. Rollisonii*), bis 1,5 *m*, Blätter länger gestielt, Spitze lang vorgezogen, im Winter nebst Blütenknospen purpurn, Blütenstände bis 8 *cm* lang, etwas durch Blätter verdeckt, Mai bis Juni, für geschützte Lagen sehr wertvoll, in rauheren Gegenden Reisigdecke; wohl noch schöner ist ***A.*** *(Leucothoë)* ***Davi-***

siae, W.-Nordamerika, bis 1,5 *m*, Blütenstände an Zweigenden rispig gehäuft, schon über dem glänzenden Laube stehend, Mai bis Juni, empfindlicher als vorige, recht geschützte Lagen; **A. floribunda** (auch als *Leucothoë, Portuna* und *Pieris* gehend), O.-N.-Amerika, bis über 1,5 *m*, breitbuschig, Blätter lanzettlich, unterseits etwas drüsig gepunktet, Blüten weiß, in bis 10 *cm* hohen Rispen, April bis Mai, harte graziöse Art (Abb. 45); **A. (*Pieris*) japonica**, Japan, mehr baumartig, Blätter ohne Drüsenpunkte, Blütenstände überhängend, April, siehe Abb. 90, für geschütztere Lagen, im Seeklima ganz hart; **A. polifolia**, N.-Europa, N.-Asien, niedrige, 10—30 (bis 60) *cm* hohe Art, Blätter klein, lineal, unterseits blauweiß, Blüten weiß oder rosa, nickend, krugförmig, Antheren begrannt, doldig, Mai bis Juni, reizende Moorbeetpflanze für Gesteinsgruppen usw., siehe Abb. 46, bei der ähnlichen nordostamerikanischen *A. glaucophylla* sind die Triebe bereift.

Abb. 89. *Andrachne colchica*, 40 *cm*. (Phot. A. Purpus.)

B) Blätter sommer- oder wintergrün: **A.** (*Lyonia, Xolisma*) **ligustrina** (*A. paniculata*), östl. Vereinigte Staaten, sparriger Strauch, 0,6—1,5 *m*, Triebe behaart, Blätter oboval, fast ganzrandig, unterseits behaart, Blüten in blattlosen Trauben zu endständigen Rispen vereint, Juni bis Juli, stumpf-weiß, kugelig; liebt feuchte Lagen, als Sommerblüher brauchbar, ohne besonderen Schmuckwert; **A.** (*Lyonia, Pieris*) **máriana**, O.-Nordamerika, bis 1 *m*, sommergrün, Blätter ganzrandig, unterseits fein dunkel drüsenpunktig, Blüten weiß oder rosa, büscheltraubig, achselständig, nickend, April bis Juni, recht hart, hübsch; **A.** (*Leucothoë, Lyonia, Cassandra*) **racemosa** (*A. spicata*), O.-Nordamerika, bis über 2 *m*, Blätter sommergrün, eilänglich, spitz, fein gesägt, Blüten weiß, Antheren 4 grannig, in ziemlich aufrechten, bis 10 *cm* langen, einseitigen Ährentrauben, Mai bis Juni, feuchte Lagen, hart; **A.** (*Zenobia*) **pulverulenta** (*Zenobia speciosa*), O.-Nordamerika, kahler Strauch, bis 1 *m*, wintergrün, Blätter unterseits meist blauweiß, elliptisch, Blüten ziemlich groß, elfenbeinweiß, am Ende vorjähriger Zweige sich ährig häufend, hängend, maiglöckchenartig, Antheren 4 grannig, Mai bis Juni, hübscher Blütenstrauch für Moorbeet und geschützte Lagen, auch zum Treiben geeignet.

Abb. 90. Links oben *Rhododendron praecox*, rechts *Andromeda japonica*. (Phot. E. Rettig, Jena.)

7*

Andrómeda arborea siehe *Oxydendrum*. — ***Andrómeda calyculata*** und ***A. vaccinoides*** siehe *Chamaedaphne*. — ***Andrómeda campanulata, A. cernua*** und ***A. perulata*** siehe *Enkianthus*. — ***Andrómeda coerulea*** siehe *Phyllodoce*. — ***Andrómeda hypnoides*** und ***A. tetragona*** siehe *Cassiope*. — ***Androsaémum officinale*** siehe *Hypericum*. — **Anemonenrose** siehe *Rosa laevigata*. **Angelikabaum** siehe *Aralia*.

Abb. 91. *Anthýllis Hermanniae* var. *Aspalathi*, 40 *cm* (Phot. A. Purpus.)

Anisóstichus (*Bignónia*, *Doxántha*) ***capreoláta*, Kreuzwein** — Bignoniaceen. — Hoher kahler Schlingstrauch aus den südöstlichen Verein. Staaten, Blätter wintergrün, 2 bis 3 zählig, glänzendgrün, mit Wickelranken, Blüten in achselständigen Büscheln, röhrig, orangerot, Juni, Frucht lineale Kapsel; Kultur in gutem Boden in sonniger Lage; Vermehrung durch halbreife Stecklinge, Wurzelschnittlinge und Wurzelveredlung auf *Bignonia* (*Campsis*); Verwendung nur in wärmsten Lagen an Mauern, klettert ohne Stütze.

Annóna siehe *Asimina*.

Anthýllis Hermánniae*, Wundklee** — Leguminosen. — Kaum bis 50 *cm* hoher dorniger Strauch (Abb. 52) aus Südeuropa. Blätter auf ein Endblättchen reduziert oder 3 zählig, Blüten gelb, zu 3 bis 5 gebüschelt, im Mai bis Juni, Fruchthülse einsamig, spät aufspringend, noch kahler und dorniger ist var. ***Aspalathi (Abb. 91); Kultur als Felsenstrauch in sonnigen warmen Lagen und durchlässigem Boden; Vermehrung durch Samen, eventuell auch krautige Stecklinge.

Apfel siehe *Malus*. — **Apfelbeere** siehe *Aronia*. — **Apfelrose** siehe *Rosa villosa*. — **Apfelsine** siehe *Citrus*.

Aphanánthe áspera (*Celtis muku*, *Homoioceltis aspera*, *Homoceltis japonica* Hort.) — Ulmaceen. In der Tracht an *Celtis occidentalis* gemahnender, mit dieser Gattung nahe verwandter, japanisch-nordchinesischer Baum, ähnelt *Celtis sinensis*, aber Nerven der Blätter direkt in die Blattzähne auslaufend! Bei uns wohl sehr selten in Kultur und jung recht heikel; sonst siehe *Celtis*, auf welche die Art veredelt werden kann.

Aplopappus siehe *Haplopappus*. — **Apotheker-Rose** siehe *Rosa gallica*. — **Aprikose** siehe *Prunus* (Gruppe *Armeniaca*).

***Arália*, Aralie,** Angelikabaum — Araliaceen. — Unsere Arten üppige, wenig verästelte Sträucher (Abb. 92) oder baumartig, bis 8 *m*, mit dicken, bestachelten Zweigen, großen, 2 bis 3 fach gefiederten, sommergrünen, wechselständigen Blättern, unscheinbaren, weißgelben Blüten in großen rispigen Blütenständen im Spätsommer und kleinen schwarzen Beerenfrüchten; Kultur in jedem nahrhaften Gartenboden mit genügend Feuchtigkeit, liebt warm und verträgt, wenn Boden genug frisch, auch vollste Sonne. Schnitt nur bei zu üppigem Wuchs, gegen Frühjahr; Vermehrung durch Samen oder vor allem durch die starken Ausläufer; Verwendung besonders in großen Anlagen (da wuchert) als Einzelpflanze oder Vorpflanzung.

Abb. 92. *Arália chinensis*, 2,5 *m*. (Orig.: Hort. Pruhonitz.)

Am härtesten ***A. chinensis*** (*A. japonica* Hort., *A. spinosa* var. *canescens*) (Abb. 92). China, Japan. Blattunterseiten weich behaart, Randnerven in Zähne auslaufend, besonders zu empfehlen die kahlere und härtere var. ***mandshúrica*** (*Dimorphanthus mandchuricus*), auch buntblättrige Form, var. *aureo-*

variegata (Dimorphanthus mandschuricus elegantissimus fol. var. Hort.), vorhanden; Winterdecke der Wurzeln verlangt ***A. spinosa*, Teufelsspazierstock,** Nordamerika, Blätter kahl oder nur auf Nerven behaart, Nerven vor dem Blattrand umbiegend, sehr ornamental.

Abb. 93. *Arbutus Menziesii*, amerikanischer Erdbeerbaum, 5 *m*. (Phot. C. Schneider, Kew Gardens, aus der „Gartenwelt".)

Arália japonica und ***Sieboldii*** siehe *Fatsia*. — ***Arália Maximowiczii*** und ***A. pentaphylla*** siehe *Acanthopanax*.

Araújia sericófera (*Physianthus albens*) ist eine schlingende Asclepiadacee aus Südbrasilien, die bei uns nur fürs Kalthaus in Betracht kommt.

***Arbútus*, Erdbeerbaum** Ericaceen. Immergrüne Sträucher oder Bäume, Blätter einfach, wechselständig, Blüten weiß oder rot, in endständigen Rispen, im April-Mai, Frucht warzige, rote, etwas erdbeerartige Beere; Kultur in recht gut durchlässigem Boden in recht geschützter warmer Lage, namentlich gegen trockene Winde gesichert; Schnitt, wenn ein Zurücknehmen nötig, im Sommer; Vermehrung durch Samen (Herbst, Frühjahr), Stecklinge aus gereiftem Holz (Herbst) wachsen langsam; Verwendung nur in den wärmsten Lagen des Gebietes.

A. Menziesii (Abb. 93), westliche Vereinigte Staaten, dort hoher Baum, Stamm glatt, terrakottafarben, Triebe kahl, Blätter meist ganzrandig, Blüten weiß, in großen aufrechten Blütenständen, liebt guten, tiefgründigen Boden, härteste Art; ***A. Unedo*,** Mediterrangebiet, Orient, mehr baumartiger Strauch, Triebe behaart, Blätter gezähnt, Blüten weiß oder rot, in nickenden Blütenständen (Abb. 94) im Spätherbst und Winter, nur im Süden des Gebietes ganz hart, in trockenen Lagen.

Abb. 94. *Arbutus Unedo*, Erdbeerbaum, Blütenzweige. (Phot. A. Purpus.)

***Arctostáphylos*, Bärentraube** Ericaceen. Kriechende oder aufrechte, immergrüne Sträucher, Blätter wechselständig, ganzrandig. Blüten klein, weiß mit rosa, rispig oder traubig, Frucht rot, trockene Steinbeere; Kultur usw. siehe Arten.

A. manzanita (oft als *A. pungens* gehend) (Abb. 95), südwestl. Verein. Staaten, aufrechter Strauch oder in Heimat kleiner Baum. Blütenstände vielblütige Rispentrauben, wie *Arbutus* zu verwenden; ***A. Uva-úrsi*** (*A. nevadensis* Hort., nicht Gray, *A. californica* Hort.), europäische Gebirge, Nordasien, Nordamerika, teppichbildender Zwergstrauch mit wurzelnden Zweigen, Blüten zu 2 bis 6, wachsweiß, Frühjahr bis Juli, liebt sonnige, trockene Halden, Heiden (nicht Moor), für Felshänge usw. wertvoll, verträgt auch Schatten; Vermehrung durch Teilung und Sommerstecklinge unter Glas.

Arctóus (*Arctostáphylos, Mairánia*) ***alpína*, Alpen-Bärentraube** Ericaceen. Rasiger, sommergrüner Zwergstrauch (Abb. 96) aus den europäisch-nordasiatischen und nordamerikanischen Hochgebirgen und Polargebieten. Blätter gezähnt, glänzend, im Herbst prachtvoll scharlachrot, Blüten klein, weiß, im Frühjahr vor oder mit Blattausbruch, Frucht glänzend schwarze Beere, bei var. *ruber* rot bleibend, diese Form noch schöner; Kultur usw. wie *Arctostaphylos Uva-ursi*, besonders sonnige, trockene Felshänge, gedeiht nicht immer recht, man versuche auch Sphagnum und Halbschatten; Vermehrung am besten durch Aussaat gleich nach Reife.

Abb. 95. *Arctostáphylos manzanita*, Bärentraube, etwa 1,60 *m*.
(Phot. A. Purpus, Kew Gardens.)

Ardisia japonica (*A. glabra*), **Ardisie** — Myrsinaceen. — Niederliegend-aufstrebender, immergrüner, 15—40 *cm* hoher Strauch aus Japan, China. Blätter wechselständig, einfach, gezähnt, glänzendgrün, Blüten klein, weiß, rispig, August-September, Frucht weiße, erbsengroße, einsamige Steinfrucht; Kultur in gutem, durchlässigem Gartenboden als Unterholz in warmer Lage; Vermehrung durch Samen (Frühjahr) und Stecklinge; Verwendung nur in recht geschützten Lagen; schöner, aber noch empfindlicher ist die rotfrüchtige ***A. crenulata*** (*A. crenata*, *A. crispa*), eine bekannte Kalthauspflanze.

Argyrolóbium argenteum (*Cytisus* oder *Genista argentea*), **Silberklappe** — Leguminosen. — Rasiger Halbstrauch wie *Genista pilosa* mit goldgelben Blütenköpfen im Mai bis Juni, aus dem südlichen Mittel- und Südeuropa; Kultur in Felspartien, sonnig, auf Kalk.

Aria siehe *Sorbus*.

***Aristolóchia*, Osterluzei, Pfeifenblume** — Aristolochiaceen. — Die strauchigen Arten sind hochwindende Schlingsträucher mit großen, wechselständigen, sommergrünen Blättern, Blüten Juni bis Juli, gelbgrün mit rotbraun, pfeifenartig-röhrig gebogen (siehe Abb. 97), Frucht vielsamige Kapsel; Kultur in gutem, etwas lehmigem, nahrhaftem Boden, nicht zu sonnig, sonst reichlich gießen in trockener Zeit und düngen; Vermehrung durch Samen (im Warmbeet), Stecklinge von reifem Holze im Frühjahr und Ableger; Verwendung als ausgezeichnete, tief schattenspendende Schlinger für Lauben u. dergl., auch an Bäume, Mauern; sehr widerstandsfähig gegen Insekten und Pilze.

A. durior (***A. macrophylla*, *A. Sipho***), östliches Nordamerika, 4 bis 10 *m* hoch schlingend (Abb. 98), Zweige, Blätter und Blüten so gut wie kahl; ***A. moupinénsis***, Westchina, üppig, junge Triebe dicht seidig, Blätter kleiner, herzförmig, Blüten eigenartig gelb mit rotgefleckten

Abb. 96. *Arctóus alpina*, Alpen-Bärentraube.
(Phot. A. Purpus, Lappland.)

Lappen, für mildere Gegenden, an warmen Mauern; ***A. tomentosa,*** südöstl. Verein. Staaten, ähnlich *durior,* aber Zweige, Blattunterseiten und Blüten außen weich behaart (Abb. 98).

Aristotélia Macqui Elaeocarpaceen. — Immergrüner, kleiner, chilenischer Strauch mit dünnlederigen, fast gegenständigen, eilänglichen, gezähnten Blättern, kleinen weißen Blüten in wenigblütigen Achseltrauben und erbsengroßen zuletzt schwarzen Beerenfrüchten; Kultur nur in sehr warmen Lagen, halbschattig, friert meist zurück, treibt wieder aus, guten Winterschutz; Anzucht aus Samen und durch Stecklinge; für uns ohne Kulturwert.

Armeniaca siehe *Prunus* (Gruppe *Armeniaca*).

***Arónia*, Apfelbeere** Rosaceen Ostnordamerikanische, mit *Sorbus* nahe verwandte, sommergrüne Sträucher mit kurzgestielten, ringsum fein drüsig gezähnelten, ungelappten Blättern, Blüten weiß, in kleinen Ebensträußen, Ovarspitze wollig, Griffel 5, am Grunde verbunden, Frucht kleiner Apfel; Kultur in jedem Boden, vor allem etwas feucht, doch *melanocarpa* auch trockner; Vermehrung durch Teilung, Stecklinge unter Glas und Samen (stratifizieren); Verwendung als sehr hübsche Garten- und Parksträucher, die durch Herbstfärbung und Früchte sehr auffallen.

A. (Sórbus, Pýrus)* arbutifólia** *(Mespilus arbutifolia* var. *erythrocárpa),* bis über 2 *m*, Blattunterseiten bleibend graufilzig, prächtige leuchtend rote Herbstfärbung, Blüten zuweilen leicht rosa, Mai, Frucht etwas birnförmig, lebhaft rot, spät reifend und lange bleibend; ***A. (Pyrus)* floribúnda** *(A.* und *Pyrus atropurpúrea, Sorbus arbutifolia* var. *atropurpurea),* Nordamerika, steht zwischen der ersten und der folgenden, ist aber keine Hybride, Früchte violettpurpurn im September; ***A. (Sorbus)* melanocárpa** *(Aronia* oder *Pyrus nigra),* kaum bis 1 *m* hoch, breitbuschig mit Ausläufern, Blätter oberseits glänzend grün, unterseits später fast kahl, Blüten reichlich im Mai, Früchte kugelig, im August, bald fallend; üppiger mit größeren Blüten var. ***grandifólia *(Pyrus grandifolia).*

Abb. 97. *Aristolóchia tomentosa.* Filzige Pfeifenblume. Ranken und Blüten. (Phot. A. Purpus.)

Aronia densiflora, A. heterophylla, A. hybrida, A. Watsoniana u. ***A. Willdenówii*** siehe *Sorbaronia.*

***Artemisia*, Beifuß,** Compositen. — Aromatische Sträucher oder halbstrauchartig. Blätter einfach oder gefiedert, Blütenköpfchen klein, gelblich, August bis Oktober; Kultur in trockenen, sonnigen Lagen, in sandigen oder felsigen, gut durchlässigen Böden; starker Rückschnitt gegen Frühjahr nur, wenn Pflanzen unten zu kahlen beginnen oder zurückfrieren; Vermehrung durch Sommerstecklinge und Teilung; Verwendung zumeist nur für Gehölzfreunde, am schönsten die abgebildeten Arten, die auf sonnigen Rabatten im Garten brauchbar sind.

A. Abrótanum,* Eberraute** (Abb. 99), Südeuropa, aufrecht, bis 1 *m*, untere Blätter doppelt gefiedert, aschgrün, Köpfchen sehr klein, ährig-rispig gehäuft; sehr ähnlich ist ***A. prócera, aus SO.-Europa, Westasien, heller grün, feiner zerteilte Blätter; ***A. camphoráta,*** Mittel- und Südeuropa, bis 0,7 *m*, Blätter etwas gröber, Köpfchen größer als bei *Abrotanum;* ***A. frigida,*** Nordasien, Nordamerika, niederliegend-aufstrebend, bis 30 *cm*, Blätter gefiedert, silbrig-seidig behaart, für Felspartien; ***A. tridentáta*** (Abb. 53), Nord-

Abb. 98. *Aristolochia durior (A. Sipho)*, Pfeifenblume, die windenden Äste zeigend. (Phot. A. Rettig, Jena.)

amerika, bis 2 *m*. Blätter einfach, nur an Spitze 3 bis 7 zähnig, alles silbrig behaart, hübscheste Art.

Arundinária siehe unter *Bambusaceen*.

Ascyrum** (Hypéricum)* **stans, Peterskraut** — Hypericaceen. Bis etwa ½ *m* hoher, kahler Halbstrauch aus NO.-Amerika mit zweikantigen Trieben, Blätter breitoval, Blüten hellgelb, Petalen obuval, Griffel 2, Juli bis August; Kultur nur für Gehölzfreunde in trockenen sandigen Böden. Ebenso das noch niedrigere ***A. hypericoides *(A. Crux-Andreae)* mit schmäleren Blättern und Petalen und 3 Griffeln; Vermehrung durch Teilung, Samen und Sommerstecklinge.

Asimina *(Annona)* ***triloba*, Papau** — Annonaceen. Bei uns 3 bis 15 *m* hoher Baum (Abb. 100), aus den östlichen Vereinigten Staaten, Blätter groß, einfach, wechselständig, sommergrün, gerieben etwas unangenehm riechend, dicht durchscheinend gepunktet. Blüten mit Blattausbruch aus altem Holz, achselständig, braunrot, nicht gut riechend, Mai bis Juni (Abb. 101), Frucht groß, flaschenförmig, gelb, fleischig, eßbar; Kultur in bestem, tiefgründigem, frischem Gartenboden in warmer Lage; Vermehrung durch Ableger und Wurzelaustriebe, auch Samen (gleich nach Reife oder stratifizieren); Verwendung als hübsch belaubte Einzelpflanze in den milderen Gegenden, auch als Unterholz im Park brauchbar.

Aspáragus acutifólius, bis über 1 *m* hoher, zickzackartig verzweigter, etwas zedernähnlicher Strauch aus dem Mittelmeergebiet mit wachsigen olivgrünen Beeren, der gelegentlich in Südtirol kultiviert wird.

Aspérula calábrica siehe *Putória*. — ***Aster cabulicus*** siehe *Microglossa albescens*.

***Astrágalus*, Tragant** — Leguminosen. — Niedrige, sommergrüne Sträucher, Zweige mit den verdornenden Blattspindeln besetzt, Blätter wechselständig, unpaar gefiedert, Blüten kopfig-ährig, Frucht einfächrige Hülse; Kultur in recht warmen, trockenen, sonnigen, geschützten Lagen in gut durchlässigem, sandig-steinigem Boden; Vermehrung durch Samen; Verwendung als Felsenpflanzen für Gehölzfreunde.

A. angustifolius (Abb. 104), Turkestan, Blätter 16—20zählig mit Endblättchen, Dorne erst nach Blattfall, wogegen bei den anderen die Blättchen an Dornspindel sitzen; ***A. aristátus*** ***(A. sempervirens)***, Schweiz, Italien, Frankreich, Nordspanien, siehe Abb. 102, Blüten leicht rosa oder weiß, Kelch und Blätter locker behaart; sehr ähnlich ist ***A. drusórum*** (Abb. 103), Syrien, Blättchen mehr weißgrau, Behaarung der Kelche

Abb. 99. *Artemisia Abrótanum*, Eberraute, 85 *cm*. (Phot. A. Purpus.)

reicher zottig-seidig; ***A. sirinicus,*** Italien, polsterbildend, die Blüten weiß, rötlich angehaucht, sehr sonnig, in Felsritzen, hart; ***A. tragacántha*** (Abb. 54), Italien, Spanien, Kelch mit kürzeren Zähnen, angedrückt dunkel und hell behaart.

Atragéne siehe *Clematis*.

***Atrapháxis*, Bocksweizen** Polygonaceen. Niedrige, sparrige, locker verästelte, sommergrüne Sträucher (Abb. 105 bis 106), Blätter einfach, wechselständig oder gebüschelt. Blüten klein, in endständigen hübschen langdauernden Trauben, da der gefärbte Kelch bleibt, Frucht einsamiges Nüßchen; Kultur in nicht zu schwerem, gut durchlässigem Boden in recht sonniger Lage; Vermehrung durch Saat (Frühjahr, nicht zu feucht), krautige Sommerstecklinge und Ableger, ältere Pflanzen vertragen Versetzen nicht; Verwendung in Felspartien; für Liebhaber.

Abb. 100. *Asimina triloba*, Papau, im Winter. (Phot. Graebener, Karlsruhe.)

A. spinosa, Wüsten des Orients, dorniger Strauch (Abb. 105), bis 0,5 *m*, Blätter kaum über 1,30 : 0,5 *cm*; schöner ist ***A. buxifolia*** (Abb. 106), Transkaukasien, Blätter rundlich, größer; ***A. frutéscens*** *(A. lanceoláta)*, S.-Rußland, SW.-Sibirien, Turkestan, bis 50 *cm*, dornlos, Blätter eilanzettlich, blaugraugrün, Blüten in lockeren Trauben, härteste Art, besonders var. *cretacea*, Kreideform aus S.-Rußland; ***A. latifolia (A. Muschketowii,*** *Tragopyrum lanceolatum* var. *latifolium)*, Turkestan, bis über 1 *m*, locker, breiter, dornloser Busch, Blüten weiß und rosa, in dichten Trauben, Mai-Juni, hübscheste Art für den Garten, Blätter bis 7 : 3,2 *cm*.

Atriplex canéscens,* Graumelde** — Chenopodiaceen. — Bis 1 *m* hoher, weißgrau schuppenhaariger Wüstenstrauch (Abb. 107) aus dem westl. N.-Amerika, Blätter einfach, wechselständig, sommergrün, Blüten klein, in Scheinähren, zweihäusig, im August, Frucht geflügelt; Kultur an sehr sonnigen trockenen Stellen der Felsanlage; Vermehrung am besten durch Samen oder halbreife Sommerstecklinge, die mit einem Stück harten Holzes sich bewurzeln sollen; Verwendung nur für Gehölzfreunde; ähnlich die höhere, breitblätterige, mehr sommergrüne, mediterrane ***A. Hálimus nur für wärmste Lagen im Süden. — ***A.*** *(Obione)* ***portulacoides*** aus dem Mediterrangebiet mit gegenständigen, dicklichen, graugrünen Blättern läßt sich auch an Felsen rasenbildend verwenden, wächst aber sonst auf sandigem Strandboden.

***Aucúba japónica,* Aukube** — Cornaceen. — Bekannter immergrüner Strauch von Japan (bis zum Himalaya) mit grünen Trieben, schönen grünen, beiderseits glänzenden, einfachen, gegenständigen Blättern, Blüten zweihäusig, in endständigen Rispen (weibliche lockerer, männliche gedrängt), unscheinbar, trüb-dunkelpurpurn, April-Mai, Frucht hübsch rot, beerenartig, einsamig, sich vom Herbst bis zum Frühjahr haltend (Abb. 108); Kultur nur in geschützter, warmer, schattiger bis halbschattiger Lage in gutem, frischem Boden, im Winter bei uns in rauhen Lagen gute Decke, jedenfalls der Wurzeln; Vermehrung durch Stecklinge aus reifen oder halbreifen Trieben unter Glas und Samen, die besseren Sorten veredelt man unter Glas auf die typische Form; Verwendung nur in wärmsten, geschützten Lagen, gegen Winternässe gesichert, wo das Holz gut reifen kann. Man pflanze männliche und weibliche Exemplare zusammen. — Viele je nach Blattform und Zeichnung unterschiedene Gartensorten, vor allem die bei uns sehr häufigen gelbbunten var. *variegata* (var. *maculata*, var. *picta*, var. *punctata*), Blätter gelb gefleckt, und var. *limbata*, Blätter groß, grüngelb gerandet.

Abb. 101. *Asimina triloba*, Blütenzweig.
(Phot. Graebener, Karlsruhe.)

Azálea*, Azalie** siehe *Rhododendron*. — ***Azalea procumbens siehe *Loiseleuria*.

Azára microphylla — Flacourtiaceen. — Kleiner, immergrüner, 0,5—3 *m* hoher, fiederig verzweigter Strauch aus Chile, in der Heimat kleiner Baum. Blätter abwechselnd, glänzend, einfach, Blüten unscheinbar, grünlich, März bis April, Beeren orangerot; Kultur nur in wärmsten Lagen (an Mauern, über Felsen) in nicht zu schwerem, gut durchlässigem Boden; Vermehrung durch Samen und reife Stecklinge (unter Glas); Verwendung nur für recht warme Lagen, auch gegen Mauern, Winterschutz.

Azarolus heterophylla siehe *Sorbaronia*. — ***Azédarach*** siehe *Melia*.

Báccharis, Kreuzstrauch

Compositen. Aufrechte sommergrüne Sträucher. Blätter einfach, abwechselnd, Blütenköpfchen weiß, in endständigen, rispig-traubigen Blütenständen, Blüten zweihäusig; Kultur in jedem leichteren, durchlässigen Boden in sonniger Lage; notwendiger Rückschnitt im Frühjahr; Vermehrung durch krautige Stecklinge und Samen; Verwendung als ganz hübsche Rabattensträucher oder auch in großen Gesteinsanlagen, namentlich weibliche Pflanzen zur Fruchtzeit im Herbst zierend.

B. halimifólia, O.-Nordamerika, bis über 3 *m*, Blätter breit oval, an Langtrieben grob gezähnt, blüht September bis November; ***B. salicina***, W.-Nordamerika, bis 1 *m*, Blätter lanzettlich, kleiner, wenig gezähnt, nicht so schön, aber härter, verlangt jedoch feuchten Boden. In recht warmen Lagen versuchswert die drüsig behaarte, immergrüne, kleinblättrige, bei uns niedrige ***B. patagonica*** mit einzelnen achselständigen Blütenköpfen im Mai.

Baillónia (*Lippia, Diostea, Verbena*) ***júncea***: südamerikanisch-andine Verbenacee, an *Spartium junceum* erinnernd, in Heimat Baum, Blätter sommergrün, sitzend, gegenständig, Blüten helllila, Juni, in endständigen Ähren, bei uns nur im Kalthaus versucht; Vermehrung durch Sommerstecklinge. (Näheres C. Schneider, Ill. Handbuch Laubholzk. II., Seite 590.)

Ballóta (*Molucella*) ***frutescens*** (*B. spinosa*): dorniger, bis 30 *cm* hoher Halbstrauch der Labiaten aus den Seealpen, der kaum in Kultur und nur als Felsenpflanze für Gehölzfreunde in warmen Lagen versuchswert ist (siehe C. Schneider, l. c. II. 602).

Balsampappel siehe unter *Populus*.

Abb. 102. *Astrágalus aristatus*, grannenzähniger Tragant.
(Phot. A. Purpus.)

Bambusaceen: unter diesem Stichwort sei eine Übersicht über die für Mitteleuropa in Betracht kommenden „Bambusen" gegeben, die wissenschaftlich den Gattungen *Arundinaria*, *Phyllostachys* und *Thamnocalamus* angehören. Echte *Bambusa*-Arten sind mithin streng genommen bei uns nicht in Kultur[19].

Über die Kultur und Verwendung der Bambusaceen vergleiche man das am Schlusse dieses Abschnittes sowie das im Artikel IV von Graf Ambrózy Gesagte!

Abb. 103. *Astragalus drusorum*, 35 *cm*. (Phot. A. Purpus.)

Abb. 104. *Astragalus angustifolius*, 25 *cm*. (Phot. A. Purpus.)

ALPHABETISCHE LISTE DER ERWÄHNTEN LATEINISCHEN NAMEN.
(A. — Arundinaria, B. — Bambusa, P. — Phyllostachys, S. — Sasa)
(Die Ziffern bezeichnen die Seitenzahlen.)

Die drei oben genannten, für uns in Betracht kommenden Gattungen lassen sich im nicht blühenden Zustand (die Bambuseen blühen meist nur einmal und erst wenn sie ein bestimmtes Alter erreicht haben) nach Pfitzer wie folgt unterscheiden:

A. Obere Stamminternodien drehrund. — a) Blattscheiden der Haupttriebe durch die in ihren Achseln stehenden einzelnen oder zahlreichen Triebe höherer Ordnung zurückgebogen, bis zum Ende des ersten Sommers bleibend: *Arundinaria*.

b) Blattscheiden der Haupttriebe durch die in ihren Achseln stehenden zahlreichen Triebe höherer Ordnung am Grunde durchbrochen, bis zum Ende des ersten Sommers größtenteils abgeworfen: *Thamnocalamus*. — Die hierher gehörenden Arten sind nach Houzeau nicht als „winterhart" anzusehen:

B. **Obere Stamminternodien einseitig abgeplattet oder vertieft**; Blattscheiden der Haupttriebe durch die in ihren Achseln höchstens zu drei stehenden Triebe höherer Ordnung zurückgebogen, bis zum Ende des ersten Sommers abgeworfen: *Phyllostachys*, S. 111.

Abb. 105. *Atraphaxis spinosa*, dorniger Bockswelzen, 35 *cm*. (Phot. A. Purpus)

Von der Gattung ***Arundinária*** (einschließlich *Sasa*) kämen nach Houzeau nachstehende Arten in Betracht, die sich nach Pfitzer, wie folgt, unterscheiden lassen:

I. Antrieb (Seitentriebe) im ersten Jahre erscheinend:

A. Scheiden der jungen Triebe vom Rande her eingerollt, daher oben nur lose anliegend; Blätter sehr groß, bis 60 : 11 *cm*, niedriger breiter Busch: ***A. Ragamówskii*** (***Bambúsa tesselláta*** Munro, aber nicht *Ar. tessellata* dieses Autors), China-Japan, selten bis 1,5 *m* hoch, Mittelrippe an einer Seite filzig (dadurch gut von *Veitchii* geschieden). Laub wenig frostbeständig.

B. Scheiden der jungen Triebe mit dem einen Rande über den anderen gerollt, überall fest anliegend, Blattflächen unbehaart in Gruppe *a* bis *c* und *e*.

a) Scheiden der Haupttriebe außen kahl, Blätter groß und breit, nur am Ende der Triebe und dort gehäuft; stark kriechend: 1. Ohne derbe Haare zur Seite der Ligula: ***A. palmata*** (meist als *Sasa*, *Bambusa* oder *Arundinaria paniculata* f. *nebulosa* bezeichnet, auch als *Bambusa metallica* gehend), Japan, bei uns nicht über 1 bis 2 *m* hoch, junge Triebe meergrün, früh erscheinend, Scheiden ausdauernd, Holz vom zweiten Jahre ab braun gefleckt; Blätter bis 32 : 9 *cm*; Blattoberseiten lebhaft grün, Unterseite der jungen Blätter blaubereift; sehr dekorativ und gegen Kälte widerstandsfähig; liebt feuchten Boden, auch Seeklima. 2. Mit derben Haaren zur Seite der Ligula: ***A. Veitchii*** (*Arundinaria*, *Bambusa* oder *Sasa albomarginata* f. *minor*, *B. paniculata nana*), Japan, bis 0,6 *m*, kompakt, sehr flach wurzelnd. Laubblätter bis 15 : 4 *cm*, der Rand der jungen Blätter trocknet bald auf 0,5 bis 1 *cm* Breite ein und bleicht aus, wodurch die Blätter schmutzigweiß gerandet erscheinen, frostbeständig.

Abb. 106. *Atraphaxis buxifolia*, buchsbaumblättriger Bockswelzen, 30 *cm*. (Phot. A. Purpus)

b) Scheiden der Haupttriebe von schräg aufgerichteten Haaren rauh: Blätter groß und breit; Pflanze ein großer hoher Busch mit stark seitwärts überhängenden älteren Trieben: ***A. japónica*** (*Bambúsa Metáke*, geht in den Gärten als *Phyllostachys bambusoides*), Japan, 4, selten bis 8 *m* hoch, einjährige Triebe zum Teil unverästelt. Blätter sattgrün, Unterseite blaugrün, feinbehaart; wenig kriechend, frostbeständig; nimmt mit jedem Boden vorlieb und gedeiht auch im Halbschatten, sehr wertvoll!

c) Scheiden kahl; Blätter schmal, Pflanzen steif aufrecht: 1. Blätter derb, beiderseits gleichmäßig verschmälert: **A. Hindsii** (*A.* oder *Bambusa erecta*), Japan, nach Honzeau empfindlich, Stamm an jedem Knoten leicht gekrümmt, aber der sehr stumpfe Winkel öffnet sich nach dem Zweigbündel hin (nicht wie sonst umgekehrt). 2. Blätter dünn, am Grunde gleichmäßig verschmälert: **A. Simónii** (*Bambusa Simonii*, *B. viridi-striata* Hort.), China, Japan, Himalaya, stark kriechend, 4 (bis 6) *m* hoch, alte Stämme krümmen sich, dicht bezweigt, Blätter variabel, bis 20 *cm* lang und 2 *cm* breit, gegen das Ende der Blattspreite etwas eingeschnürt mit langgestreckter Spitze, sehr widerstandsfähig, treibt spät, soll ziemlich häufig blühen und nach Blüte nicht ganz absterben.

Abb. 107. *Atriplex canéscens*, graubehaarte Melde, 80 *cm*. (Phot. A. Purpus.)

d) Blattfläche unterseits weich behaart, fast wollig, gerade bis fast herzförmig abgestutzt: 1. Blattfläche unterseits filzig, oberseits kahl: **A. Fortúnei** (*A. variabilis* var. *Fortunei*, *Bambusa Fortunei variegata* oder *argenteo-striata*), Japan, bei uns kaum verholzend, nur 0,5 bis 1 *m* hoch, Blätter grün und weiß gebändert, friert fast stets bis zum Boden zurück, treibt aber dann wieder aus, recht zierend. — 2. Blattflächen unterseits filzig behaart, oberseits lang behaart: *a*) Grund der Blattscheiden der Haupttriebe mit großem Haarschopf: **A. púmila** (*A. variábilis* var. *pumila*, *Bambusa pumila*), ganz oberirdisch wurzelnd, etwas

Abb. 108. *Aucuba japonica* in Malonya, 1,5 *m*. (Aus der „Gartenschönheit“, phot. C. Schneider.)

Abb. 109. *Arundinaria nitida*, 2,5 *m*. (Veitch and Sons.)

höher als vorige. Blätter lichtgrün, verhältnismäßig härter, junge Sprößlinge grün. — β) Grund der Blattscheiden der Haupttriebe ohne Haarschopf: ***A. pygmaea*** (*A. variabilis* var. *pygmaea*), Japan, wie vorige, aber Sprößlinge braun oder rot, Blätter dünn und weich anzufühlen, kleinste, hübsche harte Art. — 3. Blattfläche beiderseits weichfilzig: ***A. auricoma*** (geht in den Gärten als *A.* oder *Bambusa Fortunei aurea* oder *A. Maximowiczii*), Japan, ähnlich *Fortunei*, aber mehr frostbeständig. Blätter gelbgrün mit Goldgelb, sehr dekorativ.

c) Blattflächen klein und kahl, deutlich fiedrig zweigartig, ganz niedrige Pflanze: ***A. disticha*** (*A. variabilis* var. *disticha*, *Bambusa pygmaea* und *nana* der Gärten): nur 30 bis 60 *cm*, staudenartig. Blätter nur 6 bis 8 *mm* lang und 7 bis 10 *mm* breit. Laub frostempfindlich. Herkunft unsicher.

II. Seitentriebe erst im zweiten Jahre vorhanden: Blätter klein und schmal, unterseits bläulich, in den Stiel verschmälert, gleich den Blattscheiden weichhaarig. Stämme in der Jugend mit einer starken blauen Wachsschicht bedeckt, die bleibt und sich später schmutzig weiß färbt: ***A. nitida*** (*A. khasiana* einiger Gärten), siehe Abb. 109, eine der allerbesten, nicht kriechend, daher weniger Raum brauchend, gedeiht auch in trockenem Boden und leidet fast nie durch Frost; bei starker Trockenheit und bei Frost rollen sich die Blätter zusammen.

Von der Gattung ***Phyllostachys*** seien als winterhart folgende Arten genannt:

A. Blattflächen höchstens dreimal so lang wie breit, eiförmig, Stengel an den Knoten stark abgebogen: ***Ph. ruscifólia*** (*Ph. Kumasáca; B. viminalis*), Japan, 0,25 bis 0,75 *m*, ziemlich frostempfindlich.

B. Blätter mindestens viermal so lang wie breit, lanzettlich.

a) Zweige kurz, an dem oberen Knoten der einjährigen Haupttriebe zu dreien, der mittlere stärker als die beiden seitlichen, an mehrjährigen Stämmen zahlreich; Hauptscheiden innen stark glänzend und sehr eben, Scheidenring stark faserig rauh: ***Ph. fastuósa*** (*Ph. nidularia*), Japan, bis 6 *m* hoch, straff schmal aufrecht buschig, Stämme rötlichbraun, erst in oberer Hälfte deutlich rinnig, Scheiden zartgefleckt, Laubblätter lang und dünnspitzig, stark kriechend, empfindlich gegen Schneedruck.

b) Zweige an dem oberen Knoten der ein- und mehrjährigen Haupttriebe zu zweien oder dreien, im letzten Falle der mittlere schwächer als die beiden seitlichen, Hauptscheiden innen glänzend, aber fein längsfurchig, Scheidenring nicht faserig.

α) Vorblätter ungeteilt oder höchstens bis zur Mitte eingeschnitten oder ausgerandet, lange erhalten bleibend; Hauptscheiden am Rande kahl, an stärkeren Haupttrieben beim Abfallen wenigstens so lang wie das darüber befindliche Internodium.

I. Haupttriebe durch erhebliche Zwischenräume getrennt; Wuchs dadurch kriechend, locker, früh treibend: 1. Seitentriebe erst ziemlich hoch über dem Boden beginnend, Vorblatt dreieckig-länglich, ungeteilt oder wenig ausgerandet; junge Stämme und Innenseite der Hauptscheiden violett: ***Ph. violéscens***, Nordchina, bis über 6 *m* hohe, sehr elegante Art, sehr stark kriechend, Laub groß mit kurzer Spitze, dunkelgrün, unterseits bläulich, liebt feuchten Boden. 2. Seitentriebe tief herabgehend, die unteren fast wagrecht; Vorblatt hochtrapezförmig, stark rundlich, ausgerandet, junge Stämme grün: ***Ph. viridi-glaucescens***, Japan, bis 6 *m*, Stämme sehr zickzackig verbogen, Wuchs locker, durchsichtig, Blatt klein, hellgrün, unterseits bläulich, sehr frosthart, liebt feuchten Boden, sehr stark kriechend, nur für große Anlagen.

II. Haupttriebe dicht stehend, Wuchs dadurch dichtbuschig, Ausläufer erst an alten Pflanzen, spät treibend.

1. Hauptscheiden ungefleckt oder mit kleinen und mittelgroßen Flecken: * Vorblatt meist so breit wie lang, ungeteilt oder schief ausgerandet; Fransenöhrchen an den meisten Blättern vorhanden; junge Stämme schwefelgelb: ***Ph. sulphúrea***, China, Japan, bis über 7 *m* hoch, üppige, kraftvoll treibende, sehr widerstandsfähige Art; Belaubung gelbgrün, Stämme bis 5 *cm* Durchmesser, auch im Alter schwefelgelb, zum Teil mit feinen grünen Strichen; Seitentriebe steil aufgerichtet, beginnen erst in einiger Entfernung vom Boden. — ** Vorblatt viel länger als breit, rund ausgerandet; Fransenöhrchen den meisten Blättern fehlend, junge Stämme grün: ***Ph. aúrea***, China, Japan, 4 *m* hoch, durch straff aufrechten Wuchs und kurze untere Internodien über dem Boden ausgezeichnet, Belaubung goldgrün, ältere Stämme gelbgrün; nicht stark kriechend, sehr winterhart und gedeiht auch an trockenen Stellen gut.

2. Hauptscheiden mit wenigen großen rundlichen Flecken, die bisweilen V-förmig zusammenfließen; Vorblatt zarthäutig, weißlich, Stämme am Boden leicht gebogen mit einigen deutlich verkürzten Internodien, jung hellgrün, rauh, bereift, alt glänzend gelb, Abplattung der oberen Internodien eben bis leicht konvex, dadurch Stamm sehr stumpfkantig, Blattgrund meist rundlich: ***Ph. mitis*** (*Ph. edúlis*), Japan, selten echt, meist unter diesem Namen die folgende Art; frostempfindlich und kommt für unser Klima kaum in Betracht.

3. Hauptscheiden mit dicht gedrängten, großen und mittelgroßen, längsgestreckten Flecken; Vorblatt ziemlich derb, bräunlich; Stämme am Boden ohne deutlich verkürzte Internodien;

Abb. 110. Bambuseen auf der Insel Mainau: von rechts nach links im Vordergrunde *Arundinaria Ragamowskii*, *A. auricoma*, *A. palmata*; dahinter links *Phyllostachys Quilioi* und rechts *Ph. mitis*.
(Phot. C. Schneider; aus der „Gartenschönheit".)

Abplattung der oberen Internodien vertieft, dadurch Stamm scharfkantig. — * Junge Stämme dunkelgrün, Blätter ganz grün: ***Ph. Quilioi*** (*Ph. Mazelii*), Japan, üppig, bis gegen 10 *m* hoch, äußere Triebe elegant überhängend, ziemlich großblättrig, oft erst im Juni treibend, frosthart. Mit *Ph. sulphurea* die beiden imposantesten unserer winterharten Bambusen. — ** Junge Stämme gelb mit grüner Rinne oder ganz goldgelb, Blätter farbig gestreift: ***Ph. Castillónis***, Japan, steht der vorigen Art sonst sehr nahe.

β) Vorblätter aus breitem Grunde in zwei weit hinab getrennte, schmale, am Rande behaarte Lappen zerschnitten, welche bald herabhängen und vertrocknen; Hauptscheiden wenigstens gegen die Spitze hin am Rande behaart, an stärkeren Trieben beim Abfallen kürzer als das darüber befindliche Internodium.

I. Stammoberfläche glatt, glänzend: 1. Ligula länglich; Stämme jung grün, alt bräunlich mit schwarzen Flecken oder ganz schwarz: ***Ph. nigra***, China, Japan, bekannte Art, auffallend breit und dichtbuschig, bis 7 *m*, eine Form mit bräunlicher, schwarz gefleckter Oberfläche der alten Stämme ist var. *punctata* der Gärten: diese Art kriecht im Alter sehr stark, verlangt sehr gut dränierten Boden, gedeiht wechselnd, ist aber sehr graziös. Hier sei eingeschaltet: ***Ph. flexuosa***, Nordchina, 3,50 *m* hoch, junge Stämme grün, ältere schwarz, an den Knoten gekrümmt und sehr dünn; kriecht nicht, ist sehr zierlich und winterhart. — 2. Ligula sehr kurz; Stämme jung rotbraun, alt braungelb: ***Ph. marmórea*** (wird auch zu *Arundinaria* gestellt), China, Japan, bleibt niedrig, ist dicht bezweigt, empfindlich; durch die im oberen Teile braunrot gefärbten (? zeitig abfallenden) Hauptscheiden charakteristisch, Zweige namentlich sonnenseitig rotbraun.

II. Stammoberfläche fein rauh, matt: 1. Stämme jung grün, alt mahagonibraun, dünne Seitenzweige halbrund, Busch höher als breit: ***Ph. Boryána***, Japan, 5 *m*, Blätter frischgrün, gegen die Spitze leicht eingezogen. — 2. Stämme jung grün, alt graugelb, dünne Seitenzweige vierkantig, Busch breiter als hoch: ***Ph. Henónis*** (*Ph. puberula*), Japan, sehr dicht beblättert, schöne Art, sehr üppig.

Über das, was bei dem Ankauf, der Anpflanzung und der Kultur zu beachten ist, sei Folgendes gesagt. Zurzeit ist es noch nicht leicht, bestimmte Sorten von den verschiedenen Bezugsquellen sicher echt zu erhalten. Jedenfalls beachte man beim Kauf, daß die Pflanze mehrere einjährige Triebe besitzen muß, die sich unmittelbar aus den Rhizomen entwickeln, und daß mehrere zwei- und dreijährige Triebe mit Rhizomen gleichzeitig vorhanden sind. Selbstverständlich müssen die Triebe und Wurzeln gesund sein.

Bei der Pflanzung verfahre man wie folgt. Man mache je nach der Art und der Größe der Pflanze eine Grube von 1 bis 2 *m* Durchmesser und 50 bis 60 *cm* Tiefe und lockere

Abb. 111. Bambusen und blühende Kirschlorbeer in Malonya. (Phot. C. Schneider; aus der [illegible])

die Sohle der Grube tief auf. Die ausgeworfene Erde mischt man mit gut verrottetem Dünger, mit Kompost oder, wenn sie an sich locker und humos genug ist, mit Kunstdünger, und bei Bedarf auch mit Kalk. Die Erde sei sehr nahrhaft und etwas lehmig. Hierauf fülle man das Loch wieder auf bis zu einer Höhe, daß die Oberfläche des darauf gesetzten Pflanzenballens das umgebende Erdreich noch 20 bis 25 *cm* überragt. Beim weiteren Zufüllen der Pflanzgrube achte man darauf, daß die gemischte, stark gedüngte Erde nicht direkt an den Pflanzenballen kommt; dazu reserviert man sich etwas ungedüngte Erde. Ferner beachte man, daß die Pflanze nach dem späteren Sinken des Erdreiches ja nicht tiefer zu stehen kommt, als es an ihrem früheren Standort der Fall war, und daß daher die Oberfläche des Ballens nicht mit frischer Erde bedeckt werden darf. Nach dem Pflanzen schwemme man gut an. Man beachte, daß die Pflanze für die Zukunft genügend freien Raum zur Entwicklung der Wurzeln in der Umgebung hat, so etwa 3 *m* gegen Südosten hin, da sich die Pflanze nach dieser Seite am stärksten zu entwickeln pflegt.

Die beste Zeit zum Verpflanzen ist das Frühjahr, kurz vor Beginn des Austriebes. Man schneide dabei die Pflanzen möglichst nicht zurück, mit Ausnahme einzelner Arten wie *A. palmata*, die ihre Blätter beim Umpflanzen gewöhnlich doch größtenteils verlieren. Starke Pflanzen müssen nach dem Einsetzen bis zum erfolgten Anwachsen angebunden werden, damit der Wind den Ballen nicht rüttelt. Man umgebe die Pflanze mit einer ordentlichen Scheibe, damit das Wasser nicht nach außen abfließt. Bei trockenem Wetter ist auf jeden Fall ein Spritzen zu empfehlen. Man belege die Scheibe im Sommer mit einer kaum 5 *cm* hohen Dungschicht, die nach heftigem Regen oder starkem Gießen erneuert wird, doch darf auf die alte Erde des Ballens keine frische kommen. Vom November bis März gebe man eine 20 *cm* hohe Wurzeldecke aus trockenem Laube. Diese Laubschicht ist in jedem Frühjahr sehr vorsichtig mit der Hand zu entfernen, da die vom März ab erscheinenden jungen Schosse in keiner Weise berührt oder beschädigt werden dürfen.

Die oben genannten Arten lieben in der heißen Zeit viel, im Winter aber nur wenig Wasser. In zu feuchten Böden reifen die jungen Triebe nicht genügend aus und in stagnierendem Wasser faulen die Wurzeln im Winter. Man begieße die Pflanzen nie mit Wasser, das kälter als die Luft ist, im Gegenteil empfiehlt es sich, warmes Wasser von 40 bis 50° C zu verwenden, wobei aber die Blätter und jungen Triebe nicht getroffen werden sollen. Kann man dies nicht, so beriesle man mit der Brause. Man wähle Lagen gegen Südosten, die möglichst windgeschützt sind. Je kräftiger und besser genährt die Pflanze ist, desto widerstandsfähiger erweist sie sich.

Bárbula siehe *Caryopteris*. — **Bartblume** siehe *Caryopteris*. **Bartfaden** siehe *Pentstemon*. — ***Basilima millefolium*** siehe *Chamaebataria*. — **Bastardindigo** siehe *Amorpha*. — **Baumlupine** siehe *Lupinus arboreus*. — **Baummohn** siehe *Dendromecon* und *Lavatera*. — **Baumschlinge** siehe *Periploca*. — **Beerenapfel** siehe *Malus baccata*. — **Beifuß** siehe *Artemisia*. — ***Benthâmia*** und ***Benthamidia*** siehe *Cornus*. — ***Bénzoin*** siehe *Lindera*.

***Berberidópsis corallina*, Korallenstrauch** — Flacourtiaceen. — Immergrüner, leicht schlingender, chilenischer, kahler Strauch, Blätter einfach, wechselständig, Blüten rot in endständigen überhängenden Trauben Juli-August, Frucht eine Beere; Kultur nur in wärmsten Lagen an warmen Wänden zu versuchen, licht Halbschatten; Vermehrung durch krautige Stecklinge im Frühjahr und Ableger im Herbste; Verwendung nur für erfahrene Gehölzfreunde.

Bérberis[20] (ohne *Mahonia*), **Berberitze, Sauerdorn** — Berberidaceen. — Sommer- oder immergrüne dornige Sträucher. Blätter abwechselnd, einfach, Blüten gelb, meist wenig ansehnlich, einzeln oder in Büscheln, Trauben oder Rispen, dann oft sehr zierend, meist im Mai bis Juni, Früchte rot oder schwarz; Kultur in jedem nicht zu feuchten Gartenboden, die sommergrünen meist sonnig, die immergrünen schattiger, in lockerem, humoserem Erdreich; Schnitt im allgemeinen gering, die üppigeren sommergrünen im Winter; Vermehrung durch Samen (nach Reife oder stratifizieren) und Stecklinge von Sommerholz (immergrüne, aber auch *Thunbergii* und andere) oder angetriebenen Pflanzen (sommergrüne), teilweise auch Ausläufer und Ableger, bei besonderen Formen auch Veredlung unter Glas auf *vulgaris*; Verwendung der sommergrünen meist als Gruppensträucher, die immergrünen und kleineren in Gesteinsanlagen oder im Garten auf Rabatten. Arten wie *Wilsonae*, *Vernae* und vor allem die immergrünen *Julianae*, *verruculosa* und *acuminata* verdienen weiteste Verbreitung. Es sind eine ganze Reihe wertvolle Hybriden in Kultur, die zum Teil wissenschaftlich noch nicht klargestellt wurden. Auch Kreuzungen immergrüner und sommergrüner Arten haben in Nordamerika schon ausgezeichnete Ergebnisse gehabt.[21]

ALPHABETISCHE LISTE DER ERWÄHNTEN LATEINISCHEN NAMEN.
(Die Ziffern bezeichnen die Seitenzahlen.)

A. (B. siehe S. 118) Sommergrüne Arten. Blätter nicht deutlich lederig: I. Blüten zu 1 bis 3 gebüschelt oder zu 3 bis 7 büscheltraubig. Ovare unserer Arten meist mit 3 oder mehr Samenknospen (bei *Thunbergii* nur 1 bis 2). Früchte oft einsamig, doch die übrigen unausgebildeten Samenanlagen enthaltend: ***B. circumserráta*** (*B. diaphána* var. *circumserrata*, *B. diaphana* Hort. zum Teil), Nordchina, Strauch wie *diaphana*, aber lockerer. Blätter ringsum

Abb. 112. *Berberis Thunbergii* rechts und var. *minor* links im Arnold Arboretum. (Orig.)

dicht scharf gezähnt, Blütenstände ein- bis wenigblütig, Frucht dünnelliptisch, hart und schön in Blüte und Frucht; ***B. diaphána*** (*B. yunnanensis* Hort. z. T.), Mittelchina, dicht buschiger rundlicher Strauch, bei uns etwa 1 *m*, Zweige gelbbraun, Blätter prächtig scharlachrote Herbstfärbung, Blüten zu 1 bis 6, Früchte groß, elliptisch, September; diese Art hat 6 bis 12 Samenknospen, ebenso wie ***B. aemulans*** (*B. diaphána* Hort. z. T.), Mittelchina, die besonders durch rote oder purpurne Jahrestriebe abweicht, auch hart und schön: ***B. concinna***, Himalaya, ausgebreiteter zierlicher Strauch, bis 80 *cm*, Zweige purpurn, Blätter unterseits stark weißlich, derb, wenig gezähnt, Blüten einzeln, sattgelb, Frucht rot, eiförmig, hübsch, aber in rauhen Lagen Schutz; ***B. dictyophýlla***, Westchina, bis 1,8 *m*, üppige junge Triebe stark weiß bereift (sogenannte var. *albicaulis*), Blätter der Fruchttriebe meist ganzrandig, derb, unterseits weißblau, Blüten zu 1 bis 2, gross, anfangs April, Früchte eiförmig, lebhaft rot, hübsche Art; unter diesem Namen geht auch ***B. approximáta*** (*B. dictyophylla* var. *approximata*), ausgezeichnet durch kleinere, mehrzähnige Blätter, kleinere Blüten und minder bereifte Triebe; ***B. sibirica***, Sibirien, dichtbuschiger kleiner Strauch, bis kaum 1 *m*, Dorne fein, mehr als dreistrahlig, Blätter klein, reich und feinzähnig, Blüten klein, einzeln, Früchte klein, rot, selten echt, was als *sibirica* geht, ist fast stets der Bastard mit *vulgaris*; ***B. emarginàta***, in verschiedenen Formen, die oft stark nach *vulgaris* neigen; ***B. Thunbérgii***, Japan, dichter Strauch, wie Abb. 112, bis 1,5 *m*, Triebe purpurbraun, stark gefurcht, Dorne meist einfach, Blätter breitspatelig, ganzrandig, dünn, unterseits blaugraugrün, prächtige leuchtend rote Herbstfärbung, Blüten klein, mattgelb, zu 1 bis 3, April bis Mai, Ovar mit 1 bis 2 Samenanlagen, Früchte korallenrot, Herbst, eine dichtbuschige niedrigere Form ist var. *minor* (Var. *Dawsónii*), wie Abb. 112, die var. *Maximowiczii* weicht vom Typ

8*

nur durch unterseits grünere Blätter ab; die var. *pluriflora* mit bis 10-blütigen fast traubigen Blütenständen ist zumeist die häufige Hybride ***B. ottawénsis*** (*B. Thunbergii* × *B. vulgaris*), die in verschiedenen Formen auftritt, zum Teil auch mit purpurnem Laube; *B. Thunbergii* und ihre Formen zählen zu den härtesten allerwertvollsten Sträuchern, auch für Hecken brauchbar; ***B. viréscens***, Himalaya, dichter bis 2 *m* hoher Strauch, Zweige glänzend gelbrot, Blätter länglich oboval, meist deutlich gezähnt, unterseits weißlich, Blüten blaßgelb, kurz traubige Scheindolden, Früchte länglich-elliptisch, pflaumenrot; harte Art; ***B. Wilsónae***, Westchina, breitbuschige, dichte, meist nicht über 1 *m* hohe Art, Zweige kantig, beim Typ fein behaart, Blättchen ziemlich derb, meist schmal oboval, derb, scharfspitzig, ganzrandig etwas graugrün, unterseits blaugrau, zuweilen etwas wintergrün, Blüten klein, hellgelb, zu 2 bis 6, Mai, Früchte kugelig, korallen- oder lachsrot, etwas durchscheinend, bis tief in den Winter, schöne harte Art; kahle sehr ähnliche Formen sind var. ***subcaulialáta*** (*B. subcaulialata*, *B. Córyi*) und var. ***Stápfiana*** (*B. Stapfiana*), diese etwas empfindlicher; ***B. yunnanénsis*** ist ähnlich *dianhana*, aber Wuchs lockerer, höher, Blätter kaum gezähnt, unterseits weitnervig, Blütenstände zuweilen ziemlich lang büscheltraubig, Früchte groß und schön, noch selten; die chinesischen Formen dieser Gruppe sind oft schwer zu unterscheiden, alle aber sehr kulturwert.

Abb. 113. *Berberis Sieboldii*, 80 *cm*.
(Phot. A. Purpus.)

II. Blüten deutlich langtraubig oder rispig, meist über 10 blütig.

a) (b siehe S. 117) Blütenstände traubig, d. h. Blüten einzeln, Seitenachsen nicht verzweigt: 1. Blütenstände dicht ährig, Blüten sehr gedrängt, fast ungestielt, Ähren ziemlich steil abstehend: ***B. brachýpoda***, Nord- und Mittelchina, hoher, aufrechter Strauch, bis 1,5 *m*, Triebe gelbgrau, kantig und behaart, Blätter länglich-elliptisch, behaart, Blütenstände behaart, Blüten hellgelb, Mai, Früchte zuletzt scharlachrot, September bis Oktober, gute harte Art; ***B. Gilgiána*** (*B. pubéscens*), nördl. Mittelchina, aufrechter Strauch, wie vorige aber Triebe purpurbraun, Blätter spatelig-oboval, Blüten sattschwefelgelb, Früchte zuletzt tief blutrot, leicht glänzend, doch gegen Grund bereift, oboval-elliptisch, ebenfalls hart und bemerkenswert; ***B. Giráldii***, Nordchina, ausgebreitet überneigend verästelter, bis 1,5 *m* hoher Strauch, Triebe braun, gefurcht, kahl, Blätter rot austreibend, eilänglich, unterseits etwas behaart, Blütenstände sehr steif aber herabhängend, Blüten weißgelb, Mai, Früchte elliptisch, rotgelb; ganz eigenartig zur Blütezeit. — 2. Blütenstände traubig, Blüten lockerer gestellt, oder Zweige und Blätter ganz kahl: hierher sehr viele ähnliche Arten und noch mehr meist noch unklare hybride Gartenformen: α) Einjährige Zweige rot- oder gelbbraun, oder purpurn, oft rundlich: ***B. aristáta*** (*B. asiatica* und *nepalénsis* Hort.), Himalaya, bis 3 *m*, aufrecht, Zweige braunrot, fast rundlich, Dorne meist einfach, Blätter länglich-eiförmig, zuweilen ganzrandig, Blütenstände bis 6 *cm*, steif, Früchte bis 12 : 7 *mm*, zuletzt pflaumenrot und beduftet; üppige Art, doch noch besser die Hybride ***B. notábilis***, die eine Kreuzung von *heteropoda* mit *aristata* darstellen dürfte und hier und da unter dem letzten Namen angetroffen wird: ***B. Bret-***

schneideri, Japan, aufrecht, bis 3 *m*, Zweige kantig, gelbrot, Blätter oboval-oblong, feinzähnig, Blüten ähnlich *vulgaris*, Früchte länglich, purpurn, schöne üppige Art; ***B. canadénsis*** (*B. caroliniana*, *B. angulizans*, *B. pisocarpa*), Nordamerika, bis 1,5 *m*, Triebe überneigend, Blätter keilförmig-oboval, entfernt gezähnt, unterseits glatt, blaugrau, prächtig rote Herbstfärbung, Früchte scharlachrot, dickoval, September bis Oktober, recht gute Art; ***B. dasystáchya***, Nord- und Mittelchina, ähnlich in Tracht *Bretschneideri*, aber Blätter der fruchttragenden Zweige lang gestielt, fast rundlich elliptisch, Blütenstände sehr dicht, zur Blütezeit aufrecht, Blütchen klein, Fruchtstände abstehend bis überhängend, Früchte länglich-elliptisch, lebhaft violettrot, durch Blattform und zur Blütezeit auffällig; ***B. heterópoda***, Turkestan, hoher Strauch, in Heimat baumartig, Triebe glänzend kastanienbraun, rundlich, Blätter oboval, etwas blaugrün, lang gestielt, meist ganzrandig, Blütenstände lockertraubig, 5 bis 7 blütig, Ende April, Ovar mit mehreren gestielten Samenanlagen, Früchte kugelig, blauschwarz, bereift; schöne Art, in Kultur vielfach die oben erwähnte Hybride; ***B. integerrima***, ähnlich voriger Art, aber Dorne meist einfach, lang, kräftig, Blätter länglicher, Blüten kleiner, in dichten vielblütigen Trauben, Früchte mehr eiförmig, schwarz; ***B. koreána***, Korea, aufrecht bis 1,5 *m*, Zweige gelb- oder rotbraun, furchig, Blätter keilig-oboval, fein netzaderig und gesägt, dunkelgrün, Blütenstände kurz, nickend, ziemlich dicht, Mai, Früchte kugelig, gelbrot, etwas elfenbeinartig, leicht glänzend, September bis Oktober, aber lange bleibend, schöne Herbstfärbung; ***B. Mouillacána***, Mittelchina, bis 3 *m*, Zweige purpurn, gefurcht, Blätter ovallanzettlich, fast ganzrandig, noch zu beobachtende durch die dunklen lebhaft purpurbraunen Triebe auffällige Art; ihr dürfte die jetzt ebenfalls in Kultur befindliche chinesische ***B. Silva-Taroucána*** nahe stehen, die unterseits weißgraue Blätter und bald mehr büscheltraubige bald langtraubige Blütenstände hat; ***B. Poirétii*** (*B. chinénsis* Hort.), Nord-China, bis 1,5 *m*, dicht schlank verzweigt, Triebe purpurbraun, etwas kantig, Dorne meist schwach, einfach, Blätter lanzettlich, meist ganzrandig, Blütentrauben dicht, Stiele der Blüten mit langen Bracteen, Früchte lebhaft korallenrot, oboval-elliptisch; schöne harte Art; ***B. Siebóldii***, Japan, bis 1 *m*, Abb. 113, Ausläufer, Triebe rotbraun, gefurcht, Blätter spitz länglichoboval, ringsum sehr fein und dicht wimperzähnig, oberseits glänzend, unterseits lebhaft hellgrün, im Herbst weinrot, Trauben nur 3 bis 6 blütig, Blüten klein, Früchte fast kugelig, ziemlich trocken, glänzend gelbrot, wie lackiert, sehr hübsche harte Art; ***B. sinénsis*** (*B. ibérica*, *B. cerasina*), Vorderasien, Kaukasus, bis 1,5 *m*, überneigend verzweigt, Dorne meist dreiteilig, Blütenstände ähnlich *vulgaris*, Früchte dick elliptisch, purpurviolett, etwas bereift; nahestehend die *B. Guimpélii* (*B. spathuláta*, *B. sanguinoléнta* der Gärten), harte Art, reich fruchtend, seit langem in Kultur; ***B. Vérnae*** (*B. Caróli* var. *hoanghoénsis*), Nordchina, dichter ausladend-überneigender Strauch, bis 1,5 *m*, Triebe lebhaft rot, Blätter an *Poiretii* erinnernd, kleiner, Blüten in dichten, kurzen, hängenden Trauben, bleichgelb, leicht duftend, Mai, Früchte fast kugelig, lachsrot, ähnlich denen von *aggregata*, eine der allerschönsten sommergrünen Arten, ganz hart. — β) Einjährige Zweige grau, tief gefurcht-kantig: ***B. amurénsis*** (*B. vulgaris* var. *amurensis*), Ostasien, Nordchina, wie *vulgaris* aber Blätter früher austreibend, größer, dünner, mehr elliptisch, dichter wimperzähnig, Blütenstände sie kaum überragend, Früchte lebhafter und heller rot, etwas größer, sehr hübsch zur Fruchtzeit; derbere stärker netzaderige Blätter hat var. ***japónica*** (*B. Regeliána*) aus Japan, die zuweilen als *B. Sieboldii* oder *B. Hakodate* in den Gärten geht; Belaubung mehr bläulichgrün, matter; ***B. vulgaris***, Europa bis Sibirien, bis 2 *m*, zuweilen fast baumartig, allbekannte Art, doch in den Gärten viele Bastarde, auffallende Form var. *atropurpúrea* (var. *purpurea*), Blätter purpurn.

b) Blütenstände rispig verästelt: ***B. chitria*** (*B. aristáta* Hort. zum Teil), Himalaya, bis 1,8 *m*, Zweige gelb- bis rotbraun, ganz fein behaart, fast rundlich, Blätter länglich-oboval, gezähnt, bis fast ganzrandig, etwas derb, zuweilen wohl wintergrün, Blütenstände lang gestielt, Blüten oft etwas rot überlaufen, Frucht pflaumenfarben, mit Griffel, ähnlich *aristata*, hübsche, ob ganz harte Art?; ***B. Francisci-Ferdinándii***, Westchina, bis über 3 *m*, Triebe rotbraun, fast rundlich, Stacheln lang, etwas gerötet, Blüten in schmalen Rispentrauben, Mai bis Juni, Frucht scharlach, länglich-eiförmig, sehr hübsch zur Fruchtzeit; ***B. polyántha***, Westchina, erinnert sehr an *Prattii*, hat aber derbere Blätter, viel länglichere Früchte mit längerem Griffel, ist nicht so hart und schön; ***B. Prattii*** (*B. aggregata* var. *Prattii*, *B. polyantha* mancher Gärten), Mittelchina, Tracht wie Abb. 114, junge Triebe meist etwas behaart, Blätter länglich oboval, ganzrandig oder mit wenigen Zähnen, Blütenstände bis 10 *cm*, Mai bis Juni, Früchte lebhaft rot, in sonnigen Lagen etwas bereift, kugelig, spät reifend, sehr hübsche, spätblühende Art, die der typischen ***B. aggregáta*** sehr nahe steht, die in den kurzen büscheligen aufrechten Rispen mehr an *Wilsonae* gemahnt.

Abb. 114. *Bérberis Prattii*, 1 *m*.
(James Veitch and Sons)

B) Immergrüne Arten. Blätter derblederig. (vergleiche auch oben *B. concinna*).

a) Blätter ganzrandig, lineal und Rand umgerollt, oder klein, breitspatelig bis elliptisch: ***B. buxifolia***, südliches Südamerika, Zweige meist fein behaart, Blätter breitspatelig, bei Jugendformen gezähnt (var. *nána*), Blüten ziemlich groß, bernsteingelb, meist einzeln, Frucht kugelig, blauschwarz, hübsche Art für schattige Partien, liebt etwas geschützte Lagen; ***B. empetrifólia***, Südchile bis Patagonien, bis 0,5 *m*, stark überneigend, kahl, Blätter lineal, umgerollt, sehr zierlich, Blüten goldgelb, zu 1 bis 2, Früchte schwärzlich, für nicht zu rauhe Lagen, Felsen; schön der Bastard davon mit *B. Darwinii*: ***B. stenophýlla***, bis 2 *m*, dicht buschig, Blätter mehr lanzettlich, Blüten tief orangegelb, oft rot angehaucht, für Seeklima, in England anfangs Mai prachtvoll blühend, in vielen Formen zwischen den Eltern, sollte viel mehr erprobt werden. — b) Blätter mehr minder deutlich gezähnt: ***B. atrocárpa***, Mittelchina, wie *Soulieana*, aber Früchte glänzend schwarz, vor Reife gelbgrün, Härte zu erproben; ***B. candídula*** (*B. Wallichiana* var. *pallida* Hort., *B. Hookeri* var. *candidula*), Mittelchina, kaum bis 40 *cm*, etwas niederliegend, Blätter recht klein, lanzettlich, unterseits schneeweiß, Blüten einzeln, Frucht oval, purpurn bereift, verdient viel Beachtung!; ***B. Darwinii***, südliches Südamerika, dichter Strauch, in Heimat bis über 3 *m*, Zweige dicht fein behaart, Dorne mehr als 3 strahlig, Blätter derbzähnig, oberseits glänzend dunkel-, unterseits hellgrün, Blütenstände traubig, Blüten orange mit rot, heikel, aber siehe oben die Hybride *B. stenophylla*; ***B. Gagnepainii*** (*B. acuminata* Hort. zum Teil), Westchina, aufrecht ausgebreitet, bis 1,5 *m*, Triebe gelblich oder graugelb, etwas feinhöckerig, Blätter lanzettlich, wellig gezähnt, 3 bis 5 Zähne auf 1 *cm* Länge, Blüten zu 3 bis 8 gebüschelt, Ovar mit 4 Samenknospen, Juni, Frucht schwarzblau bereift, Oktober, sehr beachtenswert; ***B. Hoókeri*** (*B. Jamesonii* und *B. Wallichiána* Hort.), Himalaya, aufrecht, breitbuschiger Strauch, bis 1 *m*, Blätter unterseits blau-weiß oder grünlich (var. *viridis*), bis 5 : 2 *cm*, Blüten zu 3 bis 6, bleichgelb, April bis Mai, Samenanlagen 3 bis 4, Früchte groß, bis 15 : 9 *mm*, schwarzpurpurn, ohne Griffel, für warme halbschattige Lagen; ***B. Juliánae***, Mittelchina, dicht steif verästelt, siehe Abb. 115, in der Heimat bis 2 *m*, Triebe gelblich, leicht gefurcht, Blätter elliptisch lanzettlich. Zähne beiderseits 13 bis 20, oberseits ziemlich matt dunkel-, unterseits weißlich grün, Blüten gebüschelt, goldgelb, Juni, Frucht stark blau bereift; kann als härteste und aussichtsreichste der höheren immergrünen Arten angesehen werden; zuweilen mit ***B. Sargentiána,*** verwechselt, die aber gerötete rundliche junge Triebe hat; ***B. pruinosa*** Westchina, in Heimat bis *2 m,* Triebe braungelb, rundlich, Blätter derblederig, breit ei-elliptisch, unterseits sehr bereift, Nerven wenig deutlich, Zähne beiderseits 0 bis 6, Blüten hellgelb, Samenanlagen 2 bis 4, April, Früchte schmalelliptisch, sehr bereift, griffellos, Härte noch zu erproben; ***B. sanguínea,*** Mittelchina, aufrechter Strauch, bis *2 m,* ziemlich steif, junge Triebe gelb, etwas gefurcht, Blätter schmal lanzettlich, beiderseits mit 8 bis 15 derben Zähnen, Blüten außen gerötet, Frucht blauschwarz, oft verwechselt mit der zierlicheren hübscheren ***B. triacanthóphora*** (*B. sanguínea* Hort. z. Teil), mit jung geröteten, rundlichen Trieben, etwas dünneren sehr schmalen Blättern mit beiderseits 1 bis 6 feinen Zähnchen, sehr empfehlenswert; ***B. Soulieána*** (*B. levis* und *acumináta* der meisten Gärten), Mittel- und Nordwestchina, wohl bis *2 m,* Triebe gelblich, leicht gefurcht, Blätter lanzettlich, bis 10 : 1,5 *cm,* Zähne etwa 2 bis 3 auf 1 cm Länge, Früchte elliptisch, blau bereift, die echte *levis* ist nicht in Kultur, so wenig wie die echte *acumináta,* als diese geht meist ***B. Veitchii.*** Triebe rundlich, gerötet, Blätter spitz lanzettlich, unterseits grünlich, fast ohne Nerven, Blüten nickend, gebüschelt, bleichgelb, groß, Mai, Samenanlagen 2 bis 4, Früchte blau bereift, sehr wertvolle, recht harte Art; ***B. verruculósa,*** Mittelchina, dicht gedrungener überneigender Strauch, siehe Abb. 116, bis 1,5 *m,* Zweige fein und dicht mit Knötchen bedeckt, Blätter kaum bis 3 : 1,4 *cm,* oberseits glänzend grün, unterseits blaugrau, Blüten zu 1 bis 3, Mai bis Juni, Früchte schwarz, bereift, fast flaschenförmig, sehr wertvolle hübsche Art, Laub im Winter oft purpurn überlaufen.

Abb. 115. *Berberis Julianae,* junge Pflanze, 80 *cm,* im Arnold Arboretum. (Orig.)

Bérberis acanthifolia, B. Aquifolium, B. Bealei, B. borealis usw. siehe *Mahonia.* — ***Bérberis ilicifolia*** und ***Neuberti*** siehe *Mahoberberis.*

Bergahorn siehe *Acer pseudoplatanus.* **Berglorbeer** siehe *Umbellularia.* — **Bergrüster** siehe *Ulmus glabra.* — **Besenheide** siehe *Calluna.* — **Besenstrauch** siehe *Sarothamnus.*

Berchémia, Berchemie Rhamnaceen. — Schlingsträucher mit ganzrandigen, sommergrünen, wechselständigen Blättern. Blüten klein, grünlichweiß, in Rispen, Frucht lederig-fleischige Steinfrucht; Kultur in jedem Gartenboden in warmer, sonniger Lage; Vermehrung durch Samen, Ableger, Stecklinge aus reifem Holze und Wurzelstücke (unter Glas, Frühjahr); Verwendung als zierlich hellgrün belaubte Schlinger für Lauben u. dgl.

B. racemosa, Japan, China, Blätter herzeiförmig, Nervenpaare 6 bis 8, Blütenstände zu großen Endrispen vereint, Juli, Früchte erst rot, dann schwarz; ***B. scandens*** (*B. volubilis*), südöstliches Nordamerika, Blätter zugespitzt eiförmig, Nervenpaare 9 — 12, Blütenstände klein, Frucht blauschwarz, weniger hart.

Abb. 116. *Berberis verruculosa*, 35 *cm*.
(J. Veitch and Sons.)

Bétula[22]**, Birke** — Betulaceen. Sträucher oder Bäume, Blätter sommergrün, abwechselnd, einfach, gezahnt, Blüten unscheinbar, einhäusig, in Kätzchen, Frucht geflügelt; Kultur in jedem guten, frischen, aber durchlässigen Boden in offener Lage, *B. pendula*, *B. populifolia* u. a. auch gut in leichten sandigen Lagen, andere wie *alba*, *nana*, *pumila*, *nigra*, vertragen Feuchtigkeit; Vermehrung meist durch Samen (gleich nach Reife, nicht bedecken), viele Formen auch durch Veredeln auf *pendula* oder *lutea*, kurz vor Trieb; *B. nana* wächst durch krautige Stecklinge; Verwendung der Baumarten als prächtige Parkbäume, die durch die weiße Rinde (*B. davurica*, *B. papyrifera*) und ihre Tracht wirken, die Straucharten in Gesteinsanlagen, an Hängen, wohl auch im Garten; vergleiche das unten Gesagte.

ALPHABETISCHE LISTE DER ERWÄHNTEN LATEINISCHEN NAMEN

(Die Ziffern bezeichnen die Seitenzahlen.)

I. **Höhere Bäume** mit meist weißer oder rotbräunlicher, papierartig abblätternder Rinde:

A) Blätter mit meist über 7 bis 14 Nervenpaaren (siehe auch unter II die meist strauchigen *B. Delavayi* und *B. Potaninii*): ***B. albosinénsis*** (*B. Bhojpattra* var. *sinensis*, *B. utilis* var. *sinensis*), Mittel- und Nordchina, Baum bis 26 *m*, Borke orange, dünn abrollend, Triebe kahl, Blätter mit 10 bis 14 Nervenpaaren, Fruchtstände einzeln aufrecht, noch seltene aber harte Art, besonders var. ***septentrionális*** mit drüsigen Zweigen und unterseits behaarteren Blättern; ***B. corylifólia***, Japan, Baum bis 17 *m*, Borke hellgrau bis weiß, Zweige überneigend, Rinde wie bei *lenta* riechend, Blätter unterseits grau, wie bei *nigra*, Fruchtstände aufrecht, hübsche harte Art; ***B. costáta*** (*B. ulmifolia* mancher Gärten), Mandschurei, Korea, hohe Bäume mit hellgelber schuppiger Borke, innere Zweigrinde nicht riechend, Blätter schmal eiförmig, langzugespitzt, Nervenpaare sehr genähert, Zähnung scharf; hübsch belaubt; ***B. Ermanii***, Mandschurei, Japan, bis über 20 *m*, Rinde gelbweiß, abrollend, Blätter dreieckig-eiförmig, Nervenpaare 7 bis 9 (bis 10), Fruchtstände eizylindrisch aufrecht, hübsche sehr variable Art, die meist als *costata* oder *ulmifolia* bei uns geht, hart; ***B. grossa*** (*B. carpinifólia*, *B. ulmifólia*), Japan, Baum bis 25 *m*, Borke grau,

Abb. 117. Stamm von *Betula lenta*, Zuckerbirke. (Orig., Botan. Garten, Darmstadt.)

rauh, ähnlich *lenta*, auch Zweige wie bei dieser riechend, Blätter breiter oval und kürzer zugespitzt als bei *costata*: **B. lenta, Zuckerbirke,** O.-Nordamerika, bis 25 *m*, Stamm kirschbraun berindet (Abb. 117), nicht abblätternd, einjährige Zweige purpurbraun, innere Rinde unangenehm stark süßlich riechend, kahl, Blätter glänzendgrün, Nervenpaare 10 bis 13, Herbstfärbung gelb, Fruchtschuppen kahl, Fruchtstände kurz und dick, aufrecht: sollte mehr gepflanzt werden; **B. lútea,** Gelbbirke, noch höher als vorige, Rinde abkräuselnd, Zweige hellolivbraun, behaart, Blätter stumpfgrün, Fruchtschuppen behaart; **B. Maximowicziana** (*B. Maximowiczii*), Japan, bis über 30 *m*, Borke weißorange, dünn abrollend, Zweige kirschbraun, Blätter groß, breit herzförmig, Herbst gelb, Fruchtstände zu 2 bis 4, prächtige harte, wüchsige Art; **B. Medwediewii,** Kaukasus, aufstrebender, erlenartiger Baum (Abb. 118), dunkelrindig, Triebe behaart, Knospen groß, glänzend grün, Blätter tiefgrün, etwas oboval, eigenartig doch noch sehr selten; **B. nigra** (*B. rubra*), **Schwarzbirke** (Abb. 119), O.-Nordamerika, bis 30 *m*, malerische Krone, Rinde rauhflockig, schwärzlich, Blätter mit eckigem Umriß, unterseits deutlich grau und behaart, Nervenpaare 7 bis 9, Zapfen zylindrisch, liebt feuchte Lagen, gut zierende Art; **B. Schmidtii,** Ussurigebiet bis Japan, Baum bis über 30 *m*, Borke dunkel, in rechteckigen dicken Platten sich ablösend, Blätter sehr kurz, fein gezähnt und kurz gestielt, Zapfen zylindrisch, aufrecht; **B. útilis** var. **Práttii,** Gebirge von West-Szechuan, Baum bis 20 *m*, Borke trüb orangerot, Triebe drüsig und behaart, Blätter derb, unten behaart, Nervenpaare 10 bis 14, im Arnold Arboret in Kultur und hart; echte *utilis* (*B. Bhojpattra*) aus Sikkim und Ostnepal kaum in Kultur, eher die Westhimalaya-Form *B. Jacquemóntii* (*B. Bhojpattra* oder *B. utilis* var. *Jacquemontii*).

Abb. 118. *Betula Medwediewii*, 1,5 *m*. (Phot. J. Hartmann, Botan. Garten, Dresden.)

B) Blätter mit höchstens sieben Nervenpaaren: **B. alba** (**B. pubescens,** *B. odorata*), **Ruchbirke, Moorbirke,** aufrecht oder ausgebreitet verästelt, bis 15 *m*, Zweige jung oder bleibend behaart, kaum bedrüst, sehr formenreich, z. B. var. *urticifolia* (*B. urticifolia*, *B. alba* var. *asplenifolia*), Blätter eingeschnitten gezähnt, der Typ im Parke in feuchteren, moorigen Lagen brauchbar; **B. davúrica** (*B. dahurica*), Ostasien, Tracht ähnlich *alba*, bis 15 *m*, Rinde kaffeebraun, ähnlich wie bei *nigra* sich kraus abrollend, eigenartig, Triebe dicht drüsig, Blätter aus etwas keiligem Grunde eiförmig, Nervenpaare 5 bis 7 (bis 8), hübsche empfehlenswerte Zierart; **B. excélsa,** hübscher Bastard zwischen *papyrifera* und *pumila*; **B. japónica** (*B. alba* var. *japonica*, *B. pendula* var. *japonica*, *B. alba* var. *mandshurica*, *B. mandshurica*, *B. pendula* var. *Tauschii*), vertritt in ihren Formen in Japan, Nordostasien und Nordostchina unsere *pendula*, bis 20 *m*, in Tracht und Borke am meisten an *papyrifera* gemahnend, sonst aber *pendula* sehr nahe stehend, besonders kulturwert die nordwestchinesische var. **szechuánica,** die sich im Arnold Arboret als sehr wüchsig und hart zeigte und auch bei Hesse vorhanden ist; **B. Koehnei,** schöner Bastard zwischen *pendula* und *papyrifera;* **B. papyrifera (B. papyrácea), Papierbirke,** Nordamerika, bis über 40 *m*, prächtig weißborkig (Abb. 120), Triebe behaart und etwas bedrüst, Blätter größer und breiter als bei *alba*, eiförmig bis herzförmig, besonders bei var. *cordifólia* (*B. pyrifolia, B. platyphylla*), die mehr strauchig ist, sehr gute Art; ebenso die nahe verwandte ***B. occidentális*** (*B. papyracea* var. *occidentalis, B. Lyalliana*), nordwestl. Verein. Staaten, Borke orangebraun, Triebe stärker drüsig und behaart, Blätter noch größer; ferner hierher ***B. kenáica,*** Alaska, Borke weißlicher, Zweige kahl, kaum drüsig, Blattzähnung unregelmäßig, oft doppelt, sehr versuchswert: ***B. péndula (B. verrucosa,*** geht auch vielfach als *alba!*), **Weißbirke, Hängebirke,** Europa bis Mandschurei, bis 30 *m*, Rinde bald in Borke übergehend, Zweige fein, hängend, kahl, aber bedrüst, Blätter fein zugespitzt, viele Formen, z. B. var. *purpurea*, purpurlich belaubt **Blutbirke;** var. ***dalecarlica*** (var. *laciniata*), Blätter zerschlitzt, var. *Youngii* (*B. pendula elegans, B. alba elegantissima pendula*), sehr feine, zierliche Hängeform, var. *fastigiata* (var. *pyramidalis*), Wuchs pyramidal, alle für den Park wertvoll; ***B. populifolia,*** das nordamerikanische Gegenstück zu unserer *pendula*, aber Blätter noch feiner und länger zugespitzt, Rinde nur an ganz alten Stämmen borkig.

Abb. 119. Stamm von *Betula nigra*, Schwarzbirke. (Orig.: Botan. Garten, Darmstadt.)

II. **Sträucher**, 0,5 bis kaum über 3 *m*, Blätter kaum über 5 *cm* lang, kurz gestielt:

A. Blätter mit 10 bis 22 Nervenpaaren: ***B. Délavayi*** (*B. chinénsis* var. *Délavayi*), Westchina, aufrechter Strauch (bis kleiner Baum), Blätter länglicheiförmig, Nervenpaare 9 bis 13, unterseits locker weißseidig, hübsche neue Gebirgsart, besonders in var. ***calcicola,*** einem kleinen kaum über 50 *cm* hohen Strauche mit filzigen Trieben und jungen Blättern, jetzt in Schottland in Kultur; ***B. Potaninii*** (*B. Wilsonii*), West-Szechuan, niederliegend-aufstrebend, bis 2,5 *m*, Zweige und Blattunterseiten rostfarben behaart, Blätter fast sitzend, Nervenpaare 14 bis 22, wertvoller neuer Typ, in England und im Arnold Arboretum in Kultur. — B. Blätter mit weniger als 7 Nervenpaaren: ***B. fruticósa*** (*B. Gmelinii, B. humilis* var. *Ruprechtii*), Transbaikalien bis Korea, vertritt *humilis* im Osten, abweichend durch spitzere am Rande kurz gesägte Blätter mit 5 bis 6 Nervenpaaren, selten echt in Kultur, dafür meist ***B. húmilis,* Strauchbirke,** Europa bis Sibirien, besonders in Moorgebieten, 0,3 bis 3 *m*, Triebe behaart und drüsig, Blätter meist oval, ziemlich grob sägezähnig, Fruchtstände aufrecht; ***B. glandulósa,*** Nordamerika, niederliegend-aufrecht, bis 1 *m*, Zweige nur dicht drüsig, Blätter rundlich oder oboval, kahl, rundzähnig, Fruchtstände aufrecht, für große Steinhänge, hier auch die folgenden: ***B. nána,* Zwergbirke,** Gebirge und nördl. Teile der nördl. gemäßigten Zone, niedergestreckt-aufstrebend, kaum bis 1 *m*, Triebe behaart, nicht drüsig, Blätter rundlich, kahl, gekerbt, zier-

Eche Art, hübscher als ***B. pumila***, Nordamerika, aufrecht bis über 1,5 *m* (selten fast baumartig), Blätter größer, Zweige filziger, für feuchte moorige Lagen; recht kulturwert der Bastard mit *lenta*: ***B. Jáckii***, baumartiger Strauch, Rinde der Zweige wie bei *lenta*, Blätter mit etwa 7 Nervenpaaren.

Abb. 120. *Bétula papyrifera*, Papierbirke.
(Phot. J. Hartmann, Dresden.)

Bibernellrose siehe *Rosa spinosissima*.

Bigelówia Douglasii Compositen. — Bei uns bis gut 1,5 *m* hoher, sommergrüner Strauch aus NW.-Nordamerika, Blätter abwechselnd, lineal, reichlich behaart, Köpfchen sattgelb, dicht doldenrispig, August bis September; Kultur in sonnigen, trockenen Lagen in durchlässigem Boden; Vermehrung durch krautige Stecklinge, Ausläufer und Samen; Verwendung für Gehölzfreunde in warmen Lagen als hübscher Herbstblüher. — Auch ***B. gravéolens***, die mehr weißfilzig behaart ist, Blätter gerieben scharf riechend.

Bignónia[25]**, Bignonie, Jasmintrompete**—Bignoniaceen. — Sommergrüne Schlingsträucher mit gegenständigen, unpaar gefiederten Blättern, Blüten groß, schön, röhrig-trichterig, in endständigen Doldenrispen, Juli bis September, Frucht längliche lederige Kapsel; Kultur in jedem guten, recht nahrhaften Boden, in warmer sonniger Lage; Schnitt im Spätwinter, blüht am jungen Holze; Vermehrung durch Ableger, Wurzelstücke, auch halbreife Stecklinge unter Glas und Samen, Sorten durch Wurzelhalsveredlung auf *radicans*; Verwendung als prachtige Spatsommerbluher und Schlinger an warmen Hauswänden, Mauern usw.

B. (*Cámpsis, Técoma*) **chinénsis** (*B.* und *Tecoma grandiflóra*), Mittel- und Nordchina, Japan, Zweige ohne Haftwurzeln, Blätter kahl, Blättchen 7 bis 9, Blüten breitröhrig bis 9:8 *cm*, scharlach bis karminrot, sehr schön, aber nicht so wie die folgenden: ***B.*** (*Campsis, Tecoma*) **hýbrida** (*Tecoma Princei, Tecoma grandiflora* var. *Princei, Tecoma chinensis* var. *Princei, Tecoma radicans grandiflora atropurpurea, Tecoma chinensis aurantiaca*), Hybride zwischen der ersten Art und folgender, Blüten fast so groß wie bei *chinensis*, Pflanze härter; ***B.*** (*Campsis, Tecoma*) **radicans**, südöstl. Verein. Staaten, üppiger als *chinensis*, Zweige mit Haftwurzeln, Blätter unterseits meist behaart, Blüten länger röhrig, orange und scharlach, bei var. *atropurpúrea* purpurn; gut var. *praecox* scharlach, schon ab Juni blühend; sollte mehr angepflanzt werden.

Bignónia capreolata siehe *Anisostichus*. — ***Bignónia Catalpa*** siehe *Catalpa*. — **Birke** siehe *Betula*. **Birne** siehe *Pyrus*. — **Bittersüß** siehe *Solanum*. — **Bitterholz** siehe *Picrasma*. — ***Blàdhia*** siehe *Ardisia*. — **Blasenspire** siehe *Physocarpus*. — **Blasenstrauch** siehe *Colutea*. — **Blaubeere** siehe *Symplocos*. — **Blauspire** siehe *Sibiraea*. — **Blühendes Moos** siehe *Pyxidanthera*. — **Blumenspire** siehe *Exochorda*. — **Blumenesche** siehe *Fraxinus* (Gruppe *Ornus*). — **Blutbuche** siehe *Fagus silvatica purpurea*. — **Bluthasel** siehe *Corylus maxima purpurea*. — **Bocksdorn** siehe *Lycium*. — **Bockswelzen** siehe *Atraphaxis*. — **Bodenlorbeer** siehe *Epigaea*.

Boehméria nivea: mehr halbstrauchige Urticacee aus dem tropisch-subtropischen Ostasien, die bei uns wohl nur fürs Kalthaus in Betracht kommt. Ebenso andere gelegentlich erwähnte Arten. (Siehe C. Schneider, Ill. Handb. Laubh. I. 246.)

***Boenninghausénia albiflora*, weiße Raute**, reizende, 0,25 bis 0,80 *m* hohe, nur halbstrauchige Rutacee aus den Hochgebirgen von Sikkim, Westchina und Japan, Blätter blaugrangrün, an *Thalic-*

trum gemahnend, aber dicklich, Blüten klein, schneeweiß, in reichblütigen lockeren Blütenständen, August-September, für warme sonnige Lagen im Felsengarten versuchswert, jetzt in Schottland in Kultur, diese mühelos.

Bohnenstrauch siehe *Cytisus* und *Laburnum*. — ***Borétta*** siehe *Daboecia*. — ***Bórya*** siehe *Forestiera*.

Bósia (Bosea) yervamora, eine Amarantacee von den kanarischen Inseln, soll zuweilen als buntblättrige *Leycesteria* in Kultur sein. Für uns gewiß nur Kalthauspflanze.

Bradbúrya siehe *Centrosema*. — ***Bradléia frutescens*** siehe *Wistaria frutescens*.

Brandisia racemosa Scrophulariaceen. — Interessanter, sommergrüner Strauch aus China mit einfachen Blättern, roten röhrigen Blüten im Herbst; noch nicht eingeführt. (Näheres C. Schneider, Illustriertes Handbuch der Laubholzkunde II., S. 618.)

Brandkraut siehe *Phlomis*. — ***Brikkéllia*** siehe „Unsere Freilandstauden". — ***Bridgésia*** siehe *Ercilla*. — **Brombeere** siehe *Rubus*.

Abb. 121. *Broussonétia papyrifera* var. *laciniata*, zerschlitztblättriger Maulbeerbaum, 1 *m*. (Phot. A. Purpus.)

***Broussonétia*, Papiermaulbeerbaum** Moraceen. Kleine Bäume aus China und Japan. Blätter sommergrün, wechsel- oder auch gegenständig, einfach oder gelappt (feigenähnlich), groß, Blüten unscheinbar, männliche ährig, weibliche in kugeligen Köpfen, die zu fleischigen, orangeroten Scheinfrüchten werden; Kultur in jedem guten, nicht zu trockenen Boden in recht geschützter Lage; Vermehrung durch Aussaat (Frühjahr), Wurzelschnittlinge und Ausläufer, die Formen pflegt man im Winter auf Wurzelhals des Typs zu veredeln; Verwendung als ganz schmuckvolle, meist mehr strauchartige Einzelpflanzen.

B. papyrifera, Zweige dicht behaart, Blätter mit kurzer Spitze und bis 3 *cm* langen Stielen, an jungen Pflanzen oft feigenartig gelappt, hierher die var. *cucullata* (*B. navicularis*) mit kapuzenförmigen Blättern und die seltsame Zwergform (Abb. 121) var. *laciniata* (var. *dissecta*) mit lineal zerschlitzten (schleierartigen) Blättern; ***B. Kazinóki*** (*B. Kaempferi* Hort., *B. Sieboldii*) hat langgespitzte, dunkelgrüne, kürzer gestielte, fast kahle Blätter und kahle einjährige Triebe, weniger hart.

Bruckenthália* (*Erica*) *spiculifólia (*B. spiculiflóra*), **Ährenheide** Ericaceen. — Heideartiger, immergrüner, 10 bis 25 *cm* hoher Kleinstrauch (Abb. 50) aus Osteuropa, Kleinasien, Blätter abwechselnd oder zu 4 wirtelig, Blüten rosa in aufrechten Ährentrauben, Juni-Juli, Kultur usw. wie *Erica carnea*, wertvoller Strauch für Felsanlagen.

Brunnichia cirrhosa (*Rajana ovata*) ist ein nordostamerikanischer, 2—6 *m* hoch windender Halbstrauch aus der Familie der Polygonaceen, der kaum bei uns in Freilandkultur erprobt wurde. (Näheres C. Schneider, Ill. Handb. d. Laubholzk. I., S. 260.)

Bryánthus Gmelinii — Ericaceen. — Niederliegender, zierlicher, fast moosartiger Strauch aus Kamtschatka von *Phyllodoce* abweichend durch an diesjährigen Trieben endständige Blütenstände mit 4 zähligen Blüten und 8 Staubfäden; war in Petersburg in Kultur; siehe sonst *Phyllodoce*.

Bryánthus coeruleus, empetriformis und ***taxifolius*** siehe *Phyllodoce*. — ***Bryanthus erectus*** siehe *Phyllothamnus*. — **Buche** siehe *Fagus*. — **Buchsbaum** siehe *Buxus*. — **Buckelbeere** siehe *Gaylussacia*.

Buckléya distichophýlla — Santalaceen. — Ein kleiner, zweizeilig beblätterter Schmarotzerstrauch, der in Carolina und Tennessee auf Wurzeln von *Tsuga canadensis* lebt; Kultur schwer, nur

Abb. 122. *Buddleia Davidii* var. *magnifica*, junge Pflanze, 1,15 *m*.
(James Veitch and Sons.)

für erfahrene Gehölzkenner, hat sich aber in Weener und einigen Gärten Nordamerikas als gut gedeihend gezeigt. (Näheres C. Schneider, Ill. Handb. d. Laubholzk. I., S. 248.)

Buddléia (*Buddleja, Buddlea*), **Buddleie** Loganiaceen. — Sommergrüne, wüchsige bis baumartige Sträucher. Blätter gegenständig, einfach, ziemlich groß, breitlanzettlich. Blüten klein, aber zu langen Scheinähren oder Rispen vereint, August bis Oktober; Kultur in nahrhaftem, gut durchlässigem Boden (aber im Sommer Wasser und Dung) in recht warmer, sonniger, geschützter Lage; Schnitt, wenn nötig, im Frühjahr; Vermehrung durch Samen (Frühjahr, Haus) und krautige Stecklinge unter Glas und reife im Herbst, oder Teilung; Verwendung im Park und Garten als prächtige Herbstblüher; sie treiben, wenn sie zurückfrieren, sehr gut wieder aus, in rauhen Lagen Bodendecke und eventl. Reisigschutz. Für uns nur die folgenden zu empfehlen, da die prächtige *B. Colvillei* aus Sikkim mit großen rosakarmin und weißgefärbten Blüten nur im Süden sich wirklich hält.

Abb. 123. *Buddléia nivea*, 1,5 *m*. (Orig.: Hort. Dendrol. Pruhonitz.)

B. japonica (*B. curviflora* Hort.), Japan, breiter Strauch bis 1,5 *m*, Zweige 4kantig, geflügelt, Blätter schmal lanzettlich, oben sattgrün, unterseits nur jung behaart, Blüten in dichten, hängenden, bis 20 *cm* langen rispigen Ähren, hellila, außen behaart, dicke Fruchtstände im Herbst zierend; besser als die westchinesische *B. albiflora* (*B. Hemsleyana*); ***B. nivea***, Westchina (Abb. 123), ziemlich steif, bis über 2 *m*, ganz filzig, schön belaubt, Blüten sehr klein, lila, Trauben weißfilzig, mehr Blattpflanze, liebt warme Lagen; ***B. Davidii (B. variábilis)***, China, beste Art, bis über 2,5 *m*, Blätter unterseits hellgrau, Blüten langröhrig, Trauben bis 25 *cm*, besonders gut var. *magnifica* (Abb. 122), blüht tiefviolettpurpurn mit orange Auge, auch var. *Veitchiana*, Blüten heller, rosalila, früher und üppiger als vorige, der Typ bleibt aber mehr wintergrün, da er in warmen Lagen schon im Herbst junge Achseltriebe bildet; die *Davidii*-Formen sind die besten für warme Lagen und werden in reichem Boden sehr schön.

Büffelbeere siehe *Shepherdia*. — ***Buergéria*** siehe *Magnolia*.

Bumélia (*Sideróxylon*) ***lycioides*, Eisenholz** — Sapotaceen. — Milchsaftführender dorniger Strauch (in Heimat Baum), Blätter fast wintergrün, wechselständig, glänzend grün, einfach elliptisch, Blüten weiß, unansehnlich, Frucht kleine fleischige, schwarze, eiförmige Beere; Kultur in warmer, geschützter, etwas feuchter Lage als Unterholz; Vermehrung durch Samen und Stecklinge unter Glas; Verwendung nur für Liebhaber; besser vielleicht noch die immergrüne, trockene Lagen und sandigen Boden (Halbschatten) liebende, härtere ***B. lanuginosa*** (Abb. 124), beide aus dem südöstlichen Nordamerika, die erste nur für wärmste Teile des Gebietes hart.

***Bupleúrum fruticosum*, Hasenohr** — Umbelliferen. — Bis 1,5 m hoher, wintergrüner, straff verästelter, mediterraner Strauch, Blätter abwechselnd, einfach, derb, Blüten gelb, in zusammengesetzten Dolden im Sommer; Kultur in tiefgründigem Boden in geschützter Lage; Vermehrung durch Samen (Frühjahr), Stecklinge und Teilung; Verwendung im Garten als hübscher, schön belaubter Sommerblüher in trocknen sonnigen Lagen.

Buschklee siehe *Lespedeza*. — ***Butnéria*** siehe *Calycanthus*. — **Butternuß** siehe *Juglans cinerea*.

***Búxus*, Buchsbaum** — Buxaceen. — Bekannte immergrüne Sträucher mit gegenständigen, einfachen, ganzrandigen Blättern, Blüten klein, einhäusig, in dichten achselständigen Büscheln, unscheinbar und Früchte fast kugelige, 3klappige, 6hörnige Kapseln; Kultur in jedem nicht zu mageren Gartenboden, wächst langsam; Vermehrung durch Stecklinge nach Holzreife im Haus, wurzeln langsam, besondere Sorten veredelt man unter Glas auf *sempervirens* var. *arborescens*; Verwendung der Hauptform als wertvollen immergrünen Strauch, der gegen Ruß usw. unempfindlich ist und viel Schatten verträgt.

sollte viel mehr ohne Schnitt als Unterholz gepflanzt werden; die niedrigen Formen zur Einfassung; verträgt das Schneiden ausgezeichnet.

Abb. 124. *Bumélia lanuginosa*, Eisenholz, 1,40 *m*. (Phot. C. Purpus.)

B. sempervirens, Europa bis Kaukasus (Abb. 125), Triebe etwas 4 kantig, fein behaart, die typische Form ist var. *arboréscens*, oft baumartig, üppig auch var. *Handsworthii* mit dunkelgrüner breiter Belaubung, aufrecht, ferner die schmalblättrige var. *angustifolia* (var. *longifolia*, var. *salicifolia*), beide mit gelb- (var. *aurea*) und weißbunten (var. *argentea*) Gartenformen, dann var. *suffruticósa* (var. *nana*), Zwergform, Blätter oval oder oboval, mit den feinblättrigen f. *myrtifolia*, f. *rosmarinifolia* und auch bunten Formen, vom Typ auch Kugel- und Pyramidenformen; ***B. Harlándii*** (*B. chinénsis*), China, kleiner kompakter Strauch, ähnlich *sempervirens suffruticosa*, aber Blätter schmallänglich, mehr aufrecht stehend; ***B. japonica*** (*B. obcordata*), Japan, Wuchs lockerer, bis 1 *m*, Zweige kahl, Blätter rundlich oboval oder herzförmig, glänzend hellgrün; ***B. microphylla*** (*B. japónica* var. *microphýlla*), Zwergart, oft niederliegend, mit nur 3 bis 8 *mm* breiten Blättern, durch die kahlen Triebe von den kleinen *sempervirens*-Formen abweichend, härteste Art; schönste Art wohl ***B. balcárica***, Spanien, Balearen, baumartig, Blätter rundlich- oder länglichoval, über 1,5 *cm* breit, nur in südlichen Gegenden hart.

Caesalpinia japonica Leguminosen. — Japanischer Strauch mit bestachelten Zweigen, doppelt gefiederten Blättern und hellgelben Blüten (mit roten, die Petalen nicht überragenden Staubblättern) in endständigen Trauben, April bis Mai, Fruchthülsen lederig; Kultur nur in wärmsten Lagen für erfahrene Gehölzfreunde zu empfehlen; Vermehrung durch Samen (Frühjahr), Ableger und Wurzelveredlung. Die wehrlose südamerikanische ***C. (Poinciána) Gilliesii*** mit langen, die Petalen überragenden Staubblättern ist gelegentlich in Südtirol zu finden.

Calámpelis siehe *Eccremocárpus*.

Calceolária (*Jovellána*) ***violácea***, **Pantoffelblume** — Scrophulariaceen. — Kleiner, chilenischer, am Grunde verholzender Halbstrauch, Blätter gegenständig, klein, herzeiförmig, fast fiederschnittig, Blüten glockig-2lippig, gelblichlila mit purpurnen Punkten, rispig, Mai bis Juni; Kultur nur in ganz warmen, sonnigen Lagen in gut durchlässigem Boden mit Schutz gegen Winternässe, friert wohl meist zurück; Vermehrung durch Samen und krautige Stecklinge; Verwendung nur für erfahrene Pfleger in Felsanlagen.

Abb. 125. *Búxus sempervirens*, wilder Buchsbaum, Südengland. (Orig.: Box hill.)

Abb. 126. *Callúna vulgaris* var. *Reginae*, weiße Besenheide, 35 *cm*. (G. Arends, Ronsdorf)

Callicárpa, Schönfrucht Verbenaceen. Sommergrüne Sträucher, Blätter einfach, gegenständig, unterseits gelb bedrüst, Blüten rosaweiß, August, in vielblütigen achselständigen Doldenrispen, Frucht beerenartig, pfefferkorngroß; Kultur in jedem guten, durchlässigen Gartenboden in geschützter Lage; Schnitt gegen das Frühjahr hin; Vermehrung durch Samen (Frühjahr), Ableger und besonders krautige und halbreife Stecklinge; Verwendung für Rabatten und Vorpflanzungen im Parke, treiben wieder aus nach Zurückfrieren.

C. Giráldii, Westchina, bis 1,5 *m*, Blätter elliptisch bis lanzettlich, unterseits spärlich sternhaarig, ihre Stiele sind länger als die Blütenstandstiele, Früchte prächtig violett, im Herbst sehr zierend; **C. japónica,** Japan, Blätter schmäler, spitzer, kahler, Blütenstände länger gestielt, Früchte auch violett; zierlicher ist **C. dichótoma** (*C. grácilis, C. purpúrea*), China-Japan, Früchte mehr lila; zu erwähnen ferner: **C. americána** var. **alba,** südöstl. Verein. Staaten, Blätter unterseits filzig, Früchte weiß, auffällig.

Calligonum polygonoides, Schönknöterich, ein armenisch-persischer, niedriger, halbstrauchartiger, feinrutig verzweigter Strauch der Polygonaceen, der bei uns kaum in Freilandkultur je versucht wurde. (Näheres C. Schneider, Ill. Handb. d. Laubholzk. I., S. 257.)

Callúna (*Erica*) **vulgaris, Besenheide** Ericaceen. — Unser verbreitetstes, allbekanntes Heidekraut, West- und Nordeuropa und Kleinasien, von der echten *Erica* durch den bis fast zum Grunde vierteiligen Kelch unterschieden, der länger und ebenso gefärbt wie die tief vierteilige lilarosenrote Blumenkrone ist, blüht von Ende Juli bis September; viele Gartenformen, eine großblumige weiße, var. *Reginae*, zeigt Abb. 126, üppig ist var. *Alportii*, karminrosa; sehr niedrig var. *nana* (var. *pygmaea*), purpurn; auffällig var. *cuprea*, üppig, Laub im Sommer goldig, im Winter bronzerot, Blüten purpurn; ferner var. *Searlei* (var. *alba Serlei*), weiß, spät im Herbst blühend; auch die gefüllte var. *plena*, rosa, hübsch, siehe auch S. 62; Kultur usw. siehe *Erica*; *Calluna* meidet besseren Boden und Düngung, liebt magere Böden und ist als Bienenpflanze wertvoll.

Calobótrya sanguinea siehe *Ribes sanguineum*.

Calóphaca wolgárica, Schönhülse — Leguminosen. — Bis etwa meterhoher, überhängend sparrig verzweigter Strauch, aus Südrußland und den kaspischen Steppen, Blätter wechselständig,

Abb. 127. *Calycanthus floridus*, duftender Gewürzstrauch, 1,20 *m*. (Orig.: Grafenegg, N.-Österr.)

sommergrün, unpaar gefiedert, Blättchen 11–17, Blüten goldgelb, in wenigblütigen, gestielten Doldentrauben, im Juni an diesjährigem Holze, Fruchthülsen stielrund, zweiklappig; Kultur in gut durchlässigem, nicht zu schwerem Boden in sonniger Lage; mäßiger Schnitt im Winter, wenn nötig; Vermehrung durch Samen (Frühjahr), wird oft als „Trauerbäumchen" auf *Caragana arborescens* oder *Laburnum* veredelt; Verwendung nur für Gehölzfreunde in Gesteinspartien, auf Rabatten u. dgl. — ***C. grandiflora*** aus Turkestan ist etwas üppiger, Blätter mehrzählig, Blüten etwas größer, nicht echt in Kultur.

Calycánthus (*Butnéria*), **Gewürzstrauch** Calycanthaceen. — Aufrechte, ziemlich sparrige Sträucher (Abb. 127), aus Nordamerika, Blätter gegenständig, einfach, sommergrün, oberseits rauhlich, Blüten einzeln, an kurzen Seitentrieben, heller oder dunkler bräunlichrot, Frucht einsamige Schließfrucht in der vergrößerten, bleibenden Blütenachse; Kultur in jedem durchlässigen, nicht armen Gartenboden, sowohl in Sonne wie ziemlich schattig; Schnitt: meist nur Auslichten im Spätwinter; Vermehrung durch Teilung, Ableger oder Saat (Frühjahr, Warmbeet); Verwendung als hübsche Ziersträucher, besonders *C. floridus*, dessen Blüten ausgezeichnet nach Erdbeeren duften.

Abb. 128. *Calycotome spinosa*, Dorngeißklee, 1 *m*. (Orig.: Ragusa, Dalmatien.)

C. fértilis (*C. ferax, C. laevigatus*), häufigste und härteste Art, bis 1,5 *m*, Blätter kahler, bei var. *glaucus* (*C. glaucus*) unterseits blaugrau, Blüten dunkelpurpurn, nicht oder kaum duftend, Juni bis August, geht meist fälschlich als ***C. flóridus*** (*C. ovatus*,

C. sterilis), beste Art, bis 2 *m*, Blätter unterseits weich behaart, blüht Juni bis Juli, rotpurpurn mit braun; ***C. occidentalis***, Kalifornien, bis 4 *m*, großblättrig, unterseits hellgrün, meist kahl, Blüten mehr ziegelrot-bräunlich. Geruch weniger angenehm, bedarf in rauhen Lagen Schutz.

Calycanthus praecox siehe *Chimonanthus*.

Calycocárpum Lyoni — Menispermaceen. — Hoher sommergrüner Schlingstrauch aus den mittleren und südöstlichen Vereinigten Staaten mit schön 3 bis 7 lappigen Blättern, der ähnlich *Menispermum* in warmen geschützten Lagen kulturwert sein dürfte. (Siehe C. Schneider, Ill. Handb. Laubh. II. 925, Fig. 576).

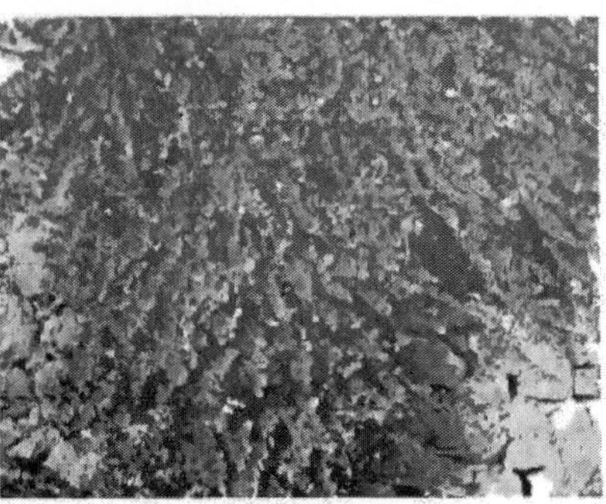

Abb. 129. *Capparis spinosa*, Kappernstrauch, an Mauer. (Orig.: Ragusa, Dalmatien.)

***Calycótome spinosa*, Dorngeißklee** — Leguminosen. — Bis meterhoher sehr dorniger, sparriger, mediterraner Macchienstrauch (Abb. 128), Blätter 3zählig, Blüten gelb, gebüschelt, Mai bis Juni, Fruchthülsen flach, 2klappig; Kultur nur im Süden des Gebietes in heißen, trockenen Lagen, lediglich für erfahrene Gehölzfreunde versuchswert.

***Caméllia*, Camellie, Kamelie** — Theaceen. Immergrüne, japanisch-chinesische Sträucher mit einfachen, glänzenden Blättern und großen, einzelnen, roten, weißen oder rosa Blüten. Frucht holzige Kapsel: Kultur in gutem, humusreichem Boden in recht geschützter (gegen Morgensonne im Winter) Lage; Vermehrung durch reife Stecklinge (Warmbeet); Verwendung nur für erfahrene Pfleger in dem südlicheren Teile des Gebietes; *C. japonica* hat sich aber in Malonya recht gut gehalten und blüht auch; *C. Sasanqua* gilt als härtere.

Abb. 130. *Caragana Boisi*, chinesischer Erbsenstrauch, 1,20 *m*. (Phot. A. Purpus.)

C. japonica (*Thea japonica*), China, Japan, in der Heimat Baum, bis über 15 *m*, Blätter und Ovar kahl, Blüten des für uns allein in Betracht kommenden Typ rot, Frühjahr; ***C.*** (*Thea*) ***Sasanqua***, Japan, Ostchina, locker strauchig, Triebe und Ovar behaart, Blüten weiß, ebenfalls viele, auch rosa und rote Kultur-Formen.

Campsis chinensis*, *C. grandiflora*, *C. hybrida und ***C. radicans*** siehe *Bignonia*.

***Cápparis spinosa*, Kappernstrauch** — Capparidaceen. Ästiger, sommergrüner mediterraner Strauch, Zweige grünlich, bereift, Blätter wechselständig, einfach, graugrün, dicklich, Nebenblätter hakig verdornend, Blüten groß, einzeln, hellrosenrot mit vielen violetten Staubfäden und gelben Antheren, im Sommer, Frucht grüne Beere; im Süden des Gebietes wild an Mauern usw. siehe Abb. 129, nur für wärmste Lagen versuchswert als Sommerblüher in durchlässigem Boden und sonniger Lage. Die Blütenknospen bilden die echten „Kappern" des Handels.

Caprifólium siehe *Lonicera*.

***Caragána*, Erbsenstrauch** — Leguminosen. Niedere oder höhere Sträucher.

9*

Blätter wechselständig, meist sommergrün, paarig gefiedert, Blüten meist ansehnlich und gelb, Mai bis Juni, einzeln oder doldenartig, Fruchthülse zweiklappig; Kultur der meisten Arten in etwas sandigem, durchlässigem Boden und sonniger Lage; Schnitt im Winter, aber nur wenn nötig; Vermehrung durch Saat im Freibeet, zum Teil auch Ableger, viele Gartenformen veredelt man auf *arborescens* und *frutex* zeitig im Frühjahr; Verwendung siehe bei den Arten.

Abb. 131. *Caragana jubata*, Mähnen-Erbsenstrauch, 0,8 *m*. (Orig.; Hort. Simon-Louis, Plantières.)

A. Blattspindeln abfallend, nicht verdornend. Blättchen sechs oder mehr (bei *Boisii* und *decorticans* verdornen die Nebenblätter): ***C. arborescens***, Mittel- und Ostsibirien, allbekannte Art, zuweilen baumartig, bis 6 *m*, straff aufrecht, Blättchen meist 8 bis 10, kaum unter 12 bis 15 *mm* lang, Grund gerundet; viele Formen, z. B. f. *Lorbergii*, eigenartig, Blättchen federartig, 1 bis 4 *mm* breit, var. *pendula* stark hängend, oft hochstämmig veredelt; auch bunte Formen, guter Deckstrauch; ***C. Boisii*** (*C. ambigua* Hort., *C. microphylla* var. *crasse-aculeata*), Zentralchina, bis 2,5 *m*, überhängend verzweigt, Nebenblätter stark verdornend, Laub derb, etwas wintergrün, oberseits stumpfgrün, unterseits weißlich (Abb. 130); ***C. decórticans***, Afghanistan, Rinde abfasernd, Zweige und Stämme glänzend grün, sonst ähnlich *microphylla*, aber Blättchen 8 bis 12, spitzlicher, Kelch kahler, hart; ***C. fruticósa*** (*C. arborescens* var. *cuneifolia*, *C. cuneifolia*, *C. Redowskii*), Amurgebiet bis Nord-Korea, wie *arborescens*, aber niedriger, Blättchen bis 14, Grund keilig; ***C. microphylla*** (*C. Altagana*, *C. arborescens* var. *arenaria* Hort.), Altai bis Mandschurei, 1 bis 2,5 *m*, Blättchen 12 bis 18, zierliche Belaubung.

B. Blattspindeln bleibend, verdornend, oder Nebenblätter stachelig. — I. Dorne kaum unter 15 bis 20 *mm* lang, Blättchen 4 oder mehr: a) Blättchen 8 bis 16 (nie 4 und fingerförmig genähert): ***C. Franchetiána***, Westchina, hübsche, niedrige, stark dornige, wenigästige Art, Blättchen 8 bis 14, neu für Kultur, reichblütig; ***C. Gerardiána***, NW.-Himalaya (Abb. 132), niedrig ausgebreitet, weißgrün zottig, Blättchen 8 bis 12, hübsche seltene Felsenpflanze; ***C. jubáta*** (Abb. 131), Ostsibirien, Tracht sehr bezeichnend, bis 1,5 *m*, Zweige dick, dornig, behaart, Nebenblätter breit, häutig, Belaubung mähnenartig, Blättchen 8 bis 16, Blüten weißlich, hart. — b) Blättchen bis 8, aber zum Teil 4 und fingerförmig genähert, lineal: ***C. spinosa***, Sibirien, bis 1 *m*, sehr dornig, Blüten gelb, auch für Felsen. — II. Dorne kaum bis 10 *mm* lang, oder sonst Blättchen 5: ***C. aurantiaca*** (*C. arenaria*), Altai, Songarei, oft mit *pygmaea* verwechselt, aber Wuchs aufrecht, bis 1 *m*, Blüten tiefer orangegelb, hübsche Art; ***C. Chamlagu*** (Abb. 133), Ussuri-

Abb. 132. *Caragána Gerardiana*, Gerards Erbsenstrauch. (Orig.; Hort. Simon-Louis, Plantières.)

gebiel, Nordchina, bis über 1 *m*, Blättchen 4, in zwei deutlich entfernten Paaren, oboval, häutig, glänzend grün, Blüten hellgelb, dann rötlich-violett, ähnelt habituell folgender; ***C. frutex (C. frutescens)***, Südrußland bis Nordchina, bis 3 *m* oder mehr, Blättchen 4, fingerförmig genähert, keilförmig oboval, häutig, kahl, bis 20:8 *mm*, Blüten goldgelb, wie *arborescens* zu verwenden, verträgt viel Trokkenheit; ähnlich ***C. turfanénsis***, eine blaugrüne *frutex* vom Tian-shan; ***C. pygmaea*** (*C. gracilis* Hort.), Altai bis Mongolei, sehr variabel, zierlich, Triebe rutig, Blättchen 4, fingerförmig genähert (Abb. 55), Blüten hochgelb, oft hoch veredelt als *C. pendula*; sonnige Rabatten, Felsen.

Abb. 133. *Caragána Chamlagu*, chinesischer Erbsenstrauch, 1,30 *m*. (Phot. A. Purpus.)

***Cardiándra alternifólia*, Herzhortensie** — Saxifragaceen. — 0,3—0,8 *m* hoher, japanischer Halbstrauch mit abwechselnden, einfachen Blättern und kleinen rosa Blüten in endständigen lockeren Ebensträußen, umgeben von sterilen Blüten; kaum in Kultur. (Näheres siehe C. Schneider, Illustr. Handb. d. Laubholzk. I., S. 383.)

Carlomóhria siehe *Halesia*.

Carmichaélia flagellifórmis — Leguminosen. — Neuseeländische Art mit grünen, rutigen, flachen Zweigen, abfälligen, unpaar gefiederten Blättern, rosaweißen, gebüschelten Blüten; Vermehrung durch Samen (Frühjahr) und halbreife Seitenstecklinge mit etwas altem Holze unter Glas; nur für erfahrene Gehölzfreunde in südlichsten Lagen (an warmen Wänden z. B.) versuchswert. (Näheres C. Schneider, Ill. Handb. d. Laubholzk., II., S. 79.)

Carniola tinctoria siehe *Genista tinctoria*.

Carpentéria califórnica — Saxifragaceen. — Aufrechter immergrüner, bis 1 *m* hoher, kalifornischer Strauch (Abb. 134), Blätter gegenständig, einfach, Blüten weiß, ansehnlich, duftend, Juni bis Juli, Frucht lederartige Kapsel; Kultur in gut durchlässigem, leichtem, etwas sandigem Boden in recht geschützter warmer Lage, gegen Winternässe sehr empfindlich; Vermehrung durch Samen (Frühjahr) und krautige Stecklinge unter Glas und Ausläufer; Verwendung nur für erfahrene Gehölzfreunde in passender Lage.

Abb. 134. *Carpentéria califórnica*, 1 *m*. (Orig.: Hort. Lemoine, Nancy.)

Carpinus[22]**, Hainbuche** — Betulaceen. — Meist hohe Bäume mit zweizeiligen, einfachen, gezähnten, sommergrünen Blättern, männliche Blütenstände erst im Frühjahr erscheinend, Fruchthülle offen, meist dreilappig; Kultur in fast jedem Boden, verträgt auch viel Trockenheit; Vermehrung durch Samen (Herbstsaat), die besseren Arten und Sorten auch durch Veredlung im Frühjahr auf *C. Betulus*; Verwendung als Zierbäume im Park und *C. Betulus* vor allem als eine der besten, stärksten Schnitt vertragenden Heckenpflanzen siehe z. B. Abb. 11).

A. Blätter mit 7 bis 15 Seitennerven, Nüßchen in Frucht frei: ***C. Bétulus,*** Europa bis Persien. Baum bis 20 *m*, Rinde buchenartig glatt, Knospen spindelförmig, buchenartig. Blätter im Mittel über 5 *cm*, Nervenpaare 10 bis 13, im Herbst gelb, bei starkem Schnitt lange bleibend, siehe oben über Wert, von Formen vor allem var. *pyramidalis* (f. *columnaris*, f. *fastigiata*), pyramidenförmig wachsend, und f. *incisa* (var. *asplenifolia*), Blätter zierlich eingeschnitten; ***C. caroliniana*** (*C. americana*), östliches Nordamerika, etwas kleinerer Baum, zierlicher, etwas überhängend verzweigt, Knospen eiförmig, infolge prächtiger orangescharlachfarbener Herbstfärbung als Parkbaum vorzuziehen; ***C. Fargesiana*** (*C. yedoënsis* Franch., nicht Maxim.), Zentralchina, Baum bis 20 *m*, Blätter 6 bis 10 *cm* lang, gut zugespitzt, Nervenpaare 12 bis 15, jetzt in Kultur; die echte *yedoënsis* ist identisch mit ***C. Tschonóskii,*** Nordchina, Japan, kaum in Kultur, besonders durch stärker grannenzähnige Blätter abweichend; ***C. orientalis*** (*C. duinensis*), Südosteuropa, Kaukasus, oft strauchig, Blätter kleiner, im Mittel nicht über 5 *cm* lang, Fruchthülle kaum gelappt, breiter, hübsch und fast hart; ***C. Turczaninóvii*** var. ***ovalifolia*** (*C. polyneura* Hort., nicht Franchet), Mittelchina, Baum bis 17 *m*, Blätter kaum über 5,5 *cm* lang, nicht grannenzähnig, ist durchs Arnold Arboret auch bei Hesse in Kultur.

B. Blätter mit 14 bis 25 Seitennerven, Nüßchen von Fruchthüllappen verdeckt (Gruppe *Distegocárpus*): ***C. cordata,*** Mittelchina bis Japan, Baum bis 15 *m*, Borke schuppig, Winterknospen groß, Blätter breit herzeiförmig; schöne harte kulturwerte Art; ***C. japónica*** (*C. carpinoides*), Japan, von voriger abweichend durch kleine Knospen und eilanzettliche Blätter.

Carrièrea calycina — Flacourtiaceen. — Sommergrüner Baum aus Zentralchina, Tracht wie *Idesia*, mit hübschen glänzenden, wechselständigen, eiförmigen, am Grunde dreinervigen, jung gleich den Trieben geröteten Blättern, Blüten in endständigen behaarten Rispentrauben, ohne Petalen, Kelche blauweiß, Frucht holzige Kapsel (siehe darüber C. Schneider, Ill. Handb. d. Laubholzk. II., S. 362); gedeiht anscheinend in gutem Gartenboden üppig und verspricht schöner Parkbaum zu werden; Kultur wie *Idesia*; Vermehrung durch Samen (Frühjahr, liegt etwa zwei Monate) oder halbreife Stecklinge; Verwendung als Parkbaum, Wert noch erproben.

Cárya[23] (*Hicória*), **Hickorynuß** — Juglandaceen. — Hohe, walnußartige, nordamerikanische (mit Ausnahme von *C. cathayensis*) Bäume, Mark der Zweige ungefächert, Blätter unpaar gefiedert, wechselständig, sommergrün, etwas aromatisch (gerieben), Blüten und Früchte ähnlich *Juglans*; Kultur in frischem, gutem, nährstoffreichem, tiefgründigem Boden, *C. glabra*, *alba* und *ovata* vertragen auch trockneren, leichteren Boden; Vermehrung durch Saat (stratifizieren), Vorsicht beim Verpflanzen, seltenere Arten durch Veredlung auf häufige; Verwendung als schöne, viel zu wenig beachtete Parkbäume, über Forstwert siehe die Angaben, S. 50.

A. Winterknospen dachziegelig beschuppt, Schuppen über 6; Blättchen 3 bis 9, nicht sichelig gebogen, oberste am größten (*Eucarya*-Gruppe): I. Endknospen klein, kaum bis 10 *mm* lang, Nuß kaum kantig. — a) Triebe und Blätter kahl oder nur jung behaart: ***C. glabra*** (***C. porcina***), Schweinsnuß, bis über 40 *m*, Borke nur kurzrissig, Blättchen 3 bis 7, länglich, lang zugespitzt, scharf gesägt, Frucht birnförmig, Hülle und Nuß dünnschalig, wertvolle schöne Art; ihr sehr nahe ***C. ovális*** (*Juglans ovalis*, *C. microcarpa*, *C. glabra* var. *microcarpa*), Borke an alten Bäumen rauh, Früchte mehr kugelig, kleiner, tief aufspringend; b) Triebe und Blattunterseiten behaart: ***C. villósa*** (*C. glabra* var. *villosa*, *Hicória pállida*), kleiner Baum, Borke sehr rauh, Blättchen 5 bis 9, Fruchtschale dick, Nuß dünnschalig, süß. — II. Endknospen groß, über 10 *mm* lang, Nuß kantig: ***C. alba*** (*C. tomentósa*!), Spottnuß, Baum bis über 30 *m*, Borke bleibend, nicht lang abreißend, äußere Knospenschuppen zeitig (im Herbst) abfallend, Zweige und Blattstiele behaart, Blättchen 5 bis 7, unterseits drüsig und filzig, Frucht kugelig oder birnförmig, Nuß dickschalig; ***C. laciniósa*** (*C. sulcata*, *Hicoria acuminata*), Königsnuß, bis über 40 *m*, Borke rauh, abschälend, Zweige orangefarben, Knospen sehr groß, äußere Schuppen bleibend, Blättchen 7 bis 9, Frucht groß, länglich, nebst Nuß dickschalig; ***C. ováta*** (*C. alba* der meisten Gärten), Shagbark, abweichend von voriger durch kahlere Zweige, nur 5 Blättchen, große kugelige dickschalige Früchte mit dünnschaligen sehr wohlschmeckenden Nüssen, gilt deshalb als wertvoll für Kultur. — B. Winterknospen mit gegenständigen (oft nur 2) Schuppenpaaren, Blättchen 7 bis 15 (außer bei *C. cathayensis*), meist etwas sichelig gebogen: ***C. cordifórmis*** (*C. amara, Hicoria minima*), Bitternuß, bis über 30 *m*, Borke graubraun, dünnschalig, Knospen dicht gelbdrüsig, Zweige und Blattstiele kahl, Blättchen 5 bis 9, Früchte rundlich, gelbschuppig, gleich Nuß dünnschalig, Kern bitter, am schnellsten wachsende Art, als Parkbaum wertvoll; ***C. Pecán*** (*C. oliraeformis*), Pekan-Nuß, bis über 50 *m*, abweichend von voriger durch tief gefurchte Borke, wenig drüsige Knospen, 11 bis 17 Blättchen, zu 3 bis 10 stehende längliche Früchte mit süßem Kern, in der Heimat wertvollste Art, bei uns nicht hart genug; zu dieser Gruppe gehört auch ***C. cathayénsis***, Ostchina, 12 bis 20 *m*, Borke glatt, grau, Knospen dick goldschuppig, Blättchen 5 bis 7, zuletzt kahl, Frucht und Nuß dickschalig.

Abb. 135. *Cassinia fúlvida*, 1,5 *m*. (Orig.: Hort. Vilmorin, Les Barres.)

Caryópteris incana (*C. Mastacánthus, C.* oder *Bárbula sinensis*), **Bartblume** Verbenaceen. — 0,3 bis 0,8 *m* hoher, aufrechter, graufilziger, aromatisch riechender Strauch aus Japan, Ostchina, Blätter gegenständig, sommergrün, einfach, lappenzähnig, Blüten hellviolettblau, kugelig, doldig, August bis Herbst; Kultur in sandigem, gut durchlässigem Boden in sonniger Lage; Vermehrung durch Sommerstecklinge und Samen (Frühjahr); Verwendung als schöner, spätblühender Strauch für Rabatten und Vorpflanzung, friert in rauhen Lagen ganz zurück, treibt aber wieder, Bodendecke.

Abb. 136. *Cassiópe tetragona*, Schuppenheide. (Phot. A. Purpus, Lappland.)

Cassándra calyculata siehe *Chamaedaphne*. — ***Cassándra racemosa*** siehe *Andromeda*. ***Cássia marylándica*** siehe „Unsere Freilandstauden".

Cassinia fúlvida (*Diplopáppus chrysophyllus*) Compositen. — Immergrüner, etwas heidearliger, bis 1,5 *m* hoher Strauch aus Neuseeland (Abb. 135), Blätter einfach, abwechselnd, schmal, unterseits gelbbraun filzig, Blütenköpfchen schmutzigweiß, klein, doldentraubig, Spätsommer; Kultur in warmer, sonniger Lage in durchlässigem Boden; Vermehrung durch Samen (Frühjahr) und Sommer-, sowie angetriebene Stecklinge unter Glas; Verwendung für erfahrene Gehölzfreunde in südlichen warmen Gebieten oder Seeklima.

Cassiópe (*Andromeda tetrágona*), **Schuppenheide** Ericaceen — Niedriger, immergrüner Zwergstrauch (Abb. 136) aus dem arktischen Gebiet, mit den dachziegeligen, vierreihigen, auf dem Rücken gefurchten Blättchen etwas an ein *Lycopodium* erinnernd, Blüten glockig, wachsweiß, seitenständig, März bis April,

Frucht 5klappige Kapsel; Kultur in moorigem Grund, auch an feuchten Felsen in humusgefüllten Spalten, am besten in Torf- und Sumpfmoosgemisch, feucht, aber sonnig; Vermehrung durch Auguststecklinge unter Glas, Ableger und Samen; Verwendung für Gesteinsanlagen durch erfahrene Pflanzenfreunde; noch zierlicher ist ***C.*** (*Andromeda, Harrimanella*) ***hypnoides*** aus dem alpinen Nordamerika und den Polargegenden, kriechend, Blätter dicht wechselständig, moosartig, lineal, Blüten weiß, Juni bis Juli, in humusgefüllten Felsspalten, auch sonnig; auch die mehr an *tetragona* erinnernden ***C. fastigiáta*** aus dem Himalaya und ***C. Mertensiána*** aus Nordwestamerika verdienen Beachtung.

Abb. 137. *Castánea púmila*, Blattzweig mit Blüten. (Phot. A. Purpus.)

Castánea, **Edelkastanie** – Fagaceen. – Niedrige oder hohe, sommergrüne, schön belaubte Bäume (Abb. 7), Blätter wechselständig, Blüten einhäusig, weißlich, unscheinbar, aber männliche in kätzchenartigen, aufrechten, oft rispig vereinten, auffälligen Blütenständen, im Juni bis Juli, Früchte bekannt, mit großer stacheliger Hülle; Kultur in jedem guten, nicht kalkhaltigen Gartenboden, verträgt auch trockenere Lagen und liebt Sonne; Vermehrung durch Samen (Frühjahr), auch Ableger, die Sorten durch Veredlung auf *sativa* (Sommerokulation); Verwendung als prächtige Parkbäume in nicht allzu rauhen Lagen, *C. pumila* für trockene, warme Hänge.

Abb. 138. *Castanópsis chrysophylla*, Scheinkastanie, etwa 3,5 *m*. (Phot. A. Purpus, Kew Gardens.)

C. crenáta (*C. japónica, C. sativa* var. *pubinérvis*), Japan, China, kleiner Baum, der *sativa* sehr ähnlich, Blattgrund rundlich oder herzförmig, fruchtet viel früher; ***C. dentáta*** (*C. americána*), östliches Nordamerika, bis über 30 *m*, Blätter stets ohne Sternhaare, von jung auf kahl, Grund keilig, Früchte wohlschmeckend, aber etwas kleiner als bei *sativa*; ***C. mollíssima***, Nord- und Westchina, bis 15 *m*, Triebe und Blattunterseiten dicht weich behaart, ebenso die Dornen der Fruchtschale, Nüsse groß, harte schöne Art!; ***C. púmila*** (Abb. 137), östliches Nordamerika, ist bei uns strauchig, Blätter unterseits bleibend weiß sternfilzig, Früchte klein, Nüsse einzeln, höher als breit, treibt Ausläufer; auch ***C. Vilmoriniána*** aus Mittel-China jetzt in Kultur, kahler Baum, Blätter lanzettlich, sehr spitz, Zähne nur grannig aufgesetzt, Früchte mit einer Nuß; ***C. sativa*** (*C. vesca, C. vulgaris*), Südost-, Südeuropa und Orient, bis über 30 *m* (Abb. 7), Blätter sehr bald kahl.

unterseits hellgrün aber immer mit einigen Sternhaaren, als var. *Numbo* geht eine frühtragende, großfrüchtige, recht harte Sorte, sonst noch geschlitztblättrige usw.

***Castanópsis chrysophylla*, Scheinkastanie** — Fagaceen. — Immergrüner, kalifornischer Strauch (bei uns), (Abb. 138.) Blätter wechselständig, glänzendgrün, ganzrandig, unterseits goldschülferig, Blüten und Früchte ähnlich *Castanea*, Nüsse erst im 2. Jahre reifend; Kultur nur in geschützter warmer Lage etwas halbschattig in humusreicher Erde; Vermehrung durch Saat (gleich nach Reife) und Sommer- oder Herbststecklinge unter Glas, auch Ableger; Verwendung für erfahrene Gehölzkenner.

***Catálpa*[24]). Trompetenbaum** — Bignoniaceen. — Großblättrige, sommergrüne Bäume, Blätter einfach, kreuzgegenständig, mit Drüsenflecken in den Nervenwinkeln der Unterseite, Blüten glockig, in schönen endständigen Rispen oder Trauben, Juni bis Juli, Frucht lineale, stielrunde Kapsel, im Winter meist lange am Baume hängend; Kultur in jedem guten, frischen Gartenboden in sonniger Lage; Vermehrung durch Samen (Frühjahr, Haus) und Wurzelstücke, Varietäten auch durch Veredlung auf Wurzelstücke von *bignonioides* oder krautige Stecklinge; Verwendung als schöne sommerblühende Parkbäume, auch für Alleen in warmem Klima; hartes Holz.

ALPHABETISCHE LISTE DER ERWÄHNTEN LATEINISCHEN NAMEN.
(Die Ziffern bezeichnen die Seitenzahl.)

A. Blütenstände rispig, Blätter meist behaart, Haare einfach. — I. Blüten 3 bis 7 *cm* lang, weiß, innen mit 2 gelben Streifen und purpurbraunen Flecken; ***C. bignonioides*** (*Bignonia Catalpa, C. syringifolia*), östliches Nordamerika, bekannteste Art, (Abb. 16), bis über 15 *m*, Blätter plötzlich zugespitzt, zuweilen 2 lappig, übelriechend, Blüten nur 3 5×5 6 *cm*, in reichblütigen Rispen; verschiedene Formen z. B. var. *aurea* mit gelbem Laube, var. *nana* (*C. Bungei* der Gärten), schön grüne Zwergform; ***C. hýbrida*** (*C. Teásii, C. Teasiána*), eine Hybride der ersten Art mit *ovata*, in Blättern mehr an *ovata*, in Blüten mehr an *bignonioides* erinnernd, hübscher als diese; hierher var. *purpurea* (*C. hybrida* var. *atropurpurea, C. bignonioides* var. *purpurea*) Blätter tief purpurn austreibend; ***C. speciósa***, mittlere Vereinigte Staaten, bis über 35 *m*, üppiger als *bignonioides*, Blätter länger gespitzt, Blüten größer, aber weniger zahlreich, kaum gefleckt, ist wertvoll und härter. II. Blüten 1,5 bis 2,3 *cm* lang; ***C. ováta*** (*C. Kaémpferi, C. Hénryi*), China, in Japan nur kultiviert, kleiner Baum, Blätter kahl, meist 3 lappig (Abb. 139), Blüten gelblich mit Orange und Violett, nicht so schön als erste aber härter.

Abb. 139. Blütenzweige von *Catálpa ovata*. (Phot. A. Purpus.)

B. Blütenstände traubig, Blütenstiele schlank: ***C. Búngei***, Nordchina, kleiner Baum, Blätter schmal dreieckig-eiförmig, lang zugespitzt, oft lappenzähnig, kahl, sattgrün, Grund meist keilig, Blüten zu 3 bis 12, weiß mit purpurner Zeichnung, schön, hart; ***C. Duclóuxii*** (*C. sutchuenénsis*), Mittelchina, hoher Baum, Blätter eiförmig, lang zugespitzt, Grund oft herzförmig, kahl, Nervenachseln purpurfleckig, Blüten rosa mit Orange, auch hart wie *bignonioides*; ***C. Fargésii***, Mittelchina, wie letzte, aber Blätter unterseits dicht sternhaarig, Blüten rosa mit purpurbraunen Flecken, etwas geschützte Lage.

Cayrátia oligocárpa siehe *Columella*.

***Ceanóthus*, Säckelblume** — Rhamnaceen. — Niedrige Sträucher, bei unseren Formen Blätter sommergrün, einfach, wechselständig, Blüten klein, aber lebhaft blau oder weiß, in Rispen, Frucht lederig, in drei Nüßchen zerfallend: Kultur in leichterem, gut durchlässigem Boden in warmer Lage; Rückschnitt nach Bedarf im Frühjahr; Vermehrung durch krautige Stecklinge (Herbst, Frühjahr, Bodenwärme), auch Samen; Verwendung siehe Arten.

Abb. 140. *Ceanothus Féndleri*, Säckelblume. (Phot. A. Purpus.)

C. americanus, Nordostamerika, härteste Art, bis 1 *m*, aufrecht, Blätter oval, fein gesägt, Blüten weiß, Juli bis August, harte Art, außer in ganz rauhen Lagen, schöner sind die Hybriden dieser Art, vor allem mit *C. azureus* aus Mexiko (Kalthaus!), von denen wir ***C. versaillensis*** (*C. hybridus* „Gloire de Versailles"), dunkelazurblau, und *C. hybridus* „Gloire de Plantières", große blaue Rispen, sowie *C. Arnouldii* himmelblau, lange blühend, in erster Linie nennen, alle diese Kulturformen verlangen wärmste Lage und Schutz, für Felsenpartien und Rabatten; ***C. Féndleri*** (Abb. 140), mittleres SW.-Amerika, niedergestreckter, aufstrebender Dornstrauch, Blätter oval, graugrün, fein behaart, reichblühend, weiß, Juni bis Juli, für Felsen; ***C. ovátus*** (*C. ovális*), östl. und mittl. Vereinigt. Staaten, bis 0,70 *m*, Triebe etwas drüsig, Blätter schmal eiförmig, glänzend grün, Blüten weiß, Juni, hart, hübscher als *americanus*, aber seltener; empfindlicher sind *C. dentatus*, *C. divaricatus* und vor allem die immergrünen *C. cuneátus* und *prostrátus* mit gegenständigen Blättern, NW.-Amerika, nur gegen das Mediterrangebiet hin versuchswert.

Cebátha siehe *Cocculus*.

Cedréla (*Toona*) ***sinénsis*** (*Ailanthus flavescens*) — Meliaceen. — Bis über 20 *m* hoher, an *Ailanthus* erinnernder Baum aus Nordchina. Holz unangenehm riechend, Rinde zuletzt in langen Streifen aufreißend, junge Zweige fein behaart, Blätter einfach gefiedert, bis 50 *cm* lang, zuletzt fast kahl, Grund der Blättchen rundlich, Blüten klein, weißgrün, in hängenden Rispen, nicht unangenehm riechend, Juni. Frucht aufspringende holzige Kapsel mit geflügelten Samen; Kultur wie *Ailanthus*; Vermehrung durch Wurzelstecklinge und die oft lästigen Wurzeltriebe (Frühjahr, Glashaus), Samen selten; Verwendung als interessanter Parkbaum, Härte wie *Ailanthus*.

***Celástrus*, Baumwürger** — Celastraceen. — Sommergrüne Schlingpflanzen, Blätter einfach, wechselständig, Blüten in achsel- oder endständigen Blütenständen, unscheinbar, meist zweihäusig, aber Kapselfrüchte schön rot und gelb gefärbt: Kultur in fast jedem Boden und jeder Lage; Vermehrung durch Samen (Herbst, oder stratifizieren), Ausläufer (oft lästig), Ableger; Verwendung zur Bekleidung von Mauern, Lauben, Baumstämmen, Felsen, namentlich die weiblichen Pflanzen

C. angulátus (*C. latifólius*), Nordwest- und Mittelchina, sehr üppig, bis über 6 *m*, Zweige kantig, mit deutlichen Lenticellen, Blätter groß, breitoval, über 10 *cm* lang, unterseits grün, Blüten grünlich in endständigen Rispen, Frucht gelb, Samen orange mit rotem Arillus, schon des Laubes halber wertvoll, hart; ***C. hypoleúcus*** (*C. hypoglaucus*), Mittelchina, ausgezeichnet durch bereifte junge Triebe und unterseits blauweiße elliptische Blätter, Rispen endständig, Früchte lange grün bleibend, gilt als recht hart; ***C. Loesenérii***, Mittelchina, bis 6 *m*, steht *orbiculatus* nahe, aber Blätter länglicher, derber, nicht deutlich netznervig, oben stumpf grün, Blütenstände fast sitzend, Blüten kleiner, Mai, Früchte gelb, Samen schwarzbraun, Oktober, noch zu erproben; ***C. orbiculátus*** (*C. articulátus*), China, Japan, sehr hoher

Schlingstrauch. Blätter meist keilförmig-oboval. Blütenstände wenigblütig, achselständig. Früchte daher erst nach Blattfall zierend, aber lange bleibend im Vorwinter, sehr zierend; die ähnliche ***C. flagelláris*** aus Nordchina und Japan ist durch bleibende stechende Nebenblätter ausgezeichnet; ***C. scándens***, östl. Verein. Staaten, Blätter spitzer, mehr eilanzettlich. Blütenstände rispig endständig, vielblütig. Früchte auffällig, ebenfalls prächtig.

Abb. 141. *Cephalánthus occidentalis*, Knopfblume, 1 *m*. (Phot. A. Purpus.)

***Céltis*, Zürgel** — Ulmaceen. Meist hohe, sommergrüne Bäume mit einfachen, wechselständigen Blättern, Blüten unscheinbar, Steinfrucht etwa erbsengroß; Kultur in jedem guten, tiefgründigen Boden in frischer oder trockener Lage; Vermehrung durch Samen (Saatbeet), auch Ableger; Verwendung siehe Arten.

C. austrális, Südosteuropa, Mediterrangebiet, Kleinasien, bis 25 *m*, alte Bäume von malerischer Tracht, Blätter geschwänzt, ziemlich derbhäutig, unterseits behaart, bis 10 *cm*. Früchte zuletzt violettbraun, schmackhaft, nur im südlicheren Mitteleuropa hart; etwas härter bei uns ***C. caucásica***, Kaukasus-Afghanistan, Blätter kürzer, breit eirhombisch, weniger gezähnt und behaart; ***C. Bungeána*** (*C. Davidiána*, oft auch als *C. chinensis* oder *sinensis* in den Gärten), Korea, Mandschurei bis Yunnan, Baum bis 10 *m*, Blätter derb, beiderseits grün, oben etwas glänzend, schmallanzettlich stumpf gezähnt, an jungen Pflanzen etwas rauh behaart. Früchte schwarz, Steine fast kugelig, glatt, hart, schöne Art; ***C. cerasífera***, Mittelchina, bis 10 *m*, steht *jessoensis* nahe, aber Blätter derber, grob kerbzähnig, 2 bis 4 Zähne auf 1 *cm* Rand. Früchte bis 1 *cm* dick, bereift, schwarz, vielversprechend; ***C. jessoénsis*** (*C. Bungeana* Nakai), Japan-Korea, Baum bis 20 *m*, Blätter häutig, länglich-eiförmig, lang zugespitzt, sehr dicht scharf gesägt, 4 bis 6 Zähne auf 1 *cm* Rand, Früchte wohl nur 8 *mm* dick, Steine unregelmäßig gefurcht und gerippt, im Arnold Arboretum harter schöner Baum, ältester Name vielleicht *C. koraiénsis*; ***C. Juliánae***, Mittelchina, Baum bis 27 *m*, Triebe dicht gelblich rauhfilzig, Blätter groß, 8 bis 15 *cm*, derb, etwas gelbgrün. Blütenknospen rotbraun behaart, auffallend. Früchte im Herbst, fast kugelig, orangefarben, etwa 10 : 8 *mm*, viel versprechend, auch im Arnold Arboret in Kultur, wie ebenfalls ***C. lábilis*** (*C. sinensis* Hemsl.), Mittelchina, Baum bis 17 *m*, junge Triebe gelbfilzig, Blätter derb, spitz länglich elliptisch, unterseits behaart, kerbsägig, 6 bis 10 cm, ausgezeichnet dadurch, daß die kleinen, die kugeligen orangenen Früchte tragenden Zweiglein nach Fruchtreife abfallen, Härte zu erproben; wie *cerasifera* auch bei Hesse in Kultur; ***C. mississippiénsis*** (*C. laevigata*, *C. integrifólia*), südöstl. Vereinigte Staaten, Baum bis 30 *m*, ausgezeichnet durch spitz länglich lanzettliche, meist ganzrandige,

Abb. 142. *Ceratónia Siliqua*, Johannisbrotbaum, 5 *m*. (Orig.: Ragusa, Dalmatien.)

Abb. 143. *Cercidiphyllum japonicum*, Judasbaumblatt, 5 *m*. (Phot. A. Purpus.)

kahle Blätter und orangerote Früchte mit gelöcherten Steinen; ***C. occidentális***, östl. und mittl. Nordamerika, hoher Baum. Blätter schief spitzeiförmig, zuletzt kahl, oben wenig rauh, scharf gezähnt ab Mitte. Frucht erst rotorange, dann tiefpurpurn, trocken, variabel, niedrig var. ***púmila*** (*C. pumila*); ***C. sinénsis*** (*C. Willdenowiana*, *C. japonica*), Korea, Japan, Ostchina, bis 20 *m*. Blätter spitz-eilanzettlich oder eirhombisch, unterseits behaart, an jungen Pflanzen beiderseits rauh behaart, Triebe und Fruchtstiele behaart, Früchte mit unregelmäßig grubigen und gerippten Steinen, hart; ***C. Tournefórtii***, kahler kleiner Baum, Sizilien bis Kleinasien, Blätter aus rundlichem Grunde spitzeiförmig, derb, blaugrün, Früchte gelbrot, Steine glatt, nur in südlicheren Lagen hart.

Céltis muku siehe *Aphananthe* oder *Céltis sinensis*. — ***Centroséma*** (*Bradburya*) ***virginianum*** ist eine Schlingstaude; siehe Staudenbuch.

***Cephalánthus occidentális*, Kopfblume, Knopfblume** — Rubiaceen. — Bis

Abb. 144. *Cercis canadensis*, kanadischer Judasbaum, 4 *m*. (Phot. A. Rehder.)

2 *m* hoher, buschiger Strauch (Abb. 141) aus O.-Nordamerika, Blätter einfach, sommergrün, gegenständig, glänzendgrün, Blüten klein, leicht rahmweiß, in gestielten Köpfchen, August, September; Kultur in gutem, feuchtem, schlammigem Boden, auch im Sumpf oder flachen Wasser; Schnitt nach Bedarf im Winter; Vermehrung durch Samen, Sommerstecklinge oder krautige im Haus, Frühjahr; Verwendung als hübscher spätblühender Zierstrauch für Rabatte und Vorpflanzung, verdient mehr Beachtung.

Cérasus siehe unter *Prunus* (Gruppe *Cérasus*).

***Ceratónia Siliqua*, Johannisbrotbaum** — Leguminosen. — Baumartiger Strauch (Abb. 142) oder Baum aus dem östlichen Mediterrangebiet, Blätter abwechselnd, immergrün, 3 bis 5 paarig gefiedert, Blüten unauffällig, am alten Holz, kätzchenförmig, Spätherbst, Fruchthülse bis 20 : 3 *cm*; nur für den Süden des Gebietes von Belang.

Ceratostigma siehe Staudenbuch.

Cercidiphýllum*[25]) *japonicum*, Judasbaumblatt** — Trochodendraceen. — Sommergrüner, japanischer, breit pyramidal wachsender Baum (Abb. 143), in Heimat bis über 35 *m*, Borke tief gefurcht, Blätter einfach, *Cercis* ähnlich, gegenständig, rot gestielt, braunrot austreibend, schöne gelbe Herbstfärbung, Blüten zweihäusig, unscheinbar, aus altem Holze, April bis Mai, kurz vor oder mit Blattaustrieb, Frucht aufspringende Balgfrucht; Kultur in gutem, nahrhaftem, tiefgründigem Boden in freier Lage, nicht zu trocken; Vermehrung durch Samen; Verwendung als hübscher meist mehrstämmiger Parkbaum, der viel mehr Beachtung verdient; vor allem auch var. ***sinénse, noch größer, Blätter unterseits etwas behaart, kürzer gestielt.

***Cércis*, Judasbaum** — Leguminosen. — Hübsch belaubte, sommergrüne, baumartige, malerisch verästelte Sträucher (Abb. 144). Blätter wechselständig, einfach, ganzrandig (knorpelrandig), Blüten vor den Blättern aus altem Holze, gebüschelt oder in hängenden

Trauben bei *racemosa*, hübsch violettrot. Hülsen flach: Kultur in gutem, leicht sandig-lehmigem Gartenboden in etwas feuchter Lage; nicht alt verpflanzen: Sommerschnitt zu üppiger Triebe; Vermehrung durch Samen (Frühjahr) und krautige Stecklinge (Frühjahr, Glashaus); Verwendung als prächtige Frühjahrsblüher im großen Garten und Park, auch im Laub hübsch, in den nördlichen Teilen nur *canadensis* hart genug.

Abb. 145. *Cercis Siliquastrum*, südeuropäischer Judasbaum, 5 *m*. (Orig.: Vép, Ungarn.)

C. canadensis, östliches und mittleres Nordamerika, bis 18 *m*, Blätter sich deutlich kurz zuspitzend, fast kahl, jung unterseits leicht blaugrau, stumpf. Blüten rosarot oder weiß, var. *alba*, Mai (Abb. 144); **C. chinensis**, China-Japan, ähnlich, aber Blätter jung unterseits glänzend grün, Blüten größer und lebhaft violettrot, wohl schönste Art, doch etwas empfindlicher; **C. racemósa**, Mittelchina, bis 12 *m*, Blätter unterseits behaart, Blüten groß, rosa, in vielblütigen Trauben, sehr schön, aber nur für wärmere Gegenden; **C. Siliquastrum** (Abb. 145), SO.-Europa, Orient, selten über 8 *m*, bekannteste Art, Blattspitzen gerundet, Grund tief herzförmig, Blüten dunkelviolettrosa, April bis Mai.

***Cercocárpus parvifolius*, Schweiffrucht** – Rosaceen. – Immergrüner Strauch (Abb. 146) aus W.-Nordamerika, Blätter breitkeilförmig, wechselständig, Blüten weißlichgelb, wenig auffallend, röhrig, ohne Blumenkrone, Früchte mit langem Federschweif; Kultur mühelos in Felspartien in etwas kalkigem, gut durchlässigem Boden und warmer Lage; Vermehrung durch Samen und krautige Stecklinge (Glas); Verwendung für Liebhaber. – Ebenso die ähnliche, robustere *C. betulifolius* und der etwas empfindlichere *C. ledifolius* mit Rollblättern.

***Céstrum Parqui*, Hammerstrauch** – Solanaceen. – Buschiger, bis 2 *m* hoher, unangenehm riechender Strauch aus Chile, Blätter sommergrün, abwechselnd, einfach, Blüten grünlichgelb, duftend, trugdoldig-rispig. Frucht violettbraune saftige Beere; Kultur in nahrhaftem, leichtem Boden; Vermehrung durch Teilung und Stecklinge (unter Glas); Verwendung unter guter Laubdecke, da zwar zurückfrierend, aber neu treibend und jedem Sommer blühende meterhohe Büsche bildend.

Abb. 146. *Cercocárpus parvifolius*, Schweiffrucht, 1 *m*. (Phot. A. Purpus.)

Chaenoméles (*Cydónia*), **Scheinquitte** Rosaceen. – Sommergrüne, kleine oder höhere Sträucher, Blätter einfach, wechselständig, Nebenblätter groß, laubartig. Blüten gebüschelt, ansehnlich, rot, rosa, weiß, purpurn, kurz vor oder mit den Blättern im zeitigen Frühjahr, Früchte quittenartig, wie Quitte verwertbar; Kultur in jedem Gartenboden in sonniger Lage; Schnitt: Auslichten nach Blüte; Vermehrung durch Samen (stratifizieren), Stecklinge und Wurzelschnittlinge, die Sorten auch durch Veredlung auf *C. japonica* und *Cydonia vulgaris*; Verwendung siehe Arten.

Abb. 147. *Céstrum Parqui*, 1,40 *m*. (Phot. A. Purpus.)

C. (*Pyrus*) ***japónica*** (*C.* ***lagenária***), **japanische Quitte,** Heimat China, sparriger Strauch bis 3 *m*, dornig, Blätter glänzend tiefgrün, länglich-elliptisch bis oboval, kahl, Blüten im März bis April (Mai), zu 2 bis 6, scharlachrot, in vielen Farbensorten, wie: „Baltzi" groß, karmesin, „cardinalis", groß, tief scharlach, „sanguinea plena", blutrot gefüllt, „Simonii", halbgefüllt, dunkelkarmin, „candida", weiß, „Gaujardii", lachsorange usw., Früchte stark duftend; für Gruppen und Rabatten, auch Hecken, prächtigste Frühjahrsblüher; var. **Wilsonii** (*C. lagenaria* var. *Wilsonii*), Mittelchina, üppig, pyramidaler Wuchs, Früchte sehr groß, hart; **C.** (*Pyrus*) ***Maulei*** (*C. alpina, C. pygmaea, C. japonica* neuerer Autoren), niedriger als vorige, Triebe behaart, Blätter mehr oboval, gröber gezähnt, Blüten orangescharlach, Frucht mehr kugelig, oft im Herbst wieder blühend; var. ***alpina*** (*C. japonica* var. *alpina*, *C. Sargentii*), noch kleinere niederliegende Gebirgsform, sehr reichblütig, Früchte aprikosenfarben, für Felsanlagen; die jetzt ebenfalls eingeführte, der *japonica* sehr nahe stehende **C.** (*Pyrus*) ***cathayénsis*** aus Mittelchina weicht ab durch schmallanzettliche, unterseits jung behaarte Blätter mit feiner scharfer Zähnung, Früchte sehr groß. — Eine Hybride zwischen den beiden ersten Arten ist ***C. supérba*** Rehd. (*C. Maulei* var. *superba*, *Cydonia Maulei* var. *atrosanguinea* und var. *superba*), hierher var. *alba*, weiß (*C. Maulei* var. *alba*), var. *rosea*, rosa (*C. Maulei* var. *grandiflora rosea*) und var. *perfecta*, scharlach (*C. Maulei grandiflora perfecta*).

Abb. 148. *Chaenomeles Maulei* var. *alpina*, 60 *cm*. (Phot. A. Purpus.)

Chaenomeles sinensis siehe *Pseudocydonia*.

Chamaebátia foliósa Rosaceen. — Niedriger, weich und drüsig behaarter, aromatischer, Ausläufer treibender Strauch aus Kalifornien, Blätter sommergrün, wechselständig, dreifach fein gefiedert, Blüten weiß, ebensträußig, Juni bis Juli; Kultur in leichtem, durchlässigem, lehmigem Boden; Vermehrung durch Samen (Frühjahr) oder halbreife Stecklinge unter Glas; Verwendung nur für Liebhaber, tritt in *Sequoia*-Wäldern auf und dürfte halbschattig in Felspartien am besten fortkommen.

Chamaebatiária Millefolium (*Sorbária, Spiraea* oder *Basilima Millefolium*) Rosaceen. Aufrechter, bis 2 *m* hoher, klebrig-drüsig behaarter Strauch (Abb. 149) aus NW.-Amerika, Blätter fein doppelt gefiedert, Blüten weiß, in endständigen Scheintrauben, im Juli bis August, Frucht lederig; Kultur in durchlässigem, kalkhaltigem Boden auf der

Felspartie oder Rabatte in sonniger, warmer Lage, im Norden nicht hart; Schnitt kaum nötig, sonst im Winter; Vermehrung durch Samen (Frühjahr), Sommerstecklinge und Teilung nach Anhäufeln; Verwendung als hübscher Gartenstrauch. Treibt sehr früh aus!

Abb. 149. *Chamaebatiaria Millefolium*. 1 *m*.
(Phot. A. Purpus.)

Chamaebuxus alpestris siehe *Polygala*. — ***Chamaecérasus*** siehe *Lonicera*. — ***Chamaecistus procúmbens*** siehe *Loiseleuria*.

Chamaedáphne (*Cassandra, Lyonia*) ***calyculata*, Lederblatt** — Ericaceen. — Kleiner, bis 0,5 *m* hoher, in Tracht an *Vaccinium uliginosum* erinnernder, immergrüner Strauch aus dem nördlichen Teile der gemäßigten Zone, Zweige und Blätter beschülfert, Blüten weiß, in beblätterten einseitswendigen Scheintrauben, April bis Mai, Kultur usw. wie *Andromeda polifolia*, liebt feuchte torfige Lagen; Verwendung in Felsengarten, besonders auch var. *nana* (*Andromeda vaccinoides* Hort.), kaum 20 *cm* hoch.

Chamaédrys siehe *Teucrium*.

Chilópsis lineáris (*Ch. saligna*) — Bignoniaceen. — Mexikanisch-südkalifornischer Schlingstrauch mit weidenartigen Blättern und bignonienartigen Blüten. Nicht in Kultur, höchstens fürs Mediterrangebiet. (Näheres siehe C. Schneider, Ill. Handb. d. Laubholzk. II., S. 621.)

Chimonánthus (*Calycanthus, Meratia*) ***praecox*** (*C. fragrans*), **Winterblüte** — Calycanthaceen. — Bis 2,5 *m* hoher, sommergrüner Strauch aus Nordchina, Japan, Blätter gegenständig, einfach, glänzend hellgrün, oberseits rauh, außen gelblich, innen purpurbraun, im Februar bis März am alten Holze, stark duftend, sonst wie *Calycanthus*; Kultur und Vermehrung wie dieser; Schnitt nach Blüte nur wenn nötig; Verwendung für warme südliche Lagen, sonst erfrieren die Blüten, an Riviera fast wintergrün, sehr schöner Frühblüher; besonders var. *grandiflora* (*C. fragrans* var. *grandiflora* oder var. *lutea grandiflora*), Blüten größer, lebhafter gefärbt.

***Chiógenes hispidula*, Schneeheide** — Ericaceen. — Rasiger, aromatischer, immergrüner Zwergstrauch aus dem nördlichen Nordamerika mit rauhhaarigen Zweigen, wechselständigen, 2reihigen, rundlichen Blättchen, winzigen, weißlichen glockigen Blütchen im Mai und weißen, rauh behaarten Beeren; nur für erfahrene Gehölzfreunde im feuchten Moorbeet auf Sphagnum, wie *Vaccinium Oxycoccus* zu behandeln, schwierig. (Näheres siehe C. Schneider, Ill. Handb. d. Laubholzk. II., S. 539.)

***Chionánthus*, Schneeblume** — Oleaceen. — Sommergrüne Sträucher oder baumartig. Blätter gegenständig, einfach, ganzrandig, Blüten rispentraubig, aus seitlichen Knospen am Ende vorjähriger Triebe, weiß, zweihäusig, mit linealen Kronblattabschnitten, Frucht harte, einsamige, dunkelblaue Steinfrucht; Kultur in frischem, lehmig-sandigem Boden in geschützter sonniger Lage; Schnitt kaum notwendig; Vermehrung durch Samen (stratifizieren) nicht sehr zu empfehlen, Anzucht aus krautigen Stecklingen getriebener Pflanzen besser und durch Ableger, auch Veredelung auf *Fraxinus Ornus* gebräuchlich; Verwendung als sehr hübsche Blütensträucher im großen Garten und Park, in rauheren Lagen Bodendecke (und wenn nötig etwas Schutz).

C. retúsa (*C. chinensis*), China, (Abb. 150), breiter Strauch, in Heimat kleiner Baum, Blütenstände aufrecht über den Blättern, Juni bis Juli, Blüten etwas duftend; ***C. virginica*** (*Ch. virginiana* Hort.) aus NO.-Nordamerika (Abb. 151), 2 bis 10 *m*. Blütenstände, unter den jungen Blättern, hängend, Mai bis Juni; weibliche Pflanzen auch zur Fruchtzeit im Herbst hübsch.

***Choisya ternata*, Orangenblume** — Rutaceen. — Immergrüner, bis zirka 1 *m* hoher Strauch aus Mexiko, Blätter 3zählig, gegenständig, Blüten orangeduftend, weiß, bis 4 *cm* Durchmesser, in end- oder achselständigen Trugdolden, bei uns meist erst im Sommer, Frucht mit fünf Teilfrüchten; Kultur

Abb. 150. *Chionanthus retusa*, Blütenzweige, 75 *cm*. (Carl's Veitch and Sons.)

Abb. 151. *Chionanthus virginica*, Schneeblume, 3 *m*. (Phot. A. Rehder.)

Abb. 152. *Cistus laurifolius* im üppigsten Gedeihen in Malonya
(phot. C. Schneider; aus der „Gartenschönheit").

in steinigem Kalkboden in wärmster Lage, sonnig und trocken; Schnitt kaum nötig, sonst nach Blüte; Vermehrung durch Stecklinge; Verwendung in den südlichsten Gegenden; sehr empfindlich gegen Frost.

Abb. 153. *Citrus trifoliata*, japanische Limone, 2,30 *m*.
(Phot. A. Purpus.)

Christdorn, Christusdorn siehe *Gleditschia* und *Paliurus*. ***Chrysobótrya intermedia*** siehe *Ribes aureum*.

***Cinnamómum Camphorá*, Kampferbaum,** und andere Arten dieser immergrünen Lauraceen-Gattung werden gelegentlich in Südtirol kultiviert und blühen und fruchten dort. Sonst nur fürs Kalthaus.

***Cissus antárctica*, Känguruhwein:** dieser in unseren Kalthäusern nicht seltene immergrüne australische Klimmer hat sich in Südtirol zuweilen ziemlich lange im Freien gehalten.

Cissus brevipedunculáta siehe *Ampelopsis*. — ***Cissus oligocárpa*** siehe *Columélla*.

***Cístus*, Cistrose** — Cistaceen. — Niedrige, im Süden höhere Sträucher. Blätter gegenständig, sommer- oder immergrün, einfach, Blüten meist schön und ansehnlich, aber von kurzer Dauer, zu 1 bis 5, Mai bis Juni. Frucht vielsamige Kapsel; Kultur in gut durchlässigem, leichtem, kalkigem Boden in recht warmer, sonniger Lage; Rückschnitt, wenn nötig, gegen Frühjahr; Vermehrung durch Samen (Frühjahr), Ableger und krautige oder reife Stecklinge;

Verwendung in südlichen Gegenden, doch hat sich *C. laurifolius* in Malonya sehr bewährt und verdient große Beachtung als wichtige Immergrüne. Weitere Arten wären zu erproben, wie z. B. *C. Loretii*, die Hybride von *C. ladaniferus* mit *C. monspeliensis*.

C. ladaniferus, Mediterrangebiet, bis 1 *m*, klebrig, Blätter immergrün, lanzettlich, oberseits glänzend grün, fast sitzend, Blüten weiß, mit rotem Grundfleck, Kelch gelbschuppig, schönste Art, aber nicht so hart wie ***C. laurifolius***, ebendaher, bis über 1 *m*, Blätter mehr oval, nicht drüsig, deutlich gestielt. Kelch büschelhaarig, Blüten weiß mit gelbem Fleck. Juni bis August, wertvoll!; ***C. villosus***, östliches Mediterrangebiet, bis über 1,5 *m*, Blätter beiderseits filzig, Blüten rosa bis purpurn, ohne dunklen Grundfleck, ebenso empfindlich wie *C. salvifolius*, Blüten weiß mit gelbem Nagel.

Abb. 154. Blütenzweig von *Citrus trifoliata*.
(Phot. A. Purpus.)

Citharéxylon Verbenaceen. — Südamerikanisch-mexikanische Gattung, die für uns wohl nur Kalthauspflanzen liefert. In Südtirol findet man gelegentlich *C. reticulatum* im Freien, doch friert es meist zurück, treibt aber wieder aus. Siehe auch *Rhaphithamnus*.

Abb. 155. *Cladrastis lutea*, Gelbholz.
(Phot. Graebener, Karlsruhe.)

Citrus[26]), **Zitrone** — Rutaceen. — Von diesen Gattungen dürften für uns nur die zwei unten genannten Arten von Belang sein, doch gedeihen in den mediterranen Lagen des Gebietes auch *C. sinensis* (*C. Aurantium* var. *sinensis*), die Apfelsine, *C. Limonia* (*C. medica* var. *Limon*, *C. Limonum*), die Zitrone, und *C. nobilis*, die Mandarine, im Freien. Es sind altbekannte Kalthauspflanzen. Die wertvollste harte Art, außer *trifoliata*, dürfte vielleicht *C. ichangensis* aus Mittelchina werden, sie besitzt geflügelte Blattstiele und einzeln stehende Blüten.

C. japonica (*C. Aurantium* var. *japonica*; ***Fortunella japonica***), Japan, Strauch bis 1 *m*, nicht dornig, Blätter immergrün, einfach, unterseits dicht drüsig, Blüten wie bei der Apfelsine, Frucht kugelig, 4 bis 5 *cm* dick, orange, mit rötlichen Tupfen, Früchte werden mit Schale gegessen, dürfte härteste Art der Gruppe *Eucitrus* sein; ob in Freiland-Kultur versucht?; ***C. trifoliata*** (*C. trifolia*, ***Poncirus trifoliata***, ***Aegle sepiaria***,

(Triphasia trifoliata und *Limonia trifoliata* der Gärten*)*, Japan, bis über 2 *m* hoher Dornstrauch, Zweige flach, grün, Blätter sommergrün, gedreit (bis 5zählig), durchscheinend gepunktet, Blüten weiß, orangenduftig, Mai, Frucht gelb, walnußgroß, ungenießbar; ziemlich hart, liebt Halbschatten, durchlässigen Boden. Vermehrung durch Samen, interessanter Strauch für Liebhaber (Abb. 153 bis 154.)

Abb. 156. *Cladrastis sinensis*, 12 *m*, in der Heimat in Zentralchina, Szetschwan: Washan. (Phot. E. H. Wilson; mit Genehmigung von Professor C. S. Sargent.)

Cladothamnus pyrolaeflorus Ericaceen. – Aufrechter, kahler, sommergrüner Strauch aus dem nordw. Nordamerika, 1 bis 3 *m*, Blätter einfach, lanzettlich-oboval, Blüten einzeln, rosa, treiblättrig, Juni; Kultur in etwas moorig-sandigem Boden und Halbschatten; nur für erfahrene Gehölzkenner, aber hart. (Näheres C. Schneider, Illustr. Handb. Laubholzk. II., Seite 467.)

***Cladrástis*, Gelbholz** – Leguminosen. Mittelhohe Bäume. Borke glatt, Knospen nackt, im Sommer durch Blattstielbasis verborgen. Zweige brüchig. Blätter sommergrün, unpaar gefiedert. Herbstfärbung schön gelb. Blüten in Rispentrauben. Juni bis Juli. Fruchthülse spät aufspringend; Kultur in jedem guten frischen Gartenboden; Vermehrung durch Samen (Frühjahr) und Ableger (Absenker) im Frühjahr oder Herbst; Verwendung als hübsche Einzelbäume.

C. lútea *(C. tinctoria, Virgilia lutea)*, südöstl. Vereinigt. Staaten, bis über 20 *m*, Tracht wie Abb. 155, Triebe und Blätter kahl. Blättchen 7 bis 9. Blütenstände hängend, bis 50 *cm*, Blüten weiß, duftend, Juni; wertvoller Zierbaum; ***C. sinénsis***, Westchina, (Abb. 156) abweichend durch rostbraun behaarte Triebe, 11 bis 13 behaarte Blättchen, leicht rosafarbene Blüten in aufrechten verzweigten Rispen, Juni bis Juli; auch hart; die japanische seltene ***C. platycárpa*** *(Sophora platycárpa, Platyósprion platycárpum)* hat 9 bis 15 Blättchen und mehr *Sophora*-artige, dichte, aufrechte Rispen mit weißen, gelbgetupften Blütchen.

Cladrástis amurensis siehe *Maackia*.

***Clématis*, Waldrebe** – Ranunculaceen. Meist rankende Sträucher, auch aufrecht, halbstrauchig. Blätter abwechselnd, einfach oder 3zählig oder gefiedert, Blüten meist hübsch, glockig oder breit offen, einzeln oder doldig-rispig, nur Sepalen vorhanden (außer bei der *Atragene*-Gruppe petalenartige Staminodien). Früchte meist mit Haarschweif; Kultur im allgemeinen in jedem guten, recht nahrhaften und durchlässigen Gartenboden (z. B.

leicht sandige Lehmerde mit Heideerde und Kuhdung) in warmer, aber leicht beschatteter, nicht brennend heißer Lage, zum mindestens unterer Teil der Pflanzen geschützt, im Sommer viel Wasser; Schnitt selten nötig, bei den am jungen Holz blühenden Arten Rückschnitt zur Verjüngung zuweilen nötig, so z. B. bei *Jackmanii, lanuginosa, Viticella* im November; bei Arten, die am alten Holz blühen, wird dadurch der Flor auf längere Zeit sehr beeinträchtigt; Vermehrung zumeist durch Veredlung auf Wurzeln von *C. Viticella, C. Vitalba* oder *Flammula* im Hause im Frühjahr; über die Veredlungen sei Folgendes gesagt: Sie können entweder vom Februar bis zum Mai oder vom August bis Mitte September vorgenommen werden. Man besorgt sich etwa bleistiftstarke oder auch etwas schwächere Wurzeln, die einige Haarwurzeln besitzen. Dann schneidet man sie in 5 bis 8 *cm* lange Stücke und veredelt sie durch Spaltpfropfen oder, wenn die Wurzeln stärker als das Edelreis sind, durch Geißfußpfropfen. Dann pflanzt man alle Veredlungen in Töpfe ein und hält sie im Vermehrungshaus bei einer Temperatur von 14 bis 16 Grad Celsius, oder im Sommer in einem geschlossenen Mistbeetkasten, wobei man die Töpfe in Erde oder Sand einfüttert. Sobald eine Verwachsung zwischen Edelreis und Unterlage erfolgt ist, gewöhnt man die Veredlungen nach und nach an die Luft und behandelt sie dann wie junge Pflanzen. Einige Arten, wie *alpina, Flammula, paniculata, Vitalba, Viticella* werden durch Samen vermehrt (Herbst), *C. montana, orientalis, virginiana* u. a. kann man aus reifen Stecklingen unter Glas oder Ablegern erziehen; Verwendung im Garten und Park als prächtig blühende Schlingpflanzen oder die Halbsträucher auf Rabatten; zur Bekleidung von Mauern, Bäumen, Wänden, Lauben usw., über Gestein hängend (z. B. *alpina*), man sorge an Spalieren usw. für gutes Anheften der oft brüchigen Ranken; vergleiche auch bei den Arten [27]).

ALPHABETISCHE LISTE DER ERWÄHNTEN LATEINISCHEN NAMEN.

(Die Ziffern bezeichnen die Seitenzahlen.)

A) (B. siehe S. 152). Kleinblumige Arten und Formen:

I. halbstrauchige, nicht rankende Arten (*C. integrifolia* siehe in „Unsere Freilandstauden"): ***C. Davidiána,*** (*C. heracleifolia* var. *Davidiana*). Nordchina, bis 1 *m*, Blätter 3 zählig, mit großen Blättchen, Blüten gebüschelt, glockig, mit zurückgebogenen Zipfeln, hell indigoblau, duftend, Juli bis September, schöner Herbstblüher für Rabatten; zwischen dieser Art und *C. Vitalba* die hübsche etwas schlingende Hybride ***C. Jouiniána*** (*C. grata* Hort.), Blüten blauweiß, zuletzt offen, in großen Rispen; ferner gehen als ***C. Davidiana hybrida*** gute Lemoinesche Hybriden mit *C. stans* in helleren und dunkleren blauen Tönen, sehr reichblühend (Sorten wie „Azur", „Colombine", „Cypris", „Profusion"); die typische ***C. heracleifolia*** (*C. tubulósa*) ist weniger zu empfehlen, dagegen ***C. stans*** (*C. heracleifolia* var. *stans*), Japan, Blüten weißlich, in verlängerten, endständigen Rispen, noch später blühend als *Davidiana*.

II. Strauchige rankende Arten. — a) Blüten glockig, einzeln achselständig, Sepalen zusammen-

Abb. 157. *Clematis alpina*, Alpenwaldrebe. (Phot. Rehnelt, Botan. Garten Gießen.)

neigend, nur an Spitze zurückgebogen. Staubblätter aufrecht zusammenstehend (siehe auch unten die *Atragene*-Gruppe): ***C. crispa***, südöstl. Vereinigt. Staaten, bis 1 *m*, Blätter gefiedert mit Endblättchen (ohne Ranke), dünn, kahl. Blüten rosa oder violett, halboffen, duftend, Juni bis September, hübsch für warme Lagen; eine hübsche Hybride mit der staudigen *C. integrifolia* ist ***C. cylindrica*** (*C. integrifolia* var. *pinnata* Hort.), Blüten einzeln, blauviolett; ***C. lasiándra***, Mittel- und Westchina, bis 5 *m*. Triebe klebrig, Blätter gefiedert mit 3 zähligen Abschnitten, Blüten gedreit, glockig, rötlich purpurn, September bis Oktober, noch selten; ***C. Rehderiana*** (*C. nutans* var. *thyrsoidea*, *C. nutans* Hort., *C. Buchaniana* Hort.), Westchina, Triebe behaart, Blätter mit 7 bis 9 oft 3 lappigen Blättchen, Blütenstände rispig, aufrecht, Blüten nickend, leicht primelgelb, August bis Oktober, fein duftend, guter Spätblüher; ebenso ***C. Veitchiana*** (*C. nutans* verschied. Gärten), Blätter doppelt gefiedert, Blüten kleiner (Abb. 158); alles wertvolle neuere Arten; ***C. Hendersonii***, eine Hybride von *integrifolia* mit *Viticella*, reich blau blühend; ***C. pseudococcinea***, Hybride von *C. coccinea* mit *C. Jackmanii*, hierher die Sorten „Duchess of Albany", leuchtend rosa, Blüten 5 *cm* lang, „Grace Darling", halb so groß, „Countess of Onslow", violettpurpurn mit Scharlach; ***C. texénsis*** (***C. coccinea***), Texas, bis 2 *m*, gefiedert blättrig, Blätter derb, blaugraugrün, Blüten scharlachrot, Sepalen außen kahl, Juli bis Oktober, schön für warme Lagen; siehe auch oben bei *pseudococcinea*; ***C. Viórna***, O.-Nordamerika, bis 4 *m*, Blättchen meist 5, häutig, grün, Blüten stumpf rot oder bräunlich purpurn, Mai bis Juli, weniger schön als *coccinea*, aber härter und üppiger.

b) Blüten offen, mit ausgebreiteten Sepalen. 1. (2, siehe S. 151), Blüten einzeln, höchstens bei *Viticella* bis 3 blütige Blütenstände. α) kleine Petalen (petaloide Staminodien) vorhanden, Sepalen etwas zusammenneigend, Staubblätter aufrecht; Gruppe *Atragene*: ***C. alpina*** (*Atragene alpina*), Europa bis Sibirien, Nordwestamerika, bis 3 *m*, (Abb. 157), Blätter meist doppelt dreizählig. Blüten blauviolett, bis 6 cm breit, mit 4 Sepalen und vielen Staminodien bei der ostasiatischen var. *sibirica* (var. *alba* Hort., *Atragene sibirica*) gelblichweiß, sehr hübsche harte schon im (April bis) Mai blühende Art; hierher auch var. *rubra*, rot; ferner ***C. macropétala***, Nordchina, Blätter größer, gesägt oder ganzrandig, Blüten größer, violett, Staminodien lanzettlich, schön aber selten, sowie ***C. chrysocóma***, Westchina, alle Teile dicht gelbbraun zottig, Blüte weiß mit rosa, 4 cm breit, Samenschwänze goldbraun seidig, hübsch, versuchswert. *β*) petaloide Staminodien fehlend: ***C. montana*** (Abb. 158), Himalaya, Zentralchina, üppig, Blätter 3 zählig, Blüten weiß, duftend, Mai bis Juni, besonders schön var. *grandiflora*, bis 10 cm breit, var. *rubens*, rosa, siehe Farbentafel X, für warme Lagen sehr zu empfehlen, ferner die Lemoineschen Kreuzungen zwischen den beiden genannten Formen, wie var. *lilacina*, var. *perfecta*; schließlich auch var. *Wilsonii* (*C. repens* Hort.) weiß, August; *C. montana* und ihre Formen verdienen weiteste Beachtung!; ***C. serratifólia*** (*C. koreána* Hort.), Korea, Blätter doppelt 3 zählig, lebhaft grün, kahl, Blüten zu 1 (bis 3), nickend, gelb, August bis September, hart, interessant; ***C. Spooneri*** (*C. montana* var. *sericea*), Westchina, von *montana* abweichend durch unterseits dichtseidig behaarte Blättchen, Blüten groß, Mai, ebenso wertvoll wie *montana*; ***C. tangútica*** (*C. orientalis* var. *tangutica*, *C. eriopoda* Koch.), Tibet, Mongolei, bis 3 m, Blätter grün, gefiedert mit 3 zähligen unteren Fiedern, Blüten sattgelb, nickend, Mai bis Juni, federige Fruchtstände im Herbst, sehr gut; ***C. Viticella*** (Abb. 159), Südeuropa, bis über 3 m, Blätter einfach gefiedert oder wie bei *tangutica*, Blüten mehr breitglockig, lilablau, Juni bis Herbst, siehe Hybriden weiter unten!

Abb. 158. *Clematis Veitchiana*, nickende Waldrebe. (J. Veitch and Sons, Chelsea.)

Abb. 159. *Clematis Viticella*, zur Fruchtzeit. (Orig., Ragusa, Dalmatien.)

2. Blütenstände rispig, 5- bis vielblütig: ***C. apiifolia*** (geht auch fälschlich als *C. brevicaudata* und *C. Pierotii*), Japan, China, bis 5 m, Blätter 3 zählig, Blüten weißlich, Staubblätter mehrreihig im Gegensatz zur ähnlichen *virginiana*, blüht August bis Oktober, Zierwert mäßig; ***C. Armandii***, Mittel- und Westchina, bis 10 m, Blätter

3zählig, immergrün, kahl, Blättchen spitzeilanzettlich, tief grün, Blüten in achselständigen Büscheln, aus altem Holze mit bleibenden Knospenschuppen am Grunde, weiß, 5 *cm* breit, April bis Mai, Früchte seidig geschwänzt, wertvolle Art für warme Lagen; ***C. Flámmula***, Südeuropa, Orient, bis 5 *m*, Blätter einfach oder doppelt gefiedert mit 3zähligen Fiedern, graziös, Blüten weiß oder leicht gelblich, nach Mandeln duftend, großrispig, Juli bis Oktober, ausgezeichnet für warme Lagen; hübsche Hybriden dieser Art mit *C. Viticella* sind: ***C. violácea***, hellviolett und ***C. rubromargináta*** (*C. Flammula* var. *rubromarginata*), Blüten rötlichviolett mit weißem Grunde, prächtiger Herbstblüher; ***C. glauca***, Sibirien, bis 3 *m*, Blätter gefiedert mit 3zähligen Blättchen, kahl, blaugraugrün, Blüten gelblich, Juli bis September, geht oft als folgende, Früchte lang geschwänzt; ***C. orientális*** (*C. graveolens*), Persien bis Himalaya, üppig, bis 8 *m*, wie *glauca*, aber Blätter dünner, Blättchen lanzettlich, Blütenstände ebenfalls wenigblütig, aber Sepalen auch innen behaart, robust; ***C. paniculáta*** (Abb. 160), Japan, bis 10 *m*, wie *Flammula*, aber Blätter einfach gefiedert, Blüten weiß, duftend (ähnlich Weißdorn), sehr empfehlenswert als Spätblüher; ***C. virginiána***, O.-Nordamerika, üppig, wie unsere *Vitalba*, Blätter 3zählig, Blüten rahmweiß, Staubblätter einreihig, zu verwenden wie ***C. Vitalba*** (Abb. 161), Europa bis Kaukasus, bis 12 *m*, Blätter gefiedert, Blüten weiß, leicht nach Mandeln duftend, Juli bis Oktober, nach der Blüte die silbrigen Fruchtstände sehr hübsch.

Abb. 160. *Clématis paniculata.* (Phot. A. Rehder.)

B) Großblumige Arten und Kulturformen:

Die typischen Arten, wie *florida*, *lanuginosa* und *patens* sind nicht oder nur selten echt in Kultur und nur für Gehölzkenner wertvoll; uns interessieren hier die hybriden Gartensorten, aus deren großer Zahl wir folgende hervorheben, deren korrekte Einreihung schwierig ist:

a) *C. Jackmanii* und Verwandte (Kreuzungen von *C. Viticella* oder *C. Hendersonii* mit *C. lanuginosa*): die typische ***C. Jackmanii*** zeigt die Farbentafel X, sie ist intensiv blauviolett, bis 15 *cm* breit, bei var. *alba* weiß, weitere Sorten: „Mme. Grangé", purpurviolett, „Mme. Baron Veil-

Abb. 161. *Clématis Vitalba*, weiße Waldrebe zur Fruchtzeit. (Orig.: Wien, Donauauen.)

Tafel X.

Schönblühende Waldreben.

Clematis Jackmanii.

Clematis montana rubens.

lard", rosa mit lila Hauch, „Prince of Wales", dunkelbraunpurpurn, *purpurea grandiflora*, sehr tief violett, *velutina purpurea*, fast schwarzpurpurn, „Star of India", rötlichblau mit rotem Mittelstreifen. b) *C. lanuginósa*-Hybriden: sie zeigen ziemlich kurz gestielte Blüten und zum Teil einfache oder 3 zählige Blätter, die relativ stark behaart sind, z.B. „Belisaire", mauvefarben; „Madame Lecoultre", weiß mit bläulichem Schein, ähnlich „Madame van Houtte", „Marie Desiossé", weiß, „Sieboldia", hellblau mit rötlichem Mittelstreif, „Ville de Lyon", tief amarantrot. c) *C. flórida*-Hybriden: Blüten stets gefüllt, etwas länger gestielt, Blätter doppelt oder gefiedert 3 zählig, z. B. „Belle of Woking", bläulich lila, „John Gould Veitch", samtartig, gefüllt, „Undine", tief dunkelbraun purpurn; eine Hybride mit *Viticella* ist *C. venosa* (*C. Viticella venosa*), rötlich purpurn. — d) *C. patens*-Hybriden: meist größere Blüten als bei c. Petalen oft 6 bis 8, sich häufig deckend mit den Rändern, Blütenstiele länger, Blätter 3 zählig oder gefiedert, Blättchen ziemlich groß, etwas behaart: „Albert Victor", lavendelfarben, „Duchesse of Edinburgh", reinweiß, gefüllt, „Edith Jackman", rahmweiß, „Louisa", weiß (Abb. 162), „Marie", dunkellilarosa, „Miss Bateman" weiß, „Nelly Moser", weiß mit Rosa, „The Queen" zart lavendelfarben, „Xerxes", dunkelviolett mit karminer Streifung.

Abb. 162. Großblütige *Clématis patens*-Hybride „Louisa", 2 m. (Orig.: Frohnnitz.)

Clematoclethra — Dilleniaceen. — Eine mit *Actinidia* verwandte Gattung meist schlingender sommergrüner Sträucher aus West-China, Zweige mit festem Mark, Winterknospen frei, Blütenstände 1 bis mehrblütig, achselständig, Blüten weiß, fünfzählig. Frucht fast kugelig, beerenartig; Kultur usw. wie *Actinidia*. Bei uns noch kaum versucht.

C. Hemsléyi, bis 8 *m*, Triebe jung behaart, Blätter spitzeilänglich, unterseits auf Nerven bräunlich behaart, Blüten zu 4—12, Frucht schwarz.

Abb. 163. *Clerodéndron Fargesii*, Loosbaum, 3 m. (Phot. A. Purpus.)

Clerodéndron, Loosbaum — Verbenaceen. Bei uns aufrechte, bis über meterhohe oder baumartige Sträucher, Blätter gegenständig, sommergrün, einfach, zerrieben sehr unangenehm riechend. Blüten röhrig, duftend, in Doldenrispen, August bis September. Frucht 4 samige Steinbeere; Kultur in jedem guten Gartenboden, in warmer, sonniger Lage; Rückschnitt nach Bedarf gegen Frühjahr; Vermehrung durch Samen (nach Reife), Stecklinge (unter Glas) und Wurzelteilung; Verwendung als hübsche Spätsommerblüher im Rasen, auf Rabatten; Bodenschutz, frieren oft bis auf den Grund zurück, treiben aber wieder aus. Machen sich oft durch weit ausgreifende Ausläufer lästig.

Abb. 164. *Clethra alnifolia*, Scheineller 1,5 *m*. (Phot. A. Rehder.

C. foetidum, Nordchina, übelriechend, junge Triebe und Blätter bald stark kahlend, Blütenstände endständig, dicht, lilapurpurn, verträgt auch Halbschatten, aber empfindlicher; ***C. trichótomum*** (*C. serótinum*, *Volkameria japonica*), Japan, mehr behaart, Blütenstände locker an seitlichen Trieben vereint, weiß mit gerötetem Kelch, Frucht zuletzt schwarz, hübscher Herbstblüher; ***C. Fargêsii***, Westchina, bis 2,5 *m*, Triebe purpurlich, kobaltblaue Früchte in karminroten Kelchen, die aber anfangs grün sind, siehe Abb. 163, vielleicht härteste Art.

***Cléthra*, Scheineller, Maiblumenbaum** — Clethraceen. Bei uns starke Sträucher. Blätter abwechselnd, sommergrün, einfach, Blüten weißlich, duftend, in Trauben oder Rispen, Juli bis September, Frucht 3klappige Kapsel; Kultur in frischem, gut durchlässigem, nicht zu schwerem Gartenboden, Halbschatten; Schnitt, wenn nötig, gegen Frühjahr; Vermehrung durch Saat (Same sehr fein) und Stecklinge von getriebenen Pflanzen im Frühjahr, oder im August mit etwas altem Holze (Bodenwärme); Verwendung als schönblühende Rabatten- und Gruppensträucher, ferner als Treibpflanze (*C. alnifolia*).

C. acumináta, östliches Nordamerika, bis 6 *m*, Blätter unter Mitte am breitesten, an den Zweigen gehäuft, Unterseiten grau behaart, Blütenstände traubig, einzeln, Staubfäden behaart, im Laub schöner, aber nicht so hart wie ***C. alnifólia***, östliches Nordamerika, bis 4 *m*, Blätter fast ganz kahlend, 7 bis 10 Nervenpaare, Blüten in aufrechten Rispentrauben (Abb. 164), auch für Treiberei geeignet; ***C. barbinervis*** (*C. canescens* Hort.), Nordchina, Japan, wird baumartig, Blätter mit 10 bis 12 Nervenpaaren, in Blüte wohl noch schöner als *alnifolia* und hart; ***C. Fargesii***, Mittelchina, bis 5 *m*, ähnlich voriger, aber Blätter kahler, Blütenstände bis 18 *cm* lang, Staubfäden behaart, sehr vielversprechend.

Cleyéra japónica siehe *Eurya japonica*. Die echte *C. japonica* ist identisch mit *C. ochnacea*. Sie hat ganzrandige Blätter, Zwitterblüten und behaarte Staubbeutel, wogegen *Eurya japonica* gezähnte Blätter, zweihäusige Blüten und kahle Staubbeutel besitzt. Sonst gilt für *Cleyera* das bei *Eurya* Gesagte.

Cliftónia (*Ptelea*) ***monophylla*** (*Mylocaryum ligustrinum*) ist ein mit *Cyrilla* verwandter, südostamerikanischer, immergrüner Strauch mit einzelnen, duftenden weißen Blüten, wohl empfindlicher als *Cyrilla*, siehe diese.

***Cneórum tricoccum*, Zeiland** — Cneoraceen. — Bis über meterhoher, fast immergrüner, kahler Felsenstrauch an den Küsten SW.-Europas, Blätter abwechselnd, dicklich, Blüten an Enden der Triebe achselständig, klein, gelblich, Frucht steinfruchtartig; nur für erfahrene Kenner in wärmsten Lagen versuchswert.

Cócculus (Cébatha) carolinus (*Menispermum carolinum, M. virginicum, Cebatha virginica, Epibatérium carolinum*). **Kokkelstrauch** — Menispermaceen. Bis 4 *m* hoher, schnellwüchsiger, ostnordamerikanischer, weich behaarter, sommergrüner Schlingstrauch (Abb. 165). Blätter glänzend grün, einfach oder stumpf-dreilappig. Blüten zweihäusig, unscheinbar, mit 6 Petalen und 6 Staubblättern, in kurzen, achselständigen Rispentrauben, August. Frucht beerenartig, rot, zierend, sonst analog *Menispermum*, ebenso in Kultur usw., ist aber nicht so hart; härter ist der japanische ***C. trilobus*** (***C. orbiculatus***, *Cebatha orbiculáta, Menispermum orbiculatum, C. Thunbergii*), mehr behaart. Frucht schwarzblau, Oktober, Blätter lange grün bleibend.

Abb. 165. *Cocculus carolinus*. Kokkelstrauch, 2,40 *m*. (Phot. A. Purpus.)

Cocculus affinis siehe *Diploclisia*. — ***Cocculus heterophyllus*** siehe *Sinomeinum*.

Collétia cruciáta (*C. bictoniensis, C. horrida*) ist eine xerophytische, stark dornige, interessante Rhamnacee aus Südbrasilien, Uruguay und Chile. Ob bei uns als Felsenpflanze in wärmsten Lagen versuchswert? Auch in England nur in den mildesten Gegenden hart. (Näheres siehe C. Schneider, Ill. Handb. d. Laubholzk. II., Seite 300.)

Collétia longispina siehe *Discaria*.

Columélla (*Vitis, Cayratia, Cissus*) ***oligocarpa*** ist eine staudige Vitacee aus China, wie *Cissus japonica*, siehe Staudenbuch.

***Colútea*, Blasenstrauch** — Leguminosen. Höhere, sommergrüne Sträucher, Blätter abwechselnd, unpaargefiedert, Blüten hübsch gelb, in wenigblütigen achselständigen Trauben, im Mai bis Juni (Juli), Fruchthülse blasig aufgetrieben; Kultur in jedem nicht zu schweren, durchlässigen, kalkigen Gartenboden in sonniger Lage; Schnitt soweit nötig im Winter oder vor Austrieb; Vermehrung durch Samen (Frühjahr), Sorten auf *arborescens* veredeln (Frühjahr unter Glas); Verwendung als hübschblühende Ziersträucher im Park und Garten, auch für trockenere Lagen, die Blüten erscheinen meist während des ganzen Sommers.

A) Blüten stets gelb oder orange, Hülse ganz geschlossen: ***C. arboréscens***, südlicheres Mittel- und Südeuropa, altbekannter buschiger Zierstrauch, bis 5 *m*, Blättchen 9 bis 13, elliptisch, stumpfgrün, var. *bulláta* (var. *compácta*, var. *pygmaea*), niedrige Form mit 5 bis 7 etwas blasigen Blättchen; sehr ähnlich ist ***C. cilicica*** (*C. longialata, C. melanocalyx* Hort.), Kleinasien, Blättchen meist 11, bläulichgrün, Flügel der Blüte länger als Schiffchen; ***C. brevialáta*** ist eine südwesteuropäische Form mit viel kürzeren Flügeln, die beiden letzten wohl nicht ganz so hart; ***C. média*** ist ein Bastard mit *orientalis*, Blüten orange mit braunen Flecken.

B) Blüten orangerotbraun, Hülse sich an Spitze öffnend: ***C. orientalis*** (Abb. 166), Kaukasus, Transkaukasien, Belaubung derber, blaugraugrün, oft mit *media* verwechselt; hierher auch ***C. grácilis***, Transkaspien, bis 3 *m*, Blättchen 7 bis 9, zierlich. Blüten fast reingelb, Mai, hat sich in Darmstadt hart gezeigt. (Näheres bei C. Schneider, Ill. Handb. d. Laubholzk. II., Seite 85).

Comándra élegans ist eine mehr halbstrauchige, halbparasitische Santalacee aus Südosteuropa, ähnlich *Osyris*. Kaum kulturwert. (Näheres C. Schneider, Ill. Handb. d. Laubholzk. I., Seite 247.)

Comanthosphäce japónica: japanischer, filzig behaarter Halbstrauch aus der Familie der Labiaten, Tracht wie *Elsholtzia*, aber Blätter weniger hängend, Blüten rahmweiß, in hübschen Scheinähren im Spätherbst, hart und für Felspartien geeignet, doch ohne besonderen Wert. (Näheres siehe C. Schneider, Ill. Handb. d. Laubholzk. II., Seite 607.)

Abb. 166. *Colútea orientalis*, Blasenstrauch, im Mittelgrund, 2 *m*.
(Phot. J. Hartmann, Bot. Garten, Dresden.)

Comptónia siehe *Myrica*.

***Convólvulus Cneorum*, Silberwinde** — Convolvulaceen. — Bis 1 *m* hoher, silbrig-goldig behaarter Strauch (Abb. 167) aus Dalmatien, Süditalien, Blätter immergrün, abwechselnd, lanzettlich Blüten in Knospe rosa, dann weiß, am Zweigende gebüschelt, Frucht kapselartig; Kultur in sehr sonnigen, wärmsten Lagen als Felsenpflanze (Kalk), auch an Wand; Vermehrung durch Samen, Sommerstecklinge, Ausläufer und Teilung; Verwendung nur für erfahrene Gehölzfreunde im südöstlicheren Teil des Gebietes.

Coprósma Petriéi — Rubiaceen. — Polsterbildender, immergrüner Kleinstrauch aus Neuseeland, Blätter gegenständig, klein, oval, braun, hell behaart, Blüten weiß, Frucht kugelig, dunkelpurpurn, reichlich erbsengroß; Vermehrung durch reife Stecklinge und Teilung, Verwendung nur für erfahrene Pfleger in Felspartien unter Schutz gegen Bodennässe; ähnlich hart ist ***C. acerósa*** mit linealen Blättchen. (Näheres C. Schneider, Ill. Handb. d. Laubholzk. II., Seite 631.)

Corchorópsis crenata ist eine halbstrauchige, japanisch-chinesiche, noch nicht in Kultur befindliche Tiliacee, deren Einführung nur für besondere Gehölzfreunde Wert hätte. (Näheres C. Schneider, Ill. Handb. d. Laubholzk. II., Seite 366.)

Córchorus siehe *Kerria*.

Coréma (*Émpetrum* ***Cónradii***) — Empetraceen. — Reich und kurz verzweigter, bis 60 *cm* hoher, ost-nordamerikanischer Strauch, sonst an *Empetrum* erinnernd; kaum in Kultur. Was als *C. album*, das nicht aushält, in Kultur geht, ist *Empetrum rubrum*. (Näheres C. Schneider, Ill. Handb. d. Laubholzk. I., Seite 141.)

***Coriária*, Gerberstrauch** — Coriariaceen. — Bis etwa meterhohe, etwas halbstrauchartige Sträucher, Blätter sommergrün, gegenständig oder wirtelig, einfach, Blüten klein, grünlich, in traubigen Blütenständen, Frucht beerenartig, giftig; Kultur in jedem guten Gartenboden in sonniger Lage; Schnitt der frühblühenden Arten nach Blüte, doch meist Rückschnitt im Frühjahr wegen Frost erforderlich; Vermehrung durch Samen,

Sommerstecklinge, Ausläufer; Verwendung als interessante Ziersträucher in warmen Lagen, mit Bodendecke frieren oft stark zurück, treiben aber wieder aus.

C. japónica (Abb. 168), Japan, bei uns kaum über 1 *m*, Triebe 4 kantig, Blätter eilanzettlich, 3 nervig, Blütenstände seitenständig aus altem Holz, im Mai, Blütenblätter zur Fruchtzeit als Fruchthülle dicklich, erst lebhaft rot, dann schwarzviolett, August, härteste Art; ***C. myrtifólia***, SW.-Europa, ähnlich voriger, blüht oft schon April, Fruchthülle erst grüngelb, dann schwarz, Blätter und Früchte giftig!; ***C. sínica*** (Abb. 169), West- und Mittelchina, hat mehr gebräunte Zweige, breitelliptische Blätter, blüht im Mai, Frucht blauschwarz; ***C. terminális***, Westchina, nur halbstrauchig, aber hart wie *japonica* und schmuckvoll, Blütenstände endständig aus jungem Holz, im Juni bis Juli, bis über 10 *cm*, Frucht schwarz oder bei var. *xanthocárpa*, lebhaft gelb, verdient viel mehr Beachtung, ist leicht zu schützen.

Abb. 167. *Convolvulus Cneorum*, Silberwinde, 30 *cm*. (Phot. A. Purpus)

Córnus doméstica siehe *Sorbus domestica*. — ***Corniola mántica*** siehe *Genista mantica*.

Córnus, Hartriegel — Cornaceen. — Meist hohe Sträucher oder baumartig. Blätter meist gegenständig, sommergrün. Blüten klein, weiß oder gelblichweiß, in Rispen, Trugdolden oder Köpfchen, im letzten Falle von blumenblattartigen Hüllblättern umgeben. Früchte beerenartige Steinfrüchte, weiß, schwarz, bläulich oder rot, meist September; Kultur fast in jedem genügend feuchten Boden, sonnig oder schattig, vergleiche die Arten; Sommerblüher nach Bedarf im Winter, oft stark, zurückschneiden; Vermehrung der Arten mit weidenrutenähnlichen Trieben, wie *alba*, *stolonifera* usw. durch reife Stecklinge, im allgemeinen durch Samen und Ableger, Formen durch Veredlung auf Stammart; Verwendung als Deck- und Ziersträucher, zum Teil recht wertvoll, vergleiche unten.

ALPHABETISCHE LISTE DER ERWÄHNTEN LATEINISCHEN NAMEN

(Die Ziffern bezeichnen die Seitenzahlen.)

A) Blätter wechselständig: ***C. alternifólia*** (*Svida alternifolia*), O.-Nordamerika. Strauch bis baumartig, Zweige glänzend braunpurpurn, Blätter bis 9 *cm* lang, unterseits blaugrün, Nervenpaare 5 bis 6, Blüten rahmweiß, Dolden bis 9 *cm* breit, Mai bis Juni, Frucht dunkelblau, September, hübsch, liebt feuchte Lagen; ***C. controvérsa*** (*C. brachýpoda* Hort.

zum Teil. *C. macrophylla* Hort.), Himalaya bis Japan, ähnlich voriger, aber mehr baumartig, in Heimat bis 20 *m*, breit verästelt, Blätter bis 15 *cm*, Nervenpaare 6 bis 9, Blütenstände bis 12 *cm*, Frucht glänzend schwarz, von Vögeln sofort verzehrt, schöner als *alternifolia* und hart, auch trokkenere Lagen.

Abb. 168. *Coriária japonica*, japanischer Gerberstrauch, 80 *cm*. (Phot. A. Purpus.)

B) Blätter gegenständig: 1. Blütenstände rispig oder trugdoldig, nicht gebüschelt und ohne Hüllblätter am Grunde; Früchte nicht rot: ***C. alba*** L. (*C. tartárica* h), Nordasien, bis über 3 *m*, Zweige glänzend blutrot oder bei var. *sibírica (C. sibirica)* lebhaft korallenrot, Blätter kurz zugespitzt, unterseits weißlich, Blütenstände klein, flach, Mai, eine der frühesten, Früchte blauweiß, etwas länger als dick; besonders die Varietät im Winter der Holzfarbe halber sehr geschätzt, ferner var. *Spaethii*, Blätter goldrandig oder goldgelb, eines der besten bunten Gehölze, var. *Kesselringii* (*C. Kesselringii*), Zweige fast schwarzrindig, Blätter dunkel austreibend; ***C. Amómum*** (*C. sericea, C. caerulea*), Seiden-Hartriegel, 1 bis 4 *m*, junge Triebe purpurn, Blätter unterseits grünlich, silbrig und rostbraunseidig, Blütenstände flach, weiß, Juni, Früchte lebhaft blau, gut für Ufer, breitet sich weit aus; ***C. Arnoldiána***, hübsche Hybride zwischen *C. obliqua* und *C. racemósa*, blüht nach dieser, fruchtet spärlich, weißlich; ***C. asperifólia***, Ost-Nordamerika, bis 5 *m*, Zweige rauhlich behaart, Blätter breitoval, unterseits graufilzig, Früchte weiß, wegen Belaubung zu empfehlen; ***C. Baileyi***, NO.-Vereinigt. Staaten, ähnlich *stolonifera*, aber ohne Ausläufer, aufrecht, Triebe dunkelrot, Blätter unterseits weißlich, wollig und seidig behaart, prächtig gefärbt im Herbst, Blütenstände wollig, sehr lange und reichblühend, sehr wertvoll für Sandboden!; ***C. brachýpoda*** (*C. ignoráta, C. Thelycánis, C. Theleryána* Hort.), Japan, China, kleiner Baum, Blätter breit elliptisch, glänzend grün, unterseits weißgrau, Blütenstände breitrispig, erst im Juli, Frucht fast schwarz, ganz ähnlich ist ***C. macrophylla*** Wall. (*C. corynostýlis*), Himalaya, aber heikler; beide recht hübsch im großen Park; ***C. Bretschneideri*** (*C. áspera*), Nordchina, bis 4 *m*, Zweige grün oder purpurn überlaufen, Blätter stumpfgrün,

Abb. 169. *Coriária sinica*, chinesischer Gerberstrauch, 60 bis 70 *cm*. (Phot. A. Purpus.)

unterseits grau, breit elliptisch, Blüten im Juni; ***C. glabráta***, W.-Nordamerika, bis 2 *m*, Zweige dünn, hängend, Blätter schmalelliptisch, beiderseits glänzend hellgrün, Frucht blaulichweiß, für warme Lagen im Garten, nicht ganz hart in rauhen Gebieten; ***C. Hémsleyi***, Westchina, bis 6 *m*, Zweige rotbraun bis purpurn, Blätter eiförmig, Nervenpaare 6 bis 7, unterseits weißgrau behaart, Blütenstände flach, Frucht blauschwarz, neu in Kultur; ***C. Hessei***, Zwergstrauch bis 0,5 *m*, schwärzlichgrün belaubt, im Herbst dunkelpurpurviolett, Früchte weißlichblau, hübsch im Garten; ***C. obliqua*** (*C. Purpusii*), NO.-Vereinigte Staaten, steht *Amomum* nahe, aber Blätter schmäler, unterseits blaugrau, ohne Rosthaare; ***C. paucinervis*** (*C. quinquenérvis*), Mittelchina bis 1,25 *m*, Zweige 4kantig, Blätter fest, unterseits grün, angepreßt behaart, nur 3 bis 4 Nervenpaare, Blütenstände flach, Juni, Frucht schwarz, etwas wintergrün, für warme Lagen wertvoll; ***C. púmila*** (*C. mas* var. *nana*), dicht und langsam wüchsig, bis fast 2 *m*, Belaubung sehr dunkelgrün, Frucht schwarz; ***C. racemósa*** (***C. candidissima***, *C. paniculáta*, *C. oblongata*), bis 5 *m*, Zweige graubraun, Blätter unterseits weißlich, Blüten in pyramidalen Rispen, nicht flach ebensträußig, Juni, Früchte weiß, Fruchtstände gerötet, recht zierend; ***C. rugosa*** (***C. circinata!***), O.-Nordamerika, bis 3 *m*, Frucht kompakt, junge Triebe grün, warzig, dann purpurn, Blätter auffällig rundlich, unterseits wollig-filzig, Fruchtstände rot, Frucht blau, Belaubung dekorativ, verträgt gut Schatten, auch trockenere Lagen; ***C. sanguínea***, Europa-Orient, bis 4 *m*, Triebe stumpfgrün (besonders bei var. *viridissima*), sonnenseitig gerötet, Blätter locker behaart, Blüten ziemlich weiß, Mai bis Juni, Frucht schwarz, wertvoller Deckstrauch, Unterholz; ***C. stolonífera*** (*C. alba* Wangh. und der meisten Gärten!), O.-Nordamerika, durch Ausläufer, länger zugespitzte Blätter, etwas spätere Blütezeit und mehr kugelige Früchte abweichend, Holz mehr braunrot, bei var. *flavirámea*, hellgelb, auch buntblättrige Formen, z. B. var. *elegans* und var. *Behnschii*; ***C. Walteri*** (*C. Wilsoniana* Hort.), Mittelchina, baumartig, Blätter spitz elliptisch, unterseits hell-

Abb. 170. *Cornus macrophylla*, Blattzweige mit jungen Blütenständen. (Phot. A. Purpus.)

Abb. 171. *Cornus officinalis*, japanische Kornelkirsche, 2,30 *m*. (Phot. A. Purpus.)

grün, Nervenpaare 4 bis 5, Blütenstand ebensträußig, Griffel keulig, Frucht schwarz; die echte *C. Wilsoniana* (Abb. 172) noch nicht in Kultur, steht *macrophylla* nahe, Blätter unterseits weißlich, Griffel zylindrisch.

Abb. 172. *Cornus Wilsoniana*, 20 *m*, in der Heimat Zentralchina, W.-Szetschwan: Vorgebirge des Chin-Tsing shan.
(Phot. E. H. Wilson; mit Genehmigung von Professor C. S. Sargent.)

II. Blüten gebüschelt oder kopfig mit Hüllblättern. — a) Hüllblätter bald abfallend, grünlich, Blüten gelb, vor Blattausbruch (Gruppe *Macrocarpium*, **Kornelkirsche**): ***C. mas*** (*C. máscula*), unsere bekannte Kornelkirsche, blüht März bis April, Frucht rot, länglich, eßbar, September, der Typ sehr guter Deck- und Schattenstrauch, auch für Hecken; hübsch var. *argenteomarginata*, weiß gerandete Blätter; schöner ist ***C. officinalis*** (Abb. 171), japanische Kornelkirsche, abweichend durch schärfer und länger zugespitzte, mehrnervige Blätter mit deutlichen bräunlichen Achselbärten unterseits, schöne rote Herbstfärbung, prächtiger Frühblüher.

b) Hüllblätter groß, blumenblattartig, Blüten nach dem Blattausbruch: — 1. Früchte kopfig gedrängt aber nicht verwachsen (Gruppe *Benthamidia* oder *Cynoxylon*, **Blumenhartriegel**): ***C. flórida*** (Abb. 173 und 174), O.-Nordamerika, bis 6 *m*, Herbstfärbung ganz prächtig, Blätter oberseits in den zartesten und leuchtendsten roten und violetten Tönen, unterseits hellgrün bleibend, Blütenköpfchen bis 14 *cm* breit, weiß, Mai, Frucht scharlach, liebt warme, halbschattige Lage und guten, etwas humosen Boden, schön und selten aber heikler die rot blühende var. *rubra*. — 2. Früchte zu fleischigem Kopf verschmolzen (Gruppe *Benthamia*): ***C. Kousa*** (*Benthamia japonica*), Japan, Strauch oder buschiger Baum, bis 7 *m*, Blätter keilig, spitz-eiförmig, Herbstfärbung scharlach, Brakteen spitz eiförmig, Juni; hübsch und hart; die himalayisch-westchinesische *C. capitáta (Benthamia fragifera)* ist ein immergrüner Baum, der nur in den wärmsten Teilen des Gebietes im Freiland zu versuchen ist (Südtirol).

Corókia Cotoneáster — Cornaceen. — Breit verbogen verzweigter immergrüner, neuseeländischer Strauch (Abb. 175), Blätter abwechselnd, klein, spatelig unterseits weißfilzig, Blüten zu 1 bis 4, gelb-weiß, klein, duftend, Mai, Frucht einsamige Steinfrucht; Kultur nur in wärmsten Teilen des Gebietes geschützt (an Wand) in gut durchlässigem Boden; Vermehrung durch reife oder halbreife Stecklinge, in milderen Gegenden auch durch Ableger; Verwendung nur für erfahrene Liebhaber in Felspartien usw.

***Coronilla Émerus*, Kronwicke** — Leguminosen. — Rutig verästelter, bis 2 *m* hoher, sommer-

Abb. 173. *Cornus florida*, Blumenhartriegel, 3 *m*. (Phot. A. Rehder.)

grüner Strauch aus dem südlicheren Mitteleuropa, Mediterrangebiet und Orient, Zweige grün, kantig, Blätter abwechselnd, unpaar gefiedert, Blättchen meist 9, später kahl, Blüten gelb, mit rötlichen Streifen, in gestielten Achseldolden, Fruchthülsen etwas gegliedert; Kultur in jedem nicht zu schweren, durchlässigen Boden; Schnitt nur nach Bedarf nach Blüte; Vermehrung durch Samen (Frühjahr), Sommerstecklinge, Steckholz und Anhäufeln; Verwendung als harter, Mai bis Juli blühender Zierstrauch in warmen Lagen, gern auf Kalk; etwas empfindlicher ist gegen den Norden var. *austriaca* (*C. emeroides*). Die Arten *C. valentina* und *C. juncea*, Dalmatien bis Spanien, Algier sind noch empfindlicher, erste *Emerus*-ähnlich, letzte mit binsenartigen blattlosen, hohlen Trieben; nur für Gehölzfreunde.

***Corylópsis*, Scheinhasel** — Hamamelidaceen. Bis über meterhohe, hübsch bläulichgrün belaubte, sommergrüne Sträucher. Blätter zweizeilig. Blüten vor dem Blattausbruch im April bis Mai, hellgelb in achselständigen, von großen hellgelben Tragschuppen gestützten Ähren, Frucht aufspringende, 2 hörnige Kapsel; Kultur in durchlässigem Boden und warmer Lage, im

Abb. 174. Blütenzweig von *Cornus florida*. (Phot. A. Purpus.)

Norden Decke; Vermehrung durch Samen (Glashaus), Sommerstecklinge und Ableger; Verwendung als reizende duftende Frühlingsblüher auf Rabatten, in großen Gesteinsanlagen usw., vertragen Halbschatten.

Abb. 175. *Cordkia Cotoneaster*, 80 *cm*. (Phot. A. Purpus.)

C. gotoána, Japan, bis 1,5 *m*, Blüten zart kanariengelb, im Arnold Arboretum als härteste und beste Art erprobt; ***C. pauciflóra***, Japan, kaum bis 1 *m*, vielästig ausgebreitet, Blätter schief-herzförmig, 10 bis 12 nervig, unterseits blaugrau, an Nerven seidig, Blüten in nur 2 bis 3 blütigen Trauben, primelgelb, ziemlich groß, offen; ***C. platypétala***, Mittelchina, bis 1,5 *m*, junge Triebe verstreut drüsenborstig, Blätter herzeiförmig, bald kahl, Blütenstände bis 20 blütig, Petalen breit beilförmig, hellgelb, mäßig auffällig; ***C. spicáta***, Japan, bis 1,5 *m*, junge Triebe und Blattunterseiten behaart, 7 bis 9 nervig, Blütenstände 6 bis 12 blütig, Blüten lebhaft gelb, vor *pauciflora*, etwas härter; ***C. Veitchiana***, Mittelchina, aufrecht, bis 1,5 *m*, Triebe und reife Blätter kahl, Blütenstände bis über 12 blütig, Blüten primelgelb, mit vorragenden rotbraunen Antheren; ***C. Willmóttiae***, Mittelchina, bis 3 *m*, aufrecht, Triebe kahl, braun, Knospen gestielt, bleichgrün, Blätter unterseits blaugrau und behaart, Blüten etwas grünlichgelb, interessant.

Córylus[32]), **Haselstrauch, Haselnuß** — Betulaceen. — Allbekannte, sommergrüne Sträucher, seltener Bäume, mit 2 zeiligen Blättern, männliche Blütenstände nackt überwinternd, weibliche zur Blütezeit knospenförmig, nur rote Narben vorragend, Frucht Haselnuß; Kultur in jedem Gartenboden, vertragen viel Schatten; Vermehrung durch Samen (Herbst) oder stratifizieren, Ausläufer, Ableger, Anhäufeln, Veredlung auf Wurzelhals im Hause; Verwendung der Strauchformen als Ziersträucher und vor allem Deckgehölze im Schatten; *C. Colurna* und *chinensis* bilden hübsche Parkbäume, die Früchte fast stets sehr wohlschmeckend.

ALPHABETISCHE LISTE DER ERWÄHNTEN LATEINISCHEN NAMEN.
(Die Ziffern bezeichnen die Seitenzahlen.)

A) Fruchthüllen stachelig, kastanienartig, Antheren purpurn: ***C. tibética*** (*C. ferox* var. *thibetica*), Mittel- und NW.-China, Baum bis 6 *m*, Triebe kahl, dunkelbraun, Blätter breitoval bis oboval, Nervenpaare 12 bis 14, Unterseiten etwas blaugrau, wenig behaart, noch seltene, wertvolle Art, siehe Abb. 176. — B) Fruchthüllen nie stachelig, Antheren gelb oder purpurn: I. Zweige brüchig, Rinde bald korkig, Bäume: ***C. chinénsis*** (*C. Colurna* var. *chinensis*), Westchina, ähnlich *Colurna* aber noch höherer Baum, Triebe und Blattstiele weich und seidig behaart, Blätter feiner sägezähnig, Grund ungleicher, Antheren purpurn, Spitze behaart, Fruchthülle über Frucht geschlossen, mit wenigen breiten ganzrandigen Lappen ohne Drüsen.

vielversprechend; ***C. Colúrna***, Baumhasel, türkische Hasel, Südeuropa-Orient, bis 20 *m*, Antheren gelb, kahl, Fruchthülle offen, tieflappig, geschlitzt, drüsig, schöner pyramidaler Baum; wertvoll ein Bastard mit *C. Avellana*: ***C. colurnoides*** (*C. intermedia*), fruchtet reich, wohlschmeckend. — II. Zweige zäh, stets glatt, Sträucher: a. Fruchthülle aus zwei seitlich getrennten Blättern gebildet, sich nicht über Frucht röhrig (schnabelartig) verlängernd: ***C. americána***, östl. Nordamerika, wie folgende, aber Nuß von der doppelt längeren Hülle eingeschlossen; Herbstfärbung schön rotbraun, sonst ohne Wert; ***C. Avellána***, Europa, Mediterrangebiet, Westasien, bis 6 *m*, Triebe drüsig behaart, Blätter zuletzt nur unterseits behaart, im Herbst gelb, Blüten im Februar, Fruchthülle offen, wenig länger bis kürzer als Nuß, außer den vielen Kultur-Fruchtsorten noch var. *atropurpúrea*, (var. *fusco-rubra*, var. *purpurea*), nicht so gut wie *maxima purpurea*, var. *laciniata* (var. *heterophylla*), Blätter kleiner, lappig eingeschnitten, var. *pendula*, Zweige hängend; ***C. pontica***, Westasien, wie vorige, aber Fruchthülle am Grund etwas drüsig, die größere Nuß überragend, breitlappig offen; mit *Avellana* und *maxima* eine der Stammarten der großfrüchtigen Kulturnüsse; ***C. heterophylla***, Japan bis Westchina, Strauch wie *Avellana*, Blätter mehr rund-oboval, oft etwas gelappt, Fruchthülle mit breit dreieckigen Lappen, die chinesischen Formen (var. *sutchuenensis* oder var. *Crista-galli*) bedürfen noch der Beobachtung, sehr variable Art. — b. Fruchthülle ganz oder einseitig verwachsen, über Frucht röhrig (schnabelig) verengert: 1. Hülle nur weich behaart: ***C. máxima*** (*C. tubulosa*), Lambertsnuß, Südosteuropa, Orient, wird kleiner Baum, Nuß eilänglich, gute Form var. ***purpúrea*** (var. *atropurpúrea*), echte Bluthasel. — 2. Hülle steif stechend behaart: ***C. rostrata*** (*C. cornuta* Hort.), östl. und mittl. Nordamerika, bis 1,5 *m*, durch gelbe Antheren von folgender geschieden, Blattstiele kaum bis 12 *mm*; ***C. Sieboldiana*** (*C. rostrata* var. *Sieboldiana*), Japan, bis 6 *m*, Blattgrund gerundet, Lappen schwach oder fehlend, Blattstiele über 15 *mm* lang, Hülle über Nuß in enge Röhre, bis doppelt so lang wie Nuß, auslaufend, Antheren rot; var. ***mandshúrica*** (*C. mandshurica*, *C. rostrata* var. *mandshurica*), Nordostasien, Japan, abweichend durch mehr herzförmige, gröber lappenzähnige Blätter und eine längere aber weiterröhrige Fruchthülle, für Kultur beste dieser Gruppe.

Abb. 176. *Córylus tibetica*, tibetische Haselnuß, junge Pflanze, 1 *m*. (Phot. A. Purpus.)

Cótinus siehe *Rhus*.

Cotoneáster[33], **Zwergmispel, Steinquitte** — Rosaceen. — Niederliegende oder höhere, sommergrüne Sträucher, Blätter abwechselnd, einfach, ganzrandig, Blüten klein, weiß oder rosa, in ein- bis vielblütigen Blütenständen, meist Mai bis Juni, Früchte rot oder schwarz, meist Herbst bis Winter; Kultur in jedem gut durchlässigen, nicht feuchten, eher trockenen Gartenboden in warmer sonniger Lage; Schnitt im Winter nur bei zu üppigen Arten, eventuell genügend Einkürzen der Triebe im Sommer; Vermehrung durch Samen (Herbst oder stratifizieren), die immergrünen auch durch krautige Stecklinge, sonst auch durch Ableger und Anhäufeln; stark wachsende Sorten können auf *Crataegus* veredelt werden, schwach wachsende auf *C. Simonsii*, im Hause; Verwendung der niederliegenden als sehr wertvolle Bekleidung von Hängen, Wänden, Felsen, die anderen als Ziersträucher auf Rabatten und im Park, auch in Gesteinsanlagen, vergleiche die Arten. Zu den immergrünen zählen folgende, doch sind die mit * bezeichneten oft nur wintergrün, alle sollte man viel mehr anwenden und durchproben: *amoena, congesta, Dammeri*, **Franchetii, Harroviana, Henryana, microphylla, pannosa*, **rotundifolia*, **salicifolia*, **Simonsii, turbinata*. Ganz früh austreibende Arten sind: *C. lucida* und *C. melanocarpa*, am ersten pflegt zu blühen *C. integerrima*.

ALPHABETISCHE LISTE DER ERWÄHNTEN LATEINISCHEN NAMEN.

(Die Ziffern bedeuten die Seitenzahlen.)

A) (B. siehe S. 166). Blüten mit aufrechten zur Blütezeit nicht ausgebreiteten Kronenblättern, meist rötlich, Blütenstände wenigblütig oder sonst nickend (Gruppe *Orthopetalum*). — 1. Früchte rot: ***C. amoéna***, Westchina, steht *Franchetii* nahe, aber niedriger, steifer verästelt, Blätter kleiner, Beeren lebhafter gerötet, Härte noch zu erproben; ***C. adpréssa*** (*C. horizontalis* var. *adpressa*), Westchina, kriechend, siehe Abb. 177, oft wurzelnd, wenig aufstrebend, Blätter stumpfgrün, so gut wie kahl, Blüten zu 1 bis 2, weiß mit rosa, Juni, Frucht rundlich, lebhaft rot, September bis Oktober, sehr wertvoll für Felsanlagen; ***C. acumináta***, Himalaya, aufrecht bis über 3 *m*, Blätter spitzeilanzettlich, oberseits dunkel-, unterseits hellgrün, wenig behaart, Blütenstände 2 bis 5blütig, nickend, hellrosa, Juni, Frucht tief scharlach, kreiselförmig, September bis Oktober, Härte noch zu erproben; ***C. bulláta***, Westchina, locker ausgebreitet, bis 3 *m*, Blätter spitz länglich-eiförmig, unterseits graugrün, behaart, Blütenstände bei den Formen vielblütig, Blüten rosa, Mai bis Juni, Frucht rundlich-birnförmig, lebhaft rot, September bis Oktober, var. *floribunda* (*C. moupinénsis* var. *floribunda*) und var. *macrophylla*, beide wertvoll; ***C. Dielsiána (C. applanáta)***, Mittelchina (Abb. 178), sparrig, Zweige überhängend, rutig, bis 1,5 *m*, Blätter klein, derb, spitz eielliptisch, unterseits gelbgrau behaart, Blüten zu 3 bis 7, rosa, Juni, Früchte fast kugelig, ziegelrot, leicht glänzend, ausgezeichnete Art; ***C. divaricáta***, Westchina, sparrig, dicht ausgebreitet, aufrecht, bis 1,5 *m*, Blätter hübsch glänzend grün, fast kahl, Blüten meist zu drei, rötlich, Früchte eielliptisch, korallen- bis blutrot, bis November, ebenfalls prächtig mit reichem Fruchtbehang; ***C. Franchétii***, Westchina, aufrecht bis 3 *m*, Zweige graziös ausgebreitet, jung filzig, ebenso Blattunterseiten, Blätter derb, spitz elliptisch, Blüten 6 bis 15 in dichten Ebensträußen, rötlich-

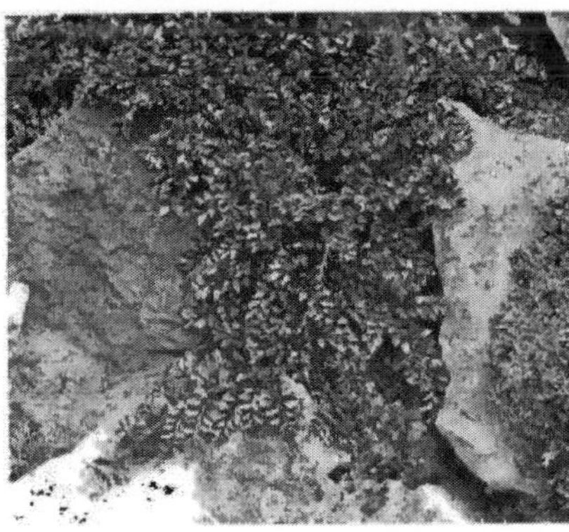

Abb. 177. *Cotoneaster adpressa.* (Phot. A. Purpus)

weiß, Juni, Frucht eilänglich, orange-scharlach, bis Oktober, wertvoll!; ***C. horizontális*** (*C. Davidiana* Hort.), China, ausgebreitet flachästig, siehe Abb. 179, Triebe zweizeilig, gelbbraunhaarig, Blätter klein, derb, spitz, rundoval, glänzend grün, fast kahl, Blüten 1 bis 2, rötlich, Juni, Frucht eikugelig, lebhaft rot, wertvolle, bereits weit eingebürgerte Art, für Felshänge wichtig auch die zierlichere var. *perpusilla*; ***C. integérrima*** (*C. vulgaris*), Europa bis Sibirien, aufrecht rundbuschig, bis über 1 *m*, Triebe filzig, auch die stumpfgrünen Blätter unterseits, Blüten zu 3 bis 12, weiß, Frucht ziegelrot, Zierwert gering, aber für große Felsanlagen; ***C. nitens***, Westchina, sehr graziös ausgebreitet verzweigt, bis 1,5 *m*, Blätter sehr glänzend grün, breit bis rundlich oval, sonst ähnlich *divaricata*, Früchte dunkelpurpurn, gilt als noch schöner, hart; ***C. Simónsii*** (*C. acuminata* var. *Simonsii*, *C. Simondsi*, *C. Symonsi* Hort.), Himalaya, aufrecht steif bis 4 *m*, Triebe borstenfilzig, Blätter halb immergrün, spitz rundoval, Blüten zu 2 bis 4, fast weiß, Früchte scharlachrot, Kelchzipfel aufrecht, gute Art für große Felsanlagen, ebenso die nahestehende niedrigere kleinerblättrige *C. disticha*, deren Früchte oben zusammenneigende Kelchzipfel haben; ***C. tomentósa*** (*C. speciósa* Hort.), Europa, Westasien, wie *integerrima*, aber Blütenstände meist mehrblütig, Kelch und Blütenstiele sehr dick wollig; ***C. Zábelii***, Mittelchina, aufrecht ausgebreitet, bis 2 *m*, Triebe jung behaart, später tief braun, Blätter stumpf eiförmig, unterseits filzig, Blütenstände 4 bis 10 blütig, rosa, Mai, Kelche filzig, Früchte rot, eiförmig, bei var. *miniata* lebhafter gefärbt. — II. Früchte schwarz: ***C. acutifólia*** (*C. pekinensis*, *C. acutifolia* var. *pekinensis*), Nordchina, breitbuschig, etwas überhängend, bis 3 *m*, Blätter spitz eielliptisch, oberseits stumpf grün, unterseits jung behaart, Blüten zu 2 bis 5, nickend, Mai bis Juni, Frucht zuletzt schwarzpurpurn, eiförmig, September bis Oktober, bei var. *villósula*, Westchina, Behaarung stärker, Frucht mehr birnförmig; ***C. foveoláta***, Westchina, hoher, breit verästelter Strauch, Triebe und Blattunterseiten filzig, zu-

Abb. 178. *Cotoneáster Dielsiana*, 1,25 *m*. (James Veitch and Sons.)

Abb. 179. *Cotoneáster horizontalis*, an Felswand. (Hort. Pruhonitz, Böhmen.)

letzt nur an Nerven, Blüten zu 3 bis 7, rosa, Frucht erst lackiert bronzefarben, zuletzt schwarz, September, durch schöne Herbstfärbung der Blätter ausgezeichnet, üppige Art für große Anlagen; ***C. lúcida*** (*C. acutifolia* Ldl. nicht Turcz., *C. sinensis*), Altai, bis 2 *m*, von *acutifolia* abweichend durch gedrungeneren Wuchs, glänzende, oft lange bleibende Blätter, Früchte mehr purpurschwarz, fast kugelig; ***C. melanocárpa*** (*C. nigra*), Nord- und Osteuropa bis Sibirien, aufrecht ausgebreitet, bis 1,5 *m*, Blätter stumpfer, unterseits filziger als bei den vorhergehenden Arten, Früchte schwarz, August, bei var. *laxiflóra* (*C. laxiflora*) Blütenstände bis über 12 blütig.

Abb. 180. *Cotoneáster multiflora* an Wand. (J. Veitch and Sons.)

B. Blüten zuletzt ganz breit offen, Kronenblätter ausgebreitet, weiß, rundlich, Früchte stets rot (außer *C. Lindleyi*) (Gruppe *Chaenopétalum*): I. Blüten nur zu 1 bis 3, Sträucher niederliegend, oft wurzelnd, immergrün: ***C. Dámmeri (C. humifúsa)***, Mittelchina, anschmiegend kriechend, Blätter elliptisch, zuletzt beiderseits kahl, Blüten einzeln, Mai, Früchte kugelig bis kreiselförmig, lebhaft rot, lange bleibend, ausgezeichnete Art für Felsgärten, ganz hart; ***C. microphýlla***, niederliegend, selten etwas aufstrebend, Blättchen spitz keilig-oboval, oberseits glänzend grün, unterseits wollig behaart, Frucht breitkugelig, etwas matt lilascharlachrot, September bis Oktober, nicht so hart wie *horizontalis*; sehr feine dem Boden angeschmiegte Formen sind: var. ***thymifólia*** (*C. thymifolia*), in allen Teilen kleiner, Blätter mehr lineal, und var. ***glaciális (C. congesta, C. pyrenaica*** der Gärten!), Blätter oberseits stumpf grün, unterseits kahl, Blüten oft rötlich, wohl gute Art, sehr wertvoll, hart; ***C. rotundifólia*** (*C. microphylla* var. *uva-ursi, C. prostrata*), (diese Art geht oft als *buxifolia*, die echt nicht in Kultur und nicht hart ist), Himalaya, Blätter unterseits weißblau, bei var. ***lanáta*** (*C. buxifolia* Bak., *C. Wheeleri*), weiß-filzig, Textur lederig (gegen *disticha*, die auch als *buxifolia* geht), Früchte lebhaft rot, fast kugelig, nicht so hart wie die *microphylla*-Formen. — II. Blütenstände vielblütig, ebensträußig, Sträucher mehr aufrecht. — a) Blätter im Umriß oval, ziemlich dünn, sommergrün: ***C. hupehénsis***, Mittel- und Westchina, sparriger, aber dichter breiter Busch, bis 2 *m*, Blätter lebhaft grün, fest, unterseits dünn grau behaart, Blütenstände bis über 12 blütig, sehr zahlreich, Blüten weiß, ziemlich groß, Mai, Früchte fast kirschengroß, lebhaft rot mit violettem Schein, ohne Glanz, zur Blüte- und Fruchtzeit sehr zierend, eine der besten chinesischen Arten!, hart; ***C. multiflóra*** (*C. reflexa*), Kaukasus bis Nordchina, wie Abb. 180, zierlich überhängend verzweigl, bis über 3 *m*, Blätter dünn, zuletzt kahl, Blütenstände bis 20 blütig, Mai, am besten var. ***calocárpa,*** Früchte sehr ähnlich denen von *hupehensis*, aber Belaubung mehr blaugraugrün, zur Fruchtzeit überladen mit Früchten, sehr zierend im September; ***C. racemiflóra*** *(C. nummulária* F. et M., *C. Fontanésii)*, Mediterrangebiet bis Turkestan, wie vorige, doch Blätter unterseits filzig, auch Blütenstände behaart, besonders schön var. ***soongárica,*** gilt in Blüte wie im Schmucke der lebhafter als bei *multiflora calocarpa* gefärbten Früchte als beste Form; ein schwarzfrüchtiges Gegenstück zu *racemiflora* ist ***C. Lindleyi,*** NW.-Himalaya, auch als *arborescens* und *C. nummularia* i. dl. gehend. b) Blätter im Umriß spitz elliptisch, fast lederig, winter- bis immergrün: 1. Blätter kaum über 4 *cm* lang, Blütenstände nur bis 2,5 *cm* breit: ***C. pannosa,*** südwestliches China, bis 1,5 *m*, Blätter unterseits dicht weißgraufilzig, für warme Lagen hübsch. — 2. Blätter meist deutlich länger und Blütenstände bis 5 *cm* breit: ***C. Harroviána,*** Westchina, steht *pannosa* sonst sehr nahe, empfindlich; ***C. Henryána*** *(C. rugosa* var. *Henryana)*, Westchina, bis 3 *m*, Zweige überhängend, wie *salicifolia*, aber Blätter dünner, bis über 10 *cm* lang, Blütensträuße im Juni, am Ende beblätterter Triebe, Früchte braunkarmin, eiförmig, gilt als eine der schönsten, großblättrigen immergrünen, geschützte Lagen; ***C. salicifólia,*** Mittel- und Westchina, lockerer Strauch bis 4 *m*, in Kultur in den Formen var. ***rugósa*** *(C. rugosa)*, üppiger, Blätter bis 9 *cm*, Frucht korallenrot, und var. ***floccósa,*** Blätter oben glänzender, nicht gerunzelt, Nervenpaare 7 bis 14, Früchte etwas kleiner, gilt als härter, alle Formen viel mehr versuchswert; ***C. turbináta,*** Mittelchina, großer Strauch, Blätter unterseits dicht grau-weiß filzig, Blüten erst im Juli in halbkugeligen Ebensträußen, Früchte tief rot, behaart, Oktober, als spät blühende Art wertvoll, Härte bei uns fraglich.

Cotoneáster angustifolia, C. crenulata, C. Lalándi und ***C. Pyracantha*** siehe *Pyracantha*.

Covillea (*Lárrea*) ***divaricáta*** ist ein immergrüner Wüstenstrauch aus der Familie der Zygophyllaceen, aus dem südlichen zentralen Nordamerika, schwer zu kultivieren; nur im Litoralgebiet von Interesse. (Näheres siehe C. Schneider, Ill. Handb. d. Laubholzk. II., Seite 116.)

Cowánia mexicána, **Felsenrose** — Rosaceen. — Reichästiger, sparriger, 0,5—2 *m* hoher, drüsig behaarter Strauch von Süd-Nevada bis Mittel-Mexiko, Borke abschülfernd, Blätter abwechselnd, immergrün, klein, fiederzähnig, unten weißfilzig, Blüten einzeln, weiß, im Sommer, sehr duftend, Frucht mit Federnschweif; gewiß sehr interessant, aber heikel, und nur für erfahrene Gehölzfreunde in warmen Lagen in Felspartien versuchswert, es gibt noch ähnliche Arten.

Crataegoméspilus ist ein sogen. Pfropfbastard, *Mespilus germanica* veredelt auf *Crataegus monogyna*, hiervon zwei Formen in Kultur: ***C. Dardári*** (*C. Dardári* var. *mespiloides*), eine Art dorniger *Mespilus* darstellend, und var. ***Asnièresi*** (*C. Dardari* var. *crataegoides, C. Asnieresi*), alles in allem mehr *Crataegus*-artig. Beide treten auf selbem Strauch auf. Wird kleiner Baum, interessant, besonders *C. Asnieresii* nicht ohne Zierwert, blüht oft reich und hübsch, Kultur usw. wie *Crataegus*.

Crataegomespilus grandiflora siehe *Crataemespilus*.

Crataégus[31]**, Weißdorn** — Rosaceen. — Meist hohe dornige, sommergrüne Sträucher, Blätter einfach, gezähnt oder gelappt, Blüten gewöhnlich weiß, doldentraubig, meist Mai, Frucht apfelartig, rot, gelb, schwarz, bei *brachyacantha* bläulich; Kultur in gutem, tiefgründigem Boden (kalkliebend) in offener sonniger Lage; Schnitt im Winter je nach Bedarf, oft nur Auslichten, eventuell im Sommer Triebe pinzieren; beim Verpflanzen aber gut zurückschneiden; Vermehrung durch Samen (Herbst, oder stratifizieren, gehen meist erst im zweiten Jahre auf), bald verpflanzen, auch Veredlung auf *C. oxyacantha* oder *monogyna*; Verwendung als Zier- und Decksträucher, besonders die großfrüchtigen Arten, vergleiche unten. Wir heben nur die wichtigsten hervor, doch auch die hier erwähnten sind zum großen Teil nur für den Park zu empfehlen.

ALPHABETISCHE LISTE DER ERWÄHNTEN LATEINISCHEN NAMEN.

(Die Ziffern bezeichnen die Seitenzahlen.)

A) (B. siehe S. 170) Blätter der Blüten- oder Fruchtzweige stets ohne Buchtnerven (d. h. solche Nerven, die von der Rippe direkt in die Buchten verlaufen), Lappung meist viel kürzer als bei B., Blätter oft nur gezähnt:

I. Innere Oberflächen der Fruchtsteine glatt (II siehe S. 169):

a. (b. siehe S. 169) Blattstiele schlank (im Mittel über 2,5 *cm* lang). — 1. Blattstiele bedrüst an Spitze oder sonst. — *α*) Blütenstände vielblütig, Blattstiele nur an Spitze drüsig, Blätter am Grund breitkeilig oder abgestutzt. — 1) Blattunterseiten filzig oder wenigstens an Nerven gut behaart: ***C. arkansána***, mittl. Vereinigt. Staaten, wie folgende, aber Blätter derb, länglich oval, Herbst hellgelb, Staubblätter 20, Frucht Ende Oktober, allmählich fallend, zu empfehlen; ***C. Arnoldiána***, östl. Vereinigt. Staaten, Baum bis 8 *m*, Blätter dünn, oberseits satt grün, Blüten Mai, Staubblätter 10, Antheren gelb, Früchte fast kugelig, lebhaft karmesinrot, Spitze behaart, Mitte August, bald abfallend; ***C. Ellwangeriána***, Nordostamerika, wie *Arnoldiana*, aber Blätter oberseits rauhlich, Antheren rötlich, Frucht glänzender, Ende September, auch bald fallend; ***C. mollis*** (*C. coccinea* var. *mollis*, *C. acerifólia*, *C. tiliifólia*), wie *arkansana*, aber Blätter breit oval, lebhaft grün, Blüten April bis Mai, Früchte birnenförmig, scharlach, mehlig, August bis September, bald fallend; ***C. Robesoniána*** (*C. spissiflóra*), Nordostamerika, meist strauchig, wie *Ellwangeriána*, aber Blätter tief gelappt, Blütenstände nur 4 bis 6 blütig; dies gilt auch für ***C. champlainénsis***, östl. Kanada, Baum, Früchte scharlach; ***C. submóllis***, Nordostamerika, breitkroniger Baum, wie *Arnoldiana*, aber Blätter mehr gelbgrün, oberseits rauhlich, Frucht orangerot, glänzend, anfangs September, bald fallend. — 2) Blätter unterseits zuletzt so gut wie kahl: ***C. Barryána***, westl. New York, breiter Strauch, Blätter breitoval, oberseits rauhlich, unterseits graublau, Staubblätter 10, Antheren purpurn, Frucht verkehrt eiförmig, karmesin, bereift, September, bald abfallend; ***C. coccinoides***, mittl. Vereinigte Staaten, kleiner Baum, Blätter rot austreibend, oberseits stumpfgrün, unterseits jung behaart, abgestutzt am Grunde, Herbst scharlachorange, Staubblätter 20, Antheren rosa, Früchte fast kugelig, dunkel karmesin und glänzend, Kelch deutlich, Fleisch rot, anfangs Oktober, allmählich fallend, sehr gut; nahe steht die strauchige ***C. durobrivénsis***, später reifend; ***C. pedicelláta***, Nordostamerika, symmetrischer Baum, bis 8 *m*, Blätter breit oval, Grund breitkeilig, Lappung deutlich, häutig, dunkelgrün, Staubblätter 10, Antheren rötlich, Kelchlappen grob drüsig gesägt, Frucht lebhaft scharlach glänzend, September; hieran schließen sich ***C. flabelláta*** (*C. Grayana*), Quebec, Blätter kurz spitzlappig, Staubblätter 20, Frucht karmesin. und ***C. gloriósa***, Blätter stärker behaart. Staubblätter 7 bis 10. Frucht tief karmesin; ***C. rotundifólia*** *(C. coccinea* var. *rotundifolia, C. glandulósa)*, Nordostamerika. kleiner Baum. Blätter rundlich oder oboval. kurzlappig. kahl. Staubblätter 5 bis 10. Antheren gelb. Frucht fast kugelig. rot, Fleisch gelb. süß. September, hierher gehört die echte *C. coccinea* L. zum Teil; ***C. speciósa***, Missouri, Strauch. wie *coccinoides*, aber Blätter glänzend grün. oberseits ganz kahl, Blüten groß, Früchte flachkugelig. glänzend tief karmesin. Mitte September, bald fallend. — *β)* Blütenstände wenigblütig. Blattstiel verstreut drüsig. Blattgrund keilig. Staubblätter 10: ***C. intricáta***, nordöstl. Vereinigte Staaten, Strauch bis 4 *m*. Dorne lang. gebogen, Blätter kurz und spitzlappig. oberseits lebhaft grün. Blütenstände etwas behaart. Kelchlappen drüsig gewimpert. Antheren gelb. Frucht kugelig bis oval. stumpf rotbraun. Oktober bis November; ähnlich ***C. Bóyntonii***, Virginia bis Alabama. Baum. Blätter jung bronzefarben. leicht drüsig, derb, kahl. Kelchzipfel ohne Drüsen, Frucht flachkugelig. gelbgrün mit rot, Oktober.

2. Blattstiele ohne deutliche Drüsen. Blätter aus keiligem Grunde oval bis lanzettlich, kaum gelappt. oberseits glänzend grün. kahl. Staubblätter 20: ***C. viridis*** *(C. arboréscens)*, südwestl. Verein. Staaten. breit rundkroniger Baum. Blätter oboval oblong. Frucht fast kugelig. lebhaft scharlach oder orange, Oktober bis tief in den Winter; ebenso schöne glänzende Belaubung und lange bleibende Früchte hat ***C. nitida***, Illinois-Kansas. Blätter mehr lanzettlich. Herbstfärbung sehr schön. Früchte eiförmig stumpf ziegelrot. bereift.

b. Blattstiele kurz. kaum bis 2 *cm* lang. Blätter mit keiligem Grund. nicht oder sehr schwach lappig. — 1. Blütenstände 1 bis 5 (bis 6) blütig Blätter bis 5 *cm* lang. unterseits behaart. Staubblätter 20 bis 25: ***C. aestivális***, südwestl. Vereinigte Staaten. rundkroniger Baum. Blüten kurz vor oder mit Blattausbruch. April. Früchte im Mai. lebhaft rot. flachkugelig, duftend. warme Lagen; ***C. uniflóra*** *(C. parvifólia, C. flórida)*, wie vorige. aber dichter niedriger Busch. Blätter kleiner. kerbsägig. Blüten meist einzeln. Mai bis Juni. Früchte gelb. trocken. Oktober; nur 3 bis 7 blütige Blütenstände haben auch die folgenden, bei denen aber die Blattstiele. Blattränder und Blütenstände drüsig sind: ***C. fláva*** var. *lobata (C. flava* Hort. nicht Aiton). meist Strauch, Blätter spitzoval. kerbsägig. unterseits auf Nerven behaart. Staubblätter 10, Antheren purpurn. Frucht birnförmig. grün oder rot, hartfleischig, nur für warme Lagen; ***C. áprica***, südöstl. Vereinigt. Staaten, auch Baum, Blätter derb. dunkelgelbgrün. Antheren gelb. Frucht kugelig. Oktober. trüb orangerot. hart. — 2. Blütenstände vielblütig. Blattstiele drüsenlos. — *α)* Blätter oberseits glänzend dunkelgrün: ***C. Cánbyi***, mittl. östl. Verein. Staaten, Strauch oder Buschbaum. Dorne kräftig. gerade, Blätter länglich bis oval. unterseits kahl. Staubblätter 10. Antheren rötlich, Frucht glänzend karmesin, saftig. Oktober; ***C. Crus-gálli***, Nordostamerika, breitbuschiger flachkroniger Baum. Dorne schlank. bis über 8 *cm*. wie vorige. aber Blätter keilig-oboval oder verkehrt lanzettlich, Frucht stumpfrot. spät im Oktober. lange bleibend, bekannte Art. mit schöner orange-scharlach Herbstfärbung. hiervon var. *inérmis* dornlos. var. *lineáris*, Blätter lineal-lanzettlich, var. *pyracanthifolia*. Blätter spitzer, Früchte kleiner, etwas glänzend. var. *spléndens* (var. *lucida*) Blätter sehr glänzend; ***C. Carriérei*** ist wohl eine Hybride der vorigen mit *C. mexicana* und kaum verschieden ist *C. Lávallei*, ausgezeichnet durch unterseits behaarte Blätter und Blütenstände und 20 Staubblätter. schön in Blüte und Frucht. diese lange bleibend. — *β)* Blätter oberseits stumpf grün. Staubblätter 20: ***C. mexicána*** *(C. hypolásia)*. Mexiko. bei uns Strauch. Blätter keilig-elliptisch oder länglich-lanzettlich. unterseits filzig. blüht im März. Frucht stumpf orangerot. dick, saftig. eßbar. Oktober bis November. nur in sehr warmen Lagen. siehe oben die Hybride: ***C. punctáta***, östl. Nordamerika. breitverzweigter Baum. kurzdornig. Blätter oval bis oboval. unterseits filzig. Frucht eiförmig. stumpf rot. hell gefleckt. mehlig. Oktober. bald fallend. bei var. ***xanthocárpa*** (var. *aurea, C. crocata*) gelb.

II. Innere Oberflächen der Steine gefurcht oder unregelmäßig ausgehöhlt. Früchte glänzend. zur Fruchtzeit weich. — a) Blätter deutlich gelappt: ***C. dahúrica*** *(C. purpúrea, C. sanguinea* var. *altáica)*. Ostsibirien, zierlich verästelter Strauch oder kleiner Baum. sehr früh austreibend. von *sanguinea* abweichend durch Blätter kaum bis 5 *cm* lang. ganz kahl. blüht April. Frucht kaum 8 *mm* lang. orangerot. August. hart: ***C. sanguínea***, Ostsibirien. oft Baum. Triebe glänzend braunpurpurn. wenig dornig. Blätter aus keiligem Grund breit oval. etwas behaart. über 5 *cm* lang, blüht Mai. Frucht über 1 *cm* dick. lebhaft rot. August bis September. bei var. *chlorocárpa (var. xanthocarpa)* Früchte gelb. kleiner; nahe stehen ***C. chlorosárca***, Japan. pyramidaler Baum. Stämme mit längs abreißender Borke. darunter gelbrotbraun. Zweige glänzend rotbraun. Knospen fast schwarz. Früchte trübschwarz mit grünem Fleisch. ferner **C. dsungárica**, Heimat fraglich. ähnlich *chlorosarca* und ebenfalls schwarzfrüchtig. **C. Wattiána** *(C. altáica, C. songárica)*, Turkestan, kleiner sparriger kahler Baum. Blätter breitoval, kurz und breit gelappt. Grund keilig. Blütenstände kahl. Frucht gelb oder rotgelb. 1 *cm* lang; tiefer spitzer lappige Blätter hat var. *incisa (C. sanguinea* var. *incisa, C. Korolkowii* Henry). — b. Bläter nicht oder kaum gelappt: **C. Douglásii** *(C. sanguinea* var. *Douglasii)*, Nordwestamerika. Baum. Zweige oft hängend. kaum bewehrt. Blätter breit elliptisch bis oboval. kahl. Blüten Mai. Früchte eiförmig. schwarz. süß. Fleisch gelb, August bis September; ähnlich die strauchige **C. rivuláris** aus den westl. Vereinigt. Staaten; **C. macracántha** *(C. coccinea* var. *macracantha)*. östl. Verein. Staaten, dichter Strauch bis kleiner Baum, Dorne sehr lang und schlank. bis über 10 *cm*, Blätter breit elliptisch. doppelt gesägt. dick. zuletzt kahl. Staubblätter 10, Antheren gelb. blüht Mai bis Juni. Frucht Herbst. dunkel kirschrot, glänzend, fast kugelig. Steine innen tief grubig gefurcht. harte gute Art; **C. succulénta** *(C. macracantha* var. *succulenta)*, Nordostamerika, wie vorige aber Blätter spitzer elliptisch. Staubblätter 20. Antheren rosa. Frucht glänzend scharlach. September bis Oktober; **C. tomentósa** *(C. Calpodendron, C. Chapmánii, C. leucophloeos, C. pyrifólia)*, Ontario und mittl. Verein. Staaten, rundkroniger Baum. Triebe kurzdornig. Blätter eirhombisch, oberseits trübgrün, unterseits behaart. dünn, Frucht aufrecht. klein. birn- oder eiförmig. orange rot. eßbar. Oktober, zur Blütezeit im Juni (eine der spätesten Arten) sehr schön. auch gute Herbstfärbung; mit dieser Art ist auch die chinesische **C. Wilsónii** verwandt, mehr strauchig. Blätter oberseits glänzend. noch wenig erprobt.

B) Blätter stets mit Buchtnerven, jedenfalls meist tiefer gelappt. bis fiederteilig. bei Arten mit kleinen weniglappigen Blättern fehlen die Buchtnerven zuweilen.

I. Früchte nur wie große Erbsen. rot, Kelchzähne abfallend: **C. apiifólia** *(C. Marshállii)*, südöstl. Verein. Staaten. bei uns meist Strauch, Triebe jung behaart. Blätter oval. tief 5 bis 7 lappig. lebhaft grün. Blütenstände wenigblütig, April bis Mai. Frucht eiförmig. scharlach. Oktober, Steine 1 bis 3; **C. Phaenopýrum** *(C. cordáta, C. acerifólia, C. populifólia)*, südöstl. und mittl. Verein. Staaten, kleiner Baum, Blätter dreieckig-eiförmig. mit flachen und breiten Lappen. oft 3 lappig, Frucht flachkugelig, glänzend korallenrot, bis Frühjahr bleibend. auch für Hecken geeignet. — II. Früchte größer, Kelchzähne bleibend. — a. Früchte schwarz oder blau: **C. brachyacántha**, südöstl. Verein. Staaten, Baum bis 20 *m*, mit zahlreichen kurzen. etwas gekrümmten Dornen, Blätter länglich oboval. kerbsägig. meist ungelappt, oberseits glänzend grün, Blütenstände vielblütig. April bis Mai. Staubblätter 15 bis 20, Frucht blau. etwas bereift. August. einzigartig durch die blauen Früchte. für warme Lagen. bei uns kaum erprobt; **C. nigra** *(C. carpáthica)*. Südosteuropa. Strauch oder kleiner steif verästelter Baum. Dorne kurz. oft fehlend. Blätter meist mit 5 Lappenpaaren, unterseits filzig. Blütenstände 10 bis 15 blütig. Mai. Frucht fast kugelig. glänzend schwarz. August. weich; **C. pentagýna** *(C. melanocárpa)*, Südosteuropa, Kaukasus. wie *nigra*, aber Blätter mit 2 bis 3 Lappenpaaren. Frucht länglich oval, trübschwarzrot. September bis Oktober.

Abb. 181. *Crataegus monogyna* var. *punicea*, 4 *m*. (Orig.: Grafenegg. Nied.-Österr.)

— b. Frucht rot oder gelb: **C. Azárolus** *(C. Arónia, C. maura)*, Nordafrika. Kleinasien. kleiner Baum, Zweige behaart. Blätter keiligoboval. tief 3 bis 5 lappig. oberseits glänzend, unterseits graugrün behaart. Blütenstände wenigblütig, filzig. Mai. Frucht kugelig. meist orangerot. nach Äpfeln schmeckend: **C. monógyna**, Europa bis Himalaya. Tracht wie Abb. 68, Blätter tief 3 bis 7 lappig. mit spitzen. fast ganzrandigen

Lappen, Frucht einsteinig, rundoval, Typ sehr gute Heckenpflanze, viele Formen wie var. *biflora (C. oxyacantha* var. *biflora)*, im Herbst nochmals blühend, var. *laciniáta*, Blätter tief fiederig eingeschnitten, noch feiner var. *pteridifólia* (var. *filicifólia)*, var. *flexuósa* (var. *tortuosa)* Zweige eigenartig verkrümmt, var. *ferox* (var. *hórrida)* Zweige büscheldornig, var. *péndula* Triebe hängend, var. *punicea*, Blüten tiefrot, Abb. 181, var. *rosea*, rosa mit weiß, var. *albo-plena* und *rubro-plena*, weiß und rot gefüllt, var. *praecox* Dipp. oft sehr früh blühend, bei uns wohl empfindlich, var. *semperflórens* (var. *Bruantii)*, kleiner Strauch, bis Herbst blühend: **C. orientális** *(C. odoratissima)*, Südosteuropa, Westasien, baumartig, Blätter graufilzig, tieflappig, Frucht rotorange, bis 15 *mm* dick, kugelig, behaart, var. *sanguínea (C. Tournefórtii)* kahler, Frucht dunkler rot; **C. oxyacántha**, Europa, Nordafrika, wie *monogyna*, aber Blätter breiter und kürzer, 3 bis 5 lappig, Frucht scharlach, mit 2 bis 3 Steinen, hiervon gute Kulturformen var. *alba plena*, Blüten später sich rötend, var. *candida plena*, Blüten weiß bleibend, var. *bicolor* (var. *Gumpperi bicolor*, var. *rubra)*, Blüten mit weißer Mitte und rotem Rande, var. *Paulii* (var. *coccinea*, var. *splendens*, var. „Pauls New Double Scarlet"), lebhaft scharlach, beste rotblütige; **C. pinnatifida**, Nordostasien, Strauch oder kleiner Baum, Zweige kahl, Blätter kahl, tief 5 bis 9 lappig, Blütenstände Mai, Griffel 3 bis 4, Frucht kugelig oder birnförmig, tiefrot, fein gepunktet; größere, derbere, weniger tiefgelappte Blätter und glänzendere Früchte hat var. **májor** *(C. Brettschneideri* Schn., *C. Korolkówii, C. tatárica)*, sehr schön in Frucht: **C. tanacetifólia**, Kleinasien, kleiner meist wehrloser Baum, Zweige und Blätter behaart, ausgezeichnet durch dicht fein drüsig gezähnelte Blattlappen, Früchte gelb, behaart, bis 2 *cm* dick; eine hübsche Hybride von *tanacetifolia* mit einer noch unsicheren Art ist **C. Dippeliána** oder **C. Leeana** *(C. tanacetifolia* var. *Leeana)*.

Cratáegus crenulata, Lalandi und ***Pyracantha*** siehe *Pyracantha*. - ***Crataegus grandiflora*** und ***lobata*** siehe *Crataemespilus*.

Crataemèspilus grandiflóra *(Crataegus grandiflora, Mespilus grandiflora, M. Smithii, Crataegus lobáta)* ist ein echter Bastard *Mespilus germanica* mit *Crataegus monogyna*, steht im Blüten- und Fruchtbau *Crataegus* nahe, hat aber mispelähnliches Laub und größere, meist einzelne Blüten, Frucht groß, braun, bildet baumartige Sträucher; Kultur usw. wie *Mespilus*. Ein Bastard mit *Crataegus oxyacantha* ist **C. Gillotii** Beck.

Crenularia (*Aethionema*) ***eunomioides:*** mit *Aethionema* sehr nahe verwandte, kleinstrauchige Crucifere vom Cilicischen Taurus, Blätter dicklich, Blüten rosenrot; Kultur usw. wie *Aethionema*. Hierher auch ***C. glauca*** (*Aethionema Balansae*), nur bis 10 *cm* hoch.

Crinodéndron Patágua und ***C. depéndens*** (*Tricuspidária dependens*) sind immergrüne, chilenische Sträucher aus der Familie der Elaeocarpaceen, die sehr hübsch sind, ganz im Süden und in England im Freien gedeihen, für uns aber nur als Kalthauspflanzen gelten können. (Näheres siehe C. Schneider, Ill. Handb. d. Laubholzk. II., S. 364.)

Cudránia (*Maclúra*) ***tricuspidata*** (*C. triloba*), **Seidenwurmdorn.** — Moraceen. Bis über 5 *m* hoher, dorniger, zentralchinesischer Strauch oder Baum, Blätter wechselständig, sommergrün, 3 lappig, Blüten 2 häusig, in kugeligen grünlich gelben Scheinköpfen, Juli, Frucht mit krustiger Hülle; Kultur in durchlässigem Boden und recht warmer Lage, sonst gute Decke; Vermehrung durch Sommerstecklinge unter Glas; Verwendung nur für Gehölzfreunde, hat sich in Darmstadt hart gezeigt. In China als Ersatz für Maulbeerblätter für Seidenraupen benutzt. In warmen Lagen im Süden gute Heckenpflanze.

Cydónia oblonga (C. vulgaris, *Pyrus Cydonia)*. **Quitte** — Rosaceen. — Bekannter, aus Mittel- und Ost-Asien stammender, bei uns längst eingebürgerter, dornloser, baumartiger Strauch (Abb. 182). Blätter wechselständig, einfach, Blüten groß, weiß oder hellrosa, einzeln, achselständig, im Mai, Frucht groß, gelb, Herbst, wertvoll zum Einmachen usw.; Kultur in gutem, durchlässigem Boden und sonniger Lage; Schnitt selten nötig, eventuell nach Blüte; Vermehrung durch reife Stecklinge, Samen, gute Sorten okulieren auf Typ; Verwendung als dekorativer Zierstrauch und Fruchtstrauch, Früchte sehr fein duftend. Von Formen seien erwähnt: var. *pyrifórmis*, Frucht birnenartig, die typische Form, var. *maliformis (C. maliformis)*, Frucht apfelartig, var. *pyramidalis*, pyramidal; var. ***lusitánica*** *(C. lusitanica)*, üppiger als Typ, Blüten größer, reicher, Frucht birnförmig, beste Zierform, aber nicht so hart; die Kulturarten gehören ins Gebiet der Pomologie, sehr empfohlen die serbische „Vranja-Quitte".

Cydónia cathayensis, C. japonica, C. Maulei siehe *Chaenomeles*. - ***Cydonia sinensis*** siehe *Pseudocydonia*. ***Cynánchum*** siehe *Marsdenia* und *Metaplexis*. ***Cynóxylon*** siehe *Cornus florida*.

***Cyrilla racemiflora*, Lederholz** — Cyrillaceen. — Bei uns nur reich verzweigter kahler Strauch, aus dem südöstlichen Nordamerika, Blätter abwechselnd, einfach, etwas wintergrün, im Herbst schön rotorange; Blüten weiß, in achselständigen, zuletzt nickenden Trauben, im Mai bis Juli, Frucht kleine

Abb. 182. *Cydonia oblonga (C. vulgaris)*, Quitte, 4 *m*. (Orig.: Grafenegg, Nied.-Österr.)

Kapsel; Kultur in warmer Lage in etwas feuchtem, sandigem Boden im Schatten; Vermehrung durch Samen oder Stecklinge unter Glas; Verwendung nur für Gehölzfreunde in den südlicheren Teilen des Gebietes, zur Blütezeit ganz hübsch.

***Cýtisus*, Geißklee** – Leguminosen. – Sommergrüne, niedrige Sträucher, Blätter wechselständig, meist 3 zählig, Blüten gelb, purpurn oder weiß, traubig oder kopfig, Frucht längliche 2 klappige Hülse, die Samen haben im Gegensatz zu *Genista* einen Nabelwulst, der nur *nigricans* und *glabrescens* fast ganz fehlt; Kultur in warmen, sonnigen, trockeneren Lagen in gut durchlässigem, lehmig-sandigem, humosem Boden; Schnitt im allgemeinen kaum nötig, Auslichten im Herbst oder kurzes Zurücknehmen im Sommer; Vermehrung durch Samen (Mai) und halbharte Stecklinge im August, auch Veredlung auf *C. nigricans* und *Laburnum anagyroides*; Verwendung als zum Teil recht hübsche Blütensträucher, namentlich für Gesteinsanlagen, Rabatten und kleine Gruppen.

ALPHABETISCHE LISTE DER ERWÄHNTEN LATEINISCHEN NAMEN.
(Die Ziffern bezeichnen die Seitenzahlen.)

A) Blätter sämtlich einfach. Tracht an *Genista pilosa* erinnernd: ***C. decúmbens***, Südliches Mittel- und Südeuropa, niederliegend-wurzelnd, bis 20 *cm* hoch, Stengel fünfkantig, Blätter zottig behaart. Blüten lebhaft gelb. April bis Juni, sonnige, steinige Lagen, Einfassungen, geht auch als *Genista*. — B) Blätter sämtlich oder untere 3 zählig. — I. Obere Blätter einfach, Wuchs aufrecht, besenstrauchig: ***C. multiflórus (C. albus*** Link. *C. Linkii, Spartium multiflórum)*, Spanien, dort wie unser *Sarothamnus* auftretend, bis über 3 *m*, Triebe jung behaart. Blüten weiß, Mai bis Juni, besonders wegen der folgenden Hybriden bedeutsam, sonst zu heikel; ***C. praecox***, Hybride *C. multiflorus* × *C. purgans*, bis 3 *m*, dicht buschig, Tracht überneigend, Blüten lichtgelb, etwas unangenehm riechend, April bis Mai, sehr schön für warme, geschützte sonnige Lagen, eventuell Winterschutz; ***C. púrgans*** (Abb. 56), Frankreich, Spanien, steif aufrecht, bis 40 *cm*, Blättchen silberhaarig, bald abfallend, Blüten sattgoldgelb, brauchbar; zu dieser Gruppe zählen noch zwei Hybriden, die an gleichen Orten in Felsanlagen wertvoll sind, aber niederliegende Sträucher bilden: ***C. kewénsis*** *(C. multiflorus × C. Ardoinii)*, Blättchen meist 3 zählig, lichtgelb, und ***C. Beánii*** *(C. purgans × C. Ardoinii)*, sattgelb. — II. Blätter sämtlich 3 zählig. — a) Kelch kurz, glockig. Röhre kaum länger als Lippen, Zweige kantig oder gefurcht. — 1. Blüten achselständig, längs der Zweige zu beblätterten Scheintrauben gehäuft: ***C. Ardoínii***, Seealpen, niederliegend, kaum bis 30 *cm*, Zweige und Blättchen etwas abstehend seidenzottig, Blüten zu 1 bis 3, reingelb, April (bis Mai), für warme Lagen in Felspartien, wichtige Hybriden!; ***C. glabréscens*** Sart. ***(C. emeriflórus,*** *Genista glabrescens*), Tessin, Norditalien, (Abb. 183), bis 1 *m*, ziemlich kahl, Blüten zu 1 bis 4, gelb, Mai, hübsche seltene Art, warme Lagen. — 2. Blüten in endständigen, oft kopfigen Trauben: ***C. nigricans*** *(Lembotropis nigricans)*, Mittel-Europa, Italien, bis 2 *m*, Blätter gestielt, behaart, Blüten gelb, (Abb. 184); nahe steht ***C. sessilifolius***, bis über 1 *m*, Blätter sitzend, kahl, Blütenstände nur 4 bis 12 blütig, Blüten heller, etwas früher, Mai bis Juni, beide für Gehölzfreunde wertvoll.

Abb. 183. *Cytisus glabrescens*, 20 *cm*. (Phot. A. Purpus.)

b) Kelch langröhrig, Röhre doppelt so lang wie Zähne. — a) Blüten aus altem Holze seitenständig (frühblühende Arten, April bis Juni): ***C. elongátus*** *(C. ratisbonénsis* var. *elongatus)*, Ungarn, Serbien, 1,5 *m*, Zweige bogig überhängend, Blüten sattgelb mit Rötlichbraun, Mai bis Juni, reichblühend; ***C. purpúreus***, Tirol bis Norditalien, niederliegend-aufstrebend, kahl, Blüten purpurn, Mai bis Juni, bei var. *albocarneus* (var. *incarnatus)*, hellfleischfarben, var. *albus*, weiß, hübsche Art (Abb. 185); noch schöner wohl ***C. versicolor*** *(C. elongatus? × purpureus)*, Blüten gelblichweiß, rotpurpurn überlaufen (Abb. 186); zu dieser Gruppe auch der kulturwerte *C. ratisbonénsis* var. *biflórus (C. biflórus)*, gelb, bis 1 *m*, Frucht angedrückt behaart; ferner der formenreiche ***C. hirsútus***, Europa bis Transkaukasien, gelb, alle Teile abstehend zottig. — b) Blüten am Ende diesjähriger Triebe kopfig gehäuft (Sommerblüher, Juni bis August): ***C. leucánthus*** *(C. albus* Hacq., non Link), Österreich-Ungarn, wie *supinus*, aber niedriger, bis 60 *cm*,

Abb. 184. *Cytisus nigricans*, Geißklee, 0,5 *m*. (Orig.: auf einer Waldwiese bei Wien.)

Abb. 185. *Cýtisus purpureus* var. *albocarneus*, hellblütiger Purpur-Geißklee, 30 *cm*. (G. Arends, Ronsdorf.)

Behaarung anliegend, nicht zottig, Blüten weiß, hierher var. *schipkaënsis*, nur 25 *cm*, weiß, und var. *pallidus (C. pallidus)*, wie Typ, Blüten blaßgelb, hübsch für Felsgruppen, Rabatten, Einfassungen; ebenso **C. austríacus**, Osteuropa, bis 0,9 *m*, seidig behaart, Blüten gelb, guter Sommerblüher; **C. supinus (C. capitátus)**, Ostfrankreich bis Kaukasus, bis 1 *m*, sehr variabel, alle Teile abstehend zottig behaart (Gegenstück zu *hirsutus*), Blüten sattgelb.

Cýtisus Adami siehe *Laburnocytisus*. — ***Cýtisus alpinus*** siehe *Laburnum alpinum*. — ***Cýtisus Laburnum*** siehe *Laburnum anagyroides*. — ***Cýtisus ramentaceus*** und ***Weldeni*** siehe *Petteria*. — ***Cýtisus scopárius*** siehe *Sarothamnus*.

Cytothámnus[35]) ***Dallimórei*** C. Schn. (*Cytisus Dallimórei* Rolfe): eine künstlich erzeugte Hybride zwischen *Cytisus multiflorus* und *Sarothamnus scoparius* var. *Andreanus*, von Tracht der letzten, bis über 3 *m*, Triebe jung gerippt, Blätter meist dreizählig, behaart, Blüten zu 1—2, verschiedenartig rosa mit dunkleren karmesin getönten Flügeln, Fahne fast rundlich, außen dunkler, Schiffchen fast weiß, Mai; nach Bean sehr aussichtsvoll und meist auf *Laburnum* veredelt.

Dabοëcia (*Boretta*) ***cantábrica*** *(D. polifolia, Menziesia polifolia, Vaccinium cantabricum)*, **Glanzheide, Kriechheide** — Ericaceen. — Bis 50 *cm* hoher, niederliegend-aufstrebender, immergrüner Strauch aus Westeuropa. Blätter abwechselnd, etwas gerollt, Blüten bläulichrot, weiß (f. *alba)*, oder gestreift (f. *bicolor)*, in endständigen verlängerten Trauben, Juli bis September; Kultur als Moorbeetpflanze, in Jugend Schutz; Vermehrung durch Samen und krautige Sommerstecklinge; Verwendung als hübsche, anspruchslose Pflanze für Gehölzfreunde, z. B. am Rande von Rhododendrengruppen.

Damaszener Rose siehe *Rosa damascena*.

Damnacánthus indicus (*D. major*) — Rubiaceen. — Niedriger, buschiger, immergrüner Strauch mit unter den Blättern gepaarten kurzen, feinen Dornen, Blätter 2 zeilig, ganzrandig, dünnlederig, kahl, rundlich-oval, glänzend-grün, Blüten weiß, röhrig, wenig vortretend, aber beerenartige Früchte schön korallenrot im Winter; Kultur in warmen, geschützten, mehr schattigen Lagen in humosem, frischem, durchlässigem Boden; Vermehrung durch Stecklinge; Verwendung für erfahrene Pfleger als Unterholz, da zur Fruchtzeit sehr hübsch; sehr selten und heikel.

Dánaë racemósa *(D. Laurus, Ruscus racemosus)*, **Traubendorn:** eine bis 1 *m* hohe, dem *Ruscus hypophyllum* ähnliche, etwas bambusartige und wie dieser im Schatten zu verwendende Art aus Transkaukasien mit spitzen, lanzettlichen, glänzend grünen Scheinblättern

Abb. 186. *Cytisus versicolor*, 1,2 m. (H. A. Hesse, Weener.)

Abb. 187. *Daphne Cneorum*, Rosmarinseidelbast. (Phot. A. Rehder

und roten Beeren in endständigen Trauben; sonst wie *Ruscus*. Wertvolle immergrüne Schattenpflanze.

***Dáphne*, Seidelbast, Kellerhals** — Thymelaeaceen. — Kleine Sträucher mit einfachen, abwechselnden, bei *Genkwa* gegenständigen Blättern, Blüten röhrig, meist stark riechend, in Köpfchen oder kurzen Trauben; Frucht beerenartige Steinfrucht; Schnitt kaum nötig, bei *Mezereum* nach Blüte; Kultur usw. siehe bei den Arten; Vermehrung durch Samen (nach Reife), Ableger und krautige Stecklinge; auch auf *Mezereum* oder *Laureola* veredeln, zuweilen schwer zu vermehren.

ALPHABETISCHE LISTE DER ERWÄHNTEN LATEINISCHEN NAMEN.

(Die Ziffern bezeichnen die Seitenzahlen.)

A. Blätter immergrün:

I. Pflanzen niederliegend aufstrebend, kaum bis über 20 *cm*, siehe auch unten *petraea* und *striata*): ***D. Blagayána***, südöstliches Europa, rasig, Abb. 28, Blätter keilig-oboval, kahl, Blütenstände 20 bis 30blütig, endständig, Blüten rahmweiß, sehr duftend, März bis April, schattige frische Lagen in steinigem Moorboden, wertvoll für Gesteinsanlagen; ***D. Cneórum***, Rosmarinseidelbast, Gebirge Mitteleuropas, wie Abb. 187, Blätter gedrängt, keilig-lanzettlich, fein gespitzelt, zuletzt kahl, glänzend grün, unterseits bläulich, Blüten in dichten endständigen Büscheln, rosa, duftend, April bis Mai, liebt sonnige Lagen in Gesteinspartien, leichten durchlässigen Untergrund, var. *Verlótii*, Blätter länger, blüht 2 Wochen später; an *Cneorum* erinnert die ungarische ***D. arbúscula***, Triebe gerötet, Blätter gerollt, Blüten lebhaft rosa, reizender Felsenstrauch. — II. Pflanzen aufrecht, nicht kriechend. — 1. Blüten in endständigen Köpfen. — a. Blätter unter 4 *cm* lang, sonst bei *retusa* an Spitze ausgerandet: ***D. aurantíaca***, Hochgebirge von Nordwestyunnan, kleiner, sehr dichter Strauch, bis 80 *cm*, Blätter kahl, länglichoboval, bis 10 *mm* lang, Blüten zu 2 bis 4 endständig, tief orangegelb, duftend, jetzt in Schottland in Kultur, sehr hübsche Art; ***D. collína*** (*D. austrális*, *D. sericea* Hort.), Italien bis Kleinasien, buschig, bis 75 *cm*, Triebe seidig, Blätter länglich-oboval, glänzend grün, unterseits grau behaart, Blüten zu 10 bis 12, Köpfe am Grunde mit Tragblättern, purpurrosa, duftend, Kronenlappen stumpf

Abb. 188. *Dáphne oleoides*, 50 *cm*. (Orig., Kew Gardens.)

oval, Mai bis Juni, für warme Lagen; ***D. neapolitána*** (*D. collina* var. *neapolitána*, *D. Fioniána*, *D. Delahayána*, *D. Cneorum* var. *maxima* Hort.), eine Hybride der *Cneorum* mit *collina* oder *oleoides*, aufrecht, bis 75 *cm*, Triebe fein behaart, Blätter verstreut, oboval-lanzettlich, stumpfspitzig, Blüten zu 10 bis 14, erst rosapurpurn, dann heller, April bis Mai, liebt Kalk, gilt als gut; **D. oleoides** *(D. buxifolia)*, Südeuropa bis Orient, bis 50 *cm*, siehe Abb. 188, Triebe graufilzig, Blätter oboval-elliptisch, spitzlich, zuletzt kahl, fein hell gepunktet, Blütenstände ohne Tragblätter, 3 bis 8 blütig, weiß bis hell-lila, Kronenlappen länglich, spitz, Frucht rot; **D. petraea** *(D. rupestris)*, Südtirol, fast rasig, bis 12 *cm*, Blätter lineal-keilig, am Rande wulstig-verdreht, Blüten Juni, lebhaft rosa, duftend, für sonnige Lagen in Kalk, schwer zu kultivieren; **D. retúsa** *(D. tangutica)*, Westchina, dicht, aufrecht, bis 75 *cm*, Triebe behaart, Blätter keilig-oboval, Spitze ausgerandet, glänzend grün, kahl, Blüten weiß, außen rosa, kahl, fliederduftend, Mai, Frucht lebhaft rot, gilt als vielversprechend; **D. striáta**, Alpen, Karpathen, Blätter keilig, lineal-lanzettlich, kahl, Blüten kahl, gestreift, rosa, in allem eine kahle *Cneorum*, selten.

Abb. 189. *Daphne Mezereum* var. *alba*, weißer Kellerhals, 1 *m*. (Orig.: Arnold Arboretum.)

b) Blätter meist über 5 *cm* lang, kahl; **D. odóra** *(D. sinensis)*, China, Japan, bis 1 *m*, Blätter spitz länglich-elliptisch, Blüten purpurn, stark duftend, schon ab Januar, bei var. *alba* weiß, bei uns fast nur Kalthauspflanze; ebenso *D. hybrida* *(D. Dauphinii, D. Delphinii)*, Kreuzung von *odora* und *collina*. 2. Blütenstände achselständig, Blüten grün oder grünlich-weiß, außen kahl; **D. Lauréola**, Lorbeerdaphne, Süd- und Westeuropa, 0,5 bis 1 *m*, (Abb. 24), Blätter keilig, spitz-oboval-lanzettlich, sattgrün kahl, Blüten in 5 bis 10 blütigen nickenden Trauben, aus den Achseln vorjähriger Blätter, gelbgrün, duftlos, März bis Mai, Frucht schwarz, wertvoller immergrüner Busch für halbschattige etwas feuchte Lagen; **D. póntica**, Südosteuropa bis Westasien, etwas höher als vorige, Blätter dünner, Blütenstände meist 2 blütig, am Grunde der jungen Schosse, Blüten gelbgrün, duftend, April bis Mai, viel später als bei *Laureola*, gleich wertvoll; nahe steht **D. glomeráta**, Westasien, Blüten hellrosa, Mai.

B) Blätter sommergrün, häutig. — 1. Blüten vor den Blättern, aus Seitenknospen am alten Holze: **D. Genkwa** *(D. Jenkwa* Hort.*)*, Japan, aufrecht, rutig verästelt, bis 80 *cm*, Blätter gegenständig, unterseits seidig behaart, Blüten prächtig lila, März bis April, prächtig zur Blütezeit, geschützte Lagen; **D. Mezéreum**, Kellerhals, Europa bis Altai und Kaukasus, bis 1,20 *m*, siehe Abb. 189, Blätter wechselständig, kahl, Blüten lila purpurn, duftend, ab Februar, Früchte rot, bei var. *alba* weiß, Früchte gelb, var. *plena* (var. *alba plena*), weiß gefüllt, var. *grandiflora* (var. *autumnalis*), früher, zuweilen im Herbst blühend, Blüten etwas größer; giftige, aber sehr zierende Art; eine interessante Hybride mit *D. Laureola* ist **D. Houtteána** *(D. Mezereum* var. *atropurpurea, D. Laureola* var. *purpurea)*, halbimmergrün.

II. Blütenstände endständig nach Blattaustrieb: ***D. alpina.*** Alpen, aufrecht, bis 40 *cm*, Zweige und junge Blätter behaart, Blüten weiß, zu 6 bis 10, duftend, Röhre außen seidig, Mai bis Juni, Kronenlappen lanzettlich, Frucht gelbrot; ohne besonderen Zierwert; ähnlich ***D. altáica***, Altai, 0,75 *m*, Blätter größer, Blüten weniger im Blütenstand, sowie ***D. Sóphia***, Südrußland, Blätter kahl; ferner die bis 1,5 *m* hohe ***D. caucásica*** *(D. salicifolia)*, Kaukasus, siehe Abb. 190, Blätter lanzettlich.

Abb. 190. *Daphne caucasica*, 1 *m*. (Phot. A. Purpus).

Daphniphýllum — Euphorbiaceen. — Große bis baumartige, immergrüne Sträucher (Abb. 191). Blätter abwechselnd, schön, groß, Blüten klein, zweihäusig, kronenlos, in achselständigen Blütenständen, wie die blauschwarzen olivenartigen Früchte ohne Belang; Kultur im Halbschatten in warmen, geschützten, frischen Lagen, gute Bodendecke im Winter; Vermehrung durch reife Stecklinge und Ausläufer; Verwendung als prächtige Blattpflanze in genügend warmen Gebieten, ist aber ziemlich hart, wenn erst recht eingewachsen, Schutz gegen grelle Sonne.

D. macropodum. Japan, in Heimat Baum, Triebe bereift, oft gerötet, Blätter länglich, an *Rhododendron* erinnernd, Blattunterseiten deutlich blauweiß, Stiele und Mittelrippe oft rot; geht nicht selten als *D. glaucéscens*, die aber nicht echt in Kultur sein dürfte; ***D. humile*** *(D. jezoénsis)*, Nordjapan, kaum über 60 *cm*, breiter Strauch, Blätter kleiner, scheint wertvoller zu sein.

Dattelpflaume siehe *Diospyros*.

Davídia — Nyssaceen. — Neue sommergrüne, schönbelaubte Bäume (Abb. 192), aus Zentralchina, Blätter wechselständig, einfach, lebhaft grün, Blüten unscheinbar in Köpfchen, aber diese von großen, leuchtend weißen, rosa verfärbenden Hochblättern (Abb. 193) gestützt, Mai bis Juni, Frucht pflaumengroß, rötlichbraun, Oktober; Kultur in jedem guten, durchlässigen, aber nahrhaften Gartenboden, in Sonne und Halbschatten; Vermehrung durch Samen, Ableger (Sommer), Wurzelveredlung (und eventuell halbreife Stecklinge unter Glas); Verwendung als vielversprechende, in der Jugend schutzbedürftige Parkbäume; zur Blütezeit ganz eigenartig.

D. involucrata, pyramidaler Baum bis 20 *m*, jung wie Abb. 193, Blattunterseiten bleibend dicht seidig; häufiger in Kultur ist var. ***Vilmoriniana*** *(D. Vilmoriniana, D. laeta)*, Blattunterseite schnell fast ganz kahlend, graugrün.

Debregeásia edulis *(Morocarpus edulis)*: chinesisch-japanische sommergrüne Urticacee, die bei uns nur als Halbstrauch sich hält, aufrecht, bis 1 *m*, Blätter abwechselnd, spitzelliptisch, gesägt, oberseits etwas rauh, unterseits weißfilzig, 3 nervig, bis 15 *cm* lang; Blüten ein- oder zweihäusig in kugeligen, achselständigen Köpfen, Juni, Früchte kugelig, orangerot; nur botanisch von Interesse; Vermehrung durch Samen oder halbreife Stecklinge unter Glas.

Decaísnea Fargésii — Lardizabalaceen. — Hoher, aufrechter, kahler Strauch (Abb. 194) oder kleiner Baum, wenig verästelt, Zweige weidenartig, blau bereift wie Blattunterseiten und -spindeln, erst gegen Ende beblättert, Blätter unpaar gefiedert, bis 60 *cm* lang, hellgrün, Blüten grün, ohne Kronblätter in langen hängenden Trauben, April bis Mai, Früchte länglich, zu 3, blau gefärbt; Kultur in gutem, durchlässigem Boden, in warmer,

Abb. 191. *Daphniphyllum macropodum.* (J. Veitch and Sons.)

geschützter Lage; Vermehrung durch Samen, Sommerstecklinge und Ausläufer; Verwendung als sehr dekorative interessante Art im Park und Garten, recht hart.

Decumária bárbara *(D. radicans)*, **Sternhortensie** — Saxifragaceen. — Mit Luftwurzeln kletternder, sommergrüner Strauch (Abb. 195) aus den südöstl. Verein. Staaten, Zweige meist hohl, Blätter gegenständig, einfach, glänzend grün, Blüten klein, weißlich, duftend, in Doldenrispen im Mai bis Juli. Frucht urnenförmige, im unteren Teile weißgerippte Kapsel; Kultur in feuchtem Boden in warmer Lage an Mauern usw., sonst Decke; Vermehrung durch Sommerstecklinge und Samen; Verwendung im wesentlichen nur für Gehölzfreunde.

Delavaya toxocárpa *(D. yunnanensis)* — Sapindaceen. — Neuerer baumartiger Strauch aus Zentralchina, Blätter abwechselnd, sommergrün, aber derb, 3 zählig, Blüten klein, weiß, in Rispen, Frucht große, holzige Kapsel; Kultur usw. vielleicht wie *Xanthoceras*; noch zu beobachten.

***Dendromécon rígidum*, Baummohn** — Papaveraceen. — Kahler, graugrüner, kalifornischer Strauch, 0,5 bis 3 *m*, Blätter abwechselnd, einfach, dicklich, Blüten mohnartig, groß, gelb, einzeln endständig, Frucht vielsamige Kapsel; nur für erfahrene Pfleger in wärmster sonniger Lage als Felsenpflanze versuchswert; Samen keimen sehr langsam; Vermehrung durch reife Stecklinge in ganz reinem Flußsand bei 15° C; sehr empfindlich gegen Nässe.

Dendropánax japónicum ist eine ostasiatische Araliacee mit einfachen Blättern, ähnlich den fertilen von *Hedera colchica*, die bei uns kaum in Freilandkultur erprobt wurde.

Desfontainea spinósa — Loganiaceen. — Immergrüner, niedriger, dornblättriger Strauch aus dem südlichen Südamerika, mit *Ilex*-artigem Laube und schönen, großen, einzelnen, langröhrigen, scharlachroten Blüten, der bei uns nur ganz im Süden im Freiland versuchswert ist; in England prächtig.

***Desmódium*, Wandelklee:** von dieser Gattung ist, wie es scheint, bei uns keine echte Art in Kultur.

12*

Abb. 192. *Davidia Vilmoriniana*, 4 m. (Hort. Vilmorin, Les Barres

in England soll *D. tiliaefolium* aus Kaschmir vorhanden sein. (Näheres siehe C. Schneider, Ill. Handb. d. Laubholzk. II., S. 1080)

Desmodium penduliflorum siehe *Lespedeza Sieboldii.*

***Deútzia*, Deutzie** — Saxifragaceen. Niedrige oder hohe sommergrüne Sträucher. Blätter gegenständig, einfach. Blüten meist weiß oder rosa, traubig oder rispig. Frucht viel-

Abb. 193. Blütenzweige von *Davidia Vilmoriniana*. (Hort. Vilmorin, Les Barres)

Abb. 194. *Decaisnea Fargesii*, 3 m, in der Heimat in Zentralchina, Hupeï: Nin-tou shan, westlich von Kuan Hsien. (Phot. E. H. Wilson; mit Genehmigung von Professor C. S. Sargent.)

samige Kapsel; Kultur in jedem guten, nicht zu schweren Gartenboden; Schnitt nur wenn dringend nötig nach Blüte, im Winter Auslichten des alten Holzes nach Bedarf; Vermehrung vor allem durch krautige und reife Stecklinge; Verwendung als ausgezeichnete Ziersträucher, einige auch vorzüglich zum Treiben.

ALPHABETISCHE LISTE DER ERWÄHNTEN LATEINISCHEN NAMEN.
(Die Ziffern bezeichnen die Seitenzahlen.)

A) Blumenblätter in der Knospe dachziegelig gefaltet (Ränder übereinander greifend): ***D. hypoglaúca***, Mittelchina, ähnlich *parviflóra*, aber Blätter unterseits kahl, blaugrau, Zähne der äußeren Staubfäden lang, die Antheren überragend, weißblütig, gilt als gute harte neue Art; ***D. móllis***, Mittelchina, bis über 1 *m*, Blätter elliptisch-lanzettlich, unterseits dicht weich behaart, Haare meist fünfstrahlig, Blüten rahmweiß oder leicht rosa, in dichten flachen Ebensträußen, Juni, Staubfäden zahnlos, interessant, aber ohne hohen Kulturwert; ***D. parviflóra*** *(D. corymbósa* var. *parviflora)*, Nordchina, Mongolei, aufrecht, Triebe kahl, Blätter oval, unterseits hellgrün, Haare verstreut, angedrückt, 6 bis 9strahlig, Blütenstände ebensträußig, weiß, Juni, äußere Staubfäden zahnlos, längst nicht so wertvoll wie ihre Hybride mit *gracilis*; ***D. Lemoínei*** *(D. angustifólia)*, vortreffliche Kulturform, bis 1 *m*, Knospen zum Teil klappig gefaltet, viele Sorten, guter Treibstrauch, zu var. *compacta* gehören „Boule de Neige“, Blüten rahmweiß, und „Avalanche“, reinweiß; sie ist wieder an Hybriden beteiligt siehe unter *magnifica*.

Abb. 195. *Decumária barbara*, Sternhortensie, 50 *cm*. (Phot. A. Purpus.)

B) Blumenblätter in Knospe klappig.

1. (II. siehe S. 181) Blütenstände deutlich traubig oder rispig mit verlängerter Hauptachse, Kelchzähne kürzer als Blütenachse (ausgenommen bei einigen Hybriden).

a) Blätter unterseits kahl oder fast kahl, Haare nur 4 bis 7 strahlig: ***D. grácilis,*** Japan, niedriger Strauch, kaum bis 1 *m*, Triebe bald kahl, Blätter spitzlanzettlich, scharf gesägt, Blüten in aufrechten Trauben, weiß, Mai bis Juni, was als Formen davon geht, gehört zu folgenden Hybriden, die sehr kulturwert sind: ***D. candelábrum*** *(D. gracilis* var. *candelabrum)*, Kreuzung mit *Sieboldiana*, Blüten groß, weiß, Blütenstände dicht rispentraubig, hierher var. *erécta (D. gracilis* var. *erecta)*, var. *fastuosa (D. gracilis* var. *fastuosa)*; und ***D. rósea*** *(D. gracilis* var. *rosea, D. discolor* var. *rosea)*, Kreuzung mit *purpurascens*, Blüten meist rosa, glockig, in Rispen, hierher var. *campanuláta (gracilis* var. *campanulata)*, weiß, var. *carminea (gracilis* var. *carminea)*, hellrosa, außen karmesin, var. *eximia (gracilis* var. *eximia)*, weiß, außen rötlich, ähnlich var. *floribúnda* und var. *grandiflóra*, var. *multiflóra* und var. *venústa (gracilis* var. *venusta)*, weiß.

Abb. 196. *Deútzia Sieboldiana*, 80 cm. (Phot. A. Purpus.)

b) Blätter unterseits deutlich sternhaarig, Haare auch bis 15 strahlig: ***D. Schneideriána*** var. *laxiflora*, Westchina, ähnlich *scabra*, aber Rispen lockerer und graziöser; ***D. scábra*** Thbg. ***(D. crenáta)***, Japan bis China, bis 2,5 *m*, Blätter eilanzettlich, kerbzähnig, beiderseits rauhhaarig, Haare 10 bis 15 strahlig, Blütenstände zylindrische Rispen, Blumenblätter aufrecht, Kelchlappen kürzer als Röhre, an Frucht abfallend (gegen *Sieboldiana*), blüht Juni bis Juli, besonders kulturwert hiervon die Formen: var. *candidissima (*var. *albo-plena, D. crenata* var. *candidissima plena, D. Wellsi)*, Blüten reinweiß gefüllt, var. *Fortúnei*, Blüten größer als beim Typ, var. *plena (D.*

Abb. 197. *Deútzia discolor* var. *major*, junge Pflanze, 175 cm. (J. Veitch and Sons.)

crenata var. *plena*, *D. scabra* var. „Pride of Rochester“), Blüten weiß gefüllt, doch außen etwas rot überlaufen, var. *Watereri* (*D. crenata* var. *Watereri*, var. *punicea*) Blüten einfach, außen stärker gerötet; sehr hübsch die Hybride mit *D. Vilmorinae*; ***D. magnifica*** (*D. crenata* var. *magnifica*), Kelchlappen länger als Röhre, hierher die als *crenata*-Varietäten beschriebenen Formen var. *eburnea*, var. *erecta*, var. *formosa*, var. *latiflora* und var. *superba*; ***D. Sieboldiána*** (*D. scabra* Sieb. et Zucc. und der meisten Gärten), Japan (Abb. 196) niedriger als *scabra*, Blütenstände lockerer, Staubfäden zahnlos, Früchte mit bleibendem Kelch; wertvoller die Hybriden mit *rosea* var. *grandiflora* (siehe oben): ***D. cárnea*** (*D. discolor* var. *carnea*), Blüten rosa oder weiß, mit den Formen var. *densiflora*, var. *lactea* und var. *stellata*, die von Lemoine als *discolor*-Formen verbreitet wurden; mit *purpurascens*: ***D. elegantissima*** (*D. discolor* var. *elegantissima*), wozu noch var. *arcuata* und var. *fasciculata* gehören, die Lemoine ebenfalls als *discolor*-Formen ausgab, und mit *Lemoinei*: ***D. cándida*** (*D. discolor* var. *candida*), Blüten groß, weiß, in Rispen; alle verdienen größte Beachtung und Erprobung.

Abb. 198. *Deutzia longifolia* var. *Veitchii*. (J. Veitch and Sons.)

II. Blütenstände doldenrispig, ebensträußig oder fast scheindoldig, ohne deutliche Hauptachse.

a) Blütenstände nur 1 bis 3 blütig, Staubfäden mit langen schlanken zurückgekrümmten Zähnen: ***D. grandiflóra***, Nordchina, bis 1,5 *m*, Blätter aus rundlichem Grunde spitzeiförmig, oberseits rauh, unterseits weißfilzig, Haare vielstrahlig, Blüten weiß, nickend, April bis Mai, frühestblühende Art, hart. — b) Blütenstände mehrblütig. — 1. Kelchzähne kürzer als Röhre, Staubfäden der inneren Staubblätter die Antheren überragend: ***D. setchuenénsis*** (*D. corymbiflóra* var. *erecta*), Mittelchina, aufrechter graziöser Strauch, bis 1,5 *m*, beim Typ die Blütenstände wenigblütig, wichtig für uns var. ***corymbiflóra*** (*D. corymbiflora*), Blüten breit offen, nicht zu groß, aber zahlreich, Juni bis Juli, für warme Lagen. — 2. Kelchzähne lanzettlich, so lang oder länger als Röhre: ***D. discolor*** var. ***major***, Mittelchina (Abb. 197), aufrecht bis 1,5 *m*, Blätter länglich lanzettlich, spitz, unterseits graufilzig, Haare 8 bis 12 strahlig, Blüten weiß, offen, Staubfäden unter Spitze gezähnt, Juni, wegen der sogenannten *discolor*-Kulturformen siehe oben; nahe stehen die noch seltenen mittelchinesischen Arten ***D. glomeruliflóra***, Blütenstände dichter, kleiner aber zahlreicher, Staubfäden wie bei *longifolia*, und ***D. refléxa***, Blüten kleiner, in lockereren Blütenständen, Kronblätter am Rande etwas zurückgebogen, sehr reichblütig, auch an *Vilmorinae* erinnernd; ***D. longifólia***, Westchina, aufrecht bis 1,5 *m*, abweichend von *discolor* durch längere, schmälere, schärfer geaderte Blätter, die an der Rippe unten auch einfache Haare tragen, durch purpurrosa Blüten und die den breiten Staubfäden aufsitzenden, von diesen überragten Antheren, Juni, als beste Form gilt var. ***Veitchii*** (*D. Veitchii*) (Abb. 198); ***D. purpurascens*** (*D. discolor* var. *purpurascens*), Westchina, wie *discolor*, aber Haare der Blattunterseiten nur 5 bis 7 strahlig, Blütenstände nur 5 bis 10 blütig,

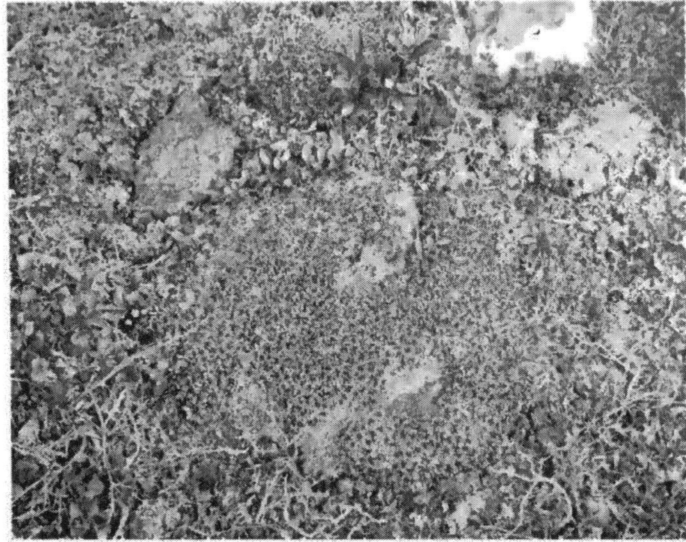

Abb. 199. *Diapénsia lappónica.* (Phot. A. Purpus, Lappland.)

Blüten außen rosapurpurn. Staubfäden wie bei *longifolia*, gute Art, von deren ausgezeichneten Hybriden (siehe auch oben) noch genannt seien: ***D. kalmiaeflóra*** *(mit D. parviflora)*, Blüten innen hellrosa außen karmesin, und ***D. myriántha*** (mit *D. Lemoinei*), hierher die Sorten „Boule rose" und „Fleur de pommier"; ***D. Vilmorinae***, Mittelchina, üppig, aufrecht, bis 1,5 *m*, wie *discolor*, aber Blütenstände lockerer, Blüten größer, ihre Stielchen bis 1 *cm* lang, Mai bis Juni, gehört zu den allerbesten Arten mit den großen lockeren weiten Blütenständen; eine gute Hybride mit *D. rosea* var. *grandiflora* ist ***D. excéllens*** *(D. discolor var. excellens)*, reinweiß; ***D. Wilsonii***, Mittelchina, steht *discolor* auch sehr nahe, aber Kelchzähne fast kürzer als Röhre und Staubfäden zahnlos.

Diapénsia lappónica — Diapensiaceen. — Winziges, rasiges, immergrünes Zwergsträuchlein aus dem arktischen Teile der nördlichen Hemisphäre (Abb. 199), wie *Pyxidanthera* zu behandeln, weicht ab durch: nicht kriechend, Blätter kahl, 6 bis 12 *mm* lang, Blüten gestielt, Antheren ohne Sporn; heikler als *Pyxidanthera*, nicht zu trocken, sonnig; Vermehrung nur durch Samen; schwer hoch zu bringen, meidet Kalk.

Diapénsia barbulata siehe *Pyxidanthera*. — **Dicknarbe** siehe *Pachystima*.

Diervilla (Weigela), Weigelie

Abb. 200. *Diervilla praecox* „Bouquet rose", 1,2 *m*. (Orig.; Hort. Goos & Koenemann, Niederwalluf.)

Caprifoliaceen. Sommergrüne, 0,5 bis 2 *m* hohe, buschige Sträucher. Blätter einfach, gegenständig oder gedreit. Blüten gelb oder hübsch rot oder weiß, in wenigblütigen Blütenständen, die sich oft rispig häufen, bei der Gruppe *Weigela* im Mai bis Juni. Frucht 2 klappige Kapsel; Kultur in jedem guten, nicht zu schweren Gartenboden, sonnig oder halbschattig; Schnitt der Sommerblüher im Winter, der Weigelien nach Blüte; Vermehrung durch krautige oder reife Stecklinge, die amerikanischen Arten durch Samen und Wurzelschosse; Verwendung als schöne Rabatten- und Gruppensträucher, zum Teil auch für Schatten, siehe unten.

ALPHABETISCHE LISTE DER ERWÄHNTEN LATEINISCHEN NAMEN.

(Die Ziffern bedeuten die Seitenzahlen.)

A) Blüten gelb, leicht zweilippig, am diesjährigen Holze, klein (Gruppe *Eudiervilla*): ***D. Lonicera*** *(D. canadénsis, D. húmilis, D. trífida)*, nordöstl. Nordamerika, kahler, ziemlich unansehnlicher Strauch, bis 75 *cm*, Triebe rundlich, Blätter gestielt, Blüten zu 3, Juni bis Juli; eine Hybride mit der folgenden ist ***D. spléndens*** *(D. sessilifólia* var. *splendens)*; am brauchbarsten ***D. sessilifólia***, südöstl. Verein. Staaten, Triebe kantig, Blätter fast sitzend, derber, Blüten zu 3 bis 7, am Ende der Zweige gedrängt, Juni bis August, gelegentlich als Unterholz, im Herbst zurückschneiden, wenn viel Blüten erwünscht; gelb blüht auch die seltene ***D. Middendorffiána*** (Gruppe *Calyptrostigma*), aus Sibirien bis Japan, bis 1 *m*, blüht wie die Weigelen am alten Holze, April bis Mai, windgeschützte, aber kühle feuchte Lagen.

Abb. 201. *Diospyros virginiana*, Persimone, 7 *m*. (Phot. A. Purpus.)

B) Blüten rosa, karmin oder weiß, groß, am alten Holze (Gruppe *Weigela*). — I. Kelchlappen lanzettlich, bis etwa zur Mitte verbunden; Narbe zweilappig: ***D. flórida*** *(Weigela rosea* und *W. amabilis* Hort.), Nordchina, ausgebreitet überneigend verzweigter Strauch, Triebe mit 2 behaarten Streifen, Blätter unterseits besonders an Rippe filzig, Blüten zu 1 bis 3, Mai bis Juni, außen tief rosa, nach innen weißlich, bei var. *alba* fast weiß, beste Kulturform var. ***venusta***, Korea und Nordchina, etwas früher und sehr reich blühend; beteiligt an sehr vielen hybriden Formen, siehe unten unter *D. hybrida*; ***D. praecox***, Japan, wie *florida* aber Triebe kahl, Ovar stark behaart, Blüten rosa mit gelbem Schlund, im Mai, hiervon viele frühblühende Hybriden wie „Avalanche", weiß, „Conquérant", groß, rosakarmin, „Espérance", lachsrosa, „Bouquet rose", seidig rosa mit hellgelbem Schlund (Abb. 200), „Séduction", weinkarminrot, „Vestale", rahmweiß.

II. Kelchlappen lineal, bis zum Grund geteilt, Narben kopfig: ***D. coraeénsis (D. grandiflóra),*** Japan, bis 3 *m*. Triebe kahl. Blätter unterseits nur an Nerven behaart. Blüten zu 3, glockig-röhrig, weißlich, hellrosa bis karmin, Mai (bis Juni), üppig, aber nicht so schön wie die Hybriden mit folgender oder *japonica*, wie „Dame Blanche", fast weiß, „Mdme. Tellier", weiß mit rosa Hauch, „venosa", karmin bis rosa, „Verschaffeltii", purpurrosa mit weißem Saum, „Congo", purpurnkarmin u. a.; ***D. floribúnda*** *(D. multiflora)*, Japan, bis 1,5 *m*. Triebe weich behaart. Blätter beiderseits behaart, unten dichter. Blüten gleichmäßig röhrig, außen behaart, dunkel fast blutrot, hiervon wichtig die Hybriden mit voriger, „Ed. André", tief braunkarmin, „Eva Rathke" leuchtend karmin, reichblütig, sowie „Lavallei", lebhaft karmin und „Lowei" dunkelpurpurrot; ***D. japónica*** *(Weigela japonica)*, Japan, China, wie *floribunda*, aber Blüten viel größer, breitröhrig, zuerst weißlich, dann karmin, bei var. ***horténsis*** *(D. hortensis)* rötlichweiß, Blätter unterseits dicht weißgrau behaart, bei var. *alba* (var. *nivea*, *D. hortensis* var. *alba*) reinweiß; hiervon wichtige Hybriden „Abel Carrière", Knospe karminpurpurn, Blüten mehr rosa, „Conquête", Blüten sehr groß, tief rosa; ferner seien unter ***D. hybrida*** noch folgende Sorten genannt: „Groenewegeni", außen rot, innen weiß mit gelb, „Mdme. Couturier", Blüten gelbweiß, dann rosa, „Mdme. Lemoine", weiß, rosa überhaucht, sehr gut, „Othello", außen purpurn, innen karmin, „Prés. Duchartre", tief amarantrot, und „styriaca", leuchtend hellrot, später erdbeerrot.

Abb. 202. Blütenzweig der Persimone, *Diospýros virginiana*. (Phot. A. Purpus.)

Abb. 203. Blütenzweig der Lotospflaume, *Diospyros Lotus*. (Phot. A. Purpus.)

Dimorphánthus siehe *Aralia*.

***Diospýros,* Dattelpflaume**

Ebenaceen. — Sommergrüne, baumartige Sträucher. Blätter abwechselnd, einfach, schön grün. Blüten ein- oder zweihäusig, männliche in 3 blütigen Büscheln, weibliche einzeln. Früchte tomatenähnlich; Kultur in jedem guten Gartenboden in möglichst warmer, sonniger Lage, da wenigstens in der Jugend in rauherem Klima empfindlich; Vermehrung meist durch Ableger, auch Samen (gleich nach Reife unter Glas); Verwendung als schön belaubte Parkbäume, die guten Fruchtsorten nur im Süden recht ausreifend.

D. virginiána,* Persimone** (Abb. 201 und 202), nordostamerikanische Art, bis über 20 *m*. Zweige kahl. Blüten grünlichgelb, Juni, Frucht gelbrot, zirka 2,5 *cm* Durchmesser, zuletzt süß, nächst ihr ***D. Lotus, Lotospflaume (Abb. 203), Orient bis Japan.

Abb. 204. *Dirca palustris*, Lederholz, 1,5 *cm*. (Phot. A. Rehder)

bis 12 *m*. Blüten und Früchte kleiner, diese gelb, blau bereift, fad, kirschengroß; viel empfindlicher ist ***D. Kaki*, Kakipflaume**, Japan, China. Zweige braun behaart, Blüten gelblichweiß, schönste Art mit guten Fruchtsorten, Frucht groß, orangefarben, nur im südlichsten Teil des Gebietes.

Abb. 205. *Disánthus cercidifolia*, Doppelblüte, 1,5 *m*. (Orig., Hort. Vilmorin, Les Barres.)

Diostea siehe *Baillonia*. — ***Diótis*** siehe *Eurotia*.

Dipélta — Caprifoliaceen. — Bis über 2 *m* hohe, sommergrüne, in Tracht der *Diervilla* ähnliche, mittel- und westchinesische Sträucher. Blätter abwechselnd, einfach, Blüten zu 2 bis 8 gebüschelt, röhrig-glockig, außen blaß-rosa, innen weiß mit gelb. Frucht trockene Kapsel, die von den verbreiterten, schildförmigen Brakteen eingeschlossen ist; Kultur und Vermehrung wie bei *Diervilla*; Verwendung als interessante frühblühende (Mai) Sträucher im Garten.

D. floribúnda, Blätter spitz eilanzettlich, ganzrandig, bald kahlend, Blüten zu 1 bis 6, nickend, röhrig-glockig, hellrosa, Unterlippe orange, duftend, hart: *D. ventricosa*, abweichend durch unterseits mehr behaarte Blätter und kleine glokkige, am Grunde kaum röhrige, außen purpurne, innen weißliche, orange gefleckte Blüten.

Diplarche ist eine mit *Loiseleuria* verwandte Ericaceen-Gattung aus dem Himalaya; wohl noch nicht eingeführt? (Näheres siehe C. Schneider, Ill. Handb. d. Laubholzk. II., S. 514.)

Diploclisia (*Cocculus*) ***affinis*** — Menispermaceen. — Schöner Schlinger aus China, bis 3 *m*, mit herzförmigen Blättern, gelben Blüten im Mai und blauschwarzen Früchten im Juni; Kultur usw. wie *Cocculus*; noch zu beobachten.

Diplopappus chrysophyllus siehe *Cassinia*.

***Dipteronia sinensis*, Zweiflügel** — Aceraceen. — Kleiner, neuer Baum aus Zentralchina mit unpaar gefiederten, sommergrünen, gegenständigen Blättern. Blüten klein, grünlich, in endständigen Rispen, Juni. Früchte wie bei *Acer*, aber ringsum wie bei *Ptelea* geflügelt; Kultur anscheinend in jedem guten Gartenboden, im übrigen noch zu erproben, erst in England versucht; Vermehrung durch Ableger.

***Dirca palustris*, Lederholz** — Thymelaeaceen. — Aufrechter, buschiger, bis 2 *m* hoher Strauch (Abb. 204), aus dem östlichen Nordamerika. Zweige sehr zäh, Blätter abwechselnd, dünnhäutig, einfach, sattgrün, Blüten im April bis Mai vor den Blättern am alten Holze, hellgelb, Frucht gelbrote kleine Pflaume; Kultur in frischem, kalkigem Boden, sonnig oder auch schattig (dann Wuchs locker ausgebreitet); Schnitt kaum nötig, sonst nach Blüte; Vermehrung durch Samen (nach Reife) oder Ableger; Verwendung im Garten und Park als interessante, sehr reichblühende Frühlingsblüher, hart. Verdient mehr Beachtung!

Abb 206. *Distylium racemosum*, Doppelgriffel, 1,30 *m*. (Phot. A. Purpus.)

***Disanthus cercidifolia*, Doppelblüte** — Hamamelidaceen. — Aufrechter, buschiger, schön belaubter, kahler Strauch (Abb. 205), Japan. Blätter lang gestielt, abwechselnd, derb, sattgrün, im Herbst weinrot mit orange. Blüten violett-purpurn, *Hamamelis*-artig, erst im Oktober erscheinend, wo dann die vorjährigen nußartigen Kapsel-Früchte reifen; Kultur in jedem guten, durchlässigen Gartenboden in warmer Lage; Vermehrung durch Ableger (Samen keimen schwer), auch Veredlung auf *Hamamelis*; Verwendung als ziemlich harter, wertvoller Blatt- und spätblühender Zierstrauch, leider noch selten.

Discaria (*Colletia*) ***serratifolia***: fast immergrüne, dornige, bei uns niedrige Rhamnacee aus Chile und Patagonien, Triebe grün, überhängend, Blätter gegenständig, oberseits wie lackiert grün, unterseits ähnlich, Blüten am alten Holze in achselständigen Büscheln, unscheinbar, weißgrün, Juni; hat in Darmstadt geschützt ganz gut ausgehalten; Vermehrung durch Sommerstecklinge.

Distegia involucrata siehe *Lonicera involucrata*.

***Distylium racemosum*, Doppelgriffel** — Hamamelidaceen. — Bei uns nur Strauch (Abb. 206) aus Japan, Blätter immergrün, abwechselnd, einfach, sattgrün, Blüten einhäusig, klein, ohne Blütenblätter, in achselständigen Ähren, Frucht 2klappige Kapsel; in Kultur noch sehr selten, hat sich aber in Heidelberg als hübsch und hart erwiesen, für durchlässigen Boden im Halbschatten; Vermehrung durch Samen (nach Reife), teils Stecklinge und Ableger, wie auch Wurzelveredlung.

Docynia Delavayi (*Pyrus Delavayi*) — Rosaceen. — Hübscher, fast immergrüner Baum aus Mittelchina, wie Abb. 207, Zweige etwas verdornend, Blätter ganzrandig, eilanzettlich, glänzend grün, unterseits weißfilzig, Blüten in Heimat im April-Mai, wie bei *Malus*, Früchte apfelartig mit bleibendem Kelch; Kultur usw. wie *Malus*, aber noch kaum versucht bei uns.

Doldenrebe siehe *Ampelopsis*. — ***Dolichos japonicus*** siehe *Pueraria*. **Doppelblüte** siehe *Disanthus*. — **Dorngeißklee** siehe *Calycotome*.

Dorycnium suffruticosum (*Lotus Dorycnium*), **Backenklee** — Leguminosen. — Niederliegend-

Abb. 207. *Docynia Delavayi*, 10 *m*, in der Heimat Zentralchina, W.-Szetschwan: Nin-tou-shan bei Ching-chi Hsien. (Phot. E. H. Wilson, mit Genehmigung von Professor C. S. Sargent.)

aufsteigender Zwergstrauch (Abb. 208) bis 45 *cm*, aus dem westlichen Mediterrangebiet, fein seidig behaart. Blätter abwechselnd, sommergrün, 5zählig gefingert. Blüten klein, kopfig, weißlich, mit dunkler Schiffchenspitze, Juni-September, Frucht einsamige Hülse; K u l t u r in magerem, trockenem Boden in sonnigen Lagen; V e r m e h r u n g durch Samen, Sommerstecklinge und Ableger (Teilung); V e r w e n d u n g als Felsenpflanze oder für trockene Hänge, nur für Gehölzfreunde. — Auch *D. rectum* als niedriger hübscher weißer Sommerblüher brauchbar.

Abb. 208. *Dorycnium suffruticosum*, Backenklee, 40 *cm*. (Orig., Hort. Vilmorin, Les Barres.)

Dotterweide siehe *Salix alba* var. *vitellina*. — ***Doxántha capreolata*** siehe *Anisostichus*.

Drimys Winteri (*Wintéra aromática*): immergrüne, bei uns strauchige kahle Magnoliacee aus dem Feuerland, Blätter abwechselnd, elliptisch-lanzettlich, spitz, oberseits dunkelgrün, unterseits blaugraugrün, hell gepunktet, aromatisch, Blüten in achselständigen Scheindolden elfenbeinweiß, duftend, Petalen lineal, Frucht höckerige Beere; Kultur in warmer Lage und gutem Boden; Vermehrung durch Stecklinge oder Ableger; hält in Südtirol aus, gewiß aber noch härter. Sehr interessant für Gehölzfreunde.

Drýas octopétala*, Silberwurz, Silberkraut** — Rosaceen. Bekannter, alpiner, immergrüner Zwergstrauch (Abb. 209), breite Flächen überziehend, Blätter abwechselnd, einfach, hellgrün, unterseits weißfilzig, Blüten weiß, anemonenartig, einzeln, langgestielt, Mai bis Juni, Frucht mit Federnschweif; Kultur in gut durchlässigem, leichtem Boden (mit Zusatz von Moorerde) in sonniger, aber frischer, nicht trockener Lage, liebt Kalk, doch nicht unbedingt nötig, tief wurzelnd in Felsspalten; Vermehrung durch Saat, Teilung und am besten durch Stecklinge; Verwendung als eine der allerbesten immergrünen Polsterpflanzen für Felspartien, blüht reich, man gebe im Notfall etwas Schutz gegen zu frühe Bestrahlung im Winter. — Sehr analog ist aus Nordamerika ***D. Drúmmondii, sehr hübsch über Steine herabhängend, Belaubung graugrün, Blüten kleiner, gelblich; ferner die beiden ebenfalls harten ***D. integrifólia***, Blätter lanzettlich, Rand umgerollt, Blüten weiß, und ***D. tomentosa***, Blätter oboval, beiderseits filzig, Blüten gelb.

Abb. 209. *Drýas octopetala*, Silberwurz, 15 *cm*. (G. Arends, Ronsdorf.)

Abb. 210. *Edgeworthia papyrifera*, 70 *cm*. (Phot. A. Purpus.)

Drypis spinosa siehe Staudenbuch — **Duftapfel** siehe *Malus coronaria*. — **Duftblüte** siehe *Osmanthus*. — **Duftrebe** siehe *Vitis vulpina*. — ***Duvaua spinescens*** siehe *Schinus dependens*. — **Eberesche** siehe *Sorbus* (Gruppe *Aucuparia*). — **Eberraute** siehe *Artemisia Abrotanum*.

Echinopanax (*Panax*, *Oplopanax*) ***hórridum*** (*Fatsia* und *Horsfieldia horrida*), **Igelkraftwurz**, noch seltene, heikle Araliacee aus dem westlichen Nordamerika und Japan, kriechend-aufstrebend, alle Teile dicht stachelborstig, Blätter einfach, 5 bis 7 lappig, Blüten weiß, klein, in endständigen zusammengesetzten Trauben, im Juni bis Juli, Frucht beerenähnlich, rot, August bis September; Kultur in feuchtem, humosem Boden in geschützter, etwas schattiger

Lage; Vermehrung durch Samen und Wurzelschnittlinge, siehe sonst *Acanthopanax:* für Gehölzfreunde interessant, hält sich in Dahlem recht gut[203].

Eccremocárpus* (*Calampelis*) *scaber: chilenische Bignoniacee, ein kahler, halbstrauchiger Kletterstrauch mit gegenständigen, doppeltfiederschnittigen, rankenden Blättern und orangeroten nickenden Blüten in 7 bis 12 blütigen Trauben im Juni bis Juli, bei uns nur gut gedeckt (Sicherung des Wurzelstockes gegen Nässe) aushaltend, zuweilen auch als Annuelle behandelt.

Abb. 211. *Ehrétia serrata*, 1,20 m. (Phot. A. Purpus.)

Echte Heide siehe *Erica.*

Edgewórthia papyrifera — Thymelaeaceen. — Niedriger, japanisch-chinesischer, sommergrüner Strauch (Abb. 210), Blätter an Zweigenden gedrängt, einfach, Blüten im April vor den Blättern, gelb, duftend, seidenzottig, dicht doldig, Frucht trockene Steinfrucht; Kultur nur im Süden des Gebietes in warmen, aber frischen Lagen versuchswert, sonst Kalthaus, wie auch die immergrüne *E. Gardneri* aus dem Himalaya.

Edelkastanie siehe *Castanea.* — ***Edwinia*** siehe *Jamesia.* — **Ehrenpreis** siehe *Veronica.*

Ehrétia acumináta (*E. serráta*) — Boraginaceen. — Bei uns nur aufrechter, sommergrüner Strauch (Abb. 211), aus Japan, China, Himalaya, junge Triebe wachsig gelb, Borke rauh, Blätter abwechselnd, einfach, derb, gelbgrün, Stil und Rippe gelb, Blüten klein, weißlich, honigduftend, in ansehnlichen Wickelrispen, Mai bis Juni, Frucht kleine gelbe Steinfrucht; Kultur in warmer Lage in gutem, aber durchlässigem Boden; Vermehrung durch Samen und halbreife Stecklinge unter Glas; Verwendung nur für erfahrene Gehölzfreunde in recht geschützter Lage in den südlicheren Teilen des Gebietes.

Eiche siehe *Quercus.* — **Eichenmispel** siehe *Loranthus.* — **Eisenholz** siehe *Bumelia.*

***Elaeágnus*, Ölweide** Elaeagnaceen. Sommer- oder immergrüne Sträucher oder Bäume. Blätter abwechselnd, einfach, silbrig oder goldig beschülfert, Blüten meist wohlriechend, traubig oder gebüschelt, Frucht meist fleischige Steinirucht; Kultur siehe bei den Arten; Vermehrung durch Samen, krautige und reife Stecklinge und Ableger, seltenere Sorten auf *E. edulis* veredeln; Verwendung siehe Arten. *E. angustifolia* und *latifolia* auch für Salzboden.

ALPHABETISCHE LISTE DER ERWÄHNTEN LATEINISCHEN NAMEN.
(Die Ziffern bezeichnen die Seitenzahlen.)

A. Blätter sommergrün, häutig: I. Zweige, Knospen und Blätter silberweiß schülfrig (oder filzig), ohne bräunliche Schüppchen: ***E. angustifólia*** (*E. horténsis*) (Abb. 6), Mediterrangebiet bis Mittelasien, Strauch bis Baum, oft dornig (var. *spinosa*), ohne Ausläufer, Blüten gelblich, Juni, bei var. ***orientális*** (*E. orientalis, E. tomentosa, E. sativa*), sind alle Teile zottig-filzig statt schülfrig und die Blätter etwas kürzer und breiter; sehr genügsam, wertvoll für trockene Lagen, durch das silbrige Grau des Laubes sehr bezeichnend; Früchte variabel, gelb, mit Silberschuppen, eßbar. — II. Zweige usw. silbern und braun schülfrig: ***E. argéntea*, Silberbeere,** Nordamerika. Strauch 1 bis 2 *m*. Ausläufer treibend, dornlos, Blätter beiderseits silbrig. Blüten zu 1 bis 3, duftend, innen gelb, Mai. Frucht trokken, silbrig, hübscher Zierstrauch, geht zuweilen als *Shepherdia argentea*; ***E. multiflóra*** (*E. longipes*), Japan, Nordostchina, dorniger Strauch, bis 2 *m*. Zweige goldbraun schülfrig, Blätter sehr bald oberseits grün, kahlend. Blüten meist einzeln, gelbweiß, Früchte langgestielt, länglich, saftig, besonders die dornlose var. ***edúlis*** (*E. edulis*) (Abb. 212) mit herbschmeckenden, roten Früchten in Kultur, geben gutes Kompott, kürzer gestielte Früchte und mehr lanzettliche Blätter hat die dornige var. ***crispa*** (*E. crispa*); ***E. umbelláta***, Japan, China, breiter oft dorniger Strauch, bis über 5 *m*, wie *multiflora* aber Blätter länglicher, heller grün, Frucht rundlich, kurz gestielt, später blühend.

Abb. 212. *Elaeagnus multiflora* var. *edulis*, Fruchtzweig. (Phot. A. Purpus.)

B. **Blätter immergrün, lederig,** Blüten im Herbst: ***E. glabra***, Japan, dornlos, leicht rankender Strauch. Triebe rostbraun schuppig. Blätter dünnlederig, spitz eilänglich, unterseits silber-rostbraun schülfrig, metallisch glänzend. Blüten weiß, mit braunen Schuppen, ob bei uns echt in Kultur?; ebensowenig wohl auch die echte *E. ferruginea*; ***E. macrophýlla***, Japan, dornlos, bis 25 *m*, Blätter breit oval oder rundlich, unterseits silbrig, für geschützte warme Lagen prächtiger Blattstrauch; ***E. púngens*** (*E. ferruginea*, *E. glabra* vieler Gärten), Japan, China, dornig, bis 6 *m*. Blätter länglich elliptisch, unterseits silbrig oder reichlich braunschülfrig, bei var. *refléxa* (*E. refléxa*), zum Teil bunte Formen, viel härter als *macrophylla*.

Abb. 213. *Elliottia racemosa*, 1,30 *m*. (Phot. A. Purpus, Kew Gardens.)

Eleutherocóccus siehe *Acanthopanax*.

Eller siehe *Alnus*.

Ellióttia racemósa — Ericaceen. — Sehr schöner, bis 2,5 *m* hoher, sommergrüner, Wurzelschosse treibender Strauch (Abb. 213), aus den südöstl. Verein. Staaten, 1 bis 3 *m*, Blätter abwechselnd, einfach, Blüten weiß, in schmalen, langen Rispentrauben, Kronblätter frei, Frucht Kapsel; Kultur wohl am besten als Unterholz in sandigem, frischem Boden, blüht im Juni, dürfte dann recht hübsch sein.

Elsbeere siehe *Sorbus torminalis*. — **Else** siehe *Alnus*.

Elshóltzia Stauntónii Labiaten. Aufrechter, bis über meterhoher, aromatischer, rutig verästelter Strauch (Abb. 214), aus Nordchina. Blätter gegenständig, unterseits mit sehr feinen goldroten Drüsen besetzt, breit lanzettlich, etwas hängend, Blüten rosaviolett oder weiß, in dichten, langen Scheinähren, September bis Oktober; Kultur in sonnigen, geschützten Lagen in durchlässigem Boden; Vermehrung durch Samen und halbreife Stecklinge; Verwendung als hübscher Spätherbstblüher für Gehölzfreunde, noch selten.

Das gleiche gilt für ***E. polystáchya*** aus dem Himalaya und Westchina. Blüten weiß.

Abb. 214. *Elshóltzia Stauntonii*, 80 *cm*. (Phot. A. Purpus.)

***Embóthrium coccineum*, Feuerbusch:** unter den sonst nur als Kalthauspflanzen in Betracht kommenden chilenischen Proteaceen vielleicht die härteste, bei uns Strauch mit Wurzelschossen, Blätter immergrün, ganzrandig, eilanzettlich, glänzend grün, Blüten end- und seitenständig, rispig, lebhaft scharlachkarmin, eigenartig; ob bei uns versucht?

Emmenópteris Hénryi — Rubiaceen. Sommer- oder wintergrüner, chinesischer Baum, Blätter gegenständig, spitz-elliptisch, ganzrandig, fest, Blüten in Doldenrispen, gelb, glockig-trichterig, 2,5 *cm* lang, Früchte elliptisch mit lederiger Schale; jetzt durch Wilson in Kultur gekommen und in warmen Lagen versuchswert. (Vgl. C. Schneider, Ill. Handb. d. Laubholzk. II., S. 1055.)

Émpetrum Conradi siehe *Corema*.

Émpetrum nigrum*, Krähenbeere, Rauschbeere** — Empetraceen. — Kriechender, bis 25 *cm* hoher, heideartiger, immergrüner, dichte Rasen bildender Strauch im arktisch-subarktischen Gebiet der nördlichen gemäßigten Zone. Blätter abwechselnd, dicht, lineal, gleich den Trieben am Rande drüsig. Blüten klein, rosa bis purpurn, meist zweihäusig, Mai, Früchte beerenartig, schwarz; Kultur in frischer, mooriger oder felsiger, aber nicht sonniger Lage. Schneedecke; Vermehrung aus fast reifen Sommerstecklingen unter Glas; Verwendung für Felspartien. — Die rotfrüchtigen Formen gliedern sich in drei Arten: aus dem östlichen Nordamerika ***E. atropurpúreum (*E. nigrum* var. *andinum* Fern., *E. nigrum* var. *purpureum* Auct.), Zweige und junge Blattränder weißfilzig, Früchte rot bis purpurschwarz, spitz, und ***E. Éamesii*** (*E. rubrum* La Pylaie), wie vorige, Früchte rosa oder durchscheinend hellrot, gilt als schönste in Frucht; ferner aus dem antarktischen Amerika ***E. rubrum*** Vahl (*E. nigrum* var. *andinum*), sehr ähnlich der letzten, aber Blätter größer, lockerer gestellt, mehr ausgebreitet als aufrecht.

Enantiospárton siehe *Genista radiata*.

***Enkiánthus*, Prachtglocke** — Ericaceen. — Bei uns Sträucher, in der Heimat oft kleine Bäume, Blätter sommergrün, abwechselnd, einfach, Blüten glockig, weiß oder rot, in traubigen oder doldigen Blütenständen, Frucht fünfklappige Kapsel; Kultur in gutem, etwas lehmigem, durchlässigem Boden, in warmer, vielleicht am besten halbschattiger Lage; Vermehrung durch Ableger und reife Stecklinge; Verwendung als sehr hübsche Mai-Juni-Blüher und prächtig im Herbst gefärbte Sträucher im Park, großen Gesteinspartien und auf Rabatten.

A) Blüten krugförmig, mit fünf sackartigen Schwellungen am Grunde, weiß: ***E. perulatus*** (*Andromeda perulata*, *E. japonicus*), Japan, Strauch 1 bis 2 *m*, Blätter im Herbst gelbrot, Blüten in hängenden, kahlen, locker gestellten Dolden, April-Mai, mit oder vor Blattausbruch. — B) Blüten glockig, ohne Schwellungen am Grunde, nach den Blättern erscheinend (Mai bis Juni): ***E. campanulátus*** (*Andromeda campanulata*), Nordjapan, hoher Strauch, Blüten nickend, in behaarten 8 bis 15 blütigen Dolden, hellgelb mit trübroter Zeichnung, sehr schön in Blüte und im Herbst; ähnlich, aber viel seltener sind ***E. defléxus*** (*E. himalaicus*), Himalaya und Westchina, Blüten schön, größer, gelbrot, mit dunklerer Zeichnung, und ***E. chinénsis***, Zentralchina, Blütenstände (und Blätter) kahl, Blüten lachsrosa mit rot; ***E. cérnuus*** (*Meisteria cernua*, *Andromeda cernua*, *E. Meisteria*), Japan, bis 1,5 *m*, Blüten in hängenden Trauben, weiß oder bei var. ***rubens***, rot, Rand unregelmäßig gezähnt; var. *rubens* sehr empfehlenswert.

Abb. 215. *Erica carnea*, Schneeheide, 30 *cm*. (G. Arends, Ronsdorf.)

Epheu siehe *Hedera*. — ***Epibatérium carolinum*** siehe *Cocculus*.

***Epigaea repens*, Bodenlorbeer** — Ericaceen. — Niederliegend-wurzelnder, immergrüner Halbstrauch, Blätter abwechselnd, eirundlich, Blüten meist zweihäusig, in 4 bis 6 blütigen an kurzen Trieben endständigen Ähren, weiß oder rosa, duftend, im März bis April; Kultur in sandig-steinigem, etwas feuchtem Waldboden, Nordlage; Vermehrung durch Teilung; Verwendung als hübsche Schattenpflanze, meidet aber Kalk.

Erbsenstrauch siehe *Caragana*. — **Erdbeerbaum** siehe *Arbutus*.

Ercilla (*Phytolácca*) ***volúbilis*** (*Bridgésia spicáta*) — Phytolaccaceen. — Schlingender Halbstrauch mit abwechselnden, einfachen, lederigen Blättern aus Chile-Peru, Blüten klein, weißlich, ährig, Früchte beerenartig; bei uns nur in sehr geschützter Lage versuchswert. Vermehrung durch Stecklinge (unter Glas) oder Ausläufer.

Eremospárton aphýllum (*Spártium aphyllum*) ist ein transkaspischer binsenartiger Steppenstrauch, der noch nicht in Kultur versucht sein dürfte. (Näheres C. Schneider, Ill. Handb. d. Laubholzk. II., S. 85.)

***Eríca*, echte Heide, Heidekraut** Ericaceen. Bekannte, meist niedrige, immergrüne, feinbelaubte Sträucher, Blüten klein, krugförmig, doldig oder rispig, lebhaft gefärbt, Frucht vielsamige Kapsel; Kultur zumeist in frischem (nicht nassem), humosem, sandigem Moor- oder Heideboden in sonniger Lage, Reisigdecke oder Bodendecke im Winter; Vermehrung durch Samen und halbreife Stecklinge in sandiger Heideerde unter Glasglocken

Abb. 216. *Erica arbórea*, Baumheide, 1,5 *m*. (Orig., Ragusa, Dalmatien.)

im Juli bis August, wo sie dann bis zum nächsten Frühjahr (Mai bis Juni) bleiben: Verwendung als prächtige Felsenpflanzen, aber auch auf Rabatten, die vorbereitet sind, nur in Masse wirksam. Siehe auch Arends' Bemerkungen auf S. 62.

Abb. 217. *Erinacea pungens.* (phot. H. Zörnitz.)

A) Blüten an Seitentrieben endständig oder achselständig, zu scheinbar endständigen Rispen oder Scheintrauben gehäuft: I. Staubblätter aus Blumenkrone hervorragend: ***E. cárnea*** (*E. herbácea*), **Schneeheide** (Abb. 215), Alpen, Apenninen, niederliegend-aufstrebend bis 30 *cm*, kahl, Triebe, Blätter und Kelchabschnitte kahl, Blätter zu vier quirlig, Blüten im Februar-März-April, glokkig, leuchtend rosenrot oder weiß (var. *alba*), prächtiger Frühjahrsblüher, besonders die neuen Arends'schen Farbensorten sowie von älteren „atrorubra", scharlach, „King George", dunkler als Typ, länger blühend, „Winter Beauty", noch dunkler und größer als vorige; ***E. mediterránea*** (*E. carnea* var. *occidentális*), Westeuropa, dicht buschig, aufrecht, bis 2 *m*, Blüten zu 1 bis 2 in den Blattachseln wie bei *carnea*, aber etwas kleiner, die breiteren Kronenlappen die Antheren mehr verdeckend, bei var. *hibérnica* (var. *glauca*) Blätter mehr blaugrün; nicht so hart wie *carnea*; ***E. vagans***, Westeuropa (Abb. 49), Tracht üppiger, breiter wachsend, Blätter zu 4 bis 5, Blüten fast kugelig, frisch rosa oder weiß (var. *alba*) oder dunkelrot (var. *rubra*), im August bis September, sehr hübsches, spät blühendes Gegenstück zu *carnea*; ***E. verticilláta***, Südosteuropa, ist *vagans* ähnlich, mehr aufrecht, Blätter gedreit, geht oft als *vagans*. — II. Staubblätter eingeschlossen in Blüte (nur Griffel meist vorragend): ***E. arbórea*** (Abb. 216), mediterran-kaukasischer Baumstrauch, Zweige hellzottenborstig, Blätter zu 3, kahl, Blüten weiß, pyramidenrispig, duftend; ***E. ciliáris***, Westeuropa, niederliegend-aufstrebend, grau behaart, große, schöne purpurrosa Blüten (oder weiß, var. *alba*, karmin, var. *atropurpúrea*), Juni bis Herbst, prächtig, aber nur für wärmste Lagen.

B) Blüten deutlich endständig am Haupttrieb: 1. Blätter und Zweige drüsenborstig: ***E. Tetrálix***, **Glockenheide**, Nord- und Westeuropa, bis

Abb. 218. *Eriobótrya japónica*, japanische Mispel, Blattzweig. (Phot. A. Purpus.)

40 *cm*. Blätter zu 4 kreuzständig. Blüten in 5 bis 12blütigen Scheindolden, rosa oder weiß (var. *alba*). Juni bis September. liebt feuchte. moorige Lagen. nahe steht ***E. Mackáyi.*** Blätter etwas breiter. Blüten tiefer rosa. offener. — II. Blätter und Zweige borstenlos. doch fein behaart: ***E. cinérea,*** Westeuropa. 0,3 bis 0,6 *m*. Blätter gedreit, Blüten nickend. eiförmig. in quirligen Trauben, rosa. weiß (var. *alba*), purpurlich (var. *atropurpúrea*), var. *coccinea*. fast scharlachrot; ***E. multicaúlis (E. stricta,*** *E. racemosa*, *E. terminalis*); Süditalien. Spanien. steifästig. 0,4 bis 1 *m* (Abb. 48). Blätter zu 4 quirlig. Blüten zylindrisch. liebt feuchtere Lagen.

Abb. 219. *Eriógonum umbellatum*. (Phot. A. Purpus.)

Erica spiculifolia siehe *Bruckenthalia*.

Erinácea pungens, **Igelginster:** mit *Calycotome* verwandte Leguminose aus Südosteuropa stechende Polster bildend, wie Abb. 217, kaum bis 30 *cm*, Blätter winzig, Blüten zu 1 bis 3 achselständig am Ende der Zweigchen, hellpurpurblau, April bis Mai, Hülse drüsenhaarig. 1 bis 2 samig; Kultur in sonnigster Lage im Alpinum, liebt Kalk; Vermehrung durch Samen und reife Stecklinge oder Verzweigungen im August (in Sand im Haus, wie *Genista*); Verwendung für den Gesteinsgarten.

Eriobóthrya (*Photinia*. *Méspilus*) ***japónica,*** **Wolltraube, japanische Mispel** — Rosaceen. Baumartiger. dick rostgraufilziger Strauch mit immergrünen abwechselnden großen. einfachen Blättern (Abb. 218). Blüten weiß. in breitpyramidalen Rispentrauben. duftend. Frucht groß, gelb. birnenartig: Kultur usw. wie *Photinia*, nur im Süden des Gebietes mit Erfolg im Freien anzubauen.

Eriógonum, **Wollknöterich** — Polygonaceen. — Nordamerikanische Halbsträucher oder Stauden. Blätter sommergrün, einfach, Blüten unscheinbar. aber Blütenstände ziemlich ansehnlich (Abb. 219): Kultur in durchlässigem Boden in sonnigen Lagen. Gestein. Schutz gegen Winternässe; Vermehrung durch Samen und Teilung: Verwendung für Gehölzfreunde.

Abb. 220. *Eriógonum Wrightii* var. *subscaposum*, 25 *cm*. (Phot. A. Purpus.)

E. cognátum (Abb. 57). kalifornischer Halbstrauch. Blattunterseiten graufilzig, Blüten gelb; ***E. umbellátum,*** ziemlich staudig, Blüten gelbweiß, Abb. 219; ***E. Wrightii*** var. ***subscapósum*** (Abb. 220). nordwestliches Nordamerika. graufilzig. Blüten rosa. der Typ ist unschön.

Eriogýnia pectinata siehe *Luetkea*. ***Eriólobus trilobáta*** und ***E. Tschonóskii*** siehe *Malus*. — **Erle** siehe *Alnus*.

Escallónia Philippiána (*E. stenophylla*), **Eskallonie** Saxifragaceen. — Bis 1 *m* hoher. dicht und fein sparrig verzweigter. wintergrüner Strauch (Abb. 221 und 222). aus Chile. Blätter klein, einfach, glänzend grün. abwechselnd. Blüten weißlich, achselständig, aber zu Scheintrauben gehäuft. Juni bis August, Frucht trockene Kapsel: Kultur in warmen Lagen in durchlässigem, leichterem

Abb. 221. *Escallónia Philippiana*, 80 *cm*. (Phot. A. Purpus.)

Boden, sonnige Lage, Winterschutz ratsam; Vermehrung durch Samen (Frühjahr) und Stecklinge im Sommer unter Glas, auch im Frühjahr von angetriebenen Pflanzen; Verwendung als reizend blühender Zierstrauch für Rabatten und Alpinum, der sich mancherorts recht hart gezeigt hat und mehr erprobt werden sollte. — Sehr ähnlich ist ***E. virgáta;*** für uns wertvoll wohl nur noch ***E. langleyénsis*** (*E. Philippiana*×*E. rubra*), karmesinrosa.

Esche siehe *Fraxinus*. **Eschenahorn** siehe *Acer Negundo*. **Espe** siehe *Populus tremula*. **Essigbaum** siehe *Rhus typhina*. — **Essigrose** siehe *Rosa gallica*.

Eucalýptus: von dieser australischen Myrtaceen-Gattung sind die sogen. Fieberheilbäume, *E. amygdalina* und *E. glóbulus*, mit den stark riechenden ölhaltigen Blättern gelegentlich in Südtirol einige Zeit haltbar, wie Dr. Pfaff berichtet. Allgemeinere Aufmerksamkeit beansprucht wohl nur ***E. Gunnii:*** kahler, kleiner, immergrüner Baum, Blätter an jungen Pflanzen fast gegenständig, rundlich, an Spitze ausgerandet, blaugrau, fast sitzend, später werden sie länglich, abwechselnd; Blüten und Früchte für uns bedeutungslos. Nachrichten über Versuche in wärmsten Lagen in tiefgründigem Boden erwünscht; Anzucht aus Samen; jung stets gut schützen, bis genügend verholzt.

Eucómmia ulmoides — Eucommiaceen. Noch recht seltener, schön belaubter, sommergrüner, etwas ulmenartiger Baum (Abb. 223) aus Zentralchina, Blätter gegenständig, einfach, Blüten eigenartig, vor oder mit den Blättern, wenig ansehnlich, April, Frucht geflügelt, etwas eschenartig, Oktober; Kultur in jedem frischen lehmigen Boden; Vermehrung durch Samen (nach Reife oder stratifizieren) und halbreife Stecklinge von Seitentrieben unter Glas, auch Wurzelveredlung; Verwendung als Parkbaum, hat sich als recht hart bewährt (Weener, Arnold Arboretum); sehr interessant als der einzige bei uns kultivierte Guttapercha (Gummi) liefernde Baum. Ob daher auch forstlich von wirklicher Bedeutung, bleibt noch zu erproben. Jedenfalls sehr beachtenswert!

Eucrýphia glutinosa (*E. pinnatifólia*). — Eucryphiaceen. Immergrüner chilenischer Strauch, bis 3 *m*, Blätter gegenständig, gefiedert, 3- oder 5zählig, rosenähnlich, Blüten weiß, mit 4 Petalen, bis 8 *cm* breit, kamelienartig, Juli-August, Frucht harte, holzige, birnförmige Kapseln; Kultur in leichterem, durchlässigem Boden im Halbschatten, auch Pflanzung zwischen niedere Ericaceen empfohlen,

Abb. 222. Blütenzweig von *Escallónia Philippiana*. (Phot. A. Purpus.)

da dadurch Wurzeln geschützt; in Gärten wie in Heidelberg und Darmstadt ziemlich hart; Vermehrung durch Samen (nach Reife), auch Stecklinge von angetriebenen Pflanzen; Verwendung in südlichen Gegenden als schön blühender Strauch im lichten Unterholz. *E. cordifolia* hat einfache, derbere Blätter und zottig behaarte Zweige.

Eugénia Ugni siehe *Ugni Molinae.* — ***Eunómia cordata*** siehe *Aethionema cordatum.* — ***Euónymus*** siehe *Evonymus.*

Eupatórium vernicósum — Compositen. Kleiner, reichverzweigter Strauch (Abb. 224) aus den mexikanischen Hochgebirgen, Blätter wintergrün, gegenständig, drüsig, Blütenstände klein, in endständigen Rispen, Blüten weiß oder rosa im Spätsommer; Kultur usw. als Felsenpflanze nur für erfahrene Pfleger, empfindlich.

Euptélea polyándra Trochodendraceen. Bemerkenswerter, baumartiger, erlenähnlicher Strauch (Abb. 225) aus Japan, Knospen fast spindelförmig, vielschuppig, Blätter abwechselnd, sommergrün, einfach, schön glänzendgrün, grob gezähnt, sehr lang gestielt, Blüten vor den Blättern, gebüschelt, 2häusig, interessant, aber kaum recht auffällig, außer den roten Antheren der männlichen, April, Frucht schief geflügelt; Kultur mühelos in guten Böden und warmen Lagen; Vermehrung durch Samen (Frühjahr), halbreife Stecklinge und Ableger; Verwendung als hübscher Zierstrauch im Park, recht hart und kulturwert. Ähnlich ist die höhere mittelchinesische ***E. Franchetii*** (*E. Davidiana*), Blätter regelmäßiger gesägt, schön rot im Herbst.

Abb. 223. *Eucómmia ulmoides*, junge Pflanze, 2,30 *m*. (Phot. A. Purpus)

Eurótia (Diotis) ceratoídes*, Hornmelde** — Chenopodiaceen. — Bis 1 *m* hoher, am Grunde verholzender, gelbgrau sternfilziger Halbstrauch (Abb. 226) aus dem Mediterrangebiet bis Zentralasien, Blätter abwechselnd, sommergrün, lineallanzettlich oder breiter (var. *latifolia*), oberseits grünlich, Blüten unscheinbar, geknäuelt, Knäuel ährig gehäuft; Kultur in warmer sonniger Lage in leichtem Boden zwischen Gestein; Vermehrung durch Samen und reife Sommerstecklinge, auch Stecklinge von angetriebenen Pflanzen mit altem Holz am Grunde; Verwendung nur für Gehölzfreunde. — Ebenso ***E. lanáta aus dem westlichen Nordamerika, Blätter umgerollt, beiderseits weißfilzig, aber schöner.

Abb. 224. *Eupatórium vernicosum*, 50 *cm*. (Phot. A. Purpus)

Eúrya japónica (*Cleyera japonica*) — Theaceen. — Sehr variabler, immergrüner, kahler japanischer Strauch, Blüten zweihäusig, grünlichgelb, wenig ansehnlich, gebüschelt, Staubbeutel kahl, Frucht beerenartig, schwarz, pfefferkorngroß; bei uns bisher kaum im Freien erprobt, und nur im Süden brauchbar, gewöhnlich findet man die weißbunte Form als *Eurya latifolia variegata*.

Euscáphis japónica (*E. staphyleoides, Sambucus japonica*). **Schönfrucht, Kahn-**

Abb. 225. *Euptélea polyandra*, junge Pflanze, 1,20 *m*. (Phot. A. Purpus.)

frucht Staphyleaceen. — Seltener, sommergrüner, baumartiger Strauch aus Japan und Zentralchina mit gegenständigen, unpaar gefiederten, 7 bis 9 zähligen, sattgrünen Blättern. Blüten gelbgrün, unscheinbar, in aufrechten Rispen, Mai. Frucht aus 1 bis 3 spreizenden Balgfrüchten bestehend; Kultur wohl in jedem guten Gartenboden; in rauhen Lagen aber recht empfindlich; Vermehrung durch Samen und krautige Stecklinge (Haus); Verwendung als interessantes Parkgehölz.

Evódia Rutaceen. Schönbelaubte, sommergrüne Bäume, in Tracht an *Phellodendron* erinnernd, Knospen nackt, aber frei. Blätter gegenständig, unpaar gefiedert. Blüten an diesjährigen Trieben in endständigen breiten flachen Ebensträußen oder rispig, weißlich. Früchte kleine Kapseln mit schwarzen Samen; Kultur wie *Phellodendron* oder *Zanthoxylum*, in jedem kräftigen Boden; Vermehrung durch Samen und wohl auch durch Wurzelschnittlinge; Verwendung als recht schmuckvolle Parkbäume, auch in größeren Gärten.

E. Daniéllii (*Zanthóxylum Daniellii*). Nordchina, Korea, Baum bis 10 *m*, etwas eschenartig, Blättchen 7 bis 11, unterseits hellgrün, etwas behaart. Blütenstände bis 15 *cm* breit, Juni. Frucht fast kahl, geschnäbelt, September, hat sich als härteste Art im Arnold Arbo-

Abb. 226. *Eurotia ceratoides* var. *latifolia*, 60 cm. (Phot. A. Purpus.)

retum gezeigt; ***D. Hénryi.*** Mittelchina, weicht ab durch Blättchen 5 bis 9, kahl, unterseits mehr blaugrün, länger zugespitzt, Blütenstände schmäler, mehr rispig, Frucht braunrot; gleich der folgenden etwas empfindlicher, aber noch zu erproben; ***D. hupehénsis,*** wie vorige, Blättchen unterseits achselbärtig, Blütenstände breiter, Früchte gelbgrau.

Evodia ramiflora siehe *Orixa*.

Evónymus (*Euonymus*), **Spindelbaum** — Celastraceen. — Sommer- oder wintergrüne Sträucher. Blätter meist gegenständig, einfach. Blüten gewöhnlich unscheinbar, in achselständigen, doldenartigen Rispen, aber Früchte (Pfaffenhütchen) fast immer sehr hübsch, meist im September; Kultur im allgemeinen in jedem frischen Gartenboden in Sonne wie Schatten; Schnitt nach Bedarf im Winter; Vermehrung durch Samen, Formen usw. durch Veredlung auf Stammarten, die immergrüne *japonicus*-Gruppe auch durch Stecklinge unter Glas (vom Herbst ab); Verwendung siehe bei den Arten.

ALPHABETISCHE LISTE DER ERWÄHNTEN LATEINISCHEN NAMEN.
(Die Ziffern bezeichnen die Seitenzahlen.)

A. Blätter sommergrün, zuweilen etwas wintergrün (aber nie dickledrig). — I. Blätter schmal lineal, mehr wechselständig: ***E. nana***, Kaukasus bis China, feintriebiger, bis 0,6 *m* hoher, grünzweigiger Strauch. Triebe kantig, Blätter tiefgrün, lange bleibend. Blüten braunpurpurn, Juni. Frucht zierlich, rosenrot, Same braunpurpurn mit orange Arillus, schon im August, hübsch für Rabatten und Felspartien, breiterblättrig ist var. *Koopmánnii (E. Koopmannii)*. — II. Blätter nie so schmal, stets gegenständig. — 1. Zweige dicht warzig oder korkig-flügelkantig: ***E. aláta*** *(E. striáta)*, Japan, Mandschurei bis Mittelchina, bis 4 *m*. Zweige korkflügelig, grün, Blätter tiefgrün, fein gezähnelt, spät abfallend, prächtig flammend purpurn im Herbst, Blüten gelblich, Mai bis Juni. Frucht braunrot, Same weiß, mit mennigrotem Mantel, sehr hübsch, hart; ***E. verrucósa***, Mitteleuropa bis Kaukasus, 0,5 bis 2 *m*, Zweige warzig, Frucht gelbrot, Samen schwarz mit rotorange Hülle, nur als Schattenstrauch brauchbar. — 2. Zweige glatt. a. Blattknospen (wenigstens am Triebende) sehr lang spindelförmig, auch Blätter groß, meist 8 bis 12 *cm* lang: ***E. latifólia***, Europa bis Transkaukasien, bis 5 *m*, Belaubung schön grün, Blüten grünlich gelb, Mai, Fruchtstände lang gestielt, groß,

Abb. 227. *Evónymus plánipes*, Spindelbaum, Blütenzweig. (Phot. A. Purpus.)

Früchte geflügelt, prächtig rot, mit weißem Samen und orange Arillus, sehr zierend zur Fruchtzeit; ***E. plánipes*** *(E. latifolia var. planipes)*, Japan (Abb. 227), ähnlich voriger, Früchte nur spitzfünfkantig, lebhaft blutrot, noch schöner in Frucht, liebt ebenfalls etwas Schatten; ***E. sanguinea***, Mittel- und Westchina, baumartig, steif aufrecht, wie *latifolia*, aber Blätter stumpfer grün, feiner gesägt, derber, Herbst braunrot, spät abfallend, Blüten meist 4zählig, Frucht mehr wie bei *planipes*, sehr kulturwert.

b. Knospen klein, kurz, stumpflich, Blätter meist kleiner. — 1. Staubbeutel rot (nicht gelb): ***E. atropurpúrea*** *(E. americána* Hort.) östliche und mittlere Vereinigte Staaten, hoher Strauch, Blattunterseiten fein behaart, Herbstfärbung gelb, Blüten tiefpurpurn, Früchte hellpurpurn, hübscher Zierstrauch; nahe steht ***E. occidentális*** aus dem westlichen Nordamerika; ***E. Bungeána***, Turkestan bis Nordchina, Blätter ei-elliptisch, plötzlich lang zugespitzt, ziemlich fein gesägt, Stiele $^1/_3$ bis $^1/_4$ so lang wie Spreite, Frucht sehr hell fleischfarben, Samen hell violett, Mantel orange; die in England halbwintergrüne var. ***semipersistens*** *(E. semipersistens, E. Hamiltoniana var. semipersistens)* verdient bei uns diesen Namen nicht, da das Laub nach den ersten stärkeren Frösten fällt; ***E. hians***, Japan, Blätter kürzer zugespitzt, Stiel nur $^1/_5$ bis $^1/_6$ so lang wie Spreite, Frucht deutlich rosa, Samen und Mantel blutrot; ***E. Maáckii*** *(E. Hamiltoniana* Hort.), Amurgebiet bis Japan, großer rundlicher Busch, bis über 4 *m*, Blätter spitz-lanzettlich, etwas hängend, im Herbst oben stumpf rot, unten hellgrün, Frucht karminrot, Samenmantel glänzend orange scharlach; bei der nahe verwandten ***E. semiexsérta*** treten die blutroten Samen aus dem offeneren Mantel deutlich heraus; ***E. yedoénsis*** *(E. Sieboldiana* Hort.) hat größere Blätter als *hians* und orange Samenmantel, Blattfärbung im Herbst mäßig, aber Fruchtstände reich und lange bleibend.

2. Staubbeutel gelb: ***E. europaéa*** *(E. vulgáris)*, Europa bis Westsibirien, variable bekannte Art, kahl, Frucht rosenrot, Samen weiß mit orange Mantel; var. *atrorubens* (var. *porphyrocarpa*), Frucht dunkelrot, var. *atropurpurea* (var. *purpurea*) Austrieb purpurn, var. *leucocarpa*, Frucht weiß, var. *ovata*, Blätter breiter, Früchte größer, gilt als sehr brauchbar;

E. obováta (*E. americana* var. *obovata*), mittlere Vereinigte Staaten, kriechend, bis 25 *cm*. Blüten schmutzig bräunlich grün, Früchte warzig; durch solche Früchte ist auch die echte *E. americana* ausgezeichnet, die ausgebreitet aufrecht wächst.

Abb. 228. *Evónymus radicans* var. *Carrierei*.
(Phot. F. Rehnelt, Hort. Bot. Gießen.)

B. Blätter immergrün, dick oder dünn lederig: ***E. japónica***, Südjapan, Wuchs aufrecht, nicht kletternd, Zweige kahl, leicht 4kantig oder streifig, Blätter beim Typ sattgrün, ebenso bei var. *macrophylla* (var. *robusta*), bis 10 : 5 *cm*, und var. *microphylla* (var. *pulchella*), klein, schmal, Blüten grünlich weiß, Juni bis Juli, Früchte flach kugelig, glatt, rosa, Arillus hellorange, Oktober; ***E. radicans*** (*E. japonica* var. *radicans*, *E. repens* Hort.), Mittel- und Nord-Japan. Wuchs kriechend, Zweige wurzelnd, rundlich, feinwarzig, Blätter rundlich oder ei-elliptisch, oberseits etwas stumpf grün mit weißlichen Adern, Frucht bleicher als bei *japonica*; von den Formen sehr wertvoll var. ***acúta*** (*E. japonica* var. *acuta*), Mittelchina, ähnlich *vegeta*, aber Zweige sämtlich wurzelnd und kletternd, Blätter stärker zugespitzt, gesägt, Nerven unterseits etwas hervortretend; var. ***Carrièrei*** (*E. Carrièrei*), wie Abb. 228, mehr dicht strauchig, nicht wurzelnd, Blätter länglich elliptisch, schön glänzend grün, var. ***minima*** (var. ***kewénsis***), wurzelnde Zwergform, Blätter klein, stumpfoval, oberseits trübgrün, mit hellerer Aderung, am Rande leicht umgebogen, entfernt zähnig, wertvoll; var. ***végeta***, härteste Form, nur unterste Zweige wurzelnd, Blätter breitoval, kerbsägig, fruchtet reich; alle diese immergrünen Formen selbst in rauheren Lagen (*vegeta*) sehr bedeutungsvoll, für Mauerbekleidung, Unterholz, auch die bunten beliebt, wie *radicans* var. *reticuláta* (var. *picta*, *E. grácilis*), weiß gezeichnet; ***E. patens*** (*E. Sieboldiana* Hort. zum Teil), Mittelchina, ausgebreiteter Strauch, bis 3 *m*, unterste Triebe zuweilen wurzelnd, Blätter dünnlederig, in rauhern Lagen nur wintergrün, länglich-elliptisch, Grund keilig, fein kerbsägig, lebhaft grün, blüht August-September, Frucht rosa, Oktober, hart; ***E. Sargentiána***, Westchina, prächtiger, breit belaubter Strauch, Blätter länglich-oboval, plötzlich zugespitzt, entfernt kerbsägig, bis 8 *cm* lang, Frucht vierkantig, wohl empfindlich, aber sehr zu erproben.

Exochórda[3n], **Blumenspire, Prachtspire, Scheinfelsenbirne** — Rosaceen. Schöne hohe, sommergrüne Blütensträucher. Blätter abwechselnd, ganzrandig, Blüten hübsch weiß, traubig (Abb. 229), im April-Mai, Frucht 5furchige Kapsel; Kultur in jedem guten, durchlässigen Gartenboden, der genügend frisch ist, in freier, sonniger Lage; Schnitt nach Blüte, lange Triebe im Spätsommer kürzen; Vermehrung durch Samen, Ableger und Stecklinge im Frühjahr von getriebenen Pflanzen; Verwendung als prächtige Ziersträucher im Park und Garten.

A. Staubblätter 15, drei vor jedem Kronblatt: ***E. racemósa*** (*E. grandiflora*, *Amelanchier racemosa*, *Spiraea grandiflora*), östl. China, ausgebreiteter Strauch, bis über 4 *m*, kahl, Blätter der Langtriebe ohne nebenblattartige Lappen, Blüten in aufrechten Trauben, untere deutlich gestielt, Kronenblätter breit eirund, plötzlich genagelt, Mai, Frucht höchstens 1 *cm* hoch, sehr schön zur Blütezeit, nach Blüte alle schwachen Triebe ausschneiden. B. Staub-

Abb. 229. *Exochórda grandiflora*, großblütige Prachtspiere, 2,5 *m*. (H. A. Hesse, Weener.)

blätter 20 bis 30. Blüten kurz gestielt oder fast sitzend. Kronblätter allmählich in Nagel verschmälert: ***E. Giráldii*** (*E. racemosa* var. *Giraldii*), Nordostchina, nicht so hoch, aber breiter als vorige. Austrieb bronzefarben. Blätter elliptisch, oval oder verkehrt eirund, ganzrandig, plötzlich in den Stiel zusammengezogen, nebenblattartige Anhängsel fehlend. Stiel bis 2,5 *cm*, beim Typ rot, bei var. *Wilsónii* grün, nur bis 2 *cm*, hier Blätter öfter gezähnelt, blüht vor Typ. Früchte kreiselförmig, 1 bis 1,5 cm lang: ***E. Korolkówii (E. Albértii)***, Turkestan, bis 4 *m*, Blätter der Langtriebe länglich oder verkehrt eilänglich, am Grunde zum Teil mit nebenblattartigen Anhängseln, allmählich in den Stiel verschmälert, Staubblätter etwa 25, Frucht breit oval, 1,5 *cm*, treibt früher aus als *racemosa*, aber nicht so reichblühend; zwischen diesen beiden der Bastard ***E. macrántha*** (*E. Alberti* var. *grandiflora*, *E. Alberti* var. *macrantha*), steht *racemosa* näher (Abb. 230), Wuchs kräftiger, Staubblätter 3 bis 5 vor jedem Kronblatt, Blüten kürzer gestielt, April-Mai, sehr schön.

Fabiána imbricáta: südkalifornische, immergrüne, heidekrautartige Solanacee, jung wie Abb. 231 später breiter Strauch, Trieb behaart, Blätter dachziegelig schuppig, 3 kantig, Blüten einzeln endständig, rispig gehäuft, langröhrig, gegen Saum verbreitert, weiß, Juli; Kultur in recht warmen, geschützten Lagen, in nicht zu schwerem Boden; Vermehrung durch Sommerstecklinge auf warmen Fuß; Verwendung nur für erfahrene Pfleger, hat sich in Darmstadt gehalten.

Fágus[39]), **Buche** — Fagaceen. — Hohe, sommergrüne Bäume, Stamm glattrindig, Blätter abwechselnd, zweizeilig, einfach, Blüten unansehnlich, Fruchtbecher borstig beschuppt, Frucht (Buchecker) dreikantig; Kultur in guten, tiefgründigen, nicht zu feuchten, etwas kalkhaltigen Böden; Vermehrung von *F. sylvatica* durch Samen und die Formen und anderen Arten durch Veredlung auf diese Art unter Glas; Verwendung als prächtige Zier- und Parkgehölze, besonders die Blutbuche und Trauerbuche; die Buche verträgt starken Schnitt.

F. Engleriána, Mittelchina, bis über 25 *m*, Stamm meist einzeln, Borke hellgrau, Blätter eiförmig oboval, unten kahl, Fruchtstiel 5 bis 7 *cm*, hat sich im Arnold Arboretum gleich den anderen chinesischen Arten hart gezeigt; ***F. grandifólia*** (***F. ferruginea***, *F. americána*, *F. atropunicea*), östliches Nordamerika, bis über 30 m, mit Wurzelschossen, Borke sehr hellgrau, Blätter bis 15 *cm*, mit 9 bis 14 Nervenpaaren, gezähnt, schöne rote Herbstfärbung, im Winter sehr auffällig mit den hellen Stämmen und Ästen; ***F. japónica***, kleiner meist von

Grund aus mehrstämmiger Baum. Blätter bis 10 *cm*, spitz elliptisch, Nervenpaare 9 bis 13. Früchte lang gestielt, Becher nur halb so lang wie Bucheckern; ***F. longipetioláta*** (*F. sinensis, F. silvatica* var. *longipes*), Mittelchina, bis über 18 *m*, Stamm einfach, hellgrau berindet, Blätter rhombisch-oval, unten behaart, Fruchtstandstiele bis 5 *cm*; ***F. lúcida***, Mittelchina, bis über 30 *m*, Borke dunkelgrau, Blätter auch unterseits glänzend grün, sehr hübsche Art; ***F. orientális*** (*F. asiática*), Kleinasien bis Persien, pyramidaler Baum, Blätter fast ganzrandig, untere Stacheln des Fruchtbechers in längliche lappige Anhängsel umgewandelt; ***F. Sieböldii***, Japan, hoher hellrindiger Baum, Blätter spitzoval, kerbig, Becher wie bei *orientalis* gelappt; ***F. sylvatica*, Rotbuche,** Mitteleuropa bis Kaukasus, Blätter elliptisch, entfernt gezähnelt, mit 5 bis 9 Nervenpaaren, bis 10 cm, wertvoller Wald- und Parkbaum mit vielen Gartenformen, davon sehr wichtig: var. ***purpúrea*** (var. *atropurpurea*), **Blutbuche,** var. ***péndula*, Trauerbuche,** vielleicht der schönste Hängebaum, siehe Abb. 13; ferner var. *heterophýlla* (var. *aspleniifólia*), Blätter tief lappig zerschlitzt, dicht buschiger Baum, etwas gröber gelappte Blätter hat var. *incisa*, besonders fein gelappte var. *comptoniifólia*, var. *pyramidális*, breit pyramidal, var. *Dawýckii* mehr säulenförmig, var. ***Zlátia*, Goldbuche,** in sonniger Lage im Austrieb schön gelbbunt.

Abb. 230. *Exochórda macrantha*, Bastard-Prachtspire, kleine Pflanze. (Hort. Weihenstephan.)

Abb. 231. *Fabiana imbricata*, 80 *cm*. (Phot. A. Purpus.)

Fagus Cunninghamii siehe *Nothofagus*.

Fallúgia (*Sieversia*) ***paradóxa*** — Rosaceen. — Reich steifverästelter, 0,5—0,9 *m* hoher, immergrüner, weißlich-wollzottiger Strauch (Abb. 232 und 233), südwestl. Verein. Staaten. Blätter abwechselnd, fiederspaltig, Blüten weiß, zu 1—3, Fruchtstand an *Clematis* gemahnend; Kultur als Felsenstrauch in sehr warmen, sonnigen Lagen in leichtem, gut durchlässigem Boden (Kalk), Schutz gegen Winterfeuchte; Vermehrung durch Samen, die bei uns sich meist entwickeln (nach Reife), Sommerstecklinge oder solche von angetriebenen Pflanzen; nur für erfahrene Pfleger.

Falsche Akazie siehe *Robinia*.
Falscher Flieder siehe *Sambucus*.
Falscher Jasmin siehe *Philadelphus*. — **Farnmyrte** siehe *Myrica aspleniifolia*. — ***Fátsia horrida*** siehe *Echinopanax*.

Fátsia (*Arália*) ***japónica*** (*Aralia Sieboldii* der Gärten) ist eine bekannte Kalthauspflanze, die höchstens im mediterranen Klima im Freien aushält.

Faulbaum siehe *Prunus Padus* und *Rhamnus Frangula*.

Abb. 232. *Fallúgia paradoxa*. 80 *cm*. (Phot. A. Purpus.)

Feige siehe *Ficus*.

Feijóa Sellowiána: diese an der Riviera öfter angepflanzte Myrtacee aus Südamerika, hat nach Dr. Pfaff auch in Südtirol im Freien gefruchtet. Sonst über Freilandkultur bei uns nichts bekannt.

Feldahorn siehe *Acer campestre*. — **Feldrüster** siehe *Ulmus campestris*. — **Felsenbirne** siehe *Amelanchier*. — **Felsenrose** siehe *Cowania* und *Rhododendron* (Gruppe *Rhodora*).

Féndlera rupícola, **texanische Felsenbirne** (Saxifragaceen. — Sparriger, 0,5 bis 1,2 *m* hoher, texanischer, sommergrüner Strauch (Abb. 234), Blätter gegenständig, graugrün, Blüten hübsch weiß, rötlich gesäumt, zu 1 bis 3, Juni, Frucht Kapsel; Kultur als Felsenpflanze in sonniger, warmer Lage in durchlässigem Boden, gegen Grundfeuchtigkeit gesichert; Vermehrung durch Samen, Ableger und krautige Stecklinge (unter Glas); Verwendung als hübsch blühender Strauch.

Féndlera utahensis siehe *Fendlerella*.

Fendlerélla (*Whipplea*) ***utahénsis*** ist ein mit *Fendlera* verwandter, xerophytischer Strauch aus Utah, Colorado, Arizona, bis 50 *cm*, behaart, Blüten weiß, Juni, wohl noch nicht eingeführt und heikel wie *Whipplea*.

Fetthenne siehe *Sedum*. — **Fettholz** siehe *Sarcobatus*. — **Feuerbusch** siehe *Embothryum coccineum* — **Feuerdorn** siehe *Pyracantha*.

***Ficus*, Feige** — Moraceen. — Von dieser großen Gattung kommen für uns nur zwei Arten in Betracht, man vergleiche das bei diesen Gesagte.

F. Cárica, östliches Mediterrangebiet, Strauch bis kleiner Baum, malerische Tracht, Äste zum Teil niederliegend-aufstrebend, Blätter abwechselnd, sommergrün, derb, einfach, kerbzähnig oder tiefgelappt, groß, Blüten unansehnlich, Scheinfrucht bekannt, im Süden allgemein angebaut in vielen Sorten, bei uns an warmen Wänden unter Decke ebenfalls, liebt guten, nahrhaften, durchlässigen Boden und Sonne; Vermehrung durch Ableger; gegen den Süden auch als malerischer Zierstrauch zu verwenden, über Hänge niederliegend usw.; ***F. púmila*** (*F. stipulata*, *F. repens* der Gärten), Japan, China, ein wintergrüner Kletterstrauch mit wurzelnden sterilen Trieben, hier Blätter klein, kaum über 2,5 *cm*, ungleichseitig, herzförmig, kurz gestielt, an den Fruchttrieben größer, bis 8 *cm*, länglich elliptisch, lang gestielt, Frucht nur im Glashaus bei uns reifend, sonst die Pflanze gegen den Süden für warme, geschützte Wände, mehr im Schatten, brauchbar; Vermehrung durch Abtrennen bewurzelter Triebe.

Abb. 233. Blüten- und Fruchtzweige von *Fallúgia paradoxa*. (Phot. A. Purpus.)

Filária in manchen Katalogen ist *Phillyrea*. — **Fingerkraut** siehe *Potentilla*. — ***Firmiána*** siehe *Sterculia*. — **Flatterrüster** siehe *Ulmus laevis*.

Flemingia (*Moghánia*): eine Leguminosen-Gattung aus Kalifornien, Florida, die für Freilandkultur bei uns kaum erprobt ist.

Flieder siehe *Syringa*. — **Flügelnuß** siehe *Pterocarya*. — **Flügelstorax** siehe *Pterostyrax*. — **Flügelzürgel** siehe *Pteroceltis*. — ***Fluéggea*** siehe auch *Securinega*.

Fluéggea microcárpa ist *Securinega obovata*, eine mit *S. flueggeoides* verwandte mehr baumartige, bei uns kaum kultivierte, subtropische Art.

Fontanésia Fortúnei (***F. phillyreoides*** var. ***sinénsis***), **Fontanesie** — Oleaceen. Buschiger, kahler, sommergrüner, bis 4 *m* hoher, ostchinesicher Strauch. Blätter gegenständig, sattgrün, breitlanzettlich, ganzrandig, spitz, bis tief in den Herbst grün bleibend. Blüten klein, weiß, traubig-rispig, Juni bis Juli, Frucht geflügelte Nuß; Kultur in warmen, sonnigen Lagen in durchlässigem Boden, in rauhen Gegenden etwas Schutz; Vermehrung durch krautige Stecklinge, Ableger, Anhäufeln und Teilung, auch Veredlung auf *Ligustrum*; Verwendung im Park und Garten, auch als Hecke versuchswert. — Die kleinasiatische ***F. phillyreoides*** ist niedriger, sparriger, Blätter mehr oval, fein rauhlich gezähnelt, graugrün und empfindlicher.

Abb. 234. Blütenzweige von *Fendlera rupicola*, texanische Felsenbirne. (Phot. F. Rehnelt, Botan. Garten, Gießen.)

Forestiéra (*Adélia*) — Oleaceen. — Sommergrüne Sträucher aus den südöstl. Verein. Staaten, Blätter gegenständig, Blüten klein, grünlich, zweihäusig, ohne Kronblätter, in achselständigen Büscheln im zeitigen Frühjahr vor Blattausbruch, Frucht kleine Steinfrucht; Kultur in jedem frischen bis feuchten Boden in geschützter Lage; Vermehrung durch Samen, Ableger und Sommerstecklinge; Verwendung für Gehölzfreunde im Garten und Park, ligusterartig, ohne besonderen Zierwert.

F. (*Bórya*) ***acuminata***, bis über 3 *m*, zuweilen etwas verdornend, kahl, Blätter entfernt gesägt gegen Spitze, Frucht spitz zylindrisch, schwarzpurpurn; härteste: ***F. ligustrina***, Triebe und Blattunterseiten behaart, Blätter fast ringsum angepresst gesägt, Frucht eiförmig, blauschwarz.

Forsellésia siehe *Glossopetalon*.

Forsýthia, **Forsythie** — Oleaceen. Sommergrüne Sträucher mit hohlen Zweigen oder gefächertem Mark, Blätter gegenständig, einfach oder 3teilig, Blüten schön gelb, vor den Blättern im März bis April zu 1 bis 3, Frucht längliche, trockene Kapsel; Kultur in reichem, durchlässigem, nicht zu feuchtem Gartenboden, am besten in warmer sonniger, geschützter Lage, Schnitt kaum nötig, sonst nach Blüte starker Rückschnitt; Vermehrung durch Steckholz und halbharte Sommerstecklinge; Verwendung der genannten als ganz ausgezeichnete Frühlingsblüher im Garten wie im Park; in Massen dort sehr wirksam.

F. europaea, Albanien, aufrecht, sehr ähnlich *viridissima*, aber Blätter mehr oval, Tracht unschöner, Blüten hellgelb, Kulturwert geringer als bei den folgenden; ***F. intermédia***, wertvolle Hybride zwischen den folgenden Arten, Tracht ähnlich *suspensa* var. *Fortunei*, Mark in den oberen Zweigteilen zwischen Knoten gefächert, Knoten solid, Blätter nur an Schossen 2 bis 3teilig oder 3zählig, meist eilanzettlich, Blüten ebenfalls wie die *suspensa*-Form, aber kurz nach dieser, hiervon wertvoll: var. ***dénsiflora*** (*F. densiflora*), Blüten lebhaft hellgelb, dicht gedrängt, var. ***spectábilis*** (*F. spectabilis*), tief gelb, reichblütig, gilt als beste, var. ***vitellina***, üppiger, Blüten etwas kleiner, aber sehr tief gelb; ***F. suspénsa***, China, üppig, Tracht stark überhängend, fast etwas rankend, Zweigspitzen aufliegend und oft wurzelnd, Zweige hohl zwischen den soliden Knoten, Blätter meist oval, oft 3zählig,

Blüten goldgelb, Röhre innen mit orange Zeichnung. var. ***Fórtunei*** (*F. Fortunei*), Wuchs steifer, weniger hängend, Kronenlappen etwas gedreht, aufrecht, ihr sehr ähnlich die mittelchinesische var. ***atrocaúlis***, Triebe und Austrieb purpurn. var. ***Siebóldii*** (*F. Sieboldii*), niedriger, stark überhängend. Blätter meist einfach, breitoval, Kronenlappen flacher, Blüten offener; ausgezeichnete Art; ***F. viridíssima***, China, üppiger aufrechter Strauch, bis 4 *m*, Zweige auch zwischen den Knoten mit gefächertem Mark, Blätter einfach, lanzettlich, Blüten licht grünlichgelb, blüht nach den anderen, nicht ganz so hart.

Abb. 235. *Fothergilla major*, 2,5 *m*. (Phot. A. Rehder.)

Fortunaea chinensis siehe *Platycarya*.

Fortunearia sinénsis: sommergrüne mittelchinesische Hamamelidacee, Strauch bis 1,5 *m*, in Tracht und Blatt ähnlich *Sinowilsonia*, Blätter abwechselnd, sommergrün, länglich oboval, spitz, buchtig gezähnelt, Blüten klein, unscheinbar in endständigen Trauben, Mai, Frucht holzige Kapsel; Kultur usw. etwa wie *Hamamelis*, auf die man die Art veredeln kann. Hat sich im Arnold Arboretum als hart erwiesen; hübsch belaubt; für Gehölzfreunde.

Fothergilla – Hamamelidaceen. – Buschige Sträucher aus den südöstl. Verein. Staaten, Blätter abwechselnd, sommergrün, einfach, oberseits saftgrün, im Herbst orangegelb, Blüten weiß, duftend, in endständigen dichten Ähren, im April bis Mai, ohne Petalen, aber mit vielen weißen auffälligen Staubfäden mit gelben Antheren, Frucht 2 bis 3 klappige Kapsel; Kultur in frischem, lehmig-sandigem oder moorigem Gartenboden in warmer, sonniger Lage; Vermehrung durch Samen und Ableger, erst im zweiten Jahre keimend bzw. wurzelnd, auch durch Ausläufer; Verwendung als sehr hübsche Frühjahrsblüher und wegen der schönen Herbstfärbung im Garten und Park.

F. Gárdenii (***F. alnifólia***, *F. carolina*), ausgebreitet aufrecht, kaum über 0,80 *m*, Triebe weiß sternhaarig, Blätter verkehrt eilänglich, meist unter 4,5 *cm* lang, oben behaart, unten blaugrau und filzig, Blütenstände bis 4 *cm* hoch, treibt Wurzelschosse; ***F. major*** (*F. alnifolia* var. *major*), dicht pyramidal, bis 2 *m*, Blätter mehr herz-eiförmig, oberseits etwas glänzendgrün, über 5 *cm* lang, Blütenstände bis 5 *cm*, schönste Form (Abb. 235); sehr ähnlich ist ***F. monticola***, Tracht breitbuschiger, Blätter unterseits grünlicher statt blaugrau.

Fothergilla involucrata siehe *Parrotiopsis*.

Frankénia hirsúta: ganz niedriger Halbstrauch (Frankeniaceen) aus dem Mediterrangebiet, der im Sande der Küsten wächst und von Gehölzfreunden im Steingeröll des Alpinum versucht werden kann an mehr feuchten Plätzen im Halbschatten, Blätter fein, lineal, behaart oder bei var. *laevis* stark kahlend; Vermehrung durch Samen, Stecklinge und Teilung. Siehe C. Schneider, Ill. Laubholzk. II., 340.

Franklinia altamáha siehe *Gordonia*.

Fráxinus, Esche – Oleaceen. – Hohe Bäume oder Sträucher, Blätter gegenständig, sommergrün, fast stets unpaar gefiedert, Blüten weiß oder grünlich, meist unscheinbar, end- oder seitenständig, rispig oder büschelig, 2häusig oder einhäusig, mit oder ohne Blumenblätter und Kelch. Frucht einsamiges, geflügeltes Nüßchen; Kultur in fast jedem nicht allzu trockenen oder allzu nassen Boden; Vermehrung durch Samen (gleich nach Reife oder stratifizieren, liegt oft zwei Jahre), Sorten durch Veredelung auf Stammart, sonst auch starkwüchsige auf *excelsior* und schwachwüchsige auf *Ornus*; Verwendung siehe bei den Arten. Die Unterscheidung oft schwer, man vergleiche C. Schneider, Ill. Handb. d. Laubholzk. II., S. 810 ff.

ALPHABETISCHE LISTE DER ERWÄHNTEN LATEINISCHEN NAMEN

(Die Ziffern bezeichnen die Seitenzahlen.)

A) Blütenstände mit oder nach Blattausbruch auf beblätterten Stielen als endständige Rispen. — I. Blumenblätter vorhanden (Gruppe *Ornus*, Blumenesche): ***F. Bungeána*** DC. (*F. Dippeliana*, *F. Bungeana* var. *parvifólia*, *F. parvifólia* Lingelsh.), nordchinesischer Strauch, bis über 4 *m*, Winterknospen schwärzlich, Triebe behaart, Blättchen 3 bis 7, kahl, rhombisch, zierlich, Blütenrispen 5 bis 7 *cm* lang, Mai, scheint trocknere Lagen zu lieben und auch im Garten brauchbar; ***F. longicúspis***, Japan, Baum bis 12 *m*, Winterknospen rostig behaart, Blättchen 5 bis 7, unterstes Paar viel kleiner, wie auch bei *Mariesii*, Form lanzettlich, lang zugespitzt, gute purpurne Herbstfärbung; bei var. ***Sieboldiána*** (*F. Sieboldiana*) Blättchen unterseits behaart; ***F. Mariésii***, Zentralchina, bei uns Strauch, Triebe behaart, Blätter sattgrün, Blättchen 5 bis 7, dichtstehend, zum Teil ganzrandig, Blütenstände 12 : 12 *cm*, junge Frucht im Juli dunkelpurpurn, hart, blüht schon als kleine Pflanze, für warme Lagen; ***F. obováta*** (*F. Bungeana* var. *obovata*), Japan, kleiner Baum, Blättchen groß, etwas oboval, 5 bis 7, sitzend, Spindel oft etwas geflügelt, unterstes Paar wie bei *Ornus* nicht kleiner als andere; ***F. Ornus***, bekannte heimische Manna-Esche, selten über 8 *m*, Blättchen 5 bis 7, unterseits bräunlich-bärtig, Blütenrispen schön, bis 15 *cm*, Mai, auffällig var. *rotundifólia*, Blätter breit rundlichelliptisch, mehr strauchig, verträgt trocknere Lagen, warm sonnig; ***F. Spaethiána*** (*F. serratifólia* Hort.), Heimat unbekannt, kleiner üppiger Baum, Triebe glänzend grau, kahl, Knospen tief braun, Grund des Blättchens wie bei *chinensis* geschwollen, Blättchen 5 bis 9, tief kerbsägig, schöne großblättrige Art. — II. Blumenblätter fehlend (Gruppe *Ornáster*): ***F. chinénsis*** var. ***rhynchophýlla*** (*F. rhynchophylla*, *F. Bungeana* Hort. zum Teil), Mittel- und West-China, Baum, Zweige kahl, Knospen braunschwarz, Austrieb rostbraun wollig, Blättchen ziemlich groß, 5 bis 7, oberseits sattgrün, unterseits hellgrün, an Rippe behaart.

B) Blütenstände an vorjährigen Zweigen, blattlos, vor oder mit den Blättern, Blüten ohne Kronblätter, grünlich, unscheinbar: ***F. americána*** (*F. alba*, *F. novae-angliae*), Weißesche, O.-Nordamerika, schöner Baum, bis 40 *m*, Blätter glänzend blaugrün, unterseits weißlich, Blättchen meist 7, beim Typ fast ganzrandig, langspitzig, im Herbst prächtig purpurn und gelb, Fruchtkörper rundlich, ungeflügelt, schöner Parkbaum für tiefgründigen reichen Boden; von Formen: var. ***acumináta*** (var. *glauca* Hort., *F. acuminata*, *F. epiptera*), Blättchen oberseits glänzend grün, unterseits blaugrau, fast kahl, var. ***juglandifólia*** (*F. juglandifólia*), Blättchen meist breiter, oberseits wenig glänzend, unterseits behaart, gegen Spitze gesägt; var. ***subcoriácea***, Blätter derber, unterseits fast silberweiß, gilt als beste Form; nahe steht ***F. Biltmoreána***, südöstliche Vereinigte Staaten, Triebe und Blattstiele behaart; ***F. anómala,*** SW.-Nordamerika, kleiner Baum, durch die meist einfachen eirundlichen Blätter ausgezeichnet, Triebe kantig, für Gehölzfreunde; ***F. excélsior,*** allbekannte heimische Art, bis 40 *m*, Knospen schwarz, Zweige kahl, Blättchen meist 11, viele Formen so var. *aurea*, Goldesche, junges Holz deutlich goldgelb, var. *diversifólia* (var. *heterophylla*), Blättchen alle (var. *monophylla*, var. *simplicifolia*) oder zum Teil einzeln, oft tief eingeschnitten gezähnt (f. *laciniata*), eigenartig var. *globósa*, Kronen rundlich, Kugelesche; var. *péndula*, Traueresche, eine recht wertvolle Form, es gibt aber auch von var. *aurea* und *diversifolia* Trauerformen; die typische *excelsior* verträgt feuchte Lagen; ***F. mandschúrica,*** Ostasien, steht sehr nahe ***F. nigra*** (*F. sambucifolia*), Schwarzesche, O.-Nordamerika, bis 30 *m*, Blätter durch die rostgelb-filzige Behaarung am Blättchengrund ausgezeichnet, 7 bis 11zählig, für große Parkanlagen, liebt Feuchtigkeit; ***F. oregóna,*** westliche Vereinigte Staaten, Baum bis 30 *m*, Zweige und Blattstiele weich behaart, Blättchen 7 bis 9, fast sitzend, hellgrün, zuletzt derb, groß, länglich-elliptisch, fast ganzrandig; ***F. oxycárpa*** (*F. oxyphylla, F. tamariscifolia*), Südeuropa-Kleinasien, Knospen braun, Blättchen 7 bis 13, lanzettlich, scharf gesägt, beiderseits grün und kahl; ***F. pennsylvánica*** (*F. pubescens*), Rotesche, O.-Nordamerika, bis 20 *m*, junge Triebe und Blattspindeln behaart, Blättchen 7 bis 9, unterseits graugrün, Fruchtkörper durch herablaufenden Flügel gerandet; ferner var. ***lanceoláta*** (***F. viridis*** zum Teil, *F. lanceolata*), Grünesche, junge Triebe und Spindeln kahl, Blattunterseiten grün, hierher var. *aucubaefólia* (*F. pubescens* var. *aucubifolia*), Blätter goldscheckig; ***F. potamóphila*** (*F. Regelii*), kleiner Baum, aufrecht verästelt, ganz kahl, Knospen braun, Blättchen 7 bis 13, gestielt, rhombisch-eilanzettlich, spitz, trübgrün, hübsche Zierart, nahe steht *F. holotricha*, Triebe und Blättchen dicht weich behaart, Heimat unbekannt; ***F. rotundifólia*** (*F. parvifólia* Lam., *F. lentiscifolia*), Südeuropa, zierlich belaubter Strauch, bis 3 *m*, Blättchen meist 7 bis 13zählig, breit, oval bis elliptisch, gesägt, für warme Lagen.

Fremóntia califórnica (*Chiranthodendron* und *Fremontodendron californicum*) — Sterculiaceen. — Hübscher, zum Teil wintergrüner, gelbweiß wollig-sternfilziger baumartiger Strauch aus Kalifornien, Blätter abwechselnd, einfach, gelappt, dicklich, oberseits sattgrün, Blüten einzeln, groß, sattgelb, im Juni, Frucht rauh behaarte Kapsel; Kultur nur in sehr warmen, geschützten, sonnigen Lagen in gut durchlässigem, leichterem Boden, gegen Winternässe sehr empfindlich; Vermehrung durch Samen oder krautige Stecklinge unter Glas; Verwendung in geeignetem Klima als prächtig blühender Zierstrauch, bei uns recht heikel.

Fúchsia, Fuchsie — Onagraceen. — Eine bekannte Gattung, von deren Arten auch einige sich im Freien durchwintern lassen; botanisch sind diese Formen noch recht unklar[*]. (Näheres siehe C. Schneider, Ill. Handb. d. Laubholzk. II., S. 418.) Kultur in frischem, gutem, recht nahrhaftem Boden, den man am besten mit kurzem Dung belegt, im Sommer reichliche Wassergaben, im Winter Schutz gegen Bodennässe; Vermehrung leicht durch Stecklinge; Verwendung für Rabatten und Vorpflanzungen in warmen, aber nicht zu heiß-sonnigen, eher etwas beschatteten Lagen, im Spätherbste Rückschnitt bis auf Boden und dann gute Decke, mehr als Stauden behandeln.

Abb. 236. *Fuchsia gracilis*, blühende Rabatte, etwa 1 *m* hoch. (Phot. Zimmermann, Hort. Eisgrub, Mähren.)

F. coccínea, die Form der Gärten wohl Kulturform, die mit der südamerikanischen *F. magellanica* (? *F. macrostema*) zusammenhängt, aufrecht, bis 0,7 *m*, Blätter gegenständig, sattgrün, einfach, Blüten einzeln, nickend, aber sich häufend, Krone violett; ähnlich, aber schmalblättriger ***F. Riccartonii*** (*F. magellanica* var. *Riccartonii, F. Riccartoniana* Hort.); ferner gelten als härtere Sorten die Kreuzungen „Beaumarchais", „Béranger" usw.; auch ***F. grácilis*** (*F. magellanica* und *F. macrostema* var. *gracilis*, ? *F. Thompsonii* Hort.), Chile, siehe Abb. 236, und ***F. microphýlla,*** Mexiko, sind so im Freien durchzubringen; alle blühen vom Juli bis Oktober.

Fuchsrebe siehe *Vitis rotundifolia* und *Labrusca*. — **Fuchsrose** siehe *Rosa lutea*.

Fumána procúmbens (*F. nudifolia, Heliánthemum Fumana*), **Heidesonnenröschen** — Cistaceen. — Rasiger, reichverzweigter Halbstrauch, Europa bis Transkaukasien, Blätter schraubig gestellt, sommergrün, spitzlineal, gerollt, Blüten gelb mit Nagelfleck, an den Triebenden, einzeln in den Blattachseln, Juni bis August, Frucht glänzende Kapsel; Kultur in steinigen, sonnigen, sandigen Lagen; sonst siehe *Helianthemum*.

Gaisblatt siehe *Lonicera*. — **Gagel** siehe *Myrica*. — ***Gálax aphylla*** siehe „Unsere Freilandstauden". ***Gale*** siehe *Myrica*.

Gamander siehe *Teucrium*.

Gárrya elliptica — Garryaceen. — Immergrüner, bis 2 *m* hoher Strauch aus Kalifornien, Blätter gegenständig, einfach, oberseits kahl, glänzend grün, unterseits filzig, Blüten unscheinbar, 2häusig, in kätzchenartigen oder traubigen hängenden Blütenständen, Frucht kugelig, seidig behaart, beerenartig; Kultur in gut durchlässigem Boden in sonniger, geschützter Lage, Schutz gegen Bodennässe; Vermehrung durch Samen, halbreife Stecklinge und Ableger; Verwendung nur für Liebhaber in wärmeren Gegenden. — Außer der genannten z. B. noch ***G. Thurétii*** (*G. elliptica* × *Fadyeni*), ***G. Véatchi, G. Wrightii*** (Abb. 237), welche als härteste gilt, u. a. versuchswert; sie blühen im (Januar-) Februar bis April, am frühesten *elliptica*; *Thuretii* oft erst später.

Abb. 237. *Gárrya Wrightii*, 1 *m*. (Phot. A. Purpus.)

Gaspeldorn siehe *Ulex*.

***Gaulthéria*, Scheinbeere** — Ericaceen. — Kleine, immergrüne Sträucher. Blätter abwechselnd, einfach, Blüten einzeln oder traubig, wenig auffällig, aber duftend, zylindrisch oder glockig-eiförmig. Früchte beerenartig; Kultur in frischem, etwas moorigem Boden und halbschattiger oder schattiger Lage; Vermehrung durch Samen, Ausläufer und Ableger; Verwendung als hübsche schattenliebende Pflanzen für Felspartien, Begrünung unter Gehölz, Einfassungen, in rauhen Lagen Reisigdecke.

Abb. 238. *Gaulthéria Shallon*. Scheinbeere. (G. Arends, Ronsdorf.)

G. procúmbens, östliches Nordamerika, kriechend, etwas aromatisch, bis 15 *cm* hoch. Blätter an den Zweigenden zu etwa 4 gebüschelt, glänzend grün, dickledrig, oboval, bis 5 *cm* lang, Blüten einzeln, rötlichweiß, Sommer, Frucht kugelig, hellrot; nahe steht ***G. trichophýlla***, Himalaya, Westchina, mit unterirdischen Ausläufern, bis 15 *cm*, Triebe etwas borstig, Blätter sitzend, schmallänglich, borstig am Rande, sonst kahl, Blüten auch einzeln, glockig, rosa, Beere blauschwarz, war hart in Petersburg; ***G. Shallon***, NW.-Amerika, ausläufertreibend, aufrecht, bis 0,8 *m*, Triebe drüsig, Blätter herzeiförmig,

14*

bis 10 *cm*, Blüten weiß oder rosa, in drüsigen Trauben, Mai bis Juni, Frucht blauschwarz, August bis September (Abb. 238), ein wertvoller, viel zu wenig beachteter Bodenbegrünungsstrauch; ***G. Veitchiana***, Mittelchina, dichter rundlicher Strauch, bis 70 *cm* hoch, Triebe fein und borstig behaart, Blätter länglich-eiförmig, borstig gesägt, unterseits etwas borstig behaart, Blüten in seitenständigen, behaarten Trauben, Frucht August-September, indigoblau, gleichfalls recht hart und schön.

Abb. 239. *Genista hispanica*, spanischer Ginster, 30 *cm*. (Orig., Kew Gardens.)

Gaylussacia (*Adnaria*) ***brachycera*, Buckelbeere** — Ericaceen. — Bis 0,4 *m* hoher, immergrüner Strauch aus O.-Nordamerika mit kriechendem Stamm, Triebe kantig, fein behaart, Blätter abwechselnd, einfach, Blüten in kurzen, achselständigen Trauben, weiß oder rosa, glockig-zylindrisch, Mai, Frucht hellblaue Beere, Juli-August; Kultur in geschützten halbschattigen, trockenen Lagen im Alpinum; Vermehrung durch Samen und Stecklinge; Verwendung für Gehölzfreunde. — Härter sind die sommergrünen ***G. baccata* (*G. resinosa*)**, bis 75 *cm*, Triebe drüsig, mit unterseits gelbgepunkteten Blättern, konischen, stumpfroten Blüten in hängenden Trauben, schwarzen süßen Früchten, liebt feuchtere, steinigsandige Böden, als Unterholz, sowie ***G. dumosa***, Nordostamerika, kriechend, bis 0,5 *m*, ebenfalls etwas drüsig, Blüten in lockeren Trauben, glockig, weiß oder rötlich, Frucht schwarz, behaart; ganz hart, liebt sandigen Boden.

Gelsemium sempervirens — Loganiaceen. — Immergrüner kahler Schlingstrauch aus SO.-Nordamerika, mit lanzettlichen Blättern und zu 1—4 achselständigen, schönen gelben Röhrenblüten, der für uns als Freilandpflanze nur an der Grenze des Mediterrangebietes in Betracht kommen kann.

Geblera siehe *Securinega*. — **Geißblatt** siehe *Lonicera*. — **Geißklee** siehe *Cytisus*. — **Geißkleebohnenbaum** siehe *Laburnocytisus*. — **Gelbholz** siehe *Cladrastis lutea* und *Xanthoxylum*. — **Gelbhorn** siehe *Xanthoceras*. — **Gelbwurz** siehe *Xanthorrhiza*.

***Genista*, Ginster** — Leguminosen. — Niedrige, oft dornige Sträucher, Blätter meist einfach oder fehlend, Blüten gelb, kopfig oder traubig, Fruchthülse 2klappig; Kultur in sonnigen, warmen Lagen in trockenem, tiefgrundigem, durchlässigem, dungfreiem Boden; Schnitt kaum nötig, bei Spätblühern im Winter; Vermehrung durch Samen (Arten wie *dalmatica*, *horrida*, *hispanica*, *ovata*, *pilosa*, *sagittalis* und *tinctoria* durch fast ausgereifte Stecklinge im August, sie wachsen auch gut, wenn man unter deren Knoten oder Ansatz glatt abschneidet, aber etwas älteres Holz mitnimmt und unter Glas in Sand steckt; *cinerea* und *radiata* wohl nur durch Samen), auch durch Veredlung auf gewöhnliche Art im Glashause; Verwendung vor allem für Felspartien.

ALPHABETISCHE LISTE DER ERWÄHNTEN LATEINISCHEN NAMEN.
(Die Zahlen bezeichnen die Seitenzahlen.)

A. Zweige dornig: ***G. hispanica*** (Abb. 239), Spanien, Südfrankreich, bis 30 *cm*, Dorne fein verzweigt, behaart, Blätter nur an Blütenzweigen, lineallanzettlich, Blüten zu 3 bis 12 kopfig, sattgoldgelb, Frühjahr bis Herbst; in den meist nur 3blütigen kopfigen Blütenständen schließt sich an ***G. horrida***, Südwesteuropa, seidig behaarte Dorne und 3zählige Blättchen, gegenständig, gelb; traubige Blütenstände haben ***G. anglica***, Westeuropa, niederliegend bis 50 *cm*, Zweige und einfache Blättchen kahl, und ***G. germanica***, Mittel- und Westeuropa, Triebe und schmal elliptische Blättchen zottig behaart, Wuchs aufrechter, bis 50 cm; ihr steht nahe ***G. dalmatica*** mit seidiger Behaarung und linealen Blättchen.

B. Zweige dornlos: I. Blüten achselständig an vorjährigen Trieben: ***G. cinérea,*** südwestl. Mittelmeergebiet, Tracht *Spartium*-artig, Triebe gefurcht, jung behaart, Blättchen einfach, graugrün, Blüten zu 2 bis 4, leuchtend goldgelb, April bis Juni, sehr schön, aber selten und nur für wärmste Lagen; ***G. radiáta*** (*Enantiospárton radiatum*), SO.-Europa, bis 0,8 *m*, buschig, *Spartium*-artig, Blättchen gegenständig, meist 3zählig, Blüten zu 3 bis 6, kopfig gehäuft, Mai bis Juli, für warme Lagen; ***G. pilosa*** (Abb. 240), Europa, niederliegend wurzelnd, Blätter abwechselnd, einfach, Blüten zu 1 bis 3, achselständig, aber scheintraubig gehäuft, Mai bis Sommer; trockene Orte, Gesteinspartien. — II. Blüten am diesjährigen Holze in endständigen Trauben: ***G. ováta,*** SO.-Europa, sehr ähnlich *tinctoria,* aber abstehend wirrzottig behaart, bis 60 *cm*, Blätter breit lanzettlich, selten echt; ***G. sagittalis,*** Europa, niederliegend aufstrebend, bis 20 *cm*, Zweige 2schneidig-flügelkantig, Blätter einfach, Blüten kurztraubig, Mai bis Juni, für Felsgruppen; ***G. tinctória,*** Europa bis Westasien, der Typ aufrecht, bis 80 *cm*, kahl oder anliegend behaart, Blätter einfach, Blüten traubig, Mai bis Juli, sehr formenreich, so var. *virgata* (*G. virgáta* Willd., *G. eláta*), bis mannshoch, var. *alpestris,* niederliegend aufstrebend, hierher f. *plena* (*tinctoria* var. *plena*), Blüten gefüllt, orange, lange dauernd, hübsch für Rabatten, Felsen, var. *angustifolia,* sehr zierliche südrussische Form; auch var. ***anxántica*** (*G. anxántica*), ganz kahle süditalienische Form, Blätter sehr schmal, siehe Abb. 58, wohl heikel; hierher auch ***G. sibiria,*** die wohl meist *tinctoria* var. *virgata* ist.

Abb. 240. *Genista pilosa*, behaarter Ginster, kriechend. (Phot. A. Purpus.)

Genista glabrescens siehe *Cytisus*. — **Genista juncea** siehe *Spartium*. — **Genista ramentacea** siehe *Petteria*. — **Genista scopária** siehe *Sarothamnus*. — **Genter Azaleen** siehe unter *Rhododendron*. — **Gerberstrauch** siehe *Coriaria*. — **Geweihbaum** siehe *Gymnocladus*. — **Ginster** siehe *Genista*. — **Glanzheide** siehe *Daboecia*. — **Glanzmispel** siehe *Photinia* — **Glanzrose** siehe *Rosa laevigata*.

Gledítschia[41] (*Gleditsia*), **Gleditschie, Christusdorn** — Leguminosen. — Hohe, locker schlank ausladend licht verästelte Bäume mit meist verzweigten Dornen aus altem Holze, Blätter abwechselnd, einfach paarig oder doppelt gefiedert, Blüten zahlreich, klein, grünlich, traubig oder rispig; Fruchthülsen groß, lederig, kaum aufspringend; Kultur in jedem guten Gartenboden, in sonniger, gegen starke Winde geschützter Lage (da Äste brüchig), jung zuweilen empfindlich; Vermehrung durch Samen (Frühjahr, einweichen) und die seltenen Formen durch Veredlung im Frühjahr auf *G. triacanthos*; Verwendung als hübsche Parkbäume, *G. triacanthos* u. a. auch für Hecken, wenn dicht gesetzt und stark geschnitten.

A. Dorne seitlich (besonders am Grunde) etwas zusammengepreßt, abgeflacht, Hülsenwände papierdünn oder lederig, Blätter mit mehr als 12 Blättchen oder doppelt gefiedert: ***G. Delaváyi,*** Südwestchina, Dorne bis 25 *cm*, Blättchen 12 bis 18, stumpf oder ausgerandet, glänzend grün, kahl, Ovar kahl, Hülsen bis 40 *cm*, noch selten, aber als wertvoll geltend; ***G. japónica*** (*G. horrida* Mak.), Japan, China, hoher Baum, Dorne bis 10 *cm*, zahlreich, Blättchen 16 bis 20, stumpfeilänglich, höchstens gewimpert oder doppelt gefiedert, Rhachis behaart, Hülse bis fast 30 *cm*, meist verbogen aufgeblasen, nächst *triacanthos* die härteste; sehr nahe steht ***G. cáspica*** (*G. horrida* var. *caspica*), Transkaukasien, Persien, Blättchen deutlicher gekerbt, Hülsenwände dünner, siehe Abb. 241, bleibt kleiner als *japonica*; ***G. triacánthos,*** Mittl. Verein. Staaten, bis über 40 *m*, Dorne einfach, 3teilig oder fehlend, bis 10 *cm*, Blättchen 20 bis 30, spitz länglichlanzettlich, kerbsägig, oder Blätter 2fach gefiedert, jung behaart, auch Rhachis, Hülse bis 40 *cm*, leicht sichelig, glänzend dunkelbraun,

Abb. 241. *Gleditschia cáspica*, kaspischer Christusdorn, im Winter, 8 *m*. (Orig., Botan. Garten, Wien.)

harte Art, mit folgenden Formen: var. *Bujótii* (*G. Bujotii*, *G. Bujotii pendula*), elegante Hängeform mit etwas schmäleren Blättchen, var. *columnaris*, seltene Säulenform, var. *inermis*, dornlos, Tracht lockerer.

B. Dorne rundlich, Hülsenwände holzig, Hülsen nie gedreht, Blättchen 8 bis 18, selten Blätter doppelt gefiedert: ***G. sinénsis*** (*G. horrida* Willd.), Blätter etwas stumpf, gelbgrün, unterseits Blättchen netzaderig, länglich eiförmig, Blütenstände traubig, Ovar kahl, Hülse gerade, bis 15 *cm*, nicht so hart wie *japonica*, hierher die var. *nana*, strauchartig, in allen Teilen kleiner; sehr nahe steht ***G. macracántha***, China, Dorne und Blättchen meist größer, Blütenstände rispig, Ovar behaart, Hülsen fast zylindrisch; die mit *sinensis* verwandte ***G. férox*** aus China ist selten echt, Blättchen hier 16 bis 30.

***Globulária cordifólia*, Kugelblume** — Globulariaceen. — Niederliegender, am Grunde verholzender Halbstrauch aus den Alpen, Pyrenäen, Apenninen, Karpathen, 3—10 *cm*, Blätter rosettig, Blüten blau, in kugeligen Köpfchen, Frucht einsamiges Nüßchen; Kultur als Felsenpflanze in kiesigem, kalkigem Boden; Vermehrung durch Teilung; Verwendung nur für Gehölzfreunde.

Glockenheide siehe *Erica Tetralix*.

Glossopétalon (*Forsellésia*) ***spinéscens*** — Celastraceen. — Ein niedriger, stark verästelter Dornstrauch aus Texas bis Neu-Mexiko, Blätter klein, sommergrün, abwechselnd, Blüten klein, weiß, gebüschelt; Kultur usw. etwa wie *Fendlera*, sehr empfindlich gegen Nässe; nur für erfahrene Pfleger, härter vielleicht ***G. meionandrum***, Colorado. (Näheres C. Schneider, Ill. Handb. d. Laubholzk. II., S. 186.)

Glycine siehe *Wistaria*. — ***Glycyrrhiza glabra*, Süßholz** siehe „Unsere Freilandstauden" — **Götterbaum** siehe *Ailanthus*. — **Goldbuche** siehe *Fagus sylvatica Zlatia*. — **Goldeiche** siehe *Quercus robur* var. *Concordia*. — **Goldregen** siehe *Laburnum*. — **Goldtraube** siehe *Ribes aureum*.

Gomphocárpus fruticéscens: halbstrauchige Asclepidacee, die nach Dr. Pfaff in Bozen im Freien geblüht und gefruchtet haben soll.

Gordónia (*Franklinia*) ***altamaha*** (*G. pubescens*, *Franklinia altamaha*). — Theaceen. — Sommergrüner Strauch aus Georgia, Blätter einfach, abwechselnd, schöne orangescharlach Herbstfärbung, Blüten weiß, bis 9 *cm* breit, September-Oktober, Frucht holzige Kapsel; Kultur in frischem, sandigem Boden; Vermehrung durch Samen, Ableger oder halbreife Stecklinge unter Glas; Verwendung für wärmste Lagen gewiß versuchswert, blüht sehr schön im Spätherbst oder Frühjahr, auch im Laub hübsch.

Grauerle siehe *Alnus incana*. — **Graumelde** siehe *Atriplex canescens*. — **Graupappel** siehe unter *Populus*.

Gréwia parviflora — Tiliaceen. — Aufrechter, bis 1,5 *m* hoher, sommergrüner Strauch aus Nordchina, Blätter einfach, graugrün, Blüten gelblichweiß, zu etwa 6 in den Blattachseln der Jahrestriebe gebüschelt, Juli bis August, Frucht etwas saftige Steinfrucht; Kultur in jedem durchlässigen, etwas sandigen Boden in etwas geschützter Lage; Vermehrung durch Samen und halbreife Stecklinge; Verwendung nur für Gehölzfreunde in großen Gesteinsanlagen. — ***G. oppositifolia*** (Abb. 242) vom nordwestl. Himalaya, weicht durch kürzer gestielte, eher kleinere, spitzere Blätter ab, wird höher, in Heimat Baum, Blüten den Blättern gegenständig.

Abb. 242. *Grewia oppositifolia*, Blattzweige. (Phot. A. Purpus.)

Griselinia littorális ist ein neuseeländischer, immergrüner Baum der Cornaceen mit abwechselnden, ganzrandigen Blättern und winzigen, zweihäusigen, gelbgrünen Blüten in achselständigen Traubenbüscheln im Mai, Frucht einsamig, beerenartig; für uns nur Kalthauspflanze.

Grossulária siehe *Ribes*. – **Grünerle** siehe *Alnus viridis*. — **Grünesche** siehe *Fraxinus pennsylvanica*. — ***Guilandina*** siehe *Gymnócladus*.

Gutierrézia Saróthrae (*G. Euthamiae*) — Compositen. — Bis 50 *cm* hoher, buschiger, sommergrüner Halbstrauch (Abb. 243) aus dem westlichen Nord-Amerika, Blätter abwechselnd, lineal, Blütenköpfchen klein, gelb, rispig, Juli bis September; Kultur in trockenen, sonnigen Lagen zwischen Felsgestein; Vermehrung durch Samen, Stecklinge und Teilung; Verwendung für erfahrene Pfleger in milderen Gegenden.

Gymnócladus dioica (*Guilandina dioeca, Gymn. canadénsis*), **Geweihbaum, Schusserbaum** — Leguminosen. Stattlicher, bis über 30 *m* hoher, locker- und breitkroniger Baum aus den mittl. und östl. Verein. Staaten. Borke rauh (Abb. 244), Blätter abwechselnd, sommergrün, doppelt gefiedert, sehr groß, Herbstfärbung gelb, Blüten klein, weißlich, oft zweihäusig, in an diesjährigen Trieben endständigen Rispentrauben, Mai bis Juni, Fruchthülsen groß, bis 30 *cm* lang; Kultur in jedem guten, frischen, tiefgründigen Boden; Vermehrung durch Samen (lange liegend) und Wurzelschnittlinge; Verwendung als schöner, sich spätbelaubender, stark triebiger Parkbaum.

Abb. 243. *Gutierrézia Sarothrae*, 50 *cm*. (Phot. A. Purpus.)

Hadernblatt siehe *Ruscus hypoglossum*. — **Haferschlehe** siehe *Prunus insititia*. – **Hagedorn** siehe *Crataegus*. – **Hahnenbuttenbirne** siehe *Sorbopyrus*. – **Hainbuche** siehe *Carpinus*.

Halésia (*Mohrodéndron, Carlomóhria*), **Schneeglöckchenbaum, Maiglöckchenbaum, Silberglocke** — Styracaceen. — Hübsche, bei uns 3 bis 5 *m* hohe, sommergrüne

Sträucher (in Heimat Bäume) aus den östl. und mittl. Vereinigten Staaten, Blätter abwechselnd, einfach, Blüten am vorjährigen Holze, schön, glockig, weiß, Frucht geflügelt; Kultur in gutem, nahrhaftem, genügend frischem und tiefem Boden, in warmer, mehr sonniger Lage; Schnitt selten nötig, Sommer; Vermehrung durch Samen (Herbst oder stratifizieren), Ableger, Stecklinge angetriebener Pflanzen (Frühjahr, Haus), auch Wurzelschnittlinge und Wurzelveredlung; Verwendung als prächtige Blütensträucher im Garten und Park.

Abb. 244. *Gymnocladus dioica*, Geweihbaum, Teil aus der Krone, die rauhe Borke zeigend. (Orig., Wien, Bot. Garten.)

H. carolina (H. tetráptera), Tracht wie Abb. 245, Blattunterseite stark kahlend, Blüten gebüschelt, zu 3 bis 5, Blumenkrone meist nur gelappt, Frucht 4 flügelig, April bis Mai, härteste Art, besonders die var. ***monticola*** *(H. monticola)*, Blätter größer, kahler, Blüten größer, Stiele und Kelch kahl; ***H. diptera,*** wie Abb. 246 und 247, Blattunterseiten reich behaart, Blüten zu 2 bis 4, kurztraubig, Blumenkronblätter fast frei, Frucht 2 flügelig, blüht etwas später, weniger üppig, nicht ganz so hart.

Halésia corymbósa und ***H. hispida*** siehe *Pterostyrax*.

Halimodéndron Halodéndron (H. argénteum), **Salzstrauch** Leguminosen. Bis 2 *m* hoher, aufrechter, etwas silbriggrau behaarter Strauch (Abb. 248), Transkaukasien bis Altai, Blätter 1 bis 2 (bis 3) paarig gefiedert, Blättchen blaugrau, Spindeln stechend, Blüten zu 2 bis 4, doldentraubig, am alten Holze, ansehnlich, violett mit weiß, oder lebhaft rosenrot (f. *purpureum*), Juni bis Juli, Frucht aufgeblasen, ähnlich *Colutea*; Kultur in leichtem, sandigem, aber frischem Boden, in warmer, sonniger Lage; Vermehrung durch Samen und Ableger (junges Holz), auch durch Veredlung auf *Caragana arborescens*; Verwendung als sehr schön blühender, hübsch belaubter Zierstrauch im Park und Garten.

Hamamélis, **Zaubernuß** Hamamelidaceen. — Hübsch haselartig belaubte, hohe Sträucher oder baumartig, Blätter abwechselnd, sommergrün, sternhaarig, Blüten eigenartig, nach Blattfall oder vor Blattaustrieb (Abb. 250), Kronenblätter linealisch, Frucht Kapsel, bei *virginiana* erst im zweiten Jahre reifend; Kultur in frischem, humosem Boden in warmer Lage, sonnig oder halbschattig; Vermehrung durch Ableger, Samen (erst im zweiten Jahre keimend) oder Veredlung der seltnen Formen auf *H. virginiana*.

H. japónica, Japan, breiter Strauch, weißerlenblättrig, jung behaart, Blüten wie Abb. 249, schön gelb mit innen gelben oder purpurnem Kelch, je nach Witterung vom Januar (selten um Weihnacht) bis März; mehr baumartig ist var. ***arbórea*** *(H. arborea)*, Blätter größer, derber, rundlicher, Blüten tiefer gelb, Kelch innen tiefpurpurn; ferner var. ***Zuccariniána,*** wie der Typ, aber Blüten mehr zitronengelb, blüht 3 Wochen später; auch eine stärker gerötete var. *rubra* in Kultur; ***H. mollis*** Zentralchina, wie Abb. 250, wird baumartig, Blätter groß, metallisch-grün, unterseits bleibend filzig, Blüten lebhaft goldgelb, groß, ab Januar,

Abb. 245. *Halesia carolina*, vierflügelige Silberglocke, 2 *m*. (Orig., Kew Gardens.)

Abb. 246. *Halésia diptera*, zweiflügelige Silberglocke, 5 *m*. (Phot. A. Purpus.)

schönste Art, hart; ***H. vernális,*** südl. mittl. Verein. Staaten, bis 1 *m*, Ausläufer treibend. Blätter keilig-oboval, unterseits blaugrau, oft rostig behaart. Blüten ab Januar, hell (leicht grünlich) gelb, nicht so auffallend, aber stark duftend, Kelch rot; ***H. virginiána*** (*H. virginica* Hort.), östliches Nordamerika, bis 6 *m*, härteste Art, aber Blüte nicht so schön wie bei *mollis*, schon im Spätherbst. Kelch innen gelbbraun, wichtige, neuerdings viel angewandte Medizinalpflanze.

Abb. 247. Blütenzweige von *Halésia diptera*. (Phot. A. Purpus.)

Hammerstrauch siehe *Cestrum*.

Haplopáppus (Aplopáppus) cuneátus Compositen. — Westnordamerikanischer, bis 30 *cm* hoher, sparriger, balsamisch-drüsiger Strauch, Blätter abwechselnd, sommergrün, dicklich. Blütenköpfchen wenig ansehnlich, gelblich, doldig, gebüschelt; etwa wie *Gutierrezia*, sehr sonnig und trocken, ziemlich hart, aber nur für erfahrene Pfleger.

Harrimanélla hypnoides siehe *Cassiope*. **Hartheu** siehe *Hypericum*. **Hartriegel** siehe *Cornus*. **Hasel, Haselnuß, Haselstrauch** siehe *Corylus*. — **Hasenohr** siehe *Bupleurum*. — **Hauhechel** siehe *Ononis*. **Hauspflaume** siehe *Prunus domestica*. **Heckenkirsche** siehe *Lonicera*. **Heckenrose** siehe *Rosa canina* und *dumetorum*. — **Hecksame** siehe *Ulex*.

Hédera [42]**, Efeu.** — Araliaceen. — Allbekannter immergrüner Kletterstrauch, Blätter der vegetativen Triebe gelappt, die der fruchttragenden ganzrandig. Blüten grünlichgelb, doldentraubig. Frucht beerenartig schwarz oder gelb: Kultur mühelos in allen Lagen, wenn Boden nicht zu trocken und etwas humos ist, verträgt tiefen Schatten wie Sonne; Vermehrung durch Stecklinge (Haus), wurzelnde Triebe, besondere Sorten durch Veredlung (Spaltpfropfen); Verwendung als unersetzliche immergrüne Pflanzen zur Bekleidung von Mauerwerk, Begrünung schattiger Stellen unter Bäumen usw., für Einfassungen, Baumstammberankung (Abb. 8) usw.

ALPHABETISCHE LISTE DER ERWÄHNTEN LATEINISCHEN NAMEN.

(Die Ziffern bezeichnen die Seitenzahlen.)

A) Blütenstände und Blütenknospen (oft auch junge Triebe) mit grauen 5 bis 15 strahligen Sternhaaren: 1. Sternhaare nur 5 bis 8 strahlig: ***H. chrysocárpa (H. poëtárum,*** *H. helix* var. *chrysocarpa*), Süditalien bis Kleinasien. Blätter der sterilen Triebe weniger gelappt als bei *helix*, aus herzförmigem Grunde dreieckig oder breitoval, oft etwas gelblichgrün, die der Fruchtzweige klein, oft rhombisch, ungelappt. Früchte gelb, nicht ganz so hart wie *helix*; hierher var. *taurica* (*H. taurica*) stärker behaart. Blätter meist pfeilförmig mit verlängertem Mittellappen und 2 kurzen spreizenden Seitenlappen; ***H. helix,*** Europa bis Asien, Blätter der sterilen Triebe breit oder 3-eckig-oval, meist 3 bis 5 lappig, oberseits dunkelgrün glänzend, an Fruchtzweigen schmal, oval, ganzrandig. Blüten im Oktober. Früchte stumpf tintenschwarz, sehr viele Kulturformen, von denen folgende als die wohl wichtigsten erwähnt seien: var. *arboréscens* (var. *arbórea*, *H. arborea*), nicht klimmend, entstanden durch Vermehrung aus den fertilen Trieben des Typ, kann in warmem Klima hohe dichte Büsche bilden, auch bunte Formen; var. *báltica*, nur typische kleinblättrige Form, härteste von allen; var. *deltoídea* (var. *hastáta*), Blätter stumpf dreieckig, oft mit 2 tiefen Basallappen, schwärzlich grün, im Herbst bronzefarben; var. *digitáta*, Blätter groß, mit 5 (seltner 7) dreieckig-länglichen Lappen; var. *lusitánica* ähnlich *palmata*, aber Blätter größer, 5 lappig, hellgrün; var. *mínima* (var. *donerailéensis*), kleinste Form, 3 bis 5 lappig, bis 2,5 *cm* breit, im Winter purpurbraun; var. *palmáta*, ähnlich *digitata* aber breiter dreieckig, 3 bis 5 lappig, stumpfer grün; var. *pedáta*. Blätter klein, fußförmig 5 lappig, mit langem schmalen Mittellappen, dunkelgrün, mit weißlicher Aderung; var. *sagittifólia*, Blätter klein mit breit dreieckigen Mittel- und kurzen stumpfen Seitenlappen, Grund tief herzförmig, Farbe stumpf tief grün; alle diese Formen verdienen mehr Beachtung; **H. hibérnica** (*H. helix* var. *hibernica*, var. *scótica* oder var. *irlandica*), schottischer oder irischer Efeu, sehr üppig, Blätter größer und breiter als bei *helix*, meist mit 5 dreieckigen Lappen, Textur dünner, aber Farbe (nach Bean) schwarzgrün, auch hiervon viele Formen, nicht so hart wie typischer *helix*.

Abb. 248. *Halimodéndron Halodendron*, Salzstrauch, hochstämmig veredelt. (Orig., Hort. Vilmorin, Verrières.)

II. Sternhaare 13 bis 15 strahlig: **H. canariénsis** (*H. helix* var. *canariensis*, *H. algeriénsis*, *H. azórica*, *H. maderénsis* Hort.), Kanaren, Nordafrika, üppig, Blätter groß, bis über 15 *cm* breit, derbléderig, seicht 3 bis 5 lappig, Grund herzförmig, an Fruchttrieben ganzrandig, Grund gerundet, auch hiervon eine var. *arboréscens*; schöne aber bei uns empfindliche Art.

Abb. 249. *Hamamelis japonica*, japanische Zaubernuß, Blütenzweige. (Phot. im Hort. Hesse, Weener.)

B) Blütenstände und Knospen (oft auch junge Triebe) mit meist gelblichen kurz und vielstrahligen Schuppenhaaren bekleidet. Pflanzen aromatisch: ***H. cólchica*** *(H. coriacea, H. amurénsis* und *H. Roegneriána* Hort.), Kleinasien, Kaukasus, Persien, üppig, Blätter groß, breitoval, herzförmig, meist ungelappt, seltner seicht 3-lappig, bis über 15 *cm* breit, glänzend grün, jung oft purpurn überlaufen, Frucht schwarz; hierher var. *dentáta (H. dentata)*, Blattrand entfernt gezähnt, natürlich auch eine var. *arboréscens*; schönste, recht harte Art; ***H. japónica*** *(H. hélix* var. *rhombea)*, Japan, Korea, nicht hoch klimmend, Blätter elliptisch oder rhombisch eiförmig, an sterilen Trieben 3- (bis 5-) lappig mit großem Mittellappen, Frucht schwarz, hart: noch sehr selten in Kultur ist ***H. himaláica*** (*H. helix* var. *aurantiaca*) in der var. ***sinénsis***, durch zum Teil graue Schuppenhaare und gelbe Früchte ausgezeichnet, variiert in der Heimat ähnlich wie *helix*.

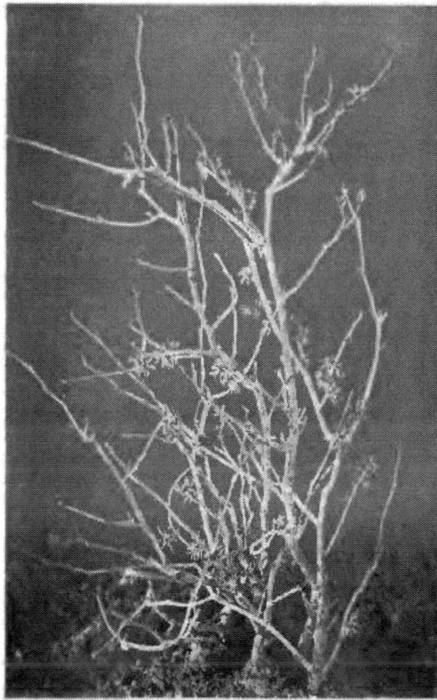

Abb. 250. *Hamamélis mollis*, 0,5 *m*, kleine Pflanze. (Hort. Hesse, Weener.)

***Hedýsarum multijúgum*, Hahnenkopf, Mannsklee, Süßklee** — Leguminosen. — Bis 1,5 *m* hoher, ausgebreitet verästelter, sommergrüner Strauch (Abb. 252). Blätter abwechselnd, unpaar gefiedert, etwas graugrün. Blüten leuchtend violett oder magentapurpurn, in langen Trauben. Juni bis August. Frucht leicht bestachelte Gliederhülse; Kultur in durchlässigem Boden in trockenen, sonnigen Lagen; Vermehrung durch Samen, Ableger und vor allem völlig ausgereifte Stecklinge im August unter Glas; Verwendung als prächtiger Zierstrauch für Gärten und Parks; von Zeit zu Zeit stark zurückschneiden.

Heide, Heidekraut siehe *Erica*. — **Heidelbeere** siehe *Vaccinium*. — **Heiderose** siehe *Rosa canina*. **Heiligenblume** siehe *Santolina*. — **Heidesonnenröschen** siehe *Fumana*. — **Heister** siehe *Carpinus*.

***Heliánthemum*, Sonnenröschen** — Cistaceen. — Niedrige feintriebige Zwergsträucher oder Halbsträucher (Abb. 253 54). Blätter gegenständig, einfach, sommergrün. Blüten hübsch, in Wickeltrauben, sich nur bei Sonne voll öffnend. Frucht 3klappige Kapsel; Kultur in durchlässigem, gegen Winternässe geschütztem, sandigem Boden in trockenen, sonnigen Lagen; Vermehrung durch Teilung, Samen, halbreife Stecklinge; Verwendung an geeigneten warmen Orten auf Rabatten und in Felsanlagen.

In Kultur fast lauter hybride oder sonstige Gartenformen, die im wesentlichen mit folgenden zwei Arten zusammenhängen: ***H. apenninum (H. polifólium)***, von Deutschland durch Südeuropa bis Kleinasien, Blüten weiß beim Typ, seltener rosa (var. *roseum*) und ***H. nummulárium (H. chamaecistus, H. variábile,*** *H. vulgare)*, ähnliche Verbreitung, Blüten beim Typ gelb; man findet näheres bei C. Schneider, Ill. Handb. d. Laubholzk. II., S. 351 ff.; in Kultur viele gefüllte Formen, weiß, gelb, rosa, viele gehen als *amabile* oder *coccineum fl. pl.*, blutrot, *carminatum fl. pl.*, karminrot, *Chamaecistus* var. *alboplenum*, var. *aureoplenum*, *polifolium* var. *coccineoplenum*, *roseum* var. *multiplex* usw., solche gefüllte Kultursorten sind meist empfindlicher als einfachblühende. — In Abb. 254 ist ***H. alyssoides*** aus Südwesteuropa dargestellt. Zweige und Blätter dicht grauhaarig, Blüten gelb.

Abb. 251. *Hedera colchica* und andere Efeu-Formen in Malonya.
(Phot. C. Schneider; aus der „Gartenschönheit".)

Abb. 252. *Hedýsarum multijugum*, Hahnenkopf, 1 *m* hoch, 2 *m* Durchm. (Phot. A. Purpus.)

Heliánthemum Fumana siehe *Fumana*.

***Helichrýsum*, Strohblume** — Compositen. — Kleine aromatische grauweißfilzige, gelbblütige Halbsträucher aus Südeuropa, die, wie *H. angustifolium*, gelegentlich in trockenen, sonnigen Gesteinspartien sich versuchen lassen.

Abb. 253. *Heliánthemum*, rosa Gartenform, 0,15 *m*.

Helichrýsum rosmarinifolium siehe *Ozothamnus*.

Helwingia* (*Osiris*) *japónica (*H. rusciflóra*) — Cornaceen. — Kaum über meterhoher, kahler, japanisch-chinesischer Strauch (Abb. 255), Blätter abwechselnd, sommergrün, einfach, Blüten winzig, grünlich, in Dolden auf der Blattrippe etwa in der Blattmitte, Mai bis Juli, Frucht kleine beerenartige Steinfrucht; Kultur mühelos in jedem frischen Gartenboden; Vermehrung durch Stecklinge (unter Glas); Verwendung nur für Gehölzfreunde.

Hemiptélea (*Planéra, Zelkóva*) ***Davidii*** (*Zelkova Davidiána*) — Ulmaceen. — Kleiner bis 12 *m* hoher, dichtkroniger Baum aus Nordchina und Korea, Tracht wie *Zelkova*, aber Kurztriebe verdornend, Blätter sommergrün, spitz eielliptisch, Nervenpaare 8 bis 12, zuletzt nur unten spärlich behaart, Blüten polygam, achselständig, wie bei *Zelkova*, April bis Mai, aber Früchte mit kleinem einseitigen Flügel, Juli; Kultur usw. wie *Zelkova* oder *Ulmus*; in Arnold Arboretum ganz hart, fruchtend; verdient mehr Beachtung.

Heptapleúrum impréssum (*Schéfflera impressa*) ist eine baumartige Araliacee aus dem Himalaya, die bei uns kaum in Freilandkultur angetroffen wird.

Hesperáloë parviflóra (*H. yuccaefólia*) ist eine texanische Art, die *Yucca* nahe steht. Für uns wohl nur im mediterranen Gebiet eventuell im Freien brauchbar.

Hesperoméles ist eine südamerikanische, mit *Crataegus* nahe verwandte Gattung, die für uns nicht in Betracht kommt.

Heteroméles siehe *Photinia*.

Hibíscus syriacus (*Althaea frutex*), **Eibisch** Malvaceen. — Wahrscheinlich aus Zentralasien stammender, sommergrüner, aufrechter, buschiger, bis 3 *m* hoher Strauch, Blätter einfach, dreilappig, Blüten schön, einzeln, achselständig, beim Typ violett, Juli bis Oktober, Frucht Kapsel; Kultur in jedem guten Gartenboden in sonniger, warmer Lage, in rauhen Gegenden Winterschutz und sehr durchlässigen Grund, Rückschnitt, wenn nötig, vor Austrieb; Vermehrung durch Samen, reife Stecklinge und Veredlung der Sorten auf Sämlinge des Typs; Verwendung als prächtige Spätsommer- und Herbstblüher im Garten und Park.

Abb. 254. *Helianthemum alyssoides*, 25 *cm* hoch, 60—70 *cm* Durchm. (Phot. A. Purpus, Kew Gardens)

Hicorynuß siehe *Carya*. ***Hicória*** siehe *Carya*. **Himbeere** siehe *Rubus*.

***Hippopháë*, Sanddorn** Elaeagnaceen. Bis über 5 *m* hohe, dornige, weidenartig belaubte, harte Sträucher oder kleine Bäume, Borke sehr tiefrissig, Blätter abwechselnd, einfach, Blüten in an vorjährigen Trieben achselständigen kurzen Trauben, zweihäusig, unansehnlich, April, aber weibliche Sträucher schön mit den orangeroten oder gelben, rundlichen, beerenartigen Früchten ab August bis Frühjahr; **Kultur** in frischem, gut durchlässigem Boden, in feuchtem Sand, Geröll usw. in sonniger warmer Lage; **Vermehrung** durch Ausläufer, Samen, Ableger, Stecklinge (Frühjahr); **Verwendung** als hübsche Ziersträucher im Park und Garten, wird aber auf kleinem Raume leicht durch Ausläufer lästig.

H. rhamnoides*,** Europa bis China, besonders am Meeresufer, Flußläufen, bis über 12 *m*. Blätter beiderseits glänzend silberschülfrig lineal, besonders schmale Blätter hat var. *angustifólia*, Triebe überhängend; in Westchina var. *procera*, Behaarung mehr wie bei folgender; hübsch auch var. *turkestanica*, Blätter sehr schmal, silberig, Wuchs wie beim Typ; ***H. salicifólia (Abb. 51), Himalaya, Blätter breiter, oberseits grün, unbeschuppt, unterseits dicht weißgraufilzig, wenige Schuppen, zur Fruchtzeit viel weniger schön.

Abb. 255. *Helwingia japonica*, 80 *cm*. (Phot. A. Purpus.)

Hippophaë argentea und ***H. canadénsis*** siehe *Shepherdia*. — ***Hisingera*** siehe *Xylosma*. — ***Holboellia chinensis*** siehe *Sinofranchetia*.

Hohéria populnea: neuseeländische Malvacee, immergrün. Strauch, oder in Heimat baumartig, Triebe behaart, Blätter spitz eiförmig, Blüten in achselständigen Büscheln, weiß; bei uns noch nicht versucht, wohl nur in Südtirol brauchbar. In England in Freilandkultur.

Hoibrénkia formosa siehe *Staphylea colchica*.

Holboéllia (*Stauntónia*) ***latifólia*** — Lardizabalaceen. — Immergrüner, *Akebia*-ähnlicher Schlingstrauch aus dem Himalaya, Blätter abwechselnd, 3 bis 9 fingerig, glänzendgrün, Blättchen kahl, elliptisch. Blüten in kurzen achselständigen Doldenbüscheln, eingeschlechtlich, grünlichpurpurn, orangeduftend, Juli bis August, Frucht bis 9 *cm*, wurstförmig, beerenartig, eßbar; **Kultur** usw. etwa wie *Akebia*, hat in Darmstadt nicht ausgehalten und ist bei uns wohl nur in sehr warmen Lagen in südlicheren Teilen versuchswert. Das gleiche dürfte für die mittelchinesische ***H. coriácea*** gelten, Blättchen nur 3, länglicher, derber, unterseits glatt, nicht netznervig.

Holländische Linde siehe *Tilia vulgaris*. — **Holler, Holunder** siehe *Sambucus*.

Holodiscus discolor (*Spiraea ariaefolia, Sp. discolor; Schizonótus discolor, Sericothéca discolor*) — Spiraeaceen. — 2 bis 5 *m* hoher, überneigend locker verzweigter Strauch aus NW.-Amerika. Blätter sommergrün, abwechselnd, gelappt, unterseits grau behaart, Blütenrispen breit, bis 30 *cm* lang, hängend, gelblichweiß, Juli, auch später in Frucht zierend; **Kultur** usw. wie *Spiraea*. Prächtiger Sommerblüher für Garten und Park. Selten ist der südlichere ***H. dumósus*** (*H. austrális, H. discolor* var. *dumosus, Spiraea dumosa*), bis 1,5 *m*, aufrechter, Blätter unterseits weißseidig filzig, Blütenstände aufrecht.

Ho-Magnolia siehe *Magnolia hypoleuca*. — ***Homoioceltis*** (*Homoceltis*) siehe *Aphananthe*. — **Hopfenstrauch** siehe *Ptelea*. — **Hornbaum** siehe *Carpinus*. — **Hornmelde** siehe *Eurotia*. — **Hornstrauch** siehe *Cornus*. — ***Horsfieldia*** siehe *Echinopanax*. — ***Horténsia*, *Hortensie*** siehe *Hydrangea*.

Hovénia dulcis — Rhamnaceen. — Hübsch groß belaubter, sommergrüner Strauch oder kleiner Baum aus Japan, China, Blätter abwechselnd, sattgrün, spitz-herzeiförmig, unterseits behaart, Blüten in gestielten achselständigen Büschelrispen, unscheinbar, grünlich, Früchte schmutzigweiß, erbsengroß, in der fleischigen Fruchtstand-Achse mit schwarzen Samen (bei uns kaum reifend); **Kultur** in sandiglehmigem, durchlässigem Gartenboden in warmer Lage, friert in rauhen Gegenden zurück, treibt aber meist wieder aus, Bodenschutz; **Vermehrung** durch Samen, reife Stecklinge und Wurzelstecklinge; Verwendung als schön belaubter Zierstrauch im Garten und Park.

Hudsónia tomentósa — Cistaceen. — Rasiger, gelbblühender Kleinstrauch aus Kiefernheiden von O.-Nordamerika, kaum in Kultur; aber für Gehölzfreunde versuchswert (Näheres C. Schneider, Ill. Handb. d. Laubholzk. II., Seite 356.)

Hülsen, Hülsenstrauch siehe *Ilex*. — **Hundsrose** siehe *Rosa canina*.

***Hydrángea*, Hortensie** — Saxifragaceen. — Meist schöne, sommergrüne Sträucher. Blätter gegenständig, einfach oder gelappt, Blüten klein, aber in meist recht ansehnlichen

Doldenrispen oder Rispen, mit oft großen sterilen Randblüten. Frucht kleine Kapsel; **Kultur** usw. siehe bei den Arten: sie lieben kalkfreien Boden; Rückschnitt im Winter meist notwendig, um reicheres Blühen zu erzielen, besonders bei *paniculata*.

ALPHABETISCHE LISTE DER ERWÄHNTEN LATEINISCHEN NAMEN.
(Die Ziffern bezeichnen die Seitenzahlen.)

A. (B. siehe S. 225) **Pflanzen aufrecht** (nie Zweige mit Luftwurzeln kletternd). **Staubblätter** 10. — I. Blütenstand deutlich pyramidal (nicht flach): ***H. paniculáta,*** Japan, bei uns Strauch, bis über 2 *m* (wenn nicht hoch veredelt als Kronenbäumchen), in Heimat baumartig. Blätter einfach, häufig gedreit. Blütenrispen bei wilder Form bis 20 : 12 *cm*, bei der Kulturform var. ***grandiflóra*** *(var. horténsis)* bis über 30 *cm* lang, fast alle Blüten steril, groß, erst weiß, dann rosa, sehr bekannte Schmuckpflanze für August bis Herbst, (var. ***praecox*** blüht von Juli ab, sonst typisch), anfangs leichtere, etwas moorige Erde, später kräftige lehmige Gartenerde und viel Dung und Wasser im Sommer in warmer, sonniger Lage, im Frühjahr stark zurückschneiden bis auf 3 bis 5 Augen; Vermehrung durch krautige Stecklinge, für Park und namentlich Garten sehr wertvoll!; ***H. quercifólia*** (*H. platanifolia* Hort.), südöstliche Verein. Staaten, breitbuschiger bis 1,20 *m* hoher Strauch, Blätter 3 bis 7 lappig, schön grün, groß, derb, Blütenrispen rötlich weiß, (Juni-) Juli bis August, sehr dekorative Blattpflanze für etwas wärmere Lagen in gutem, frischem Boden. Vermehrung meist durch Ableger.

II. Blütenstand doldenrispig, flach oder etwas gewölbt. — a) Blütenstand vor Aufblühen von großen Hüllblättern (Bracteen) umhüllt: ***H. involucrata,*** Japan, dichter Strauch bis 0,6 *m*, Behaarung rauhlich, Blätter unterseits graugrün, grannenzähnig, Blütenstände 8 bis 15 *cm* breit, rosalila mit Weiß, Juli bis September, liebt warme, etwas schattige, frische Lage, hübsch. — b) Blütenstand stets ohne Hülle. — 1) Behaarung (auch der Blattoberseiten) weich (nicht rauh): ***H. arboréscens*** (*H. urticifolia* Hort.), O.-Nordamerika, Strauch bis 2,5 *m*, Blätter oberseits schön grün, auf der hellgraugrünen Unterseite fast kahl, trübweiße flache Doldenrispen, zirka 15 *cm* breit, sterile Randblüten fehlend, Juli bis Oktober, besonders schön var. *grandiflora*, Blüten alle steril, Kultur usw. wie *paniculata*, verträgt auch lichten Schatten; ihr nahe, für mehr sonnige Lagen, steht ***H. radiáta*** (*H. nivea*), südöstl. Verein. Staaten, Blattunterseiten weich glatt weißfilzig, Dolden eher größer, leicht gewölbt; ***H. Bretschneideri*** (*H. vestita* var. *pubéscens*, *H. pekinénsis*), Nordchina (Abb. 29), bis über 2 *m*, Zweigrinde flockig abschülfernd, schön belaubt, Blätter spitz ei-elliptisch, unterseits behaart, Blütendolden bis 15 *cm* breit, weiß, sterile Blüten sich rötend, Juni bis Juli, sehr gute Art, eine kahle Form ist var. *glabréscens* (*H. serráta* Koehne); ***H. heteromálla*** (*H. vestita*, *H. pubéscens*), Himalaya, hat größere, feiner gezähnte, unterseits graugrüne, filzig behaarte Blätter, Blüten im Juli, weiß, Randblüten ganzrandig, hübsche Art, nicht so hart wie *Bretschneideri*: ***H. opuloides (H. horténsis, H. Horténsia, H. japonica),*** Japan, China, dies ist die echte **Hortensie,** bei uns als Kalthauspflanze seit Alters geschätzt; fürs Freiland zu empfehlen in warmen Lagen (Kultur usw. wie *paniculata*) die var. ***acumináta*** (*H. acuminata*, *H. Buergeri*) (Abb. 256), Blütenstände flach, auch fertile Blüten vorhanden, sterile Blüten bläulich, ganzrandig, var. ***japónica,*** sterile Blüten rosa oder weiß, gezähnt, var. ***Mariésii,*** sterile Blüten sehr groß, rosa, sonst wie vorige, nicht so hart; ferner mit

Abb. 256. *Hydrangea opuloides* var. *acuminata*, 1 *m*. (Phot. A. Purpus.)

fast nur sterilen Blüten in gewölbten Doldenrispen die für Freilandkultur kaum geeigneten Formen, wie ***cyanocláda*** (*H. mandshurica*, *H. hortensis* var. *nigra*), Triebe fast schwarz, var. ***otáksa*** (*H. otáksa*), mit vielen Kulturformen u. a.; schließlich var. ***stellata***, sterile Blüten rosa oder bläulich, gefranst oder gefüllt, usw., doch in rauheren Gegenden Kalthaus; ***H. xanthoneúra***, Mittelchina, wie *Bretschneideri*, aber Zweigrinde glatt, geschlossen bleibend, vorjährige Zweige kastanienbraun, Lenticellen deutlich, Blütenstände lockerer, beste Form var. *Wilsonii*, vorjährige Zweige kahl oder graubraun; gute harte Art.

2) Behaarung (besonders der Blattoberseiten) rauh, striegelhaarig: ***H. Rosthórnii***, Mittelchina, breiter etwas lockerer Strauch, bis 4 *m*, Blätter aus herzförmigem Grunde spitzoval, ungleich fein doppeltgesägt, oberseits wie Triebe striegelhaarig, unterseits dicht rauh grau behaart, Blüten weiß oder rosa, Randblüten rundoval, ganzrandig oder gezähnt, Juli; ihr steht nahe ***H. lóngipes***, Mittelchina, mit dünneren, schmäleren, gröber gesägten, unterseits sehr kahlenden Blättern und sehr langen Blattstielen (bis 15 cm); ferner ***H. villósa***, Mittelchina, in allen Teilen mit abstehenden Zottenhaaren, Blätter unterseits rauhwollig; alle drei jetzt in Kultur, aber nicht so hart wie *Bretschneideri*, doch schön; ***H. Sargentiána***, Mittelchina, steif aufrechter Strauch, bis 1,5 *m*, Triebe dicht rauhfilzig, Austrieb purpurlich, Blätter bis 30 *cm*, eilänglich trübgrün, unterseits dicht rauhfilzig, Blüten bleich violett mit weißen Randblüten, Juli-August, ganz prächtige Art, für Lagen, wo das Holz ausreifen kann, dort halbschattig, hat sich in Goettingen sehr bewährt, recht beachtenswert!; ***H. strigósa***, Mittelchina (*H. aspera* Hemsl.), wie *Rosthornii*, aber Blätter mit keiliger Basis, Stiel unter 2,5 *cm*; die echte ***H. áspera*** Don aus dem Himalaya ist empfindlich und kaum in Kultur.

B. Pflanze mit Luftwurzeln kletternd. Kronblätter mützenartig verbunden und zusammen abfallend, Staubblätter 15 bis 20: ***H. petioláris (H. scandens)*** (Abb. 257), Japan (oft mit *Schizophragma hydrangeoides* verwechselt, die nicht so hoch klettert, buchtig gezähnte Blätter und verwachsene, statt freie Griffel hat), bis über 15 *m*, zur Bekleidung von Mauerwerk, Bäumen, Felsen, Blattwerk schön grün, Blütendolden bis 25 *cm* breit, weiß, mit breiten Randblüten, Juli, eine der schönsten Kletterpflanzen, liebt warme Lage, Halbschatten, frischen Grund.

Hymenanthera crassifolia — Violaceen. — Starrer, etwas niederliegender oder aufrecht ausgebreiteter, buschiger Strauch (Abb. 59) aus Neuseeland, bis 1 *m*, Blätter abwechselnd, wintergrün, derb, Blüten klein, achselständig, gelblichweiß, Frucht weiße, erbsengroße Beere; Kultur in recht warmer, sonniger Lage und sehr durchlässigem Boden als Felsenpflanze; Vermehrung durch Samen, Sommerstecklinge, Ableger und Anhäufeln im Sommer; Verwendung für Gehölzfreunde wegen der frühen Blüten (März bis April) und der hübschen Beerenfrüchte; in rauhen Gegenden Winterschutz.

Abb. 257. *Hydrangéa petiolaris*, 2 *m*. (Phot. A. Purpus.)

***Hypéricum*. Hartheu, Johanniskraut** — Hypericaceen. — Niedrige, hübsch belaubte, sommer- und immergrüne Sträucher oder etwas halbstrauchig (Abb. 258), Blätter gegenständig, einfach, durchscheinend gepunktet, Blüten meist goldgelb, meist ansehnlich, Frucht eine Kapsel (seltener beerenartig); Kultur im allgemeinen in durchlässigem, nicht zu schwerem und feuchtem Boden in warmer, halbschattiger Lage, im Winter trockene Bodendecke meist ratsam; Schnitt nicht notwendig oder starker Rückschnitt gegen Frühjahr; Vermehrung durch Samen, Ausläufer, Teilung und Stecklinge; Verwendung teils als Felsenpflanzen, teils in Menge im Park oder auch auf Rabatten, schönste Art *H. Moserianum*, aber nicht ganz hart in rauhen Lagen.

H. Androsaémum (*Androsaemum officinale*), Europa-Kaukasus, bis 1 *m*, kahl, aromatisch. Blüten hellgelb, 2.5 *cm* breit, Juni-Juli (August). Frucht erbsengroße, erst rote, dann schwarze Beere, frische Lagen; ***H. aúreum***, südöstl. Vereinigt. Staaten, dichter Busch bis 80 *cm*, Rinde abblätternd. Triebe zweikantig. Blätter sommergrün, blaugrün, derb, eilänglich. Blüten zu mehreren endständig, bis 5 *cm* breit, Griffel 3, nebst freien Staubblättern kürzer als Petalen, Juli bis August, hart; ***H. Búckleii***, Gebirge von Carolina und Georgia, dichte Matten bildend, bis 25 *cm*, Blätter sommergrün, oboval, bläulich, Herbst scharlach. Blüten zu 1 bis 3, bis 2,5 *cm*, schon im Juni, sonst wie *aureum*, sehr gute Art für Felsgärten; ***H. calycinum***, Orient, Ausläufer treibend, nur bis 25 *cm*, Blätter immergrün, stumpf eilänglich, satt grün, Blüten einzeln, Juli bis Sep-

Abb. 258. *Hypéricum hircinum*. 60 *cm*. (Phot. A. Purpus.)

tember, prächtig für nicht zu rauhe Lagen; ***H. densiflórum***, mittl. Verein. Staaten, bis 1 *m*, aufrecht, Triebe zweikantig, Blätter immergrün, lineal-lanzettlich, etwas eingerollt, Blüten 1,2 *cm* breit, in dichten Rispen, Juli bis September; ***H. galioides***, mittl. Verein. Staaten, immergrün, bis 50 *cm*, wie *densiflorum*, aber Blätter schmal lineal, Blüten achselständig, beblätterte Rispen bildend, sehr hübsch; ***H. hircinum***, Mittelmeergebiet, bis 1 *m*, wie Abb. 258, Bocksgeruch, Triebe 2 kantig, Blätter sitzend, eilanzettlich, Blüten zu 1 bis 3, groß, Juli bis Herbst, Staubblätter in 3 bis 5 Bündeln, solang wie Petalen, trockne sonnige Lagen; ***H. Moserianum*** (*H. calycinum* × *H. patulum*), bis 0,5 *m*, etwas wintergrün, Zweigspitzen überneigend, Blätter stumpf oval, opak, Blüten zu 1 bis 5, goldgelb, bis 7 cm breit, Juli bis September, schön aber in rauhen Lagen schützen, besonders die var. *tricolor*, Blätter rosa und weiß gerandet; ***H. pátulum*** var. ***Hényri***, West- und Mittelchina, bis 1 *m*, aufrecht-ausgebreitet, Blätter derb, stumpf eilänglich, matt tiefgrün, bis 8 *cm*, Blüten zu mehreren, bis 6 *cm* breit, Juli bis September, härteste Form der Art, sehr kulturwert.

Abb. 259. *Idésia polycarpa*, Orangenkirsche, 2,20 *m*, junge Pflanze. (Phot. A. Purpus.)

Hypéricum Áscyrum (*H. Ascyron*) siehe Staudenbuch, und ***H. stans*** siehe *Áscyrum*.

***Hýssopus officinalis*, Ysop, Hyssop** — Labiaten. — Bekannter aromatischer, bis 45 *cm* hoher, halbstrauchiger Strauch, Mediterrangebiet, Kaukasus bis Sibirien, Blätter lineal, gegenständig, drüsig gepunktet, Blüten blauviolett (var. *alba*, weiß, var. *rubra* rosenrot) in Scheinwirteln, Juni bis September; Kultur als Felsenpflanze in sonnigen heißen Lagen; Vermehrung durch Samen, Stecklinge, Teilung; Verwendung nur für Gehölzfreunde, im Norden guten Schutz, noch viele Formen (siehe C. Schneider, Ill. Handb. d. Laubholzk. II., Seite 604).

***Ibéris sempervírens*, Schleifenblume** — Cruciferen. — Niedriger, rasiger Strauch aus Süditalien, Blätter rosettig, immergrün, einfach, Blüten weißlich oder rosa, doldig, duftend, Mai bis Juni, nur für wärmste Lagen, sonst siehe alles über *Iberis* in „Unsere Freilandstauden".

***Idésia polycárpa*, Orangenkirsche** — Flacourtiaceen. — In Heimat Baum bis 17 *m*, jung wie Abb. 259, Blätter abwechselnd, sommergrün, einfach, groß, sattgrün und auf langen roten Stielen, Blüten zweihäusig, hübsch gelb, ohne Petalen, in endständigen hängenden Rispen, Mai-Juni, Frucht fleischige, rotgelbe Beere (Herbst); Kultur in wärmsten, halbschattigen Lagen in frischem, tiefgründigem Boden, im Winter Bodendecke und im Norden Schutz; Vermehrung durch halbreife und Wurzelstecklinge; Verwendung als prächtiger Zierbaum im Parke und Garten in geeigneten Lagen.

Igelginster siehe *Erinacea*. — **Igelkraftwurz** siehe *Echinopanax*.

Ilex[43], **Hülsen, Stechpalme** — Aquifoliaceen. — Immergrüne oder laubabwerfende Sträucher oder kleine Bäume, Blätter abwechselnd, einfach, Blüten unansehnlich, getrenntgeschlechtlich, gebüschelt, Frucht oft schön gefärbte Steinfrucht; Kultur usw. siehe bei den Arten; Vermehrung durch Samen oder Stecklinge, die immergrünen Sorten auch durch Okulation.

ALPHABETISCHE LISTE DER ERWÄHNTEN LATEINISCHEN NAMEN.

(Die Ziffern bezeichnen die Seitenzahlen.)

A. (B. siehe S. 230) **Blätter immergrün**, derb, lederig: I. (II. siehe S. 229) Blätter mit groben, dornigen (oft buchtigen) Zähnen, selten ganzrandig: ***I. Aquifolium***, allbekannte europäisch-asiatische Art. Strauch bis Baum (15 *m*), siehe Abb. 260, in den Blättern sehr formenreich, Beeren rot, schwarzrot, gelb oder weiß; liebt frische Lagen, insbesondere Luftfeuchtigkeit, man gebe also halbschattige oder schattige Lage mit Schutz gegen Frühsonne im Winter, der Boden sei nicht mager, sondern nährstoffreich, nicht zu leicht, frisch, vor Winter gut eingießen, dies gilt für alle immergrünen Arten, im Winter Bodendecke, in rauhen Inlandlagen Winterschutz; Verwendung als Einzelpflanze, Hecke (läßt sich ausgezeichnet schneiden), Unterholz usw., prächtig in Laub und auch zur Fruchtzeit im Spätherbst und Winter, besonders die gelbfrüchtige Form var. *chrysocárpa* (var. *xanthocárpa*); aus der Unzahl der Gartenformen seien folgende hervorgehoben: a. Blätter grün. α) Blätter stets stachelzähnig. — Blätter groß, 5 bis 10 *cm* lang (diese Formen stellen wohl meist Hybriden mit *perado* dar): var. *altaclarénsis* (var. *nóbilis*), leicht glänzend dunkelgrün, dünnlederig, ziemlich flach, Zähne zahlreich; var. *Hodginsónii* (var. *Hodgínsii*) rundoval, stumpf dunkelgrün, entfernt und gleichmäßig gezähnt, schön, reicher Beerenansatz; var. *latifólia*, oval, wenig gezähnt, tiefer dornig ist var. *platyphýllos*, sehr hübsch auch var. *princeps* mit noch größeren, breitovalen, regelmäßig dornigen, tief grünen Blättern;

Abb. 260. *Ilex Aquifolium*, Stechpalme, alter Baum in Braunfels a. Lahn. (Phot. Schnell, Gießen.)

var. *Wilsonii*, bis über 12 *cm*, leicht glänzend, viele gleichmäßige Zähne. — Blätter klein, meist unter 5 *cm*: var. *ferox* (*I. echináta*), Igelhülsen, Blätter auch auf der gekrümmten Oberfläche dornig; var. *handsworthénsis*, eilanzettlich, glänzend grün, mit zahlreichen, vorwärts gerichteten Zähnen; var. *lineáta*, kleinste Blätter; var. *myrtifólia*, eilanzettlich, wenige weite Zähne. — β) Blätter ganzrandig, oder nur vereinzelt gezähnt: var. *camelliaefólia* (var. *magnífica*, var. *laurifolia longifolia*), spitz elliptisch, sehr glänzend, dunkelolivgrün, eine der allerbesten Formen!; var. *scótica* stumpf oval, Rand verdickt, ebenfalls glänzend grün und wertvoll.

b. Blätter weiß- oder gelbbunt (meist nur die gerandeten Formen von Wert): var. *albo-margináta* (var. *argenteo-margináta*), Blätter dornig, Rand schmal, silberig; var. *aureo-regina* („Golden Queen", var. *aureo-margináta*, var. *latifólia margináta*), Blätter gezähnt, mit breitem Goldrande, beste gelbbunte Form, neben var. *albo-picta* (var. *argenteo-regina*), gezähnt, unregelmäßig silberfleckig und gerandet; var. *Watereriána*, kompakter, breiter Busch, Blätter meist ganzrandig, breit gelb gerandet.

Abb. 261. *Ilex dipyréna*, in Kew 6—8 *m*. (Phot. A. Purpus.)

I. cornúta, Nordchina, dichter Strauch, bis 2 *m*, wie *Aquifolium*, aber Blätter mehr rechteckig, mit 4 starken Ecken- und einem Enddorn, Blüten April, Frucht ebenfalls gestielt, etwas größer, Juni-Juli, sehr schön, nicht ganz so hart; ***I. dipyréna***, Himalaya, in Heimat Baum wie Abb. 261, Triebe kantig, fein behaart, Blätter schmal oval, trübgrün, an älteren Pflanzen wenig gezähnt, Frucht groß, fast sitzend, eiförmig, glänzend rot, wohl nur für Gehölzfreunde; ***I. opáca***, mittl. und östl. Vereinigte Staaten, pyramidaler Baum, Blätter stumpf grün, eilanzettlich, stark dornig, Blüten an diesjährigen Seitenrispen achselständig, Juni, Frucht stumpf scharlach, einzeln, kugelig, hart, aber minder schön als *Aquifolium*; ***I. perádo*** (*I. maderénsis*, *I. platyphýlla*), Kanaren und Azoren, wie *Aquifolium* aber Blätter kurz dornzähnig und Blattstiel von der herablaufenden Spreite geflügelt, Frucht fast schwarzrot, wertvoll als Miterzeuger der oben genannten Kulturformen, sonst nicht hart; ***I. Pérnyi***, Mittelchina, Strauch, siehe Abb. 262, Triebe dicht behaart, ebenso junge Blätter, diese rhombisch oder viereckig eiförmig, mit 1 bis 3 starken Zahnpaaren, glänzend tiefgrün, kurz gestielt, bei var. *Veitchii* (*I. Veitchii*) breiter, Grund stärker abgestutzt, Frucht fast sitzend, rot, rundlich-eiförmig, August, schön, ziemlich hart.

II. Blätter kurz sägezähnig, gekerbt oder ganzrandig. — a. Frucht rot, Stein gerippt: ***I. corallína***, West- und Mittelchina, bis 4 *m*, Blätter spitz eilänglich, bis 10 *cm*, kurzdornig bis kerbsägig, Früchte wie kleine Erbsen, gebüschelt, für warme Lagen; ***I. Fargésii***, Mittelchina, bis 6 *m*, Blätter schmallänglich, lang gespitzt, nur gegen Spitze wenig gezähnt, trübgrün, Frucht kugelig, zu 3 bis 4, September, eigenartig; ***I. íntegra*** (*I. Othéra*, *Othera japónica*), Baum, kahl, Blätter groß, oval, ganzrandig, glänzend dunkelgrün, Früchte kugelig, August-Oktober, schön, aber nur für warme Lagen; ***I. latifolia*** (*I. Torájo*), Japan, dort hoher Baum, kahl. Triebe dick, bis 20 : 7 *cm*, länglich, spitz, glänzend grün, sägezähnig, Frucht bis 8 *mm* dick, gedrängt, sehr schöne Art, nicht ganz hart, aber mehr versuchswert!; ***I. pedunculósa*** var. ***continentális***, Mittelchina, kleiner Baum, ligusterähnlich, kahl, Blätter eielliptisch, kurz zugespitzt, glänzend grün, bis 13 *cm* lang, Fruchtstiele bis über 4 *cm*, auffallend, als hart bewährt; ***I. vomitória*** *(I. Cassine* Walt., *I. caroliniána)*, meist Strauch, südöstl. Vereinigte Staaten, ausgebreitet, *Phillyrea*-artig, Triebe behaart, Blätter glänzend grün, schmal oval, kaum über 3 *cm*, kerbzähnig, Früchte klein, kugelig, scharlach, nur für recht warme Lagen: ***I. yunnanénsis***, Westchina, Strauch bis 3 *m*, Zweige dicht behaart, Blätter braunrot austreibend, dann glänzend grün, spitz eiförmig, bis 2,5 *cm*, kerbsägig, unten an Rippe behaart, erinnert an *crenata*, aber Früchte rot, sehr beachtenswert. — b. Frucht schwarz, Stein glatt: ***I. crenáta*** *(I. Fórtunei)*, Japan, Strauch wie Abb. 263, bis 2 *m*. Triebe behaart, Blätter kahl, eilänglich, kerbsägig, hart, glänzend grün, Früchte am diesjährigen Holze, Oktober, besonders hart var. *microphýlla*, Blätter elliptisch, bis 12 *mm*, dasselbe oder ähnlich ist var. *Mariésii (I. Mariesii)*, Blätter rundlicher, hübscher Zwergstrauch für Felsengärten; ***I. glábra*** *(Prinos glaber)*, östl. Verein. Staaten, 0,6 bis 1,8 *m*, dicht belaubt, Blätter stumpf-eilanzettlich, wenig gezähnt, kahl, glänzend dunkelgrün, auch *Phillyrea*-artig, als Unterholz sehr brauchbar.

Abb 262. *Ilex Pernyi*, 75 *cm*. (James Veitch and Sons.)

B. Blätter sommergrün, Beeren stets rot (Gruppe *Prinos*, Winterbeere): ***I. decidua*** *(I. prinoides)*, südöstl. Verein. Staaten, baumartiger Strauch, wie Abb. 265, spät austreibend, Blätter schmal-oboval, stumpf spitzig, dunkelgrün, kerbsägig, an Rippe und Stiel behaart, Früchte gleich den Blättern an den Enden kurzer Seitentriebe, orange scharlach, den ganzen Winter bleibend, Steine gerippt: ***I. laevigáta***, östl. Verein. Staaten, niedriger aufrechter Strauch, wie Abb. 264, wie folgende, aber Blätter derber, kahl, im Herbst hellgelb, Früchte etwas flachkugelig, orangerot, einzeln, nicht ganz so schön wie ***I. verticilláta***, östliches Nordamerika, breiter Strauch, bis 3 *m*, Blätter spitz oboval, unterseits behaart, nach Frost sich schwärzend, Blüten lebhaft rot oder gelb (var. *chrysocárpa*), wegen der lange bleibenden Früchte sehr wertvoll als Zierstrauch; sommergrün ist auch ***I. macrocárpa***, Mittelchina, dort hoher Baum, Blätter elliptisch lanzettlich, fein gesägt, bis 14 : 7 *cm*, Früchte schwarz, bis 18 : 4 *mm*, sehr versuchswert.

Ilicioides siehe *Nemopanthus*.

Illicium anisátum *(I. religiósum)*, **Sternanis** — Magnoliaceen. — Immergrüner, japanisch-chinesischer Strauch, Blätter abwechselnd, einfach, aromatisch, durchscheinend gepunktet, saftgrün mit rötlichen Nerven, Blüten einzeln, gelblich, Frucht Balgfrucht; Kultur usw. etwa wie *Magnolia grandiflora*, nur in wärmsten Lagen; möglicherweise erweist sich ***I. floridánum*** aus Amerika als härter.

Immergrün siehe *Vinca*.

Abb. 263. *Ilex crenata*, 80 *cm*. (Phot. J. Hartmann, Botan. Garten, Dresden.)

Incarvillea Olgae siehe „Unsere Freilandstauden". Nur schwach an Wurzel verholzend.

***Indigófera*, Indigostrauch** — Leguminosen. Niedrige sommergrüne Sträucher oder Halbsträucher von Tracht wie Abb. 266, Blätter unpaar gefiedert, Blüten rosen- oder purpurrot, in ährigen Scheintrauben, Hülse innen gefächert; Kultur in jedem guten durchlässigen Gartenboden in warmer soniger Lage; Vermehrung durch Samen, halbreife Sommerstecklinge und Ausläufer (Ableger); Verwendung als Rabattenpflanze oder Vorpflanzungsstrauch im Park, friert in rauheren Lagen stark zurück und verlangt dann Schnitt; Bodendecke im Winter.

Abb. 264. *Ilex laevigata* mit Früchten. (Phot. A. Rehder.)

I. amblyántha, Mittelchina, aufrechter Strauch, bis 1,5 *m*, Triebe kantig, weißlich angedrückt behaart, Blätter bis 15 *cm*, Blättchen 7 bis 9, wie Zweige behaart, unterseits blaugrau, Blütenstände bis 10 *cm*, Blüten zahlreich, klein, rosa, August, September bis Oktober, wertvoller Spätblüher; ***I. Gerardiána*** (*I. Dósua* Hort.), Himalaya, Tracht wie Abb. 266, Zweige und Blätter grau behaart, Blättchen 11 bis 21, Blütenstände bis 15 *cm*, Blüten bis über 25, rosa purpurn, Juli-September; ***I. Kirilówii***, Nordchina, Korea,

Tracht wie Abb. 267, teilweise nur halbstrauchig. Zweige kantig, verstreut behaart. Blätter bis 15 *cm*, Blättchen 7 bis 11, beiderseits behaart. Blüten groß wie bei *Robinia hispida* und so gefärbt, (Mai-) Juni, hart, treibt Ausläufer wie ***I. reticuláta*** Koehne, Japan, Tracht wie Abb. 268, Blätter 5 bis 11 zählig, kahler, Blüten rein weiß; ***I. Potaninii***, West-Kansu. Triebe bald kahl, Blätter 5 bis 9 zählig, bis 4,5 *cm* lang, Blättchen eilänglich, keilig, beiderseits behaart, Blütenstände bis 13 *cm*, Blüten 7 *mm* lang, rosa, interessante neue Art, die in Arnold Arboretum hübsch blühte. Siehe sonst Craib in Notes R. Bot. Gard. Edinbgh. VIII, no. 36 (1913).

Abb. 265 *Ilex decidua*, 2,20 *m*. (Phot. A. Purpus.)

Ióxylon siehe *Maclura*. **Isabellenholz** siehe *Persea*.

Itea virginica*, Rosmarinweide** Saxifragaceen. — Bis über 2 *m* hoher, aufrechter Strauch aus NO.-Amerika (Abb. 269). Zweige rötlich. Blätter abwechselnd, sommergrün, einfach, schön grün, Blüten klein, weiß, duftend, in endständigen Ähren, Juni bis Juli; Kultur in jedem guten, genügend frischen Gartenboden in warmer Lage, sonnig oder halbschattig, fast ganz hart; Schnitt kaum nötig; Vermehrung durch Samen, Stecklinge, Wurzelteilung und Ableger im Sommer; Verwendung als hübsch blühender Strauch für Rabatten und Park mit schön roter Herbstfärbung. Die schöne immergrüne ***I. ilicifólia aus Westchina, wo sie bis 6 *m* hoch wird, mit dünnledrigen, ilexartigen, glänzend grünen breitovalen Blättern und endständigen, hängenden, bis 30 *cm* langen, grünlich weißen Blütenähren im August, dürfte nur in den wärmsten Lagen bei uns im Freien versuchswert sein.

Abb. 266. *Indigofera Gerardiana*, 1,50 *m*. (Phot. A. Purpus.)

Iva orária*, Sumpferle** — Compositen. — 0,5 bis 1 *m* hoher, nur im oberen Teile verästelter Halbstrauch aus O.-Nordamerika, Blätter meist gegenständig, einfach, graugrün, Blütenköpfchen klein, ährenrispig gehäuft, Juli bis September; kaum von Bedeutung, geht zuweilen als ***I. frutéscens, welche aber eine in allen Teilen größere, südlichere, heiklere, fast ständige Form darstellt.

***Jamésia (Edwinia) americána*, Jamesie** — Saxifragaceen. — Aufrechter bis 1 *m* hoher Strauch (Abb. 270), aus NW.-Amerika. Blätter gegenständig, sommergrün, einfach, unterseits weißgrau filzig. Blüten weiß oder rosa (var. *rósea*), in rispigen Trugdolden. Juni, Frucht Kapsel; Kultur in warmer sonniger Lage in gut durchlässigem Gartenboden; Vermehrung durch Samen; Verwendung für Rabatten und als Felsenpflanze.

Japanische Kirsche siehe *Prunus* (Gruppe *Pseudocerasus*). – **Japanische Mispel** siehe *Eriobotrya*. – **Japanischer Lackbaum** siehe *Rhus vernicifera*. – **Jasmin** siehe *Jasminum* und *Philadelphus* (falscher Jasmin). – **Jasmintrompete** siehe *Bignonia*.

Abb. 267. *Indigófera Kirilowii*, 80 cm. (Phot. A. Purpus.)

***Jasminum*, echter Jasmin** – Oleaceen. – Sommer- oder wintergrüne Sträucher. Blätter gegenständig oder abwechselnd, 3zählig oder unpaar gefiedert. Blüten hübsch, weiß oder meist gelb, doldentraubig oder einzeln. Frucht 1 bis 2samige Beere; Kultur in durchlässigem, nahrhaftem, eher trockenem Boden in warmer sonniger Lage; Schnitt der Sommerblüher gegen das Frühjahr, wenn nötig; Vermehrung durch krautige Stecklinge, Ausläufer, Anhäufeln oder Steckholz, auch Samen (unter Glas); Verwendung siehe die Arten.

J. Beesiánum, Westchina, schwach schlingender, Ausläufer treibender Strauch bis 1,5 *m*, Triebe gefurcht, Blätter gegenständig, einfach eilanzettlich, schön grün, etwas behaart, Blüten zu 1 bis 3, hell bis tief weinrot, duftend, Mai, eigenartig und hart; ***J. frúticans***, Südeuropa-Orient, bis über 1,5 *m*, buschig, sparrig, Blätter abwechselnd, 3zählig, wintergrün, Blüten tiefgelb, zu 2 bis 3, Juni bis Juli, Kelchzähne pfriemlich, Frucht schwarz, für warme Lagen, sehr hübscher Gartenzierstrauch; ***J. flóridum***, Nord- und Mittelchina, wie vorige Art, aber Wuchs etwas mehr schlingend, Blättchen 3 bis 5, derber, fast immergrün, Blüten in endständigen, mehrblütigen, lockeren Blütenständen, heller gelb, Juli bis August; ***J. nudiflórum***, Nordchina, bis über 1,5 *m*, überhängend, wie Abb. 271, Zweige vierkantig, kahl, Blätter gegenständig, 3zählig, sommergrün, Blüten einzeln, sattgelb, in milden Wintern ab Januar bis März (bis April), prächtiger Frühblüher in geschützten Lagen an Wand; noch schöner ist ***J. primulinum***, W.-China, Blätter größer, wintergrün, Blüten größer, bei uns nach *nudiflorum* (in England oft im Herbst), oft halbgefüllt; ***J. officinále***, Persien, Kaschmir, leicht kletternd, bis 3 *m*, Blätter gegenständig, 5 bis 7zählig gefiedert, Blüten zu 1 bis 12, weiß, duftend, Juli bis August; für recht warme Lagen in milderen Gegenden, sonst Winterschutz, sehr hübsch an geschützter Wand; ***J. revolutum***, Nordwesthimalaya, ausgebreiteter, lockerer Strauch, Zweige fast rundlich, Blätter wechselständig, 3 bis 5 (bis 7) zählig, fast immergrün, Blütenstände 6 bis 12blütig, gelb, duftend, Juni, Kelchzähne breitdreieckig; in Wien hart wie auch ***J. Wallichianum***, Nepal, Triebe scharfkantig, Blätter (5 bis) 7 bis 11zählig, Blüten oft zu 3; beide Arten oft vereinigt mit ***J. humile***, aus S.-Europa mit rundlichen Trieben und meist nur 3zähligen Blättern, kaum so hart wie vor allem *revolutum*. Ein neuer Bastard zwischen *Beesianum* und *officinale* ist *J. stephanense*.

Abb. 268. *Indigófera reticulata*, 50 cm. (Phot. A. Purpus.)

Abb. 269. *Itea virginica*, Rosmarinweide, 1,20 *m*; 2 *m* Durchm. (Phot. A. Purpus.)

Abb. 270. *Jamesia americana*, 1 *m*. (Phot. A. Purpus.)

Jelängerjelieber siehe *Lonicera*. – **Johannisapfel** siehe *Malus pumila*. – **Johannisbeere** siehe *Ribes*. — **Johannisbrotbaum** siehe *Ceratonia*. – **Johanniskraut** siehe *Hypericum*. – **Jovellana violacea** siehe *Calceolaria*. – **Judasbaum** siehe *Cercis*. – **Judasbaumblatt** siehe *Cercidiphyllum*. – **Judendorn** siehe *Zizyphus*.

***Júglans*, Walnuß** – Juglandaceen. – Bekannte, meist hohe, sommergrüne Bäume (Abb. 41), Mark der Zweige gefächert, Blätter groß, unpaar gefiedert, männliche Blüten in dichten Kätzchen, weibliche zu 2 bis 20 gebüschelt; Frucht bekannte, meist eßbare, ölreiche Nuß; **Kultur** in möglichst reichem, tiefgründigem Boden, nur ganz jung gut verpflanzbar, siehe auch Arten; **Vermehrung** durch Samen (nach Reife), Ableger und Veredlung auf die gewöhnliche Form durch Kopulieren; **Verwendung** als wertvolle Parkbäume, *J. regia* auch als Nutzholz und Fruchtbaum, *J. nigra* für Forstzwecke.

Abb. 271. *Jasminum nudiflorum*, frühblühender Jasmin, schon etwas verblüht. 1,5 *m*. (Orig.: Wien, Rathauspark.)

ALPHABETISCHE LISTE DER ERWÄHNTEN LATEINISCHEN NAMEN.
(Die Ziffern bezeichnen die Seitenzahlen.)

A. Blättchen 7 bis 9 (5 bis 13), ganzrandig: ***J. régia***, Bosnien, Griechenland, Kleinasien, Himalaya, China, prächtiger Baum bis über 20 *m*, Frucht kahl, glattschalig, auffallende Formen sind: f. *fertilis* (var. *fruticósa*, var. *praeparturiens*), strauchartig, frühtragend, Frucht dünnschalig, f. *laciniata* (var. *filicifólia*, var. *asplenifólia*,) Blätter fein zerschlitzt, f. *monophylla*, Blätter auf ein Blättchen reduziert, f. *péndula*, Zweige hängend, f. *racemósa*, Nüsse gehäuft, bis 24; bekannteste Art, ist im Norden nicht ganz hart, wenigstens in der Jugend, liebt mehr trockene Hügellagen. Ein Bastard mit *nigra* ist ***J. intermédia***, Blättchen meist 11, Frucht mehr wie *regia*, in den Formen var. ***pyrifórmis*** *(J. pyriformis)*, Frucht ähnlicher *regia*, und var. ***Vilmoreána*** *(J. Vilmoriniana)*, Frucht mehr wie *nigra*; ein Bastard mit *cinerea* ist ***J. quadranguláta*** *(J. intermedia* var. *quadrangulata*, *J. intermedia* var. *alata*, *J. aláta)* Tracht ähnlich *regia*, Blättchen meist 9, Früchte wechselnd.

B. Blättchen (9 bis) 11 bis 25, gesägt: ***J. cathayensis*** *(J. dracónis)*, Zentralchina, Tracht wie Abb. 272, Behaarung wie bei *cinerea*, Blättchen 11 bis 17, oboval länglich, zugespitzt, oberseits kahler, siehe Abb. 273, Früchte zu 6 bis 10, traubig, schöne harte Art; ***J. cinérea*, Butternuß,** O.-Nordamerika, schöner Baum bis 30 *m*, alles drüsigfilzig, Blättchen 11 bis 19, länglich-lanzettlich, zugespitzt, beiderseits behaart, Früchte zu 2 bis 5, länglich, drüsigfilzig, Nuß scharf 6 bis 8 rippig, liebt feuchtere Lagen; ***J. mandshúrica***, Mandschurei bis Korea, hoher Baum, Blättchen 11 bis 19, zuletzt stark kahlend, Früchte zu mehreren, kugelig- oder länglich eiförmig, wie *cinerea* behaart, Nuß aber stumpfrippiger; ***J. nigra*, Schwarznuß,**

Abb. 272. *Juglans cathayensis*, 20 *m*, in der Heimat in Zentralchina: W.-Szetschwan, Wa-shan.
(Phot. E. H. Wilson; mit Genehmigung von Professor C. S. Sargent.)

O.-Nordamerika, sehr hoher Baum, Tracht wie Abb. 41, Zweige weich behaart, Blättchen 15 bis 23, oberseits kahlend, Frucht zu 1 bis 2, rundlich, kahl, nur etwas drüsig, Nuß feinfurchig; ***J. rupéstris***, Kolorado bis Neu-Mexiko, kleiner Baum, wie Abb. 274, Zweige kurz gelblich behaart, Blättchen 17 bis 23, schmal lanzettlich, zuletzt fast kahl, Frucht einzeln, kugelig, mit dünner, etwas behaarter Schale, Nuß glatt und längsrissig, selten und empfindlicher als andere Arten, zierliche Tracht; ***J. Sieboldiána*** *(J. ailantifolia)*, Japan, stattlicher Baum, ähnlich *mandschurica*, Triebe behaart, Blättchen 11 bis 17, oberseits kahl, unterseits drüsig und behaart, Fruchtstand langtraubig, Früchte bis 20, kugelig oder eilänglich, feinfilzig, Nuß ziemlich glatt, hierher var. ***cordifórmis*** *(J. cordiformis)*, nur durch die herzförmigen, scharf 2kantigen, dünnschaligen Nüsse ausgezeichnet, sehr kulturwert; nur Formen sind *J. Allardiana*, *J. coarctata*, *J. Lavallei*, *J. subcordiformis*. Eine Hybride von *Sieboldiana* mit *cinerea* ist ***J. Bixbyi*** und eine solche der var. *cordiformis* mit *cinerea*: *J. Bixbyi* var. ***lancastriénsis.***

Jungfernrebe siehe *Parthenocissus*.

Kadsúra japónica — Magnoliaceen. — Niederliegender oder bis 2 *m* hoher, schlingender, immergrüner, japanischer Strauch, Zweige hohl, Blätter abwechselnd, einfach, Blüten gelb, in hängenden Büscheln, Sommer, Frucht scharlachrot; in Kultur sehr selten, in warmen geschützten Lagen an Mauern versuchswert, zur Fruchtzeit schön.

Känguruhwein siehe *Cissus antarctica*. — **Kahnfrucht** siehe *Euscaphis*. — **Kalmastrauch** siehe *Rhodotypus*. — **Kakipflaume** siehe *Diospyros Kaki*.

Abb. 273. Trieb mit jungen Früchten von *Júglans cathayensis*. (James Veitch and Sons.)

Kálmia, **Kalmie, Lorbeerrose, amerikanischer Lorbeer** — Ericaceen. — Meist Sträucher, seltener baumartig, Blätter gegenständig oder quirlig, immergrün, einfach, Blüten hübsch, scheindoldig, Mai bis Juni, Frucht kugelige Kapsel; Kultur in sandig-lehmigem oder moorigem (nicht kalkigem) Boden mit Zusatz von Lauberde oder Torf, in warmer, halbschattiger Lage; Vermehrung durch Samen (unter Glas, Frühjahr) und Ableger in Moorerde; Frühjahrspflanzung; Verwendung im allgemeinen wie harte *Rhododendron* besonders in Massen im Park, auf Rabatten, in Felslagen, bei genügender Feuchtigkeit auch sonnig.

K. angustifólia, O.-Nordamerika, 0,3 bis 1 *m*, Blätter meist gegenständig oder gedreit, kahl, kaum über 6 : 2 *cm*, beiderseits grün, Blüten rosa oder rot, var. *rubra* (var. *hirsuta*), weiß, var. *candida*; Juni bis Juli, eine Zwergform var. *pumila* (var. *nana*); unterseits behaarte Blätter und behaarte junge Triebe hat ***K. carolina (K. caroliniána)***, Blüten purpurlich, ebenfalls hart; ***K. latifolia***, O.-Nordamerika, bis baumartig, wie Abb. 275, Blätter wechselständig, größer, breiter, kahl, Blüten rosa oder weiß, var. *alba*, April bis Juni, schönste Art, hübsche Formen; var. *myrtifólia* (var. *minor*, var. *nana*), kleiner Busch mit kleinen Blättern, var. ***polypétala*** (var. *monstruosa*), Blüten fast federig zerschlitzt; ***K. polifolia*** *(K. glauca)*, Labrador bis Kalifornien, 0,2 bis 0,6 *m*, wie Abb. 276, Zweige 2kantig, gegenständig, Blätter klein, unterseits weißgrau, Blüten doldig, lilapurpurn, Mai bis Juni, hübsche kleine Art für Moorbeete, besonders auch die noch zierlicheren var. *microphýlla* und var. *rosmarinifolia*.

Kalopánax siehe *Acanthopanax*. **Kamelie** siehe *Camellia*. **Kamelsdorn** siehe *Alhagi*. **Kampferbaum** siehe *Cinnamomum*. — **Kappernstrauch** siehe *Capparis*. **Kartoffelrose** siehe *Rosa rugosa*. **Kastanie** siehe *Castanea* (vergleiche auch *Aesculus*). — **Kastanieneiche** siehe *Quercus prinus*. **Kazanlikrose** siehe *Rosa damascena trigintipetala*. **Kelchmelde** siehe *Suaeda*. — **Kellerhals** siehe *Daphne Mezereum*.

Abb. 274. *Júglans rupestris*, Felsen-Walnuß, 4 *m*. (Orig.: Hort. Plantières, aus der „Gartenwelt".)

Kérria japónica (*Córchorus japónicus*), **Kerrie, Ranunkelstrauch** - Rosaceen. Buschiger, grünzweigiger, bis über 1,5 *m* hoher Strauch, Blätter sommergrün, einfach, wechselständig, Blüten schön gelb, groß, einzeln, Mai bis Juni, auch gefüllt, f. *plena* (var. *flore pleno*), Frucht trocken, braunschwarz; Kultur in jedem guten Gartenboden in warmer Lage, in rauheren Gegenden frieren die Zweigspitzen zurück; Schnitt: Auslichten, sonst nur Spitzen nach Bedarf kürzen; Vermehrung durch Ausläufer, Stecklinge (krautig und reif) und Ab-

Abb. 275. *Kálmia latifolia*, breitblättrige Lorbeerrose, 1,5 *m*. (Phot. A. Rehder.)

Abb. 276. *Kálmia polifolia*, rotblütige Form der poleiblättrigen Lorbeerrose, 0,5 *m*. (G. Arends, Ronsdorf.)

leger; Verwendung als schönblühender Strauch für Rabatten und Gruppen, besonders die gefüllte Form, deren Blüten gelben Röschen gleichen, auch weiß- und gelbbuntblättrige Formen vorhanden.

Keuschbaum siehe *Vitex*. — **Kirsche** siehe *Prunus* (Gruppe *Eucerasus*). — **Kirschlorbeer** siehe *Prunus* (Gruppe *Laurocerasus*). — **Kirschpflaume** siehe *Prunus* (Gruppe *Prunocerasus*). — **Klappernuß** siehe *Staphylea*. — **Kletteneiche** siehe *Quercus macrocarpa*. — **Knöterich** siehe *Polygonum*. — **Knopfblume** siehe *Cephalanthus*.

***Koelreutéria*, Koelreuterie** Sapindaceen. — Sommergrüne, kleine oder große Bäume. Blätter abwechselnd, einfach oder doppelt gefiedert. Blüten in endständigen großen Rispensträußen, gelb, Juli bis August. Frucht trockenhäutige aufgeblasene Kapsel; Kultur in jedem guten, durchlässigen Gartenboden in sonniger, warmer Lage, in nördlichen Gegenden Schutz gegen Nässe; Schnitt nur wenn nötig im Spätwinter; Vermehrung durch Samen (nach Reife), Ableger, Wurzelschnittlinge und Stecklinge von jungen Trieben im Frühjahr; Verwendung als wertvolle, schön belaubte, schönblühende Parkbäume.

K. bipinnáta, Westchina, hoher Baum, Blätter doppelt gefiedert, Blättchen gleichmäßig gesägt, noch selten in Kultur; ebenso die ***K. apiculáta***, aus Mittelchina, Blätter auch doppelt gefiedert, Blättchen eingeschnitten gelappt und gesägt, soll auch hart sein; ***K. paniculáta*** *(Sapindus chinensis)*, Japan bis China, kleiner Baum bis 8 *m*, Blätter einfach gefiedert, seit langem in Kultur, in Weingegenden ganz hart.

Kokkelstrauch siehe *Cocculus*.

Kolkwitzia amábilis: sommergrüner chinesischer Strauch der Caprifoliaceen, aufrecht überneigend, bis 1,5 *m*, Triebe rauhlich, Blätter gegenständig, spitz, breitoval, wenig gezähnt. Blüten in achselständigen Paaren gegen die Zweigenden scheinrispig gehäuft, siehe Abb. 277, glockig, weiß mit rosa und gelb, Mai bis Juni. Frucht eiförmige Schließfrucht mit gestieltem bleibendem Kelch; Kultur usw. wie *Abelia*; recht hart und schön, für sonnige Lage; friert gelegentlich stark zurück. Sehr verbreitungswert!

Kopfblume siehe *Cephalanthus*. — **Kopou-Bohne** siehe *Pueraria*. — **Korallenbeere** siehe *Symphoricarpus orbiculatus*. — **Korallenstrauch** siehe *Berberidopsis*. — **Korbweide** siehe *Salix viminalis*.

Korkbaum siehe *Phellodendron*. **Korkrüster** siehe *Ulmus foliacea suberosa*. – **Kornelkirsche** siehe *Cornus*. **Krähenbeere** siehe *Empetrum*. – **Kranzspire** siehe *Stephanandra*. – ***Kraúnhia*** siehe *Wistaria*. – **Kreuzblume** siehe *Polygala*. **Kreuzdorn** siehe *Rhamnus*. **Kreuzkraut** siehe *Senecio*. – **Kreuzstrauch** siehe *Borrhaus*. – **Kreuzwein** siehe *Anisostichus*. – **Kriechheide** siehe *Daboecia*. – **Krimlinde** siehe *Tilia euchlora*. – **Kronwicke** siehe *Coronilla*. – ***Krynitzkia Jamesii*** siehe Staudenbuch. – **Kugelblume** siehe *Globularia*. – **Kugelrüster** siehe *Ulmus foliacea umbraculifera*. – ***Kuhnia*** siehe „Unsere Freilandstauden". – ***Kunzia tridentata*** siehe *Purshia*.

Abb. 277. Blütenzweig von *Kolkwitzia amabilis* im Arnold Arboretum (Orig.).

Laburnocýtisus (*Cýtisus, Labúrnum*) ***Adámii*** (*Cýtisus Laburnum* var. *purpurascens*), **Geißkleebohnenbaum** – Leguminosen. – Bekannter Pfropfbastard (oder Chimäre) zwischen *Laburnum anagyroides* und *Cýtisus purpureus*. Tracht wie *Laburnum*, Blüten hellschmutzigpurpurn, aber neben den Bastardblüten noch reine Goldregenblüten, wie auch Zweige mit Blättern und Blüten von *Cytisus purpureus* am selben Strauch auftretend; hübscher Zierstrauch, sonst wie *Laburnum*.

***Labúrnum*, Goldregen** Leguminosen. – Bekannte hohe, laubabwerfende Sträucher, Blätter wechselständig, 3zählig, Blüten schön, gelb, in hängenden ansehnlichen Trauben (siehe Farbentafel XI), Mai bis Juni, Fruchthülsen mit verdickten Rändern; Kultur in jedem guten Gartenboden, sonnig oder halbschattig; Vermehrung durch Samen (Frühjahr) und Ableger; die Formen durch Veredlung auf die typische Art; Verwendung: der Goldregen ist einer unserer bekanntesten und beliebtesten Ziersträucher, prächtig in Blüte, auch guter Deckstrauch, leider giftig!

L. anagyroides (L. vulgáre, Cýtisus Labúrnum), südliches Mittel- und Südeuropa. Strauch bis 3 *m* oder gelegentlich Baum, bis 7 *m*, alle Teile etwas anliegend kurz grau behaart, Blütentrauben bis 20 *cm*, Mai bis Juni, von Formen vor allem f. *aureum* (f. *chrysophyllum*), Laub schön goldgelb, guter buntblättriger Zierstrauch; f. *quercifolium*, Laub buchtig eingeschnitten, ferner var. *Alschingeri (L. Alschingeri)*, Trauben kürzer, Blätter stärker seidig; ein Bastard mit folgender Art ist ***L. Wáterері*** (*L. vulgare* var. *Párksii*, *L. Parksii*), Wuchs kräftig, Blütentrauben bis über 30 *cm* lang; ***L. alpinum*** (*Cytisus alpinus*), Gebirge des oben genannten Gebietes, alle Teile kahl oder sehr spärlich behaart, Trauben sehr lang, blüht fast 3 Wochen später, auch Laub schöner, als beste Kulturform gilt var. *grandiflorum* (var. *macrostachys*). Gelegentlich in Kultur das bei uns strauchige ***L. caramánicum*** (*Podocytisus caramanicus*), Kleinasien, in Tracht sehr an *Cytisus sessilifolius* erinnernd, Laub graugrün, Blüten in endständigen aufrechten Trauben im Juli bis September, als Spätblüher für warme Lagen brauchbar.

Labúrnum Adamii siehe *Laburnocytisus Adamii*. – ***Labúrnum ramentáceum*** siehe *Petteria*.

TAFEL XI

Goldregen (Laburnum anagyroides) und Varin-Flieder (S...

Lagerstroemia indica — Lythraceen. — Bekannter, kräftig wachsender Strauch, in Heimat (China) baumartig (Abb. 278), der überall im Süden angepflanzt wird, Blätter sommergrün, einfach, Blüten in Rispen, groß, rosa, gefranst, Mai bis Juli, Frucht eine Kapsel; Kultur bei uns nur in den wärmsten Gegenden in geschützten Lagen, sonst Kalthaus; Vermehrung durch reife Stecklinge; Verwendung nur im Süden (Südtirol), aber sehr schön.

Lambertsnuß siehe *Corylus maxima*.

Lapageria rosea: chilenische, prächtig blühende, immergrüne Schlingpflanze der Liliaceen, die bei uns nur in fast mediterranen Lagen im Freien in Betracht kommt. Siehe C. Schneider, Ill. Handb. d. Laubholzk. II., S. 866.

Lardizabala biternata: chilenischer immergrüner Schlingstrauch (Lardizabalaceen), ähnelt *Akebia quinata*, aber Blätter ein- oder mehrfach 3zählig; höchstens in wärmsten Lagen im Süden des Gebietes an Wand versuchswert.

Laurocerasus siehe unter *Prunus* (Gruppe *Laurocerasus*). — ***Laurus Benzoin*** siehe *Lindera Benzoin*.

***Laurus nobilis*, Lorbeer** — Lauraceen. — Altbekannter immergrüner Kalthausstrauch oder Baum aus dem Mediterrangebiet und Orient, Blätter einfach, abwechselnd, aromatisch, glänzendgrün, Blüten unansehnlich, weißlich, gebüschelt, Frucht klein, beerenartig, glänzend schwarz; Kultur bei uns nur in den wärmsten Lagen, geschützt, in durchlässigem, gutem Boden; Vermehrung durch Stecklinge; Verwendung nur im Süden des Gebietes als hübsche immergrüne Zierpflanze.

Abb. 278. *Lagerstroemia indica*, 75 *cm*. (Phot. A. Schuler.)

***Lavandula Spica*, Lavendel** — Labiaten. — Immergrüner, stark aromatischer, bis 60 *cm* hoher, halbstrauchiger, wolligfilziger Strauch aus dem Mediterrangebiet, Blätter lineal, Blüten blau, quirlig in lockeren Ähren, Juli bis August; Kultur in warmer sonniger Lage in durchlässigem Boden; Vermehrung durch Samen, August-Stecklinge unter Glas; Verwendung im Küchengarten, auf Rabatten, im Felsengarten, im Norden Winterschutz; besonders in den Kulturformen „Manstead var.", früher blühend, und „Middachton var.", dunkler.

***Lavatera arborea*, Baummalve** — Malvaceen. — Mediterraner, verholzender, 2—3 *m* hoher Halbstrauch, Blätter abwechselnd, rundlich, 5—7 lappig, Blüten groß, hellpurpurrot mit dunklerem Grundfleck, zu 2—7 traubig, Sommer; nur ganz im Süden in sonnigen Lagen und durchlässigem Boden versuchswert; Vermehrung durch Stecklinge; ähnlich *L. olbia* var. *rosea*, karminrot, den ganzen Sommer blühend.

Lavendel siehe *Lavandula*. — **Lavendelheide** siehe *Andromeda*. — **Lederblatt** siehe *Chamaedaphne*. — **Lederblume** siehe *Ptelea*. — **Lederholz** siehe *Cyrilla* und *Dirca*.

***Ledum*, Porst** — Ericaceen. — Niedrige, immergrüne, etwas narkotische Sträucher, Blätter einfach, abwechselnd, Blüten weiß, duftend, doldentraubig; Kultur in feuchtem, sandig-moorigem Boden, sonnig oder besser halbschattig; Vermehrung durch Samen (wie *Rhododendron*) oder Ableger und Teilung; Verwendung als hübsche Moorbeetpflanzen.

L. palustre*, Sumpfporst, wilder Rosmarin,** nördliches Mittel- und Nordeuropa, Nordasien, Nordamerika, 0,5 bis 1,5 *m* (Abb. 279), Blätter schmallineal, unterseits rostrot oder weißlich-filzig, Blüten weiß, Mai bis August, Staubblätter 8 bis 11; schöner das breiterblättrige, etwas früher blühende ***L. groenlandicum (L. latifolium) (Abb. 43) aus dem nördlichen Nordamerika, Staubblätter 5 bis 7.

Ledum buxifolium und ***L. thymifolium*** siehe *Leiophyllum*. — **Leimkraut** siehe *Silene*.

Leiophyllum (*Ledum*, *Dendrium*, *Ammyrsine*) ***buxifolium*** (*Ledum thymifolium*), **Sandmyrte** — Ericaceen. — Kleiner, immergrüner, niederliegend-aufstrebender, fein beblätterter Strauch aus Nordamerika, 5—50 *cm*, (Abb. 280), Blätter abwechselnd oder gegenständig, Blüten weiß oder rosa, doldentraubig, Mai oder Juni, in Kultur meist var. ***Hugeri*** (*L. Hugeri*), Blätter meist abwechselnd, länger, Austrieb rot; ferner var. ***prostratum*** (*L. Lyonii* Hort.), ganz niederliegende, hochalpine Form, nicht rot

Abb. 279. *Lédum palustre*, Sumpfporst, 0,8 *m*. (Orig.: Kew Gardens

austreibend; Kultur in frischem, humosem Sandboden im Alpinum in geschützten warmen Lagen sonst gute Reisigdecke im Winter; Vermehrung durch Samen (wie *Rhododendron*) und Ableger; Verwendung nur für Liebhaber, aber auch als Einfassung in mildem Klima brauchbar, ähnelt etwas einem kleinen Buchsbaum.

***Leitnéria floridana*, Korkholz** — Leitneriaceen. — Strauch oder kleiner Baum aus Florida und Texas, Triebe behaart, Blätter sommergrün, wechselständig, spitz elliptischlanzettlich, ganzrandig, unterseits filzig, spät abfallend, Blüten zweihäusig in achselständigen Kätzchen im Frühjahr vor Blattausbruch, unscheinbar, auch die trockenen Steinfrüchte; botanisch sehr interessant und im Arnold Arboretum ganz hart; feuchte, sumpfige Lagen; Eindruck subtropisch; Vermehrung unschwer durch Ausläufer.

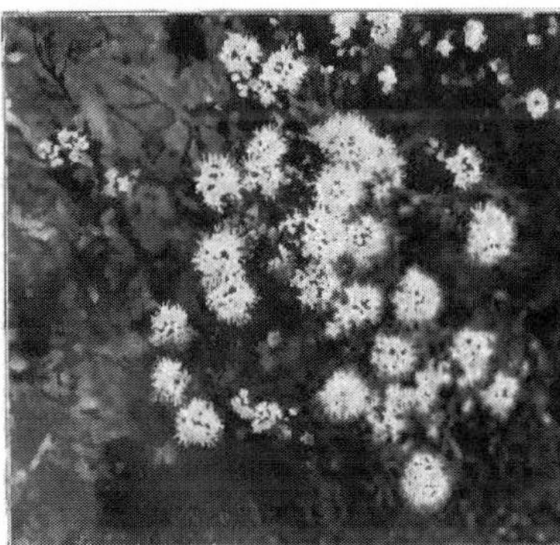

Abb. 280. *Leiophyllum buxifolium*, Sandmyrte, 15 *cm*. (Phot. H. Zörnitz.)

Lembotrópis nigricans und ***sessilifolius*** siehe *Cytisus*. — ***Lepargýraea*** siehe *Shepherdia*.

Leptodérmis oblónga — Rubiaceen. — Bis 50 *cm* hoher, sparriger, schärflich behaarter Strauch aus Nordchina, Blätter schmallänglich, 1 bis 2,5 *cm* lang, ganzrandig, Blüten zu 2 bis 4, röhrig, hellila, buddlejenartig, von Juni oft bis September; Kultur in geschützten Lagen in durchlässigem Boden; Vermehrung durch Samen und halbreife Stecklinge von angetriebenen Pflanzen (Frühjahr); Verwendung nur in Gesteinsanlagen, auf Rabatten.

Leptospérmum pubéscens (*L. lanigerum*): strauchige australische Myrtacee, Triebe behaart, Blätter abwechselnd, derb, klein, elliptisch, 3nervig, ganzrandig, jung unten seidenzottig, Blüten zu 2—3 achsel-

Abb. 281. *Lespedéza Sieboldii*, Buschklee, 1 *m*. (Phot. J. Hartmann, Dresden.)

ständig, weiß, Frühjahr, Frucht holzige, erbsenartige Kapsel; im Süden des Gebietes im Freien versuchswert, hat sich in Darmstadt geschützt gehalten; Vermehrung durch Stecklinge.

***Lespedéza*, Buschklee** — Leguminosen. — Reich verzweigte, bis über meterhohe, sommergrüne Sträucher (Abb. 281). Blätter abwechselnd, dreizählig, Blüten traubig, rispig gehäuft, violett oder karminrot, Fruchthülse einsamig, nicht aufspringend; Kultur in jedem guten, etwas sandigen, durchlässigen Gartenboden in sonniger, warmer Lage; Rückschnitt wenn nötig vor Austrieb; Vermehrung durch Samen (Mai, Freiland), auch krautige Stecklinge; Verwendung als schön- und spätblühende Rabattensträucher und für Vorpflanzungen im Park.

L. bicolor*,** Amurgebiet, Nordchina, Japan, strauchiger und üppiger als folgende, Blättchen breit elliptisch, Kelchzähne kurzspitzig, Blüten karminrot, Juli bis September; ***L. Sieböldii (*L. formósa*, *L. racemósa*, ***Desmódium penduliflórum***), Mittel- und Südjapan, Tracht wie Abb. 281, Blättchen schmäler, Kelchzähne langspitzig, Blüten mehr violett, ab September, etwas empfindlicher als vorige, Bodendecke im Winter immer ratsam.

Leucóthoë siehe *Andromeda*.

***Leycestéria formósa*, Leycesterie** — Caprifoliaceen. — Sommergrüner, aufrechter, bis über 1 *m* hoher Strauch aus dem Himalaya bis Westchina, Blätter gegenständig, einfach, Blüten rötlichweiß, zu endständigen Scheinähren gehäuft, mit großen rotpurpurnen Hochblättern, die sehr zierend wirken, August bis September; Frucht vielsamige, schwarze Beere; Kultur in gut durchlässigem, leichtem Gartenboden in warmer, sonniger Lage, friert in kälteren Gegenden stark zurück, treibt aber wieder aus, Bodendecke; Schnitt nach Bedarf im Frühjahr vor Austrieb; Vermehrung durch krautartige Stecklinge und Samen (Frühjahr, unter Glas); Verwendung als schöner Herbstblüher für Rabatten. — Die buntblättrige Form mancher Gärten soll *Bósea yervamora* sein.

Liguster siehe *Ligustrum*. — ***Ligustrina*** siehe *Syringa*. — ***Ligustridium*** siehe *Ligústrum*.

***Ligústrum*[43], Rainweide, Liguster** — Oleaceen. — Sommer- bis immergrüne aufrechte Sträucher. Blätter gegenständig, Blüten breit- oder ährigrispig, weiß oder gelblich, Frucht schwarze Beere; Kultur in jedem durchlässigen, nicht feuchten Gartenboden in

16*

sonniger oder halbschattiger Lage, siehe auch die Arten; Schnitt: Auslichten nach Bedarf im Winter, gelegentlich stärkerer Rückschnitt; lange Triebe im Vorsommer pinzieren; Vermehrung durch Samen und Steckholz, auch krautige Stecklinge, bunte Formen durch Veredlung im Hause auf *L. vulgare* oder die immergrünen auf *L. ovalifolium*; Verwendung als Zier- und Decksträucher, siehe Arten.

ALPHABETISCHE LISTE DER ERWÄHNTEN LATEINISCHEN NAMEN

(Die Ziffern bezeichnen die Seitenzahlen.)

A. Blätter immergrün, deutlich lederig: ***L. compáctum*** (*L. lancifólium, L. lineáre, L. longifólium, L. Simonii*), Himalaya, Westchina, kahler Strauch bis Baum, Blätter lanzettlich, bis 15 *cm*, weidenartig, stumpfgrün, dünnlederig, Blüten mit kurzer Röhre in großen Rispen, Mai bis Juni, wohl sehr selten in Kultur und empfindlicher als die anderen immergrünen; ***L. coriáceum*** (*L. japonicum* oder *L. lucidum* var. *coriaceum*), japanische Kulturform, steifer, kurztriebiger Strauch, bis 1,5 *m*, Blätter stumpf rundlich-eiförmig, glänzend tiefgrün, bis 6,5 *cm*, Blüten weiß, in bis 10 *cm* hohen dichten Rispen, Kronenröhre lang, Saum nicht ausgebreitet, Juli; ***L. Delavayánum* (*L. Práttii*)**, Strauch bis 3 *m*, Mittelchina, breitverzweigt, Triebe und Blütenstände behaart, Blätter eiförmig bis eilänglich, beiderseits kurzspitzig, bis 3 *cm*, kahl, Rispen schmal, am Grunde beblättert, Krone langröhrig, Juni, für niedrige Hecken; sehr nahe steht ***L. ionandrum***, Yunnan, dichter Strauch, bis 1,5 *m*, Blütenstände sehr kurz, durch Forrest in Kultur gekommen, beide wohl ziemlich hart; ***L. Hénryi***, Mittelchina, in Heimat bis 4 *m*, Triebe dicht behaart, Blätter ei-elliptisch, plötzlich kurz gespitzt, bis 3,5 *cm*, sehr dunkelgrün, kahl, Blütenrispen kurz und dicht, am Grund nicht beblättert, Blüten langröhrig, gleich der vorigen etwas *Cotoneaster*-artig wirkend; ***L. japónicum*** (*L. glabrum, L. Kelleriánum, L. Kellermánnii, L. Siebóldii, L. spicátum* und *L. syringaeflórum* Hort.), Japan, aufrechter kahler Strauch bis 4 *m*, Blätter bräunlich austreibend, rund- oder länglich oval, Spitze meist stumpflich, Rand und Mittelrippe rötlich, unten fast kaum geadert, oberseits dunkelgrün, mäßig glänzend, Blütenstände breit, ziemlich locker, Kronenröhre ein wenig länger als Kelch, August-September, etwas früher als bei der kaum etwas härteren ***L. lúcidum*** (*L. japonicum* var. *macrophyllum, L. magnoliaefólium, L. sinénse latifólium robústum* und *L. spicátum* Hort.), Japan, Mittelchina, in der Heimat Baum bis 16 *m*, wie *japonicum*, aber breiter verzweigt, Blätter lebhafter und glänzender grün, unterseits genervt, sich deutlicher zuspitzend, bis 12 *cm*, Blütenstände dichter, Kronenröhre kürzer als Zipfel, prächtige Art, auch nur für warme Lagen; ***L. strongylophýllum***, Mittelchina, breiter lockerer Strauch, bis 2,5 *m*, Triebe nur jung fein behaart, Blätter buchsbaumartig, kaum bis 3:2 *cm*, rundoval, glänzend grün, Blütenstände breitrispig, bis 10:10 *cm*, Röhre deutlich länger als Zipfel, sehr hübsche Art für warme geschützte Lagen; zu den echt immergrünen gehören auch *L. nepalénse* und *L. Wálkeri*, die beide nicht echt in Kultur und fürs Freiland nicht brauchbar sind, ebenso auch das niedrige *L. Massalongianum* aus dem Himalaya mit fast linearen Blättern und warzigen und behaarten Zweigen

B. Blätter sommer- oder wintergrün, nie deutlich lederig: a) Kronenröhre kürzer als der Saum: ***L. insulense*** (***L. insulare***, *L. Stauntonii* Hort., *L. vulgare* var. *insulense*), Heimat unsicher, ähnlich *vulgare*, aber Zweige feinfilzig, Blätter schmallanzettlich, oft hängend, Blütenstände größer, erst im August bis September; ***L. Quihoui*** (*L. brachystachyum*), Mittel- und Nordchina, breitsparrig, bis 3 *m*, Triebe und Blütenstände fein behaart, Blätter länglich-elliptisch, stumpflich, derb, sattgrün, kahl, etwas wintergrün, Blütenstände dichtährig rispig, August bis Oktober, für warme Lagen, ähnlich die in der Herkunft unsichere ***L. Purpusii***, Blätter etwas dünner, breiter, matter grün, Blütenstände noch dichter; ***L. sinénse*** (*L. Fortunei*, *L. villosum*, *L. sinense* var. *villosum*, *L. amurense* Hort.), China, Korea, bis 4 *m*, Zweige filzig, Blätter elliptisch bis eilanzettlich, hellgrün, dünn, reichblühend wie Abb. 282, Juni bis Juli, Frucht schwarzpurpurn, sehr ähnlich ist ***L. Stauntónii*** (*L. sinense* var. *Stauntonii*), niedriger, breiter, Blätter stumpflicher, unterseits an Rippe behaart, Blütenstände lockerer, wie Abb. 283; mit *Quihoui* ist *sinense* die beste Zierart; für den Garten zu empfehlen; ***L. vulgare***, Europa, Westasien, bis 5 *m*, Triebe und Blütenstände fein behaart, Blätter eiförmig bis lanzettlich, kahl, Rispen dicht aufrecht, bis 5 *cm*, Juni bis Juli, guter Deck- und Schattenstrauch in trockeneren Lagen, für Zierzwecke mehr var. *chlorocarpum*, Frucht grünlich und var. *xanthocarpum*, Früchte gelblich, im Winter lange bleibend, auch var. ***sempervirens*** (var. *italicum*, var. *atrovirens*, *L. italicum*, *L. italum*), südlichere wintergrüne Form mit schmal lanzettlichen Blättern, für wärmere Lagen; nicht so schön wie *ovalifolium*, auch bunte Formen: ***L. yunnanénse***, Westchina, üppig, bis 5 *m*, Blätter lanzettlich, bis 12 *cm*, kahl, Blütenstände breit rispentraubig, Juli, ziemlich hart und zum Teil wintergrün.

Abb. 282. *Ligústrum sinense*, Blütenzweige. (Phot. A. Purpus.)

b) Kronenröhre zwei- bis dreimal so lang wie Lappen: ***L. acumínátum*** (*L. ciliatum* Rehder), Japan, bis 2,5 *m*, wie *Iboto*, aber Wuchs aufrechter, Blätter beidendig zugespitzt, zeitig abfallend, Blütenstände Juni, bei var. ***macrocárpum*** (*L. macrocarpum*), Früchte bis über 1 *cm* dick, ohne Zierwert, ebenso die ähnliche *L. acutissimum*; ***L. amurénse***, Japan-China, bis 4 *m*, aufrecht aufstrebend, Blätter glänzender und stumpfer als bei vorigen, blüht anfangs Juni, ähnelt etwas *ovalifólium*, auch zum Teil wintergrün; ***L. obtusifólium*** (***L. Ibóta***), China-Japan, bis 3 *m*, oder in Heimat baumartig, Wuchs

Abb. 283. *Ligústrum Stauntonii*, Blütenzweige. (Phot. A. Purpus.)

Abb. 283a. *Ligustrum obtusifolium*, 2 *m*. (Phot. A. Rehder.)

breit sparrig, wie Abb. 283a, reichblühend, Juni; niedriger dichter, wagrecht verzweigt ist var. ***Regeliánum*** (*L. Regelianum*), wie Abb. 284, Blätter unterseits mehr behaart, beide sehr gute Sträucher für Gärten; ***L. ovalifólium*** (*L. califórnicum* Hort., *L. médium*), Japan, aufrecht, bis 3 *m*, kahl, Blätter sattgrün, Blütenstände bis 11 *cm* lang, lockerrispig, Juli, beste der wintergrünen Arten, treffliche Heckenpflanze, als schön gilt var. *aureum* (var. *aureo-elegantissimum*, var. *marginatum*), Blätter breit gelb gerandet, aber empfindlich!

Abb. 284. *Ligustrum obtusifolium* var. *Regelianum*, 2 *m*. (Orig.: Hort. Vilmorin, Les Barres.)

Abb. 285. *Lindera obtusiloba*, Fieberstrauch, 2,5 *m*. (Orig.; Hort. Vilmorin, Les Barres.)

Abb. 286. *Linnaea borealis*, 1,20 *m* Durchm. (Phot. A. Purpus, Lappland.)

Limónia trifoliata siehe *Citrus trifoliata.* — **Linde** siehe *Tilia.*

Lindéra (Benzoin[**]***), Fieberstrauch*** — Lauraceen. Sommergrüne Sträucher. Blätter einfach, gerieben gewürzig-aromatisch riechend, abwechselnd. Blüten vor oder mit Blattausbruch, in achselständigen Büscheln mit 4 abfallenden Schuppen, gelb, Beerenfrüchte rot; Kultur in frischem, tiefgründigem, etwas sandig-moorigem Boden in geschützter Lage, in rauhen Gegenden Winterschutz; Vermehrung durch Samen (nach Reife), Ableger in moorigem Boden, auch durch krautige Stecklinge (unter Glas); Verwendung als schön belaubte Sträucher für Park und Garten, zur Fruchtzeit ebenfalls zierend.

Abb. 287. *Liquidámbar styraciflua*, nordamerikanischer Amberbaum, 25 *m*. (Phot. Graebener, Karlsruhe.)

L. Bénzoin (*Benzoin aestivale, B. odoriferum*), östl. Nordamerika, aufrecht bis 3 *m*, Blätter dünn, länglich-oboval, fiedernervig, oberseits sattgrün, unterseits blaugrau, meist über 7 *cm*, Herbst hellgelb, Blüten vor den Blättern, April (an *Cornus mas* gemahnend), Früchte glänzend korallenrot, Herbst; sehr hübsch, hart; ***L. obtusiloba*** (*Benzoin obtusilobum*), Japan, Tracht wie Abb. 285, bis über 4 *m* oder kleiner Baum, Blätter meist 3-lappig, 3-nervig, glänzend tief bläulichgrün, unterseits graugrün, fast kahl, Blüten wie vorige, hellgelb, Früchte schwarz; ***L. umbelláta*** (*Benzoin umbellatum*), Japan, hiervon var. ***hypoglaúca*** (*L. hypoglauca, Benzoin hypoleucum*) harte kulturwerte Form, wie *aestivale*, aber Blätter kaum über 6 *cm*, Stiel relativ länger, Blüten mit Blattausbruch, Frucht schwarz.

***Lindleya mespilioides*, Scheinmispel** — Rosaceen. Immergrüner, kleinblättriger mexikanischer Strauch oder Baum mit einzelnen, mispelartigen Blüten; bei uns wohl nur im Süden im Freiland versuchswert, aber sehr hübsch. Näheres siehe C. Schneider, Ill. Handb. d. Laubholzk. I., Seite 492.

Lindleyélla siehe *Lindleya.*

Linnaéa boreális*, Linnea, Zwillingsblüte** — Caprifoliaceen. — Reizender, weitkriechender, immergrüner, nordischer Zwergstrauch (Abb. 286), Blätter gegenständig, einfach, klein, Blüten hellrosa mit dunklerer Zeichnung in meist 2blütigen, zierlich gestielten Trugdolden, glockig, nach Heliotrop duftend, Juni bis August, Fruchtbeere ockergelb; Kultur in sandigmoorigem, kalkfreiem Boden, zwischen feuchtem Moos in schattiger Lage; Vermehrung durch Teilung und Stecklinge; Verwendung in Felspartien, auf Moorbeet, in rauheren Lagen bei fehlender Schneelage Reisigdecke. Die var. ***americána (*L. americana*), mit etwas längerer Blütenröhre soll sich nach Farrer leichter ansiedeln lassen.

Linum arboreum siehe Staudenbuch. — ***Lippia júncea*** siehe *Baillonia.*

Liquidámbar styraciflúa*, Amberbaum** — Hamamelidaceen. — Hoher sommergrüner Baum (Abb. 287) aus dem östlichen Nordamerika, Blätter abwechselnd, (3 bis) 5 bis 7-lappig, Lappen spitz, fein gesägt, sattgrün, im Herbst karminrot. Blüten zu Köpfchen verbunden, einhäusig, männliche in endständigen Ähren, weibliche einzeln, langgestielt, hängend, Fruchtstand holzig, verdornend; Kultur in gutem, tiefgründigem, frischem Boden, verträgt auch trockeneren Stand, warme geschützte Lage; Vermehrung durch Samen (gleich nach Reife oder stratifizieren), Ableger; Verwendung als schöner Parkbaum, in rauheren Lagen in der Jugend Schutz. — Sehr ähnlich ist ***L. orientális (*L. imbérbe*) (Abb. 288) aus Kleinasien, Blätter meist 5 lappig, Lappen wieder 2 bis 3 lappig, nicht so hart. Durch meist 3 lappige Blätter ausgezeichnet ist ***L. formosána*** var. ***montícola*** aus Mittelchina, in Kultur noch zu erproben, vielleicht recht hart.

Abb. 288. *Liquidámbar orientalis*, orientalischer Amberbaum, 2,50 *m*. (Phot. A. Purpus.)

Liriodéndron tulipífera*, Tulpenbaum.** Magnoliaceen. Bekannter, prächtiger, bis über 60 *m* hoher, sommergrüner, ostnordamerikanischer Baum (Abb. 42), Blätter abwechselnd, einfach, sehr variabel eckig gelappt, im Herbst prächtig sattgelb. Blüten einzeln, bis 6 *cm* breit, tulpenähnlich, gelb mit Orangezeichnung, Juli bis August (Abb. 289). Frucht einsamige Schließfrucht, zu einem zapfenartigen Fruchtstand gehäuft, im Winter bleibend; Kultur in jedem guten, tiefgründigen, nicht zu leichten Boden in etwas geschützter Lage; Vermehrung durch Samen (gleich nach Reife oder stratifizieren), auch Ableger möglich, die Sorten werden auf den Typ veredelt (unter Glas); Verwendung als einer der schönsten Park- und Straßenbäume. Buntblättrige und pyramidalwachsende (var. *pyramidale* oder *fastigiatum*) Formen vorhanden. Man verpflanze beim Austrieb im Frühjahr, oder nur ganz junge Pflanzen. Die chinesische Form ***L. chinénse (*L. tulipifera* var. *chinense*) bleibt viel kleiner, ist empfindlicher und hat unterseits mehr blaugraue, tiefer gelappte Blätter.

Abb. 289. Blütenzweige vom Tulpenbaum, *Liriodéndron tulipifera*. (Phot. A. Purpus.)

Lithospérmum fruticosum (*L. prostrátum*), **Steinsame** Boraginaceen. — Niedriger, sparriger, anliegend und borstlich behaarter, kaum 0,2 - 0,3 — 0,6 *m* hoher Kleinstrauch aus Südfrankreich und Spanien. Blätter abwechselnd, umgerollt, Blüten einzeln, achselständig, purpurviolett, Mai bis Juni; Kultur in warmen, sonnigen Lagen in Gesteinspartien mit Winterschutz in rauhen Lagen, vor allem Schutz gegen Nässe; Vermehrung durch Stecklinge aus vorjährigem Holze; Verwendung für Einfassungen im Garten und als Felsenpflanze. Vergleiche auch im Staudenbuche unter *Moltkia*.

Litsea japonica (*Malapoenna* oder *Tetranthera japonica*) ist eine hohe immergrüne Lauracee, die wohl nur für den Süden des Gebietes in Betracht käme und kaum so hart wie etwa *Umbellularia* ist.

Loiseleuria[46] (*Azalea, Chamaecistus*) ***procumbens*, Zwergporst** — Ericaceen. — Niederliegender, rasiger, immergrüner, kahler Zwergstrauch (Abb. 44) aus den Polargegenden und den Gebirgen von Mitteleuropa, Nordasien und Nordamerika, Blätter lineal, kreuzgegenständig, Blüten rosa oder weiß, zu 1—5 doldig; Kultur usw. siehe *Leiophyllum*, liebt Schneedecke; nur für erfahrene Pfleger.

***Lomatia obliqua*:** chilenische Proteacee, bei uns Strauch. Blätter immergrün, abwechselnd, stumpf-eiförmig, gekerbt, jung wie Triebe feinfilzig, später tief glänzend grün, Blüten in achselständigen Trauben; wäre im Süden des Gebietes von erfahrenen Pflegern zu versuchen aus dendrologischem Interesse.

Lonicera[46]**, Heckenkirsche, Geißblatt.** — Caprifoliaceen. — Aufrechte oder windende Sträucher. Blätter dekussiert, einfach, meist ganzrandig, meist sommergrün, Blüten in achselständigen Paaren oder in meist 6 blütigen Wirteln. Krone 5 lappig oder 2 lippig, Frucht mehrsamige Beere; Kultur in fast jedem guten Boden in meist sonniger Lage; Schnitt: meist nur Auslichten im Winter, gelegentlich starker Rückschnitt; die frühblühenden Arten, wie *coerulea, Standishii* usw., nach Blüte; Vermehrung durch Samen (Herbst oder stratifizieren), reife Holzstecklinge, viele auch durch krautige Stecklinge, zuweilen veredelt man Sorten auf *tatarica*; Verwendung siehe bei den Arten.

ALPHABETISCHE LISTE DER ERWÄHNTEN LATEINISCHEN NAMEN.
(Die Ziffern bezeichnen die Seitenzahlen.)

I. (II. siehe S. 254) Aufrechte, selten niederliegende (nicht windende) Sträucher. Blüten in achselständigen Paaren, Blätter stets getrennt (Gruppe *Chamaecerasus*, **Heckenkirsche**.)

A. (B. siehe S. 253) Zweige mit Mark, nicht hohl: ***L. alpigena***, Gebirge von Mittel- und Südeuropa, bis über 2 *m*, aufrecht, Blätter groß, meist kahl, Blüten gelbgrün, dunkelbraunrot, langgestielt, Mai, Frucht glänzend rot, wie kleine Kirsche, Spätsommer, besonders zur Fruchtzeit hübsch; ***L. Altmannii*** (*L. tenuiflora*), Turkestan, bis 2 *m*, aufrecht, Zweige und Blätter steif behaart, ähnlich *hispida*, Blüten gelblichweiß, April bis Mai, Früchte orangerot; ***L. canadénsis*** (*L. ciliata*), Ost-Nordamerika, fast kahl, bis 1,5 *m*, Blüten gelblichweiß mit rötlich, April bis Mai, Beeren lebhaft rot, als Schattenstrauch brauchbar; ***L. chaetocárpa*** (*L. hispida* var. *chaetocarpa*), Mittelchina, von *hispida* abweichend durch borstig und drüsig behaarte Ovare und dicke, am Grunde gesackte Blumenröhre, Frucht behaart; ***L. coerúlea***, bekannte europäisch-asiatisch-nordamerikanische Art, meist unter 1 *m*, breitbuschig, sehr variabel, Blätter meist bleich- oder blaugraugrün, Blüten gelblichweiß, April bis Mai (sehr früh var. *praecox*), Früchte schwarzblau bereift, ferner var. ***edúlis*** (*L. edulis*), Zweige und Blätter behaart, Beeren länglich, eßbar, säuerlich; ***L. Ferdinándii***, Nordchina, aufrecht-überhängend, Blätter bräunlich austreibend, etwas rauh behaart, an üppigen Trieben mit schildförmigen, bleibenden, steif brüchigen Nebenblättern, Blüten gelblich, Mai bis Juni, Frucht rot, von Hülle umgeben, eigenartig; ***L. fragrantissima*** (*L. caprifolioides*, *Caprifolium Niagnarilli* Hort.), China, wie *Standishii*, aber junge Triebe, Blütenstiele und Blüten ohne Borsten, Blätter stumpfer, nur unten an Rippe borstig, etwas mehr wintergrün, Blüten rahmweiß, oft schon ab Januar, sehr duftend; ***L. gracilipes*** (*L. Philomelae* Hort.), Japan, aufrecht, bis 1,5 *m*, Blätter eirundlich oder elliptisch, oberseits lebhaft grün, unterseits hellblaugrau, Blüten trichterig, meist einzeln, rot, April bis Mai, Beeren scharlachrot, dick, hängend, hübsch zur Fruchtzeit im Juni; ***L. heterophýlla*** var. ***Karelinii*** (*L. Karelinii*), Mittelasien, ähnlich der *alpigena*, aber Blätter lanzettlicher, unterseits an Rippe drüsig, auch Blüten außen; ***L. hispida***, Turkestan, China, kaum über 1 *m*, wie Abb. 290, Knospen groß, Zweige steifborstig behaart, Blätter kahl, Blüten weiß bis gelbweiß, wie Abb. 291, bis 3 *cm* lang, mit zwei großen, weißlichen, borstig gewimperten Bracteen, April bis Mai, Frucht glänzend ziegelrot, bis 1,5 *cm* lang, Juni bis Juli, liebt Schatten; ***L. ibérica***,

Abb. 290. *Lonicera hispida*, 1,40 *m*. (Phot. A. Purpus.)

Abb. 291. *Lonicera hispida*, Blütenzweig. (Phot. A. Purpus.)

Transkaukasien bis Nordpersien, bis 2 m, sparrig. Blätter eirundlich, herzförmig, beiderseits behaart. Blüten gelbweiß, Juni. Vorblätter becherartig verwachsen. Beeren lebhaft rot, 6—7 *mm* dick. September, hübsche Art; ***L. involucráta*** (*Distegia involucrata*), westl. Nordamerika, bis 1 *m*, fast kahl. Blätter eilänglich, Blüten gelb, Mai bis Juni, große drüsige purpurne Vorblätter die Frucht umhüllend, zur Fruchtzeit hübsch, var. ***serótina*** blüht später. var. ***flavéscens*** (*L. flavescens*) wird als Ersatz für *Ledebouri* in rauhen Lagen empfohlen; ***L. Ledebourii,*** Kalifornien, voriger ähnlich, aber Blätter dicklicher, unten mehr behaart. Blüten orange oder scharlachrot, Mai bis Juli. Frucht schwarzpurpurn, schön, Juli bis September, liebt Schatten; ***L. Maximowiczii,*** Mandschurei, bis 3 *m*, Blattunterseiten behaart. Blüten violettrot. Frucht rot, verwachsen, steht *orientális* nahe; ***L. Myrtillus,*** Himalaya, niedrig, fast kahl. Blüten regelmäßig, gelbweiß, duftend, Mai bis Juli. Beeren orange, 6 *mm* dick.

Abb. 292. *Lonicera Myrtillus* var. *depressa*, 0,90—1 *m*. (Phot. A. Purpus.)

eine Form mit länger gestielten Blättern ist var. ***depréssa*** (*L. depressa*), wie Abb. 292, nahe steht ***L. myrtilloides,*** Blüten rosa weiß, vielleicht Bastard; ***L. nervósa,*** Westchina, kahler zierlicher Strauch, bis 3 *m*, Triebe dunkel und Blätter dunkel austreibend, Blüte hellrot, Frucht schwarz, hübsch belaubt; ***L. nigra,*** allbekannte europäische Art, bis 1,5 *m*. Blüten trübrosa, Mai bis Juni. Früchte blauschwarz, liebt Schatten, Deckstrauch; ***L. nitida,*** Mittel- und Westchina, breiter aufrechter Strauch, Belaubung myrtenartig, glänzend, kahl, immergrün. Blüten rahmweiß, duftend, Mai. Frucht erbsengroß, purpurblau, Juli, wird als „Myrtenersatz" kultiviert, hart, wertvoll; ***L. orientális,*** West- und Mittelasien, bis 3 *m*. Blätter tiefgrün. Blüten trübrosa oder violett, Mai bis Juni. Beeren schwarz, verwachsen, durch schmälere Blätter weicht ab var. *longifólia* (*L. Kesselringii, L. kamtchatica*), ohne besonderen Wert; ***L. pileáta,*** China, niedrig ausgebreitet wachsend, wie Abb. 60. Blätter klein, immergrün. Blüten grünlich, wenig auffällig, aber Früchte durchscheinend violettpurpurn, sehr eigenartig, leider versteckt, daher erhöht pflanzen, sehr wertvolle, recht harte immergrüne Art, auch für Felspartien; ***L. pyrenáica,*** Pyrenäen, Balearen, kahl, niedrig, wie Abb. 293, graugrün belaubt, Blüten regelmäßig 5 lappig, weiß oder gerötet, Mai, reichblühend, Beeren rot, für Felsanlagen; ***L. rupicola,*** Himalaya, bis kaum 1 *m*, überhängend. Blätter bläulichgrün, stumpflich, zuletzt kahl, Blüten behaart, hell lila, duftend, Mai bis Juli, warme Lage; ***L. spinósa,*** Turkestan, Kaschmir, sparrig, Triebe dornig, kahl, Blätter lineallänglich, blau-

Abb. 293. *Lonicera pyrenaica*, 60 *cm*. (Phot. A. Purpus.)

Abb. 294. *Lonicera Maackii*, 1,5 *m*. (James Veitch and Sons.)

grau. Blüten lilarosa, 2 *cm* lang, in Kultur var. ***Albértii*** (*L. Albertii*), dornlos, niedergestreckt, reich blühend, Juni, Frucht fast weiß, bereift, zuweilen hochstämmig veredelt, gute Art; ***L. Standishii*** (*L. Fortunei* Hort.), Westchina, aufrecht, bis 2 *m*, borstig behaart, Blätter eilanzettlich, sehr spitz, weniger wintergrün als bei *fragrantissima*, Blüten rötlichweiß, gut duftend, Februar bis April, Beeren blutrot, Juni, wertvoll; ***L. syringántha,*** Westchina, ähnlich *rupicola*, aber mehr aufrecht, Laub blaugrau, kahl, Beeren wie *thibetica*, recht hübsche Art, hart; ***L. tangútica,*** China, niedrig, zierlich, Blätter oboval bis oblong, kahl, unterseits blaugrau, Blüten gelblichweiß mit rosa, fädig gestielt, Mai bis Juni, Frucht rot, harte Art; ***L. thibética,*** Westchina, zum Teil niederliegend, bis 1,5 *m*, Blätter länglich-lanzettlich, oberseits glänzendgrün, unterseits weißfilzig, Blüten hellpurpurn, Mai bis Sommer, Frucht scharlachrot, ab August, gehört zur *rupicola-syringantha*-Gruppe.

B. Zweige hohl.

L. amoena (*L. Korolkovii floribunda* × *L. tatarica*), prächtige reichblühende Hybride, rosa (var. *rosea*) und weiß (var. *alba*), ebenso var. ***Arnoldiana,*** weiß mit rosa Hauch, Mai bis Juni; ***L. bella,*** Bastard *tatarica* × *Morrowii*, in verschiedenen Formen, besonders hübsch var. *cándida* und var. *polyantha*, Mai bis Juni; ***L. chrysántha*** (*L. gibbiflora*), Nordostasien, Japan, aufrecht, bis 4 *m*, Triebe behaart, Blätter spitz rhombisch-lanzettlich, lebhaft hellgrün, unterseits etwas behaart, Blüten erst gelbweiß dann gelb, stark gehöckert, Mai bis Juni, Frucht korallenrot, August bis September, dann Strauch sehr schmuckvoll; ebenso die nahestehende, westchinesische ***L. Koehneána,*** stärker behaart, Frucht dunkler; beide gemahnen an *L. Maackii*; ***L. deflexicályx,*** Westchina, bis 1,5 *m*, buschig, elegant überneigend, junge Triebe purpurn, Blätter lanzettlich, beiderseits behaart, Blüten fast goldgelb, Juni, Frucht orangerot; ***L. Korolkovii,*** Turkestan, bis 3 *m*, locker ausgebreitet, Blätter bläulichgrün, behaart, Blüten rosa, Mai bis Juni, Frucht rot, reichblühend, besonders var. ***floribúnda,*** Blätter breiter, Grund rundlicher; ***L. Maackii,*** Ostasien, bis 5 *m*, wie Abb.

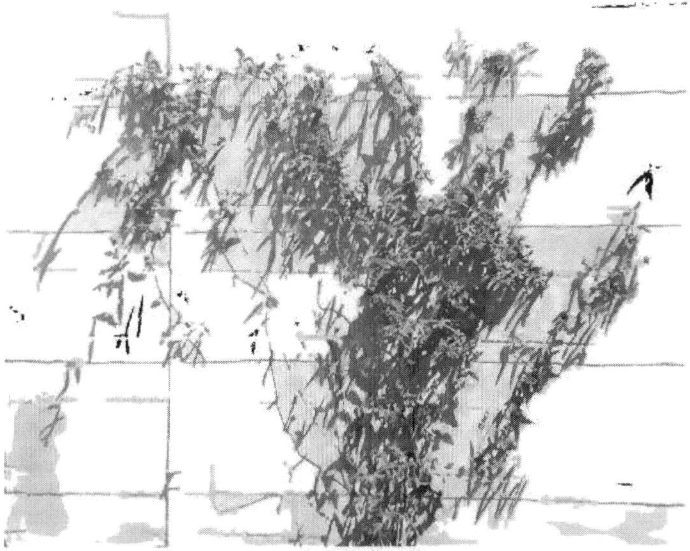

Abb. 295. *Lonicera Giraldii* an Mauer. (Orig., Hort. Vilmorin, Verrières.)

294, Triebe behaart, Blätter tiefgrün, eilanzettlich, Blüten groß, weiß, dann gelb, wohlriechend, Juni, Beeren tiefrot; schön zur Blütezeit besonders var. *erubescens*, zur Fruchtzeit aber var. **podocárpa** prächtiger, Blätter und Beeren glänzender; ***L. Morrowii***, Japan, bis 2 *m*, Blattunterseiten weich behaart, Blüten gelblichweiß, Mai bis Juni, Früchte blutrot, schöne Art; ***L. muendeniénsis***, Bastard *L. bella* × *Ruprechtiana*, Blätter unterseits behaart, Blüten gelblichweiß, Früchte rotpurpurn, schöne Kulturform; ***L. notha***, Bastard *L. tatarica* × *Ruprechtiana*, geht oft als diese, kahler als letzter Bastard, hübsch besonders var. *grandiflora*; ***L. Ruprechtiána***, Mandschurei, aufrecht-überneigend, bis 3 *m*, Blattunterseiten behaart, Blüten erst weiß, dann gelblich, Mai bis Juni, Frucht korallenrot; von dieser Art viele Hybriden mit ***L. tatárica***, altbekannte, formenreiche, russisch-asiatische Art, bis 3 *m*, frühaustreibend, Blüten rosa bis weiß, Mai bis Juni, Frucht rot, sehr guter Gruppenstrauch, wir nennen von Formen nur f. *alba* und f. *grandiflora*, beide weiß, f. *nana*, niedrig, in allen Teilen kleiner, f. *punicea* (f. *speciosa*, f. *pulcherrima*), Blüten groß, dunkelrot, f. *elegans* (f. *virginalis*), Blüten fleischfarben mit rosa gestreift, groß, für Gärten und Parks, f. *sibirica* (f. *rubriflora*, f. *rubra*, f. *purpurea*), Blätter groß, Blüten lebhaft rot; ***L. xylósteum***, Europa bis Altai, bis 3 *m*, ausgebreitet, Blüten weißlich oder gelblich, Mai bis Juni, Beeren dunkelrot, August-September, formenreich, vorzüglicher Schattenstrauch.

II. Schlingende Arten.

A. Blüten in achselständigen Paaren, Blätter stets getrennt (Gruppe *Nintooa*): ***L. alseuosmoides***, Mittelchina, guter Schlinger, Triebe kahl, Blätter schmal lanzettlich, nur gewimpert, in warmen Lagen immergrün, Blüten innen purpurn, außen gelb, 1,2 *cm* lang, Juli-Herbst, Frucht purpurn, bereift, wohl empfindlicher als folgende; ***L. Giráldii*** (Abb. 295), Westchina, abstehend rostgelblich behaart, Blätter breitlanzettlich, weichfilzig, Blütenpaare kopfig gehäuft, gelbhaarig, hellpurpurn, Juni, Frucht tiefblau bereift, auffallende Art; ***L. Hénryi***, Westchina, schwach schlingend, Blätter wintergrün, bronziertgrün, Blüten gelbrot, 2 *cm* lang, Juni bis Juli, Frucht schwarz purpurn, gleich voriger wertvoll für geschützte Lagen; ***L. japonica***, Japan, China, schlingend oder niederliegend, Blätter halbimmergrün, rund-oval oder länglich, Blütenstände durch breite, laubartige Deckblätter ausgezeichnet, Blüten weiß, später gelb, außen oft purpurn, bis 5 *cm* lang, duftend, Juni bis Herbst, zu var. ***flexuósa*** (*L. flexuósa*) mit rotpurpurnen Trieben und kahlen Blättern gehört *L. aureo-reticulata* (*L. brachýpoda reticulata, L. reticulata aurea*), Blätter klein, gelb geadert, sehr hübsch, aber nicht ganz hart; ferner die üppigere, an jungen Teilen mehr behaarte var. ***Halliána*** (*L. flexuosa Halliana, L. Halliana, Caprifolium Hallianum*), Blüten nie gerötet außen; ***L. similis*** var. ***Delavayi*** (*L. Delavayi*), Westchina, wie *japonica*, Triebe kahl, Blätter eilanzettlich, unterseits graufilzig, Blüten erst weiß, dann gelb, hat sich als recht hart bewährt.

Abb. 296. *Lonicera Caprifolium*, Jelängerjelieber, 3 *m*. (Phot. E. Bettig, Jena)

B. Blüten in sitzenden, meist 6 blütigen Quirlen, an den Zweigenden Ähren oder Köpfe bildend, die unter den Quirlen befindlichen Blattpaare meist verwachsen (Gruppe *Periclymenum* oder *Caprifolium*, Geißblatt): ***L. Brównii*** (*L. sempervirens* var. *Brownii, L. etrusca* var. *Brownii*), soll *L. hirsuta* × *L. sempervirens* sein, sehr wertvoll die Formen: var. ***plantierénsis*** (*L. plantierénsis*), Blüten groß, außen rot mit orange Lappen und Schlund, die empfindlichere *sempervirens* ersetzend, blüht ab Juni, sowie var. ***fuchsioides***, leuchtend hell karmin bis granatrot, ähnlich der *sempervirens* var. *minor*, die aber nicht hart ist, und var. ***punicea*** (*L. sempervirens* var. *punicea*), weniger üppig, orangerot; ***L. Caprifolium*** (Abb. 296), bekannte europäisch-asiatische Art, oberstes Blattpaar verwachsen, Blüten weiß oder gelblichweiß, var. *praecox* und var. *pallida*, oder rot var. *pauciflora* (var. *rubra, L. Magnevilleae* Hort. zum Teil), häufiger ist meist unter diesem Namen die Hybride ***L. americana*** (*L. Caprifolium* × *etrusca*), in vielen Formen wie var. *atrosanguinea* (*L. atrosanguinea*), Blüten außen tief purpurn; ***L. etrúsca***, Mediterrangebiet, in Kultur wohl nur var. ***pubéscens*** (*L. gigantea*), üppig, Blätter beiderseits weich behaart, Blüten gelb, duftend, Mai bis Juni, nicht ganz hart; ***L. Heckróttii***, vielleicht *americana* × *sempervirens*, sehr üppig, kahl, Blätter elliptisch, fast sitzend, unterseits blaugrün, das oberste Paar am Grunde verbunden, Blüten erst rosakarmin außen, dann heller, innen gelb, von Juni bis September, schöner Blüher!; ***L. hirsúta*** (*L. pubescens*), O.-Nordamerika, üppig, Blätter behaart, Blüten 2,5 *cm* lang, orangegelb, außen behaart, duftlos, Juni, Frucht gelbrot, hart und schön (Abb. 297); ***L. implexa***, mediterran, immergrün, Blüten gelblichweiß mit Rot, bis 4,5 *cm*, Mai bis Juni, nur für warme Lagen!; ***L. Periclýmenum***, Europa, Nordafrika, üppig, alle Blätter getrennt, sattgrün, unten blaugrau, Blüten 4 bis 5 *cm*, weiß, gelb mit rot, Juni bis August, viele Formen, vor allem var. ***serótina*** (*L. semperflorens* Hort.), spät und reich blühend, Blüten außen dunkelpurpurn, interessant ist f. *quercina* (f. *quercifolia*).

Blätter buchtig gezähnt, bekannte Art: ***L. prolifera*** (*L. Sullivantii*), O.-Nordamerika, oft buschig, Blätter sattgrün, oft bereift oben, Blüten duftlos, hellgelb, bis 3 *cm*, Juni bis Juli, Beeren rotgelb, September bis Oktober, schöne Art: ***L. sempervirens***, O.-Nordamerika, Blätter tiefgrün, unterseits bläulichweiß, Blüten gelb bis scharlachrot, etwa 5 *cm*, Mai bis August, besonders var. *minor*, halbimmergrün, Blüten zirka 4 *cm*, empfindlich, siehe dafür Formen der *Brownii*; ***L. tragophýlla*** (Abb. 298), Westchina, üppig, kahl, Blätter oberseits sattgrün, unterseits weißlich, oberstes Paar verbunden, Blüten lebhaft gelb, 7 bis 8 *cm* lang, Juni, Beeren rot, wertvolle harte Art.

Abb. 297. *Lonicera hirsuta*, 4 *m*. (Orig.: Hort. Vilmorin, Les Barres.)

Loosbaum siehe *Clerodendron*.

***Loránthus europaéus*, Eichenmistel**, kommt als parasitisch lebende Pflanze für uns nicht in Betracht. Sie bewohnt besonders *Quercus Cerris*, *lanuginosa* und *Castanea sativa*.

Lorbeer siehe *Laurus*. — **Lorbeereiche** siehe *Quercus laurifolia*. **Lorbeerkirsche** siehe *Prunus Laurocerasus*. **Lorbeerrose** siehe *Kalmia*.

Loropétalum chinénse (*Hamamelis chinénsis*), **Riemenblume** — Hamamelidaceen. — Immergrüner, reichverzweigter Strauch aus Zentralchina und dem Himalaya, Blätter abwechselnd, einfach, büschelig behaart, oberseits sattgrün, unterseits grauweiß, Blüten gelblichweiß, *Hamamelis*-artig in an Kurztrieben seitenständigen Köpfchen, im März bis April; bei uns in Freilandkultur noch wenig erprobt, heikel, aber in wärmsten Lagen versuchswert, in Genf hart; Kultur usw. etwa wie *Fothergilla*.

Lotospflaume siehe *Diospyros Lotus*. — ***Lotus Dorycnium*** siehe *Dorycnium*.

Luétkea (*Eriogénia*, *Spiraéa*) ***pectináta*, Traubenspire** — Rosaceen. — Etwas rasiger Zwergstrauch, von Tracht etwa wie *Saxifraga caespitosa*, aus den nordwestamerikanischen Gebirgen, der *Petrophytum* sehr nahe steht; Kultur etwas schattig in moorig-sandiger Erde; Vermehrung durch Teilung und Stecklinge; für erfahrene Pfleger; war in Petersburg hart; Näheres siehe in C. Schneider, Ill. Handb. d. Laubholzk. I. S. 485.

***Lupinus arbóreus*, Baumlupine** — Leguminosen. — Bei uns meist nur am Grunde verholzender, buschiger Halbstrauch, in Kalifornien bis 3 *m*, Blätter fingerförmig, 7–11 zählig, sommergrün, abwechselnd; Blüten in bis 25 *cm* langen endständigen Trauben, schwefelgelb oder blau, Frucht behaarte Hülse; Kultur in geschützten warmen Lagen an sonnigen Plätzen in gut durchlässigem Boden; Vermehrung durch Samen und Teilung; Verwendung in milderen Gegenden wegen der großen schönen Blüten, Schutz gegen Winternässe.

Luzuriága radicans — Liliaceen. — Niedriger, halbstrauchiger Strauch aus dem südlichen Südamerika mit knotigen Stengeln, 2zeiligen, grünen Blättern und nickenden weißen Blüten, der für uns nur ganz im Süden im Freien versuchswert ist. Siehe C. Schneider, Ill. Handbuch d. Laubholzk. II., S. 867.

***Lýcium*, Bocksdorn** — Solanaceen. — Giftige, meist rutig-überhängend verzweigte und gewöhnlich dornige, sommergrüne Sträucher, Blätter abwechselnd oder gebüschelt, einfach. Blüten zu 1 bis 4 achselständig, röhrig-glockig. Frucht saftige Beere: Kultur in sterilen trockenen sonnigen Lagen; auch für Mauern und Spaliere; Schnitt nur wenn nötig gegen das Frühjahr; Vermehrung durch Wurzelbrut, Samen, reife Stecklinge und Ableger; Verwendung siehe bei den Arten, werden leicht durch Ausläufer lästig.

Abb. 298. *Lonicera tragophylla*, junge Pflanze, 2,5 *m*.
(James Veitch and Sons)

L. chinénse, Mandschurei, Nordchina, steht dem *halimifolium* sehr nahe, ist aber noch üppiger und schöner, besonders zur Fruchtzeit. Blätter rhombisch-eilanzettlich, lebhaft grün. Frucht länglich-eiförmig, scharlach oder orangerot, August bis September, bei var. **ovátum** (var. *macrocárpum*, var. *megistocarpum*, *L. ovatum*, *L. rhombifolium*), Blätter bis 10 *cm*, rhombisch-oboval, Frucht dick stumpf eiförmig, größer; ***L. europaéum*** (*L. mediterráneum*, *L. salicifólium*), Mediterrangebiet, viel mit folgendem verwechselt, aber die Blüten kleiner, zylindrisch mit kurzen Lappen und kahlen Staubfäden, nur im Süden des Gebietes wie *halimifolium* verwendbar; ***L. halimifólium*** (*L. vulgáre*, *L. fláccidum*), jetzt bei uns allgemein an Wegrändern, Hecken usw. verbreitete Art aus dem Mediterrangebiet, bis 3 *m* hoch. Blätter schmal lanzettlich. Blüten lilapurpurn. Staubblätter am Grunde behaart. Röhre so lang wie Lappen. Früchte scharlachrot, eiförmig oder fast kugelig wie var. *subglobósum* (*L. subglobosum*), den ganzen Sommer bis Spätherbst, zur Bepflanzung steriler Hänge, für wilde Hecken, auch an Mauerwerk und Bogengänge brauchbar, doch besser durch das eher härtere *chinense* zu ersetzen; ***L. pállidum***, Neu-Mexiko bis Utah, bis 1.5 *m*, Tracht wie Abb. 299, Belaubung blaugrün, schmaloboval, stumpf, etwas dicklich, Blüten weißgelbgrün mit rosa, wie Abb. 300, Lappen viel kürzer als Röhre, Juni, Frucht glänzend scharlachrot, Juli-August, als eigenartiger Zierstrauch in leichtem, kalkhaltigem Sandboden in warmen, sonnigen, trockenen Lagen sehr kulturwert, in rauheren Gegenden leidet er durch Nässe; dies gilt auch für *L. ruthenicum*, Südrußland, Westasien, sparriger, dorniger, breiter Strauch, Blätter lineal, dicklich, graugrün, Blüten karminviolett, langröhrig, etwa 1 *cm*, Mai-Juni, Früchte kugelig, schwarz.

Lyónia siehe *Andromeda* und *Chamaedaphne*. — **Lyónia arborea** siehe *Oxydendrum*.

Maackia (*Cladrastis*) **amurénsis** — Leguminosen. An *Cladrastis lutea* in der Tracht gemahnender, bis 15 *m* hoher, ostasiatischer Baum, Mandschurei, Japan. Blätter sommergrün, gefiedert, Blütenstände aufrecht, steif, rispig-traubig, bis 13 *cm*. Blüten grünlichweiß, Juni bis Juli (August); Kultur usw. wie *Cladrastis*, oft auf diese veredelt; etwas früher blüht var. ***Buergeri*** *(Clad. amur.* var. *Buergeri, Clad. amur.* var. *floribunda, Buergeria floribunda)* (Abb. 301), kleiner, Blütenstände dichter, Blättchen mehr behaart, hübscher, noch seltener Baum.

Abb. 299. *Lycium pallidum*, bleicher Bocksdorn, 1—1,50 *m*. (Phot. A. Purpus.)

Macartney-Rose siehe *Rosa bracteata*.

Macludrania hybrida ist eine Hybride zwischen *Maclura pomifera* und *Cudrania tricuspidata*.

Maclura pomifera (*Ioxylon* [*Toxylon*] *pomiferum, Maclura aurantiaca*), **Osagedorn** — Moraceen. Ostnordamerikanischer Strauch oder kleiner Baum, Zweige grün, meist dornig, Blätter sommergrün, abwechselnd, glänzend grün, eiförmig bis länglich lanzettlich, Blüten zweihäusig, unscheinbar in kugeligen Blütenständen, die weiblichen zur Fruchtzeit eine große, gelbgrüne, orangenartige, ungenießbare Scheinfrucht bildend, bei uns im Herbst nur in warmen Lagen (Wien) reifend; Kultur in jedem guten, sehr nahrhaften Gartenboden in geschützter, warmer, halbschattiger Lage; Vermehrung durch (selbst ein Jahr alte) Samen, reife Stecklinge unter Glas (lauwarm), Ableger und Wurzelschnittlinge; Verwendung nur in südlicheren Gegenden, aber auch als treffliche Heckenpflanze infolge der Dorntriebe.

Maclura tricuspidata siehe *Cudrania*.

Maddenia hypoxantha: interessante mit der *Padus*-Gruppe von *Prunus* verwandte Rosacee aus Westchina, dort kleiner Baum, Triebe spärlich behaart, Blätter häutig, spitz länglich-lanzettlich, scharf doppelt gesägt, oberseits kahl, unterseits gelbgrün, an den 12—20 Nervenpaaren behaart, Blüten in gestielten, dichten kurzen Trauben, ohne Petalen, meist 10 Sepalen, 25 bis 40 Staubblätter, Ende April bis Mai, Frucht kleine, fast kugelige schwarze Kirsche im Juli; Kultur usw. wie *Prunus* (*Padus*), hat sich im Arnold Arboret hart gezeigt, aber ohne besonderen Zierwert.

Magnólia[47], **Magnolie** — Magnoliaceen. — Allbekannte, schön blühende und belaubte Sträucher und Bäume, Blätter sommer- oder auch immergrün, einfach, abwechselnd, Blüten einzeln, endständig, meist groß, duftend, Frucht einen zapfenartigen Fruchtstand bildend, Samen rot oder braunrot; Kultur in jedem tiefgründigen, frischen, nahrhaften Gartenboden in geschützter, warmer, sonniger Lage, in rauheren Lagen Winterschutz durch Einbinden und Bodendecke; auch Schutz gegen Mäuse ratsam; Schnitt nicht nötig; Vermehrung durch Samen (Herbst oder stratifizieren), Ableger (im Sommer), schwachwüchsige Arten durch Stecklinge (unter Glas in gut gewaschenem Sand), Veredlung der Spielarten auf typische Stammformen (unter Glas), zumeist *acuminata*; Verwendung als wundervolle Blütensträucher und auch Parkgehölze, man vergleiche das bei den Arten Gesagte.

Abb. 300. Blütenzweig von *Lycium pallidum*. (Phot. A. Purpus.)

ALPHABETISCHE LISTE DER ERWÄHNTEN LATEINISCHEN NAMEN.

(Die Ziffern bezeichnen die Seitenzahlen.)

A. Blüten im Frühjahr vor (oder bei *liliflora* und *hypoleuca* mit) den Blättern erscheinend (ostasiatische Arten): a) Äußere Kronenblätter der Blüte kelchartig, viel kürzer als innere: ***M. liliflóra*** (*M. obováta* Willd., *M. purpurea*, *M. denudata* C. Schn.), China, seit langem in Kultur, Strauch bis 4 *m*, Blätter spitz oboval, bis 20 : 12 *cm*, unterseits jung behaart, Blüten in Knospen außen schwarzpurpurn, dann pokalförmig, reinpurpurn, innen weißlich, fast duftlos, nicht vor Mitte Mai, sehr dunkel bei var. *nigra* (*M. Soulangeana* var. *nigra*), auch innen rosa, schön, aber durch ihre Bastarde mit *denudata* verdrängt, diese sind wohl die schönsten Kulturformen, vereinigt unter dem Namen ***M. Soulangeana*** (Abb. 302), sehr verbreitet, Blüten weiß, außen mehr minder purpurn überlaufen, duftend, wird baumartig, Hauptformen var. ***Lénnei*** (*M. Lenneána*), (Abb. 303), niedriger, Blüten stärker karminrot, var. ***alexandrina***, Wuchs üppiger, Blüten ähnlich voriger, blüht früh, dagegen blüht var. ***Norbertiana***, weiß mit hellpurpurkarmin, am spätesten von dieser Gruppe, zu der auch var. ***Brozzónii***, weiß, außen mit violettem Grunde, var. ***speciósa***, weiß, außen purpurn gestreift, und var. ***triúmphans***, weiß, außen am Grunde rosa, als gute harte Sorten zählen: ***M. Kobus*** (*M. Thurberi*), Japan, breit pyramidaler Baum, Blätter länglich, oboval, über Mitte am breitesten, Blüten weißgelblich, breit offen, klein, schwachduftend, April-

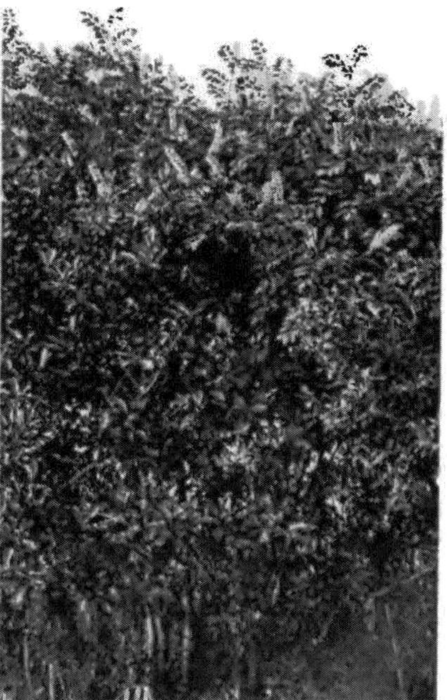

Abb. 301. *Maackia amurensis*, var. Buergeri, 3 *m*. (H. A. Hesse, Weener.)

Abb. 302. *Magnolia Soulangeana*, 6 *m*. (Orig.: Hort. Vép, Ungarn.)

Mai, am härtesten var. ***boreális;*** ***M. salicifólia***, Japan, in Heimat ein Baum, bei uns säulenförmiger Strauch, Blätter spitz eilanzettlich, dünn, Blüten kurz nach *stellata*, klein, tulpenähnlich, alabasterweiß, duftend, hart. — b) Alle Blumenkronblätter mehr gleichartig: ***M. denudáta*** (*M. precia*, *M. conspicua*, ***M. Yulan***), Yulan-Magnolie, Mittelchina, Baum, jung wie Abb. 304, Blätter oboval, bis 15 *cm*, Blüten weiß mit 9 Petalen, April bis Mai, bei var. *purpuráscens* (*M. conspicua* var. *purpurascens*), außen rosenrot, innen rosa; ***M. hypoleuca*** (***M. obováta*** Thbg.), Ho-Magnolie, Japan-China, hoher Baum, Blätter groß, schön, unterseits bläulichweiß, behaart, Blüten rahmweiß, mit Blattaustrieb, Juni bis Juli, duftend, ähnelt mehr *tripetala*, aber Staubfäden purpurn!, Fruchtkolben mit schönen roten Früchten, harte, sehr schöne Art als Parkbaum, liebt frischen, guten Boden; ***M. stelláta*** (*M. Halleana*), Japan, Strauch, bis 3 bis 4 *m*, meist kaum 1 *m*, Blätter eilänglich, bis 9 *cm*, Blüten klein, mit 9 bis 18 schmalen Petalen, zuletzt sternartig offen, duftend, sehr reich und früh (März

Abb. 303. *Magnolia Soulangeana* var. *Lennei*, 3 *m* (im Hort. Vép, Ungarn, Orig.)

bis April) weiß oder rosa (var. *rosea*) blühend, prächtig, sonnig pflanzen, aber in rauheren Lagen Schutz gegen Spätfrost.

B. Blüten im Sommer, lange nach Blattausbruch. ***M. acuminata***, Gurkenmagnolie, östl. Verein. Staaten, bis über 20 *m* hoher, anfangs pyramidalwüchsiger, harter, schöner Baum (Abb. 30), Blätter spitzoval, bis 25 *cm*, Grund oft herzförmig (var. *cordata*), Blüten (Abb. 31), grünlichweiß, geruchlos, Juni bis Juli, guter Parkbaum, Herbstfärbung gelb mit bräunlich; ***M. Fráseri*** (*M. auriculáta*), südöstl. und mittl. Verein. Staaten, hoher Baum, ähnlich *macrophylla*, aber kahl, Blattgrund geöhrt-herzförmig, Blätter nur bis 30 *cm*, Blüten bis 15 *cm* breit, weiß, süß duftend, anfangs Juni, früheste der Amerikaner; ***M. glauca***, strauchiger Baum, Blätter schön, mittelgroß, unterseits bläulichweiß, Blüten klein, rahmweiß, duftend, Sommer, für warme, feuchte Lagen in Moorboden sehr gut; eine Hybride mit *tripetala* ist ***M. Thompsoniána*** (*M. glauca* var. *májor*, *M. glauca* var. *Thompsoniana*); ***M. macrophýlla*** (Abb. 305), Knospen und Triebe filzig, Blätter sehr groß, bis 70 *cm* lang, Grund herzförmig, unterseits graublau, Blüten rahmweiß, bis 25 *cm* breit, duftend, Juni bis Juli, schön belaubter Baum für warme, eher trockenere Lagen; ***M. parviflóra***, Japan, Strauch oder kleiner Baum, wie Abb. 306, Triebe behaart, Blätter verstreut, länglich oboval, bis 15 *cm*, oberseits satt grün, unterseits blaugrau, behaart, Blüten weiß, duftend, Staubfäden rot, schöne Art; ***M. tripétala*** (*M. Umbrella*), Schirm-Magnolie, sparriger Baum, bis gegen 15 *m*, Blätter aus keiligem Grunde länglich-oboval, sehr groß, bis 50 *cm*, Blüten weißlich, unangenehm duftend, Fruchtstände rosenrot, hübsch, harte, gute Art für den Park; ***M. Watsonii***, Japan, *parviflora* und der folgenden sehr ähnlich, Blätter derb, mit 10 bis 15 Nervenpaaren, Blüten bis 15 *cm* breit, Juni, sehr schön; ***M. Wilsonii*** (*M. parviflora* var. *Wilsonii*), Mittelchina, Zweige und Blattunterseiten dicht seidig filzig; alle diese kleinblättrigen Asiaten sehr versuchswert!; zuletzt sei noch ***M. grandiflóra*** (*M. foetida*), südöstl. Vereinigte Staaten, erwähnt, die einen der schönsten immergrünen Bäume der Riviera bildet, in warmen Lagen im Schutz versuchswert, Triebe und Blattunterseiten rostig behaart, Blüten groß, rahmweiß, duftend, Juli bis August, bei var. *exoniensis* ab Mai, prächtig in mildem Klima, hat sich in Frankfurt a. M., Heidelberg und Baden-Baden gehalten; ebenso hart dürfte ***M. Delavàyi*** aus Westchina sein, die fast kahl ist.

Abb. 304. *Magnolia denudata*, Yulan-Magnolie, 4 *m*. (Orig.: Hort. Vér, Ungarn.)

Magnólia compressa und ***fuscata*** siehe *Michelia*.

Mahobérberis (*Bérberis*) ***Neubértii*** ist ein interessanter Bastard zwischen *Berberis vulgaris* und *Mahonia Aquifolium*, der in zwei Formen auftritt. Die eine, var. ***ilicifólia*** (*Berberis ilicifolia* Hort.) steht *Mahonia* in den lederigen glänzenden stacheligen aber einfachen Blättern und dem dichten gedrungenen Wuchse näher und ist die viel wertvollere; Kultur usw. wie *Mahonia Aquifolium*. Blüht nie, aber ausgezeichnete harte Immergrüne.

Abb. 305. *Magnólia macrophylla*, großblättrige Magnolie. (Phot. L. Graebener, Hort. Karlsruhe.)

Mahónia[18]) (oft als *Berberis* gehend), **Mahonie** - Berberidaceen. — Bekannte immergrüne dornlose Sträucher mit gefiederten Blättern, gelben Blütenrispen und meist bläulichen Früchten; Kultur in fast jedem Gartenboden, zieht frischen, etwas humosen Boden vor und mehr schattige Lage, gegen kalte Winde geschützt; Schnitt unnötig; Vermehrung durch Samen (gleich nach Reife) und Teilung bei Formen mit Ausläufern, seltenere Formen durch Veredlung auf *Aquifolium;* Verwendung der *Aquifolium* und Formen als unverwüstliche Sträucher als Unterholz, Einfassungen, im Garten wie im Park, in sonnigen Lagen nicht so üppig, aber Blätter im Winter schön rotbronzefarben, als Kranzlaub geschätzt, sonst siehe Arten.

ALPHABETISCHE LISTE DER ERWÄHNTEN LATEINISCHEN NAMEN

(Die Ziffern bezeichnen die Seitenzahlen.)

A. (B. siehe S. 264) Blütenstände über 10-blütig, meist dicht ährig-traubig. — 1. Seitliche Blättchen gegen Grund allmählich keilig verschmälert, ziemlich gleichseitig, lanzettlich oder schmallanzettlich: ***M.*** (*Berberis*) ***Fórtunei***, Mittelchina, bis 1 *m*. Blätter 7 bis 9 (bis 13) zählig, unterstes Blättchenpaar kaum kleiner, vom Grund entfernt, seitliche Blättchen kurz geschweift sägezähnig. Endblättchen sitzend, nur für milde Gegenden, dort im Spätherbst blühend; härter die wahrscheinliche Hybride mit *Aquifolium*: ***M. heterophýlla*** (*M. toluacensis* Hort.). Blättchen 5 bis 7, breiter lanzettlich, deutlicher dornzähnig, glänzender. — II. Seitliche Blättchen am Grunde abgestutzt, gerundet bis herzförmig, meist ungleichseitig, Umriß mehr eiförmig oder rhombisch. Endblättchen gestielt, meist größer. — a. Blättchen lederig, aber doch Nervatur besonders unterseits deutlich vortretend. Tragblätter der Blütenstände klein, schuppenförmig: ***M. Aquifólium*** (*Berberis Aquifolium* Pursh, *Odostemon nutkanus*). Britisch Columbien bis Oregon, Tracht wie Abb. 307, bis 1,2 *m*, Blättchen 5 bis 9, unterstes Paar 2 bis 3 *cm* vom Blattstielgrund, länglich eiförmig, glänzend dunkelgrün, im Winter bronzefarben, gleichmäßig nicht buchtig dornzähnig. Blütenstände aufrecht, April. Beeren stark bereift; allbekannte wertvolle Art, viele Formen und auch Bastarde mit *pinnata* und *repens*, von Formen sei außer den nicht zu empfehlenden bunten genannt die vielleicht ebenfalls hybride var. ***juglandifólia***, bis 2 *m*, Blattrippen leuchtend rot, Blättchen meist 7, aus oft herzförmigem Grunde oval oder rundoval, kleiner und dicker, unterste dicht am Blattstielgrund; und von Hybriden mit *pinnata* die ***M. Wágneri*** (*M. pinnata* var. *Wagneri*), bis 2,5 *m*, Blättchen 7 bis 11, leicht glänzend, unten hellgrün, jederseits 4 bis 5 Zähne; sehr gute Kulturform; ferner mit *repens* die ***M. macrocárpa*** (*M. repens* var. *macrocarpa*), Blätter nicht so glanzlos wie bei *repens*, Frucht dicker; ***M. pinnáta*** (*M.* oder *Berberis fascicularis*). Kalifornien bis Mexiko, bei uns kaum bis 1,5 *m*, in milden Gegenden bis 4 *m*, Blättchen 7 bis 13, das unterste Paar dem Stielgrund stark genähert, oberseits mäßig glänzend, mehr graugrün, eilanzettlich, buchtig gezahnt, gute Art, aber nicht so hart: ***M. repens*** (*Berberis repens*, *Berb. nana*, *Odostemon Aquifolium*). Britisch Columbien bis Kalifornien, mit unterirdischen Ausläufern, niedrig, steif, kaum bis 30 *cm*. Blättchen 3 bis 7, rund oder breit-oval, stumpf bleich- oder blaugraugrün, gleichmäßig feinzähnig, wertvolle Art, hierher var. ***rotundifólia*** (*M. rotundifolia Herveyi*, *M. latifolia* und *M. latifolia inermis* der Gärten), Blättchen 3 bis 5, meist rundlich und fast ganzrandig, gilt als Hybride mit *Aquifolium*, was kaum zutrifft; an *repens* schließen sich an die niedrigen kulturwerten ***M.*** (*Berberis*) ***brévipes***, Alberta, in allen Teilen kleiner, und ***M.*** (*Berberis*) ***púmila***, Kalifornien, ohne Ausläufer, zu erproben.

Abb. 306. *Magnolia parviflora*. 1 *m*. (James Veitch and Sons.)

b. Blättchen meist sehr steif lederig, Nervatur unterseits nicht vortretend, Tragblätter der Blütenstände groß, spelzenartig, langzugespitzt: ***M. Béalei*** (*Berberis Bealei* und var. *planifolia*, *Berberis* und *M. japonica* vieler Autoren und Hort., *M. japonica* var. *Bealei*) Mittelchina, aufrechter steifer dickästiger Strauch bis über 4 *m*, Blätter an den Zweigenden, Blättchen meist 9 bis 13, unterstes Paar dem Blattgrund stark genähert, viel kleiner, mittlere 5 bis 9 : 2,5 bis 4 *cm*, an der äußeren Seite mit 3 bis 6, an der inneren mit 2 bis 4 starken buchtigen Zähnen, Blütenstiele 6 bis 7, ihre Brakteen 2 bis 4 mm, Ovula 3 bis 4, Früchte ohne Griffel, prächtige Art für warme geschützte Lagen, Schutz gegen Wintersonne, Blüten erfrieren meist; die echte ***M. japónica*** ist n i c h t in Kultur, nicht wild bekannt, sie hat mehr lanzettliche oder

Abb. 307. *Mahónia Aquifolium*, gemeine Mahonie, 1 *m*. (Orig.; Hort. Eisgrub, Mähren.)

eilängliche Blätter, bis 9 : 3,5 *cm*, recht lockere Blütenstände mit bis 10 *mm* langen Blütenstielen und 5 bis 8 *mm* langen Brakteen, und 4 bis 6 Ovula; ***M. boreális*** (*M. nepalensis* Hort. zum Teil), Nordwesthimalaya, Blättchen meist 13 bis 21, lanzettlich bis spitz oval, am Außenrande mit 5 bis 10, innen mit 5 bis 9 mittelgroßen Zähnen. Textur ziemlich dünnlederig, satt glänzend grün, Ovula 3 bis 5, nicht so hart wie *Bealei;* als *nepalensis* vielleicht in Kultur ***M. acanthifólia,*** Kumaon bis Sikkim, Blättchen bis 23, länglich eiförmig, mittlere bis 6,5 : 3,5 *cm*, außen mit 2 bis 5, innen mit 3 bis 6 Zähnen. Textur derber, die echte ***M. napauténsis*** (*Berberis miccia*) aus Nepal ist nicht in Kultur, die Unterschiede gegen vorige liegen vorwiegend in den Blüten; ***M.*** (*Berberis*) ***nervósa*** (*M. glumácea*), westl. Nordamerika, kleiner Strauch, kaum über 25 *cm*, Blättchen 9 bis 17, unterstes Paar vom Stielgrund 3 bis 10 *cm* entfernt, schiefeiförmig, jederseits mit 7 bis 14 derben Zähnen, bleichgrün, liebt Heideboden, schön, aber noch wenig erprobt.

B. Blütenstände 3 bis 7 blütig, Blätter 3 bis 7 zählig, meist blaugrün, Blättchen starr lederig, buchtig gezähnt: ***M.*** (*Berberis*) ***Fremóntii,*** südwestl. Verein. Staaten, bis 4 *m*. Endblättchen meist nicht länger als die eiförmigen bis lanzettlichen seitlichen. Frucht schwarzblau, nur für sehr warme geschützte Lagen, ebenso die ähnliche ***M. haematocárpa,*** bis 2 m. Endblättchen meist länger als die schmallanzettlichen seitlichen, Frucht rot, August; durch nur 3 zählige Blätter weicht ab ***M. trifolioláta*** (*Berberis trifolioláta*) aus Texas bis Mexiko. Früchte blauschwarz, noch heikler.

Maiglöckchenbaum siehe *Halesia*. — **Malapoénna** siehe *Litsea*. — **Malachodéndron** siehe *Stuartia*.

Mallótus japónicus (*Rottlera japonica*): sommergrüne japanische Euphorbiacee, die bei uns in Freilandkultur noch nicht erprobt ist und wohl nur wegen der hübschen *Catalpa*-artigen Blätter als Blattpflanze im Süden versuchswert ist.

Málus[13] (oft als *Pyrus* gehend[1]). **Apfel, Apfelbaum** — Rosaceen. — Sommergrüne Bäume oder Sträucher, Blätter abwechselnd, einfach, zum Teil gelappt, Blüten ansehnlich, scheindoldig oder doldentraubig, weiß, rosa, rot, meist Mai bis Juni. Frucht großer bis sehr kleiner Apfel; Kultur in gutem, etwas lehmigem, nicht zu trockenem Gartenboden in offener, sonnigwarmer Lage; Schnitt wenn nötig nach Blüte; im Winter nur Auslichten; Vermehrung durch Veredlung auf *Malus sylvestris* (*M. communis*) sowie Stecklinge; Verwendung der meisten genannten Arten als hervorragende Zierbäume zur Blüte- und oft auch zur Fruchtzeit. In Kultur viele Gartensorten, deren Ursprung noch wenig geklärt ist.

ALPHABETISCHE LISTE DER ERWÄHNTEN LATEINISCHEN NAMEN.

(Die Ziffern bezeichnen die Seitenzahlen.)

A. Blätter (erwachsener Pflanzen) ungelappt, in Knospe gerollt (*Eumalus*), (siehe auch unter B. S. 267, am Ende) außer bei einigen Bastarden. I. Frucht mit bleibendem Kelch (Reihe *Pumilae*): **M. micromálus** (*M. spectábilis* var. *Kaido*, *Pyrus spectabilis* var. *Kaido*, *Pyrus Kaido* Mouillefert, nicht *M. Kaido* Dippel), kleiner Baum von pyramidaler Tracht, der aus einer Kreuzung von *spectabilis* mit *baccata* oder *floribunda* hervorgegangen sein dürfte, von *spectabilis* abweichend durch schmälere, mehr keilförmige Blätter, längere Blattstiele, filzige Blütenstiele und Kelch, der oft abfällt, und fast kugelig längliche, am Grunde eingedrückte Früchte; Blüten lebhaft rosa, April, Früchte zuletzt lebhaft rot, klein, lange bleibend; die *M.* **Kaido** Dipp. (*Pyrus Ringo* var. *Kaido* Wenz.) dürfte *spectabilis* mit *Ringo* sein, hat breitere, unterseits filzige, an üppigen Trieben oft fast herzförmige Blätter; **M. prunifólia** (*Pyrus prunifolia*), Heimat wahrscheinlich Sibirien, kleiner Baum, sehr ähnlich *baccata*, Triebe erst behaart, Blätter häutig, oben stumpfgrün, gesägt, an Nerven unterseits behaart, Blüten weiß, 6 bis 10 in Dolde, Kelch langspitzig, Achse überragend. Griffel am Grund behaart. Frucht gelblich oder rot, eirundlich 2.5 *cm* dick, hierher var. **rinki** (**M. ringo**, *Pyrus ringo*, *Malus pumila* var. *rinki*), Mittelchina, breiter Baum, kaum über 5 *m*, steht *pumila* sehr nahe, aber Blätter schärfer gesägt, unterseits weniger behaart, Blütenstiele länger, Früchte kleiner an Spitze nicht eingedrückt, gelb, wohlschmeckend, wichtiger Gelee-Apfel, September bis Oktober; **M. púmila** (*Pyrus Malus* L.), Johannisapfel, Paradiesapfel, wohl von Südosteuropa, Südrußland, Vorderasien bis Westsibirien.

Abb. 308. *Mahónia Fremontii*, 1 *m*, junge Pflanze. (Phot. A. Purpus.)

dies die wilde Form, var. ***praécox*** *(Pyrus praecox)*, ähnlich der *sylvestris*, aber Blütenachse und Kelch filzig und Blattunterseiten behaart; von ihr stammen die Gartenäpfel (*M. domestica*) zum Teil ab und die var. *paradisiaca* (*M. paradisiaca*, *M. dasyphylla*) scheint eine bei uns wieder verwilderte Form zu sein, für Kultur noch wichtig var. *pendula* „Elise Rathke", sehr schön blühende Hängeform und var. ***Niedzwetzkiana*** (*M.* oder *Pyrus Niedzwetzkiana*), wie Abb. 309, Zweige, Blätter, Blüten und Früchte stark gerötet, Blüten sehr dunkelrot, sparriger Baum, der sehr schön in Blüte, Früchte groß, bis 6 *cm* dick; eine kulturwerte Hybride der *Niedzwetzkyana* mit *M. atrosanguinea* ist ***M. purpúrea*** Rehd. (*M. floribunda purpurea* Barbier); ***M. Prátti*** (*Pyrus Prattii*), Mittelchina, Baum bis 10 *m*, Blätter groß, bis 11 : 7 *cm*, hellgelblich grün, unterseits spärlich behaart, scharf und oft doppelt gesägt, Blüten weiß, Griffel kahl, Früchte rot, aber gepunktet, hart, interessant; ***M. spectábilis*** (*P. spectabilis*), Heimat unbekannt, ob Nordchina?, rundkroniger Baum bis 12 *m*, wie Abb. 310, Blätter aus breitkeiligem oder rundem Grunde breit oval, kurz gespitzt, oberseits glänzend grün, unterseits zuletzt fast kahl, Stiele kaum bis 2,5 *cm*, Blüte in Knospe fast korallenrot, dann rosa, zu 6 bis 8, ab Mitte April, Frucht gelb, am Grunde etwas in den verdickten Stiel zusammengezogen, bis 2,5 *cm* dick, wertvolle harte frühblühende Art, von gefüllten Formen besonders var. *Riversii*; zu erwähnen der Bastard *pumila paradisiaca* mit *spectabilis*: ***M. magdeburgensis***, reichblühend; ***M. sylvéstris*** (*Pyrus Malus* var. *sylvestris*, *Pyrus* oder *M. acerba*, *Pyrus Malus* var. *glabra*, *Malus communis*), Holzapfel, West- und Mitteleuropa, für uns sonst ohne Bedeutung, von *pumila* durch oft verdornende Kurztriebe, fast oder ganz kahle Kelche, Blütenachsen und Blattunterseiten abweichend. — II. Frucht ohne Kelch (Reihe *Baccatae*): ***M.*** (*Pyrus*) ***baccáta*** (*M. baccata* var. *sibirica*), Ostsibirien, Nordchina, rundkroniger Baum, Zweige zuletzt überneigend, bis 15 *m*, Blätter glänzend olivgrün, oval bis oboval, zuletzt kahl, flach gezähnt, Blüten weiß, duftend, April, Griffel meist 5, Kelch schmallanzettlich, meist kahl, länger als Achse, Frucht gelb mit roten Backen, fast 2 *cm* dick, von wilden Formen noch var. ***mandshúrica*** (*Pyrus baccata* var. *mandshurica*, *Malus cerasifera* Spach, *Pyrus cerasifera* Tausch), Ostsibirien, Japan, Mittelchina, Blätter breiter, fast ganzrandig, alle Teile etwas mehr behaart, blüht am frühesten, April, als schöne Form des Typ mit größeren Blüten, bis 3,5 *cm*, und tiefroten Früchten gilt f. *Jackii*; an vielen wertvollen Hybriden beteiligte, an sich sehr zierende harte Art, Früchte lange bleibend; eine hübsche Hybride *baccata* × *Halliana* ist ***M. Hartwigii***; als recht gut, hart und reich-

Abb. 309. *Malus pumila* var. *Niedzwetzkyana*, 4 *m*.
(Phot. L. Graebener, Karlsruhe.)

blühend gilt die wichtige Hybride *baccata* × *prunifolia*: **M. robusta** Rehd. (*Malus microcarpa robusta* Carr.), wüchsiger Baum, Blüten reinweiß, bis gegen 3 *cm* breit; **M.** (*Pyrus*) **Halliana**, Mittelchina, kleiner Baum, Zweige purpurn, Blätter spitz oval, glänzend tiefgrün, zuletzt kahl, Rippe oft gerötet, Blütenstiele und Kelch tief gerötet, kahl, Kelch stumpflich, Blüten in Knospe tief rot, dann dunkelrosa, zu 4 bis 7, an schlanken Stielen hängend, April bis Mai, Griffel 4 bis 5, Früchte erbsengroß, purpurn, wenig auffällig, aber zur Blütezeit wundervoll, besonders auch var. **Parkmanii**, satt pfirsichfarben, leicht gefüllt, hart; dies ist die echte „Kaido" der Japaner; **M.** (*Pyrus*) **theifera**, Strauch bis Baum, bis 8 *m*, ausgebreitet, steif, zickzackig verästelt, Zweige rotbraun, kahl, Blätter purpurn austreibend, eilänglich bis eielliptisch, sattgrün, scharf gesägt, kahl, Blüten in Knospe rot, dann weiß, April bis Mai zu 3 bis 7, bis 4 *cm* breit, Kelchlappen spitz, Griffel meist 3, Früchte kugelig, bis 12 *mm* dick, gelbgrün oder rot, Oktober, reichblühend, hart, wirkt zur Blütezeit kirschenartig.

Abb. 310. *Malus spectabilis*, Schauapfel, 2 *m*. (Phot. A. Rehder.)

B. Blätter fast stets gelappt oder deutlich lappenzähnig, wenigstens an Langtrieben, in Knospe gefaltet: I. Frucht mit bleibendem Kelch (Gruppen *Chloromeles* und *Docyniopsis*): **M.** (*Pyrus*) **angustifolia** (*M.* und *Pyrus sempervirens*), südöstl. Verein. Staaten, nahe *coronaria*, aber Blätter in warmen Lagen wintergrün, aus keiligem Grunde schmal länglich, stumpflich, gekerbt, meist nur schwach gelappt, Frucht fast kugelig, nur in milderen Gegenden brauchbar; **M.** (*Pyrus*) **coronaria** (*M. fragrans* Rehder), Duftapfel, östl. Verein. Staaten (New York bis Alabama), wie Abb. 311, Blätter am Grunde abgestutzt oder gerundet, das unterste Nervenpaar oberhalb des Grundes abzweigend, beim Austrieb flockig filzig, später dünn, unten hellgrün, Umriß eiförmig, Lappung kurz, Blüten weiß, zart rosa überlaufen, zu 4 bis 6, 5 *cm* breit, veilchenduftend, Mai bis Juni, Kelch kahl, Frucht fast kugelig, gelbgrün, prächtige Art, aber in Kultur meist durch die folgende vertreten, die neuerdings abgetrennt wurde: **M. glaucescens**, noch nördlicher bis Canada, wie *coronaria*, aber Blätter deutlich gelappt, gewissen *Crataegus* ähnelnd, unterseits weißlich, zuletzt derb, Kelch dünnfilzig, Früchte flachkugelig, gelblich, 3 bis 4 *cm* dick, wachsartig klebrig, am Kelch kaum gerippt, ferner **M. glabrata**, Nordkarolina, Alabama, Blätter kahl, Austrieb bronzefarben, an Langtrieben am Grunde herzförmig, das unterste Nervenpaar vom Grunde ausgehend, Lappung scharf, Früchte 4 *cm* dick, am Kelch stark gerippt; **M. ioensis** (*Pyrus ioensis*, *M.* oder *Pyrus coronaria* var. *ioensis*), Prärie-Apfel, mittl. Verein. Staaten, kleiner Baum wie *coronaria*, aber Triebe stärker behaart, auch Blätter unterseits bleibend behaart, dicklich, stark genervt, eirund-länglich, meist eingeschnitten und gelappt, Blüten etwas kürzer gestielt, Kelch behaart, prächtig weiß oder zartrosa, besonders in der gefüllten Form var. *plena* (*Pyrus coronaria fl. pl.*) Blüten wie kleine Röschen, schönste der späten Arten, Frucht länglich, stumpf gelbgrün, mit hellern Flecken, bleibt länger am Baum; **M. Tschonoskii** (*Pyrus* oder *Eriolobus Tschonoskii*), Japan, breit pyramidaler Baum bis 10 *m*, Triebe behaart, Blätter spitz eiförmig, grob gesägt, nur an Langtrieben gelappt, später oben glänzend grün, unten etwas behaart, im Herbst gelb und orange,

Abb. 311. *Malus coronaria*, Duftapfel, 4,5 *m*. (Phot. A. Rehder.)

Blüten zu 2 bis 5, weiß mit rosa. Stiele behaart. Frucht verkehrt eiförmig, etwa 2,5 *cm* dick, braungelb mit purpurn. Kelch aufrecht, interessant, aber in Blüte und Frucht nicht so schön wie die vorhergehenden; ***M.*** *(Pyrus, Eriolobus)* **yunnanénsis** *(Pyrus Veitchii)*, bis 13 *m*, wie vorige aber Blätter deutlicher scharf gelappt und gesägt. Blüten zu 6 bis 15, nur etwa 1,5 *cm* breit, Früchte nur 15 *mm* dick, rot, wertvoller als Zierbaum; gehört trotz des bleibenden Kelches zur folgenden Gruppe.

II. Frucht ohne Kelch (Gruppe *Sorbomalus*): ***M. florentina*** *(Crataegus* oder *Pyrus florentina, M.* oder *Pyrus crataegifolia)*, Italien, Serbien, kleiner Baum, Blätter 3 bis 5 lappig, Grund rund oder herzförmig, satt olivgrün, unterseits leicht gelbgrau filzig, Blüten zu 6 bis 8, Stiele, Achsen und Kelche behaart, weiß, Juni, Früchte rundoval, bis 12 : 10 *mm*, zuletzt tief rot, interessant, nur für warme Lagen; ***M.*** *(Pyrus)* ***floribúnda*** *(Pirus pulcherrima)*, Ursprung unsicher, vielleicht Hybride *baccata* × *Sieboldii*, Baum bis 13 *m*, wie Abb. 312, Blätter nie gelappt, gesägt oder eingeschnitten gesägt, sehr spitz eiförmig, derb, zuletzt kahl. Blüten zu 4 bis 7, in Knospe wundervoll tief purpurrot, April, Griffel meist 4, bis Mitte verbunden, Früchte oft wenig über erbsengroß, bald bleibend, bald früh fallend, von Fasanen gern gefressen; eine der allerprächtigsten Kulturformen, hierher var. ***Scheidéckeri*** *(Pyrus* oder *M. Scheideckeri)*, Wuchs straff aufrecht, Blüten in Knospe dunkelrot, dann pfirsichfarben, groß, halbgefüllt, 2 bis 3 Wochen später, sehr gute Form; prächtig auch die Hybride mit einer *baccata*-Form: ***M. Arnoldiána***, Austrieb bronzefarben, Blüten und Früchte gut $1/3$ größer als bei *floribunda*, schön wie bei *Scheideckeri*; schön auch ***M. atrosanguinea*** *(M. floribunda* var. *atrosanguinea)*, eine Form, an der wohl *Halliana* beteiligt ist, tief karminrot; ***M.*** *(Pyrus, Eriolobus)* ***kansuénsis***, Mittel- und Nordchina, strauchartig, bis 7 *m*, Blätter 3 bis 5 lappig mit breiten spitzen scharf gesägten Lappen, meist kahl, Grund dreinervig, Blüten zu 4 bis 10, Frucht oval, rotpurpurn; ***M.*** *(Pyrus)* ***Sargéntii***, Nordjapan, Tracht wie Abb. 313, niedriger, breiter, oft dorniger Busch, Blätter eiförmig, bis 8 *cm*, oft gelappt, Blüten in Knospe gelblich-rosa, dann weiß, zu

Abb. 312. *Malus floribunda*, 3,5 *m*. (Phot. A. Rehder.)

Abb. 313. *Malus Sargentii*, 1 *m*. (Phot. A. Rehder.)

Abb. 314. *Málus Sieboldii* (*M. Toringo*), 1,75 *m*. (Phot. A. Rehder.)

5 bis 6. Petalen kreisförmig, plötzlich genagelt, Früchte fast kugelig, dunkelrot, leicht bereift, bis 10 *mm* dick, lange bleibend, nicht von Vögeln gefressen, wertvoll für kleine Anlagen; ***M.*** *(Pyrus)* **Sieboldii** (*M.*, *Pyrus* oder *Sorbus Toringo* der meisten Autoren und Gärten), sparriger Strauch bis 4 *m*, wie Abb. 314, oder in der wilden Form var. *arboréscens* Baum bis 10 *m*, wie vorige aber Petalen aus keiligem Grunde oboval, Blüten ziemlich klein, in Knospe tiefrot, dann innen weiß, Frucht erbsengroß, rot oder gelb, ganz besonders hübsch in Frucht var. *calocárpa*, Blätter weniger tief gelappt, Blüten etwas heller, Früchte bis 12 *mm* dick, glänzend, scharlach; ***M.*** *(Pyrus)* **transitória**, Nordwestchina, ähnlich *kansuensis*, aber Blätter mit tieferen, spitzeren Lappen, deren Zähnung stumpfer ist, Griffel kahl, interessante harte Art, var. *toringoides* ist üppiger mit zum Teil ganzrandigen Blättern und größeren Früchten; ***M.*** *(Pyrus)* **Zumi**, Japan, Strauch oder Baum bis 12 *m*, Tracht rundoval, Blätter selten gelappt, eilänglich, häufig fast ganzrandig, kahl, Blüten zu 4 bis 7, in Knospe rot, dann weiß, Sepalen schmal länglich, länger als Blütenachse, Griffel 4 bis 5, nur am Grunde verbunden, Früchte kugelig, rot, bis 15 *mm*.

Mandarine siehe *Citrus*. — **Mandel** siehe *Prunus* (Gruppe *Amygdalus*). — ***Mandevilla suavéolens***; ein argentinischer Schlingstrauch aus der Familie der Apocynaceen, hat nach Dr. Pfaff in Südtirol im Freien geblüht. Sonst wohl nirgends im Gebiet versucht. — **Manna-Esche** siehe *Fraxinus Ornus*.

***Margyricárpus setósus*, Perlfrucht** — Rosaceen. — Sparriger, niedriger, immergrüner Zwergstrauch aus den Anden, Blätter unpaar fein gefiedert, klein, Blüten unansehnlich, grün, kronenlos, Frucht etwas fleischig, weiß, pfefferkorngroß, beerenartig; in Frankreich gelegentlich in Kultur, nur als Felsenpflanzen in warmen, geschützten Lagen in gut durchlässigem Boden zu versuchen von erfahrenen Pflegern; Näheres siehe in C. Schneider, Ill. Handb. d. Laubholzk. I., S. 535.

Márlea platanifólia siehe *Alángium*.

Marsdénia *(Cionura)* ***erécta (Cynánchum erectum)***: ein an *Solanum Dulcamara* gemahnender, wenig zierender, aufrechter sommergrüner Halbstrauch aus SO.-Europa und dem Orient mit gegenständigen rundlich-herzförmigen blaugrangrünen Blättern und weißlichen Blütenständen; nur für warme sonnige Lagen mit Winterschutz versuchswert.

Maßholder siehe *Acer campestre*. — ***Mastacánthus*** siehe *Caryopteris*. — **Mastixstrauch** siehe *Pistacia*. — **Maulbeere** siehe *Morus*. — **Mäusedorn** siehe *Ruscus*. — ***Maximowiczia*** siehe *Schisandra*.

Mayténus Boária (*M. chilénsis*): immergrüne Celastracee aus Chile, in Heimat hoher Baum, mit *Celastrus* verwandt; bei uns noch nicht erprobt und höchstens in Südtirol brauchbar.

***Medicágo cretácea*, Schneckenklee** — Leguminosen. — Niederliegend-aufstrebender Halbstrauch (Abb. 315), bis 25 *cm*, aus der Krim und Taurien, Blätter 3zählig, abwechselnd, sommergrün, graugrün, alles locker seidig behaart, Blüten in kurzen Trauben, gelb mit orange, Mai bis Juni, Frucht halbmondförmig-sichelige Hülse; Kultur in warmer sonniger Lage in Gesteinspartien; Vermehrung durch Samen und halbreife Stecklinge unter Glas; Verwendung für erfahrene Gehölzfreunde als hübsch blühende Felsenpflanze.

Abb. 315. *Medicago cretácea*, kriechend, 35—40 *cm* Durchm.
(Phot. A. Purpus.)

Mehlbirne siehe *Sorbus* (Gruppe *Aria*). — ***Meistéria cérnua*** siehe *Enkianthus*. — **Melde** siehe *Atriplex*.

***Mélia Azédarach*, Azedarach** — Meliaceen. — Bei uns nur Strauch, in Heimat (Indien, China) Baum, auch im Süden, dort nicht selten angepflanzt, Blätter wechselständig, sommergrün, groß, doppelt gefiedert, Blüten blaßrötlichblau, in langen Rispen, Mai bis Juni (bei uns später), Frucht fleischige gelbe Steinfrucht; Kultur usw. wohl wie *Cedrela*, aber nur für warme Lagen, im Süden schöner Baum.

Meliósma — Sabiaceen. — Unsere Arten sommergrüne Sträucher oder Bäume, Blätter abwechselnd, einfach oder unpaar gefiedert, Blüten in end- oder achselständigen Rispen, klein, 5zählig. Frucht kleine fast kugelige einsamige Steinfrucht; Kultur in jedem guten nahrhaften Boden in sonniger Lage; Vermehrung durch Samen (gleich nach Reife), Ableger und halbreife Stecklinge; Verwendung als sehr hübsche Parkbäume oder Großsträucher im Garten, aber Winterhärte noch zu erproben. Noch weitere chinesische Arten versuchswert.

M. cuneifólia, Westchina, meist strauchartig, Triebe aufrecht, kahl, Blätter einfach, unten anfangs etwas bräunlich filzig, sehr spitz oboval, Nervenpaare 20—25, Blütenrispen aufrecht, Blüten erst gelblich, dann weiß, duftend, Juli, Frucht schwarz, warme geschützte Lage; ***M. myriántha***, Japan, wie vorige, mehr baumartig, breit aufrecht, Blätter elliptischer, kürzer zugespitzt, Nervenpaare 24—30, Blüten grünlicher, Frucht rot; ***M. Veitchiórum***, Mittelchina, Baum, Zweige steif, jung etwas zottig behaart, Blätter gefiedert, Blättchen 9—11, fast kahl und ganzrandig, Blütenstände hängend, bis 35 *cm*, Blüten rahmweiß, Mai, Frucht purpurschwarz, September, schönste Art, aber wohl empfindlichste.

Memorialrose siehe *Rosa Wichuraiana*.

Menispérmum canadénse*, Mondsame** — Menispermaceen. — Bis 5 *m* hoher Schlingstrauch aus dem östlichen Nordamerika, Triebe jung behaart, Blätter abwechselnd, sommergrün, einfach, stumpflappig, schön grün, Blattstiele lang, dem Grunde schildförmig eingefügt, Blüten klein, zweihäusig, grünlichweiß, in traubigen Rispen im Juni bis Juli, Frucht nierenförmige, schwärzliche, bereifte Steinfrucht, Fruchtstand wie kleine Weintraube, September; Kultur in jedem guten Gartenboden, im Norden in sonniger Lage; Vermehrung durch Samen, Ableger, reife Stecklinge; Verwendung als hübscher Schlingstrauch für Bekleidung von Lauben, Wänden, Bäumen, Festons. — Noch schöner und üppiger ist ***M. daúricum, Sibirien, Mongolei, China, sehr ähnlich, Blätter rot gesäumt, deutlicher schildförmig.

Menispérmum carolinum, orbiculátum und ***virginicum*** siehe *Cocculus*.

Menodóra scabra — Oleaceen. — Kleiner, bis 25 *cm* hoher, fein rauhlich behaarter Halbstrauch aus dem mittleren Nordamerika, der an *Linum* erinnert und kleine, gelbe Blüten hat, nur für ernste Gehölzfreunde in warmen, trockenen, sonnigen Lagen im Alpinum versuchswert; im allgemeinen zu heikel.

Menziésia coerulea, empetriformis und ***taxifolia*** siehe *Phyllodoce*.

Menziésia pentándra — Ericaceen. — Bis meterhoher, sommergrüner Strauch aus Japan, Blätter einfach, unterseits mit angedrückten Schuppenborsten, Blüten glockig, weißgrün, an den Spitzen vorjähriger Zweige gebüschelt, Juli, Staubblätter 5, Antheren etwas hervorragend, Frucht 5klappige Kapsel; Kultur usw. etwa wie *Enkianthus* im Moorbeet. — Außerdem in Kultur ***M. glabella*** (*Azaleastrum Purpusii* Hort.), nordwestl. Nordamerika, Blüten länglich krugförmig, die 8—10 Staubblätter eingeschlossen, Staubfäden behaart, und ***M. pilósa*** (*M. globularis*), südöstl. Verein. Staaten, wie vorige, aber Staubfäden kahl, Blüten gelblich mit rot.

Menziésia polifolia siehe *Daboecia*.

Merátia siehe *Chimonanthus*. — ***Méspilus***, hierunter siehe nur ***M. germanica***. Leider wird der Name *Mespilus* zuweilen für *Crataegus* angewendet. — ***Mespilus arbutifolia*** und *M. erythrocarpa* siehe ***Aronia***.

***Méspilus germánica*, Mispel** Rosaceen. — Bekannter, sparrig-breitverästelter, buschiger, sommergrüner Strauch oder kleiner Baum aus Mitteleuropa und dem Orient. Blätter abwechselnd, einfach. Blüten einzeln, an den Enden beblätterter Kurztriebe, weiß, bis 5 *cm* breit, Mai. Frucht zuletzt braun, nach Frost genießbar; Kultur in jedem guten, durchlässigen Gartenboden in sonniger Lage; Vermehrung durch Samen, Ableger oder Veredlung der Formen auf *Crataegus oxyacantha*; Verwendung im Park in Gehölzgruppen, auf sonnigen Hängen, als Fruchtstrauch geschätzt die sogen. „Königsmispel", f. *gigantea*. — Bei var. *argenteo-variegata* sind die Blätter hübsch weiß und rosa gezeichnet.

Abb. 316. *Microglossa albescens*, 50 *cm*. (Phot. A. Purpus.)

Méspilus grandiflóra und ***M. Smíthii*** siehe *Crataemespilus*. — ***Méspilus japónica*** siehe *Eriobothrya*.

***Metapléxis japónica* (*M. Stauntonii*,** *M. chinensis* Decne., *Urostelma chinensis*. — Asclepiadaceen. — Schlingstrauch bis 3 *m*, aus Nordchina, Japan, Blätter sommergrün, gegenständig, einfach, tief herzförmig, spitz, sattgrün, Blüten ziemlich unansehnlich, traubig-rispig, Juli bis August; Kultur in jedem guten Gartenboden in warmer Lage; Vermehrung durch Samen, krautige Stecklinge und Wurzelteilung; Verwendung für Gehölzfreunde als hübsch belaubter Schlingstrauch, sehr selten echt, fast stets geht die Staude *Cynanchum Wilfordii* dafür.

Michélia (*Magnolia*) ***compréssa***: nordjapanische Magnoliacee, immergrüner Baum, magnolienartig, Blätter etwa 7—8 *cm* lang, länglich oboval, glänzend grün, ganzrandig, kahl, Blüten wie kleine Magnolien, aber achselständig, gelb, duftend, Gynoeceum lang gestielt, mehr als 2 Ovula in jedem Ovarfach, Frucht zapfenartig, Samen wie *Magnolia*; Kultur usw. etwa wie *Magnolia grandiflora*.

Microglóssa (*Amphirapis*) ***albéscens*** (*Aster cabulicus*), **Rutenaster** — Compositen. — 0,5—1 *m* hoher filziger Halbstrauch aus dem Himalaya (Abb. 316), Blätter abwechselnd, sommergrün, einfach, Blütenköpfchen lila mit gelber Mitte, klein, aber zu breiten Doldenrispen vereint, Spätsommer; Kultur in sonnigen warmen Lagen in durchlässigem Boden; Vermehrung durch Samen, Teilung und Sommerstecklinge; Verwendung nur für Gehölzfreunde in Gesteinspartien, Winterschutz, friert meist zurück.

Microméles siehe *Sorbus* (Gruppe *Micromeles*). — ***Microméria*** siehe *Satureja*. — ***Microptélea parvifolia*** siehe *Ulmus parvifolia*. — ***Microrhámnus*** siehe *Rhamnella*. — ***Millétia japónica*** siehe *Wistaria*. — ***Mimósa*** siehe *Albizzia*. — **Mispel** siehe *Mespilus*. — **Mistel** siehe *Viscum*. — **Mönchspfeffer** siehe *Vitex*. — ***Moghánia*** siehe *Flemingia*. — ***Mohrodéndron*** siehe *Halesia*. — ***Móltkia petraea*** siehe „Unsere Freilandstauden". — ***Molucélla*** siehe *Ballota*. — **Mondsame** siehe ***Menispermum***. — **Moorbeere** siehe *Vaccinium uliginosum*. — **Moosbeere** siehe *Vaccinium Oxycoccus*. — **Moosrose** siehe *Rosa centifolia muscosa*. — **Moosheide** siehe *Phyllodoce*. — ***Morélla*** siehe *Myrica*. — ***Morocárpus*** siehe *Debregeasia*.

Mórus[50]), **Maulbeere** — Moraceen. — Milchsaftführende, sommergrüne, baumartige Sträucher oder Bäume. Blätter abwechselnd, groß, derb, Blüten unansehnlich, grünlich, die weiblichen Blütenstände zur Fruchtzeit zu einer saftigen Scheinfrucht auswachsend (Maulbeere); Kultur in jedem nicht zu feuchten, gut durchlässigen Gartenboden in sonniger, warmer Lage, besonders in Jugend Schutz, im rauhen Norden nicht hart; Vermehrung durch Samen, Wurzelstecklinge, Ableger; die Formen auf *Morus alba* veredeln; Verwendung als Zierbaum oder Strauch besonders zu empfehlen *M. acidosa*; *M. alba* wird im Süden des Gebietes als Seidenraupenfutterpflanze und der Früchte halber seit alters kultiviert.

M. acidósa (*M. stylosa*, *M. alba* var. *stylosa*, *M. longistylus*, *M. japonica*, *M. Cavaleriei*, *M. bombycis*, *M. Kagayamae*), China (Tschili bis Yunnan), Strauch, 1 bis 3 (bis 7) *m*, von *alba* abweichend durch die reichere Behaarung aller Teile und vor allem die von einem den Narben gleichlangen Griffel gekrönten Ovare. Scheinfrüchte breit elliptisch, glänzend schwarz, sehr wohlschmeckend, im Arnold Arboretum hart; schon als niedriger Strauch reich fruchtend, für uns wertvollste Art!; ***M. alba***, Orient (? ob China), rundlichsparrig-verästelter Baum, bis 12 *m*, Blätter variabel, sehr bald kahl, dünner als bei *nigra*, Frucht süß, rot oder weiß, Narben sitzend, von Formen zu nennen: var. *pendula*, Zweige stark hängend, var. *pyrami-*

dalis, Wuchs pyramidal. var. *tatarica* (*M. tatarica*), Wuchs strauchig, nicht dasselbe wie var. *multicaulis* (*M. multicaulis*, *M. cucullata*), welche Form auch mehr Strauch ist, aber mehr minder blasig aufgetriebene Blätter hat; var. *venosa* (var. *nervosa*, *M. urticaefolia*), Blätter monströs, Nervatur stark vorstehend; var. *aurea*, Winterzweige und junges Laub goldgelb; var. *globosa*, Krone kugelig, dicht; var. *constantinopolitana* (*M. byzantina*), Krone dicht gewunden, knorrig verästelt; ***M. cathayána***, Mittel- und Ostchina, Strauch oder Baum, bis 13 *m*, Triebe, Blätter, besonders unten, und Blattstiele reich behaart, sonst wie *alba*, besonders durch die dünn zylindrischen, kaum 7 *mm* dicken Scheinfrüchte abweichend; ***M. mongólica*** (*M. alba* var. *mongolica*), China (Tschili bis Yunnan), Strauch oder kleiner Baum, ausgezeichnet durch herzförmige, lang geschwänzte Blätter mit grannenzähniger Serratur und deutliche Griffel; ***M. nigra***, Westasien, Blätter derber, mehr herzförmig als bei *alba*, Frucht schwarz, seltener in Kultur und nicht so hart, aber hübsch belaubt; ***M. rubra***, O.-Nordamerika, mehr *nigra*-ähnlich, Blätter oberseits rauh, unten stärker behaart, Frucht rot, härtere Art.

Abb. 317. *Muehlenbéckia axillaris*, etwa 40 *cm* Durchmesser des Rasens. (Phot. A. Purpus, Kew Gardens.)

Moschusrose siehe *Rosa moschata*.

Muehlenbéckia axillàris (*M. nana* Hort.) — Polygonaceen. — Niedrige verworrene Polster bildender, dünntriebiger Strauch (Abb. 317) aus Australien, Neuseeland, Blätter abwechselnd, sommergrün, winzig, rundlich, Blüten unscheinbar; Kultur in warmen Lagen, halbschattig, in durchlässigem Boden mit Winterschutz; Vermehrung durch Ausläufer; Verwendung nur für erfahrene Gehölzfreunde, hat aber in Petersburg sich unter Schutz im Freien gehalten. Gleiches gilt für die sehr ähnliche *M. compléxa*; beide gehen auch als *M. adpressa* und *M. varians*, die echt nicht in Kultur sind.

Myginda myrtifolia siehe *Pachystima Myrsinites*. — ***Mylocàryum ligustrinum*** siehe *Cliftonia monophylla*.

Abb. 318. *Myrica aspleniifolia*, Farnmyrte, 0,80 *m*. (Phot. A. Purpus.)

***Myríca*, Wachsmyrte, Gagel** — Myricaceen. — Sommer- oder wintergrüne, aromatische Sträucher, Blätter abwechselnd, einfach oder fiederteilig, Blüten unscheinbar, ein- oder zweihäusig, in achselständigen Kätzchen, Frucht trockene Steinfrucht; Kultur usw. siehe Arten.

M. (Comptónia) aspleniifólia (*Comptonia peregrina*), **Farnmyrte**, Nordamerika, 0,5 bis 1 *m* hoher, ausläufertreibender Strauch (Abb. 318), Blätter sommergrün, fiederlappig, *Asplenium*-ähnlich, Fruchtstände holzig; Kultur in leichtem, sandigem, trockenem Boden, licht etwas Schatten und geschützte Lage; Vermehrung durch Samen (nach Reife), Ableger (in moorigem Boden), Stecklinge unter Glas, interessanter Zierstrauch für Garten und Park; zu Muskau (Lausitz) hart, große Flächen überziehend. — ***M. (Morella) carolinén-***

Abb. 319. *Myrica carolinensis*, nordamerikanische Wachsmyrte, 1,5 *m*. (Orig.; Hort. Vilmorin, Les Barres)

sis (*M. pennsylvanica, M. cerifera* der meisten Gärten), Ost-Nordamerika (bis Neufundland). Strauch bis 1,5 *m* (Abb. 319), Triebe behaart, Blätter meist sommergrün, stumpf lanzettlich oboval, trübgrün, unten meist behaart und drüsig, Früchte grauweiß, etwas größer als bei *cerifera*, September bis Frühjahr; härter als die bei uns nach Purpus kaum echt in Kultur befindliche ***M. cerifera***, südöstl. Verein. Staaten, baumartig, recht aromatisch. Blätter wintergrün. Frucht mit weißem Wachsüberzug (viel Wachs liefernd); liebt frischen, etwas torfigen, gut durchlässigen Boden; Vermehrung durch Samen (Herbst unter Glas) selten echt. — ***M. Gale (Gale palustris:*** *Myr. palustris),* Nord- und nördliches Mitteleuropa, Nordamerika, Nordasien, 0,3 bis 1 *m*, Blätter sommergrün, verkehrt lanzettlich, gezähnt, glänzend grün, unterseits behaart und drüsig; Blüten vor Blättern im April, Frucht golddrüsig, nicht bewachst, September. Kultur in feuchtem Moorboden, Vermehrung durch Ableger.

Myricária germánica *(Támarix germanica),* **Rispelstrauch, Uferheide** — Tamaricaceen. — Rutig verästelter, aufrechter, 0,6—2 *m* hoher Strauch aus Europa und Westasien. Blätter klein, schuppig, graugrün, abwechselnd. Blüten in endständigen Scheintrauben, klein, blaßrot oder weißlich, Juli bis August; Kultur in gut durchlässigem, aber feuchtem Boden (Ufergeröll usw.), in sonniger Lage; Vermehrung durch Samen und reife Stecklinge; Verwendung in geeigneten Lagen, in Blüte recht hübsch. — Robuster ist die ostasiatisch-chinesische ***M. dahúrica***, die besonders an Seitentrieben blüht, bis September.

Myrobalane siehe *Prunus cerasifera.* — ***Myróxylon*** siehe *Xylosma.*

Myrsine africána — Myrsinaceen. — Mit *Ardisia* verwandter, immergrüner, kleinblättriger Strauch aus Zentralchina bis Ostafrika 0,3—0,75 *m*, Triebe behaart, kantig, Blättchen abwechselnd, rundoval, kaum über 1,2 *cm*, kahl, glänzend grün, Blüten 2häusig, unscheinbar, grünlich, zu 3—6 in achselständigen Büscheln, Beeren dickoval, klein, stumpfrot; dürfte aus chinesischem Samen ziemlich hart und dort zu verwenden sein, wo *Ardisia* sich hält.

Myrtus communis,* Myrte:** bekannte Kalthauspflanze, die in Südtirol nach Dr. Pfaff gelegentlich in Freilandkultur angetroffen wird. Im Mediterrangebiet verbreitet. — ***Mýrtus Ugni siehe *Ugni.*

Nachtschatten siehe *Solanum.*

Nagélia (*Cotoneáster* und *Amelánchier*) ***denticuláta*** und ***N. Pringlei*** sind *Cotoneaster*-ähnliche

Abb. 320. *Neviúsia alabamensis*, Schneelocke, 1,30 *m*. (Phot. A. Purpus)

Pomaceen aus Mexiko, die bisher bei uns noch nicht in Freilandkultur versucht wurden und sehr trockene, sonnige Lagen in Kalkboden verlangen; nur für südliche Gegenden.

Nandina doméstica — Berberidaceen. — Bis 2 *m* hoher, japanischer, sommer- (in England immer-)grüner, kahler Strauch, Tracht an Bambus erinnernd, Blätter abwechselnd, 3fach gefiedert, grün oder rötlich, Blüten klein, in großen, vielblütigen, endständigen Rispen, weißlich, Juni bis Juli, Frucht rote, erbsengroße Beere; Kultur in jedem guten Boden in halbschattiger, frischer, warmer Lage; Vermehrung durch Stecklinge unter Glas, Ausläufer und Samen; für Gehölzfreunde in warmen Gebieten interessant, da im Herbst schön rote Laubfarbe, in rauheren Gegenden guten Winterschutz.

***Neillia*, Traubenspire** Rosaceen. Sommergrüne Sträucher, Blätter abwechselnd, gelappt, Blüten glockig oder röhrig, weiß oder rot, in Trauben, an *Physocarpus* erinnernd, aber Frucht nicht aufgeblasen; Kultur in jedem guten Gartenboden in sonniger warmer Lage, im Winter Bodendecke; Vermehrung durch Samen (Herbst) und krautige Stecklinge; Verwendung als sehr schöne Blütensträucher auf Rabatten und als Vorpflanzung.

***N. affinis*,** Westchina, steht *longeracemosa* nahe, aber Triebe kahl, Blätter breiter, fast kahl, Trauben kürzer, Blüten rötlich, Kelch oft borstig und Ovar ganz behaart; ***N. longeracemósa*,** Westchina, aufrecht, bis über 3 *m*, Triebe kahl, Blätter spitz eilänglich, eingeschnitten gesägt, aber kaum gelappt, unten etwas behaart, Blütentrauben einzeln, bis 10 *cm*, Blüten rosa, röhrig-glockig, Juni bis Juli, sehr hübsch, so hart wie ***N. sinénsis*,** Mittelchina, kleiner, Blätter meist gelappt, fast kahl, Trauben kürzer, Blüten an *Ribes sanguineum* erinnernd, schon ab Mai; ***N. thibética*,** Westchina, wie *longeracemosa*, aber Blätter herzförmig, leicht gelappt, unten behaart, Kelchröhren oft borstig, Ovar seidig; ***N. thyrsiflóra*,** Himalaya, kaum bis 1 *m*, Triebe kantig, kahl, Blätter herzeiförmig, langzugespitzt, meist 3lappig, Blütentrauben end- und achselständig, rispig gehäuft, August bis September, empfindlicher.

Neillia amurénsis*, *N. opulifolia und ***N. Torréyi*** siehe *Physocarpus*. — **Negundo** siehe *Acer Negundo*.

Nemopánthus (*Ilicioides*) ***mucronáta*** (*N. fascicularis*, *N. canadénsis*), **Berghülsen** — Aquifoliaceen. — Bis 3,5 *m* hoher, dichter Strauch aus O.-Nordamerika, Tracht ähnlich *Ilex*, Gruppe *Prinos*.

18*

Triebe kahl, jung purpurn, dann aschgrau, Blätter länglich elliptisch, stachelspitzig, aber meist ganzrandig, hellgrün, Blüten achselständig, unscheinbar, weißlich, Mai bis Juni, Früchte schön rot, hängend, August bis September; Kultur usw. wie *Ilex (Prinos)*; für Gehölzfreunde wegen der Beeren; wächst in Torfmooren mit *Cephalánthus*.

Abb. 321. *Nothofagus antárctica* var. *uliginosa*, 1,80 *m*.
(Phot. A. Purpus, Kew Gardens.)

***Nérium Oleánder*, Oleander** — Apocynaceen. Allbekannter Strauch oder kleiner Baum (Abb. 81) mit weidenähnlichen immergrünen Blättern und weißen, rosa oder roten Blütenständen im Hochsommer, der aber nur für die Lagen ganz im Süden des Gebietes als Freilandpflanze in Betracht kommt.

Netzweide siehe *Sálix reticuláta*.

***Neviúsia alabaménsis*, Schneelocke** — Rosaceen. Zierlicher, ausgebreitet übergeneigt verästelter, bis über meterhoher, sommergrüner Strauch (Abb. 320), Blätter wie *Rhodotypos*, Blüten ziemlich unscheinbar, ohne Krone, aber mit vielen weißen Staubgefäßen in beblätterten Scheintrauben, Juni bis Juli, Frucht trockene Schließfrucht; Schnitt nach Bedarf gegen das Frühjahr; Kultur usw. wie oben bei *Neillia*, aber härter; in der Heimat als Treibstrauch geschätzt.

Noaéa spinosissima (*Halogéton spinosissimum*): mit *Salsola* verwandter kleiner Dornstrauch der Chenopodiaceen aus Griechenland und Vorderasien, wo er trockne Felshänge bewohnt; für warme Lagen in Gesteinsanlagen, aber ohne Zierwert.

***Nothofagus antárctica* var. *uliginósa*:** bei uns nur in wärmeren Lagen versuchswerter und strauchig bleibender kleiner Baum (Abb. 321) aus dem südlichsten Südamerika, Blätter abwechselnd, sommergrün, klein, gezähnt, Blüten und Früchte ganz ähnlich wie bei *Fagus*; nur für erfahrene Pfleger; auch die immergrüne *N. Cunninghami* soll in Kultur sein.

***Notospártium Carmichaéliae*:** binsenartige Leguminose aus Neuseeland, die sehr hübsch in kleinen dichten violetten Trauben blüht, aber für uns höchstens ganz im Süden (an warmer Wand) versuchswert erscheint.

Nußbaum siehe *Juglans*. — ***Nuttállia*** siehe *Osmaronia*. — **Nymphenbaum** siehe *Nyssa*.

Nýssa sylvática* (*N. multiflóra*), Tupelobaum, Nymphenbaum** — Cornaceen. In Heimat (O.-Nordamerika) Baum, bis 30 *m*, Blätter sommergrün, wechselständig, einfach, spitz oboval, ganzrandig, Blüten zweihäusig, unscheinbar, männliche in gestielten Köpfchen, weibliche zu 2 bis 8 sitzend, Frucht blauschwarze, bitter schmeckende Steinfrucht, Herbst; Kultur in gutem, feuchtem Boden in geschützter Lage, fast ganz hart; kaum zu verpflanzen; Vermehrung durch Samen (nach Reife, keimt erst im zweiten Jahre), auch Ableger; Verwendung für den Park, da schön glänzend grün belaubt und wundervolle scharlachrote Herbstfärbung, selten. Jetzt auch in Kultur die mittelchinesische ***N. sinénsis, Blätter stumpf grün, elliptisch, Frucht bläulicher.

Odostémon siehe *Mahonia*. — **Ölbaum** siehe *Olea*.

***Ólea*, Ölbaum, Olive** — Oleaceen. — Immergrüner Strauch oder Baum aus dem Mediterrangebiet und Orient, Blätter gegenständig, weidenartig, silberschülfrig, Blüten rispigtraubig, achselständig, klein, weiß, duftend, Mai bis Juni, Frucht Olive; Kultur nur im Süden des Gebietes, dort die wilde Form var. *Oleáster* (*O. silvéstris*), als dorniger Strauch in Macchien usw. Für uns sonst belanglos.

Olea Aquifolium*, *O. ilicifolia und ***O. myrtifolia*** siehe *Osmanthus*. — **Oleander** siehe *Nerium*.

Oleária Haástii*, Olearie** — Compositen. — Bei uns bis reichlich meterhoher, immergrüner, weißfilzig behaarter Strauch aus Neuseeland (Abb. 322), Blätter einfach, ganzrandig, eiförmig, Blütenköpfchen weißlich, in endständigen Doldenrispen, August bis September; Kultur in warmen sonnigen geschützten Lagen in durchlässigem Boden; Schnitt auf Entfernung der Fruchtstände beschränkt, falls nicht ein Zurückfrieren ein stärkeres Schneiden bedingt; Vermehrung durch Samen, reife Stecklinge oder solche angetriebener Pflanzen; Verwendung nur in Weingebieten, hält in Heidelberg aus. Schutz gegen Winternässe. — ***O. nummularifolia mit rundlichen, dicken, sitzenden Blättchen soll nach W. Kesselring in St. Gallen hart sein, Jedenfalls zu versuchen.

Abb. 322. *Olearia Haastii*, 80 *cm*. (Phot. A. Purpus.)

Olive siehe *Olea*. — **Ölweide** siehe *Elaeagnus*.

Onónis fruticósa*, Hauhechel** — Leguminosen. — Bis 60 *cm* hoher, verzweigter Strauch (Abb. 323), aus SW.-Europa, Algier, Blätter abwechselnd, sommergrün, 3zählig, fast sitzend, Blättchen länglich, gezähnt, Blüten traubig gehäuft, hellrosa mit karmin, Juni bis August, Fruchthülse zweiklappig; Kultur in jedem guten leichten, durchlässigen, etwas steinigen Gartenboden in warmer, sonniger Lage; Vermehrung am besten durch Samen (Frühjahr unter Glas), auch Stecklinge von angetriebenen Pflanzen; Verwendung auf Felspartien und Rabatten für Gehölzfreunde, sehr hübsch in Blüte. — Zierlicher, kleiner, mit gestielten Blättern und rundlichen Blättchen und paarigen gelben Blüten ist die zärtlichere ***O. aragonénsis, aus Spanien, Algier, und mehr halbstrauchig ***O. rotundifólia***, südl. Mittel- und Südeuropa, alle Teile drüsenzottig, Blüten rosa.

Onósma fruticósum*:** Kleinstrauch der Boraginaceen aus Kreta mit weißgelben Blüten. Bei uns anscheinend noch unerprobt. — ***Oplopanax siehe *Echinopanax*. — ***Opuláster*** siehe *Physocarpus*. — ***Opúntia*** siehe „Unsere Freilandstauden". — **Orangenblume** siehe *Choisya*. — **Orangenkirsche** siehe *Idesia*. — **Oregonpflaume** siehe *Osmaronia*. — ***Oreodáphne*** siehe *Umbellularia*. — ***Oreophila myrtifolia*** siehe *Pachystima Myrsinites*.

Orixa japónica (*Othéra*, *Celastrus* oder *Ilex Orixa*, *Evodia ramiflora*), Orixa

Rutaceen. — Bis 2 *m* hoher, aufrechter, sommergrüner, schön belaubter, etwas unangenehm aromatisch riechender Strauch (Abb. 324) aus Japan. Blätter einfach, abwechselnd, durchscheinend gepunktet, glänzend hellgrün, länglich-oboval, stumpflich, Blüten grünlich, zweihäusig, aus altem Holze, Mai, Frucht in 4 Teilfrüchte zerfallend; Kultur in jedem guten Gartenboden in nicht zu rauher Lage, halbschattig; Vermehrung durch Samen, Ableger und Wurzelschnittlinge; Verwendung im Garten und Park als Unterholz.

Abb. 323. *Ononis fruticosa*, 50 *cm*. (Phot. A. Purpus.)

***Orphanidésia gaultherioides*:** ein *Epigaea*-artiger, im alpinen Pontus unter Rhododendren wachsender Kleinstrauch, der anscheinend bei uns noch nicht versucht wurde.

Osagedorn siehe *Maclura*. — ***Osiris*** siehe *Helwingia*.

Osmánthus, Duftblüte

— Oleaceen. Bei uns Sträucher. Blätter gegenständig, *Ilex*-artig, immergrün, lederig. Blüten in achsel- oder endständigen Büscheln, weiß, röhrig, duftend, Frucht ovale, blauschwarze oder violette Steinfrucht; Kultur wie *Ilex Aquifolium*, Vermehrung durch Samen und halbreife Stecklinge im Sommer unter Glas, Veredlung auf *Ligustrum ovalifolium* ist nicht zu empfehlen! Kultur als prächtige Immergrüne in geschützten Lagen wie *Ilex*; sollten mehr erprobt werden.

Abb. 324. *Orixa japonica*, 1,60 *m* hoch, 2,50 *m* Durchmesser. (Phot. A. Purpus.)

O. Aquifólium (*Olea Aquifolium*, *Olea ilicifolia*), Japan, bei uns kaum über 2 *m*, Triebe fein behaart, Blätter oval oder elliptisch, meist mit 2 bis 4 Dornzähnen jederseits, wie Abb. 325 (die sog. var. *ilicifolius*), an alten Pflanzen ganzrandig, bis 6 *cm*. Blüten zu 4 bis 5 achselständig, Röhre tief geteilt, Lappen zurückgebogen, Juni bis Juli, Frucht blau, var. *myrtifólius* (*Olea myrtifolia*) stellt die ganzrandige Altersform dar, var. ***atropurpúreus*** (var. *ilicifolius purpureus*), Austrieb purpurn, später Blätter schwärzlich grün, gilt als härteste Form; ***O. armátus***, Mittel- und Westchina, steifer Strauch, Triebe grauweiß, Blätter länglich lanzettlich, bis 15 *cm*, entfernt grob dornzähnig, stumpf dunkelgrün, unterseits fein gepunktet, kahl, Blüten rahmweiß, kurzröhrig, achselständig, September, Frucht dunkelviolett, soll Schatten wie Sonne vertragen, für Felsgärten; ***O. Delavályi***, Westchina, bis 1 *m*, Triebe behaart, Blätter eielliptisch, meist scharf gezähnt, glänzend dunkelgrün, unterseits dunkel gepunktet, bis 2,5 *cm*, Blüten endständig zu 5 bis 8 im April (bis Mai), reinweiß, langröhrig, Frucht blauschwarz, reizende Art; ***O. Fortúnei*** (*O. japonicus*, *O. ilicifolius* Hort. zum Teil), ist eine Hybride zwischen *Aquifolium* und dem nicht harten *fragrans*, Blätter trübgrün, meist mit 8—10 kleineren Zähnen jederseits; empfindlich.

***Osmarónia (Nuttállia) cerasifórmis*, Oregonpflaume** — Rosaceen. Steif aufrechter Strauch oder kleiner Baum bis 5 *m*, aus NW.-Amerika, Ausläufer treibend, Blätter abwechselnd, sommergrün, einfach, dunkelblaugrün, unterseits grau, Blüten zweihäusig, gelblichweiß, in kurzen nickenden Trauben vor Blattausbruch, April bis Mai, gut duftend; Früchte blauschwarz, wie kleine Pflaumen; Kultur in gutem, frischem, humosem Boden in warmer, sonniger oder halbschattiger Lage; Vermehrung durch Samen, Ausläufer, Ableger und krautige Stecklinge; Verwendung als interessanter Zierstrauch für Garten und Park, leidet aber in Blüte leicht durch Spätfrost, sonst recht hart.

Abb. 325. *Osmánthus Aquifolium* var. *ilicifolius*, 1 *m*. (Phot. A. Purpus.)

Osteoméles Schwerinae (*O. anthyllidifolia* Hort.), **Steinapfel** — Rosaceen. Breiter, bis 2 *m* hoher Strauch aus Westchina, Triebe kurz, grau behaart, Blätter abwechselnd, sommergrün, unpaar fein gefiedert, Paare 8 bis 15, Blättchen zuletzt fast kahl, Blüten klein, doldenrispig, weiß, Mai bis Juni, Frucht reichlich erbsengroß, klein, blauschwarz, mehlig, September bis Oktober; Kultur am besten als Felsenpflanze in durchlässigem Boden und warmer sonniger Lage; Vermehrung durch Samen (nach Reife), halbreife Stecklinge unter Glas, Ableger; Veredlung auf *Cotoneaster* nicht zu empfehlen; Verwendung in Gesteinsanlagen, wie im Garten, in rauhen Lagen etwas Winterschutz.

Osterluzei siehe *Aristolochia.*

Óstrya, Hopfenbuche — Betulaceen — Hainbuchenartige, bis 15 *m* hohe Bäume mit rauher, kleinschuppiger Borke, die männlichen Blütenstände jedoch nackt überwinternd. Fruchthülle sackförmig, die Frucht einschließend; Kultur usw. wie *Carpinus.*

Abb. 326. *Othonnopsis cheirifolia.* (Phot. A. Purpus.)

O. carpinifólia *(O. virginiana* var. *carpinifolia, O. vulgaris),* südliches Mittel-, Südeuropa von Italien ostwärts und West-Kleinasien, Triebe ohne Drüsenhaare, Blätter zuletzt unterseits bis auf Achselbärte und Rippe kahlend, Fruchtstände meist über 1,5 *cm* lang; ***O. virginiana*** *(O. virginica),* O.-Nordamerika, ähnlich, aber Triebe stets ohne Drüsenhaare, Blätter spitzer, auch jung oben kahl; ***O. japónica*** *(O. virginica* var. *japonica, O. italica* var. *virginiana* Wkl. zum Teil), Japan, Mittelchina, stärker behaart auf Trieben und Blattunterseiten, Fruchtstände meist kürzer, gilt als vielversprechend.

Ostryópsis Davidiana*, Scheinhopfenbuche** — Betulaceen — Haselnußähnlicher Strauch aus Nordchina und der Mongolei, bis 3 *m*, Winterknuspen stumpf, Blätter herzeiförmig, fast lappenzähnig, unterseits behaart, Nüßchen ganz in röhrig vorgezogene Hülle eingeschlossen, kopfartig an Stiel vereint; Kultur und Vermehrung vielleicht wie *Corylus;* Verwendung im Garten und Park in geschützten Lagen. Sehr interessant ***O. nóbilis, Gebirge von Westyunnan, bis 4 *m*, Blätter größer, bis 12 : 10 *cm*, unterseits dick braunfilzig, Nüßchen mehr lockertraubig vereint, in Schottland in Kultur.

Abb. 327. *Oxydendrum arboreum.* Sauerbaum, 3 *m.* (Phot. A. Purpus, Hort. Hesse, Weener.)

Othéra japonica siehe *Ilex.* — ***Othéra Orixa*** siehe *Orixa.*

Othonna crassifólia Harvey *(O. capénsis)*, eine alte Kalthauspflanze, soll sich zuweilen jahrelang in Südtirol im Freien halten lassen.

Othonnopsis cheirifólia: algerische halbstrauchige Composite wie Abb. 326, Blätter zungenförmig, dicklich, bläulich bereift, Blüten achselständig gelb, Mai; für erfahrene Pfleger und warme sehr sonnige trockne Lagen in Felspartien.

Oxelbirne siehe *Sorbus intermedia.*
Oxycóccus siehe *Vaccinium.*

Oxydéndrum arbóreum *(Andromeda [Lyonia] arborea)*, **Sauerbaum** — Ericaceen. — Baumartiger Strauch oder kleiner, bei uns kaum über 5 *m* hoher Baum (Abb. 327) aus O.-Nordamerika. Blätter gegenständig, sommergrün, einfach, Blüten weiß, in bis 20 *cm* langen Rispen, Juni bis August, Frucht 5 klappige Kapsel; Kultur in nicht zu schwerem Gartenboden in halbschattiger, warmer Lage; Vermehrung durch Samen, Ableger und Stecklinge wie *Rhododendron*; Verwendung als schön blühender Strauch für warme Gegenden.

Abb. 328. *Oxylobus arbutifolius*, 50 *cm*. (Phot. A. Purpus.)

Oxylobus (*Ageratum*) ***arbutifolius*** — Compositen — Mexikanischer Gebirgsstrauch wie Abb. 328 mit weißlichen Blütenköpfchen; Kultur usw. etwa wie *Eupatorium*.

Ozothamnus (*Petalolepis*) ***rosmarinifolius*** (*Helichrysum diosmaefolium* oder *rosmarinifolium*), ***Strauchimmortelle***: immergrüner, australischer *Cassinia*-ähnlicher Strauch, mit linealen drüsigen Blättern und weißen Blütenköpfchen in Ebensträußen, für den das bei dieser Gattung Gesagte gilt; empfindlich.

Pachistima siehe *Pachystima* (*Pachystigma*). — ***Pachyrrhizus*** siehe *Pueraria*.

Pachysándra terminális Euphorbiaceen. — Niedriger, immergrüner, staudenartiger Halbstrauch (Abb. 25) aus Japan, Ausläufer treibend, Blätter abwechselnd, einfach, glänzend grün, rhombisch-oboval, im oberen Teile grob gezähnt, Blüten weißlich grün, duftend, endständig, April; Kultur in jedem frischen Gartenboden, am besten in halbschattiger Lage; Vermehrung durch Teilung und Wurzelschnittlinge; Verwendung als wertvolle Halbschatten- und Einfassungspflanze. Die var. *variegata* hat weißlich gestreifte Blätter. — ***P. procúmbens*** aus O.-Nordamerika hat längere, seitenständige, mehr purpurliche Blütenstände, ist nicht ganz kahl, sommergrün, blüht etwas früher und ist eigentlich eine Staude.

Pachýstima (*Pachystigma*) ***Myrsinites*** (*Myginda* und *Oreophila myrtifolia*), **Dicknarbe** — Celastraceen. — Niedriger, ausgebreiteter, bis 0,5 *m* hoher, immergrüner Strauch, aus NW.-Amerika, an *Evonymus kewensis* gemahnend, Blätter gegenständig, breit elliptisch, bis 2,5 *cm*, Blüten rötlich, unansehnlich, Frucht einsamige Kapsel; Kultur in gut durchlässigem Boden in schattiger, trockener Lage; Vermehrung durch Samen, Ableger, reife Stecklinge unter Glas; Verwendung für Gesteinspartien, in Kultur selten, aber sehr anpflanzungswert, vor allem ***P. Cánbyi*** aus Virginia, mehr niederliegend, wurzelnd, Blätter schmäler, fein gezähnelt, kaum über 1,2 *cm*, in sehr rauhen Lagen leichten Winterschutz.

Pádus siehe unter *Prunus* (Gruppe *Padus*).

Paedéria Wilsónii: hochschlingende Rubiacee aus Mittelchina, Triebe behaart, Blätter langgestielt, gegenständig, wintergrün, eilanzettlich, Blüten in achselständigen Rispen, rahmgelb mit purpurn, etwas fliederartig, Sommer; war einige Zeit im Arnold Arboretum, auch bei Hesse, noch zu erproben.

Paeónia suffruticósa (***P. arbórea***, *P. Moutan*), **Baumpäonie** — Ranunculaceen. Prächtiger, chinesisch-japanischer, 0,5 bis fast 2 *m* hoher Blütenstrauch (Abb. 329), Blätter sommergrün, abwechselnd, meist doppelt dreizählig, blaugrün, Blüten einzeln, groß, einfach, tiefpurpurn, Ende Mai bis Juni, Frucht aufspringende Balgfrucht; von dieser Art gibt es viele Kultursorten, unter denen wir hervorheben: „Athlète“, lilaweiß mit purpurner Mitte, gefüllt, sehr großblumig, „Bijou de Chusan“, weiß, gefüllt, „Elisabeth“ feurig rosa, gefüllt, *fragrans maxima plena*, lachsrosa, *Regina belgica*, lachsrosa, „Souvenir de Ducher“, tiefrot, „Triomphe de Gand“, kupfrigrosa; Kultur in recht nahrhaftem, etwas frischhumosem, sehr tiefgründigem Boden, zur Triebzeit reichlich Wasser, im Winter Bodendecke, Lage warm, sonnig, geschützt; Vermehrung durch Wurzelveredlung auf Staudenpäonien im Spätsommer unter Glas; Verwendung als herrlicher Blütenstrauch für Rabatten, Gruppen, Einzelstellung. Vorpflanzung; in rauhen Lagen etwas Winterschutz. Sehr interessant sind die chinesischen ***P. lútea***, Blüten sattgelb, einfach, ziemlich klein, unter Laub versteckt (Abb. 330), und ***P. Delavayi***, Blüten dunkelpurpurn. Von *P. lutea* gibt es Hybriden mit *P. arborea*: ***P. Lemoinei***, hierher die Sorten „L'Espérance“, „La Lorraine“ u. a., die wertvoll sind.

Abb. 329. *Paeonia arborea*, Baumpäonie, rosafarbene, gefüllte Gartensorte 0,6 *m*. (Orig.: Hort. Gaalenegg, N.-Ö.)

Paliurus Spina-Christi (*Rhamnus Paliurus, Zizyphus Paliurus,* ***P. australis***), **Stechdorn, Christdorn** — Rhamnaceae. — Mediterraner, dicht ausgebreitet verästelter Dornstrauch oder baumartig, Zweige mit den verdornten Nebenblättern besetzt, Blätter abwechselnd, sommergrün, einfach, stumpfeiförmig, kaum über 5 cm lang, Blüten grünlich, unansehnlich, Frucht braunrot, trocken, kreisförmig geflügelt; Kultur in trockenen, sonnigen, steinigen Lagen nur im Süden des Gebietes; Vermehrung durch Samen (stratifizieren!), Ableger, Wurzelschnittlinge; Verwendung im Süden als gute Heckenpflanze, hält im Weingebiet in geschützten Lagen bei uns aus, in Aschaffenburg große Sträucher; härter vielleicht ***P. orientális***, Mittelchina, bis 12 *m*, Blätter 6 bis 12 *cm*, deutlich zugespitzt, Frucht größer, purpurbraun, zierend.

Palmenlilie siehe *Yucca*. — ***Pánax horridum*** siehe *Echinopanax*. — ***Panax ricinifolium***, ***P. sessiliflorum*** und ***P. sessilifolium*** siehe *Acanthopanax*. — **Pantoffelblume** siehe *Calceolaria*. **Papau** siehe *Asimina*. — **Papiermaulbeerbaum** siehe *Broussonetia*. — **Pappel** siehe *Populus*. — ***Papýrius*** siehe *Broussonetia*. — **Paradiesapfel** siehe *Malus pumila*. — ***Parrótia Jacquemontiana*** siehe *Parrotiopsis*.

***Parrótia pérsica*, Parrotie** — Hamamelidaceen. Bis über 4 *m* hoher, baumartiger Strauch (Abb. 331) aus Nordpersien. Stammrinde platanenartig abblätternd. Blätter ein-

Abb. 330. *Paeónia lútea*, 50 *cm*. (Orig.: Hort. Lemoine, Nancy.)

Abb. 331. *Parrótia pérsica*, 3 *m* hoch, 4,50 *m* Durchm. (Phot. A. Purpus.)

fach, stumpf oboval-oblong, grobgezähnt, jung rot gerandet, im Herbst sehr hübsch goldgelb mit scharlach gefärbt, Blüten gelblich mit roten Staubblättern in kopfigen seitlichen Ähren mit tiefbraun behaarten Hochblättern, im April bis Mai, vor den Blättern, Frucht 2 zellige, gehörnte Kapsel; Kultur in jedem gut durchlässigen nahrhaften Gartenboden in geschützter Lage, in rauheren Gegenden in Jugend Winterschutz und später wenigstens Bodendecke; Vermehrung durch Samen, Ableger, krautige Stecklinge unter Glas; Verwendung besonders wegen der wundervollen Herbstfärbung im großen Garten und Park; Holz sehr hart.

Parrotiópsis Jacquemontiana (*P. involucrata, Parrótia jacquemontiána, Fothergilla involucrata*), **Scheinparrotie** — Hamamelidaceen. — Der *Parrotia persica* ähnlicher, auch sehr an *Corylus* erinnernder, bis 3,5 *m* hoher Strauch aus Kaschmir und Afghanistan, unterscheidet sich hauptsächlich von *Parrotia* durch rundovale, beiderseits sternhaarige Blätter und die großen, hellen, häutigen (nicht dunklen, schuppigen) Hochblätter, die den Blütenstand umhüllen; Kultur usw wie *Parrotia*, aber Herbstfärbung nur gelb, für Gehölzfreunde in milderen Gegenden.

Parthenocissus (*Psédera, Quinaria*, auch als *Ampelópsis* und *Vitis* gehend), **Wilder Wein, Jungfernrebe** — Vitaceen — Sommergrüne Schling- und Kletterpflanzen, wie *Ampelopsis*, aber Zweige ohne Einschnürung über den Knoten, Rankenenden fast stets mit Haftscheiben, diese zuweilen aber schwach entwickelt, Blätter fingerförmig 3 bis 5 (selten 7) zählig, Blumenblätter frei, ausgebreitet, Früchte blauschwarze oder schwarze Beeren; Kultur usw. wie *Ampelopsis*, siehe auch die Arten; unentbehrliche Schlinggewächse.

A. Blätter einfach, 3 lappig oder 3 zählig an selber Pflanze: ***P. tricuspidáta*** (*Vitis inconstans, Ampelopsis Veitchii* var. *robusta* Hort., *Amp. Hoggii* und *Amp. japonica* Hort.), Japan, Mittelchina, üppige gut kletternde Art, an jungen Pflanzen und an Endtrieben Blätter herzeiförmig, kaum gelappt (dies die *P.* oder *Amp.* oder *Vitis Veitchii*) oder 3 zählig, während an älteren Pflanzen die meisten Blätter herzeiförmig tiefdreilappig sind und bis fast 20 *cm* breit werden, oberseits glänzend grün, unterseits hellgrün und meist an Nerven behaart, Blüten im Juni bis Juli, an 2 blättrigen Kurztrieben, gelbgrün, Früchte blauschwarz bereift, September bis Oktober; sehr wertvolle Art, von Formen zu erwähnen var. *purpúrea* (*Amp. Veichii* var.

atropurpurea, Amp. „Gloire de Boskoop"), junge Blätter purpurn, soll sich auch früher färben, ebenso var. ***Lówii*** *(Amp. Lowii)* mit kleineren Blättern. Herbstfärbung aller Formen sehr schön orange und scharlach; Vermehrung meist durch Veredlung, seltener durch krautige Stecklinge; nahe steht ***P. himalayána***, die in der westchinesischen var. ***rubrifólia*** *(Vitis rubrifolia)* neuerdings in Kultur gekommen ist.

B. Blätter 5zählig: ***P. Henryána***, Mittelchina, Triebe vierkantig, Blätter oberseits samtgrün, meist silberweiß gefleckt und rötlich geadert, unterseits purpurn überlaufen, wie Abb. 332, im Herbst ganz gerötet, sehr hübsch, aber nur für recht warme Lagen; ***P. quinquefólia*** (in den Gärten meist als ***P. hederácea***, *Amp. virginiana*), östl. und mittl. Vereinigte Staaten, Ranken mit 5 bis 12 zweizeilig gestellten, Haftscheiben tragenden Verzweigungen (Selbstkletterer), Blätter unterseits matt, meist weißlichgrau, Blütenstände sich zu endständigen beblätterten Rispen drängend, Juli bis August, Frucht blauschwarz, September bis Oktober, hierher die Formen var. ***murórum*** *(P. und Amp. radicantissima, Amp. muralis)*, Ranken mit etwas kürzeren und zahlreicheren (bis 12, beim Typ bis 8) Verzweigungen, Blättchen breiter, sehr guter Kletterer, aber vielleicht nicht ganz so hart, ähnlich var. ***Saint-Paúlii*** *(P. und Amp. Saint-Paulii)*, Triebe und Blattunterseiten mehr behaart, färbt sich besonders gut im Herbst, var. ***hirsúta*** *(P. hirsuta, P. pubescens, Amp. Graebneri)*, Ranken wie Typ, Behaarung wie vorige Form, treibt rötlich aus, geht auch als *radicantissima*, var. ***Engelmánnii*** *(P. und Amp. Engelmannii)*, wie Typ, nur zierlicher belaubt; ***P. vitácea*** *(P. dumetorum, P. laciniata, Amp. quinquefolia* vieler Gärten, *Amp. quinquefolia* var. *vitacea)*, echter wilder Wein, nördlicher in Nordamerika, Ranken mit nur 2 bis 5 stark verlängerten und nicht windenden Verzweigungen, Haftscheiben nicht oder nur schwach entwickelt, Blattunterseiten glänzend hellgrün, Blüten Juni bis Juli, Früchte ab Juli, hierher var. ***macropýlla*** *(Amp. macrophylla, Amp. quinquefolia* var. *latifolia, Amp. Roylei)*, Blättchen elliptisch, bis 20 *cm* breit, var. ***laciniáta*** *(P. quinquefolia* var. *incisa* oder *laciniata)*, Blättchen schmäler, eingeschnitten gezähnt, mehr gelbgrün; diese Art ist die härteste; nur für warme Lagen eignet sich die sehr hübsche mittelchinesische ***P. Thomsónii*** *(P. Henryana* var. *glaucescens, Amp. Thomsonii)*, Ranken mit 3 bis 5 Haftscheiben tragenden Zweigen, Blättchen bläulich grün, länglich elliptisch, jung und im Herbst schön purpurn, Blütenstände den Blättern gegenständig, Früchte schwarz.

Abb. 332. *Parthenocissus Henryana*, junge Pflanzen.
(Orig.; Hort. Veitch, Coombe wood.)

Pasánia siehe *Quercus*. — ***Passerina nivalis*** siehe *Thymelaea*.

Passiflóra coerúlea, **Passionsblume:** Bekannter Schlingstrauch in unseren Kalthäusern aus Südbrasilien, Blätter fast immergrün, eichenförmig 5 bis 7 lappig, Blüten bis 10 *cm* breit, grünlich weiß mit blaupurpurner „Korona"; in Südtirol an geschützten Stellen sich haltend, sonst für uns belanglos.

Paulównia tomentósa (P. imperiális). **Paulownie** — Scrophulariaceen.

Jetzt schon bekannter, chinesischer, kaum über 12 *m* hoher, breitkroniger Baum (Abb. 334), Blätter sommergrün, gegenständig, einfach, groß, breit herzeiförmig, meist 2 bis 4 lappig (denen von *Catalpa* ähnlich, aber ohne Drüsenpunkte), unterseits weich behaart (besonders bei var. ***lanáta*** aus Mittelchina, die spitzere Kelchlappen hat und als härter gilt). Blüten vor den Blättern (sich aber schon Ende Sommer zu Knospen entwickelnd!), prächtig violett, in endständigen großen Rispentrauben im April bis Mai, Frucht große Kapsel; Kultur in gutem, tiefgründigem, durchlässigem, aber frischem Boden in warmer sonniger Lage (Weinklima); Vermehrung durch Samen (Frühjahr, Haus) oder Wurzelstecklinge (warm); Verwendung in genügend warmen Gegenden als prächtiger Einzelbaum; blüht aber auch hier nicht alljährlich reich; mehr im Norden nur als Strauch haltbar, der zurückfriert, aber immer wieder bis über 2 *m* hohe üppige Triebe mit riesigen Blättern treibt, auch so als Blattpflanze zierend. — Weibliche Blüten und unterseits fast ganz kahle kaum gelappte Blätter hat ***P. Fargésii*** aus Mittelchina, die ziemlich hart zu sein scheint; aus Westchina ferner ***P. Ductoúxii***, Blätter eilänglich, Blüten länger, hellavendelblau, ungefleckt.

Abb. 333. *Parthenocissus vitácea*, Wilder Wein, einen hohen Baum malerisch überkleidend. (Phot. A. Rehder.)

Pávia siehe *Aesculus*.

Péntstemon (*Pentástemon*), **Bartfaden** — Scrophulariaceen — Sommer- oder immergrüne Sträucher aus dem westl. oder nordwestl. Nordamerika, Blätter gegenständig, Blüten traubig oder rispig, meist ansehnlich, mit röhriger etwas 2-lippiger Krone, 4 fertilen und einem sterilen Staubblatt, Frucht aufspringende vielsamige Kapsel; Kultur in durchlässigem, trockenerem Boden in sonniger geschützter Lage; Vermehrung durch Samen, Stecklinge und bei *Davidsonii* Ausläufer; Verwendung als hübschblühende Pflanzen im Steingarten, im Winter in rauheren Gegenden Reisigdecke.

A. Blätter immergrün, Pflanze ganz niedrig mit unterirdischen Stämmchen: ***P. Davidsónii***, rasig, bis 5 *cm*, Blätter ganzrandig, bläulich grün, rundlich, Blüten lilapurpurn, bis 2,5 *cm*, prächtiger Halbstrauch fürs Alpinum. — B. Blätter sommergrün, aufrechte oder etwas rankende Sträucher: ***P. cordifolius***, schlankzweigig, etwas rankend, Blätter herzeiförmig, gesägt, Blütenstände kurzrispig, Blüten scharlach, Antheren nicht wollig, in Genf hart; ***P. fruticósus*** (*P. Menziésii* var. *Scouleri*, *P. Scouleri*), kaum über fußhoch, Blätter schmal lanzettlich, spärlich gesägt, etwas wintergrün, kahl, Blütenstände traubig, violettpurpurn, Antheren wollig, Mai bis Juni; sehr nahe steht ***P. Newbérryi*** (*P. Menziesii* var. *Newberryi* oder var. *Robinsonii*), Blätter eilänglich, stärker gesägt, Blüten rosenrot; ***P. heterophýllus***, bis 1 *m*, stärker verholzend, Blätter länglich lanzettlich bis lineal, Blütenstand locker und offen, Blüten rosapurpurn, nach Kesselring in St. Gallen hart.

***Peraphýllum ramosissimum*, Sandbirne** — Rosaceen. — Sparriger, bis 1,5 *m* hoher, sommergrüner Strauch aus NW.-Amerika, Blätter abwechselnd, gebüschelt, lanzettlich. Blüten weiß oder etwas rosa, in 2–5 blütigen Büscheln, zirka 1,8 *cm* breit, im Mai, Frucht reichlich erbsengroß, gelb mit rotbrauner Backe; Kultur in gut durchlässigem, etwas sandigem Boden in sonniger, warmer Lage; Vermehrung durch Samen, Ableger und Veredlung auf *Amelanchier*, auch *Crataegus*; Verwendung als Felsenpflanze in milderem Klima, zur Fruchtzeit ganz hübsch.

***Periploca*, Baumschlinge** — Asclepiadaceen. — Üppige, bis über 6 *m* hohe, sommergrüne milchsaftführende Schlingsträucher. Blätter gegenständig, einfach, glänzend grün, kahl. Blüten in an kurzen Seitentrieben endständigen 3 bis 12 blütigen Rispendolden, schmutzigviolett, duftend, Juni bis August. Früchte wie bei *Asclepias*, Samen mit seidigem

Abb. 334. *Paulównia tomentosa*, 7 m. (Orig.: Wien, Rathauspark.)

Haarbüschel; **Kultur** in gutem, frischem, durchlässigem Boden, in geschützter, sonniger Lage; **Vermehrung** durch Samen (Glashaus), auch halbreife und reife Stecklinge und Wurzelschosse. **Verwendung** für Mauern, an Bäumen usw. als üppige Schlingpflanzen.

P. graeca, Südeuropa-Westasien, üppig, bis über 10 *m*, Triebe kahl, braun, Blätter spitz eilanzettlich, über 2,5 *cm* breit, Blütenstände 8 bis 12 blütig, Blüten bis 2,5 *cm* breit, Juli bis August; weniger hart als ***P. sepium***, Nordchina, weniger üppig, Triebe schlanker, Blätter lanzettlich, lang zugespitzt, kaum bis 2 *cm*, breit, beiderseits glänzend grün, Blütenstände wenigerblütig, Blüten kleiner, Juni bis Juli; Blätter bei beiden spät abfallend, verdienten viel mehr Beachtung!

Perlfrucht siehe *Margyricarpus*.

***Pernéttya mucronáta*, Torfmyrte** — Ericaceen. — Dichter, bis 0,5 *m* hoher, immergrüner Strauch, S.-Chile bis Feuerland, Ausläufer treibend, Blätter wechselständig, glänzend grün, gesägt, Blüten weiß, rosa bis tief purpurn, glockig, achselständig, nickend, Mai bis Juni, Früchte kugelige, rote Beeren im Herbst und Winter; **Kultur** in etwas moorigem frischem, kalkfreiem Boden in sonniger, warmer Lage, vertragen aber auch Schatten; **Vermehrung** durch Samen und halbreife Sommerstecklinge (unter Glas), auch Ableger, Ausläufer; **Verwendung** an geeigneten Orten im Garten und in Felspartien, besonders zur Fruchtzeit hübsch. Es gibt viele Gartenformen mit helleren oder dunkleren Blüten und Früchten, die botanisch noch unklar sind (man vergleiche C. Schneider, Ill. Handb. d. Laubholzk. II., Seite 539). Alle verdienen viel mehr Beachtung!

Perówskia atriplicifólia — Labiaten. — Bis 1,5 *m* hoher, filzig behaarter, aromatischer, sommergrüner Strauch (Abb. 335), aus dem nordw. Himalaya und Afghanistan, Blätter gegenständig, lanzettlich, gezähnt, Blüten schön blauviolett, scheinährig-rispig gehäuft, August bis Oktober; **Kultur** in durchlässigem, mehr trockenem, sandigem Gartenboden in sonniger, warmer Lage; **Vermehrung** durch Samen, halbreife Stecklinge und Ausläufer; **Verwendung** als hübscher Herbstblüher im Garten auf Rabatten und in großen Felsanlagen, in rauheren Lagen Winterschutz, sehr kulturwert, friert gelegentlich zurück.

Pérsea borbónia (*P. carolinénsis*), **Isabellenholz**, ist eine ostnordamerikanische L a u r a c e e, für die das bei *Litsea* Gesagte gilt. Siehe auch C. Schneider, Ill. Handb. d. Laubholzk. I., S. 356.

Abb. 335. *Perówskia atriplicifolia*, 1 *m*, schwache Pflanze. (Phot. A. Purpus.)

Pérsica siehe *Prunus*. — **Persimone** siehe *Diospyros virginiana*.

Pértya sinénsis: mittelchinesische C o m p o s i t e, aufrechter Strauch, bis 1,20 *m*, Triebe kahl, gerippt, Blätter abwechselnd, sommergrün, spitz eilanzettlich, sattgrün, fast ganzrandig, bis 8 : 2,5 *cm*, kahl, Blütenköpfe rosa, einzeln an kurzen Zweigen endständig, Juni bis Juli; für warme Lagen ohne besonderen Kulturwert; hübscher ist ***P. phylicoides***, Westyunnan, bis kaum 1 *m*, Triebe steif, rostig behaart, Blätter sehr klein, bis 4 *mm*, sitzend, gebüschelt, oval, Blütenköpfchen einzeln achselständig, fast weiß, August, eigenartig, durch Forrest nach Schottland eingeführt, noch zu erproben.

Perückenstrauch siehe *Rhus Cotinus*. — ***Petalolépis*** siehe *Ozothamnus*. — **Peterskraut** siehe *Ascyrum*.

Petrophýtum caespitósum (*Eriogynia, Luetkea* und *Spiraea caespitosa*), **Rasenspire** — R o s a c e e n. — Kleiner rasiger Polsterstrauch (Abb. 38) aus Utah bis Nevada mit rosettigen Blättchen, diese verkehrt lanzettlich, einrippig, dicht seidig oder vergrünend, und kleinen gelblichweißen Blüten in straffen Ähren im August; K u l t u r als Felsenpflanze mit Schutz gegen Winterfeuchte, liebt Kalk; hat sich in Darmstadt und Petersburg gut gehalten.

Pettéria ramentácea (*Cytisus ramentaceus* und *C. Weldenii, Laburnum ramentaceum, Genista ramentacea*), **Petterie** — L e g u m i n o s e n. — Buschiger, bis 2 *m* hoher, südosteuropäischer Strauch, Blätter sommergrün, wechselständig, 3 zählig, Blüten gelb, duftend, in dichten, endständigen, bis 6 *cm* hohen Trauben, Kelch röhrig, August bis September, Frucht flache, 2 klappige Hülse; K u l t u r in mehr trockener, warmer Lage, in jedem guten, durchlässigen Gartenboden; V e r m e h r u n g durch Samen oder Veredlung auf *Laburnum* und *Caragana arborescens*; V e r w e n d u n g als hübscher Zierstrauch für Park und Rabatten, in rauheren Lagen Bodendecke, friert dort zuweilen zurück, treibt aber wieder.

Pfaffenhütchen siehe *Evonymus*. — **Pfeifenblume** siehe *Aristolochia*. — **Pfeifenstrauch** siehe *Philadelphus*. — **Pfingstrose** siehe *Paeonia*. — **Pfirsich** siehe *Prunus persica*. — **Pfirsichmandel** siehe *Prunus amygdalopersica*. **Pflaume** siehe *Prunus* (Gruppe *Euprunus*). **Pflaumenaprikose** siehe *Prunus dasycarpa*.

***Phellodéndron*, Korkbaum** — R u t a c e e n. — Bis zirka 10 *m* hohe, bei uns meist mehrstämmige Bäume, Knospen nackt, Blätter sommergrün, gegenständig, unpaar gefiedert, gerieben ziemlich stark aromatisch riechend, am Rand durchscheinend gepunktet. Blüten zweihäusig, wenig ansehnlich, grüngelb, in endständigen Rispen, Juni, Frucht kugelige, schwarze, fleischige, gut erbsengroße Steinfrucht; K u l t u r in jedem guten, nicht zu trockenen Gartenboden; V e r m e h r u n g durch Samen (warm), Sommerstecklinge mit etwas altem Holze und Wurzelschnittlinge; V e r w e n d u n g als hübsche harte Parkbäume.

P. amurénse, Mandschurei, Tracht wie Abb. 336, Rinde stark korkig, einjährige Zweige gelbgrau, Blätter oberseits glänzend, auch unterseits fast ganz kahl, blaugrau; gute Bienenpflanze, Blüten- und Fruchtstände breit rispig; ***P. chinense*** (*P. sinense*), Mittelchina, Tracht wie Abb. 337, Borke nicht korkig, Blätter unterseits behaart bis fast kahl, Blütenstände hoch und dicht rispig, stark nebst Ovar behaart, die Früchte in dicken, dreieckig rundlichen Büscheln, lange grün bleibend, noch im folgenden Jahre zur Blütezeit vorhanden!; ***P. japonicum***, Japan, wie *amurense*, aber nicht korkig, Blätter mehr trübgrün, unterseits mehr minder reich behaart, viel später abfallend; ***P. sachalinénse***, Sachalin, Korea, Japan, steht gewissermaßen zwischen der letzten und *amurense*, Rinde nicht korkig, einjährige Zweige rotbraun, Krone sehr breit ausladend, gilt als härteste Art.

Abb. 336. *Phellodéndron amurense*, Amur-Korkbaum, 1,2 *m*. (Phot. L. Graebener, Karlsruhe.)

Abb. 337. *Phellodéndron chinense*, 14 *m*, in der Heimat in Zentralchina, W.-Szetschwan: bei Washan. (Phot. E. H. Wilson; mit Genehmigung von Professor C. S. Sargent.)

Philadélphus [1]**), Pfeifenstrauch, falscher Jasmin** Saxifragaceen. — Allbekannte sommergrüne Ziersträucher (Abb. 338 bis 341). Blätter gegenständig, einfach. Blüten meist ansehnlich, weiß und meist duftend, einzeln oder traubig. Frucht kreiselförmige Kapsel; Kultur in jedem guten Gartenboden in sonniger oder auch halbschattiger Lage; Schnitt nach Blüte, im Winter altes Holz auslichten; Vermehrung durch Teilung, reife und krautige Stecklinge; Verwendung als ausgezeichnete Blüten- und Decksträucher im Garten und Park, man vergleiche das bei den Arten Gesagte. Die Arten sind meist nicht leicht zu unterscheiden, die reichblühendsten Formen gewöhnlich hybriden Ursprunges.

ALPHABETISCHE LISTE DER ERWÄHNTEN LATEINISCHEN NAMEN.

(Die Ziffern bedeuten die Seitenzahlen.)

P. coronárius (*P. pallidus?, P. caucasicus*), von Steiermark, Siebenbürgen und Italien bis Südrußland, Kaukasus, Pontus, 1 bis 3 *m*. Oberhaut der Zweige abblätternd, Knospen verborgen. Blätter unterseits fast kahl, meist spitz eilanzettlich. Blüten zu 7 bis 9 ziemlich dicht traubig, leicht rahmweiß, stark duftend. Kelch und Griffel außen kahl, diese gut $^1/_2$ verwachsen. Ende Mai, anfangs Juni, interessant var. *dianthiflórus* (var. *rosaeflorus*, var. *fl. pleno*) Blüten gefüllt; harte, in Blüte schöne, auch als Deckstrauch wertvolle Art, an vielen Hybriden beteiligt; ***P. cymósus***, Bastard von *P. Lemoinei* mit *P. grandiflorus* oder ähnlicher Art, hierher nach Rehder die Lemoineschen Formen „Bannière", „Conquête", „Mer de glace", „Norma", „Nuée blanche", „Perle blanche", „Rosace" und „Voie lactée", sämtlich robuste, üppig blühende Sträucher mit abblätternden Zweigen und großen 5 bis 6 *cm* breiten Blüten in 3 bis 9 blütigen Cymen oder Trauben; ***P. Delaváyi***, Westchina, bis 3 *m*, Zweige nicht abblätternd, dunkelbraun, Knospen vorragend. Blätter eiförmig, unterseits weißfilzig, derb. Blütenstände 7 bis 11 blütig, dicht, cymös, reinweiß, duftend, etwa 3 *cm* breit, Kelch und Griffel kahl, letzte frei. Ende Mai; nahe steht ***P. Hénryi***, aber junge Triebe und Blütenstände behaart, Blätter schmäler, unten nicht rauhfilzig, Blüten kleiner, Kelchröhre rauh behaart; ***P. Falconéri***, Herkunft unbekannt, Zweige rotbraun, nicht abblätternd. Blätter eilanzettlich, fast ganz kahl. Blüten zu 3 bis 7 traubig,

Abb. 338. *Philadélphus virginalis*, 1 *m*.
(Orig.; Hort. Lemoine, Nancy.)

Abb. 339. *Philadelphus hirsutus*, rauhbehaarter Pfeifenstrauch, 1,50 *m* hoch, 2,50 *m* Durchmesser. (Phot. A. Purpus.)

weiß, fein duftend, ausgezeichnet von allen durch die lanzettlichen spitzlichen Petalen, Juni, eigenartig; ***P. hirsútus,*** südöstl. Verein. Staaten, bis 4 *m*, wie Abb. 339, Triebe dicht rauhhaarig, Knospen frei, Blätter breit oval, stumpf grün, oben behaart, unten zottig, Blüten zu 1 bis 3, rahmweiß, duftlos, ohne Zierwert; ***P. inodorus,*** südöstl. Verein. Staaten, bis 1,5 *m*, graziös überneigend verzweigt, Zweigrinde abblätternd, Blätter oval, beiderseits glänzend grün, oben angepreßt behaart, unten heller, fast kahl, Blüten einzeln an Kurztrieben längs der Zweige, becherförmig, bis 6 *cm* breit, schneeweiß, duftlos, Mai bis Juni, ausgezeichnete Art; hierher var. ***grandiflorus*** (*P. grandiflorus* Willd., *P. laxus* Ldl.), Blätter schmäler, gröber gezähnt, blüht oft auch Juli; ***P. insignis*** (*P. Billiardii*, *P.* „Souvenir de Billiard"), Kulturform unbekannten Ursprungs, üppig, bis 4 *m*, Zweige nicht abblätternd, fast kahl, Blätter oft herzförmig oval, oben glänzend grün, unten etwas zottig, Blüten spät im Juni bis Juli in endständigen beblätterten Rispen bis über 20, reinweiß, bis 3 *cm* breit, becherförmig, wenig duftend, wertvoller Spätblüher; ***P. láxus*** Schrader (*P. grandiflorus* var. *laxus*, *P. speciósus* Schr.), Mittelchina, steht *inodorus* nahe, aber Blätter schmäler, eilanzettlich, unten stärker behaart, Blüten kleiner, meist früher erscheinend; ***P. Lemoinei,*** bekannte Hybride zwischen *coronarius* und *microphyllus*, doch gehen viele Formen anderen Ursprungs unter diesem Namen, bzw. ist *Lemoinei* an weiteren Kreuzungen stark beteiligt (siehe *cymosus*, *polyanthus*, *virginalis* usw.), meist nicht über 1,5 *m*, graziöser Strauch, Triebe behaart, Blätter der Langtriebe oval, die der blühenden schmäler, kaum gezähnt, Blüten reinweiß, duftend, meist zu 3 bis 7 traubig, hierher die guten Sorten „Avalanche", „Boule d'Argent", „Candelabre", „Mont Blanc", „Manteau d'Hermine", „Mer de glace" u. a., die zu den schönsten Zierformen zählen; ***P. Lewisii*** (*P. Gordonianus*, *P. columbianus* Koeh., *P. cordifolius*), Nordwestamerika, bis 4 *m*, überhängend, Zweige nicht abblätternd, Blätter oval oder eilanzettlich, grob gezähnt, unterseits etwas behaart, Blüten zu 5 bis 9 traubig, weiß, kaum duftend, Kelch kahl, Griffel halbfrei, Juni (bis Juli), sehr gute reichblühende Art; ***P. Magdalénae,*** Mittelchina, bis 2 *m*, wie Abb. 340, Triebe jung behaart, dann abblätternd, Blätter eilanzettlich, besonders unten dicht rauhlich behaart, mit vorwärts gerichteten Zähnen, Nerven gerötet, ebenso Kelch und Blütenstiele. Blüten weiß, fast 2,5 *cm* breit, etwas glockig nickend, zu 5 bis 12 traubig, Griffelgrund behaart, Juni, interessant, reich blühend; ***P. magníficus***, Hybride zwischen *inodorus* und *pubescens*; ***P. nivális*** (*P. verrucosus* var. *nivalis*), Hybride zwischen *coronarius* und *pubescens*, üppig, Trauben bis 11 blütig, Blüten bis 6 *cm* breit, weiß, wohlriechend, Juni, hierher wohl auch *P. maximus*; ***P. microphýllus***, südwestl. Vereinigt. Staaten, bis 70 *cm*, zierlicher rundlicher Busch, Triebe jung behaart, dann abblätternd, Blätter klein, spitz eiförmig, Blüten bis 2,5 *cm*, weiß, köstlich duftend, meist einzeln, Juni, hübsch und wegen der Hybriden (*Lemoinei*) wertvoll; ***P. pekinénsis***, Nordchina bis Korea, Strauch wie Abb. 341, durch kahle purpurn gestielte Blätter und gelbliche Blüten auffällig, sonst wenig Kulturwert; ***P. polyánthus*** (*P. Lemoinei* var. *multiflorus*), Hybride mit *Lemoinei*, hierher Sorten wie „Gerbe de neige", „Pavillon blanc"; ***P. pubéscens*** Lois. (nicht Koehne, C. Schn. u. a. Autoren; ***P. latifólius*** Schr. und der Gärten), Tennessee, Alabama, sehr üppig, bis über 5 *m*, einjährige Triebe grau, Zweige nicht oder spät abblätternd, Blätter an Blütenzweigen breit elliptisch, bis 12 : 7 *cm*, an Loden sehr groß, unterseits dicht rauhlich behaart, Blüten zu 5 bis 10 in beblätterten Trauben, bis 6 *cm* breit, wenig duftend, Mitte Juni; die *pubescens* Koch und der Gärten ist ***P. verrucósus*** (*P. grandiflorus* var. *floribundus*), Illinois, Jahrestriebe rotbraun, Blätter schmäler, an Blütenzweigen kaum über 7 *cm*, Blüten zu 5 bis 7, etwa 3 *cm* breit, etwas nach voriger, beide wertvoll; ***P. purpuráscens*** (*P. brachybotrys* var. *purpurascens*), Mittelchina, steht *Delavayi* nahe, aber Blätter kahler, Blüten kleiner, weniger zahlreich, Blütenstiele und Kelch purpurn gefärbt; ***P. purpureo-maculátus*** (*P. phantasia*, *P. Lemoinei* var. *maculatus*), Kreuzung der *Lemoinei* mit der bei uns nicht harten, mexikanischen *Coulteri*, deren weiße Petalen einen purpurnen Grundfleck haben, der sich in den Hybriden mehr oder minder deutlich wiederholt, hierher die Sorten: „Etoile rose", „Fantaisie", „Nuage rose", „Oeil de pourpre", „Romeo", „Sirène", „Surprise" und „Sibylle", empfindlicher als *Lemoinei*, aber zum Teil sehr schön; ***P. satsumánus*** (*P. satsumi*, *P. acuminatus*, *P. coronarius* var. *acuminatus*), Japan, bis 2 *m*, Triebe kahl, Rinde graubraun, aufreißend, aber nicht abblätternd, Blätter spitz eiförmig, unten achselbärtig, Blüten zu 5 bis 11, weiß, 3 *cm* breit, leicht duftend, steht *coronarius* nahe; ***P. sericánthus***, Mittelchina, ähnlich *Magdalenae*, aber Blätter unterseits kaum behaart, Blüten kleiner, Griffel kahl; ***P. virginális***, etwas unsichere Hybride, an der *Lemoinei* oder *polyanthus* und *verrucosus* beteiligt sein sollen, hierher werden gestellt die Sorten „Virginal", „Argentine", „Glacier" und „Bouquet blanc"; ***P. Zeýheri*** (*P. coronarius* var. *Zeyheri*), wahrscheinlich Hybride zwischen *coronarius* und *inodorus*, breiter üppiger Busch, bis 3 *m*, Triebe tiefbraun, wenig abblätternd, Blüten reinweiß, bis 4 *cm* breit, duftend, schöne Kulturform, hierher als Formen *P. Kochianus* und *P. umbellatus*.

Abb. 340. *Philadelphus Magdalenae*, 2 *m*. (Orig., Hort. Vilmorin, Les Barres)

Philagéria Veitchii ist eine Hybride zwischen *Lapageria rosea* und *Philesia buxifolia*. Siehe diese beiden.

Philésia buxifólia (*Ph. magellanica*) — Liliaceen. — Kleiner aufrechter, immergrüner Strauch aus Feuerland, Chile, mit lanzettlichen, gerollten Blättern und sehr schönen, großen, einzelnen, rosenroten, wachsartigen hängenden Blüten, Mai bis Juni, wohl, außer ganz im Süden, nur Kalthauspflanze. Kultur in Moorboden. Siehe C. Schneider, Ill. Handb. d. Laubholzk. II., S. 867.

Abb. 341. *Philadélphus pekinensis*, 2 *m*. (Orig.; Hort. Vilmorin, Les Barres

***Phillýrea*, Steinlinde** — Oleaceen. Niedrige, immergrüne Sträucher, Blätter gegenständig, einfach. Blüten grünlichweiß oder weiß, meist wenig ansehnlich, büscheltraubig, achselständig, duftend, April bis Mai. Frucht schwärzliche Steinbeere; Kultur in warmen, geschützten, trockeneren Lagen in gut durchlässigem Boden, jung Winterschutz; Vermehrung durch Stecklinge im Herbst oder Ableger, auch Samen (nach Reife), Veredlung auf *Ligustrum ovalifolium* nicht zu empfehlen!; Verwendung der härteren *Ph. decora* ähnlich wie *Laurocerasus* als Unterholz.

P. angustifólia, Mittelmeergebiet, breiter hoher (bis 4 *m*), kahler Strauch, wie *latifolia*, aber Blätter lanzettlich bis lineallanzettlich, bis 5 *cm*; ***P. decora* (*P. Vilmoriniana*,** *P. laurifolia*, *P. Medwediewii*), SW.-Transkaukasien, bis über 3 *m*, Blätter 6 bis 16 *cm* lang, meist ganzrandig, glänzend grün, unterseits gelblich, Blüten weiß, hübsch, April, Frucht oval, erst rot, dann schwarzpurpurn, September, sehr wertvoller, immergrüner Strauch; ***P. latifolia*** (*P. media*), Mediterrangebiet, dort baumartig, Blätter kaum bis 5 *cm* lang, gezähnt, Blüten grünlichweiß, Mai bis Juni, Frucht fast kugelig, blauschwarz; zwischen dieser und *P. angustifolia* steht ***P. media*** in vielen Formen, gilt als härter, alle drei mediterranen Arten gehen auch als *P. variabilis* oder *P. vulgaris*.

***Phlómis fruticosa*, Brandkraut** — Labiaten. — Gelbgrau behaarter, bis meterhoher, immergrüner Strauch (Abb. 342), Blätter gegenständig, ganzrandig, Blüten schön sattgelb in ansehnlichen vielblütigen Scheinwirteln (Frühjahr bis Sommer); Kultur nur in sehr warmen Lagen an trockeneren, sonnigen Standorten; Vermehrung durch Samen, krautige Stecklinge und Teilung im Frühjahr; Verwendung nur in warmen Lagen auf Gesteinspartien oder in südlicheren Gegenden als Rabattenpflanzen im Garten.

***Photínia*, Glanzmispel** — Pomaceen. — Immer- oder sommergrüne Sträucher bis kleine Bäume, Blätter abwechselnd, einfach, meist gesägt, Blüten in Ebensträußen oder Rispen, weiß, Frucht kleiner Apfel mit bleibendem Kelch; Kultur in jedem guten Gartenboden, die sommergrünen sonnig, die andren halbschattig, Schnitt auf Einkürzen langer Triebe im Sommer beschränkt; Vermehrung durch Samen, Ableger und halbreife Stecklinge unter Glas, Veredlung auf *Crataegus* oder Quitte sollte vermieden werden; Verwendung als Garten- und Parksträucher, siehe auch Arten.

A. Blätter sommergrün, Blüten doldig oder ebensträußig an kurzen Seitentrieben (***Pourthiaéa***-Gruppe): ***P. villósa*** (*P. variabilis*, *Sorbus terminalis* Hort.), Japan, China, baumartiger Strauch, bis 5 *m*, Blätter breit oboval-länglich, zugespitzt, scharf gesägt, oberseits

19*

dunkelgrün. unterseits nur jung behaart. Blüten ebensträußig. Stiele warzig. Juni, Frucht 6 *mm* lang, lebhaft scharlach. Oktober bis tief in den Winter, auch Herbstfärbung sehr schön rot, etwas größere Früchte und auch jung kaum behaarte Triebe und Blätter hat var. ***laévis*** (*P. laevis, Pourthiaea arguta* Hort., nicht Decne.); neuere noch zu erprobende Arten aus Mittelchina sind *P.* (*Stranvaésia*) *amphidóxa* und *P. Beauverdiána*, die sehr kulturwert zu sein scheinen.

Abb. 342. *Phlómis fruticosa*, Brandkraut, 0,8 *m*. (Orig.; Ragusa, Dalmatien.)

B. Blätter immergrün. Blüten in breiten endständigen Rispen: I. Staubblätter 20 (Gruppe der echten Photinien): ***P. glábra*** (*Sorbus glabra*), Nordchina, Japan, wie *serrulata*, aber Blattstiel kaum über 1,2 *cm*. Blätter nur bis 7,5 *cm* lang, gezähnt, nicht so scharf gesägt, für warme Lagen im Halbschatten; ***P. Davidsóniae***, Baum, Triebe gerötet, Knospen klein, spitz, jung Triebe behaart, Blätter spitz, lanzettlich-oboval, glänzend grün, fein gesägt, bald ganz kahl, Blüten Mai, Frucht orangerot, Oktober, scheint ebenso hart wie ***P. serruláta*** (*P. glabra* var. *chinénsis*), China, bei uns hoher Strauch, kahl, Knospen stumpfeiförmig, Blätter aus rundlichem Grunde länglich, sehr spitz, fein gesägt, bis 15 *cm*. Stiele bis 2,5 *cm*. Blüten ab Mai, Frucht Herbst-Winter, für warme Lagen wertvoll. II. Staubblätter 10 (Gruppe ***Heteroméles***): ***P. arbutifólia*** (*Het. arbutifolia* oder *salicifolia*), Kalifornien, Triebe und Blütenstände feinfilzig. Blätter spitz länglich lanzettlich, gesägt, bis 10 *cm*, Blüten Juni bis Juli, Frucht November bis Februar, schöner aber empfindlicher als vorige.

Photinia japonica siehe *Eriobothrya*.

Phygélius capensis siehe „Unsere Freilandstauden". Dieser Kap-Strauch wird meist als Staude behandelt, ist in sehr warmen (Wein-) Lagen aber auch als Strauch versuchswert. Blüten sehr hübsch scharlachrot.

Phyllódoce (*Menziésia, Bryánthus*) ***empetrifórmis*, Moosheide** — Ericaceen. — Niederliegender, kaum 15 *cm* hoher, immergrüner Strauch (Abb. 343) aus NW.-Amerika mit kahlen Rollblättchen und rotpurpurnen, offenglockigen Blüten in Doldentrauben, im Mai bis Juli; Kultur in frischem, etwas moorigem Boden im Halbschatten in Gesteinsanlagen oder im Moorbeete, im Winter Reisigdecke zu empfehlen; Vermehrung durch Samen, Ableger und Stecklinge (unter Glas); Verwendung als reizende Pflanze für Liebhaber. — Ebenso ***Ph.*** (*Andromeda, Bryanthus, Menziesia*) ***coerulea*** (***Ph.*** [oder *Andrómeda, Bryánthus, Menziésia*] ***taxifolia***) von den europäischen, nordamerikanischen und asiatischen Gebirgen und Polargebieten, ein ähnlicher Zwergstrauch (Abb. 344), Blüten mehr krugförmig, hellbläulichpurpurn, etwas später. Kultur schwierig, in Sphagnum.

Phyllódoce erécta siehe *Phyllothámus*. — ***Phyllostáchys*** siehe unter *Bambusaceen*.

Phyllothámus eréctus (*Bryánthus eréctus, Phyllodoce erecta*), ist ein Bastard zwischen *Phyllodoce empetriformis* und *Phyllothamus Chamaecistus*, bis 25 *cm*, Blätter lineal, fein gezähnt, kahl, Blüten einzeln auf drüsigen Stielen zu 4 bis 10 an den Zweigenden, breit, röhrig-glockig; Kultur wie die Eltern.

Physocárpus (*Opuláster*), **Blasenspire** — Rosaceen. — Sommergrüne Sträucher, Zweigrinde abblätternd. Blätter abwechselnd, einfach, gelappt. Blüten weiß, in endständigen, halbkugeligen Doldentrauben im Juni (bis Juli), Frucht Balgkapseln; Kultur in jedem Gartenboden, frei oder schattig; Vermehrung durch Samen (nach Reife), Teilung, Steckholz und krautige Stecklinge; Verwendung als gute Decksträucher, auch für Gruppen und im großen Garten recht wertvoll.

A. Fruchtknoten meist 4—5: I. Früchte kahl: ***P. capitátus*** (*Spiraea* oder *Neillia capitata, Spiraea opulifolia* var. *mollis*), westl. Verein. Staaten, wie folgender, aber Blätter unterseits, Blütenstiele und Kelche filzig; ***P. opulifólius*** (*Spiraea* oder *Neillia opulifolia*), Ostnordamerika, bis über 4 *m*, breiter, etwas überneigend verästelter Strauch, Blätter herzförmig rundoval, 3 lappig, kerbzähnig, unterseits kahl, Blütenstände bis 5 *cm* breit, Stielchen und Kelche nur bei var. *tomentellus* behaart. Früchte doppelt so lang wie Kelch, hübsche jung goldgelbe, später mehr gelbgrüne Form var. *luteus* (var. *aureus*); sehr guter Deckstrauch.

II. Früchte behaart, die Kelche wenig überragend: ***P. amurénsis*** (*Spiraea* oder *Neillia amurensis*). Amurgebiet, ähnlich aber noch üppiger als *opulifolius*, früher treibend. Blätter bis 5 lappig, Lappen spitzer, unterseits ähnlich *capitatus* behaart, ebenso brauchbar.

B. Fruchtknoten meist 2, Früchte behaart, wenig länger als Kelch: ***P. monogýnus*** (*Spiraea monogyna*, *Neillia* und *Physocarpus Torreyi*). Felsengebirge und Sierra Nevada, in Heimat kaum über 0,8 *m*, breit überhängend, in Kultur oft höher. Blätter 3 bis 5 lappig, kaum über 5 *cm* lang, Blütenstände meist nur 5 bis 10 blütig, hübsche Art für Gesteinsanlagen.

Abb. 343. *Phyllodoce empetriformis*, Moosheide, 15 *cm*. (Phot. A. Bocker, Hof. Arends, Ronsdorf.)

Picrasma quassioides (*P.* oder *Rhus ailanthoides*, *P. japonica*), **Bitterholz** — Simarubaceen. — Sommergrüner *Rhus*-ähnlicher kleiner Baum vom Himalaya bis Japan, Triebe purpurrot, Blätter gelbgrün, Blättchen 11 bis 19, spitz länglich oval, bis 10 *cm*, glänzend grün, kerbsägig, im Herbst prächtig orange und scharlach, Blüten unansehnlich, grün, in lockeren achselständigen behaarten Doldenrispen, Frucht trocken, beerenartig, erbsengroß, lebhaft rot, Herbst; Vermehrung durch Samen; wegen der schönen Herbstfärbung für kleine Anlagen zu empfehlen in warmen Lagen.

Pieris siehe *Andromeda*.

Pimélea Traversii: kleiner immergrüner Strauch aus Neuseeland, mit *Daphne* verwandt und ähnlich weiß oder rosa blühend; in den wärmsten Teilen des Gebietes im Freien versuchswert.

Pimpernuß siehe *Staphylea*.

Piptánthus (*Thermópsis*) ***nepalensis*** ist ein *Laburnum*-artiger Strauch aus dem Himalaya mit fingerförmig 3-zähligen kahlenden Blättern, gelben Blüten in kurzen endständigen 12 bis 20 blütigen Trauben im Mai bis Juni, der bei uns in Freilandkultur kaum noch vorhanden zu sein scheint, sich aber in südlicheren Gegenden in geschützten warmen Lagen hält; etwa wie *Petteria* zu behandeln. Es kommen jetzt einige neue Arten aus Westchina in Kultur, die wohl härter sind und hübscher, z. B. ***P. tomentósus***, in allen Teilen fast filzig oder seidig behaart, blüht oft schon April mit Blattausbruch, sehr beachtenswert.

Abb. 344. *Phyllodoce coerulea* (Phot. C. Kesselring.)

Pistácia Lentiscus*, Mastixstrauch** — Anacardiaceen. — 1 bis 3 *m* hoher, immergrüner, angenehm riechender kahler Strauch von Dalmatien durchs ganze Mediterrangebiet, Blätter abwechselnd, 2 bis 5 paarig gefiedert, Blüten unscheinbar, rispentraubig, Frucht schief eiförmige Steinfrucht, erst rot, dann schwarz; Samen wohlriechend; nur ganz im Süden des Gebietes in warmen sonnigen trockenen Lagen brauchbar; ebenso ***P. Terebinthus mit größeren, sommergrünen unpaarig gefiederten, 9 bis 13 zähligen Blättern, üppiger; am härtesten ***P. chinensis***, Nordchina, höherer Baum, wie vorige aber Triebe jung gerötet, Blätter paarig gefiedert, Blättchen 10 bis 12, spitz eilanzettlich, kahl, Frucht erst rot, dann blau; schöne Herbstfärbung.

Pittosporum pauciflorum: mittelchinesische Art, kleiner kahler Strauch mit immergrünen spitzlanzettlichen Blättern und gelblichen Blüten in wenigblütigen achselständigen Trauben im Mai; soll härter sein als das bekannte *P. Tobira*, das nur in Südtirol sich im Freien hält. Dieser Art ähnlicher ist ***P. viridiflorum*** (*P. sinense*), vom Kap, gilt auch als härter.

Plagianthus divaricatus: kahle sparrige Malvacee aus Neuseeland mit kleinen ganzrandigen Blättern und gelben Blüten, die nur in wärmsten Lagen im Süden oder an Mauern versuchswert wäre.

Abb. 345. *Plantágo Cynops*, Strauchwegerich, 30 *cm*. (Phot. A. Purpus.)

Plagiospérmum sinense siehe *Prinsepia sinensis*.

Planera acuminata, P. carpinifolia und ***P. crenata*** siehe unter *Zelkova*.

***Planéra aquática*, Wasserulme**, aus O.-Nordamerika, ist jetzt ganz aus Kultur verschwunden, hält auch kaum aus. Was als *Planera* in den Gärten geht, ist *Ulmus foliacea* var. *viminalis*, *U. parvifolia* oder *Zelkova*. Vergleiche C. Schneider, Ill. Handb. der Laubholzk., Bd. I, Seite 222.

Planéra Davidii siehe *Hemiptelea*.

***Plantágo Cynops*, Strauchwegerich** — Plantaginaceen. 10 bis 40 *cm* hoher, etwas niederliegender Strauch (Abb. 345) mit linealen, gedrehten Blättern und weißlichen Blütenköpfchen aus dem südlichen Mittel- und Südeuropa, der nur für Gehölzfreunde als Felsenpflanze Wert hat; Kultur zwischen Gestein, sonnig; Vermehrung durch Teilung und Samen.

Platanenahorn siehe *Acer pseudoplatanus*.

Plátanus[2]**, Platane** Platanaceen. — Allbekannte, prächtige hohe Bäume. Stamm hell, mit abblätternder Rinde. Blätter sommergrün, abwechselnd, 3 bis 7 lappig, groß. Blüten unansehnlich, in kugeligen Köpfchen, einzeln oder zu 2 bis 4 traubig, hängend. Einzelfrüchtchen mit Haarkranz; Kultur in jedem guten, tiefgründigen Boden in frischer Lage, in rauhen Gegenden in Jugend etwas Schutz; Vermehrung durch Samen (Frühjahr, wenig bedecken, etwas feucht und schattig halten), reife und krautige Stecklinge (unter Glas), Sorten durch Veredlung reifer Reiser auf *acerifolia;* Verwendung als Allee- und Parkbäume ersten Ranges, Herbstfärbung nur gelblich, aber im Winter durch Stammfärbung und malerische Krone sehr hübsch. Siehe Arten.

A. Blätter mit fünf verlängerten Lappen, Fruchtstände zu 2 bis 5 traubig, rauh mit bleibenden Griffeln: ***P. orientális***, Südosteuropa-Kleinasien, mächtige Bäume bildend. Blätter mit keiligem Grunde, etwa 15 bis 20 *cm* breit, nebst Stiel zuletzt kahl. Fruchtstände bis 7, etwa 2,5 *cm* dick, Schließfrüchte filzig; noch um Wien hart, gelegentlich auch nördlicher in Weinlagen, doch meist durch folgende und deren Formen ersetzt, die eine Hybride mit *occidentalis* darstellt: ***P. acerifólia***, in der typischen Form breiter Baum, untere Äste etwas überhängend, Blätter bis 25 *cm* breit, Grund meist herzförmig, Lappen 5, dreieckig, unterseits an Nerven und am Stiel bleibend filzig, Fruchtstände meist 2 bis 3, bis 3 *cm* dick, Kopf der Schließfrucht kahl, Griffel im Winter oft abbrechend, hierher die weißbunte var. *Suttneri* und die gelbbunte var. *aureovariegata* (var. *Kelseyana*), ferner als abweichende ebenfalls hybride Formen var. ***hispánica*** (*P. hispanica*, *P. orientalis* oder *occidentalis* var. *hispanica*, *P. californica* und *P. macrophylla* Hort.), breit aufrechter Baum, Blätter bis fast 30 *cm* breit, Grund flach herzförmig oder keilig, Lappen 5, breiter dreieckig, Behaarung wie oben, Fruchtstände oft einzeln, Schließfrüchte fast kahl, var. ***pyramidális*** (*P. pyramidalis*, *P. vulgaris* oder *orientalis* oder *occidentalis* var. *pyramidalis*), nur jung breit pyramidal, später breitkronig, aber nicht überhängend verästelt, Blätter kaum über 15 *cm* breit, kahl, meist nur kurz dreilappig, Grund keilig, Fruchtstände zu 1 bis 2, bis 4 *cm* dick, Schließfrucht nur an Spitze kahl, Griffel bleibend, Laub recht hellgrün, guter Straßenbaum; var. ***cuneáta*** (*P. cuneata*, *P. orientalis* var. *cuneata*, *P. orientalis* var. *nepalensis*), mäßig hoch, Blätter tief 5 lappig, Lappen gezähnt, Grund stark keilig, zuletzt fast kahl, Früchte selten, 3 bis 4, kaum bis 2 *cm* dick, Kopf kahl, Griffel bleibend; ***P. occidentális***, östl. Nordamerika, sehr großer Baum, Blätter 10 bis 25 *cm* breit, wenig oder deutlich dreilappig, Lappen kurzdreieckig, durch sehr breite Buchten getrennt, Grund herzförmig, drei Hauptnerven, die vom Blattstielansatz ausgehen, Rand meist buchtig gezähnt, Nerven unterseits und Stiele filzig, Fruchtstände einzeln, bis fast 4 *cm* dick, glatt, Griffel zeitig abfallend, Schließfrüchte nur am

Abb. 346. Platanen als Alleebäume. (Phot. C. Heicke, Frankfurt a. M.)

Grund und unter Kopf behaart; so gut wie nicht echt bei uns in Kultur. Borke im allgemeinen länger bleibend und kleiner schuppig. Krone mehr breit, rechtwinkelig verästelt.

Platycárya strobilácea (*Fortunaea chinénsis*), **Zapfennuß** – Juglandaceen. – In China und Japan kleiner Baum, bei uns nur Strauch, etwas an eine *Carya* erinnernd, Blätter unpaar gefiedert, weibliche Blütenstände zur Fruchtzeit zapfenförmig, aufrecht bleibend; Kultur in geschützten Lagen in gutem Boden; Vermehrung durch Samen und Ableger; Verwendung nur für Gehölzfreunde, ist vielleicht härter als man allgemein annimmt, fruchtet schon als kleine Pflanze.

***Platycráter argúta*, Schüsselhortensie** – Saxifragaceen. – Bis etwa 1 *m* hoher zuweilen fast kriechender japanischer Strauch (Abb. 347), Zweige mit grünem Mark, Blätter gegenständig, sattgrün, scharf gezähnt, Blüten grünlichweiß mit rosa, in lockeren Doldentrauben, wenig ansehnlich, Juli bis September; Kultur in jedem guten Gartenboden in warmer, geschützter, nicht zu feuchter Lage, aber als schwierig geltend; Vermehrung durch Samen, Ableger und krautige Stecklinge unter Glas; Verwendung im Garten als hübsch belaubter Strauch für Gehölzfreunde, gute Laubdecke, in nördlichen Gegenden zurückfrierend, aber wieder austreibend.

Platyósprion siehe *Cladrastis*. – ***Podocýtisus caramánicus*** siehe *Laburnum*. – ***Poinciana Gilliesii*** siehe *Caesalpinia*.

Poliothýrsis sinénsis – Flacourtiaceen. – In der Tracht an *Idesia* erinnernder, bis 10 *m* hoher chinesischer Baum, Blätter sommergrün, wechselständig, einfach, herzeiförmig, Blüten einhäusig, in aufrechten Rispen, wenig ansehnlich, Frucht eine trockene Kapsel, Samen geflügelt; jetzt in Kultur gekommen und anscheinend in gutem Boden wüchsig und ziemlich hart; Vermehrung usw. wohl ähnlich wie *Idesia*. (Siehe C. Schneider, Ill. Handb. d. Laubh. II., 361, Fig. 243.)

Polýgala Chamaebúxus (Chamaebuxus alpéstris)*, Kreuzblume** – Polygalaceen. – Niederliegender immergrüner heimischer Zwergstrauch mit grünen Trieben und buxähnlichen Blättern, Blüten zu 1–3, gelblichweiß mit braunrot (oder mehr minder purpurn bei var. *purpurea* [var. *grandiflora*, var. *rhodóptera*], die hübscher ist), Mai bis Juni, oft auch September, Frucht kleine Kapsel; Kultur als hübsche Felsenpflanze für warme grasige Hänge, gern auf Kalk; Vermehrung durch Samen, August-Stecklinge unter Glas; für Gehölzfreunde auch ***P. Vayrédae aus Spanien mit linealen Blättchen und rosenroten Blüten mit gelbem Kiel.

***Polýgonum*, Knöterich** Polygonaceen. – Üppige Schlingpflanzen mit sommergrünen, abwechselnden, einfachen Blättern und rispigtraubigen, rötlichweißen Blüten und blütenartigen Flügelfrüchten vom Juni bis Herbst; Kultur in jedem guten, durchlässigen Gartenboden in warmer, sonniger Lage; Vermehrung durch Samen, Sommerstecklinge mit etwas altem Holze, Wurzelschnittlinge und Ableger; Verwendung als ausgezeichnete Schlingsträucher für Lauben, Veranden usw., in rauhen Gegenden jung Winterschutz und gut sonnige Lage. Die Fruchtstände halten sich lange.

P. Aubérti, Westchina, steht dem folgenden nahe, aber üppiger, früher treibend, jedoch Blüten und Früchte oft weniger dekorativ; ***P. baldschuánicum***, Bucharei, bekannteste Art, Zweige mit dichtem Mark, äußere Blütenhüllblätter zur Fruchtzeit kaum vergrößert; ***P. multiflórum***, Japan, wie *baldschuanicum*, aber Zweige mit lockerem Mark oder

Abb. 347. *Platycrater arguta.* Schüsselhortensie 0,8 *m.* (Phot. J. Hartmann, Botan. Garten, Dresden.)

hohl. äußere Blütenhüllblätter stark vergrößert zur Fruchtzeit; wertvoll scheint auch ***P. lichiangénse,*** Yunnan, zu sein, mehr halbstrauchig, nicht ausgesprochen schlingend, Rispen weiß, ähnlich *baldschuanicum,* August bis Herbst. — Ganz abweichend ist ***P. equisetiforme*** (Abb. 61) aus dem Mediterrangebiet. Zweige nur im unteren Teile mit lanzettlichen Blättern, Blüten klein, weißlich, zu 1 bis 3, an den feinen Zweigenden sich zu Scheinähren häufend, für sehr warme Lagen im Felsengarten.

Polýgonum vacciniifólium siehe „Unsere Freilandstauden".

Pongélion siehe *Ailanthus.* — **Pontische Azaleen** siehe unter *Rhododéndron.*

Pópulus[illegible]**). Pappel** Salicaceen. Meist hohe Bäume, Blätter sommergrün, abwechselnd, einfach. Blüten in Kätzchen, gleich Früchten unscheinbar, zweihäusig; Kultur meist in jedem Boden, der nicht zu trocken ist, sie saugen den Boden sehr aus; Vermehrung zumeist durch reifes Steckholz, besondere Formen durch Veredlung auf verwandte Arten; Samenaussaat gleich nach Reife nötig; Verwendung vergleiche bei den Arten, viele sind geschätzte Parkbäume, doch halten sie sich selten länger als 80 bis 100 Jahre. Eine Kennzeichnung in kurzen Worten ist kaum möglich. Die Blätter üppiger junger Pflanzen und besonders an Loden weichen oft sehr ab. Die Hinweise unten beziehen sich fast stets auf ältere Pflanzen. Man beachte die Anmerkung!

ALPHABETISCHE LISTE DER ERWÄHNTEN LATEINISCHEN NAMEN.

(Die Ziffern bezeichnen die Seitenzahlen.)

ÜBERSICHT DER GRUPPEN.

I. Schwarzpappeln (Gruppe *Aigeiros*): Blätter beiderseits gleichfarben, grün, oberseits mit zahlreichen Spaltöffnungen, durchscheinend gerandet. Stiel wenigstens unter der Spreite flach zusammengedrückt, Endknospen mittelgroß, klebrig (aber kaum deutlich aromatisch), Becher der Blüten nicht zerschlitzt, höchstens ausgerandet, Staubblätter 6 bis über 30. Narben meist breit, Fruchtknoten und Frucht kahl; Borke eichenartig, Austrieb später als die meisten anderen; siehe unten.

II. Zitterpappeln (Gruppe *Trépidae*): Blätter beiderseits gleichfarben, oberseits ohne Spaltöffnungen, nicht immer knorpelrandig, unten oft durch Behaarung grau oder weißlich, Stiele (außer manchmal an Lohden) deutlich flach, Endknospen weder groß noch deutlich klebrig, Fruchtknoten, Frucht und Blütenbecher kahl (oder nur letzter behaart), Staubblätter meist 4 bis 15; Rinde meist lange glatt, graugrün oder gelbgrau. S. 299.

III. Weißpappeln (Gruppe *Leuce*): Blätter wie vorige, aber an Langtrieben oft gelappt. Blattstiele rundlich, Endknospen meist ziemlich klein, oft behaart, nie klebrig, Blüten und Borke wie vorige, aber Rinde erst noch weißlicher. S. 300.

IV. Großblattpappeln (Gruppe *Leucoideae*): wie vorige, aber Blätter groß und breit, Grund rundlich oder herzförmig, nie gelappt, Stiele auch rundlich, Endknospen aber etwas größer und klebrig, Blüten und Früchte behaart, Staubblätter 12 bis über 20, Borke zeitiger auftretend. S. 301.

V. Balsampappeln (Gruppe *Tacamahaca*): Blätter unterseits deutlich weißlich oder sehr blaßgrün, kahl und oberseits stets ohne Spaltöffnungen, Stiele rundlich oder vierkantig, Endknospen groß bis sehr groß, sehr klebrig und balsamisch; Blüten und Früchte kahl oder behaart, Staubblätter 20—30, Narben meist breitlappig; Blattaustrieb früh, balsamisch, Borkebildung wechselnd. S. 301.

I. Schwarzpappeln: A. Blattränder nicht gewimpert, Blattgrund am Stiel ohne Drüsen: **P. nigra** (*P. europaea* Dode, *P. Viadri* Rüdiger): Schwarzpappel, Europa bis Kaukasus und Altai, breitkroniger Baum, wie Abb. 33, bis über 35 *m*, untere Äste fast wagrecht ablaufend, einjährige Zweige rundlich, Blätter stets rhombisch, lang gespitzt, ziemlich fein kerbzähnig; die typische Form ist jetzt ziemlich selten in den Anlagen, meist durch Bastarde verdrängt, wichtige Formen sind: var. **betulifólia** (*P. betulifolia*, *P. hudsónica*, *P. nigra* var. *hudsonica*, *P. nigra* var. *Dodeana* Asch. & Graeb.), in Nordamerika angepflanzt gefunden, scheint aber früher auch bei uns verbreiteter gewesen zu sein, junge Triebe, Blätter und Stiele behaart; var. **itálica** (*P. italica*, *P. dilatáta*, *P. pyramidális*, *P. fastigiáta*, *P. pyramidáta*,

P. sinénsis Dode, *P. nigra* var. *pyramidalis*), die bekannte P y r a m i d e n - P a p p e l, wohl aus Zentralasien, bei uns seit alters verbreitet (hierher als Formen *P. croática* Bess., *P. pannonica* Rchb., *P. Thrácia* Dode, *P. therestina* Dode); zwischen ihr und der typischen Schwarzpappel, wie auch der var. *betulifolia* gibt es Mittelformen, so var. ***plantierénsis*** (*P. plantierensis* Dode, var. *betulifolia* × var. *italica*) wie *italica*, aber Blattstiele und Zweige kurz behaart; wichtig sind nun vor allem die Bastarde der typischen *nigra* mit anderen Arten, so mit *P. balsamifera* (bisher *monilifera*) und deren Formen, hiervon gibt's eine ganze Anzahl schwer zu kennzeichnender, meist als Arten angesprochener und höchst verworren benannter Formen, wir nehmen heute als Hauptnamen auf ***P. canadénsis*** (?ob Mönch 1785), k a n a d i s c h e P a p p e l [49], (*P. marilándica* Bosc, *P. pseudocanadénsis* Schneider, *P. eúxylon* Dode), scheint sehr häufig zu sein, wird oft als *nigra*, oft als *monilifera* angesprochen, steht in der Tracht in der Mitte zwischen

Abb. 348. *Pópulus balsamifera*, echte nordamerikanische Schwarzpappel. (Orig.: Hort. Simon-Louis, Plantières.)

beiden (Abb. 3), wird üppiger als *nigra* und wächst schneller als die Eltern. Blätter reifer Pflanzen fast wie *nigra*, im zweiten Trieb denen der amerikanischen Art immer ähnlicher werdend, schlägt 2 bis 4 Wochen früher als letzte aus, dürfte männlich und weiblich verbreitet sein; eine der *balsamifera* (*monilifera*) etwas näher stehende Form wäre dann ***P. anguláta*** Aiton (nicht Michaux), ausgezeichnet durch besonders an Lohden flügelkantige Zweige, breitdreieckig eiförmige, am Grunde breit abgestutzte oder fast herzförmige Blätter, Rand dicht anliegend gewimpert, Blattgrund am Stielansatz bedrüst, Blütentragblätter nur kerbzähnig; die nächste Hybride, die ebenfalls der Amerikanerin näher steht und eher als eine Form davon anmutet, ist ***P. serótina*** Hartig (*P. angulata* var. *serotina* Koch.), sie treibt gleichzeitig mit der echten *balsamifera* (*monilifera*) sehr spät aus, hat die gleiche abgestutzte Blattform und die roten Blattstiele; als forstlich wertvoll gilt auch ein Bastard der *angulata* mit *nigra* var. *plantierensis* (oder der *P. Eugenei*): ***P. robústa*** Schneider (*P. angulata cordata robusta* Sim.-Louis), sehr wüchsig; ganz hervorragend schöne Bäume bildet ***P. Eugénei*** Schneider (*P. nigra* var. *italica* × *P. balsamifera*) bei Simon-Louis entstanden, breit aufrechter Baum, bis 50 *m*, sehr wüchsig und als Zierbaum zu empfehlen; der *P. Eugenei* ist sehr ähnlich die ***P. charkówiensis*** Schroeder, die vielleicht aber eine bloße Zwischenform zwischen *nigra typica* und *nigra italica* ist. Eine zweite Hybridengruppe ist die der *nigra* mit Arten der Balsampappeln, die dort erwähnt wird.

B. Blattränder mehr oder minder deutlich gewimpert (vergleiche auch oben unter den Bastarden), Drüsen am Blattgrund meist vorhanden (a m e r i k a n i s c h e S c h w a r z p a p p e l n): ***P. balsamífera*** Linné, nicht späterer Autoren (*P. deltoides* und *P. deltoidea* Auctorum, *P. angulata* Mchx., *P. angulata* var. *missouriensis* und *P. deltoidea* var. *missouriensis* Henry), New-York bis Ohio und Florida, hoher Baum, Äste in ziemlich spitzem Winkel aufstrebend, Abb. 348, Blätter sämtlich von breit eiförmigem Umriß, Grund abgestutzt oder fast herzförmig, Rand kerbsägig, 12 bis 15 *cm* lang und 10 bis 12 *cm* breit, weiter verbreitet im östlichen Nordamerika soll sein var. ***virginiána*** Sarg. (*P. deltoidea* Marshall zum Teil, *P. virginiana* Foug., ***P. monilifera*** Aiton, *P. nigra* var. *virginiana* Castigl., *P. deltoidea* var. *monilifera* Henry), Blätter kleiner, meist kaum länger als breit, bis 10 *cm*, grob-kerbzähnig, Grund breit abgestutzt, Blattstiel oft stark gerötet, meist zweidrüsig (möglicherweise gibt es in den östlichen Vereinigten Staaten außer der typischen *balsamifera* und der var. *virginiana* noch eine kahle Form, die als var. *monilifera* anzusprechen ist); eine der *nigra betulifolia* entsprechende behaarte Form der *balsamifera* ist var. ***pilósa*** Sarg., junge Blätter unterseits auf Rippe und Nerven behaart; ***P. Sargéntii*** Dode (*P. deltoides* var. *occidentalis* Rydbg., *P. occidentalis* Britt., *P. monilifera* var. *occidentalis* Henry) ist die nordwestliche amerikanische Schwarzpappel von Nebraska und Dakota bis Südwestkanada, die nur durch mehr gelbliche Triebe, kleinere Blätter mit längerer Zuspitzung und wenigen groben Zähnen abweichen soll; die südwestlichen für uns zu empfindlichen amerikanischen Formen sind ***P. Fremóntii*** und ***P. Wislizénii***, deren Blätter am Grunde wie *nigra* keine Drüsen besitzen.

Abb. 349. *Pópulus trémula*, Zitterpappel. (Orig., Hort. Frauenberg, Böhmen.)

II. Zitterpappeln: ***P. adenópoda*** (*P. tremula* var. *adenopoda*, *P. Silvestrii*), Mittelchina, wie *Sieboldii*, aber Blätter breit oval, lang zugespitzt, gesägt, lang gestielt, an jungen Pflanzen behaart, an älteren eng kerbzähnig und unterseits grünlich, hart, interessant, Laub lange haltend; ***P. grandidentáta***, Neuschottland bis Nord-Carolina, Baum bis 30 *m*, mit brüchigen Ästen, Rinde sehr lange glatt, von *tremula* abweichend durch Zweige jung filzig, auch Knospen, Blätter derber, größer, unterseits mehr bläulich oder rostig weiß, Rand auffällig lappenzähnig, Blütenbecher behaart; eine Hybride mit *tremula* dürfte sein ***P. pseudograndidentáta*** Dode, hierher die hängenden *P. graeca pendula* Hort.; ***P. Sieбóldii*** (*P. tremula villosa* Max.), Japan, breiter Baum bis 18 *m*, ausläufertreibend, wie *tremula*, aber Blätter tiefer grün, eirundlich, fein und gleichmäßig gesägt, Drüsen am Blattgrund deutlich, Stiel nicht über 4 *cm*, weniger abgeflacht, hübscher als ***P. trémula***. Zitterpappel, Aspe, Espe, Europa bis Orient und Nordostasien, bis über 30 m, Tracht siehe Abb. 349, Stamm anfangs glatt gelbgrau, dann schwarzgrau borkig, einjährige Zweige kahl, Blätter breit rundoval, etwa 3 bis 7 : 3 bis 8 *cm*, Rand grob und ausgeschweift kerbsägig, Grund meist ohne Drüsen, Stiel bis 6 *cm*, bei var. ***villósa*** Lang (var. *sericea*) junge Triebe und Blätter seidig

Abb. 350. *Pópulus alba*, große Silberpappel. (Orig., Hort. Laxenburg bei Wien.)

behaart, var. *péndula*, Triebe stark hängend, oft hochstämmig veredelt; die Aspe wird leicht durch Wurzelbrut lästig; in Nordamerika vertreten durch ***P. tremuloides*** (? *P. atheniensis* Ludw., *P. trépida* Willd., ? *P. graeca* Ait.) ohne Bedeutung für uns, Blätter durch feine und gleichmäßige Serratur auffallend; zwischen *P. tremula* und *P. alba* gibt es eine oft angepflanzte Hybride, die meist als identisch mit der *P. canéscens* Smith angesehen wird, diese gilt aber nach Bean u. a., da sie in England heimisch ist, wo *alba* fehlt, als gute Art der Weißpappelgruppe, sodass für die Hybride der Name ***P. hybrida*** M. B. (*P. Bachofénii* Wierzb., *P. denudáta* A. Br., *P. Steiniána* Bornm.) aufzunehmen wäre, deren Formen zum Teil aber kaum von *canescens* zu scheiden sein dürften, die Hybride tritt auch zum Teil in Mitteleuropa ziemlich häufig auf und bildet sehr schöne, der *alba* ähnliche Bäume, Blattform sehr variabel.

III. Weißpappeln: ***P. alba*** (*P. Morisetiana* und *P. triloba* Dode), Silber- oder Weiß-Pappel, fehlt in Nord- und Westeuropa, geht wild vom Donaugebiet durch Südeuropa bis zum westlichen Mittelasien, prächtiger Baum, wie Abb. 350, bis über 35 *m*, Berindung weißgrau, sehr variabel, die var. ***nivea*** (*P. nivea*, *P. argéntea* und *argentea vera*, *P. acerifólia*, *P. arembergiána* und *P. Salomónii* der Gärten) ist nichts als die typische Jugendform, deren gelappte Blätter unten dick weiß weichfilzig überzogen sind, für uns wichtig var. *globósa*, kleiner Baum mit rundlicher Krone, Zweigspitzen jung etwas rosig angehaucht, var. *péndula*, Hängeform, var. ***pyramidális*** Bge. (var. ***Bólleana***, *P. Bolleana*), sehr hübsche Pyramidenform, Gegenstück zu *nigra italica*; ferner sei erwähnt var. ***subintegérrima*** Lge. (*P. subintegérrima* Dode, *P. monticola* Brand., *P. Brandégii* Schn.), eine südliche Form aus Spanien, Nordafrika, von wo sie nach Mexico und Nied.-Kalifornien eingeführt wurde, Laub lederig, eiförmig oder rundlich, fast ganzrandig, für uns wertlos, zuweilen fälschlich mit *tomentosa* verwechselt; ***P. canéscens*** Smith (*P. alba* var. *canescens* Ait., *P. Beguena* Dode), Graupappel, siehe oben, würde die nordwesteuropäische *alba* darstellen, Blätter sehr grauwollig, auch an Langtrieben nicht gelappt; ***P. tomentósa*** (*P. alba* var. *tomentosa*, *P. alba* var. *denudata*, *P. pekinénsis*, *P. glabrata* Dode), Nordchina, dort *alba* vertretend, prächtige hohe Bäume bildend, Blätter nie wirklich handlappig, an alten Pflanzen in Zähnung an *tremula* gemahnend, zuletzt oberseits glänzend grün, unterseits fast kahl, nur an ganz üppigen Trieben wie bei *alba* weißfilzig, brauchbarer Parkbaum.

IV. Großblattpappeln: ***P. heterophylla***, östl. Verein. Staaten, unregelmäßiger Baum bis 20 *m*, Blätter jung dichtfilzig, aus rundlichem Grunde breit oval, bis 18 *cm* lang, sumpfige Orte; ***P. lasiocárpa*** (*P. Fargésii*), Mittelchina, wüchsiger Baum, bis über 25 *m*, Triebe sehr kräftig, gelbgraubraun, jung behaart, Blätter aus herzförmigem Grunde breit eirundlich, bis 14 : 9 *cm*, an Lohden viel größer, drüsig kerbzähnig, glänzend graugrün, unterseits behaart, Rippe und Blattstiel gerötet, sehr wertvolle schöne Art; ***P. Wilsónii***, Mittelchina, Tracht pyramidaler als *lasiocarpa*, Zweige kahler, purpurn, Blätter dunkelblaugrün, unterseits mehr weißlich, nicht so herzförmig und an Spitze stumpfer, scheint ebenso hart wie jene, sehr dekorativ.

V. Balsampappeln: A. Zweige (üppige Lohden zuweilen ausgenommen) rundlich: a. Zweige und Blattstiele kahl: ***P. fortissima*** (***P. angustifólia*** James, nicht Weinm., *P. balsamifera* var. *angustifolia*), mittlere Höhenlagen der Rocky Mountains, Tracht pyramidal, weidenartig, Zweige bräunlich gelbgrau, Knospen nur etwa 10 *mm*, Blätter klein, lanzettlich oder eilanzettlich, beiderseits grün, kaum bis 13 : 3 *cm*, Stiel 1 bis 4 *cm*, hübsche in den Blättern oft etwas an *laurifolia* gemahnende Art; sehr nahe steht ***P. acumináta*** (*P. coloradénsis*), östl. Abhänge der Rocky Mts., Blätter rhombisch-lanzettlich, länger gestielt, nur in Mitte gezähnt; ***P. Tacamaháca*** Mill. (***P. balsamifera*** Auct., nicht Linné, siehe oben), Balsampappel, südl. Kanada, nördl. Verein. Staaten, großer etwas schmaler Baum, bis 35 *m*, Zweige dunkelpurpurn, Knospen bis 15 *mm*, Blütenknospen größer, Blätter zuletzt dünn lederig, oben tiefgrün, unten weißlich, aus stumpfer Basis eilanzettlich oder breit oval, Stiel bis 6 *cm*, var. ***Michaúxii*** (*P. Michauxii*, *P. balsamifera* var. *Michauxii*) ist eine mehr nördliche Form mit etwas herzförmigen Blättern, die unterseits an Nerven leicht behaart sind, geht oft als *candicans*; kahlzweigig ist auch die asiatische der *suaveolens* sehr nahe stehende ***P. Przewálskii***. — b. Zweige und Blattstiele wenigstens jung deutlich behaart: ***P. cándicans*** Ait. (*P. ontariensis* Desf., *P. balsamifera* var. *candicans*, *P. macrophylla* Hort.), Ontario-Pappel, wild nicht bekannt (dies ist *Michauxii*), wahrscheinlich alte Hybride, wie *Tacamahaca*, aber Krone breiter, unregelmäßig verästelt, Zweige oliv- oder rotbraun, Blätter aus herzförmigem Grunde meist rundlich eiförmig, kaum länger als breit, unterseits reicher behaart, oberseits sehr dunkelgrün, Knospen sehr balsamisch im Frühling, durch Ausläufer oft lästig, sonst schön; ***P. Maximowiczii*** (*P. suaveolens* mancher Autoren und Gärten), Ostsibirien, Nordjapan, sehr hoher Baum, Zweige dicht behaart, hellbraun, Blätter fast rund oder breit elliptisch, Grund seicht herzförmig, Spitze vorgezogen, Nerven beiderseits behaart, unten weißlich oder rostig, scharfgesägt, etwa 10 *cm* lang, die bis 25 *cm* langen Fruchtkätzchen oft spät abfallend, eine der allerbesten harten Balsampappeln; ***P. suavéolens*** (*P. balsamifera* var. *suaveolens*), Sibirien, Mongolei, Nordwestchina, aufrechter Baum, wie vorige aber Zweige schwächer behaart, Blätter derber, mehr oval, unten sehr weiß, kleiner; nahe steht die mittelchinesische ***P. szechuánica***, sehr üppig und hoch, Triebe sehr dick, Blätter aus meist herzförmiger Basis länglich oval, oder rundlicher, drüsig kerbzähnig, auch hart. — B. Zweige deutlich bis fast flügelig kantig: ***P. laurifólia*** (*P. balsamifera* var. *laurifolia*), Lorbeerblatt-Pappel, Altaigebiet, bis 30 *m*, Krone sperrig, Zweige flügelkantig, hellgraugelb, Blätter glänzend sattgrün, unten weißlich, eiförmig bis schmal lanzettlich, bis 13 : 5 *cm*, fein oder kaum gezähnt, Stiel 1 bis 4.5 *cm*, hübsche Art; ***P. Simónii***, Amurgebiet Nordchina, oft etwas pyramidaler Baum, Triebe rotbraun, Rinde graugelb, Blätter eielliptisch oder meist rhombisch-oboval, Stiele meist nicht über 1 *cm*, gute üppig wachsende variable Art; ***P. trichocárpa***, westl. Nordamerika, dort sehr hoher Baum, bis über 60 *m*, Triebe glänzend orangegrau, Borke zeitig einsetzend, Blätter aus etwas herzförmigem oder breit gestutztem Grunde oval, allmählich zugespitzt, fein gesägt, zuletzt oben glänzend grün, unten weiß, Fruchtknoten und Früchte dicht behaart. — Von den Bastarden der Weißpappeln mit anderen Gruppen sei nur genannt: ***P. berolinénsis*** (*P. certinénsis*), *laurifolia* mit *nigra italica*, bis über 25 *m*, bald breitwüchsig mit stark kantigen gelbgrauen Zweigen wie *laurifolia*, bald pyramidaler mit rundlicheren Trieben, Blätter unten nie deutlich weißlich, Rand fein durchscheinend.

Porst siehe *Ledum*. **Portlandrose** siehe *Rosa damascena*. — **Portúna** siehe *Andromeda*.

Potaninia mongolica ist eine interessante, mit *Potentilla* verwandte zwergstrauchige Rosacee aus der Mongolei, die noch nicht eingeführt wurde, aber für Felspflanzenliebhaber brauchbar wäre. (Vergleiche darüber C. Schneider, Ill. Handb. d. Laubholzk., Bd. I., Seite 525.)

Abb. 351. *Potentilla fruticosa* var. *Veitchii*, 50 *cm*. (James Veitch and Sons)

Potentilla, Fingerkraut

Rosaceen. Dicht verzweigte, sommergrüne, niedrige Sträucher. Blätter abwechselnd, unpaar gefiedert oder gefingert. Bluten gelb oder weiß, einzeln oder in wenigblütigen endständigen Doldenrispen; Kultur in jedem durchlässigen Gartenboden in sonniger Lage; Schnitt nur wenn nötig, Zurücknahme der abgeblühten Triebe; Vermehrung durch Samen, Ableger und krautige Stecklinge; Verwendung als recht hübsche kleine Blütensträucher für Rabatte und Gesteinspartien; in rauheren Lagen im Winter Bodenschutz.

P. davúrica (*P. fruticosa* var. *dahurica*, *P. glabra*). Transbaikalien, niederliegend - aufstrebend (Abb. 351), bis 0,5 *m*, Blättchen 5, ganzrandig, oberseits lebhaft sattgrün, an Spitze der Nebenblätter mit Haarbüschel, Blüten weiß, Mai bis Juni, liebt etwas Halbschatten; schöner ist der Bastard mit *fruticosa*: ***P. Friedrichsénii***, erinnert mehr an *fruticosa*, aber Laubfärbung wie *davurica*, Blüten licht gelb (var. *ochroleuca*) und weiß (var. *leucantha*), vom Mai bis September; ***P. fruticosa***, Südeuropa bis Japan und Nordamerika, sehr variabel, bis 1½ *m*, Blättchen trübgrün, Blüten goldgelb, Mai bis September, eine sehr niedrige, breitbuschige Form ist *P. micrándra* mit kurzen Staubgefäßen, für uns wichtig vor allem die mittelchinesischen var. ***albicans***, Blättchen meist 5, unterseits weißfilzig, sehr ähnlich ist var. ***Vilmoriniana***, bis 1 *m*, aber Blüten rahmweiß, var. ***mandhurica***, ganz niedrig, Blättchen graugrün, Blüten reinweiß, var. ***Veitchii*** (*P. davurica* var. *Veitchii*, *P. Veitchii*), bis 1 *m*, Blätter mehr oder minder seidig, aber ohne die Haarbüschel der sonst ähnlichen niedrigen *davurica*, Blüten reinweiß; var. *humilis*, niederliegende zentralasiatische Hochgebirgsform, sehr variabel, empfohlen fürs Alpinum; ***P. Salesoviana*** (***P. Salessowii***) aus Kaschmir, Altai, weicht aber durch größere gezähnte Blättchen ab, Blüten weiß, zu 3 bis 7, Mai bis Juni. — Über weitere, besonders fürs Alpinum brauchbare Arten vergleiche die Hinweise bei C. Schneider, Ill. Handb. d. Laubholzk. I., S. 523.

Potérium spinosum (*Sanguisorba spinosa*), **Strauchpimpernell** — Rosaceen. — Kleiner, sparrig-dorniger Zwergstrauch aus dem Mediterrangebiet mit 7—15 zähligen Fiederblättern und unansehnlichen ährigen Blüten, der nur für südliche Gebiete in sonnig-warmen Felsanlagen in steinigem Boden versuchswert scheint.

Pourthiaéa siehe *Photinia*. — **Prachtglocke** siehe *Enkianthus*. — **Prachtspire** siehe *Exochorda*. **Praerierose** siehe *Rosa setigera*. — **Preißelbeere** siehe *Vaccinium Vitis-Idaea*. — ***Prinos*** siehe *Ilex*.

Prinsepia sinénsis (*Plagiospermum sinense*) — Rosaceen. — Dichter überhängender, breiter Strauch bis 1,5 *m*, Zweige mit gefächertem Mark und spitzen kurzen Dornen, unter denen die sommergrünen Blätter stehen, diese sehr spitz eilanzettlich, kahl, oberseits satt- aber stumpfgrün, unten hellgrün, oft an Kurztrieben gebüschelt, Blüten zu 1 bis 4 achselständig, klein, lebhaft gelb, stark duftend, März-April, Früchte eiförmig, etwa 1 *cm* lang, scharlachrot, August, eßbar; sehr hübscher harter, früh treibender Strauch; Kultur in gut durchlässigem Gartenboden in sonniger Lage; Vermehrung durch Samen (nach Reife), krautige Stecklinge und Ableger; Verwendung als schöner Gartenstrauch, sehr auffällig, durch frühen Austrieb; im Arnold Arboretum in Kultur auch ***P. uniflóra***, Nordchina, Blätter schmäler, meist gesägt, Blüten weiß, kürzer gestielt, Frucht schwarz, bereift; die empfindlichere ***P. útilis*** aus dem Osthimalaya und Westchina hat traubige Blütenstände, mit mehr als 10 Staubgefäßen und die grünen Zweige sind sehr dornig, ist im April zur Blütezeit sehr hübsch und in warmen Lagen zu versuchen.

Abb. 352. *Prinsepia sinensis*, 1,50 *m*. (Phot. A. Purpus.)

Provinzrose siehe *Rosa gallica*. — ***Prunópsis Lindleyi*** siehe *Prunus triloba*.

Prúnus [*]) (einschließlich *Amygdalus*, *Cerasus*, *Laurocerasus* und *Padus*), **Pflaume, Kirsche** — Rosaceen. — Vielgestaltige, sommer- oder immergrüne Bäume und Sträucher, meist schönblühend oder fruchtend, vergleiche die einzelnen Gruppen!; Vermehrung meist durch Samen, krautige Stecklinge und Veredlung; Schnitt der frühblühenden Gruppen nach Blüte.

ALPHABETISCHE LISTE DER ERWÄHNTEN LATEINISCHEN NAMEN.

(Die Ziffern bezeichnen die Seitenzahlen.)

Tafel XII.

Perückenstrauch (*Rhus Cotinus*) in Blüte.

Frühlingsszenerie (Blutbuche und Birken) im Parke zu Laxenburg

BESTIMMUNGSÜBERSICHT FÜR DIE HAUPTGRUPPEN.

A. Blüten einzeln oder zu mehreren scheindoldig oder doldentraubig oder kurztraubig (dann Tragblätter deutlich und bleibend, Trauben selten über 8 blütig).

I. Blätter in Knospe (beim Austrieb kenntlich) gefaltet (kondupIikat; d. h. die beiden Spreitenhälften längs der Mittelrippe wie ein Bogen Papier zusammengelegt)

a. Gruppe I ***Amýgdalus*** (Mandel und Pfirsich): Blüten einzeln aus seitlichen Knospen am alten Holze vor den Blättern, Frucht trocken, samtig behaart (Mandel) oder saftig (Pfirsich), Stein gefurcht und gelöchert (nur bei *P. mira* glatt); siehe unten.

b. Gruppe II ***Cérasus*** (Kirsche): Frucht stets saftig, Blüten mit oder nach Blattausbruch, meist ziemlich lang gestielt. S. 306.

1. Knospen zur Blütezeit gedreit, mittlere Laubtrieb, seitliche Blüten bringend am alten Holze; Blüten meist vor den Blättern, Stiel des Blütenstandes die Knospenschuppen nie überragend. Blütenstiele auffallend kurz, nur bei pumila und Verwandten bis 10 (15) *mm*; kleine, selten höhere Sträucher (Untergruppe *Microcérasus*). S. 306.

2. Knospen einzeln über Blattnarbe, oft an Kurztrieben gedrängt, Blüten oder Blätter bringend, Blattstiele länger, Blütenstände doldig und sitzend oder doldentraubig verlängert (Untergruppe *Typocérasus*). S. 307.

α) Kelch aufrecht abstehend oder seltener ausgebreitet (bei *P. cerasoídes* zuweilen zurückgeschlagen erscheinend) (Reihe *Pseudocérasus*). S. 307

β) Kelch zurückgeschlagen (Reihe *Cremastosépalum*). S. 310.

II. Blätter in Knospe gerollt (konvolut; jede Blatthälfte einwärts gerollt) (Hauptgruppe *Euprunus*).

a. Gruppe III ***Prunóphora*** (Pflaume): Blüten langgestielt, einzeln oder scheindoldig, mit oder kurz vor den Blättern, Fruchtknoten kahl, Frucht glatt und bereift. S. 313.

b. Gruppe IV ***Armeniaca*** (Aprikose): Blüten zu 1—2 fast sitzend vor den Blättern, Fruchtknoten und Frucht behaart (letzte wenigstens bis zur Reife). S. 314.

B. Blüten in langgestreckten, unten beblätterten, über 12 blütigen Trauben (also am jungen Holze) oder in den Achseln meist immergrüner Blätter.

I. Blütentrauben am jungen Holze (außer *P. Maackii*), Blätter gefaltet (Gruppe V ***Padus***, Traubenkirsche). S. 315.

II. Blütentrauben in den Achseln immergrüner Blätter (Gruppe VI ***Laurocérasus***, Kirschlorbeer). S. 316.

Gruppe I ***Amýgdalus:*** A. Blütenachse breitröhrig-glockig, höchstens bis doppelt so lang wie Kelch. — a. Blätter ganzrandig oder ziemlich fein kerbzähnig oder gesägt: ***P. (A.) commúnis*** Stokes (*P. Amygdalus*), echte Mandel, Kleinasien, anfangs etwas pyramidaler Strauch, dann Baum, bis 10 *m*, etwas überhängend, kahl. Blätter weidenartig, fein kerbzähnig, bis etwa 12 : 3 *cm*, Blüten 2,5 bis 5 *cm* breit, lebhaft rosa, März-April, Frucht Juli-August, von gefüllten Gartenformen weiß var. *albapléna* und rosa, var. *roseapléna*, sowie purpurne var. *purpurea;* liebt warme sonnige Lage und durchlässigen nicht feuchten Boden; bedarf gegen Norden meist guten Winterschutz; interessant der Bastard mit *persica:* ***P. amygdalopérsica*** (*P.* oder *A. persicoamygdala* oder *persicoides, P. Amygdalus* var. *praecox*), Pfirsichmandel, Blätter der Mandel, Früchte der Pfirsich ähnlicher, rosa, anfangs April; zwischen ihr und *P. cerasifera* wieder ein Bastard ***P. gigantéa; P. Davidiána*** (*Persica Davidiana*), Nord- und Mittelchina, ähnlich *persica*, aber Blattstiele länger als halbe Spreitenbreite, Blattgrund keilig, Farbe mehr blaugraugrün, Spitze lang und fein vorgezogen, bis 14 : 4 *cm*, Kelch kahl, blüht oft schon ab Ende Februar, rosa oder weiß, var. *alba* (var. *albiflora*) oder rot, var. *rubra*, hart, doch leiden Blüten oft vom Frost; ***P. Fenzliána***, Kaukasien, wie *communis*, aber meist mehr strauchig, oft dornig, Blätter mehr bläulich graugrün, am Grunde am breitesten, bis 8 : 2 *cm*, ab März sehr reich weißlich-rosa blühend, Frucht etwas mehr pfirsichartig, aber nicht fleischig, in Wien hart; ***P. pérsica*** (*Persica vulgaris*), Pfirsich, China, ganz ähnlich der Mandel in der Tracht, aber Blätter feiner zugespitzt, fein gesägt, meist über Mitte am breitesten, bis 15 : 3,5 *cm*, Stiele kürzer als halbe Spreitenbreite, Frucht deutlich fleischig, bei var. ***nucipérsica*** (*Persica nucipersica, Amygdalus nectarina, Persica laevis*), der Nektarine, kahl, sonst von Zierformen solche mit einfachen und gefüllten weißen Blüten, var. *camelliaeflóra*, groß, karmin, var. *magnifica*, gefüllt karmin, var. *atropurpúrea*, tiefrot und var. „Clara Meyer", tiefrosa gefüllt, prächtig in warmen Lagen, Weinklima, sonst als Spalier mit Schutz; als ein neuer Pfirsich aus Mittelchina sei noch genannt ***P. mira***, Baum bis 12 *m*, Blätter lang zugespitzt lanzettlich, kerbsägig, nur unten an Rippe behaart, Frucht mit ovalem gekielten, aber glatten Stein. Zierwert noch fraglich. — b. Blätter ziemlich auffällig grob gesägt: ***P. baldschuánica*** (*P. triloba fl. simpl.* Hort.), Bucharei, ausgebreiteter Strauch, wie *triloba*, aber Blätter etwas schärfer gezähnt, später gleich den Blattstielen auch fast ganz kahl, Blüten lebhaft rosa, in Knospe karmin, Becher ein wenig länger als breit, Kelchabschnitte 5, aufrecht, anfangs Mai: ***P. Petzóldii*** (*P. triloba* var. *Petzoldii*, *P. virgata* Hort.), China, sehr ähnlich folgender, aber Blätter oval, nicht gelappt, Blüten etwas kleiner und früher, mit meist 10 Petalen, aber nicht gefüllt, Becher innen ganz kahl; ***P. triloba*** (*Amygdalópsis* oder *Prunopsis Lindleyi*, *P. ulmifolia* Fr.), Nordchina, aufrechter buschiger Strauch bis 3 m, in Heimat auch baumartig, Blätter meist oboval, über Mitte am breitesten, oft 3-lappig, unterseits grau behaart, bis 10 : 4,5 *cm*, Blüten hellrosa, 2,5 *cm* breit, April-Mai, Frucht klein, jung rothaarig, Juni-Juli, in Kultur meist var. *plena*, „Mandelbäumchen", Blüten bis 3,5 *cm*, wie kleine Röschen, häufig hochstämmig veredelt, schöner Zierstrauch für warme Lagen. — B. Blütenachse röhrig, über doppelt so lang wie Kelch: ***P. (A.) nana*** Stokes, östl. Mitteleuropa bis Ostsibirien, buschig-rutiger, oft fast überhängender Strauch, 0,3 bis 1,5 *m*, Blätter lebhaft glänzend grün, kahl, schmal elliptisch, derb, scharf gesägt, bis 7,5 *cm*, Blüten zu 1 bis 3, rosenrot, mit oder kurz vor Blattausbruch, Frucht gelbgrau behaart, Juli, var. *alba*, weiß, harter Rabattenstrauch; ***P. Sweginzówii***, Turkestan, sehr ähnlich *nana*, aber Blätter scharf doppelt gesägt, Nebenblätter größer, blattartig, Blätter einzeln, lebhaft rosa; jetzt auch in Kultur ***P. Petunnikowii*** aus Turkestan, etwas dornig, Blätter lineal-lanzettlich, an Kurztrieben gebüschelt, einfach drüsig gesägt; für große Felspartien; ein wertvoller Bastard der *triloba* mit *cerasifera* ist ***P. Arnoldiána***, bis über 3 m, Tracht kompakter als bei *cerasifera*, dicht verzweigt, Blätter elliptisch, bis 6 : 3 *cm*, Blüten einzeln, weiß, in Knospe rosa, Mai, Frucht rot, August; reichblühend, im Arnold Arboret entstanden.

Gruppe II ***Cérasus:*** 1. Untergruppe *Microcerasus*. A. Kelchabschnitte aufrecht oder aufrecht ausgebreitet (Reihe *Amygdalocérasus*, recht an *Amygdalus* erinnernd): ***P.*** (*A.* oder *Cerasus*) ***incana***, westl. Kleinasien bis Georgien, schlankbuschig, bis 1,5 *m*, Triebe behaart, Blätter eilänglich bis fast linealisch, unten weißgrau-filzig, Blüten meist einzeln, mit Blattausbruch Ende April, anfangs Mai, lebhaft rosenrot, Frucht kirschenartig, glatt rot, erbsengroß, Juli; interessante Hybride mit *pumila* ist ***P. Maúreri; P. prostráta***, Mittelmeergebiet bis Persien, niedriger, breiter Strauch, kaum bis 1 *m*, Blätter kurz eiförmig bis eirundlich, oft leicht gelappt, unterseits stark graufilzig bis fast kahl, Blüten zu 1 bis 2, rosenrot, fast sitzend, Ende April, Frucht rot, trocken, Juli, für Felsanlagen, namentlich var. ***bifrons*** (*P. bifrons*), reicher behaart, Blätter etwas größer, regelmäßiger gezähnt, Früchte etwas größer; ***P. tomentósa***, Japan, Mandschurei, Nordchina, sehr variabele Art, oft baumartig, Zweige dicht gelbgrau-filzig, Blätter oboval und plötzlich zugespitzt, oder breit elliptisch, bis 7 : 4 *cm*, oberseits trübgrün, behaart, unten filzig, Blüten schon anfangs April, etwas vor *triloba*, kurz vor Blattausbruch, meist einzeln, sehr zahlreich, aber nicht lange haltend, weiß, Frucht scharlachrot, Juli, wie Vogelkirsche, etwas behaart, Vermehrung auch durch Ableger. — B. Kelchabschnitte zurückgeschlagen (Reihe *Spiraeópsis*). — I. Blätter im unteren Drittel oder bis Mitte ganzrandig, oberwärts ziemlich entfernt flach gesägt, Frucht reif schwarz, Triebe rutig, Pflanzen kahl: ***P. Bésseyi*** (*P. pumila* var. *Besseyi*, *P. Rosebudii*, *P. prunella*), mittlere und nördliche Verein. Staaten, wie *pumila*, aber mehr niedergestreckt, 0,3 bis 1,2 *m*, Blätter ausgebreitet, breit, dicklich, meist elliptisch bis etwas oboval, Früchte fast doppelt so groß, kürzer gestielt, süß, bis 1,6 *cm* dick; für uns wichtiger ***P. púmila*** L. (*P. susquehánae*), Sandkirsche, Nordost-Nordamerika bis große Seen, sehr variabel in Tracht, bald niederliegend (*P. depressa*), bald steifer aufrecht bis 2 *m*, Blätter schmal lanzettlich-verkehrteiförmig, oberseits stumpfgrün, unten weißlich, Blüten weiß, zu 2 bis 5 mit Blattausbruch, April-Mai, 10 bis 15 *mm* breit, Frucht schwarzpurpurn, unbereift bis 10 *mm* dick, August, wertvoll für Rabatten, Felshänge und Sandböden; eine Kreuzung der *pumila* mit *cerasifera Pissardii* soll ***P. cisténa*** sein und im wesentlichen einer rotblättrigen *pumila* gleichen. II. Blätter meist von Grund an gesägt (oft doppelt) oder gekerbt, Frucht rot: ***P. glandulósa*** Thbg. (*P. japonica* vieler Gärten), Mittel- und Nordchina, wie *japonica*, doch Blätter unter der Mitte am breitesten, länglich eiförmig bis länglich lanzettlich, allmählich kurz zugespitzt, feiner gesägt, verschiedene Formen, so var. *albiplena* (var. *fl. pl.*) weißgefüllt und eine var. *rosea* von der kahleren Form und var. ***sinénsis*** (*P. sinensis*), die rosa gefüllte der behaarten Form; prächtige Blüten- und Treibsträucher; ***P. húmilis*** (*P. Bungei*), Nordchina, aufrecht bis 1 *m*, wie vorige, aber Blätter über der Mitte am breitesten, Triebe dicht behaart, Blüten zu 1 bis 3, Mai; ***P. japónica*** (*P. sinensis* mancher Gärten), in Japan

Abb. 353. *Prunus serrulata* var. *sachalinensis*, Sargents Kirsche, 4 *m*. (Phot. A. Rehder, Arnold Arboretum)

nur kultiviert, wohl aus China. dichter rundlicher Busch bis 1,2 *m*. Triebe kahl. Blätter scharf zugespitzt bis geschwänzt, eiförmig bis eirundlich, ziemlich grob doppelt gesägt oder gekerbt. Blüten zu 2 bis 3, mit den Blättern, rosa, sehr reichblühend var. *Engleriana*. Zweige zuletzt etwas überneigend, sonst ist für *japonica* fast stets *glandulosa* in Kultur.

2. Untergruppe *Typocérasus:* a) Reihe *Pseudocérasus:* A. (B. siehe S. 309) Schuppenhüllen am Grunde der Blütenstände (und jungen Triebe) groß, 1 *cm* oder mehr lang. Blätter nicht gelappt oder eingeschnitten doppelt gezähnt. — I. Blütenbecher aus spitzem Grunde eng trichterig-röhrig (bei gefüllten Blüten breit und flach), Frucht schwarz (japanische Zierkirschen!): **P. Lannesiána** (*Cerasus Lannesiana*, *P. serrulata* var. *Lannesiana*, *P. pseudocerasus* var. *hortensis* zum Teil), Japan. Baum bis über 10 *m*. aufrecht ausgebreitet, alles kahl, wie *serrulata*, aber Borke bleichgrau, austreibende Blätter grün, kaum gerötet, unterseits hellgrün. Zähne langgrannig. Blüten meist rosa, duftend, die wilde Form ist var. **álbida** (*P. serrulata* var. *albida* und var. *speciosa*), Blüten einfach, weiß; von prächtigen Kulturformen hierher var. *subfusca* („Sumizome"), sehr groß, fast einfach, weiß mit rosa Hauch, var. „Amayadori", gefüllt, blaßrosa, var. „Hatazakura", apfelblütenartig, halbgefüllt, weiß mit rosa, var. „Miyako", späte Form, gefüllt weiß mit rosa Hauch, var. „Sirotae", beste gefüllte weiße, var. „Moutan", groß, hellrosa, halbgefüllt, ähnlich var. „Ogon", und var. *grandiflora* (*P. serrulata fl. luteo pl.*), reichblühend, gefüllt, etwas grünlich gelb; **P. serruláta** Ldl. (*Cerasus serrulata*, *P. pseudocerasus* Hort. nicht Ldl.), sehr variabel, man unterscheidet var. **spontánea**, China, Korea, Japan, Baum bis über 25 *m*, Rinde dunkel kastanienbraun, Blattaustrieb grünbraun bis rötlich, Blätter groß, bis 15 : 5 *cm*, oval bis oboval, plötzlich lang zugespitzt. Zähnung

23*

kurz-grannig, unterseits blaugraugrün. Blüten weiß oder rosa, nicht duftend. Früchte erbsengroß, hierher die gefüllte rosa Form var. *rosea* (var. „Shidare-Sakura"), hart aber Blüten ziemlich klein; ferner var. ***pubéscens*** (*P. tenuiflóra*, *P. Leveilleána*, *P. mesadénia*, *P. Veitchii*, *P. verecúnda*), Blätter unterseits und Blütenstiele behaart. Verbreitung wie *spontanea*, ohne besondere Kulturformen; var. ***sachalinénsis*** (*P. pseudocerasus* var. *sachalinensis*, *P. sachalinénsis*, ***P. Sargéntii***, *P. floribúnda*). Sargents Kirsche. Nordjapan, Sachalin, Korea, bis über 30 *m* (Abb. 353). Rinde glänzend kirschbraun. Blätter metallischbronze bei Austrieb, breiter und gröber gezähnt als bei *spontanea*, im Herbst orange bis scharlach. Blüten mit oder kurz vor den Blättern, sehr gute Zierart mit prächtigen Kulturformen, wie var. *albo-rosea* (*P. pseudocerasus* var. „Shirofugen), Knospe rosa, später weiß, im Zentrum grünlich, var. „Fugenzo" (*P. pseudocerasus* var. „James Veitch", *P. serrulata* var. *Veitchiana*), rosenrot mit 2 blattartigen Fruchtknoten im Zentrum, var. „Hisakura" (Abb. 354), gefüllt rosa, var. „Kirin", sehr groß, rosa, stark gefüllt, spät, var. „Sekiyama", groß, gefüllt, tiefrosa, spät, eine der allerbesten, var. „Shujaku", gefüllt, rosa, sehr reichblühend; die echte

Abb. 354. Blütenzweige von *Prunus serrulata* var. „Hisakura", einer gefüllten Form der japanischen Zierkirsche. (Phot. im Hort. Hesse, Weener.)

P. pseudocérasus Ldl. (*P. involucráta* Koch.) ist für uns heikel und überhaupt als Zierart wertlos; ***P. Sieböldii*** (*Cerasus Sieboldii*, *P. pseudocerasus* var. *Sieboldii*, *P. Watereri*, *Prunus Naden* Hort.), Japan-China, nur gefüllt bekannt, steht nahe *Lannesiana*, aber Blätter behaart, geschwänzt zugespitzt, scharf oft fast doppelt gesägt. Blüten vor oder mit den Blättern, an Zierwert hinter den anderen zurückstehend; ***P. yedoénsis*** (*P. paracérasus*, *P. yedoënsis* var. *nudiflóra*), Japan, schnellwüchsig, bis 16 *m*, die japanische Nationalkirsche, vielleicht hybriden Ursprungs, von *serrulata* in den behaarten Blütenstielen, Kelchen und Griffeln abweichend, von *Sieboldii* in den jung hellgrünen Blättern und den scharfgesägten, nicht ganzrandigen Kelchen, Blütenstand 3 bis 6 blütig, oft kurz gestielt, Blüten leicht duftend, vor oder mit den Blättern. — II. Blütenbecher aus abgerundetem Grunde glockig oder walzig. Frucht rot: ***P. Conradinae***, Mittelchina, graziöser Baum, bis 10 *m*, Triebe ziemlich dünn, Blätter aus rundlichem oder fast herz-

Abb. 355. *Prunus subhirtella*, 2,5 *m*. (Phot. A. Rehder.)

förmigem Grunde oboval, bis 15 : 6,8 *cm*, plötzlich schmal zugespitzt, tief grannenzähnig. Blüten vor den Blättern, weiß oder rosa, Frucht oval, gleich folgender hübscher neuer, im Arnold Arboretum harter Zierbaum; ***P. sérrula*** var. ***tibetica*** *(P. puddum* var. *tibetica)*. Westchina, Verzweigung steil aufrecht, Rinde braunrotgelb, etwas birkenartig abblätternd. Blätter sehr spitz lanzettlich bis 10 *cm*, kurz gesägt, am Grunde mit 2 bis 5 Drüsen, Blüten nach den Blättern, weiß, Frucht eikugelig.

B. Schuppenhüllen am Grunde der Blütenstände klein oder Blätter deutlich gelappt oder eingeschnitten doppelt gesägt. — 1. Schuppenhüllen klein, 3 bis 7 *mm* lang, Blätter dicht und einfach gesägt (japanische Frühlingskirschen): ***P. subhirtélla*** *(P. Miqueliana* Maxim., *P. Herincquiana* var. *ascendens* C. Schn.) (Abb. 355), Großstrauch oder kleiner Baum mit aufrechten Ästen. Blätter 4 bis 7 *cm* lang, fast nur unten auf Nerven behaart, oval, beidendig verschmälert, grob und etwas doppelt gezähnt, Blüten sehr zahlreich, meist vor den Blättern erscheinend, fast weiß bis rosa, Kelch gerötet; von dieser prächtigen Art werden drei Hauptformen unterschieden: var. ***ascéndens*** Wils. (*P. pendula* var. *ascendens* Mak., *P. itosakra* var. *ascendens* Koidz., *P. Herincquiana* Koeh., *P. microlepis* Koeh.), der wilde Typ, üppiger lockrer breiter Baum. Blätter bis 14 *cm*, unten auf Nerven anliegend seidig. Zähnung feiner, bei uns in Kultur noch kaum bekannt, dagegen sehr wertvoll var. ***péndula*** (*Cerasus pendula* Sieb., *C. itosakura* Sieb., *P. pendula* Maxim., *Cerasus japonica* und var. *rosea* Hort.), kleiner Baum, Zweige dünn, peitschenförmig hängend (Abb. 356). Blätter lanzettlich-elliptisch bis oval, bis 10 *cm*, sonst wie *ascendens*. Blütenstiele auch behaart. Blüten vor den Blättern, rosarot, Frucht kugelig, schwarzrot, ausgezeichnet: eine abnorme halbgefüllte Form, die im Mai und dann nochmals im Oktober blüht, ist var. ***autumnális*** (*P. subhirtella* var. *Fukubana* Mak., *P. autumnalis* Koeh., *P. Makinoana* Koeh., *P. microlepis* var. *Smithii* Koeh., *P. Cerasus Chealii pendula* Hort.), breiter

Abb. 356. *Prunus subhirtella* var. *pendula*, japanische Hängekirsche, 4 *m*. (Phot. A. Rehder.)

Abb. 357. Fruchtzweige von *Prunus Maximowiczii*. (Phot. A. Purpus.)

buschartiger Baum, zuweilen Blüten im Frühjahr erst mit den Blättern, dann Blütenstandstiel verlängert. — 2. Schuppenhüllen verschieden. Blätter entweder auffallend grob- und tief doppelt gesägt, oder stumpflich bis stumpfzähnig gekerbt; Blüten mit den Blättern erscheinend: ***P. canéscens***, Mittelchina, dichter aufrecht-ausgebreiteter Strauch, bis 2 *m*, Zweige kahl, Blätter eilanzettlich, bis 6,3 *cm*, grob doppelt gezähnt, Zähne breiter als lang, Flächen besonders unten dicht kurz behaart, Blüten zu 3 bis 5, rosaweiß, April bis Mai, Kelch scharf gesägt, Frucht eikugelig, kirschrot, bis 12 *mm* dick, hübsche harte Art: ***P. concinna*** (*P. Zappeyana*), Mittelchina, ähnlich *lobulata*, aber Blätter mehr rhombisch-oboval, Fruchtsteine kaum gefurcht und ohne Gruben, ist in der Blüte die früheste dieser Gruppe, kurz vor ***P. incisa*** (*Cerasus incisa*), Japan, baumartiger Strauch, reich kurzästig, bis 6 *m*, Blätter oboval, plötzlich zugespitzt, tief doppelt gezähnt mit fein zugespitzten, drüsenlosen Zähnen, beiderseits behaart, oder zuletzt fast kahl, Stiele dicht behaart, Blüten zu 1 bis 3, nickend, am Grunde mit blattartigen Hochblättern, weiß oder rosa, Becher röhrig, Blumenblätter sehr abfällig, Kelch sehr gerötet, Frucht eiförmig, schwarz-purpurn; ***P. lobuláta***, Mittelchina, Baum bis über 12 *m*, Blätter oboval-lanzettlich, bis 8 *cm*, zugespitzt, doppelt gesägt, mit stark zugespitzten oft drüsigen Zähnen, kahl, am Grund oder Blattstielende 1 bis 2 drüsig, Blüten weiß, Frucht fast kugelig, bis 2,5 *cm*, im Arnold Arboret hart: ***P. nippónica*** (*P. iwagiensis*, *P. nikkoensis*), Japan, meist buschig, bis 3 *m*, Austrieb bronzegrün, Herbstfärbung orange bis weinrot, sonst wie *incisa*, aber Blätter bis 9 *cm*, Stiele und zuletzt auch Spreiten kahl, Zähne drüsig, Blütenbecher mehr kreiselförmig, gilt als recht hart.

Abb. 358. *Prunus avium* var. *plena*, gefüllte heimische Kirsche, 8 *m*. (Phot. E. Rettig, Jena.)

b) Reihe *Cremastosepalum*: A. Blattzähne spitz bis zugespitzt, mit endständiger Drüse; Deckblätter unserer Arten oft ziemlich groß, krautig, zur Fruchtzeit bleibend. Blüten mit den Blättern. — I. Dolden 1 bis 4 blütig, mit oft etwas abgerückter unterster Blüte, kurz gestielt oder fast sitzend: ***P. pilosiúscula*** (*P. tatsienensis* var. *pilosiuscula*), Mittel- und Westchina, Baum bis 13 *m*, Blätter breit- oder länglich-oboval, bis 8,5 : 4,2 *cm*, sehr scharf einfach- oder eingeschnitten doppelt-gesägt, aber mit winzigen Drüsen, unterseits meist behaart, am Grunde 2 drüsig, Blüten rosa, Frucht länglich, rot, hübsche im Arnold Arboretum harte Art; dort war auch in Kultur ***P. tatsienensis*** var. ***stenadénia***, Mittelchina, mit mehr ovalen, plötzlich geschwänzt zugespitzten kahleren Blättern und deutlichen drüsigen Zähnen, sowie kugeligen Früchten. — II. Blütenstände kurz- oder deutlich traubig, 3 bis 9 blütig, gestielt: ***P. Maximowiczii*** (*P. bracteáta*), Mandschurei bis Japan, wagrecht verästelter Baum, bis 20 *m*, Blätter wie Abb. 357, grob doppelt gezähnt, Herbstfärbung rotorange, Zahndrüsen klein, Blüten weiß, Achse und Kelch behaart, Früchte schwarz, erbsengroß, schöne Art; an sie schließen sich von neueren mittelchinesischen an: ***P. conadénia***, bis 10 *m*, Drüsen der Blätter und besonders der Deckblattzähne auffällig kräftig, kurzkonisch, Blätter aus rundem

Grunde oboval, kahl, bis 9 : 4,8 *cm*, Blütentrauben 4 bis 8 blütig, Frucht eiförmig, und ***P. discadénia***, Blätter bis 10 : 5 *cm*, Drüsen niedergedrückt scheibenförmig, Stiele purpurn, auch zu erproben.

B. Blattzähne stumpf bis ausgerandet, mit schief oder ganz am Grunde neben dem folgenden Zahn eingefügter Drüse. — a) Blattzähne wohl entwickelt, Schuppenhüllen des Blütenstandes zur Blütezeit bleibend *(Eucerasus)*: ***P. ávium*** *(P. Cerasus* var. *avium*, *Cerasus avium*, *C. nigra*, *C. dulcis)*, Vogelkirsche, Europa bis Kaukasus wie *P. Cerasus*, aber Baum bis 23 *m*, mehr aufstrebend verästelt, Blätter bis 15 : 7 *cm*, schlaffer, unterseits bleibend behaart, Stiele bis 5 *cm*, 2drüsig, Blüten bis 3,5 *cm*, innere Knospenschuppen zurückgeschlagen, Frucht schwarzrot, auch bei wilden Formen süßlich, von Zierformen nur zu erwähnen: var. *plena*, Blüten schön gefüllt, Abb. 358, und var. *péndula*, Wuchs sehr hängend; var. *Juliána* sind die Herz-Kirschen, var. *duracina* die Knorpelkirschen; hübsch der Bastard mit *P. Mahaleb*: ***P. Fontanesiána (P. graéca)*** siehe Abb. 359; ***P. Cérasus*** *(P. acida*, *Cerasus vulgaris*, *C. caproniána* DC., *C. austera* Ehrh.), Sauerkirsche, Kleinasien, bei uns verwildert, oft überhängend breit verästelter Baum, bis 10 *m*, Blätter ziemlich steif, glänzend, bis 7 : 3,5 *cm*, sehr bald kahl, Stiel bis 2,5 *cm*, oft ohne Drüsen, Blüten bis 3 *cm* breit, Blütenstände am Grunde meist beblättert, innere Knospenschuppen aufrecht, Früchte hell oder dunkelrot, säuerlich; hiervon var. *Rhéxii* (var. *ranunculiflora*) schön weiß gefüllt, var. *plena* (var. *semipléna*), halbgefüllt, früher als vorige, var. *persiciflora*, hell rosa gefüllt, var. *globosa* Wuchs gedrungen rundlich, var. ***semperflórens*** *(P. semperflorens*, *P. acida* var. *semperflorens)*, Allerheiligenkirsche, bis tief in den Sommer blühend, oft gleichzeitig fruchtend, ferner var. *marásca (P. marasca*, *P. acida* var. *marasca)*, Dalmatien, Maraschino-Kirsche; ein Bastard von *Cerasus* mit *avium* ist ***P. effúsa*** (*Cerasus effusa* Host, *P. aproniana* Beck, *P. caproniana* Zab.); ***P. fruticósa*** (*P. Cerasus* var. *pumila*, *P. chamaecerasus*, *Cerasus humilis*, *P. pumila* Fritsch nicht L.), Zwergkirsche, Europa, bis Sibirien sparrig ausgebreiteter Strauch, bis 0,8 *m*, Blätter auch an Langtrieben nicht über 5 : 2,5 *cm*, lanzettlich-oboval, dicklich, fein gesägt, Blüten zu 1 bis 4 in fast sitzenden Doldentrauben, weiß, April bis Mai, Frucht plattkugelig, dunkelrot, Juli, hübsche Art für warme sonnige Hänge, als Trauerbäumchen oft veredelt var. *pendula* (*P. myrtifolia*, *P. pumila pendula* und *P. sibirica* Hort.) siehe Abb. 360; ein Bastard mit *P. Cerasus* ist *P. éminens*.

Abb. 359. *Prunus Fontanesiana*, 4 *m*. (Orig.: Hort. Bot. Wien)

b) Blattzähne sehr kurz, Schuppenhülle des Blütenstandes vor dem Blühen abfällig (*Mahaleb*, Weichsel): ***P. Mahaleb*** *(Cerasus* oder *Padus Mahaleb*, *P. odorata)*, Europa bis Turkestan, Strauch bis kleiner Baum (Abb. 361), Holz wohlriechend, Triebe feinfilzig, Blätter breit- bis rundlich-eiförmig, glänzend grün, nur unten an Rippe behaart, Blüten weiß, duftend, in 6 bis 10 blütigen Doldentrauben, April-Mai, Frucht etwas eiförmig, erst gelbrot, dann schwarz, sehr herb, bei var. *xanthocarpa* (var. *chrysocárpa*) bleibend gelb; als Zierpflanze ist schöner ***P. pennsylvánica*** *(Cerasus* oder *P. borealis*, *C.* oder *P. persicifolia)*, östl. Nordamerika,

Abb. 360. *Prunus fruticosa* var. *pendula*. (Orig., Herb. Arb. ds. Rosdorf.)

schnellwüchsig bis über 15 *m*. Rinde bitter. Zweige kahl, glänzend purpurbraun. Austrieb braun. Blätter meist spitz länglich-lanzettlich, lebhaft hellgrün, dünn. Blüten zu 4 bis 10, mehr doldig. Frucht erbsengroß, kirschrot, von Vögeln gern gefressen.

Abb. 361. *Prunus Mahaleb*, Weichsel, 6 *m*. (Phot. C. Schneider, Bot. n. Garten, Wien [aus Gartenwelt].)

Gruppe III. ***Prunóphora***, Pflaume: A. europäische Pflaumen: Blätter verhältnismäßig breit, meist deutlich netznervig, wenigstens unterseits behaart, junge Triebe meist behaart, Blüten einzeln oder gepaart aus jeder Knospe. — I. Blütenstiele kahl: ***P. cerasifera*** (*P. domestica* var. *Myrobalana*, *P. Myrobalana*), Myrobalane, Kirschpflaume, Kaukasus bis Turkestan, kleiner Baum mit breitrundlicher Krone, einjährige Zweige meist grün, Blätter hellgrün, unten nur auf Rippe behaart, bis 8,5:6 *cm*, Blüten einzeln, weiß, etwa 2,2 *cm* breit, Frucht rot, am Grunde eingedrückt (bei der var. *divaricata* [*P. divaricata*], gelb, nicht eingedrückt), wertvoll für die Kultur ist var. ***Pissárdii*** (*P. Pissardii*, var. *Pissartii*, var. *atropurpurea*), Blutpflaume (Abb. 362), sehr zierend bei Blattausbruch mit den weißen Blüten im dunklen Laub, besonders tief schwarzrot im Laub soll f. *Spaethiana* sein; einer Kreuzung der var. *Pissardii* mit *P. Mume* var. *roseiplena* soll entsprechen ***P. Blireiána*** (*P. blireana*), Blüten gefüllt, rosenrot, ähnlich *triloba plena*, hierher als Form var. ***Móseri*** (*P. Pissardii Moseri fl. pl.*, *P. cerasifera Pissartii Moseri*), Blüten etwas kleiner, blasser; ein Bastard der *P. cerasifera* mit *P. Armeniaca* ist ***P. dasycárpa*** (*Armeniaca dasycarpa*), die sog. Pflaumenaprikose: ***P. spinósa***, Schwarzdorn, Schlehe, Europa bis Westasien, dichte dornige Büsche bis 4 *m*, zur Blütezeit recht reizvoll (besonders die gefüllte var. *plena*), oft schon Ende März, für große Anlagen. Früchte sehr herb, August-Oktober; vielleicht ein Bastard mit *cerasifera Pissardii* ist *P. spinosa* var. *purpurea*, mit purpurn getöntem Laub und blaßrosa Blütenknospen. — II. Blütenstiele behaart: ***P. doméstica*** (*P. communis* Huds.), hierher die Haferschlehe, var. ***insititia*** (*P. insititia*) und viele Kulturpflaumen, vor allem die Hauspflaume, var. ***oeconómica*** (*P. oeconomica*); als Zierpflanzen kaum von Bedeutung außer etwa die weiß gefüllte Form ***P. plantierénsis***, die auch zu *cerasifera* gestellt wird. — B. Ostasiatische Pflaumen: Blätter meist länglich oboval, nicht rauhlich oder behaart, oft glänzend, junge Triebe kahl oder kaum behaart, Blüten meist zu drei aus jeder Knospe im Büschel: ***P. salicina*** (*P. triflóra*, *P. ichangana*, *P. consociiflóra*, *P. Botan* und *P. Masu* Hort.), China, kleiner Baum, Zweige glänzend zimtbraun, Blüten etwas

Abb. 362. *Prunus cerasifera* var. *Pissardii*, Blutpflaume, 4 *m*. (Orig.; Hort. Pruhonitz.)

Abb. 363. *Prunus americana*, amerikanische Kirschpflaume, 2,5 *m*. (Phot. A. Rehder.)

grünlichweiß, ohne Zierwert, anfangs April; ***P. Simónii*** *(Persica Simonii)*, Aprikosenpflaume, Nordchina, doch nur in Kultur bekannt. Tracht pyramidal. Blätter pfirsichartig, eilanzettlich, bis 10 *cm*. Blüten im April vor den Blättern, weiß, Früchte ziegelrot, nektarinenartig, eßbar, interessante Form.

C. Amerikanische Pflaumen: Blätter ziemlich schmal und glatt, gleich Trieben oft kahl. Früchte ziemlich klein, gelb oder rot, nicht tief blaupurpurn. Blüten meist zu mehr als 3 aus einer Knospe: ***P. americána*** *(P. latifólia* Mnch.), östlich. und mittleres Nordamerika, breiter, dorniger, dichter, baumartiger Strauch, überneigend verzweigt (Abb. 363). Blätter länglich oboval, derb, nicht glänzend, scharf gesägt, unten stark genervt und meist auf Nerven behaart. Stiele ohne Drüsen. Blüten groß, weiß, vor den Blättern. Frucht kugelig, zur Fruchtzeit schön; ***P. hortulána***, mittl. Verein. Staaten. Baum bis 12 *m*, ohne Wurzelschosse. Blätter eielliptisch, langzugespitzt, etwas glänzend gelbgrün, Serratur etwas kerbig, Stiel drüsig, gilt als schönste Art der Gruppe zur Fruchtzeit im Oktober; gleich voriger und folgender in der Heimat mit vielen Kultursorten; ***P. nigra*** *(P. americana* var. *nigra, P. borealis)*, nordöstl. Amerika. Baum bis 12 *m* (Abb. 364), von *americana* abweichend durch breitere, stumpf gezähnte, mehr behaarte Blätter, drüsige Stiele, größere im Verblühen rosafarbene Blüten auf roten Stielen, blüht sehr früh im April, Frucht eiförmig; in Kultur noch eine ganze Reihe amerikanischer Arten, wie *alleghaniensis* (Abb. 366), *angustifolia, maritima* (Abb. 365), *mexicana, Watsonii*, deren Zierwert zum Teil nicht allzu bedeutsam ist.

Abb. 364. *Prunus nigra*, schwarze Pflaume, 2 *m*. (Phot. A. Rehder.)

Gruppe IV. ***Armeniaca***, Aprikose: ***P. Armeniaca*** *(Armeniaca vulgaris)*, wohl aus Nordchina, breit aufrecht rundkroniger Baum bis 10 *m*, Zweige glänzend rotbraun, Blätter breit bis rundlich-oval, bis 10 : 7 *cm*, sattgrün, Stiel bis 3 *cm*, drüsig. Blüten erst rötlich, dann weiß, bis 2,5 *cm*, April, Frucht gelb mit roten Backen, bis 5 *cm* dick, Juli, viele Kultursorten, für uns als Zierbäume sehr wertvoll var. ***manshúrica*** *(P. mandshurica)*, Mandschurei. Blätter etwa doppelt so lang wie breit, scharf doppelt gesägt, Blütenachse und Kelch fein behaart. Frucht klein, etwa 2,5 *cm* dick, grünlich gelb, blüht oft schon März,

Abb. 365. *Prunus maritima*, Meerstrandspflaume, 1,5 *m*. (Phot. A. Rehder.)

etwas vor var. ***sibirica*** *(P. sibirica)*, Mongolei-Dahurien, meist baumartiger Strauch, Blätter mit mehr allmählich lang vorgezogener Spitze, jung gerötet. Früchte ähnlich der vorigen Form, beide als Frühblüher für geschützte Lagen sehr schön; ***P. Mume***, Japan-Aprikose, Japan, ähnelt sehr der *P. Armeniaca sibirica*, aber gut verschieden durch die unterseits längs der Rippe zottigen Blätter, Blüten rosa, nicht so hart, var. *roseiplena*, gefüllt.

Abb. 366. *Prunus alleghaniensis*, Allegheny-Pflaume, 2,5 *m*. (Phot. A. Rehder.)

Gruppe V. ***Padus***, Traubenkirsche: A. Kelch am Grund der Frucht nicht bleibend, Blüten zeitig (Mai), kleine Bäume: I. Blüten aus dem alten Holze, Blütentrauben unten nackt: ***P. Maáckii*** *(Laurocerasus Maackii)*, Amurgebiet, Mandschurei, ausgezeichnet durch die lebhaft gelbbraune, birkenartig abblätternde Rinde (Abb. 367) und die unterseits drüsenpunktigen Blätter, sehr anpflanzenswert; ein interessanter Bastard mit *P. Maximowiczii* ist ***P. Meyeri***, Tracht pyramidal, Rinde ähnlich *Maackii*, Blätter lebhaft grün, im Arnold Arboretum entstanden. — II. Blütenstände an der Spitze diesjähriger beblätterter Triebe: ***P. demissa*** *(P. virginiana* var. *demissa)*, westl. Verein. Staaten, wie *virginiana*, aber Austrieb etwas später, hellbronze, Blätter rundlicher, oft fast herzförmig, dicker, behaart, Stiele drüsig, Frucht größer, purpurn, eßbar; ***P. Grayána*** *(P. Padus* var. *japónica)*, Japan, Austrieb hellgrün, Knospen groß, wie *Padus*, aber Blätter fein borstig grannenzähnig, Stiele nur bis 1 *cm*, drüsenlos; ***P. Padus*** *(Padus racemosa, Padus vulgaris)*, gemeine Traubenkirsche, auch Faulbaum genannt (wegen Geruch der Rinde), Europa bis Nordasien, Blätter meist elliptisch, bis breit verkehrt-eiförmig, oben tiefgrün, unten etwas blaugrau, Stiele zweidrüsig, 10 bis 15 *mm*. Blütenstände lockertraubig, meist etwas hängend, Blüten weiß, duftend, Frucht glänzend schwarz, Juli bis August, hübsch var. *aurea*, Austrieb gelblich, var. ***commutáta*** *(P. Regeliana)*, sehr früh austreibend, auch Blüten schon früher im April, fast noch früher var. *fl. roseo*, var. *plena*, Blüten gefüllt, länger dauernd, var. *leucocárpa (P. Salzeri)*, Früchte gelbgrün, var. *Watereri*, Blüten einfach, aber Trauben bis 20 *cm*, schön; sehr nahe steht ***P. cornúta*** *(P. Padus* var. *cornuta)*, Himalaya,

Abb. 367. *Prunus Maackii*, die birkenartige Berindung zeigend, im Arnold Arboretum. (Orig.)

Blätter groß, bis 20 : 8 *cm*, Grund fast herzförmig, Unterseite an Rippe rostig behaart, Trauben dichtblütig, fein behaart, zur Fruchtzeit bis 30 *cm*, hübsch für wärmere Lagen; eine Hybride von *Padus* mit *virginiana* ist ***P. Laucheana*** (*P. Padus* var. *rotundifolia* zum Teil); ***P. Ssióri*** (*P. Shiuri* Mayr), Mandschurei-Japan, hoher Baum, Blätter eiförmig, lang-zugespitzt, scharf gesägt, Stiel drüsig, von Mayr forstlich empfohlen, doch noch unerprobt; ***P. virginiána*** (*P. nana* Duroi), nördliches Nordamerika, oft Strauch, bis 10 *m*, Austrieb bronzefarben kurz nach *Grayana*. Blätter meist elliptisch oder breit verkehrt-eiförmig, bis 16 : 6—8 *cm* an Lohden, Zähnung feinspitzig, dünn, oberseits glänzend grün, unten hellgrün oder graugrün, nur Hauptnerven scharf. Blüten in dichten abstehenden Trauben, später als *Padus*, Frucht erbsengroß, zuletzt schwarzrot oder amberfarben (var. *leucocarpa*); jetzt auch ***P. pubigera*** in den Formen var. ***obovata*** und var. ***Práttii*** aus West-China in Kultur, treibt ziemlich früh, bronzefarben; ferner verschiedene Arten dieser *Padus*-Gruppe mit abfallenden Kelchen, bei denen die Fruchtstiele deutlich verdickt sind, so ***P. rufomicans***, Mittel-China, Blattunterseiten rostfarben seidig-filzig, ***P. sericea***, Blätter nur weißseidig, sehr versuchswert.

Abb. 368. *Prunus Laurocerasus*, gemeiner Kirschlorbeer in Blüte. 5 *m*. (Phot. 1911 Graebener, Karlsruhe.)

B. Kelch am Grunde der Frucht bleibend. Blüten meist erst Ende Mai bis Juni, große Bäume: ***P. serótina*** (*Padus* oder *Cerasus serotina*), späte Traubenkirsche, östl. und mittl. Verein. Staaten, bis über 40 *m*, Rinde bitter aromatisch, Blätter länglich-eiförmig oder lanzettlich, allmählich zugespitzt, fest, glänzend grün, lorbeerartig, bis 8 : 4 oder 12 : 5 *cm*, unterseits fein netznervig, längs Rippe rostig behaart, Blütenstände aufrecht oder wagrecht abstehend. Frucht erbsengroß, schwarzpurpurn, September, besonders schön im Laub var. ***cartilaginea*** (*P. cartilaginea*, *P. carthagena* Hort.); schöne, auch forstlich brauchbare Art; für wärmere Lagen ist sehr hübsch die ähnliche ***P. Cápollin*** (*P. Cápuli*) aus Mexiko, etwas wintergrün, Blätter schmäler, sehr lang zugespitzt, Früchte bis 15 *mm* dick.

Gruppe VI. ***Laurocérasus***, Kirschlorbeer: ***P. Laurocérasus*** (*Laurocerasus officinalis*), Balkan bis Kaukasus, Strauch bis kleiner Baum (Abb. 368), sehr wertvolle formenreiche Art, Blätter glänzend grün, Stiel mit 2 bis 4 Drüsen, Frucht spitz eiförmig, schwarz, wichtig vor allem var. ***Bertinii***, Blätter sehr breit, gleich var. ***magnoliaefolia***, die mit ihren riesigen bis 30 *cm* langen und 13 *cm* breiten Blättern als beste gilt, und var. ***Otinii*** mit fast schwarzgrüner großer Belaubung, zu den empfindlicheren Formen für wärmere Lagen gehörend, während folgende sich für rauhere Gegenden eignen: var. ***caucásica***,

Blätter bis 18 : 7,5 *cm*, var. **schipkaënsis**, Bulgarien, niedrige Sträucher, mit bis 5 *cm* breiten Blättern f. *Mischeana*, und mit schmäleren lanzettlichen Blättern f. *Zabeliana*, Tracht breiter, f. *Fiesserana*, pyramidal, var. **sérbica**, Serbien, in Heimat unter Schneedruck niedrig, in Kultur hoch werdend wie *caucasica*; ***P. lusitánica***, Portugal-Kirschlorbeer, Spanien, Portugal, Kanaren, kleiner Baum, Blätter eiförmig, an Lorbeer erinnernd, sehr dunkel und glänzend grün, bis 10 : 3,5 oder 16 : 5 *cm*, ziemlich eng und gleichmäßig gezähnt, Blüten (Abb. 369) nach *Laurocerasus*, Frucht dunkelpurpurn, ausgezeichnete Art, härter als die großblättrigen Formen der vorigen Art, besonders var. *pyramidalis* Hort.; nur für wärmste Lagen dagegen kommt in Betracht *P. ilicifólia* aus Kalifornien, siehe Abb. 370.

Abb. 369. Blütenzweige von *Prunus lusitanica*. (Phot. A. Purpus.)

Psédera siehe *Ampelopsis*. — ***Pseudaégle sepiária*** siehe *Citrus trifoliata*.

Pseudocydónia (*Chaenoméles*, *Pyrus*, *Cydonia*) ***sinénsis***: zwischen *Chaenomeles* und *Cydonia* stehender, dornloser, sommergrüner, baumartiger Strauch aus China, Rinde platanenartig abschülfernd, Blätter mit kleinen Nebenblättern, Blüten einzeln, karminrosa, fein duftend, Mai, Frucht länglich, dunkelgelb; für Gehölzfreunde wertvoll, nicht so hart wie *Chaenomeles japonica*, aber in Wien z. B. völlig aushaltend.

Pseudosassafras siehe *Sassafras*.

Psorálea glandulósa — Leguminosen. — Chilenisch-peruanischer drüsiger Strauch mit abwechselnden, sommergrünen, 3 zähligen, durchscheinend gepunkteten Blättern und ährigen Trauben blauweißlicher Blüten im Mai, Kultur und Vermehrung wie *Petteria*; doch nur für wärmere Gegenden.

Ptélea monophylla siehe *Cliftonia*.

***Ptélea trifoliáta*, Lederblume, Hopfenstrauch** — Rutaceen. — Sommergrüner Strauch oder kleiner Baum aus NO.-Amerika, Blätter wechselständig, 3 zählig, drüsig gepunktet, saftgrün oder bei var. *aurea* goldgelb, Blüten grünlichweiß, wenig ansehnlich, doldenrispig, zweihäusig, Juni, Frucht ringsum geflügelt, hellgrün, spät abfällig, Rinde und Blätter gerieben nach Hopfen riechend; Kultur in jedem guten, etwas frischen Gartenboden; Vermehrung durch Samen oder Ableger, bunte Formen durch Veredlung unter Glas; Verwendung als Gruppenstrauch im Park, die gelbe Form oft effektvoll im Vordergrunde.

***Pterocárya*, Flügelnuß** — Juglandaceen. Bäume oder baumartige Sträucher (Abb. 371) mit gefächertem Zweigmark, abwechselnden, sommergrünen, unpaar gefiederten Blättern, unscheinbaren, grünen, einhäusigen Blüten und langen hängenden Fruchtstandähren mit geflügelten Früchten; Kultur in jedem guten tiefgründigen, frischen Gartenboden in nicht zu rauhen Lagen; Vermehrung durch Samen (nach Reife oder stratifizieren), Ableger und Ausläufer; Verwendung als schöne Parkbäume.

Abb. 370. Blütenzweige von *Prunus ilicifolia*. (Phot. A. Purpus.)

P. fraxinifólia (*P. caucásica*), Kaukasus, Westpersien, bis 20 *m*, bei uns meist mehrstämmig, wie Abb. 371, Knospen nackt mit Nebenknospen, Blättchen 11 bis 25, Blattspindel ungeflügelt, Fruchtflügel rundlich; ***P. rhoifólia*** (*P. sorbifólia*, *P. laevigata*), Japan, Knospen 2 bis 3 schuppig, ohne Nebenknospen, härter und höher als vorige; ***P. stenóptera*** (*P. japonica* und *P. sinensis* Hort.), China, Knospen nackt, Blattspindel geflügelt, Fruchtflügel länglich, nicht ganz so hart wie die erste, besser ist ihr Bastard damit: ***P. Rehderiána***, üppiger

Abb. 371. *Pterocarya fraxinifolia*, kaukasische Flügelnuß, 12 *m*.
(Phot. E. B. Behnick, ehem. Botan. Garten, Berlin.)

und härter als die Eltern. Blattbasis schmal geflügelt, beste Kulturform! Die neuen chinesischen *P. hupehensis*, ähnlich *caucasica*, aber Blättchen nur 5 bis 9, und *P. Paliurus*, ausgezeichnet durch ringsum geflügelte zimbalähnliche Früchte, sind noch zu erproben.

***Pterocéltis Tatarinówii*, Flügelzürgel** Ulmaceen. — Aus Ostchina eingeführter sommergrüner Baum, wie Abb. 373, Blätter etwa wie *Celtis occidentalis*, aber grobzähnig. Früchte einzeln, achselständig, ulmenähnlich; Kultur usw. wohl wie *Celtis*. Härte usw. noch zu erproben.

Abb. 372. *Pterostýrax hispida*, Flügelstorax, 2 *m*.
(Orig., Hort. Vilmorin, Les Barres.)

Pterostýrax hispida (*Halésia hispida*), **Flügelstorax** — Styracaceen. — Bei uns bis etwa 6 *m* hoher Strauch (Abb. 372), aus Japan und China. Blätter abwechselnd, sommergrün, einfach. Blüten lang rispentraubig, überhängend, weiß, wohlriechend, glockig, Juni. Frucht reichhaarig; Kultur in jedem guten, nahrhaften, aber eher leichteren, nicht zu feuchten Gartenboden in warmen, geschützten Lagen, sonnig, oder in wärmeren Gegenden auch leicht schattig; Schnitt: kurzes Einstutzen von Langtrieben schwach auslichten; Vermehrung durch Samen, Ableger, krautige Stecklinge

Abb. 373. *Pterocéltis Tatarinowii*, 18 *m*, in der Heimat in Zentralchina, W. Szetschwan, bei Washan. (Phot. E. H. Wilson; mit Genehmigung von Professor C. S. Sargent.)

(unter Glas); Verwendung zur Blütezeit als prächtiger Zierstrauch im großen Garten und Park. — Auch ***P. corymbósa*** aus Japan ist recht hübsch, Blüten mehr breitrispig aufrecht abstehend, Frucht geflügelt, etwas heikler, meist niedriger bleibend.

Ptilotrichum spinósum siehe *Alyssum*.

Puerária hirsúta (*P. Thunbergiána; Pachyrrhizus Thunbergianus*), **Kopou-Bohne** — Leguminosen. Üppiger, seltener Schlingstrauch aus China-Japan mit knolliger Wurzel, abwechselnden, sommergrünen, 3zähligen Blättern und violetten Blüten in dichtblütigen achselständigen Trauben, Juli bis August, alles borstlich oder seidig behaart; Kultur nur in sehr warmen, geschützten Lagen in gutem, durchlässigem Boden, Bodendecke im Winter; Vermehrung durch Wurzelteilung und Ableger, Samen selten (warm aussäen); Verwendung in milden Gegenden als wüchsiger Schlingstrauch, eigentlich bei uns mehr Staude, da meist zurückfrierend. Geht zuweilen als *Dolichos japonicus*.

Pulverholz siehe *Rhamnus Frangula*.

***Púnica granatum*, Granatbaum** — Punicaceen. — Bekannter Kalthausstrauch oder kleiner Baum, Blätter meist gegenständig oder gebüschelt, einfach, sommergrün, ganzrandig, Blüten ansehnlich, schön, granatrot mit purpurnem Kelch, zu 1 bis 5 an den Zweigspitzen, Frucht apfelartige, gefächerte, weichfleischige, vielsamige Beere; Kultur nur im Süden des Gebietes in wärmsten Lagen, sonst Kalthauspflanze; Vermehrung

Abb. 374. *Purshia tridentata*, 1,5 *m*. (Orig.: Hort. Vilmorin, Les Barres.)

Abb. 375. *Pyracántha coccinea,* Feuerdorn, 1,5 *m.* (Orig.: Hort. Grafenegg (phot. Gäschlbauer).)

durch reife Stecklinge oder Ableger; Verwendung als prächtiger, im Mai bis Juni blühender Zierstrauch des Südens.

Púrshia (*Künzia*) ***tridentáta*** — Rosaceen. — Aufrechter, buschiger, bis 2 *m* hoher, immergrüner Strauch (Abb. 374) aus Kalifornien bis Kolorado, Blätter abwechselnd, klein, gebüschelt, lappenzähnig, Blüten einzeln, gelb, Juni, Frucht behaarte Achaene; Kultur in recht durchlässigem, sandig-lehmigem Boden in sonniger, warmer Lage zwischen Felsen; Vermehrung durch Samen, krautige Stecklinge unter Glas und Ableger; Verwendung für Gehölzfreunde in Felspartien; ebenso var. ***glandulósa*** (*P. glandulosa*), die sehr ähnlich und mehr drüsig behaart ist.

Putória (*Aspérula*) ***calábrica*:** 10—30 *cm* hoher, übelriechender Strauch aus dem Mittelmeergebiet, Blätter schmal, glänzend, Blüten wachsrosa, an *Daphne cneorum* gemahnend, Juli bis August, Frucht schwarze Beere; für sehr warme sonnige Lagen im Süden des Gebietes; Vermehrung durch Saat und Stecklinge.

Pyracántha coccinea (*Crataegus, Cotoneáster* oder *Méspilus Pyracántha*), **Feuerdorn** — Rosaceen. — Ausgebreiteter, sparrig verästelter, immergrüner Dornstrauch (Abb. 375), bis 3 *m* oder an Wand gezogen viel höher, Triebe grau behaart, Blätter sattgrün, abwechselnd, einfach, zugespitzt, Blüten weiß, doldentraubig, Mai bis Juni, Früchte schön leuchtend rot, bei der sonst üppigeren, aufrechteren, größerblättrigen var. ***Lalandii*** (*Crat., Coton., Mesp.* oder *Pyrac. Lalandii*) mehr korallenrot, siehe auch Farbentafel XIV, rechts, August bis tief in den Winter; Kultur in jedem guten, nicht zu schweren, durchlässigen Gartenboden in warmer sonniger Lage; Vermehrung durch Samen, Ableger, reife Stecklinge im Herbst unter Glas; Verwendung als prächtiger Zierstrauch, den man durch Schnitt beliebig formen kann, zur Bekleidung von Mauerwerk, Wänden usw.; für Felsen ist die zierlichere var. ***pauciflóra*** (*Coton. Pyr.* var. *pauciflora*) gut. Einer der allerbesten Zierfruchtsträucher. — Seltener und empfindlicher ist ***P. crenuláta*** (*Mesp., Crat., Cot. crenulata. P. Rogersiana* Hort.), Himalaya und Westchina, Triebe rostig behaart, Blätter glänzender, stumpfer, oft mit *Lalandii* verwechselt; sowie ***P.*** (*Cot., Pyrus*) ***angustifolia,*** Westchina, steif ausgebreitet, oft etwas niederliegend, Blätter fast ganzrandig, rundlich-spitzig, unterseits dick filzig, Früchte lebhaft orangegelb, sehr lange bleibend, für warme Lagen.

Pýrus[20]) **(*Pirus*), Birne** — Rosaceen. — Meist kleine Bäume, Blätter abwechselnd, einfach, Blüten weiß, in Scheindolden, April bis Mai, Frucht Birne; Kultur in jedem guten, tiefgründigen, durchlässigen Gartenboden in offener Lage; Vermehrung durch Samen oder durch Veredlung auf *P. communis*; Verwendung als ziemlich hübsche Zierbäume im Park. Man vergleiche das Weitere unter *Malus*!

ALPHABETISCHE LISTE DER ERWÄHNTEN LATEINISCHEN NAMEN.

(Die Ziffern bezeichnen die Seitenzahlen.)

A. Blätter ganzrandig, angedrückt oder kerbig gezähnt oder gesägt, Zähne nie begrannt (europäisch-westasiatische Arten, vergleiche auch unter B. b.). — I. Blätter ganzrandig, einfach: ***P. amygdalifórmis,*** Tracht ähnlich Abb. 376. Blätter derb, länglich-lanzettlich, bis 5 *cm*, zuletzt fast kahl; ***P. nivális,*** Schneebirne, westasiatischer Strauch bis Baum, im südöstl. Europa gelegentlich verwildert, im Alter ganz malerische Bäume bildend, besonders in der Form var. ***elaeagrifólia*** *(P. elaeagrifólia)* mit lanzettlichen graugrünen unterseits filzigen Blättern und kugeligen Früchten; hübscher für die Kultur ist ***P. salicifólia,*** Weidenbirne, Kaukasus bis Armenien, Baum bis 8 *m*, Tracht etwas überhängend, Blätter schmal-lanzettlich, besonders jung schön silberweißfilzig, später oben ergrünend, Blüten im April, Frucht birnförmig; zwischen *elaeagrifolia* und *betulifolia* ist im Arnold Arboretum eine Hybride ***P. congesta*** Rehd. entstanden; hübsche alte Bäume wie Abb. 376, bildet auch ***P. sináica,*** eine graugrün belaubte, der *amygdaliformis* nahestehende Kulturform. — II. Blätter gezähnt oder tiefgelappt: ***P. commúnis,*** Holzbirne, breit pyramidal bis 20 *m*, Blätter zuletzt kahl, beiderseits lebhaft grün, scharf sägezähnig, ohne Zierwert; interessanter ist ***P. heterophýlla,*** Turkestan, Blätter fast stets fiederteilig oder eingeschnitten, beiderseits hellgrün, dazwischen treten aber auch einfache, ovale, ziemlich grob gezähnte auf.

Abb. 376. *Pýrus sináica*, 10 *m*. (Orig., Hort. Eisenberg, Böhmen.)

B. Blätter mehr oder minder scharf grannenzähnig, auch meist fein zugespitzt (ostasiatisch-himalayische Arten). — I. Kelch auf Frucht bleibend, Zähne stets ausgesprochen grannig: ***P. ussuriénsis*** (*P. sinensis* Decaisne und der meisten Autoren, doch nicht Poiret und Lindley; *P. Simónii* Carr., *P. sinensis* var. *ussuriensis* Mak.), Mandschurei bis Nordchina, pyramidaler Baum bis 15 *m*, Blätter rund- oder breitoval, wie Blütenstände von Anfang an kahl, Knospen und junge Blüten rosa, hübsch, Ende April, Frucht fast kugelig, kurz gestielt, hierher var. ***ovoidea*** Rehd. (*P. ovoidea*.

P. chinensis der Gärten zum Teil und *P. Simonii* Hort., nicht Carr.), Blätter mehr länglich-eiförmig, gleich dem Blütenstande jung flockig-filzig, im Herbst lebhaft-scharlach, Blüten etwa 2 Wochen später, Früchte eiförmig, bleichgelb. — II. Kelch zur Fruchtzeit abfallend: a) Blätter deutlich grannenzähnig: ***P. Bretschneideri*** Rehd., ? Nordchina, wie var. *ovoidea*, aber Blätter aus breitkeiligem Grunde mehr elliptisch-eiförmig, Frucht kugelig-eiförmig, etwa 5 *cm* dick, hellgelb gepunktet, etwas saftig; ***P. serótina*** Rehd., wie vorige, aber Austrieb tiefbronzefarben, Blattgrund rundlich bis herzförmig, Blüten größer, erst gerötet, Frucht fast kugelig, braun, mit hellen Punkten; hierher var. ***culta*** (*P. sinensis* var. *culta*; *P. Sieboldii*, Carr.), Blätter größer bis 15 : 8 bis 10 *cm*, Früchte groß, birn- oder apfelförmig, hierher viele japanische Kultursorten, wie auch „Madame von Siebold“ und „Mikado“; es gibt Bastarde dieser Form mit *communis* („Kieffer Pear“). — b) Zähne nicht grannig, doch scharf oder kerbig. — 1) Blattzähne nicht kerbig: ***P. betulaefólia***, Nordchina, locker überhängend verzweigter, kleiner Baum, Triebe graufilzig, Blätter eiförmig bis rundlich eiförmig, Grund meist breitkeilig, ziemlich grob sägezähnig, Griffel nur 2, Früchte bis 1 *cm* dick, braun mit hellen Punkten, Ende April bis Mai; hieran schließt sich ***P. phaeocárpa*** Rehd. (*P. ussuriensis* Hort. zum Teil), abweichend durch feiner gezähnte, bis 10 : 5,5 *cm* große Blätter und birnförmige, bis 2,5 : 2 *cm* große Früchte, sowie meist 3 bis 4 Griffel; ***P. serruláta*** Rehd., Mittelchina, sehr ähnlich *serotina*, aber Serratur nicht grannig, Griffel 3 bis 4, statt 5, noch zu beobachten. — 2) Zähnung kerbig: ***P. Calleryána***, Mittel- und Ostchina, Blätter aus meist rundlichem Grunde eiförmig, kaum über 5 *cm*, bald kahl, Stiel aber bis 4 *cm*, Blüten klein, meist 2 Griffel, Frucht etwa 1 *cm* dick, interessant und hart; ***P. Páshia*** var. ***kumaóni*** (*P. kumaoni*, *P. Wilhelmii*), Nordwesthimalaya, Yunnan, Baum bis 15 *m*, breit rundkronig, Blätter aus meist rundlichem Grunde eiförmig oder länglich, kerbsägig, zuletzt kahl, Blütenstände dicht, Kronenblätter rundlich, übereinander greifend, Antheren tief rot, Griffel 3 bis 5, Frucht fast rundlich, braun mit hellen Flecken, zur Blütezeit hübsch (Abb. 377).

Abb. 377. *Pyrus Páshia* var. *kumaoni*, Himalaya-Birne, 4 *m*. (Orig.: Kew Gardens.)

Pýrus siehe auch unter *Sorbus*. — ***Pyrus arbutifolia, P. atropurpurea, P. floribunda, P. grandiflora, P. melanocarpa*** und ***P. nigra*** siehe *Aronia*. — ***Pýrus auricularis*** und ***Pollveria*** siehe *Sorbopyrus*. — ***Pyrus cathayensis, P. lagenaria, P. japonica*** und ***P. Maulei*** siehe *Chaenomeles*. — ***Pyrus Cydonia*** siehe *Cydonia*. — ***Pyrus Delavayi*** siehe *Docynia*. — ***Pyrus sinensis*** siehe auch *Pseudocydonia*.

Pyxidanthéra (*Diapénsia*) ***barbulata*, blühendes Moos** — Diapensiaceen. — Rasiger kriechender Zwergstrauch aus O.-Nordamerika, Blätter immergrün, winzig, lanzettlich, Blüten sitzend, rosa, dann weiß, (April) Mai bis Juni; Kultur in mäßig beschatteter, nicht heißsonniger Lage in frischem, etwas humosem Boden zwischen Felsen, empfindlich gegen Nässe; Vermehrung durch Teilung; Verwendung für erfahrene Pfleger in Felsanlagen, siehe auch unter *Diapensia*.

Quantelstrauch siehe *Amelanchier*.

***Quércus*, Eiche** — Fagaceen. — Hohe Bäume oder Sträucher (Abb. 378 bis 385), Blätter abwechselnd, einfach, sommer-, winter- oder immergrün, Blüten unansehnlich, einhäusig, männliche in hängenden fädigen Kätzchen, weibliche einzeln an besonderen Blütenständen, Frucht Eichel; Kultur im allgemeinen in jedem nicht zu armen und trockenen, tiefgründigen Boden, man vergleiche aber die einzelnen Arten; Vermehrung aus Samen, sonst die meisten Formen durch Veredlung auf *Q. robur* und *sessiliflora*, oder die Verwandten der Roteichen auf *Q. coccinea* oder *rubra*; Verwendung der Baumarten als meist prächtige Parkbäume, man beachte das bei den Arten Gesagte. Wir können hier nur die wichtigsten Formen hervorheben.

ALPHABETISCHE LISTE DER ERWÄHNTEN LATEINISCHEN NAMEN

(Die Ziffern bezeichnen die Seitenzahlen.)

A. (B. siehe S. 327) **Blätter sommer- oder wintergrün** (nicht deutlich derbledrig und immergrün), **das feinere Adernetz der Blattunterseiten gut erkennbar**, höchstens durch Haare verdeckt.

1. Blätter an Spitze und Abschnitten fein borstenzähnig. Fruchtreife 2jährig, Früchte an einjährigen Zweigen. Borke dunkel, nicht schuppig. (Gruppe Roteichen) aus O.-Nordamerika: ***Q. borealis* (*Q. rubra*** Auct. et Hort., non Linné, *Q. rubra* var. *ambigua*, *Q. ambigua*), Roteiche, breiter symmetrischer bis über 50 *m* hoher Baum, Blätter groß, 12 bis 19 (bis 25) : 9 bis 12 (bis 16) *cm*, 7 bis 9 lappig, längster Blattlappen etwa so lang wie die breiteste Stelle der Spreite, Herbstfärbung in manchen Jahren wundervoll rot, oft aber nur lederbraun, Eichel kurzgestielt, nur am Grunde vom Becher umfaßt, wertvoll, wüchsig; am härtesten var. *maxima*, die bei uns häufigste Roteichenform; ***Q. coccinea***, Scharlacheiche, O.-Nordamerika, bis 30 *m*, Blätter in der Mitte zwischen *rubra* und *palustris*, längste Blattlappen 2 bis 6mal so lang wie mittlerer Spreitenteil, etwa 8 bis 16 : 5 bis 13 *cm*. Herbstfärbung prächtig scharlachrot, ziemlich spät, wohl die schönste dieser Gruppe als Park- und Alleebaum, verträgt selbst trockenere Lagen, alle Roteichen sind genügsamer als die heimischen und die Weißeichen; ***Q. falcáta* (*Q. rubra*** L., *Q. digitata*, *Q. cuneata* Auct.), spanische Eiche, bis über 30 *m*, offen, breitkronig, Blätter mit 5 bis 7 ganzrandigen, oft sicheligen Lappen, etwas hängend, tief und glänzend grün, unterseits grau behaart, hübsch, aber für wärmere Lagen; ***Q. ilicifólia*** (*Q. Banisteri*, *Q. nana*), meist dicht verzweigter, breiter Strauch, bis

4 *m*, Blätter meist jederseits mit 2 breit dreieckigen Lappen, sattgrün, unterseits weißlich behaart, 5 bis 12 *cm*, im Herbst orange und gelbbraun, für trockene Lagen wertvoll; ***Q. imbricária***, Schindeleiche, bis über 20 *m*, Blätter lorbeerartig glänzend, größer als bei *Phellos*, länger gestielt als bei *laurifolia*, Herbstfärbung dunkellederrot, schöner als *Phellos*, liebt besseren Boden, recht hart; ***Q. laurifolia***, Lorbeereiche, der vorigen ähnlich, aber Blätter fast wintergrün, ohne schöne Herbstfärbung, Stiel unter 1 *cm* lang, nur für wärmere Lagen; ***Q. nigra*** L. (***Q. uliginosa***, *Q. aquatica*), Wassereiche, Blätter über Mitte deutlich verbreitert, spatelig-oboval, dreilappig, kahl, 2 bis 6 *cm* breit, spät abfallend, ohne besondere Herbstfärbung; schöner und härter ist ***Q. marilándica*** (*Q. nigra* Wangh., ***Q. ferruginea***), die meist als *nigra* geht, kleiner Baum, Blätter bis 22 *cm* breit, groß, glänzend tiefgrün, breit oboval, unterseits rostig behaart, Herbstfärbung wechselnd; ***Q. palustris*** Sumpfeiche, Spießeiche, hoher Baum (Abb. 1), viel trockenes Holz bildend („Nadeleiche"), Blätter kleiner als bei *coccinea*, 7 bis 13 : 6 bis 10 *cm*, Herbstfärbung ähnlich, noch später, liebt frische Lagen, wertvoll; ***Q. Phellos***, Weideneiche, kleiner Baum mit schmallanzettlichen, glänzend hellgrünen Blättern, Herbstfärbung gelb, für feuchte Lagen; ***Q. velútina*** (***Q. tinctória***), Schwarzeiche, Blätter an *coccinea* und *rubra* erinnernd, aber unterseits behaart, sich sehr spät verfärbend, seltenere hübsche Art. Die Roteichen-Arten bastardieren untereinander sehr vielfach. Auf diese Formen kann hier nicht eingegangen werden[68].

Abb. 378. *Quércus Libani*, 2,5 *m*. (Vergleiche Abb. 379.)

II. Blätter nicht borstenzähnig, Lappung stumpf, oder wenn spitz, so sind die Lappen zahlreicher und kürzer. a) (b siehe S. 326) Schuppen des Fruchtbechers (der Kupula) zum Teil oder alle verlängert und meist zurückgebogen (Gruppe *Cerris*): ***Q. castaneaefolia***, Transkaukasien, Persien, hoher Baum, Blätter denen der echten Kastanie ähnelnd, oberseits glänzend grün, unterseits behaart, hübsche Art für warme Lagen, im Norden Schutz; ***Q. Cerris***, Zerreiche, bekannte Art im südlichen Mittel- und Südosteuropa, hoher Baum, in Kultur oft strauchig, wertvoll vor allem die wintergrünen Bastarde mit der Korkeiche (*Q. suber*), die jetzt unter dem Namen ***Q. hispánica***[69]) zusammengefaßt werden (*Q. pseudosuber* Santi, *Q. Fonta-*

nesii Guss., *Q. Cerris* var. *subperennis* DC.), hierher folgende Hauptformen: var. ***dentáta*** (*Q. Cerris* var. *dentata* Wats., *Q. Cerris* var. *fulhamensis* Loud., ***Q. fulhaménsis,*** *Q. Lucombeana* var. *fulhamensis*), Tracht pyramidal, Zweige mäßig korkig, Blätter meist eielliptisch, mit 5 bis 8 Zähnen. Becher halbkugelig, Schuppen meist alle zurückgebogen; var. ***Lucombeána*** (*Q. aegylopifolia* Pers., ***Q. Lucombeana*** Sweet, *Q. Cerris* var. *Lucombeana* Loud.), Baum rundkronig, Borke nicht korkig, Blätter schmäler und länger, etwa 7 Lappenpaare mit großen dreieckigen Zähnen. Becher kreiselförmig, Schuppen zum Teil aufrecht; zu dieser *Cerris*×*suber*-Gruppe gehört auch ***Q. Ambrozyána*** Simk.[60]); ***Q. Libani,*** meist baumartiger Strauch aus Kleinasien, Tracht wie Abb. 378 und Blätter wie Abb. 379, glänzend grün, kaum wintergrün, Früchte im 2. Jahr reifend, Eicheln zu $^{2}/_{3}$ im Becher eingeschlossen, Schuppen wenig verlängert; ***Q. macedónica,*** voriger ähnlich, aber Wuchs steifer, wie Abb. 380, Blätter kürzer und breiter, mehr graugrün, doch nur an jungen Pflanzen länger haltend, härter als *Libani* und wie diese für Gärten und große Felspartien brauchbar; ***Q. serráta*** (*Q. acutissima*), kleiner japanischer Baum, hübsche, glänzende Belaubung wie Abb. 381, unterseits achselbärtig, oberseits hellgrün, Schuppen deutlich zurückgebogen; ***Q. variábilis*** (*Q. chinensis* Bge., *Q. Bungeana*), Nordchina bis Japan. Baum bis über 30 *m*. Blätter sehr ähnlich denen von *Castanea crenata*, oberseits glänzend grün, unten weißlich filzig, bis 15 *cm*, Früchte sitzend, Eichel fast ganz eingeschlossen; wie vorige ziemlich harte, schön belaubte Art. — Auch ***Q. dentáta*** (*Q. Daimio*), Japan, Westchina, sei hier erwähnt, da die oberen Kupulaschuppen verlängert sind. Belaubung groß und schön, *Prinus*-artig, bei uns meist Strauch, hart und zu empfehlen; siehe auch unten *macrocarpa*.

Abb. 379. Blattzweig von *Quercus Libani*. (Orig. von J. Hartmann; Botan. Garten, Dresden.)

Abb. 380. *Quercus macedonica*, 2,50—3 *m*. (phot. A. Purpus.)

Abb. 381. *Quércus serrata*, Blattzweig. (Phot. A. Purpus.)

b) Schuppen des Fruchtbechers gleichartig, anliegend. 1. altweltliche Arten (Europa, Kaukasus, Ostasien): ***Q. aliéna***, Japan, Mittelchina, ähnlich *glandulifera*, aber Blätter unterseits filzig behaart; ***Q. conférta*** (*Q. hungárica*), Ungarn, SO.-Europa, Italien, Tracht der Stieleiche, einjährige Zweige kahl, Blätter sehr kurz gestielt, mit 7 bis 8 tiefen Lappen, Frucht gestielt, in Kultur zuweilen als *Q. pannónica*, schöne Art!; ***Q. glandulifera***, Japan, kleiner Baum, in Tracht an *pseudoturneri* gemahnend, Blätter wie Abb. 382, tiefgrün, oft lange bleibend, unterseits seidig behaart; ihr ähnelt ***Q. mongólica***, Ostsibirien bis Nordjapan, aber Blätter am Grunde meist geöhrt, Zähne stumpflich, Stiele sehr lang, hierher var. ***grosseserráta*** (*Q. grosseserrata*, *Q. crispula*), Blätter meist kleiner, Zähne spitz; ***Q. lanuginósa*** (***Q. pubescens***), heimische Art, südlicher als *sessiliflora*, mit deutlich behaarten Zweigen und Blattunterseiten, Blätter mehr graugrün, sehr variabel, oft strauchig, für trokkene, felsige Lagen; ***Q. macranthera***, Transkaukasien, großer Baum, einjährige Zweige wollig behaart, Blätter groß, an *conferta* erinnernd, aber die 8 bis 10 eiförmigen Lappen jeder Seite kürzer, sattgrün, unterseits weich behaart, schöne Art!; ***Q. póntica***, pontisches Gebiet, bei uns meist Strauch, Tracht wie Abb. 383, Blätter tiefgrün, unterseits hellgraublau, wie Abb. 385, eine der schönsten Arten für geschützte warme Lagen!; ***Q. pseudotúrneri*** C. Schn. (*Q. Aizoon* Koehne, in den Gärten als *Q. Cerris austriaca sempervirens*) (Abb. 22), kleiner Baum, ein Bastard von *Q. Robur* mit *Q. Ilex*, schöne wintergrüne Art; ein Gegenstück ist ***Q. Koéhnei*** Ambrózy (*Q. pseudoturneri* Hort.), ein Bastard von *Q. sessiliflora* mit *Q. Ilex*, beide sehr zu empfehlen, vielleicht nur als Unterformen der ***Q. Turneri*** anzusprechen, die denselben Ursprung haben dürfte; ***Q. robur*** (***Q. pedunculáta***), Stieleiche, Sommereiche, bekannte heimische Art, siehe Abb. 384, Blätter sehr kurz, aber Früchte deutlich lang gestielt, hiervon viele Formen, deren wertvollste, wohl var. *fastigiáta* (var. *pyramidális*), Pyramideneiche, ferner var. *péndula* und var. *Dauvessei*, Trauereiche, dann noch hervorzuheben var. *Concórdia*, Goldeiche, Blätter goldgelb, var. *atropurpúrea*

Abb. 382. *Quércus glandulifera*, Blattzweig. (Phot. A. Purpus.)

(var. *nigra*, var. *nigricans*), Bluteiche. Belaubung purpurn. Wuchs aber schwach. üppiger ist var. *purpurascens* (var. *sanguinea*), Austrieb tief purpurn, dann mehr in Grün übergehend. var. *filicifolia* (var. *asplenifolia*, var. *Donnetii*), var. *heterophylla* (var. *laciniata*, var. *comptoniaefolia*) und var. *pectinata* sind zerschlitztblättrige Formen; eigenartig ist var. *holophylla* (*Q. pedunculata* var. *longifolia*), Blätter länglich-elliptisch, ganzrandig, Grund öhrig; ***Q. sessiliflóra* (*Q. séssilis*)**, Trauben-, Stein- oder Wintereiche. Blätter länger gestielt, Früchte sitzend, hier auch Wuchs- und Blattformen, am auffallendsten var. *sublobata* (*Q. mespilifolia*), Blätter mehr lanzettlich, stumpflappig oder ganzrandig, entfernt Lorbeer-ähnlich, ebenso bei var. *Louettei*, aber hier Wuchs hängend; ***Q. Toza*** *(Q. pyrenaica)*, Südwesteuropa, mit Wurzelausläufern, Zweige gelbfilzig, schön tieflappige, unterseits filzige Blätter, hübsche Art, auch die Hängeform var. *pendula*.

Abb. 383. *Quercus pontica*, 1,5 *m*.
(J. Hartmann, Dresden, Botan. Garten.)

2. nordamerikanische Arten. — *α*) Blätter mit Buchtnerven (die von der Rippe zwischen die Blattlappen verlaufen): ***Q. alba***, Weißeiche, Tracht der Traubeneiche, Blätter länglich, schwach gelappt, unterseits kahl, Herbstfärbung prächtig purpurviolett, langsam wachsend, selten echt; ***Q. bicolor*** *(Q. platanoides)*, Rinde langrissig abblätternd, Blätter *alba*-ähnlich, unterseits aber behaart, weißlich; ***Q. macrocárpa***, Kletteneiche, prächtiger, großer Baum, schon junge Zweige aufreißend oder korkig, Blätter groß, seichtlappig, unterseits behaart. Früchte groß, oberste Kupulaschuppen feinfädig; ***Q. stelláta*** *(Q. obtusiloba, Q. minor)*, Strauch oder Baum, bis über 25 *m*, dicht rundkronig, Zweige bald borkig, reich mit Kurztrieben besetzt. Blätter mit 2 bis 3 Lappenpaaren, mittleres viel größer, oben sattgrün, unterseits braunfilzig, bis 20 *cm*. Becherschuppen nicht fädig, für trockene Lagen.

β) Blätter ohne Buchtnerven (Lappen eng): ***Q. montana*** *(Q. Prinus* Auct. nicht Linné, *Q. Prinus* var. *monticola)*, Kastanieneiche, mittelhoher Baum. Blätter unterseits graugrün, fast kahlend. Herbstfärbung nicht ganz so schön wie bei *alba*; ähnlich ist ***Q. Michauxii*** (***Q. Prinus*** L.; *Q. Prinus* var. *palustris*), Korbeiche, Blätter mehr filzig behaart, für feuchtere Lagen.

B. Blätter deutlich lederig, immergrün: ***Q. acúta***, Japan, bei uns nur Strauch, Blätter ganzrandig, elliptisch oder eilanzettlich, zugespitzt, zuletzt meist kahl. Schuppen der Kupula in Querringen angeordnet; ***Q. alnifólia***, Cypern, Strauch, Blätter meist herzeirundlich, gezähnelt, unterseits gelbgraufilzig, Schuppen der Kupula dachziegelig, alle zurückgebogen; ***Q. coccifera***, Mediterrangebiet, Blätter klein, starr, stachelzähnig, Kupulaschuppen kurz stachelig abstehend; ***Q. Ilex***, immergrüne Steineiche, bekannte südeuropäische Art (Abb. 21), höher als die anderen und in geschützten, warmen, sonnig-trockenen Lagen oder Seeklima brauchbar; für ***Q. suber***, Korkeiche, und ***Q. pseudosuber*** gilt ähnliches, auch ***Q. phillyreoides***, China, Japan, Blätter herzoval, kerbsägig, bis 7 *cm*, zuletzt kahl, auch unten glänzend, und ***Q. myrsinaefólia*** *(Q. Vibrayana)*, Japan, Blätter kahl, spitz lanzettlich, gesägt, unten blaugrau, wie die ähnliche ***Q. glauca***, mit wenigstens jung unterseits seidigen Blättern sind in warmen Gebieten versuchswert; eine besondere Gruppe *(Pasania)* bilden ***Q. cuspidáta*** und ***Q. glabra*** aus Japan und ***Q. densiflóra*** aus Kalifornien, deren männliche Blüten in aufrechten Kätzchen stehen. Man gebe all diesen Formen nicht zu mageren Boden, zumeist sind sie empfindlich.

Abb. 384. Alte Stieleichen (*Quércus robur*), 1,20 *m* Stammdurchmesser in 1 *m* Höhe. (Orig.: Hort. Laxenburg bei Wien.)

Quillaja Saponária, eine immergrüne chilenische Rosacee mit einfachen Blättern und weißen Blüten, ist gelegentlich in Südtirol anzutreffen.

Quinária siehe *Ampelopsis*. — **Quitte** siehe *Cydonia*.

Radbaum siehe *Trochodendron*. — **Rainweide** siehe *Ligustrum*. — ***Rajána*** siehe *Brunnichia*. — **Ranunkelstrauch** siehe *Kerria*.

Ramóna incána ist eine halbstrauchige, niedrige, filzige, mit *Salvia* verwandte Labiate aus Oregon mit blauen Scheinähren, die kaum in Kultur sein dürfte. Siehe C. Schneider, Ill. Handb. d. Laubholzk. II., S. 602.

Ramsel siehe *Polygala*.

Raphiólepis umbellata (R. japónica)*, Traubenapfel** — Rosaceen. — Immergrüner, japanischer Strauch bis 1½—2½ *m*, mit ovalen oder verkehrteiförmigen, abwechselnden, ganzrandigen oder etwas gezähnten, oberseits glänzend grünen, unterseits helleren Blättern, weißen Doldentrauben und blauschwarzen Früchten, wie kleine Äpfelchen; Kultur in gutem, durchlässigem Gartenboden in warmer, sehr geschützter Lage, in rauheren Gegenden Kalthaus; Vermehrung durch Samen, reife Stecklinge unter Glas, Ableger, kann auch auf *Crataegus* veredelt werden; Verwendung für erfahrene Pfleger als schön belaubte Immergrüne, die oft erst im Juli und August blüht, im Garten in geeigneter Lage. ***R. ovata ist nur eine Form mit breitobovalen Blättern.

Rhabdothámnus Solándri — Gesneraceen. — Niederliegend-aufrechter, vielverzweigter, drüsiger, bis 0,75 *m* hoher Strauch aus Neuseeland, Blätter gegenständig, klein, rundoval, grau, Blüten einzeln, achselständig, wie kleine orangerote Fingerhüte, innen scharlach gestreift; wohl nur ganz im Süden des Gebiets versuchswert.

Raphithámnus siehe *Rhaphithamnus*. — **Rasenspire** siehe *Petrophytum*. — **Rauschbeere** siehe *Empetrum*. — **Rebe** siehe *Vitis*. — **Reifweide** siehe *Salix daphnoides*.

Rhamnélla franguloides (*Microrhamnus franguloides, R. japonica*). — Rhamnaceen — Kleiner Baum aus Japan und Nord-China, Tracht wie *Rhamnus*, Blüten und Früchte mehr wie *Berchemia*; wird zuweilen mit *Rhamnus crenatus* verwechselt, der aber sehr selten ist. Siehe C. Schneider, Handb. III. d. Laubholzk. II., S. 263.

Rhámnus[4], **Faulbaum, Kreuzdorn, Wegdorn** Rhamnaceen. Meist Sträucher, seltener Bäume, Blätter sommer- oder winter-, gelegentlich immergrün, abwechselnd oder gegenständig, Blüten unscheinbar, meist gelbgrün, oft zweihäusig, Frucht beerenartige Steinfrucht; Kultur siehe bei den Arten oder Gruppen; Schnitt nach Bedarf im Winter, Auslichten; Vermehrung durch Samen (nach Reife oder Stratifikation), Ableger, einige auch durch krautige Stecklinge, wie *alpinus*, *alnifolius*; die dornigen Arten durch Veredlung auf *catharticus*, die anderen auf *Frangula*; Verwendung siehe ebenfalls bei den Arten.

ALPHABETISCHE LISTE DER ERWÄHNTEN LATEINISCHEN NAMEN.
(Die Ziffern bezeichnen die Seitenzahlen.)

A. Winterknospen nackt, nicht von deutlichen Deckschuppen umgeben, Blätter abwechselnd, meist sommergrün, Zweige nie dornig (Gruppe *Frangula*, **Faulbaum**): ***R. Frángula***, gemeiner Faulbaum, Pulverholz, bekannter heimischer Strauch oder kleiner Baum, Blätter ganzrandig, breitoval oder elliptisch, Blütenstände sitzend, Frucht zuletzt violettschwarz, gute Schattenholzart für feuchtere Lagen, sehr eigenartig ist var. *asplenifolia* mit feinfädig zerschlitzter schleierartiger Belaubung, für Gärten und Liebhaber bizarrer Formen; das nordwestamerikanische Gegenstück ist ***R. Purshiánus***, üppiger, Blätter etwas größer, stumpfer, schön grün, Blütenstände gestielt, harte Art; ***R. califórnicus***, fast immergrüne, dunkelzweigige Art, Blätter länglich-lanzettlich, für geschützte warme Lagen; ***R. rupéstris***, kleiner Felsenstrauch aus dem südlichen Mittel- und SO.-Europa, oft Felsen überziehend, für steinige sonnige Hänge, oft mit *pumila* verwechselt (siehe unten!).

B. Winterknospen deutlich beschuppt Zweige zuweilen dornig, Blätter wechsel- oder gegenständig, sommer- oder auch immergrün.
I. Nebenblätter bleibend und verdornend: ***R. procúmbens***, Nordwest-Himalaya, niederliegend-aufstrebend, Blätter klein, Blüten achselständig, seltene Art für Gesteinanlagen; ihr steht nahe ***R. heterophýllus*** aus Mittelchina, beides eigenartige Typen. II. Nebenblätter häutig, abfällig. — a. Blätter immergrün, wechselständig: ***R. Alatérnus***, mediterraner, bis gegen 5 *m* hoher Strauch, Blätter glänzendgrün, in Form sehr wechselnd, bis zirka 5 *cm* lang, schmal lanzettlich, grob gezähnt bei var. *angustifolius* (*R. Perrieri* Hort.), nur für warme Lagen an sonnigen, trockenen Orten geeignet; härter ist der mehr wintergrüne ***R. hýbridus*** (*R. sempervirens* der Gärten), ein Bastard mit *R. alpinus*, Blätter größer, sehr wertvoll für geschützte Lagen, in rauheren Gegenden zu empfindlich; die var. ***Billárdii*** (*R. Billardii*) hat kleinere lanzettlichere, etwas zackig gezähnte Blätter.

Abb. 385. Blattzweig von *Quercus pontica* mit Fruchtansatz. (Vergleiche dazu Abb. 38[illegible].)

b. Blätter sommergrün, jedenfalls nicht deutlich lederig. — α) Pflanzen dornlos, Blätter wechselständig, ziemlich groß; die folgenden Arten sind schöne Kulturpflanzen für etwas humosen, aber kräftigen Boden, mehr halbschattig als sonnig: ***R. alnifólius*** (Abb. 386), Nordamerika, niederliegend-aufstrebend bis kaum 1 *m*, Blätter bis 10 *cm* lang, mit 6 bis 8 Nervenpaaren, liebt recht sumpfige Stellen, breitet sich durch die kriechenden Zweige weit aus; ihm steht nahe ***R. lanceolátus***, Nordamerika, etwas höher, Serratur der Blätter feiner, beide hart und für schattigere, feuchte Orte geeignet; ***R. alpinus***, Alpen, SW.-Europa, bis über 2 *m*, Belaubung erlenartig, Blätter mit 9 bis 12 Nervenpaaren, bis 10 : 6 *cm* groß, wertvoll, in Kultur oft verwechselt mit ***R. fallax*** *(R. carniólicus)*, Osteuropa, üppiger, Triebe kahl, Blätter mit meist 15 bis 18 Nervenpaaren, ebenfalls schöne, recht harte Art für halbschattige, humose, frische Lagen; noch größere Blätter mit 15 bis 25 Nervenpaaren hat ***R. imeretinus*** *(R. cólchicus, R. libanóticus* Hort., *R. grandifolius* Hort., *R. castaneaefolius* Hort.), Transkaukasien, bis 4 *m*, Triebe behaart, prächtig belaubt, Blätter bis über 20 *cm* lang, Halbschatten, hart, für Plätze wie oben schönste Art; wohl ebenso hübsch ***R. costátus*** (Abb. 387), Japan, durch kahle Triebe und die fast sitzenden, beidendig zugespitzten Blätter abweichend, noch selten; ***R. libanóticus***, Kleinasien, kriechender, knorriger Felsenstrauch, ähnlich *alpinus*, aber Blätter unterseits feinfilzig, blaugrau, rundlicher, kleiner, 10 bis 15 Nervenpaare, Verwendung wie ***R. púmilus***, Alpen, SO.-Europa, Blätter schmal oval bis rundlich, Grund keilig, nur bis 5 *cm*, niederliegender hübscher Felsenstrauch. — b) Pflanzen stets dornig, oder sonst Blätter gegenständig. 1. Blätter abwechselnd, schmallineal: ***R. Pallásii***, Kaukasus, Nordpersien, 0,5 bis 2 *m*, sparrig breit verästelt (Abb. 388), licht steinige, sonnige Lagen, hübsch, oft als *R. erythroxylon* gehend, die kaum echt in Kultur; ähnlich, etwas breiter und größer blättrig ist ***R. spathulaefólius***, noch selten. — 2. Blätter gegenständig (**Kreuzdorn**): ***R. cathárticus***, gemeiner Kreuzdorn, Blätter breit oval oder elliptisch, dünn, bekannter Heckenstrauch, auch als Unterholz, verträgt Schatten, sehr anspruchslos, für trockenere Lagen, recht ähnlich sind ***R. davúricus***, Ostsibirien bis Korea, Blätter derber, länglicher, und ***R. japónicus***, Japan, Blätter aus keiligem Grunde mehr oboval; ferner ***R. pseudocatharticus***, Turkestan, von *catharticus* durch blaugrüne etwas bereifte Blätter abweichend; ***R. chlorophorus*** Koch. *(R. chinensis* Hort.), ähnlich *japonicus*, Blätter unterseits an Nerven behaart, sattgrün, noch unsichere Kulturform; ***R. prunifolius***, Istrien, Griechenland, bis zirka 0,8 *m*, sparrig (Abb. 389),

Abb. 386. *Rhámnus alnifolius*, 80 *cm*. (Phot. A. Purpus.)

Abb. 387. *Rhámnus costatus*, junge Pflanze, 1 *m*. (Phot. A. Purpus.)

Abb. 388. *Rhámnus Pallasii*, 1,5 *m*. (Orig.; Hort. Vilmorin, Les Barres.)

Blätter klein, rundlich, beiderseits grün, sehr hübsche Form für warme, sonnige, trockenere Lagen, in den Gärten als *R. Simonii*; ***R. saxátilis***, mittel- und südeuropäische Gebirge, meist niederliegender Zwergstrauch, oder bis 1 *m*, Blätter eiförmig, kahl, bis 2,5 *cm*, hübsch für Felspartien, hart; ***R. útilis***, China, 0,6 bis 2,5 *m*, Triebe kahl, Blätter länglich-elliptisch, bis 15:6 *cm*, ziemlich gelbgrün, Blüten ziemlich groß, gelb, Früchte sehr reichlich erscheinend, gute harte wüchsige Art. Ferner in Kultur aus Mittelchina ***R. rugulósus***, breitsparriger Strauch, bis 2 *m*, Blätter abwechselnd, eiförmig, oft nur gegen Spitze gezähnelt, behaart, Früchte schwarzbraun mit bronzepurpurnem Anhauch, wie kleine Erbsen aber etwas oboval.

Rhámnus Paliurus siehe *Paliurus*.

Rhaphithámnus cyanocarpus (*Citharéxylon cyanocárpum*): kleine dornige, immergrüne, chilenische Verbenacee, die in lila Scheinähren blüht und nur in wärmsten Lagen, gleich *Lippia*, in Betracht kommt.

Abb. 389. *Rhámnus prunifolius*, 0,8 *m*. (Orig.; Hort. Vilmorin, Les Barres.)

Rhododéndron (inklusive ***Azaléa***), **Alpenrose, Azalee** — Ericaceen. — Meist kleinere oder mittelgroße, selten baumartige Sträucher (Abb. 390 bis 406), Blätter abwechselnd, einfach, sommer- oder immergrün, meist ganzrandig. Blüten meist ansehnlich, schön gefärbt, doldig, Frucht an Spitze aufspringende Kapsel; **Kultur** in frischem, humosem, gut durchlässigem Gartenboden, der mit Heide-, Moor- oder Waldhumuserde versetzt ist und nahrhaft (Kuhdungzusatz) sein soll, in möglichst leicht beschatteter Lage mit Schutz gegen kalte trockene

Winde und Wintersonne, doch sind die guten harten Sorten viel weniger anspruchsvoll als man glaubt, vergleiche das weiter unten Gesagte!; Bodendecke gegen Austrocknen ratsam (hierzu halbverrotteter Kuhdünger), im Herbst gut eingießen, wenn der Boden nicht genügend feucht ist. Man durchfeuchte auch die Wurzelballen vor der Pflanzung gut und pflanze genügend fest (am besten im Frühjahr), worauf stark eingeschlemmt wird; in sonnigen Lagen muß man im Sommer reichlich bewässern; Schnitt auf Auslichten zu beschränken; Fruchtstände nach Blüte ausbrechen; Vermehrung durch Aussaat, ganz jung pikieren, außer wenn die Sämlinge genügend weit stehen, auch Ableger (z. B. *ferrugineum, hirsutum, dahuricum*) und halbreife Stecklinge zuweilen von Erfolg, vor allem aber Veredlung auf harte Sorten, wie *R. catawbiense* und *R. maximum* (auf *R. ponticum* nur für wärmere Gegenden); Verwendung als ganz ausgezeichnete Blüten- und Blattsträucher für Unterpflanzung lichter Waldstellen, Vorpflanzung, Einzelstellung im Garten und Park, die kleineren in Gesteinsanlagen, auch als Treibpflanzen; man vergleiche die Arten im einzelnen, von denen die neuen chinesischen sehr viel versprechen und noch fast gar nicht bei uns erprobt sind namentlich noch nicht für Kreuzungszwecke.

ALPHABETISCHE LISTE DER ERWÄHNTEN LATEINISCHEN NAMEN.

(Die Ziffern bezeichnen die Seitenzahlen.)

ÜBERSICHT DER HAUPTGRUPPEN

A. **Blätter immergrün, kahl, mit Schülferschuppen oder filzig, selten sommergrün und schülferschuppig, nicht gewimpert oder gewimpert und schülferschuppig; Staubgefäße 5—20; Ovar kahl, schülferschuppig oder filzig, nicht borstenhaarig, zuweilen mehr als fünfzellig: Untergattung I. *Eurhododéndron.***

- I. Blätter und Ovar schülferschuppig; Staubblätter 5—10: Gruppe 1. *Lepidorhódium*, S. 334.
  - a. Blüten langröhrig, Röhre mehrfach länger als Lappen oder diese zusammenneigend.
    - 1. Blumenkrone tellerförmig, Griffel und Staubblätter in die lange Röhre eingeschlossen, Schlund dicht behaart; Blüten endständig; Blätter oberseits kahl und glänzend (1. *Pogonánthum* S. 334.)
    - 2. Blumenkronlappen vorgestreckt, von den Staubblättern und Griffel überragt (2. *Keysia* S. 334.)
  - b. Blumenkrone trichterig oder glockig, Röhre kürzer oder nicht viel länger als die Lappen; Staubfäden die Röhre meist überragend.
    - 1. Blüten meist viele aus einer endständigen Knospe.
      - α) Blütendurchmesser nicht über 1,5—2 *cm* (3. *Lepipherum* oder *Osmothámnus* S. 334.)
      - β) Blütendurchmesser etwa 2,5—5 *cm* (4. *Lepidóta* S. 335).
    - 2. Blüten aus seitlichen, gewöhnlich am Zweigende gedrängten Knospen, eine oder wenige aus jeder Knospe (5. *Rhodorástrum* S. 336).
- II. Blätter kahl oder filzig unterseits, niemals schülferschuppig, stets immergrün; Ovar kahl, drüsig oder filzig, Staubblätter 10—20: Gruppe 2. *Leiorhódium*, S. 336.

B. Blätter sommer-, selten immergrün, behaart, oft striegelhaarig und gewimpert, selten kahl, niemals schülferschuppig; Staubblätter 5—10, Ovar borstig, selten kahl, fünfzellig: Untergattung II. ***Anthodéndron*** oder *Azálea*, S. 342.

- I. Blüten aus Endknospen, einzeln oder zu mehreren.
  - a. Blüten am alten Holze, Blütenstände am Grunde nie beblättert.
    - 1. Blüten und Blätter nebeneinander aus der gleichen Knospe.
      - α) Triebe mit flachen, angepreßten borstenartigen Haaren, Blätter immer- oder zuweilen sommergrün, meist zweigestaltig, an den Zweigen verstreut, elliptisch bis lanzettlich oder verkehrt eilanzettlich: Gruppe 3 *Tsutsútsi* oder *Tsúsio*, S. 342.
      - β) Triebe kahl oder zottig, ohne Borstenhaare, Blätter sommergrün, gleichartig, gewöhnlich in Quirlen an den Zweigenden, meist rhombisch oder verkehrt-eiförmig, selten eiförmig: Gruppe 4 *Sciadorhódion*, S. 345.
    - 2. Blüten nur aus der Endknospe, Blätter aus darunter stehenden Seitenknospen.
      - α) Blüten breit offenglockig, Staubblätter 8—10: Gruppe 5 *Rhodóra*, S. 345.
      - β) Blüten trichterförmig; Staubblätter 5: Gruppe 6 *Pentánthera* oder *Euazálea*, S. 345
  - b. Blüten am Ende diesjähriger beblätterter Triebe zu 1—5 traubig: Gruppe 7 *Therorhódion*, S. 348.
- II. Blüten aus Seitenknospen, meist einzeln:
  - a. Blumenkrone radförmig, Staubblätter kürzer als Krone: Gruppe 8 *Azaleástrum*, S. 348.
  - b. Blumenkrone langröhrig, Staubblätter vorragend: Gruppe 9 *Choniástrum*, S. 348.

Untergattung I. ***Eurhododéndron.*** Gruppe I. *Lepidorhódium.* — 1) *Pogonánthum:* ***R. anthopógon,*** Nordwesthimalaya, kompakter Strauch, 25 bis 40 *cm*, Blätter ei-elliptisch, bis 4 *cm*, Blüten hell schwefelgelb, April bis Mai, interessant aber wenig ansehnlich; ***R. rufëscens,*** Mittelchina, bis 1,25 *m*, Blätter oval, bis 2,5 *cm*, rotbraun, häutig, Blüten weiß oder etwas bläulich, Mai bis Juni; ***R. Sargentiánum,*** Mittelchina, bis 60 *cm*, Blätter lederig, oval, bis 15 *mm*, Blüten weiß oder hellgelb, Juni, gleich den anderen für große Steingärten. — 2) *Keysia:* ***R. spinuliferum,*** Westchina, bis 1,5 *m*, Triebe borstig behaart, Blätter derb, lanzettlich, bis 6 *cm*, Blüten zu wenigen gebüschelt, lebhaft rot, sehr eigenartig, aber nur in den wärmsten Lagen zu versuchen. — 3) *Lepipherum* (*Osmothámnus*): a) Staubfäden kahl: ***R. lappónicum,*** Gebirge des Nordens der nördlichen gemäßigten Zone, niederliegend-aufstrebend, bis 35 *cm*, Blätter stumpf-oval, bis 2 *cm*, Blüten zu 3 bis 6, purpurviolett, Juli bis August, was in den Gärten unter diesem Namen geht ist meist *parvifolium*, doch ist *lapponicum* reizend fürs Alpinum; ***R. micránthum,*** Mandschurei bis Mittelchina, buschig, bis 1,5 *m*, Blätter lanzettlich, bis 4 *cm*, Blüten weiß, klein, etwas glockig, in dichten endständigen Büscheltrauben, Juni bis Juli, harte hübsche Art; noch schöner soll in Blüte sein die neue westchinessiche ***R. longistýlum,*** die sehr ähnlich ist aber sehr langen Griffel und behaarte Staubfäden hat; ***R. parvifólium,*** Sibirien bis Japan, steht *lapponicum* nahe, aber breit aufrecht, bis 75 *cm*, Zweige drahtartig, Blätter länglich oboval, am Rand nicht umgebogen, Blüten größer, rosapurpurn, zeitiges Frühjahr, oft schon März. — b) Staubfäden behaart unter der Mitte. — α) Griffel kaum doppelt so lang wie Fruchtknoten: ***R. ferrugineum,*** mitteleuropäische Gebirge, bis 1 *m*, dichte Massen bildend, Blätter spitz elliptisch, bis 5 *cm*, Blüten tief- oder scharlachrosa, bei var. *album* weiß, zu 6 bis 12, Juni bis Juli, harte gute Art für Steinanlagen; wird in Siebenbürgen vertreten durch ***R. Kótschyi*** (*R. myrtifólium* Schott & Kotschy, *R. ferrugineum* var. *myrtifolium*), niedriger, Blätter kleiner, Griffel viel kürzer; ein Bastard von *ferrugineum* mit *hirsutum* ist ***R. intermédium,*** hiervon Formen *R. halénse*, das *ferrugineum*, und *R. hirsutifórme*, das *hirsutum* näher steht; ***R. hirsútum,*** Almenrausch, Alpen, bis 1 *m*, siehe Abb. 62, durch zottige Behaarung und wenig beschuppte Blattunterseiten von *ferrugineum* abweichend, Blüten leuchtend rosa, etwas später, liebt sonnigere offenere Plätze, während *ferrugineum* für feuchtere humose Nordlagen vorzuziehen ist; ***R. intricátum*** (*R. blepharocályx, R. nigropunctátum* Hort.), Mittelchina, 0,3 bis 1 *m*, Blätter rundoval, nur bis 12 *mm*, glitzernd beschuppt, Blüten zu 5 bis 6, erst violettpurpurn, dann offen lila, Mai, reizende harte langsam wachsende, reichblühende Art für Steingärten, siehe Abb. 390. — β) Griffel mindestens drei mal so lang wie das Ovar, Blätter bis 7,5 *cm*: ***R. arbutifólium*** (in den Gärten als *R. daphnoides, R. Hammóndii, R. oleaefólium, R. Wilsónii*), eine Hybride zwischen *ferrugineum* und *minus*, bis 1 *m*, Blätter spitzlanzettlich-elliptisch, stumpf dunkelgrün, im Winter purpurn, Blüten ähnlich *ferrugineum*, aber größer, Juni bis Juli, als *R. Wilsonii* geht die üppigste Form der Kreuzung; ***R. myrtifólium*** Lodd. (*R. ovalifolium* oder *R. ovatum* Hort.), Kreuzung zwischen *hirsutum* und

Abb. 390. *Rhododéndron intricatum*, 20 *cm*.
(James Veitch and Sons)

Abb. 391. *Rhododéndron myrtifolium Lodd.*, 0,5 *m*. (Orig.: Hort. Pruhonitz.)

minus, Tracht wie Abb. 391, Blätter nicht so dunkel wie bei *arbutifolium*, kürzer und breiter, mit nicht so zahlreichen, größeren Schuppen, Blüten länger gestielt, zart rosa.

4) *Lepidota:* a) Blüten gelb: ***R. ambiguum***, Mittelchina, buschig, in Heimat bis 4 *m*, Blätter aromatisch, eiförmig, bis 6 *cm*, Blüten zu 5 bis 6, hellgelb mit gelbgrünen Tupfen, Mai bis Juni, ist sonst *yanthinum* sehr ähnlich; ***R. flávidum*** (*R. primulinum*), Mittelchina, bis 2 *m*, Blätter länglich oval, bis 2 *cm*, oberseits dichter beschuppt Blüten zu 3 bis 5, hell primelgelb, Mai bis Juni; ***R. Keiskei***, Japan, etwas niederliegend aufstrebend, Blätter stumpf grün, elliptisch-lanzettlich, bis 6 *cm*, unten stärker beschuppt, Blüten zu 2 bis 5, etwas trübgelb, Mai; alle drei mehr interessante als schöne Arten; zu dieser Gruppe gehört auch *R. lepidótum*, Himalaya bis Westchina, niederliegend aufstrebend, bis 0,5 *m*, Blüten tief karmesinrot, nicht so hart, aber schöner. – b) Blüten nicht gelb: *α*) Griffel und Staubblätter kürzer als Kronenlappen, Blattstiele bis über 12 *mm*: ***R. caroliniánum*** (*R. punctatum* Small), Nordcarolina, wie *minus*, aber Wuchs kompakter, Blüten größer mit kürzerer Röhre, außen meist ungefleckt, schöner als ***R. minus*** (*R. punctátum* Andrews, *R. Cuthbértii*), südöstl. Verein. Staaten, lockerer Strauch bis 3 *m*, Blätter spitz lanzettlich-elliptisch, bis 10 *cm*, unten dicht rotbraun beschuppt, Blüten zu 6 bis 8, etwas röhrig glockig, rosapurpurn, grünlich gefleckt, Juni bis Juli, als wertvollere Form gilt var. *Harbisónii* mit größeren Blüten; ***R. rubiginósum***, Westchina, steif aufrecht, bis 1,2 *m*, Zweige etwa warzig, Blätter schmal ei-elliptisch, bis 9 *cm*, Blüten zu 4 bis 7, rosa-lila, Mai, erinnert an *minus*, aber steifer und nicht ganz so hart. — *β*) Griffel und meist auch Staubblätter länger als Kronenlappen, Blattstiele kaum über 8 *mm* lang: Blätter kahl, nur beschuppt: ***R. concinnum*** Hemsl. (*R. coombénse*), Mittelchina, in Heimat bis 3 *m*, Blätter schmal ei-elliptisch, bis 5 *cm*, unterseits erst goldig, dann braun beschuppt, Blüten zu 3 bis 5, purpurn, Mai, siehe Abb. 392; ***R. polylépis*** (*R. Harroviánum*), Mittel- und Westchina, wie vorige, aber Blüten meist bleicher, Staubblätter stärker vorragend; ***R. yanthinum*** (*R. Benthamiánum*, *R. concinnum* Hemsl. & Wils., *R. atroviride*), Mittel- und Nordwestchina, sehr nahe *concinnum*, aber Blüten mehr

röhrig-glockig. Griffel meist kahl; ganz unbehaart ist auch *R. chartophyllum*, die sonst *yunnanense* sehr nahe steht. — Blätter gewimpert oder unten an Rippe behaart: ***R. Augustínii***, Mittelchina, in Heimat bis 6 *m*, Triebe erst behaart, Blätter elliptisch-lanzettlich, bis 6 *cm*, unten an Rippe und an Stiel etwas rauhhaarig, Blüten zu 3 bis 6, breit glockig, rosapurpurn mit gelben Tupfen, schön für warme Lagen; ***R. moupinénse***, westl. Mittelchina, bis zu 1,25 *m*, Blätter stumpf-eiförmig, bis 4 *cm*, Rand und Stiel behaart, Blüten zu 1 bis 3, weiß mit purpurnen Tupfen; ***R. villósum***, westl. Mittelchina, in Heimat bis 6 *m*, Triebe borstenhaarig, ebenso Blattstiele, Blätter spitz oval, bis 8 *cm*, beiderseits etwas borstig behaart, Blüten zu 3 bis 6, hell bis dunkelpurpurn, Juni, dunkelste Formen hübsch; ***R. yunannénse***, Westchina, soll nur wintergrün sein, Blätter spitz elliptisch-lanzettlich, bis 7,5 *cm*, oberseits und am Rand verstreut borstig, Blüten zu 2 bis 8, weiß oder hellrosa mit roten Tupfen, Mai bis Juni, gilt als schön zur Blütezeit, ziemlich hart.

Abb. 392. *Rhododéndron concinnum*, junge Pflanze, 30 *cm*. (James Veitch and Sons.)

5) *Rhodorástrum*: ***R. dahúricum*** (*Azalea dahurica*), Sibirien bis Nordchina, bis 2 *m*, Blätter meist sommergrün, stumpf-oval, bis 3 *cm*, Blüten ziemlich flach tellerförmig, rosa-purpurn, oft schon Januar bis Februar; dunklere Blüten und etwas mehr wintergrüne Blätter hat var. ***sempervirens*** (var. *atrovirens*); fast immergrün ist der Bastard von *dahuricum* mit dem für uns heiklen *R. ciliatum* aus Sikkim: ***R. praecox***, bis 1 *m*, Blattrand gewimpert, Blüten bis über 4 *cm* breit, tief karminrosa, bei var. „Early Gem" mehr lila, bis 5 *cm*, März bis April, prächtige Art für geschützte Lagen, auch gut zum Treiben; ***R. mucronulátum*** (*R. dahuricum* var. *mucronulatum*), Mandschurei, Nordchina, Japan, wie *dahuricum*, aber Blätter stets nur sommergrün, größer, spitzer, bis 7,5 *cm*, Blüten größer, hellrosa purpurn ausgezeichnete harte Art, wie Abb. 393; ***R. racemósum*** (*R. rigidum* Hort.), Mittel- und Westchina, bis 2 *m*, immergrün, Blätter unten blaugrau, oval bis oboval, bis 3 *cm*, blüht schon als kleine Pflanze sehr reich zart rosa, breitglockig, April bis Mai, für geschützte Lagen im Steingarten sehr gut; in Westchina viele sehr nahe stehende Arten, die zu erproben sind, darunter die gelbblütige *R. lutéscens*, ohne besonderen Zierwert.

Gruppe II. *Leiorhodium*: a) (b. siehe S. 338). Blattunterseiten dauernd behaart bis filzig, (bei *R. longesquamatum* und *R. pachytrichum* nur an Rippe): ***R. adenópodum***, Mittelchina, bis 3 *m*, Triebe und Blattunterseiten krustig weißfilzig, Blätter spitz länglich-lanzettlich, bis 15 *cm*, Blüten zu 4 bis 6, hellrosa, breit glockig, Mai, Härte zu erproben; ***R. arbóreum*** Himalaya, dort hoher Baum, Blätter spitz länglich-lanzettlich, bis 18 *cm*, unten silbrig oder rostig filzig, Blüten blutrot, bei uns nur Kalthauspflanze, aber sehr wichtig als Elternart für die besten roten Hybriden; eine ausgezeichnete Kreuzung mit *caucasicum* ist ***R. Nobleánum***, blüht sehr früh lebhaft rosa, nicht winterhart; ***R. argyrophýllum***, westl. Mittelchina, 2,5 bis 6 *m*, Bläter länglich lanzettlich, unten weiß krustig-filzig, oben gelblichgrün, bis 15 *cm*, Blüten zu 7 bis 10, glockig-röhrig, 3 *cm* breit, weiß mit rosa Flecken, aber variabel, Staubblätter kürzer als Krone, gleich den meisten dieser neueren chinesischen Arten in Bezug auf Winterhärte noch zu erproben; sehr nahe steht ***R. hypoglaúcum*** (*R. chionophyllum*, *R. gracilipes*), hier aber Blütenstiele und Kelch drüsenhaarig, Blüten weiß oder rosa, weißer Blattfilz gleich schön; ***R. auriculátum***, Mittelchina, dort baumartig, Zweige sehr

Rhododendren in Kew-Gardens.

Rhododendren in Kew-Gardens.

dick, Blätter sehr groß, bis 30 *cm*, stumpflänglich, am Grunde geöhrt, unten weißbraun, Blüten zu 6 bis 8, röhrig, rosenrot, 7 lappig, erst Ende Juni bis Juli, wundervoller Spätblüher, sehr

Abb. 393. *Rhododéndron mucronulatum*, 1 *m*, im Arnold Arboretum. (Orig.)

versuchswert; **R. brachycárpum,** Japan, 1 bis 3 *m*, Blätter stumpfoval, bis 15 *cm*, steif, unten etwas rostig behaart, Blütenstände dicht, Blüten rahmweiß mit grüngelben Flecken, bis 5 *cm* breit, Juni, harte Art; **R. campanulátum,** Ost-Himalaya, breiter Strauch, bis über 4 *m*, Triebe kahl, Blätter elliptisch, bis 15 *cm*, unten rotorange-filzig, Blüten zu 8 bis 15, breitglockig, hellpurpurn, lila bis weiß, sehr variabel, hierher var. ***aeruginósum*** (*R. aeruginosum*), grünspanfarben-filzig, var. **Batemánii** (*R. Batemanii*) üppiger in allen Teilen, *var.* **Wallichii** (*R. Wallichii*), Blüten tief lila, Blätter stark kahlend; alle Formen nach v. Oheimb infolge der frühen Blüte im April bei uns meist durch Fröste leidend, sonst recht hart; **R. caucásicum,** Kaukasus, niedriger, dichter Strauch bis 60 *cm*, Blätter spitz-eielliptisch, unten rostbraun, bis 10 *cm*, Blütenstände 7 bis 10 blütig, strohgelb mit grünlichen Flecken (var. *flávidum*), einzige Form in Kultur, sonst alles Hybriden, siehe S. 339 unter den Gartenformen. *R. caucasicum* ist nur als Elternart von Bedeutung; **R. fúlgens,** Himalaya, steht *campanulatum* nahe, ist auch wegen der tief blutroten Blüten für Kreuzungen wichtig, aber bei uns nicht winterhart; **R. lácteum,** Westchina, in Heimat bis 8 *m*, Blätter schmaloval, bis 20 zu 7 *cm*, unten rotbraun filzig, Blüten in dichten Köpfen, chinaweiß, 2,5 *cm* breit, 7 bis 8 lappig, ganz ausgezeichnete Art, die ziemlich hart zu sein verspricht; **R. longesquamátum** (*R. Brettii*), westl. Mittelchina, 2,5 bis 6 *m*, Zweige lang rostig zottig, innere Knospenschuppen am Zweiggrunde meist bleibend, Blätter aus rundlichem Grunde länglich-oboval, bis 12 *cm*, Blüten breit glockig, rosa mit dunkelroten Flecken; **R. Metternichii** (*R. Hymenánthes*, *R. japónicum* Schn.), Japan, bis 1,5 *m*, Blätter länglich lanzettlich, unten rostfilzig, Blüten zu 8 bis 15, glockig, 5 *cm* breit, rosa mit purpurnen Tupfen, meist 7 lappig (var. *heptamérum*) oder 5 lappig (var. *pentamérum*), harte Art; **R. pachytrichum,** westl. Mittelchina, 1 bis 6 *m*, Triebe und Blattstiele moosartig filzig, Blätter zuletzt stark kahlend, länglich-oboval, bis 15 *cm*, Blüten weiß oder hellrosa, bis 3 *cm* breit, Juni, Härte zu erproben; **R. Przewálskii** (*R. kialénse*), westl. Mittelchina, 0,5 bis 3 *m*, dicht buschig, Triebe kahl, gelb, Blätter oval, bis 10 *cm*, unten flockig behaart, zuweilen stark kahlend, Blüten weiß mit purpurnen Flecken, sehr schöne Immergrüne, hart, soll aber nicht reich blühen; **R. Smirnówii,** Südwestkaukasien, in der Heimat bis 3 *m*, mächtiges Krummholz bildend. Triebe weißfilzig. Blätter spitz länglich-elliptisch, unten weißfilzig, bis 15 : 5 *cm*, Blüten lilarosa, in dichten Köpfen, bis 7 *cm* breit. Mai bis Juni, gute harte Art, sehr wertvoll für Hybriden, siehe S. 339; sehr nahe steht ***R. Ungérnii*** mit helleren Blüten, Blätter aus keiligem Grunde länglich oboval, Kelchzipfel länger, in Blüte weniger schön; ***R. Wiltónii,*** westl. Mittelchina, 3 bis 5 *m*, Triebe dicht braunwollig, Blätter oboval, bis 9 *cm*, oben glänzend grün, runzelig, unten braunwollig, Blüten rosa, bis 3,5 *cm* weit, Juni, sehr versuchswert.

b) Blattunterseiten stets kahl oder nur jung behaart. — α) Blätter ziemlich dünn, im zweiten Jahre abfallend: ***R. azaleoides*** (*R. odorátum*), Hybride zwischen *ponticum* und *nudiflórum*, bis 1,5 *m*, Triebe drüsig, Blätter spitz länglich-elliptisch, bis 10 *cm*, unten blaugrau, ganz jung behaart, Blüten zu 12 bis 20, weiß oder rosa, duftend, röhrig-glockig, Juni bis Juli, sehr nahe stehen die hybriden Formen *R. gemmiferum* und *R. Goweniánum*; als *azaleoides* geht auch ***R. hýbridum*** Ker, eine Kreuzung zwischen *R. maximum* und *R. viscosum*; von diesem gibt es eine Hybride mit *ponticum*: *R. enneándrum*, während *R. fragrans* Paxt. eine solche mit *catawbiense* sein dürfte. — β) Blätter derb lederig, gut immergrün: ***R. barbátum,*** Himalaya, dort Baum, Triebe gelblich, Blätter länglich-herzförmig, bis 22 *cm*, unten blaugrün, Blüten tiefrot, bis 10 *cm* weit, nach v. Oheimb in Woislowitz recht hart; ***R. califórnicum*** (*R. macrophýllum, R. washingtoniánum*), westl. Nordamerika, wie *catawbiense*, aber Blütenstiele kahl und Ovar rostig rauhhaarig, Blüten freudig rosa, mit gelber Zeichnung, bis 5 *cm* breit, in Woislowitz hart, gilt als wertvoll für Kreuzungen; ***R. calophýtum***, westl. Mittelchina, dort bis 15 *m*, Rinde zimtrot, Blätter aus keiligem Grunde länglich-oboval, bis 30 *cm*, nur jung an Rippe behaart, unten viel heller, Blüten zu 15 bis 20, rosenrot auf roten Stielen, 5 *cm* breit, sehr schöne stattliche Art, als hart erprobt; ***R. campylocárpum,*** Sikkim, bis 2 *m*, Blätter stumpf-elliptisch, unten blaugrau, bis 10 *cm*, Blüten hellgelb, glockig, bis 7,5 *cm* breit, bei uns nicht hart aber für Kreuzungen der Farbe halber wichtig; ***R. catawbiénse,*** östl. Verein. Staaten, bei uns kaum über 2 *m*, breitbuschig, Blätter länglich oval, stumpf, bis 12 *cm*, unten blaugrau, Blüten in vielblütigen Büscheln, lilapurpurn, bis fast 5 *cm* breit, Juni, schöne harte für Kreuzungen wichtige Art, siehe S. 339; ***R. Davidii,*** westl. Mittelchina, bis 4 *m*, Triebe gelblich, Blätter eilänglich bis 15 *cm*, unten hellgrün, netzaderig, Blütenstände etwas traubig, mit verlängerter Achse, Blüten zu 10 bis mehr, siebenlappig, lilapurpurn mit dunkler Zeichnung, Ovar drüsig, sehr versuchswert; ***R. decórum*** (*R. lúcidum, R. Spoóneri, R. vernicósum*), westl. China, 1 bis 2,5 *m*, Blätter glänzend grün, unten blaugrau, länglich, bis 20 *cm*, Blüten weiß oder rosa, bis 5 *cm* breit, Juni, recht versuchswert; ***R. discolor*** (*R. mandarinórum*), Mittelchina, 2 bis 4 *m*, Triebe gelblich, Blätter schmal oval, bis 20 *cm*, oben satt- unten bleichgrün, Stiel purpurn, Blüten weiß oder leicht rosa, bis 7 *cm* lang und breit, 7 bis 9 lappig, steht *Fortunei* nahe, treibt spät aus; ***R. Fargésii,*** Mittelchina, 1 bis 6 *m*, Blätter aus herzförmigem Grunde stumpf länglich-eiförmig, bis 9 *cm*, unten blaugrau, Blüten zu 6 bis 8, hell- bis tief rosenrot, 7 bis 9 lappig, Mai; ***R. Fórtunei,*** Ostchina, breitbuschig, bis 2 *m*, Blätter aus rundlichem Grunde länglich, bis 16 *cm*, unten blaugrau, Blüten zu 8 bis 10, in Knospe hellviolett, dann weißlich, gewürzig duftend, 7 lappig, Mai bis Juni, wegen der Hybriden wertvoll, von diesen seien erwähnt mit *R. Thomsónii*: ***R. Luscómbei,*** Blüten metall-kupfrig-rosa, herrlich duftend, treibt nach v. Oheimb früh aus; auch die Sorten „Sir Charles Butler" und „W. T. Thiselton" milchweiß, sehr gut duftend, sind *Fortunei*-Hybriden, sowie „Pink Pearl" (mit *R. Griffithiánum* var. *Aucklándii*); ***R. Houlstonii*** (*R. Fortunei* var. *Houlstonei*), Mittelchina, sehr ähnlich *Fortunei*, aber Griffel und Ovar drüsig; ***R. Griffithiánum*** var. ***Aucklándii,*** Osthimalaya, baumartig, Blätter schmal länglich, bis 30 : 10 *cm*, leicht blaugrau unten, Blüten riesig, etwas lilienartig, zu etwa 6, bis 15 *cm* breit, weiß mit rosa Hauch, leicht duftend. Typ nicht ganz hart, aber Hybriden damit sehr wertvoll, vor allem ***R. Manglesii*** (Kreuzung mit hybrider Form von *catawbiense*), eine der allerschönsten Formen, Blüten groß, Knospen tief rosa, dann jeder Lappen hell mit kupfrig-rosa Rand, Duft süß; ***R. máximum,*** östl. Nordamerika, in Heimat oft baumartig, Blätter spitz länglich-lanzettlich, bis 25 *cm*, unten weißlgrün, Blüten in vielblütigen Stutzen, rosa mit grünlicher Zeichnung, bis 3 *cm* breit, Juni bis Juli, Kelchlappen fast so lang wie Ovar, auch weiße und purpurne Formen, wertvoller harter Spätblüher; ***R. orbiculáre*** (*R. rotundifólium*), westl. Mittelchina, 1,5 bis 4 *m*, Triebe purpurlich, drüsig, Blätter aus geöhrtem Grunde rundlich, an eine *Nuphar* gemahnend, bis 10 *cm*, Blüten zu 8 bis 10, rosenrot, 5 *cm* breit, Juni, auffällig, zu beobachten; ***R. oreodóxa*** (*R. haema-*

tochéiton, westl. Mittelchina, 2 bis 3 *m*, jung etwas drüsenhaarig, Winterknospen kugelig (gegen *Davidii*), Blätter stumpf elliptisch, unten hellgrün, Nervenpaare 13 bis 15, Blüten zu 10 bis 12, in Knospe fast blutrot, dann rosenrot, 7 bis 8 lappig, Juni, Griffel und Ovar kahl, sehr versuchswert; ***R. pónticum***, Transkaukasien bis Cilizien, breitbuschig, bis 4 *m*, Blätter spitz länglich-elliptisch, unten hellgrün, bis 12 *cm*, Blüten purpurn mit bräunlicher Zeichnung, nicht ganz hart, in Kultur selten, aber viele Hybriden davon, auch als Unterlage stark benutzt; eine hübsche harte Hybride geht als *R. imbricatum*, bildet dichte kompakte Büsche; ***R. Sheltónae***, westl. Mittelchina, bis 1,5 *m*, Triebe glänzend braun, Blätter eiförmig, bis 10 *cm*, Blüten zu 8 bis mehr, breit glockig, 7 lappig, rosa, Juni; ***R. Souliéi***, westl. Mittelchina, 1 bis 3 *m*, Triebe jung drüsig, purpurn, Blätter aus herzförmigem oder abgestutztem Grunde breitoval, bis 8,5 : 5 *cm*, unten metallisch blaugrau, Blüten zu etwa 6, hellrosa bis 7,5 *cm* breit, Juni, blüht schon jung, sehr versuchswert; ***R. sutchuenénse***, Mittelchina, 2 bis 6 *m*, steht *catophytum* nahe, Blätter elliptisch, bis 25 *cm*, Blüten kurz gestielt, bis 7,5 *cm* breit, rosalila mit purpurner Zeichnung, anfangs Mai, sehr stattliche Art; ***R. Thomsónii***, Nepal bis Sikkim, bis 4 *m*, Blätter rund-oval, bis 10 *cm*, unten blaugrau, Blüten bis 7,5 *cm* breit, blutrot, hat sich in Woislowitz recht hart gezeigt, für Kreuzungen wertvoll.

Über die immergrünen Rhododendron-Hybriden sei im Anschluß an Darlegungen von v. Oheimb, Seidel[62]) u. a. nachstehendes gesagt: Bei der Kultur ist folgendes zu berücksichtigen: dauernde Feuchthaltung, so daß der Ballen niemals völlig austrocknet, deshalb Nordlage, Schutz vor Südsonne. Ferner Hinausschiebung des Vegetationsbeginnes bis zur stetigen Erwärmung über die stärksten Nachtfröste hinaus, was eben durch Nordlage und Schutz gegen Süden erreicht wird. Im Sommer schadet Besonnung nicht mehr, trägt nur zur Ausbildung der Blütenknospen bei, deshalb ist lichter Standort am besten, wenn er über Winter und im ersten Frühling Schutzschirme gegen Südsonne erhält. Wichtig ist dann Ausreifung der Triebe, wozu besonders die Entfernung der Dolden nach der Blüte beiträgt. Schließlich die richtige Erde, die locker und leicht löslich und vor allem schwammartig Wasser aufnehmend und haltend sein soll: Torf, Humus, Moorerde gemischt mit Heide- oder Laubboden, aber unter Zusatz kräftiger Erde. Vermieden muß das Einpacken in Schutzvorrichtungen werden.

Die für uns besten Sorten sind nach v. Oheimb folgende: Sehr früh, Mitte bis Ende April, erblühen die *R. dahuricum* und *caucasicum* nahestehenden Sorten, wie „Calliope" gelbrosa, dann weiß; „Diana" reinweiß; „Melpomene" hellrosa mit rötlichen Flecken; „Mnemosyne" sehr groß, karminrosa mit vielen Flecken. Diesen Sorten, die an Doldengröße und an Farbenleuchtkraft den weiter unten genannten noch recht nachstehen, sind verwandt die altbekannten zwei Sorten „Jacksoni" („Rosamundi") und „Celestine", im Aufblühen schön rosa, aber Dolden sehr locker. Schöner ist schon „Cunningham's White", die sehr „Celestine" ähnelt, aber zwei bis drei Wochen später blüht. Dann folgt eine Gruppe sehr edler Sorten mit breitem, hellglänzendem Laub und herrlichen, perlweißen Dolden, deren Blüten sich durch Größe und Form unterscheiden. Es sind „Arno", „Bertha", „Priamus", „Helene Schiffner", „Frida von Soden" und „Frau Rosalie Seidel" (Abb. 394). Als ganz hervorragend gilt „Ferdinand de Massenge de Louvreux" (Abb. 395), in Knospe rein violettrosa, dann gelb chinesisch Rosa, blüht 8 bis 12 Tage vor den oben genannten und ganz niedrig im Wuchs.

Nach dem Verblühen oder beim Verblühen der „Frida von Soden"-Gruppe setzt, nach v. Oheimb, die ganze fast unübersehbare Menge aller anderen Hybriden ein, meist *arboreum* × *ponticum*, neuerdings aber *arboreum* × *catawbiense* und diese Kreuzungen wieder mit *ponticum*. Als allerbeste kann man hier hervorheben: weiß: „Album grandiflorum", weißlila, später weiß; „The Bride", weiß grünlich; „Mad. Carvalho" (Abb. 396), weiß mit grünlichem Innern; „Mr. John Clutton", weiß mit Gelb innen, außen lilarosa; „Coeleste", weißrosa, kriechend; dunkler oder heller rosa oder lila: „Lady Armstrong", dunkel fleischfarben; „Cynthia", tief leuchtendrosa; „Francis Dickson", freudig rosa, eine der allerbesten; „Fastuosum", gefüllt, tief dunkellila; „Pelopidas", hellkarmin, sehr rein und groß; „Poussin", ebenso, üppig; „Lady Clementine Walsh", leicht lilarosa; „Kate Waterer", violettrosa mit gelbem Schlund; rot oder dunkelrot: „Charles Bagley", rein karminrot; „Caractacus", tiefrot; „Charles Dickens", dunkelscharlach; „Sir John Brougham", tief rosarot; „Doncaster", glänzend hellrot; „Dr. Karl Mette", geraniumrot; „Chevalier de Sauvage", zart leuchtendrot; „Michael Waterer", scharlachrot.

Schöne *catawbiense*-Hybriden (Züchtungen Parsons) sind außer einigen oben genannten, wie „Charles Dickens" z. B. noch *Everestianum* (Abb. 397), violettrosa, Parsons „Gloriosa",

22*

Abb. 394. *Rhododéndron*-Hybriden: links hinten: „Frieda von Soden", vorn rechts „Frau Rosalia Seidel". (Hort. von Oheimb, Woislowitz)

violett u. a. — Ganz ausgezeichnete Kreuzungen bilden die Kinder von *R. Smirnowii*, von denen Seidel wundervolle Hybriden mit *R. arboreum* und vor allem *R. catawbiense* geliefert

Abb. 395. *Rhododéndron*-Hybride „Ferdinand de Massenge de Louvreux". (Hort. von Oheimb, Woislowitz)

Abb. 396. *Rhododendron*-Hybriden; links hinten „Kate Waterer", links vorn „Francis Dickson", rechts „Mad. Carvalho". (Hort. von Oheimb, Woislowitz.)

hat (Abb. 398), wir weisen nur hin auf „Annedore", „Anna", „Bismarck", „Cicero", „Daphne", „Dürer" usw., bei deren Farben allerdings alle grellen roten und dunkelroten Töne fehlen.

Abb. 397. *Rhododendron catawbiense*-Hybride *Everestianum*. (Phot. A. Rehder.)

Abb. 398. Blühende winterharte *Rhododéndron* im Park zu Woislowitz. (Von Oheimb.)

Untergattung II ***Anthodéndron*** oder ***Azaléa:*** Gruppe 3 *Tsutsitsi (Tsusia)*: ***R. indicum*** (*R. macranthum, R. Danielsiánum, R. lateritium, Azalea indica*), Südjapan, dichter

Abb. 399. *Rhododéndron*-Hybriden und Schwertlilien. (Phot. A. Glogan, Hannover.)

Abb. 400. Seidelsche *Rhododéndron*-Hybriden in den Kulturen zu Grüngräbchen, Sachsen. (Phot. R. Seidel.)

aufrechter Strauch, bis 1,2 *m* (Abb. 401), Blätter immergrün, länglich-elliptisch, bis 5 *cm* Blüten meist einzeln, rosa bis rosapurpurn, Juni bis Juli, für uns nur als Stammart der „indischen Azaleen" bedeutsam, für Freilandkultur belanglos; ***R. Kaémpferi*** (*R. indicum* var. *Kaempferi*,

Abb. 401. *Rhododéndron indicum*, 2,5 *m*. (Orig.: Kew, Gardens.)

R. obtusum var. *Kaempferi*). Japan. 1 bis 1,5 (bis 3) *m* (Abb. 402). Blätter nur in sehr warmen Lagen wintergrün, variabel, lanzettlich bis oboval, 1,5 bis 6 : 0,8 bis 3 *cm*. Blüten zu 2 bis 4 mit oder vor den Blättern, fleischfarben bis lebhaft orangerot, 2,5 bis 4 *cm* breit, ganz prächtige harte Art, die weiteste Verbreitung verdient; ***R. linearifólium***, Mitteljapan, breiter niedriger Strauch, meist unter 1 *m*. Blätter meist sommergrün, lanzettlich bis lineal-lanzettlich. Blüten zu 2 bis 10, rosa, duftend, außen drüsig, in 5 lineare Abschnitte geteilt. Staubblätter 5, die wilde Form ist var. ***macrosépalum*** (*R. macrosepalum*), Kelchabschnitte 1 bis 3 *cm* lang, interessant, aber nicht recht hart, oft im Kalthaus gezogen; ***R. mucronátum*** (***R. ledifólium***, *R. rosmarinifolium*, *Azalea ledifolia*, *Azalea indica alba*, *Azalea rosmarinifolia*, *Azalea liliiflora*), Japan, breiter kompakter Strauch, 1,5 bis 2 (bis 3) *m* (Abb. 403), Triebe weich und borstig, oft drüsig behaart. Blätter immergrün, elliptisch-lanzettlich, bis 6 *cm*. Blüten zu 1 bis 3, reinweiß, duftend, bis 5 *cm* weit, Kelchlappen 1 *cm*, drüsig behaart, Mai; schöne Formen sind: var. ***Noordtiánum*** (*Azalea ledifolia* var. *Noordtiana*), Blüten größer, Pflanze härter; var. *narcissiflórum* (*R. narcissiflorum*, *R. rosmarinifolium* var. *narcissiflórum*), Blüten gefüllt, weiß; *mucronatum* ist mit *indicum* an den Gartenformen beteiligt; ebenso ***R. phoeniceum*** (*Azalea puniceu*, *R. puniceum*, *R. mucronatum* var. *phoeniceum*), eine japanische Kulturform, deren beste Form var. ***calycinum*** (*Azalea indica* var. *calycina*, *R. calycinum*, *R. ledifolium* var. *purpureum*, *R. rosmarinifolium* var. *purpureum*) ist, von *mucronatum* abweichend durch die angepreßte, nicht drüsige Behaarung der Triebe, Blätter kaum lederig, Blüten magentarot; ***R. obtúsum*** (*Azalea obtusa*, *R. indicum* var. *obtusum*), eine japanische Kulturform, deren wilder Typ var. ***japonicum*** (*R. Kaempferi* var. *japonicum*, *R. kiusianum*) ist, niederliegend-aufstrebend, 0,3 bis 1 *m*, Blätter immergrün, lanzettlich bis oboval, bis 2 : 1 *cm*, angepreßt gelbgrau behaart, Blüten zu 1 bis 3, bei der wilden Form klein, meist rosa bis lachsfarben, Mai, in Japan sehr viele Gartenformen, die sog. „Kurume-Azaleen", von denen Wilson folgende sechs als beste führt: „Takasago", hell rosa, gefüllt, „Azuma Kagami", tief rosa, gefüllt, „Kirin", tief bis silbrig rosa, gefüllt, „Kumo No Uye", lachsfarben, „Kurai No Himo", karmin, gefüllt und „Kureno Yuki", weiß, gefüllt. Außerdem hebt H. Hesse hervor: „Azuma-Shibori", Blüten verschiedenfarbig, gelblich braunrot und hellachsfarben, „Benigiri", weinrot, „Fuji-Manyo", Blüten 6 *cm* weit, gefüllt, purpurviolett, „Hosokawa", stark gefüllt, hellpurpur malvenfarbig, „Kamanyo", gefüllt, salmrot, „Kirishima", blutrot, „Hinodegiri", trüb karminrot, „Misome-Giri", rötlich violett, „Murasaki-rinkin", weiß, purpur schattiert, gestreift und gefleckt, „Omurasaki", gefüllt, leuchtend purpurrot, „Shiragiri", weiß, im Schlunde leicht gelblich getönt, „Tebotan", gefüllt, purpurviolett, rotbraun gefleckt, „Yaye-Giri", leuchtendes, orange getöntes Mennigrot; für uns sonst die wichtigsten Varietäten var. *album* (*Azalea ramentácea*, *Azalea obtusa alba*), weiß, und var. ***amoénum*** (*Azalea amoena*, *R. amoenum*, *R. indicum* und *R. Kaempferi* var. *amoenum*), Blüten meist gefüllt, tief magenta rot, April bis Mai, sehr kulturwerte Formen, zu denen jetzt auch *R. Kaempferi* als Varietät gestellt wird; ***R. Simsii*** (*R. indicum* var. *ignescens* und var. *puniceum*, *R. indicum* var. *Simsii*, *Azalea indica* var. *Simsii*), Südost- und Mittelchina, reich verzweigter, selten über 1,5 *m* hoher Strauch, von den damit oft verwechselten *R. indicum* und *R. obtusum* vor allem durch die 7 bis 10 (nicht nur 5) Staubblätter verschieden, Blätter länglich-elliptisch bis länglich-oboval,

Abb. 402. *Rhododéndron Kaempferi*, 1,25 *m*. (Phot. A. Rehder.)

2 bis 5 *cm*, nicht ganz immergrün, Blüten zu 2 bis 3, karmin oder rosa, über 2,5 *cm* breit, Mai bis Juni, sehr stark an der Züchtung der „indischen Azaleen" beteiligt, typisch erst jetzt durchs Arnold Arboret wieder eingeführt, nicht hart; ***R. Tschonóskii*** (*Azalea Tschonoskii*), Nordjapan-Korea, breit dichtbuschig, 0,25 bis über 1,5 *m*, Triebe dicht angepreßt rostig behaart, Blätter sommergrün, am Zweigende gedrängt, schmal bis breit spitzlanzettlich, 1 bis 3 nervig, beiderseits angepreßt behaart, schöne Herbstfärbung, Blüten klein weiß, Juni, passend für den Steingarten, aber ohne besonderen Zierwert; ***R. yedoénse*** (*Azalea* oder *R. Yodogáwa*, *R. poukhanense* var. *Yodogawa*), eine harte lilarosa gefüllte Kulturform, deren wilder Typ, var. ***poukhanénse*** (*R. poukhanense*, *R. hallaisanénse*, *R. coreanum*) aus Korea ist, niedriger, breiter Strauch, 0,15 bis 0,8 (bis 1 *m*), innere Knospenschuppen drüsig, wie bei *mucronatum*, Triebe anliegend behaart, Blätter meist sommergrün, dünn, lanzettlich bis eilanzettlich, bis 8 : 2 *cm*, schöne Herbstfärbung in Orange bis Karmin, mit angepreßten glänzend braunen Haaren, Blüten duftend, lilapurpurn mit purpurbrauner Zeichnung, Mai, reichblühende harte Art, die weiteste Verbreitung verdient.

Abb. 403. *Rhododéndron mucronatum*, 0,6 *m*. (Orig.; Hort. Kew.)

Gruppe 4. *Sciadorhódion*: ***R. reticulátum*** (*R. dilatátum*, ***R. rhómbicum***), Japan, breiter Busch bis baumartig, in Heimat bis 8 *m*, Triebe gelbbraun, nur jung behaart, Blätter sommergrün, spitz rhombisch-eiförmig, bis 6 : 5 *cm*, erhaben genervt, behaart, unten blaugrau, im Herbst weinrot bis dunkelpurpurn, Blüten kurz vor Blattausbruch im April, rosen- bis purpurrot, ungefleckt, bis 5 *cm* breit, Staubblätter 10, bei var. *albiflorum* weiß, harte Art; ***R. Schlippenbáchii***, Korea, Nordost-Mandschurei, 0,8 bis 2 (bis 5) *m*, Triebe drüsighaarig, Blätter sommergrün, stumpf-oboval, bis 9 : 7 *cm*, nur unten auf Nerven etwas behaart, Herbst orangegelb, Blüten mit den Blättern, hell- oder rosenrot, mit rotbrauner Zeichnung, bis 8 *cm* weit, harte sehr hübsche Art.

Gruppe 5. *Rhodóra*: ***R. canadénse*** (*Rhodora canadensis*), Sumpfrose, Felsenrose, östl. Nordamerika, Tracht wie Abb. 404, bis 1 *m*, Triebe jung behaart, dann gelbrotbraun, Blätter länglich elliptisch, bis 6 *cm*, stumpf bläulich grün, unten blaugrau, behaart, Blüten vor den Blättern, April bis Mai, purpurrosa, ungefleckt, Staubblätter 10, hübsch für Felspartien in feuchtem aber durchlässigem Grund und im Moorbeete; ***R. Vaséyi***, Nordkarolina, dort bis 5 *m*, Tracht wie Abb. 405, Zweige rotbraun, Blätter elliptisch bis 12 : 5 *cm*, unten kahl und hellgrün, Blüten vor ihnen im Mai, hell rosenrot mit rotorange Flecken, Staubblätter 7 bis 5; hübsche Art, ihr steht nahe das erst jetzt eingeführte ***R. Albréchtii*** aus Japan, mit 10 Staubblättern; aus Ostasien gehören ferner hierher *R. nipponicum* und *R. pentaphyllum*, die ebenfalls für Gehölzfreunde Beachtung verdienen.

Gruppe 6. *Pentanthera* (oder *Eunzalea*), hierher die amerikanischen und pontischen Azaleen: A. Staubblätter kürzer oder höchstens so lang wie Korolle, diese breit trichterig, mit kurzer Röhre, außen behaart aber nicht drüsig: ***R. molle*** Don (***Azalea mollis*** Blume, *Azalea sinensis* Loddiges, *R. sinense* Sweet), Ostchina (bis West-Hupeh), lockerzweigiger Strauch, 1 bis 1,5 *m*, sehr ähnlich dem folgenden, aber Winterknospen fast weißlich feinfilzig, Blätter meist länglich-lanzettlich, bis 15 : 5,5 *cm*, unten weich behaart, zuletzt blaugrau, Blüten gelb, Staubblätter so lang wie Blumenkrone, durch die Kreuzungen wichtig, von denen die mit *japonicum* als ***R. Kosteriánum*** gehen: es sind dies die „Kosterschen Azaleen", wie z. B. „Alma Tadema", zart rosa mit rotbraun, „N. Beets", goldgelb, „O. Maarschalk", orange mit purpurn, „Dr. Reichenbach", lachsorange mit rotbraun, „J. J. de Vink", zart nankinggelb mit purpurn; hierher gehören aber auch im weiteren Sinne die

Abb. 404. *Rhododendron canadense* mit *Epimedium* als Untergrund, 0,7 *m*.
(Phot. Böcker; Hort. Arends, Ronsdorf.)

Azalea mollis der Gärten, von diesen seien genannt: „General Brialmont", rosa mit goldgelb, „Dulcinée", lachsrot, „Edison", hellrot mit gelben Flecken, „Comte de Gomer", lebhaft rosa mit orange Flecken, „General Goffinet", violett, „Oswald de Kerchove", lebhaft rosa mit gelb, „Alphonse Lavallée", lebhaft orange mit scharlachrot, „Frédéric de Merode", scharlachrot, „Mignonne", lebhaft rosa mit gelben Flecken, „Consul Pecher", dunkelrosa mit lachsfarbig und goldgelb, „Charles Rogier", weiß mit violett und gelb, „Baron Edmond de Rothschild", mennigrot mit gelb, „Souv. de Louis Van Houtte", weiß mit rosa, „Dr. Léon Vignes", lebhaft gelb; sie sind zum Teil nicht ganz so hart und wertvoll für uns wie die „Genter Azaleen" (oder *luteum*-Hybriden); zwischen diesen und *R. Kosterianum* sind wiederum Kreuzungen, die sehr wertvolle Sorten ergeben haben, es sind dies gefüllte Formen, die Wilson unter ***R. mixtum*** zusammenfaßt (*Azalea rústica fl. pl.*); hierher gehören von guten Sorten: „Aïda", violettrosa, „Apelles", weiß mit rosa Hauch, „Freya", aprikosenfarben mit roter Mitte, „Milton", weiß mit rosa Hauch, „Norma", rot mit nankinggelb, „Phebe", schwefelgelb, „Praxiteles", rot mit gelbem Hauch, „Virgile", weiß mit gelbem Fleck, siehe weiteres hinter *R. luteum*; ***R. japonicum*** Suringar (*R. molle* Sieb. & Zucc., nicht Don, *Azalea mollis* Hort., nicht Blume), Japan, breiter, straff aufrechter Strauch, meist unter 1 *m*, selten bis 2 *m*, Winterknospen kahl. Blätter nur unten an Nerven behaart, meist über der Mitte am breitesten, bis 10 : 3 *cm*, unten hellgrün, Herbstfärbung purpurrot, Blüten vor den Blättern ab April, orange-, lachs- bis ziegelrot, bis 6 *cm* breit, duftlos, Staubblätter kürzer als Krone, über Hybriden siehe oben; interessant auch der Bastard mit *R. canadense*: ***R. Fráseri.***

B. Staubblätter länger als Blumenkrone, deren Röhre länger oder wenig kürzer als die Lappen, außen meist drüsig. — 1. Blüten gelb bis feuerrot: ***R. calenduláceum*** (*Azalea calendulacea*, *Azalea lutea* Linné zum Teil, *R. luteum* Schn., nicht Sweet), südöstl. Verein. Staaten, breiter, aufrechter, selten über 3 *m* hoher Strauch, Triebe behaart. Blätter elliptisch-oboval, bis 8 *cm*, unten behaart, drüsig gewimpert, Blüten gelb oder orange bis scharlach, mit orange Flecken, mit Blattausbruch im Mai bis Juni, bis 2,5 *cm* weit, duftlos, Ovar nicht drüsig, Staubblätter viel länger als Krone, bei var. *aurántium* (*Azalea aurantiaca*), tief orange rot, sehr schöne harte Art; von Hybriden wichtig die Kreuzung

Abb. 405. *Rhododéndron Vaseyi*, 1,25 *m*. (Phot. A. Rehder.)

mit *R. nudiflorum*; **R. Morteri** Sweet (*Azalea Morteriana* zum Teil), das wiederum an der Entstehung des *R. gandavense* beteiligt ist, siehe unten; **R. lúteum** Sweet (nicht *Azalea lutea* Linné, die *R. nudiflorum* ist, aber **Azalea pontica** Linné, doch nicht *R. ponticum* L., *R. flavum* Don), Kaukasus bis Cilicien und Osteuropa, breit dicht buschig, bis 4 *m*, Blätter länglich-lanzettlich, bis 12 : 3,5 *cm*, zuerst beiderseits etwas drüsig behaart, Blüten vor den Blättern, stark duftend, gelb, bis 4,5 *cm* weit, Staubblätter wenig länger als Krone, Ovar drüsig; durch die Kreuzungen mit verschiedenen amerikanischen Azaleen (mit Ausschluß von *occidentale*) sehr bedeutsam, die man am besten zusammenfaßt als ***R. gandavénse***, Genter oder pontische Azaleen, hiervon gute einfache Formen: „Beauté de Flandre", lachsrot mit tief gelber Zeichnung, „Clotilde", weiß mit rosa Streifung, „Fama", karmoisinrot mit violetter Schattierung, „Goldlack", goldorange mit dunkelbrauner Zeichnung, „Guelder-rose", tief orange mit chromgelben Flecken, großblumig, „Jenny Lind", lachsfarben mit rosa Hauch, „Louis Hellebuyk", feurig Zinnober mit orange Hauch, „Prinz Hendrik des Pays-bas", tief blutrot, „Rose de Flandre", lebhaft rosa mit weißen Spitzen, „Victoria", lachsrot, rosa getönt und satt gelb gefleckt; von *R. gandavense* var. *plenum*, den gefüllten Formen, seien genannt: „Graf von Meran", weiß mit rosa Hauch, „Louis Ainé van Houtte", zinnoberrot, innen orange Streifung, „Van Houttei fl. pl.", lebhaft lachsrot mit goldgelb.

II. Blüten weiß oder rosa, ohne deutlichen gelben Fleck. — a) Blüten vor den Blättern: ***R. nudiflórum*** (*Azalea lutea* L. zum Teil, *A. nudiflora* L., *Azalea periclymenoides*), östl. Verein. Staaten, aufrechter Strauch, meist nicht über 2 *m*, Blätter spitz-elliptisch bis länglich-oboval, unterseits etwas striegelhaarig, beiderseits grün, Blüten kurz vor den Blättern im April bis Mai, duftlos, hell oder weißlich rosa, außen meist nicht drüsig; durch unterseits behaarte, oft blaugrüne Blätter, außen drüsige Blüten und behaarte Winterknospen weicht ab ***R. róseum*** (*Azalea rosea* Lois.-Desl., *R. nudiflorum* var. *roseum*, *Azalea prinophylla*, *R. prinophyllum*), das oft mit *nudiflorum* zusammengeworfen wird; über Hybriden von *nudiflorum* siehe oben *R. Mortieri* und auch *R. azaleoides*, S. 338. b) Blüten mit Blattausbruch oder kurz nach Entwicklung der Blätter: ***R. arboréscens*** (*Azalea arborescens*), östl. Verein. Staaten (Appalachian Mountains), aufrecht bis 3 *m* oder baumartig, Triebe und Winterknospen kahl, rotbraun, Blätter meist oboval, kahl, bis 8 *cm*, unten blaugrau, trocken nach Cumarin duftend, Blüten Juni bis Juli, weiß oder rosa, außen stieldrüsig, schöne spätblühende Art, die an manchen Kreuzungen beteiligt ist; eine hübsche Hybride mit *R. calendulaceum* ist ***R. Anneliésae*** Rehd.; ***R. occidentâle*** (*Azalea occidentalis* und *A. californica*), Oregon-Kalifornien, steht *calendulaceum* sehr nahe, aber Blüten weiß oder rosa mit gelbem Fleck, nach oder mit Blattausbruch, nicht hart, aber an Hybriden beteiligt, so mit *molle*: ***R. álbicans***, hierher Sorten wie „Exquisite", „Graciosa", „Magnifica", „Superba" sowie auch „C. S. Sargent", „Henrietta Sargent", Farben meist weiß, rahmweiß oder gelb mit gelbem oder dunklerem Fleck, Juni bis Juli, recht hart; *occidentale* ist auch mit *gandavense* gekreuzt, wozu Rehder Sorten wie „Emelie" und „Roi des Belges" rechnet, die sich schwer von *gandavense*-Formen scheiden lassen; ***R. viscósum*** (*Azalea viscosa*), nordöstl. Verein. Staaten, Strauch bis über 3 *m*, zuweilen niedrig, ausläufertreibend (Abb. 406), Triebe jung rauhlich behaart, später hellgraubraun, Blätter eiförmig bis länglich oboval, bis 6 *cm*, nur unten an Rippe striegelhaarig, hellergrün, dünn aber fest, Blüten nach Blättern im Juni bis Juli, weiß mit rosa, außen wollig und drüsig behaart, recht variable, harte schöne späte Art; eine Hybride mit *molle* ist ***R. viscosépalum*** (*Azalea viscosepala*).

Abb. 406. *Rhododéndron viscosum*-Hybride, 1 *m*
(Phot. J. Hartmann, Dresden.)

Gruppe 7. *Therorhódion*: ***R. kamtschâticum***, niederliegender Zwergstrauch aus Nordsibirien bis Alaska, siehe Abb. 47, Triebe verstreut borstig, Blätter sommergrün, oboval, bis 5 *cm*, Rand gewimpert, stiellos, Blüten purpurn bis blutrot, Mai bis Sommer, wertvoll für Moorbeete, doch nur für erfahrene Pfleger.

Gruppe 8. *Azaleástrum*: ***R. ovátum*** Planchon (*Azalea ovata* und *A. myrtifólia*), Mittel- und Ostchina, fast immergrün, bis 1,5 *m*, Triebe fein behaart, Blätter glänzend grün, eiförmig, bis 6 *cm*, Blüten hell purpurn oder rosa mit dunkleren Tupfen, Mai bis Juni, Staubblätter meist 5, kaum echt in Kultur, was als *ovatum* geht ist *myrtifolium*, siehe S. 334; hierher auch *R. albiflórum* aus den Rocky Mountains, Blüten weiß, Staubblätter 10.

Gruppe 9. *Chionástrum*: ***R. stamíneum*** (*R. pittosporifólium*), Mittel- und Westchina, 2 bis 8 *m*, Blätter immergrün, länglich oboval, bis 10 *cm*, kahl, Blüten weiß oder rosa, mit gelben Tupfen, duftend, Mai bis Juni, sehr eigenartig, in Kultur noch zu erproben, liebt felsige schattige frische Lagen.

Rhododéndron chamaecistus siehe *Rhodothamnus*. — ***Rhodóra canadensis*, Felsenrose, Sumpfrose,** siehe *Rhododéndron* (Gruppe *Rhodora*).

Rhodothámnus chamaecistus (*Rhododéndron* und *Adodendron chamaecistus*), **Zwergrösel** — Ericaceen. — Niederliegender, immergrüner Zwergstrauch aus den Ostalpen und Ostsibirien, Blätter fast sitzend, länglich keilig, borstig gewimpert, bis 13 *cm* lang, Blüten breit offenglockig, zu 1 bis 3 endständig, zirka 2,5 *cm* breit, violettrosenrot, Mai bis Juni; Kultur halbschattig in Felsspalten oder Geröll, Kalkschotter und Humus gemischt; Vermehrung am besten durch Abtrennung bewurzelter Triebstücke, auch durch Samen, Ableger und reife Stecklinge unter Glas; wertvoll in Felsenlagen.

Rhodotýpos kerrioides (*R. scandens*, *R. tetrapetala*), **Scheinkerrie, Kaimastrauch** — Rosaceen. — Bekannter *Kerria*-artiger Strauch, aber höher, bis 2,5 *m* (Abb. 407), Blätter größer, Blüten einzeln, groß, weiß, Mai, oft August, Früchte harte, glänzend schwarze, trockene Steinfrüchte; Kultur in jedem guten Gartenboden und in rauheren Gegenden in mehr trockener, sonniger Lage; Schnitt, wenn nötig, nach Blüte, meist nur Auslichten im Winter; Vermehrung durch Samen (nach Reife) und Steckholz; Verwendung als hübscher Zierstrauch im Garten und Park.

Rhus, Sumach, Essigbaum Anacardiaceen. — Sträucher oder Bäume mit Milchsaft (siehe Abb. 408 bis 414). Blätter meist sommergrün, einfach, 3zählig oder gefiedert,

Abb. 407. *Rhodotypos kerrioides*, Scheinkerrie, in Pruhonitz, 1,5 m. (Orig.)

Blütenstände rispig. Blüten an sich unscheinbar aber oft in ansehnlichen Rispen, Frucht meist nierenförmige Steinfrucht; Kultur meist in jedem guten, durchlässigen Gartenboden in warmer Lage; Vermehrung durch Wurzelstecklinge, auch Samen, *R. Cotinus*-Formen und *cotinoides* auch durch Veredlung auf *R. Cotinus*; Verwendung im Park und Garten, man vergleiche das bei den Arten Gesagte.

ALPHABETISCHE LISTE DER ERWÄHNTEN LATEINISCHEN NAMEN.

Die Ziffern bezeichnen die Seitenzahlen.

A. Blätter einfach, ganzrandig (Gruppe *Cotinus*, **Perückenstrauch**); ***R. Cótinus*** (*Cotinus Coggygria* und *C. Coccygea*) (Abb. 408 und farbige Tafel XII), südöstliches Mittel- und Südeuropa, bis über 3 *m*, nicht giftig, Blätter oboval, am Grund plötzlich zusammengezogen, kahl, Blütenstände zuletzt federartig, mit violetten Härchen bekleidet, bei f. *péndula* Zweige hängend und bei f. *atropurpúrea* Fruchtrispen schön tiefrot, sehr hübscher Zierstrauch für Einzelstellung und warme, sonnige Lagen, gelegentlicher Rückschnitt zu empfehlen; ähnlich ist der nordamerikanische ***R. cotinoides*** (*Cot. americana*), südöstl. Verein. Staaten, bis 12 *m*, Blätter am Grund allmählich verschmälert, jung seidig, im Herbst wundervoll

Abb. 408. *Rhus Cotinus*, 3,5 *m*. (Phot. L. Graebener, Karlsruhe.)

orange und scharlach. Fruchtstände nicht so schön; empfindlicher.

B. Blätter meist 3 zählig (Gruppe *Toxicodendron* und *Schmaltzia*): ***R. canadensis*** (***R. aromática***, *R. crenata* der Gärten) (Abb. 409), O.-Nordamerika, kleiner, aromatischer, nicht giftiger Strauch, Blättchen behaart, kerbsägig, bis 7 *cm*. Blütenähren gelbgrün, schon im März bis April. Früchte gelbrot, schön für breite niedrige Einfassungen, liebt trockene steinige Lagen; noch zierlicher belaubt ***R. trilobáta***, Blättchen kahl, bis 2,5 *cm*. Früchte braunrot, für kleine Anlagen in trockenem, gut durchlässigem Boden, auch an Felsen; ***R. Toxicodendron*** (*Toxicodendrum vulgare*), O.-Nordamerika, typisch aufrechter, bis 1 *m* hoher Strauch mit unterirdischen Ausläufern, nicht kletternd, ziemlich behaart, giftig!; meist geht als diese Art ***R. radicans*** (Abb. 410), kriechend und mit Luftwurzeln kletternd, sehr hübsch zur Bekleidung von Mauerwerk usw., aber wegen der Giftigkeit große Vorsicht geboten, auch schwer wieder auszurotten!

C. Blätter fünf- oder mehrzählig (gefiedert!). I. Blütenstände lockere, hängende, achselständige Rispen, Früchte gelb oder weißlich, kahl, sehr giftige Arten!: ***R. vernicíflua*** (***R. vernicífera***), siehe Abb. 411, japanischer Lackbaum, kahler Baum, bis 10 *m*. Blättchen meist über 10 *cm*, Grund rundlich, sehr hübsch, aber wegen der Giftigkeit so wenig zu empfehlen wie ***R. vernix*** (*R. venenáta*) aus Nordamerika, schön tiefgrün belaubt, Blättchen bis 10 *cm*, Grund keilig, sehr schöne Herbstfärbung, beide lieben feuchte Orte, besonders *R. vernix*. — II. Blütenstände endständige aufrechte oder hängende Rispen, Früchte

Abb. 409. *Rhus aromatica*, 2,2 *m*. (Phot. L. Graebener.)

rot, behaart, nicht giftige Arten: a) Fruchtstände aufrecht, Blättchen gesägt (außer bei *copallina*): ***R. copallina***, östl. Nordamerika, meist Strauch, Blattspindel geflügelt, Blättchen 9 bis 21, oben kahl und glänzend, unten behaart, Blüten grünlich, Juli bis August, Frucht September bis Oktober, für trockene Lagen; ***R. týphina*** (*R. hirta*), O.-Nordamerika, bis 10 *m*, mit Ausläufern, Triebe dicht behaart, Blättchen 11 bis 31, unterseits blaugrau, kahl, Laub im Herbst prächtig scharlachrot, auch die dichten Fruchtstandkolben im Winter sehr zierend, sogenannter „Essigbaum", besonders hübsch var. *dissecta* (var. *laciniata*, var. *filicina*) (Abb. 412), Belaubung feinfiedrig, ganz hart; ***R. glabra*** (Abb. 413) steht dem vorigen sehr nahe, aber Triebe bereift, kahl, Spindeln rot überlaufen, Früchte kurzhaarig, hier auch eine var. *laciniata*, nicht so hart wie vorige Art, aber schöner; ***R. javánica (R. Osbeckii****, R. semialata* var. *Osbeckii*) (Abb. 414), Japan bis China, Baum bis 10 *m*, schöne tiefgrüne Belaubung, Blättchen 7 bis 13, grob kerbzähnig, unterseits bräunlich behaart, Blattspindeln sind geflügelt, Herbstfärbung prächtig rot, Blütenstände sehr groß, August, Früchte gelbrot, trokkenere Lagen, sehr hübsch.

Abb. 410. *Rhus radicans* an Mauer. (L. Graebener, Karlsruhe.)

— b) Fruchtstände hängend, Blättchen ganzrandig (außer an jungen Pflanzen): ***R. Potaninii*** (*R. sinica* Koch.), Mittel- und Westchina, üppig, bis 10 *m*, Spindel rund, Blättchen 5 bis 7, spitz elliptisch-eiförmig, Blüten weißlich, Mai bis Juni, Frucht dunkelrot; ferner ***R. punjabénsis*** var. ***sinica*** (*R. sinica* Diels), bis 15 *m*, Spindel im oberen Teil schmal geflügelt, Blättchen 7 bis 13, Blüten Juni bis Juli, Frucht September; beide sehr zu empfehlen.

Rhus ailanthoides siehe *Picrasma*. — ***Rhynchospérmum*** siehe *Trachelospérmum*.

Ribes, Johannisbeere, Stachelbeere, Ribisel — Saxifragaceen. — Niedrige bis mittelhohe, aufrechte, meist sommergrüne Sträucher, Blätter abwechselnd, einfach, meist gelappt, Blütenstände meist traubig, einzelne Blüte oft wenig ansehnlich, Kelch und Sepalen gefärbt, Petalen oft sehr klein, Frucht meist saftige Beere, oft wohlschmeckend; Kultur in jedem, nicht allzu armen oder zu schweren und nassen Gartenboden, sonnig oder schattig, öftere Verjüngung durch Auslichten ratsam, sonst Schnitt kaum nötig, eventuell Langtriebe im Vorsommer pinzieren; Vermehrung der Arten durch Samen oder meist durch Steckholz, auch krautige Stecklinge, Ableger sowie Teilung; Verwendung vieler Arten als prächtige Blütensträucher (*aureum, cruentum, fasciculatum*, Frucht. *Gordonianum, sanguineum*), einiger als wertvolle Schattenpflanzen (besonders *alpinum, aureum, diacantha*), siehe unten. Wir können nur die wichtigsten Formen hervorheben[63].

ALPHABETISCHE LISTE DER ERWÄHNTEN LATEINISCHEN NAMEN.

(Die Ziffern bezeichnen die Seitenzahlen.)

Abb. 411. *Rhus verniciflua*, Lackbaum, 16 *m*. (Phot. L. Graebener, Karlsruhe.)

A. Blätter mit sitzenden goldgelben Drüsenschüppchen (Gruppe *Coreósma*, **Ahlbeere**): ***R. americánum (R. flóridum)***, Nordamerika, Tracht wie *nigrum*, Blätter beiderseits drüsig gepunktet, Blütentrauben hängend, hellgelb, Kelchblätter länger als breit, Frucht schwarz, Herbstfärbung hübsch rotbraun, verträgt Schatten; ***R. nigrum***, Europa bis Zentralasien, bekannter, unangenehm riechender, bis 2 *m* hoher Strauch, Blätter 3 bis 5 lappig, Blütenstände nickend, kurz, Obstgehölz, als Zierform die geschlitztblättrigen var. *heterophyllum* (var. *aconitifolium*) und var. *apiifolium* (var. *dissectum*) und die gelbe var. *aureum*, licht feuchte Lagen; zu dieser Gruppe auch ***R. bracteósum***, W.-Nordamerika, Blätter tief 5 bis 7 lappig, Blütenstände aufrecht, und ***R. fuscéscens***, ein Bastard dieser Art mit *nigrum*, Blütenstände bogig aufwärts gekrümmt.

Tafel XIV.

Herbstfrüchte

Einfachblühende Rankrosen

B. Blätter stets ohne solche sitzende gelbe Drüsenschüppchen.

1. Zweige stets unbewehrt (nur bei *diacantha* zwei gepaarte Stacheln unter den Blättern) (Gruppen *Ribesia*, *Berisia*, *Calobotrya*, **Johannisbeeren**): a) Blüten klein, breit offen, Röhre nicht ausgeprägt. Farbe grünlichweiß oder gelblich. Frucht rot oder gelbrot, nie schwarz: ***R. alpinum***, europäischer, vielgestaltiger, kahler Strauch, bis 1,5 *m*. Blätter rundoval, 3 (bis 5) lappig, lebhaft grün, früh treibend, spät abfallend, zweihäusig. Beeren scharlach, Juli bis Oktober, als Schattenpflanze außerordentlich wertvoll, gute Form var. *aureum* (var. *pumilum aureum*), niedrig, dicht, Blätter zur Fruchtzeit noch gelb, var. *pumilum* (var. *humile*), hübsche Zwergform; ***R. diacantha*** (*R. saxatile*), Sibirien bis Mandschurei, wie vorige, aber durch steifer aufrechte Tracht, die gepaarten seitlich abgeflachten Stacheln und glänzendes Laub gut gekennzeichnet, ähnlich *alpinum* verwendbar, minder wertvoll; ***R. fasciculatum*** (*R. alpinum* var. *japonicum*), Japan, bis 1 *m*, wie *alpinum*, aber Blätter derber, weibliche Blütenstände nur 2 bis 4 blütig, ist wegen

Abb. 412. *Rhus typhina* var. *dissecta*, 2 *m*. (Phot. A. Rehder.)

Abb. 413. *Rhus glabra*, in Blüte, 2,8 *m*. (Phot. L. Graebener, Karlsruhe.)

Abb. 414. *Rhus javanica* (*R. Osbeckii*), 3 *m*. (Phot. A. Rehder.)

des etwas wintergrünen Laubes und der lange bleibenden scharlachroten Früchte wertvoll, auch das größerblättrige var. **chinénse** (*R. Billiárdii*) aus Nordchina, Früchte größer, orangerot; ***R. glandulósum (R. prostrátum)***, nördl. Verein. Staaten, niederliegend - aufstrebend. Blätter wohlriechend, rundlich-herzförmig, 5 bis 7 lappig, Blütenstände aufrecht, rosaweiß. Früchte rot, drüsig, wertvoll für Bodenbedeckung, auch das ähnliche ***R. laxiflórum*** (*R. affine*), aus Nordamerika; ***R. multiflórum***, Dalmatien, Italien, Griechenland, üppiger Strauch, bis 2 *m*. Knospen und Blätter groß, diese rundlich-herzförmig, 3 bis 5 lappig, unten behaart. Blütentrauben hängend, dick, 10 bis 15 *cm*, grünlich, Mai, Frucht dunkelrot, glatt; ***R. orientále***, Griechenland bis Kaukasus, bis 1,8 *m*, junge Triebe drüsig, früh treibend. Blätter wie *rubrum*, aber glänzend, unten auf Nerven steif behaart, Blütentrauben kurz, etwas aufrecht, gelblich, Frucht rot, borstig, trockenere Lagen; ***R. petraéum*** (*R. Biebersteinii, R. caucásicum*), heimisch bis Kaukasus, bis 1,5 m, Rinde kirschartig, Blätter rundlich, spitz 3 lappig, behaart oder kahl, Blüten hell mauvefarben in dicken nickenden, abstehenden Ähren, Frucht blutrot, sauer; ***R. rubrum*** (*R. Schlechtendalii, R. sylvéstre, R. scándicum*), Mittel- und Nordeuropa, Nordasien, bis 1,5 *m*, Blätter mit abgestutztem Grunde 3 bis 5 lappig, Triebe kahl, bei uns dafür meist ***R. vulgáre*** (*R. horténse, R. sativum*), Westeuropa, Blattgrund meist herzförmig, Triebe behaart; diese beide haben rot-, weiß- und gelbfrüchtige Formen und sind mit *triste* und *petraeum* in erster Linie an der Entstehung der Kultur-Johannisbeeren beteiligt; ***R. ténue***, Mittelchina bis Himalaya, ähnlich *alpinum*, mit den dichten aufrechten grüngelben Trauben im April hübsch, Früchte lebhaft rot, süßlich. — b) Blüten ziemlich ansehnlich, deutlich röhrig, rot oder gelb, Frucht schwarz oder rot (die eigentlichen **Zierjohannisbeeren**): ***R. aúreum*** (*R. tenuiflorum, Chrysobotrya intermedia*), Goldtraube, Nordamerika, wüchsig, bis 4 *m*, Blätter rundlich-nierenförmig, 3 lappig, bis 5 *cm* breit, im Herbst sich hübsch rötend, Blüten gelb, wohlriechend, April, Frucht schwarz-violett, bei var. *chrysocóccum* gelb, guter Deck- und Schattenstrauch; das *aureum* der Kultur ist aber meist ***R. odorátum*** (*R. longiflórum, R. frágrans, R. palmátum*), ausgezeichnet durch längere Kelchröhre (doppelt so lang wie Sepalen) und zurückgerollte Sepalen; hiervon besonders wertvoll als Blütenstrauch der prächtige Bastard mit *sanguineum*: ***R. Gordoniánum***,

Blütenstände aufrecht, gelbrot: ***R. céreum***, W.-Nordamerika, bis kaum 1 *m*, dicht verzweigt, graugrün belaubt, Blütenstände wenigblütig, wachsartig weißlich, Früchte durchscheinend orangerot, recht hübsch für kleinen Garten und Felsanlagen, etwas üppiger, reicher rosa blühend ist das verwandte ***R. inébrians*** (*R. Spaethiánum*); ***R. glutinósum***, NW.-Amerika, wie *sanguineum*, aber junge Triebe und Blätter reicher drüsenhaarig, Blätter unterseits kahlend, aber drüsig, schärfer gesägt, Blütenstände hängend, rosenrot, oder bei var. *carneum* fleischfarben, sehr zu empfehlen; ***R. sanguineum***, W.-Nordamerika, bis 2,5 *m* hoch, echt kaum in Kultur, aber nahestehende Formen mit tiefblutroten (besonders var. *splendens*!) mehr aufrechten Blütentrauben, darunter auch gefüllte. Frucht klein, blauschwarz; zur Fruchtzeit schön ist ***R. Wolfii*** (*R. mogollónicum*), westl. Verein. Staaten, Blüten nur grünlich-weiß, aber Früchte schwarz, sehr bereift. — Im Anschluß sei auch das immergrüne, dicht weich behaarte ***R. Gayánum*** (Abb. 415), Chile, erwähnt, mit kleinen gelben Blüten und dichten aufrechten Ähren, nur in wärmsten Lagen unter Schutz zu versuchen.

Abb. 415. *Ribes Gayanum*, 1 *m*. (Phot. A. Purpus.)

II. Zweige stets mehr minder reich bestachelt, Stacheln unter den Blättern einzeln oder zu mehr als zwei, außerdem Internodien bestachelt (Gruppen *Grossularia* und *Grossularioides*, **Stachelbeeren**): ***R. alpéstre***, NW.-Himalaya, kleiner Strauch, wie Abb. 36, mit kräftigen Knotenstacheln, Blätter meist herzförmig, 3 bis 5 lappig, Blüten zu 1 bis 2, Früchte drüsenborstig, zu empfehlen als Heckenpflanze die üppigere var. ***gigantéum*** aus Westchina; ***R. cruéntum*** (*R. amictum* var. *cruentum*), NW.-Amerika, bis 1 *m*, siehe Abb. 416, Blüten lebhaft braunpurpurn und weiß, Mai, Früchte rot, bis 2 *cm* dick, dicht bestachelt, schöne Art für trocknere, felsige Lagen; ***R. divaricátum*** (*R. arboreum* Hort., *R. divaricatum* var. *Douglasii*, *R. irriguum* Koch.), Nordwestamerika, wird als Unterlage für Stachelbeeren benutzt; ***R. Grossu-***

Abb. 416. *Ribes cruentum*, blutrote Stachelbeere, 50 *cm*. (Phot. A. Purpus.)

Abb. 417. *Robinia luxurians*. 10 m. (Orig.: Bot. Eisenberg, Böhmen.)

lária, Europa-Kaukasus. gemeine Stachelbeere, nur als Stammart zahlreicher Kultursorten von Belang; ***R. lacústre***, O.-Nordamerika, Ostasien, bis 80 cm. Triebe dicht fein bestachelt, Blütentrauben wie bei Johannisbeeren, grünlichrot, Frucht schwarz, drüsenborstig, liebt feuchte Lagen; ***R. leptánthum***, W.-Nordamerika, sparrig bis 1 *m*, Blüten weißlich, Frucht fast kahl, schwarz, wie *cruentum* zu verwenden; ***R. Márshallii***, Nordkalifornien, dem *speciosum* nahe stehend, aber Blüten 5zählig, purpurviolett, härter als diese Art; ***R. montígenum*** (*R. lentum*, *R. lacustre* var. *molle*), W.-Nordamerika, ähnlich *lacustre*, aber niedriger, Trauben wenigerblütig, Blüten hellrosa, Frucht rot, für trockenere Lagen; ***R. niveum***, W.-Nordamerika, bis 2.5 *m*, Belaubung hübsch grün, Blüten weiß, zahlreich, Frucht blauschwarz, sehr hübsch; ***R. pinetórum***, NW.-Amerika, Blüten orange, Frucht groß, schwarzrot, langstachelig, recht hübsch; ***R. speciósum***, Kalifornien, bei uns nur kleiner Strauch, Blüten prächtig, tiefrot, fuchsienartig, 4zählig, leider nur für wärmste Lagen; ***R. succirúbrum***, ein Bastard zwischen *R. niveum* und *divaricatum*, Blüten rosa, Frucht schwarzrot, zur Saftgewinnung und Marmeladen brauchbar!

Rispelstrauch siehe *Myricaria*.

***Robinia*, Robinie, falsche Akazie, Scheinakazie** — *Leguminosen*. — Bekannte, meist hohe, sommergrüne Bäume aus Nordamerika, Blätter abwechselnd, unpaar gefiedert, Nebenblätter häufig in Dorne verwandelt, Blüten ansehnlich, in dichten, achselständigen Trauben, Frucht 2klappige Hülse; Kultur in jedem gut durchlässigen Gartenboden in offener, sonniger Lage; Schnitt, wenn nötig, im Winter; Vermehrung durch Samen und Ableger, oder die Formen durch Veredlung auf *R. Pseudoacacia*; Verwendung als teil-

Abb. 418. *Robinia Pseudoacacia* var. *Bessoniana* als Straßenbaum. (Phot. A. Gieseke, Hannover.)

weise wertvolle Park- und auch Alleebäume; *R. Pseudoacacia* ist bei uns, zumal im Südosten, ganz wie heimisch und ein wertvoller Nutzholzbaum.

R. híspida, Strauch bis 75 *cm*, mit Ausläufern, alle Teile rotborstig, Stacheln fehlend, Blätter mit nur 8 bis 11 *mm* breiten Blättchen, Blüten bis 2,5 *cm* lang, rosa, geruchlos, Mai bis Juni, sehr hübsche Art, besonders hochveredelt, daß Blüten gut zu sehen, auch die fast borstenlose, größerblättrige var. *macrophylla*, Zweige sehr brüchig, windgeschützte Lage; ***R. Kélseyi***, Strauch bis 3 *m*, Zweige und Blattspindeln fast kahl, Blätter 9 bis 13 zählig, Blüten 2 *cm* lang, karminrosa, Juni, auch purpurne Früchte zierend; eine Hybride der *R. Kelseyi* mit *R. Pseudoacacia* ist ***R. Slavinii***, üppiger als *Kelseyi*; ***R. luxúrians*** (***R. neomexicana*** Hort., nicht Gray, die nicht in Kultur), bis 9 *m*, wie Abb. 417, an folgende gemahnend, aber Zweige, Blütenstände und Früchte drüsig und Blüten rosa, in kurzen gedrungenen, aufrechten Trauben, vom Juni bis September, zwischen dieser Art und *Pseudoacacia* gibt es den Bastard ***R. Holdtii*** mit var. *britzensis*, üppiger als *luxurians*, Trauben locker, ganz hart; ***R. Pseudoacácia***, sehr formenreiche Art, bis über 20 *m*, oft sehr malerisch, Typ stachelig, Zweige und Blütenstände nicht klebrig, Blüten weiß, Mai bis Juni, stark duftend, ganz anspruchslos, selbst auf ödestem Lande und Flugsand gedeihend, im Park leicht durch Wurzelbrut und Samen lästig, von den Formen seien genannt als Wuchsformen: var. *umbraculifera*, **Kugelakazie**, besonders in der Form f. *Bessoniana* (Abb. 418) als Alleebaum geschätzt, als Kugelakazie geht auch die wehrlose var. *inermis*; var. *tortuosa* (Abb. 419), namentlich im Winter durch die gewundene Verästelung auffallend, var. *pyramidalis* (var. *fastigiata*), Wuchs pyramidal, var. *Ulriciana* (var. *Rozynskiana*), Zweige sich ausbreitend, überhängend, Blätter groß, hängend, für Einzelstellung; ferner Blattformen: var. *amorphifolia* (var. *mimosaefolia*), Laubwerk zierlicher, var. *unifoliola* (var. *monophylla*, var. *heterophylla*), Blätter teils einfach, teils 3 bis 5 zählig mit großen Blättchen; schließlich Blütenformen: var. *Decaisneana*, Blüten hellrosa, und var. *semperflorens*, blüht im Sommer zum zweitenmal; ***R. viscósa*** (*R. glutinosa*), kleiner Baum, junge Triebe und Blattspindeln drüsig klebrig (schmierig), Blüten violettrosa, duftlos, in kurzen Trauben, Mai bis Juni und meist nochmals August, eine hübsche Hybride mit *Pseudoacacia* ist ***R. ambigua*** Poir. (*R. dubia*, *R. intermedia*), die dieser näher

Abb. 419. *Robinia Pseudoacacia* var. *tortuosa*, gewunden verästelte Robinie, 6 *m*.
(Orig.: Hort. Bot., Wien.)

steht, während var. ***bella-rósea*** (*R. dubia* oder *R. Pseudoacacia* oder *R. viscosa* var. *bella-rosea*) mehr nach *viscosa* hinneigt.

Rósa[64]**, Rose** — Rosaceen. — Sommer- oder immergrüne Sträucher oder Klettersträucher. Zweige meist bestachelt (nicht bedornt), Blätter abwechselnd, einfach gefiedert. Blüten ansehnlich weiß und in roten Tönen, einzeln oder doldig oder rispig, meist im Mai bis Juni, oft wieder im Spätsommer bis Herbst. Früchte als Hagebutten bekannt, meist rot oder gelbrot; Kultur der Wildrosen in jedem nicht zu schweren, humosen Gartenboden, die Gartenrosen verlangen warme Lage und etwas sandig-humosen Lehmboden, der nicht zu schwer oder kalt ist, im Sommer reichlich Wasser, gelegentlich flüssigen Dung und im Winter Bodendecke und Schutz gegen Nässe und Mäusefraß; der Schnitt unserer Formen beschränkt sich meist auf gutes Auslichten, erst wenn die Wildrosen unten kahler werden, verjüngt man sie gelegentlich durch starken Rückschnitt; die Rankrosen beschneidet man wenig, man entfernt nur das alte, abgeblühte Holz nach der Blüte, läßt aber die jungen Langtriebe unbeschnitten; eine lästige Krankheit ist oft der Rosenmeltau, gegen welchen Blattpilz ein Bestreuen mit Schwefelblüte des Morgens ratsam ist; im Herbste schneidet man die noch befallenen Teile ab und verbrennt sie; Vermehrung der Wildrosen durch Samen oder wie die der Gartenrosen durch Veredlung (am besten Wurzelhalsokulation); Verwendung der Wildrosen als prächtiger Parkschmuck auf Lichtungen usw.; der Schlingrosen im Garten und Park an Mauern, Spalieren, Laubengängen usw.; wir können hier nur ganz knappe Hinweise über diese prächtigen Sträucher geben und müssen die sogenannten „Edelrosen", die nicht winterhart sind, ganz außer acht lassen.

ALPHABETISCHE LISTE DER ERWÄHNTEN LATEINISCHEN NAMEN.

(Die Ziffern bezeichnen die Seitenzahlen.)

ÜBERSICHT DER HAUPTGRUPPEN.

A. Griffel die innere Einfügungslinie der Staubblätter deutlich überragend.

I. Griffel zu einer den Blütenboden überragenden schlanken Säule verwachsen meist länger als innre Staubblätter: Gruppe I. *Synstylae*, siehe unten.

II. Griffel frei, etwa die halbe Länge der innersten Staubblätter erreichend: Gruppe II. *Indicae*, S. 363.

B. Narben ein halbkugeliges Köpfchen bildend, dessen Außenrand die innere Einfügungslinie der Staubblätter nicht überragt (ausgenommen bei den *Sericeae*).

I. Blumenblätter gewöhnlich vier, Griffel etwas hervorragend, Blättchen 7 bis 17: Gruppe X. *Sericeae*, S. 369.

II. Blumenblätter stets fünf, Griffel fast nie hervorragend.

a. Mittlere Blätter der Blütenzweige 3 bis 9-zählig.

1. Nebenblätter frei, pfriemlich, abfallend, oder nur am Grunde angewachsen, kammförmig zerschlitzt oder drüsig gezähnelt; kriechende oder kletternde Sträucher, Blüten weiß oder gelb.

α. Zweige kahl, Blättchen 3 bis 5, Nebenblätter pfriemlich oder gezähnelt.

aa. Blüten klein, doldig, gelb oder weiß, Blütenstiele und Blütenachse kahl, Nebenblätter pfriemlich, abfällig: Gruppe III. *Banksianae*, S. 364.

bb. Blüten groß, einzeln, weiß, Blütenstiele und Blütenachse borstig, Nebenblätter gezähnelt: Gruppe XII. *Laevigatae*, S. 370.

β. Zweige filzig oder behaart, Blättchen 7 bis 9, Nebenblätter kammförmig zerschlitzt: Gruppe XI. *Bracteatae*, S. 370.

2. Nebenblätter alle hoch hinauf mit dem Blattstiel verbunden, ohne Fransen, die der oberen Blätter meist breiter als die der mittleren.

α. Äußere Kelchblätter fiederspaltig.

aa. Zweige mit gekrümmten Stacheln, die mit geraden Borsten und Stieldrüsen gemischt sind, mittlere Blätter der Blütenzweige 5 (bis 3)-zählig, Blüten groß, meist einzeln und hochblattlos, Blütenachse borstig, Kelchblätter zur Fruchtzeit zurückgekrümmt, abfällig: Gruppe IV. *Gallicae*, S. 364.

bb. Zweige mit meist gleichförmigen, geraden, gebogenen oder hakig gekrümmten Stacheln, mittlere Blätter der Blütenzweige meist 7-zählig, Blüten wenn einzeln mit deutlichen Hochblättern, Kelch nach Blütezeit zurückgeschlagen und abfällig, oder aufrecht, die Scheinfrucht krönend, bleibend oder abfällig: Gruppe V. *Caninae*, S. 365.

β. Alle Kelchblätter ungeteilt, oder die äußeren nur mit 2 kleinen spärlichen Fiedern (siehe *Luteae*).

aa. Blütenstände drei- bis vielblütig, oder wenn Blüten einzeln Stiel mit einem oder mehreren Hochblättern.

αα. Kelchblätter nach Blütezeit ausgebreitet, vor Reife abfallend, Blütenstiele, Blütenachsen und Kelche fast stets stieldrüsig, Fruchtknoten in Blütenachse nur grundständig: Gruppe VI. *Carolinae*, S. 365.

ββ. Kelchblätter nach dem Verblühen aufgerichtet, auch an Frucht bleibend, stets ganzrandig, Fruchtknoten am Grunde und an der Wand der Blütenachse, Früchte meist kahl: Gruppe VII. *Cinnamomeae*, S. 366.

bb. Blüten meist einzeln ohne Hochblätter, gelegentlich ebensträußig, Kelchblätter aufrecht, bleibend, Blättchen klein.

αα. Mittlere Blätter der Blütenzweige meist 9-zählig, Stacheln gerade oder pfriemlich, zerstreut, oft mit Borsten vermengt, Kelchblätter ganzrandig: Gruppe VIII. *Pimpinellifoliae*, S. 368.

ββ. Mittlere Blätter der Blütenzweige 5 bis 7-zählig, Stacheln meist hakig, ziemlich derb, Kelchblätter meist etwas gefiedert, Blüten gelb: Gruppe IX. *Luteae*, S. 369.

b. Mittlere Blätter der Blütenzweige 11 bis 15-zählig, Blütenachsen meist bestachelt: Gruppe XIII. *Microphyllae*, S. 370.

Gruppe I. *Synstylae*. A (B siehe S. 362): Nebenblätter fransig eingeschnitten oder tief unregelmäßig gezähnt. Blätter 7 bis 9 zählig: **R. multiflóra** (*R. polyántha* S. & Z., *R. intermédia* Carr., *R. Wichúrae* Koch, *R. thyrsiflóra*), Japan, Korea, üppiger, etwas klimmender Strauch, siehe Abb. 420, bis über 4 *m*. Stacheln meist gepaart, Blättchen meist 9, länglich-oboval, gesägt, behaart. Blüten in vielblütigen, pyramidalen Ebensträußen, klein, weiß, Juni, die mittelchinesische Form ist var. **cathayensis**, rosablühend, größer als beim Typ, eine alte Kulturform ist var. *cárnea* (var. *plena*, *R. flórida*), Blüten rosa gefüllt; noch größere gefüllte Blüten und größere Blättchen hat var. *platyphýlla* (*R. Thóryi*), Sieben-Schwestern-Rose, von dieser soll die Rankrose „Crimson Rambler" stammen und mit ihr viele unserer besten Schling- oder Rankrosen, an deren Erzeugung aber auch *R. Wichuraiana* sowie *R. arvensis*, *R. setigera*, Teerosenformen und andere beteiligt sind; die Sorten mit viel *Wichuraiana*-Blut zeichnen sich durch schöne glänzende Belaubung aus und sind in der folgenden Aufzählung, die nur eine geringe Zahl der als sehr gut geltenden harten Formen umfassen kann, mit * bezeichnet; wir heben nach Farben geordnet hervor: weiß: „Albéric Barbier", starkwüchsig, früh- und reichblühend, rahmweiß, innen gelb, Teerosenduft; *„Emile Fortépaule", üppig, Blumen groß, edelrosenähnlich, weiß mit chromgelber Mitte; „Gruß an Zabern" (Abb. 421), sehr reich- und frühblühend, Blumen klein, weiß, in großen Rispen; „Trier", üppig, Blumen halbgefüllt, rahmweiß, remontierend; „White Dorothy", weißer Sport der Dorothy Perkins; „White Tausendschön", weißer Sport der Tausendschön. – Gelb (vergleiche auch unter weiß): „Aglaia", siehe Abb. 422, Laub glänzend hellgrün, Blüten rahmweiß, ziemlich gefüllt, fein duftend; „Exzellenz Kuntze", üppig, gut remontierend, schwefel- bis rosagelb; „Fräulein Oktavia Hesse", gleichsam rankende Kaiserin Auguste Viktoria, da Kreuzung dieser mit *Wichuraiana*. — Hell- bis dunkelrosa: „American Pillar", üppig, glänzend belaubt, Blumen einfach, groß, rosenrot; *„Donau", große Dolden, reinrosa, dann schieferblau; *„Dorothy Perkins", üppig, reich spätblühend, Blüten klein, lachsrosa, gefüllt, in sehr großen Rispen, sehr wertvoll; „Fragezeichen", sehr wüchsig, reich- und spätblühend, Blumen mittelgroß, lebhaft rosa; „Kommerzienrat W. Rautenstrauch", immerblühend, lachsrosa mit hellgelb, gefüllt; „Lady Gay", wie Dorothy Perkins, aber üppiger, Blumen heller kirschrosa; „Leuchtstern", leuchtend rosa mit weißem Auge, einfach; „Mme. Sancy de Parabère", alte stachellose, stark rankende Sorte, Blüten leuchtend rosa, gefüllt, mittelgroß, vorzüglich; *„Minnehaha", sehr üppig, leuchtend dunkelrosa, im Aufblühen karmin, gut gefüllt; „Schiller" üppig, pfirsichfarben, immerblühend; „Tausendschön", stachellos, üppig, Blumen leuchtend zartrosa, Juni bis Juli; „Veilchenblau", Sämling von Crimson Rambler, sehr eigenartig rötlichlila bis stahlblau, gut, aber nicht in voller Sonne; „Wartburg", Sämling von Tausendschön, üppig, reichblühend, pfirsichrosa. — Tiefrot bis purpurn: „Carmine Pillar", Gegenstück zu American Pillar (Abb. 424), sehr früh, leuchtend scharlach bis karmin, ausgezeichnet; „Crimson Rambler", altbekannt, karmesinrot, leidet in Sonne sehr an Meltau, aber gut für Schnitt und Treiberei; *„Gruß an Freundorf", üppig, reichblühend, glänzend karmesin bis schwarzrot, sehr gut; „Hiawatha", sehr wüchsig, leuchtend blutrot mit heller Mitte, prächtig; „Rambler remontant" (Flower of Fairfield), immerblühende Crimson Rambler, heller und leuchtender in Farbe; „Rubin" (Abb. 425), Laub und Holz rötlich, Blumen leuchtend rubinrot, mittelgroß, gefüllt, wertvoll; *„Sodenia" sehr guter Abkömmling von Dorothy Perkins, Blumen

Abb. 420. *Rosa multiflora*. (Phot. A. Rehnelt, Botan. Garten, Gießen a. L.)

klein, gefüllt, lebhaft karmin bis scharlachrot; da ständig neue Sorten auftreten, vergleiche man die Kataloge guter Firmen und die Angaben in der Gartenschönheit.

B. Nebenblätter ganzrandig oder höchstens gezähnt oder drüsig gewimpert. — I. Nebenblätter unregelmäßig gezähnt mittlere Blätter 9zählig: ***R. Wichuraiána*** (*R. Wichurana*). Japan, halb immergrüner, kriechender Strauch. Blättchen stumpf-eirundlich, glänzend grün, 1 bis 2,5 *cm*. Blüten weiß in 3 bis 10 blütigen pyramidalen Rispen, wertvolle Art, besonders die oben genannten Rankrosenformen, sehr hübsch auch die Hybride mit *R. rugosa*: *R. Jacksonii* („Lady Duncan"). — II. Nebenblätter ganzrandig, nur oft drüsig gewimpert. Blätter (3 bis) 5 bis 9 zählig. a) Tracht kriechend oder niederliegend (vergleiche auch *R. Jackii* unten): ***R. arvénsis*** (*R. repens*, *R. silvéstris*), Feldrose. Europa mit Ausnahme des Nordens, dünn- und langtriebig. Blätter sommergrün, stumpfgrün. Blättchen meist 7, Blüten oft einzeln, weiß, duftlos, bis 5 *cm* breit, von ihr stammen die Ayrshire-Rosen (*R. arvensis* var. *capreolata*), Blätter länger haltend, Blüten gefüllt, weiß oder rosa, sehr hübsch die Hybride *arvensis* × *rugosa*: *R. Paulii* (*R. rugosa repens alba* Paul): ***R. sempervirens***. Süd-Europa, immergrün, Blättchen meist 5, lang zugespitzt. Blütenstände wenigblütig, weiß, ist empfindlich bei uns, hierher aber die gute alte Sorte „Félicité et Perpétuité" (Félicité perpétuelle), reinweiß. — b) Tracht aufrecht, oder rankend aufstrebend. — 1) Blätter der Blütenzweige 3 bis 5 zählig, stets unten behaart: ***R. setigera***, Prärierose, Abb. 426, östl. und mittl. Nordamerika, langtriebig, wenig bestachelt. Zweige kahl. Blättchen länglich-eiförmig, Blütenstände 5 bis 10 blütig, Blüten bis 6 *cm* breit, erst tiefrosa, dann weißlich, fast duftlos, Juni bis Juli, an Rankrosenformen beteiligt, wie den Sorten „Beauty of the Prairies", rosa mit dunklerem Rand, „Belle de Baltimore", gelblichweiß, „Himmelsauge", dunkelpurpurn, „The Wallflower", heller als Crimson Rambler, und andere: ***R. Watsoniána***, japanische Kulturform, niedrig, dünntriebig, fast wehrlos, Blättchen schmallanzettlich, ganzrandig. Blüten klein, hellrosa, Juni, Winterschutz, eigenartig. — 2) Blätter der Blütenzweige 5 bis 9 zählig: ***R. Helénae***, Mittelchina, rankender Strauch bis 5 *m*, Blättchen meist 7 bis 9, unten an Nerven behaart, eilänglich, bis 4,5 *cm*, Blütenstände doldig. Blüten weiß, duftend, 3 bis 4 *cm* breit, Juni. Früchte groß, eiförmig, 15 : 10 *mm*, scharlach, sehr hübsch, auch zur Fruchtzeit; nahe steht ***R. Rúbus*** (*R. moschata* var. *hupehensis*), Mittelchina, aber Triebe und Blattunterseiten dicht behaart, Blättchen meist 5, Früchte kugelig: ***R. Jáckii***, Korea, niederliegend-aufstrebend, Blättchen 7 bis 9, länglich-elliptisch, kahl, Blüten weiß, gut 3 *cm* breit, Früchte eiförmig, rot, harte neue Art: ***R. moschàta*** (*R. ruscinonénsis*), Mo-

Abb. 421. Rankrose „Gruß aus Zabern". (P. Lambert, Trier.)

schusrose, Südeuropa bis Persien, aufrecht bis 3 *m*. Zweige kahl mit geraden Stacheln. Blättchen meist 7, unten kahl oder fast so. Blütenstände meist 7blütig. Blüten bis 5 *cm* breit, weiß, moschusduftend. Juni bis Juli, härter und reichblütiger ist var. *Nasturána* (*R. Pissardii*), für warme Lagen; noch empfindlicher aber schöner ist **R. Brunónii** (*R. Brunonis, R. Brownii, R. moschata* var. *nepalensis*), Himalaya bis China, hier Stacheln hakig, Blattunterseiten behaart, meist als *moschata* in Kultur, hübsch die Hybride mit *gallica*: **R. Freundiána** (*R. moschata alba hybrida*), bis 3 *m*. Blumen groß, weiß, hart, wohl nur als Form der *R. Dupóntii* (*R. moschata* var. *nivea*) anzusprechen.

Gruppe II. *Indicae*: hierher gehören folgende bei uns nicht winterharte Rosen, die aber für die Zucht der Edelrosen von Bedeutung sind: **R. borbónica**, Bourbonrose, wohl Hybride der *chinensis* mit der *gallica*; **R. chinénsis** (*R. indica* Ldl., nicht L.), China- oder Bengalrose, Mittelchina mit den var.

Abb. 422. Schlingrose „Aglaia“ an Mauer. (Orig.; Hort. Průhonitz.)

Abb. 423. Rankrose „Euphrosyne“. (P. Lambert, Trier.)

semperflórens (*R. semperflorens*, *R. bengalensis*), var. *minima* (*R. Lawrenceána* Hort., *R. indica* var. *pumila*), var. *viridiflora* und var. *Manetti* (*R. Manettii*; eine Hybride der *chinensis* mit *R. blanda* ist ***R. Aschersoniána***, lebhaft hellpurpurn, Juni, reichblühend; ***R. Noisettiána***, Noisetterose, wahrscheinlich *R. chinensis* × *R. moschata*, viele prächtige Gartensorten; ***R. odoráta*** (*R. indica* var. *odoratissima*, *R. Thea*, *R. chinensis* var. *fragrans*), Theerose, Westchina, zu dieser gehört var. ***gigantéa*** (*R. gigantea*), die wilde Form der Theerose, südw. China, Burma, nur in Südtirol im Freien versuchswert.

Abb. 424 Rankrose „Carmine Pillar". (P. Lambert, Trier.)

Gruppe III. *Banksianae:* auch die Arten dieser Gruppe sind bei uns nicht hart, sondern nur im Kalthaus mit Erfolg zu ziehen: es sind ***R. Bánksiae***, deren wilder Typ var. *normalis* in Mittelchina auftritt, Blütenstände doldenrispig, äußere Kelchblätter gefiedert, und ***R. microcárpa*** (*R. indica* L. zum Teil, *R. sorbifólia*), Mittel- und Ostchina, Blütenstände doldig, Kelchblätter ganzrandig; hierher ferner *R. Fortuneána*, wohl eine Hybride der *Banksiae* mit *R. laevigata*.

Gruppe IV. *Gallicae:* hierher von guten Arten nur ***R. gállica***, Essig- oder Apothekerrose, Mittel- und Südeuropa, Westasien, niedriger Strauch mit unterirdischen Ausläufern, selten bis 1 *m* hoch, Zweige meist dicht bestachelt und borstig, Blättchen 3 bis 5, lederig, meist doppelt drüsig gesägt, Blüten einzeln, bis 7 *cm* breit, rotpurpurn, duftend, Juni, eine besonders niedrige kriechende Form ist var. *pumila* (*R. austriaca*), die var. *conditórum* ist nichts als typische kleinasiatische *gallica*, ferner hierher var. **versicolor** (*R. mundi*), die unechte York- und Lancaster-Rose, halbgefüllt, Blumenblätter unregelmäßig weiß und rotgestreift, sowie var. **officinalis** (var. *plena*, *R. provinciális*, *R. centifólia* var. *provincialis*), die Provence-Rose, Blüten gefüllt rot: diese leitet über zu ***R. centifólia*** (*R. gallica* var. *centifolia*), der **Centifolie** oder **Kohlrose**, die dünnere, oft nur einfach gesägte Blättchen und nickende gefüllte Blüten hat, sie stammt aus dem östl. Kaukasus und kriecht weniger als *gallica*, bis 1,5 *m*, Blüten stark duftend, rot, Juni bis Juli, zu ihr zählt die **Moosrose**, var. ***muscósa*** (*R. muscosa*), Stieldrüsen an den Blütenstielen, der Blütenachse und dem Kelch in moosartige Blättchen umgewandelt, auch weißblühend, var. *albo-muscosa*, ferner die Pomponrose, var. *pompónia* (*R. pulchélla*, *R. dijonénsis*), niedrig, Blüten gefüllt, lebhaft rot, Stiele dicht borstig, var. *parvifólia* (*R. parvifolia*, *R. burgundiaca*), Burgunderrose, noch kleiner als vorige; ***R. damascéna*** (*R. bifera*, *R. calendárum*), Damaskrose, wahrscheinlich hybrider Herkunft, von *gallica* gleich den folgenden abweichend durch die gleichartige Bestachelung und die einfach gesägten nicht drüsigen Blätter, Blüten rot, rosa

Pontische und amerikanische Azaleen.

Rosa rugosa R. gallica.

oder weiß, gefüllt, oft gestreift, so bei var. *variegata*, der echten York- und Lancaster-Rose, hierher auch die wichtigste Ölrose, var. *trigintipetala;* schließlich sind bei der *gallica*-Gruppe noch zu nennen: **R. alba,** Herkunft unbekannt, Blättchen breit elliptisch, unten behaart, Kelchbecher glatt, mit der gefüllten weiß und rosa Form var. *rubicunda* (var. *incarnata, R. incarnata*), sowie *R. francofurtana* (*R. turbinata*), wohl *R. gallica* × *R. cinnamomea*. Blüten zu 1 bis 3, purpurn, einfach oder gefüllt.

Abb. 425. Rankrose „Rubin“. (P. Lambert, Trier.)

Gruppe V. *Caninae:* hierher viele Arten, unter denen die Heide- oder Hundsrose, *R. canina*, am bekanntesten ist; für uns wichtiger sind: **R. pomifera, Apfelrose,** Mittel-Europa, Westasien, dichter aufrechter Strauch, bis 1,5 *m*, Blättchen 5 bis 7, graugrün, doppelt drüsig gesägt, beiderseits, unten dichter, behaart, Blüten rosa, Juni-Juli, Früchte groß, eikugelig, scharlach, mit aufrechten Kelchen, zierend; **R. rubiginósa (R. Eglantéria** Mill.), **schottische Zaunrose** (Sweet Briar), Europa, dichtbuschig, bis 2,5 *m*, reich hakig und borstig bestachelt, Blättchen 5 bis 7, oben kahl, sattgrün, unten drüsig, nach Äpfeln duftend, Blüten rosenrot, Juni, ausgezeichnete Heckenrose, hierher die Lord Penzance-Hybriden (*R. Penzanceána* Rehd., *R. rubiginosa* × *R. foetida*) in verschiedenen Sorten, gute Gruppenrosen (zum Beispiel die Sorte „Refulgence“, leuchtend blutrot, halbgefüllt) für Rasen, spät blühend im Juli bis August, von ihnen stammt var. *magnifica*, Blüten leuchtend karmin mit goldgelben Staubfäden, fast gefüllt, August; **R. rubrifólia** (*R. glauca, R. ferruginea* Deségl.), rotblättrige Rose, Gebirge von Mittel- und Südeuropa, bis 2 *m*, Zweige und Blätter hechtblau und rot überlaufen, kahl, Blüten rosenrot, für Gruppen und Hecken, sehr wirkungsvoll durch Triebe und Laub, verträgt ziemlich Schatten. Zu dieser Gruppe gehört auch die hübsche kurdistanische *R. britzénsis*, bis 2 *m*, fleischfarben.

Gruppe VI. *Carolinae:* a) Blätter 7 bis 11 zählig, Blättchen kaum über 2,2 *cm* lang: **R. foliolósa,** südl. mittlere Verein. Staaten, kaum über 50 *cm*, Blätter lebhaft grün, Blüten meist einzeln, Stiele 3 bis 11 *mm*, rosa, Mai bis Juni, reizende kleine Wildrose für warme Lagen. — b) Blättchen 5 bis 9 zählig: **R. carolina** L. (*R. húmilis, R. virginiána* var. *humilis*), östl. Nordamerika, mit Ausläufern, kaum über 80 *cm* hoch, Stacheln gerade, Blättchen trübgrün, unten meist behaart, Blüten rosa, oft einzeln, Juni, sonst wie *virginiana;* **R. nitida,** nordöstl. Nordamerika, niedrig wie *foliolosa*, aber Zweige dicht borstig. **R. palústris** (*R. carolina* Hort., nicht L., *R. corymbósa, R. pennsylvánica*), nordöstl. Nordamerika, bis 1,5 *m*, Stacheln hakig, Blättchen fein und scharf sägezähnig, Blütenstände meist doldenrispig, satt

Abb. 426. *Rosa setigera*, 1 *m*. (Phot. A. Rehder.)

rosa, Juni bis August, Früchte flachkugelig, drüsenborstig, gut für feuchte Lagen; ***R. virginiána*** (*R. lucida, R. humilis* var. *lucida*), bis 1,2 *m*, fast ohne Ausläufer, Stacheln hakig, Blätter oben glänzend grün, Früchte wie vorige, im Winter mit den braunroten Trieben und bleibenden Früchten sehr zierend; zwischen ihr und *carolina* die hübsche Kreuzung *R. Mariae-Graebnerae*.

Gruppe VII. *Cinnamomeae;* hierher sehr viele wertvolle Wildrosen. — A. Zweige und Stacheln behaart: ***R. rugósa*** (*R. ferox, R. Regeliana, R. coruscans*), **Kartoffelrose,** Nordchina bis Japan, dichte, steif aufrechte Büsche, bis 1,2 *m*, reich mit Stacheln und Borsten besetzt, Blätter derb, 5 bis 9 zählig, runzelig, oben glänzend grün, unten blaugrau, behaart. Blüten einzeln, purpurn oder weiß, var. *alba* (var. *albiflora*), auch gefüllt rot, var. *rubroplena*. Mai bis September. Früchte flachkugelig, ziegelrot, tomatenartig, bis 2,5 *cm* dick, schon Typ wertvolle Gartenrose, sehr wichtig aber die zahlreichen Hybriden, die als *R. rugosa* var. ***hýbrida*** gehen, von ihnen sind alle Sorten mit echtem *rugosa*-Laub hart und besonders zu empfehlen, wie „Parfum de l'Hay", leuchtend karminrot, gut gefüllt, „Blanc double de Coubert", rein weiß, gefüllt, „Konrad Ferdinand Meyer", silbrig rosa, gefüllt, mit dem reinweißen Sport „Nowa Zembla", „Mme. Georges Bruant", weiß, halbgefüllt, „Souvenir de Christoph Cochet", reinrosa, halbgefüllt, „Souvenir de Yeddo", leuchtend karmin, gefüllt, „Schneezwerg", klein aber reichblütig, weiß, stark remontierend; als ausgezeichnet gilt „Mme. Ch. F. Worth", ferner die höhere „Hildenbrandseck", „Germania" u. a.; als gute Heckenpflanze für warme Lagen wird empfohlen *rugosa* × *microphylla*: ***R. micrugósa*** (*R. Vilmorinii*); eine hübsche Hybride mit *blanda* ist *R. warleyensis* und eine solche mit *palustris R. Spaethiana;* winterhart auch die Kreuzung *rugosa alba* mit der Edelrose „Gloire de Dijon", die als „Thusnelda" geht, zartrosa, halbgefüllt, ebenso ***R. Arnoldiána***, eine *rugosa*-Hybride mit einer Teehybride.

B. Zweige und Stacheln kahl. — I. Nebenblätter, besonders an Langtrieben, zusammenneigend oder eingerollt: ***R. cinnamómea*, Zimtrose,** Europa, Nord- und Westasien, bis 2 *m*, Stacheln an Blütenzweigen meist nur gepaart, Blättchen 3 bis 7, stumpfgrün, unten dicht

Abb. 427. *Rosa macrophylla*, 2,5 *m*. (Orig.: Hort. Vilmorin, Les Barres.)

behaart, Blüten oft einzeln, purpurn, 5 *cm* breit (Mai bis) Juni, gewürzig oder leicht nach Wanzen duftend, gefüllt bei var. *foecundissima* (*R. foecundissima*); nahe steht ***R. davúrica*** (*R. cinnamómea* var. *dahurica*), Mandschurei bis Sachalin, Blättchen kleiner, doppelt gesägt, Blütenstiele länger, drüsig. – II. Nebenblätter flach. — a) Stacheln fast immer ganz fehlend (vergleiche auch *banksiopsis*, *caudata* und *Davidii*): ***R. blanda*** (*R. fraxinifólia*), östl. Nordamerika, bis 2 *m*, Blättchen 5 bis 7, elliptisch, einfach gesägt, Spindel behaart, Blüten einfach, rosa, bis 7 *cm* breit, Mai bis Juni, Frucht kugelig, rot, schöne Parkrose; ***R. pendúlina (R. alpina)***, Alpenrose, Gebirge von Europa, bis 1,5 *m*, breitbuschig, Blättchen 7 bis 9, doppelt gesägt, Blüten meist einzeln, 5 *cm* breit, Mai bis Juni, rosa oder purpurn, Früchte schmal birnförmig, scharlach, eigenartig, zierend, hübsche Parkrose, auch an den Rankrosen beteiligt, wie den Sorten „Amadis", „Mme. Sancy de Parabère" u. a., sehr hübsch die Hybride mit *spinosissima*: ***R. Mályi***; als Hybride von *pendulina* mit *chinensis* gilt ***R. Lheritierána*** (*R. reclináta*, *R. Boursaultii*), rankend, Blüten lebhaft lilarot, halb gefüllt, etwa 4 *cm*, leicht duftend. — b) Stacheln stets mehr oder minder zahlreich vorhanden. — α) Blätter an Blütenzweigen 3 bis 7 zählig (vergleiche auch *R. persetosa*). — 1) obere Nebenblätter verbreitert: ***R. aciculáris*** (*R. Sayi*, *R. Engelmannii*), nördl. gemäßigte Zone, sehr variabler, niedriger, dicht rot bestachelter Strauch, kaum bis 1 *m*, Blättchen elliptisch, unten behaart, Blüten einzeln, bis über 6 *cm* breit, tief rosa, duftend, anfangs Mai (bis Juni), für große Parks brauchbar; ***R. nutkána***, westl. Nordamerika, wie vorige, aber Blütenzweige fast ohne Stacheln, Blätter kahler, Blättchen oval, Blüten eher größer, Juni bis Juli, eine der besten amerikanischen Wildrosen; ***R. Woódsii***, westl. Nordamerika, bis 75 *cm*, Blättchen oboval, bis 5 *cm* lang, Blüten zu mehreren, bis 5 *cm*, rosa, Juni bis Juli. — 2) alle Nebenblätter schmal, gleichartig: ***R. califórnica***, Nordwestamerika, bis 1,5 *m*, Stacheln hakig, Blättchen doppelt gesägt, unten behaart, Blütenstände wenig- bis vielblütig, Blüten 4 *cm* breit, rosa, Juni bis August, hübsche Wildrose, wie auch ***R. pisocárpa***, Nordwestamerika, Stacheln gerade, Blättchen meist einfach gesägt, Blüten kleiner, zahlreicher, Früchte nur erbsengroß. β) Blätter an Blütenzweigen 7 bis 11 (bis 15) zählig. — aa) (bb. siehe unten) Kelchblätter auf der Frucht bleibend. — αα) Kelchblätter gefiedert oder gesägt: ***R. heliophila*** (*R. arkansána* Hort. zum Teil), mittl. Nordamerika, niedriger sehr dorniger Strauch, bis 2,5 *m*, Blättchen bis 4 *cm*, einfach gesägt, unten auf Nerven behaart, Blüten doldenrispig, rosa, 3,5 *cm* breit, Juni, wertvoll für trockne sterile Orte; ***R. Moyésii*** (*R. macrophylla* var. *rubro-staminea*, *R. Fargesii* Hort.), Westchina, bis 5 *m*, dicht mit gelblichen kurzen geraden Stacheln bewehrt, Blättchen länglich-eiförmig, spitz, meist einfach gesägt, bis 3 *cm*, unten meist kahl, Blüten zu 1 bis 3, blutrot bis hell rosa (var. *rosea*), bis 6 *cm* breit, kurz gestielt, Juni bis Juli, Frucht etwas flaschenförmig, orangescharlach, hübsche Zierrose für den Park; ***R. setipóda*** (*R. macrophylla* var. *crasse-aculeáta*), Mittelchina, bis 3 *m*, Zweige mit gepaarten am Grunde verbreiterten Stacheln und Stachelborsten, Blättchen ei-elliptisch, doppelt gesägt, unten blaugrau, an Nerven behaart, Blüten in lockeren Doldenrispen, hellrosa, 5 *cm* breit, Juni, Früchte länglich-flaschenförmig, tief rot, nickend, im Herbst sehr zierend; ***R. Sweginzówii,*** Mittel- und Nordchina, steht voriger sehr nahe, aber Blätter stärker behaart, Blütenstände kleiner, Blüten runder, 4 *cm* breit, mit kürzeren Kelchen. — ββ) Kelchblätter ganzrandig. •) Blättchen 1,5 bis 7 *cm* lang, meist zugespitzt. Blütenstände vielblütig: ***R. banksiópsis,*** Mittelchina, aufrecht, 1 bis 3 *m*, Triebe purpurn, oft fast stachellos, Blättchen 7 bis 9, länglich, meist unten behaart, Blüten 2 bis 3 *cm* breit, rosarot, Juni, Stiele nackt, versuchswert; ***R. caudáta,*** Gebirge von Mittelchina, 1 bis 4 *m*, von voriger abweichend durch unten kahle, größere, bis 5 *cm* lange Blättchen, 3,5 bis 5 *cm* breite Blüten und borstige Blütenstiele, Frucht korallenrot, September bis Oktober, sehr hübsch im Herbst; ***R. Davídii,*** Westchina, 1,5 bis 5 *m*, Blättchen 7 bis 11, einfach gesägt, unten behaart, Blüten rosa, bis 5 *cm* breit, Stiele bis 3 *cm*, wie die flaschenförmigen Früchte drüsenborstig, steht der etwas heiklen *R. macrophylla*, Himalaya, nahe, deren Blüten nur zu 1 bis 3 stehen (Abb. 427); ***R. persetósa*** (*R. macrophylla* var. *acicularis*), Westchina, weicht von voriger ab durch bestachelte und borstige Zweige, nackte Blütenstiele und Früchte. Blütenstände wenig- bis einblütig: ***R. bella,*** Nordostchina, 1 bis 3 *m*, Zweige zierlich, purpurn, Blätter 7 bis 9 zählig, Blättchen unten kahl, 1,5 bis 2,5 *cm*, Blüten zu 1 bis 3, rosa, bis 5 *cm* breit, duftend, Juni, Früchte länglich-flaschenförmig, scharlach-orange, hübsch, für Kreuzungen wertvoll; ***R. Muriélae,*** Westchina, 1,5 bis 3 m, Zweige kahl, dichtborstig, Blätter 9 bis 15 zählig, Blättchen einfach gesägt, bis 4 *cm*, nur an Rippe unten etwas behaart, Blüten zu 3 bis 7, weiß, 2 bis 3 *cm* breit, Juni, Früchte fast flaschenförmig, orangerot, hübsche harte Art; ***R. saturáta,*** Mittelchina, bis 2,5 *m*, steht *banksiopsis* nahe, aber Blättchen 3 bis 6 *cm* lang, kahl, Blüten einzeln, rosenrot, Juni bis Juli, Früchte korallenrot. — ••) Blättchen meist unter 1,5 *cm* lang, stumpflich: ***R. Giráldii,*** Mittel- und Nordchina, bis 2,5 *m*, Stacheln schlank, gerade, keine Borsten, Blättchen meist 7, behaart oder kahl, breit elliptisch, Blütenstände ein- bis wenigblütig, Blüten rosa, 2,5 *cm* breit, Frucht scharlach, ovoid, was als *Giraldii* in Kultur geht, gehört nicht hierher; ***R. multibracteáta*** (*R. reducta*), Westchina, 1 bis 3 *m*, Stacheln gepaart, gerade, Blättchen 7 bis 9, kahl, breitoval, 12 *mm* lang, Blütenstände meist doldenrispig, mit zahlreichen gedrängten Brakteen, Blüten rosa, Juni bis Juli, Griffel vorragend, so lang wie Staubblätter, Früchte eiförmig, orangerot, interessante Form; ***R. sertáta,*** Mittel- und Westchina, 0,5 bis 2 *m*, Zweige bestachelt und borstig, bereift, Blättchen 7 bis 11, eiförmig, kahl, Blüten einzeln, an zierlichen nackten Stielen, purpurrosa, 4 *cm* breit, Juni, Früchte orangerot, zu erproben. — bb) Kelchblätter von der Frucht abfallend: ***R. Práttii,*** Westchina, bis 2,5 *m*, Zweige mit strohfarbenen geraden Stacheln, Triebe auch borstig, Blättchen meist 11 (7 bis 15), eilanzettlich, unten auf Nerven behaart, Blüten zu 1 bis 3, rosa, Juni, Frucht orangescharlach, Oktober, zu erproben; ***R. Willmóttiae,*** Westchina (Abb. 428), bis 2,5 *m*, dicht und feinzweigiger, fast kahler Strauch, junge Triebe bereift, Blätter meist 7 zählig, Blättchen elliptisch-oboval, bis 12 *mm*, oft doppelt gesägt, Blüten einzeln, rosapurpurn, bis 3 *cm*, Juni, Früchte fast kugelig, lebhaft orangerot, Kelch spät abfallend, 12 *mm* lang, steht nahe der ***R. Webbiana,*** Himalaya-Turkestan, die spärlich drüsige Früchte mit bleibendem Kelch hat und kaum hart ist.

Gruppe VIII. *Pimpinellifoliae*: ***R. spinosissima*** (***R. pimpinellifólia,*** *R. scótica*), **Bibernellrose,** Europa, Westasien, bis China, ausläufertreibend, bis 80 *cm*, alle Zweige stachelig und borstig, Blättchen meist 9, rundlich-eiförmig, kahl, bis fast 2 *cm*, Blüten einzeln, milchweiß oder hellrosa, bei var. *alba* weiß gefüllt, var. *lutéola* gelb gefüllt, Mai bis Juni.

Abb. 428. *Rosa Willmottiae.* (James Veitch and Sons.)

Frucht schwarz, für steinige warme sonnige Halden; üppiger und größerblütig ist var. ***altáica*** *(R. altaica, R. grandiflóra)*, Blüten bis 9 *cm* breit, hellgelbweiß, eine immerblühende Form ist „Stanwells Perpetual", rosa gefüllt, duftend, außerdem verschiedene Namensorten; ***R. Hugónis,*** Westchina, bis 2,5 *m*, wie vorige, aber Blütenzweige ohne Borsten, Blättchen blaugraugrün, am Grunde keilig, Blüten gelb, bis 6 *cm* breit, anfangs Mai, Frucht scharlach, August, prächtige gelbe Wildrose, für Kreuzungen wohl wertvoll, frühblühend, hart.

Gruppe IX. *Luteae:* ***R. foétida (R. lútea,*** *R. Eglanteria* L., nicht Mill.), **Fuchsrose,** „Austrian Briar", Armenien bis Persien, Typ bis über 3 *m*, oft rankend, Stacheln gerade, Blättchen 5 bis 9, breitoval, doppelt gesägt, tief grün, Blüten meist einzeln, tief gelb, bis 7 cm breit, etwas unangenehm riechend, Juni, hierher var. ***bicolor*** *(R. bicolor, R. punicea,* ***R. lutea*** var. ***punicea*), Kapuzinerrose,** Blüten innen kapuzinerrot, außen goldgelb, var. *persina (R. lutea* var. *persina, R. lutea* var. *plena)*, „Persian Yellow", Blüten gefüllt, innen dunkler, var. *Harrisonii (R. Harrisonii* Hort.), weniger gefüllt, reingelb, 5 *cm* breit; hier schließen sich prächtige neuere Hybriden an, die als öfterblühende Kapuzinerrosen oder ***R. Pernetiána*** gehen (zuerst von Pernet-Ducher gezüchtet), z. B. „Beauté de Lyon", „Louise Kathérine Breslau", „Mme. Ed. Harriot", „Rayon d'or", „Soleil d'or" und andere, die leider zum Teil durch die Blattfleckenkrankheit leiden sollen, ferner die üppigen winterharten Parkrosen wie „Gottfried Keller" und „Parkfeuer"; ***R. hemisphaérica*** *(R. glaucophylla, R. sulphúrea, R. Rapinii)*, Schwefelrose, Kleinasien, steht *foetida* sehr nahe, aber Stacheln hakig, Blättchen einfach gesägt, blaugrün, Blüten meist einzeln, gefüllt, hellgelb, duftlos, nicht hart; zu dieser Gruppe auch ***R. xanthína*** aus Nordostchina und *R. Ecae* aus Afghanistan und Turkestan, beide selten, interessant für Rosenfreunde.

Gruppe X. *Sericeae:* ***R. omeiénsis,*** West-, Mittel- bis Nordchina, bis 5 *m*, Triebe dichtborstig, Blättchen 9 bis 13, kahl oder nur unten an Rippe behaart, Blüten einzeln, weiß, Mai (bis Juni), Blütenstiel zur Fruchtzeit verdickt, gelb oder rot, Früchte elliptisch, rot, Juli bis August, sehr auffällig aber nicht ganz so hart ist die var. ***pteracántha*** *(R. sericea* var. *pteracantha)*, Stacheln am Grunde sehr verbreitert, am Stengel flügelig herablaufend, jung durchscheinend rot. sehr zierend: ***R. sericea*** (*R. tetrapétala*). Himalaya, Blättchen 7 bis 11, unten seidig behaart, durch die nicht verdickten Fruchtstiele gut geschieden, Frucht kugelig oder kreiselförmig, nicht so hart; an sie schließt sich an *R. Mairei* aus Westchina.

Gruppe XI. *Bracteatae*: ***R. bracteáta*** (*R. Macártnea*), Macartney-Rose, Südostchina, rankend. Blätter glänzend grün, halb immergrün, unten fast kahl. Blüten einzeln, kurz gestielt, weiß, bis 10 *cm* breit, fein duftend, Juni bis Oktober, bei uns nicht hart außer ganz im Süden. Eine gefüllte Form ist „Maria Leonida" (*R. alba odorata* Hort.), eine Kreuzung mit *laevigata*.

Gruppe XII. *Laevigatae*: ***R. laevigáta*** (*R. sinica*, *R. cherokénsis*, *R. ternata*, *R. nivea*, *R. Camellia*), **Cherokee-Rose,** Glanzrose, Ostchina bis Südjapan, in den südlichen Verein. Staaten verwildert, hoch rankend, Blättchen meist drei, glänzend grün, kahl, Blüten einzeln, weiß, duftend, bis über 10 *cm* breit, Juni. Früchte oboval, dicht borstig, rot, bei uns nur in den wärmsten Lagen brauchbar.

Abb. 429. *Rosa microphylla*, 1 *m*. Phot. A. Purpus

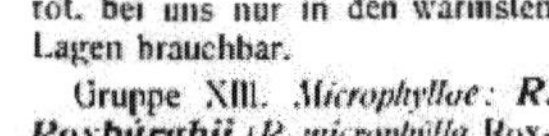

Gruppe XIII. *Microphyllae*: ***R. Roxbúrghii*** (*R. microphylla* Roxburgh), Klettenrose, West- und Mittelchina, reichverzweigter Strauch bis 1 *m*, wie Abb. 429, Rinde abblätternd. Blätter bei uns sommergrün, kahl. Blüten meist einzeln, hellrosa, bis 6 *cm*, Juni bis Juli, Früchte flachkugelig, sehr stachelig, für warme Lagen interessant.

Rosmarinseidelbast siehe *Daphne Cneorum*.

***Rosmarinus officinális*, Rosmarin,** ist eine bis meterhohe, immergrüne, angenehm duftende, südeuropäische Labiate, die gelegentlich in Küchengärten sich findet, nur für warme Gebiete.

Rosmarinweide siehe *Itea*. — **Roßkastanie** siehe *Aesculus*. — **Rotbuche** siehe *Fagus*. — **Roteiche** siehe *Quercus rubra*. — **Rotesche** siehe *Fraxinus pennsylvanica* — ***Rottlera japonica*** siehe *Mallotus*. — ***Rubácer odorátum*** siehe *Rubus odoratus*.

Rúbus[65], **Brombeere, Himbeere** Rosaceen.

Abb. 430. *Rubus trifidus*, 1 *m*. (Phot. im Hort. Hesse, Weener.)

Meist bestachelte, oft halbstrauchige, rutig verästelte, aufrecht überneigende, kriechende oder klimmende Sträucher. Blätter abwechselnd, meist sommergrün, einfach, gefingert, gefiedert oder fächerförmig zusammengesetzt. Blüten einzeln, in Trauben oder Rispen, weiß, rosa oder purpurn, oft sehr anschnlich, Früchte (Himbeeren, Brombeeren) rot, gelb oder schwarz; Kultur mühelos, doch empfiehlt sich meist ein guter durchlässiger Boden, wenn auch viele Arten mit ziemlich sterilen Lagen vorlieb nehmen, im Sommer gute Bewässerung; der Schnitt beschränkt sich auf Wegnahme der abgeblühten Triebe; Vermehrung durch Ableger, Ausläufer, Wurzelstecklinge und auch Samen; Verwendung der genannten Arten als zumeist recht gute Ziersträucher für Garten und Park, einige auch der Früchte halber wertvoll, man vergleiche das unten Gesagte; da wir nur die wichtigsten Arten erwähnen, so beachte man die Übersicht in C. Schneider, Ill. Laubholzk., Bd. I, S. 503 und II, S. 962.

ALPHABETISCHE LISTE DER ERWÄHNTEN LATEINISCHEN NAMEN.
(Die Ziffern bezeichnen die Seitenzahlen.)

I. Pflanzen ohne Stacheln, höchstens borstenhaarig. Blätter stets nur gelappt: ***R. deliciósus*** *(R. Roézlii)*, Nordamerika (Rocky Mountains), bis 1,5 *m*, aufrecht, nur Seitentriebe etwas bogig überneigend. Blätter rundlich-nierenförmig, etwas drüsig, Blüten meist einzeln, weiß, bis fast 6 *cm* breit. Mai, Früchte unanschnlich, macht keine Ausläufer, schöner Strauch im Garten, frei auf Rasen oder vor Gruppen; ***R. odorátus*** *(Rubacer odoratum)*, O.-Nordamerika, bis 1,5 *m*, ähnlich folgender Art, aber Blüten rot, rispig, bis 5 *cm* breit, duftend, Juni bis August, schön; ***R. parviflórus*** (***R. nutkánus***), mittleres und westl. Nordamerika, bis 2 *m*, (Abb. 37), Blätter groß, 3 bis 5 lappig, Blüten weiß, scheindoldig, Mai bis Juli, Frucht rot, hübscher Strauch; ***R. tricolor*** (*R. polytrichus* Franch.), westchinesische Hochgebirge, niederliegend, Triebe braungelb seidig-borstig, Blätter immergrün, sattgrün, unten weißfilzig, Blüten groß, weiß, Frucht rot, eßbar, für Felsanlagen, Mauern Säulen; ***R. trifidus***, Japan, siehe Abb. 430, Blätter tief- (meist 7-) lappig, schöne Herbstfärbung, Blüten rosa, in zierlichen Büscheln, recht zierend, noch selten.

II. Pflanzen mehr minder reich bestachelt.

A. Blätter einfach, nur gelappt:

Abb. 431. *Rubus flagelliflorus.* (James Veitch and Sons)

R. chroosépalus, Mittelchina, üppig, wenig dornig, Blätter lindenblattähnlich, unterseits weißfilzig, Blüten in großen, lockeren Rispen, ohne Petalen, Kelche innen gefärbt, Frucht klein, schwarz; schmuckvoll; ***R. crataegifólius,*** China bis Japan, aufrecht-ausgebreitet, bis 1,20 *m*, Triebe rötlich, kahl, rundlich, wenig dornig, Blätter ei- bis herzförmig, spitz 3 bis 5 lappig, Blüten weiß, gebüschelt, Frucht klein, orangerot, im Blattschmuck zierend, im Herbst schön rot, zur Bekleidung kahler, wüster Plätze geeignet: ***R. flagelliflórus*** (*R. flagelliformis* Hort.), Westchina, bis über 2 *m*, rankend oder kriechend (Abb. 431), Laub metallisch glänzend, Blüten weiß, in kurzen Blütenständen, Mai bis Juni, Frucht schwarzpurpurn, schön belaubte neue Art: ***R. Ichangénsis*** (*R. eugénius*), Mittelchina, langtriebig, wenig dornig, Blätter immergrün, tief kurzpfeilförmig, metallisch schimmernde Blütenstände und Blüten klein, Früchte klein, rot, wohlschmeckend, wertvoll für milde Gegenden; ***R. incisus,*** Japan, niedrig, kahl, Triebe weiß bereift, Blätter klein, wenig gelappt, unterseits weißlich, Blüten einzeln, weiß, Mai, was als diese Art in Kultur, ist meist ***R. Koehneánus,*** Blätter größer, tiefer gelappt, Blüten zu 1 bis 4, Frucht gelbrot: ***R. omeiénsis*** (*R. clemens*), westliches Mittelchina, langtriebig, wehrlos, Blätter handförmig gelappt (malvenartig), Blüten in schmalen, langen Rispen, klein, rosa, Frucht schwarz, harte, stark wuchernde Art: ***R. Párkeri,*** China, Triebe weich drüsighaarig, Blätter immergrün, Austrieb bräunlich purpurn, eilanzettlich, grün bronziert, unterseits samtig behaart, Frucht schwarz, für milde Gegenden.

Abb. 432. *Rubus Henryi*, 1,75 *m*. (James Veitch and Sons)

B. Blätter 3 bis 5 zählig (gefiedert oder gefingert): a) Blätter 3 bis 5 fingerig oder sehr tief eingeschnitten, Blättchen schmal, wie Abb. 432: ***R. Hénryi*** (***R. bambusárum***), Westchina, bis über 4 *m*, rankend, Blätter derb, wintergrün, unterseits weißfilzig, Blüten klein, purpurn, traubig, Frucht schwarz, sehr eigenartige, gute und ziemlich harte Art, zur Bekleidung von Felsen, Mauern usw. — b) Blätter 3 bis 5 zählig gefiedert, wie Abb. 433 und 434: 1. Schosse deutlich weiß bereift: ***R. lasiostýlus,*** Westchina, aufrecht, überneigend, siehe Abb. 433, Zweige stark bereift, Blätter unterseits grau behaart, Blütenstände 4 bis 5 blütig, Blüten dunkelrot, Juni, Früchte graurot, sehr auffällige Art, schön und recht hart; ***R. ulmifólius,*** europäisch-kaukasische Art, Triebe schwächer bereift, stärker bestachelt, für uns wertvoll var. ***bellidiflórus*** (*R. fruticósus fl. roseo pleno* Hort.), reich rosafarben gefüllt blühend, Juli bis August; ein Gegenstück ist die weiß gefüllte ***R. Linkiánus*** (*R. fruticosus fl. albo pleno* Hort.); ferner gehören zur Gruppe der bereifttriebigen Formen die westamerikanische weißblühende ***R. leu-***

codérmis, schwarzfrüchtig, ***R. coreánus***, China bis Korea. Blättchen meist 7 bis 9, und ***R. biflórus***, aus dem Himalaya, von dem die bis 5 *m* hohe Form var. ***quinqueflorus*** sehr zu empfehlen ist. Blättchen 5, unterseits weiß. Frucht amberfarben, sehr wohlschmeckend. — 2. Schosse nicht weiß bereift: ***R. Kuntzeánus*** (*R. innominátus* Hort.), Westchina, siehe Abb. 434, üppig rankend. Triebe graufilzig. Blattunterseiten schneeweiß filzig. Blüten klein, purpurn, rispig-traubig, (Juni bis) Juli. Frucht orangescharlach, üppige, großlaubige Art; ***R. laciniátus***, üppige, aufrechte Kulturform der gemeinen Brombeere, ausgezeichnet durch dekorative, tieffiederspaltige oder gefiederte Blättchen. Blüte rosa, rispig, Juni bis Juli. Früchte schwarz, wohlschmeckend, wird für Hecken empfohlen; hier sei auch auf sehr hübsche Kultursorten aus Amerika hingewiesen, wie z. B. ***R. fruticosus*** „Wilsons junior"; ***R. maciléntus***, Himalaya, bis über 1 *m*, weit auslaufend, kräftig bestachelt, fast kahl. Blätter 3zählig. Blüten meist zu 3, weiß. Frucht orangegelb, eingehüllt, nur für milde Gegenden: ***R. phoenicolásius***, Japan bis China, üppig, überneigend, fast alle Teile dicht rotstieldrüsig und borstig, Blattunterseiten weiß, Blüten rosa, rispig. Frucht orangerot, eßbar, dekorativ; ähnlich und sehr zierend auch ***R. adenóphorus*** *(R. sagátus)* aus China. Frucht dick, schwarz, eßbar, bei beiden Triebe im Winter auffällig; ***R. spectábilis***, N.-Westamerika, Japan, bis 3 *m*, Blätter beiderseits grün, zuweilen 1zählig. Blüten rot, meist einzeln, bis 4 *cm* breit, April bis Juni. Frucht rot oder gelb; schön grün belaubt; ***R. triphyllus***, Japan, rankend, Blattunterseiten weißgrau, Blüten klein, rosa, Juni bis Juli. Frucht tiefrot, für Übergrünung kahler Flächen empfohlen.

Abb. 433. *Rubus lasiostylus*, 1,10 *m*. (Phot. A. Purpus.)

Rubus sorbifolius ist *R. illecebrosus*, die sog. „Erdbeerhimbeere", eine Staude. Ebenso siehe ***R. xanthocarpus*** (*R. Potaninii*) im Staudenbuche. — **Ruchbirke** siehe *Betula alba*. — **Rüster** siehe *Ulmus*. — ***Rulac Negundo*** siehe *Acer Negundo*.

***Rúscus*, Mäusedorn** — Liliaceen. — Niedrige, halbstrauchartige Sträucher mit Erdstämmen, Zweige mit kleinen Schuppenblättern, in deren Achseln glänzend grüne Scheinblätter (Pyllocladien) stehen. Blüten unscheinbar grünlichgelb, auf der Mitte dieser Phyllocladien sitzend, 2häusig, April bis Mai. Frucht rote Beere im Winter (wie kleine Kirsche): Kultur und Verwendung siehe bei den Arten; Vermehrung durch Samen, Teilung und Ausläufer.

R. aculeátus, südliches Mittel- und Südeuropa, 20 bis 80 *cm* hoch, Scheinblätter stechend, lederig, oval, leicht glänzend, kaum über 3 : 1 *cm* groß, ausgezeichnet für etwas trockenere, steinige Lagen als Unterholz im Halbschatten; ***R. hypoglóssum*, Hadernblatt**, wie vorige, 20 bis 40 *cm*, Scheinblätter dünn, nicht stechend, lanzettlicher, glänzender; sehr ähnlich ist ***R. hypophýllum***, der sog. **„alexandrinische Lorbeer"** aus Südeuropa, Orient. Scheinblätter breit oval, nicht ganz so hart, beide für humose, frische, schattige Lagen, im Winter Früchte sehr zierend.

Rúscus androgynus siehe *Semele*. — ***Rúscus racemosus*** siehe *Danaë*. — ***Rúta gravéolens*, Weinraute**, siehe „Unsere Freilandstauden". — **Rutenaster** siehe *Microglossa*.

Säckelblume siehe *Ceanothus*. — **Salbei** siehe *Salvia*.

Salicórnia fruticosa ist ein südeuropäischer Salzstrauch (Chenopodiaceen), der für uns nicht in Betracht kommt. Siehe C. Schneider, Ill. Handb. Laubh. I, 226, Fig. 176.

Sálix[66]), **Weide** Salicaceen. — Allbekannte sommergrüne Sträucher und Bäume, mit abwechselnden Blättern und zweihäusigen Blüten in oft hübschen Kätzchen; Kultur meist in jedem nicht zu trockenen Boden; nach Bedarf stärkerer Schnitt im Winter; Vermehrung fast nur durch Steckholz oder einige Formen durch Veredlung (Spaltpfropfen bei Safteintritt); Verwendung der Bäume in großen Parks, der kleineren Arten zumeist in großen Gesteinsanlagen. Von den äußerst zahlreichen Arten, Formen und Hybriden haben die meisten nur für besondere Weidenfreunde Interesse. Wir können nur die allerwichtigsten ganz kurz anführen.

ALPHABETISCHE LISTE DER ERWÄHNTEN LATEINISCHEN NAMEN.
(Die Ziffern bezeichnen die Seitenzahlen.)

I. Hohe Bäume, wie Abb. 2, oder große aufrechte, über 1,5 *m* hohe Sträucher: ***S. acumináta*** (*S. dasyclados × Caprea*), baumartiger Strauch, Blätter groß, Unterseiten grau-filzig; ***S. acutifólia*** (*S. pruinosa, S. violacea*), Rußland bis Turkestan, Strauch bis 4 *m*, Zweige tiefbraun, prächtig bereift, Blätter lanzettlich, kahl, Kätzchen dick, März (bis April) vor den Blättern, gute Bindeweide; ***S. adenophýlla*** (***S. syrticola***), Nordostamerika, aufrechter Strauch bis 2,5 *m*, ausgezeichnet durch dicht- und feindrüsig gezähnte, bleibend seidig-zottige graugrüne Blätter, Kätzchen wenig ansehnlich, April bis Mai, interessante Zierweide; ***S. alaxénsis*** (*S. speciosa* var. *alaxensis*), Alaska, baumartig, bis 10 *m*, eine der allerschönsten Weiden, die unbedingt eingeführt werden sollte, Zweige dicht weißfilzig, dann purpurn, Blätter elliptisch-lanzettlich, bis 10 : 4 *cm*, unten prächtig weich-weißfilzig; ***S. alba*, Silberweide,** hoher Baum wie Abb. 2, besonders silbrig die f. *splendens* (var. *argentea*, var. *rega-*

lis), vor allem aber zu nennen die **Dotterweide,** var. ***vitellína*** *(S. vitellina)*. Zweige dottergelb, hierher die Formen f. *péndula (S. aurea)*, Trauerdotterweide, besser und härter als *babylonica*, beste Trauerform, und f. *britzensis*. Zweige stark rotgelb, schön im Winter; wertvoll auch var. ***calva*** (var. *coerúlea*, *S. coerulea*), Crikkettweide, sehr hoher, pyramidaler Baum, Blätter größer, zuletzt stark kahlend, unten blaugrau; ***S. amygdalina*** (***S. triándra***), Mandelweide, Europa bis Sibirien, Strauch bis 4 *m* oder kleiner Baum, Zweige zäh, olivbraun, Blätter glänzend sattgrün, bei var. *discolor* unten blaugraugrün, Stiele drüsig, Blütenkätzchen auf beblätterten Stielen, Ende April bis Mai, gute Zierweide, aber auch geschätzt für Korbflechterei und Reifstäbe, vor allen die Formen, die als var. *fusca* und var. *pallida* gehen; ebenso für Kulturzwecke die Hybriden mit *S. fragilis*; ***S. amygdaloides,*** Pfirsichweide, Nordamerika, Baum bis über 15 *m*, Blätter lang zugespitzt, eilänglich, unten schön blaugrau, Kätzchen locker, an beblätterten Trieben, männliche Blüten mit 3 bis 9 Staubblättern, kulturwert; ***S. babylónica,*** China, bis über 10 *m*, in warmen Lagen als hübsche Trauerweide, im Norden dafür vor allem *S. blanda*; ***S. balsamifera*** (***S. pyrifólia***), O.-Nordamerika, bis 3 *m*, Knospen im Winter gerötet, Blattaustrieb braunrot, hübsch belaubte Art; ***S. Bébbiana*** *(S. rostráta* Rich., *S. vagans* var. *occidentalis*, *S. livida* var. *occidentalis*, *S. depressa* var. *rostrata)*, Kanada, östl. Verein. Staaten, Strauch bis 3 *m* oder Baum bis 8 *m*, erinnert etwas an unsere *S. aurita*, aber Blütenkätzchen mit den Blättern im April bis Mai, schlanker, mit hellgelben Tragblättern, kulturwert als Zierweide; ***S. blanda*** (? *S. pendulina*), ein Bastard *S. fragilis* × *babylonica*, geht oft als diese, aber härter, sehr zierlich hängend, sehr gute Trauerweide; ***S. cáprea*, Salweide,** Europa bis Nordostasien, bis 7 *m*, sparrig, männliche Pflanzen im März bis April, hübsch, auffällig die Formen var. *péndula*, hängend, und var. *tricolor*, Laub bunt; ***S. cordáta*** (*S. myricoides* var. *cordata*), O.-Nordamerika, schöne breite, herzförmige Blätter, sehr auffällig im Frühjahr f. *purpurascens (S. Nicholsonii purpurascens)*, Blüten und Blätter rot überlaufen; ***S. daphnoides*, Reifweide,** Europa bis Sibirien, bis 10 *m*, blüht mit *acutifolia* vor den Blättern, für Kultur var. *jaspidea*, Zweige besonders bereift, var. *pomeránica*, Blätter schmäler, gilt als gute Bienenweide; ***S. dasycládos,*** nordöstl. Mitteleuropa, bis 4 *m*, dichttriebig, filzig, großblättrig; ***S. incána*** *(S. elaeágnos)*, **Grauweide,** Europa bis Kleinasien, bis 6 *m*, mit linealen, unterseits weißen

Abb. 434. *Rubus Kuntzeanus*. (James Veitch and Sons.)

Blättern, recht eigenartige Zierweide; ***S. lasiándra*** *(S. Lyallii)*, nordamerikanische Lorbeerweide, westliches Nordamerika, baumartiger Strauch bis Baum, bis 20 *m*, schöne, breit eilanzettliche, langzugespitzte, unten weißliche Blätter (bis 20 : 4 *cm*), mit drüsigen Stielen, bei var. ***caudáta*** *(S. Fendleriana, S. caudata)* Blätter schmäler, unten grün; der Typ verdient mehr Beachtung als schöne Kulturweide, var. *lancifólia* ist eine etwas behaarte Form; Blütezeit Mai, ähnlich *pentandra;* ***S. lúcida,*** Glanzweide, östl. Nordamerika, voriger ähnlich, noch schöner, aber mehr Strauch, Blätter breit oval, plötzlich langzugespitzt, auch härter, sehr gute Zier- und Bienenweide; ***S. magnifica,*** Mittelchina, hoher Strauch in der Heimat, Blätter magnolienartig, breit stumpf-oval, bis 20 : 14 *cm*, oben etwas bereift, tiefgrün, Rippe und Stiel wachsartig braunrot, Kätzchen im Juni, sehr lang, erinnert eher an einen *Prunus* der *Padus*-Gruppe, oder an *Arbutus Menziesii*, als an eine Weide, sollte überall in warmen Lagen erprobt werden; ***S. Matsudána,*** Nordchina, bis 13 *m*, ist eine aufrechte, ganz harte *babylonica;* ***S. Meyeriána*** *(S. cuspidáta)*, ein Bastard *pentandra* × *fragilis*, Zweige und Laub glänzend, gilt als recht schön; ***S. nigra,*** Schwarzweide, östl. Nordamerika, kleiner breiter, sparriger Baum, Zweige brüchig, Blätter breit lineal-lanzettlich, bis 15 : 1,5 *cm*, beiderseits grün, fein gesagt, Blütenstände auf beblätterten Stielen, lang-zylindrisch, männliche Blüten mit 3 bis 7 Staubblättern, Mai, interessanter Typ; ***S. Pierótii*** *(S. japónica* Hort.), kleiner kahler japanischer Baum, Blätter sehr hübsch tiefgrün, oben und unten silbergrau, noch seltene Zierweide; ***S. petioláris,*** östl. Nordamerika, bis 2,5 *m*, aufrechter, schlank- und feintriebiger Strauch, Zweige bald kahl, purpurn, Blätter schmal-lanzettlich, fein gezähnt, bis 10 *cm* lang, unten blaugraugrün, Kätzchen im April vor den Blättern; eine Form davon oder ein Bastard mit *cordata* ist die sog. *S. americana* Hort. *(S. Schoeniana* Schwerin), die keineswegs *S. amygdalina* × *purpúrea* darstellt, gilt als beste Schnittweide; ***S. purpúrea,*** **Purpurweide,** Europa bis Japan, meist Strauch, Blätter meist gegenständig, hierher eine feinblättrige Trauerform var. *péndula* (*S. nigra pendula* der Gärten), wohl identisch mit var. *scharfenbergénsis*); eine var. *utilíssima* gilt als vorzügliche Korbweide, ebenso die niedrigere var. *uralénsis;* ***S. rubra*** *(S. viminalis* × *purpurea)* soll eine der allerbesten Kulturweiden sein; ***S. sericea,*** O.-Nordamerika, bis 3 *m*, Blätter schmallanzettlich, seidig schimmernd, hübsche Art; ***S. serissima*** (*S. lucida* var. *serissima*), nordöstl. Verein. Staaten, Kanada, kleiner Baum, oft als Strauch blühend, von *lucida* durch derbere, unten weißliche, elliptisch-lanzettliche, kaum über 9 : 2,8 *cm* große Blätter, kürzere Kätzchen und erst im August reife Früchte unterschieden, beachtenswert, stark an die bekannte heimische *S. pentandra* gemahnend; ***S. sitchénsis,*** NW.-Amerika, kleiner Baum, Zweige durch Behaarung wie bereift, Blattunterseiten schimmernd seidig, hübsch; ***S. viminális,*** **Korbweide,** Europa bis Nordasien, meist Strauch, Blätter lineal-lanzettlich, unten silbergrau behaart, gute Kulturart in vielen Formen (var. *cinnamomea*, var. *gigantea*, var. *superba* u. a.). — Mittel- oder Großsträucher sind auch die neuen chinesischen Arten wie *S. cathayana*, *S. macroblasta*, *S. moupinensis*, *S. pella*, *S. Rehderiana* und *S. Wallichiana*, zumeist nur für Weidenfreunde bedeutsam, während die nordamerikanischen *S. bella*, *S. pellita* und *S. subcoerulea* mit bereiften Trieben und unterseits prächtig silberweißfilzigen schmal-lanzettlichen Blättern sehr zierend wirken.

II. Niedrige, 0,3 bis gut 1 *m* hohe Sträucher, (siehe auch oben *S. petiolaris* und *S. sericea*): ***S. Bockii,*** Mittelchina, 0,5 bis 0,8 *m*, reizender kleiner Strauch mit länglichen, stumpf-obovalen, trübgrünen, unten blauweißen, behaarten Blättern und kleinen Blütenkätzchen, im Juli bis August, als Sommerblüher sehr eigenartig; ***S. cándida,*** O.-Nordamerika, Blätter lang und schmal, bis 10 *cm*, unterseits weißgrün, hübsche Zierart für feuchten Moorboden; ***S. gracilistyla*** *(S. Thunbergiána, S. mutabilis* Hort.), Japan, breiter Strauch bis 1,5 *m*, Blätter eiförmig, bis 10 : 3,5 *cm*, oben graugrün, unten blaugrau und seidig behaart, Blütenstände im März bis April vor den Blättern, die männlichen durch die roten Staubbeutel der verwachsenen Staubgefäße auffallend, hübsche Zierart; weibliche Blüten mit sehr langem Griffel; ***S. repens,*** heimische Kriechweide, mit unterirdischem Stamm, besonders fein belaubt var. *angustifólia (S. rosmarinifólia)*, für moorige, torfige Lagen; als *rosmarinifolia* geht auch *S. repens* × *viminalis:* ***S. Friésiana;*** zu dieser niedrigen Gruppe gehören reizende Amerikaner, wie *S. brachycarpa*, *S. cordifólia*, *S. niphocláda*, die reizweigigen *S. irroráta* und *S. Geyeriána* (*S. macrocárpa* Nutt.).

III. Zwergweiden, niederliegend (Abb. 63 und 435): ***S. herbácea,*** europäische Gebirge und nördliche arktische Zone, Blätter bis 2 : 2 *cm*, ringsum kerbzähnig, wie alle Arten der Gruppe für das Alpinum, wo sie die Felsen überziehen, siehe Abb. 435; ***S. poláris,*** sehr seltene kleine

Abb. 435. *Sálix herbácea*, Zwergweide.
(Orig.; auf dem Schneeberg bei Wien.)

Form, Abb. 63, die mehr *retusa* ähnelt, viel schwieriger als diese zu erhalten, liebt Schneedecke, selten echt; ***S. retúsa,*** Alpen, Blätter bis 1 *cm*, Grund keilig, wächst üppig und artet aus in der Ebene, bildet gleich *herbacea* viele Bastarde; ***S. reticuláta*, Netzweide,** Blätter derb, lang gestielt, auffallend netzaderig, interessanter als die vorigen, wie *herbacea* verbreitet; ***S. serpyllifólia*,** gewissermaßen eine Zwergform der *retusa*, sehr zierlich; ***S. Uva-úrsi*** *(S. Cutleri)*, Nordostamerika, niederliegend, breite Polster bildend, üppiger als *retusa*, Blätter drüsig kerbzähnig, unten weißlich, kaum über 2 *cm* lang, männliche Blüten mit nur einem Staubblatt, sehr kulturwert im Felsengarten; ***S. vestita*,** nordamerikanisches Gegenstück zur *reticulata*, Blätter kürzer gestielt, unterseits behaart, seidig bleibend, in der westlichen Form *var. erecta (S. Fernaldii)*, aufrecht, bis 50 *cm*; für Felsanlagen wichtige fremde Zwergweiden sind noch aus Nordamerika: *S. nivalis* und var. *saximontána, S. phlebophýlla, S. cascadensis (S. tenera* And.), *S. petrophila, S. arctophila (S. groenlandica* Ldstr.) u. a., wie aus Westchina *S. brachista, S. Soulici*.

Sálvia officinalis*, Salbei** — L a b i a t e n. — Im Süden des Gebietes und in Südeuropa heimischer graufilziger Halbstrauch, bis 1 *m*, mit violetten oder weißen Blütenwirteln im Juni bis Juli; K u l t u r in warmen, sonnigen, trockeneren Lagen; V e r m e h r u n g durch Samen und Teilung. A. Purpus hat aus den mexikanischen Hochgebirgen die schöne ***S. oaxacána (Abb. 436) eingeführt, bis 1 *m*, Blüten groß, zinnoberrot, in sehr warmen Lagen mit Schutz versuchswert.

Abb. 435. *Sálvia oaxacana*, 60—80 *cm*. (Phot. A. Purpus.)

Sálsola siehe *Suaeda*. — **Salzstrauch** siehe *Halimodendron*.

Sambúcus (67), **Holunder, Holler** — C a p r i f o l i a c e e n. — Sträucher oder kleine Bäume mit markreichen Zweigen, Blätter sommergrün, unpaar gefiedert, Blüten in ansehnlichen Rispen, gelblichweiß, Frucht beerenartige Steinfrucht; K u l t u r in jedem nicht allzunassen Gartenboden, sonnig oder schattig; Schnitt nur nach Bedarf; V e r m e h r u n g durch Samen und Steckholz, auch krautige Stecklinge von angetriebenen Pflanzen und reife (aber schwächere) im Frühjahr; V e r w e n d u n g als hübsche Blütensträucher, vor allem aber als Unterholz, wo sonst kaum was wächst *(S. nigra, S. racemosa)*, alte Büsche einzeln sehr malerisch, sonst starker Rückschnitt ratsam von Zeit zu Zeit.

Abh. 437. *Sambucus canadensis*, 1,50 *m*. (James Veitch and Sons.)

ALPHABETISCHE LISTE DER ERWÄHNTEN LATEINISCHEN NAMEN.

(Die Ziffern bezeichnen die Seitenzahlen.)

A. Blütenstände schirmförmig, breit und flach, Winterknospen klein und spitz: ***S. canadensis,*** O.-Nordamerika, bis 3 *m*, wie Abb. 437, Wurzelausläufer, junge Triebe bereift, Blätter meist 7zählig, fast ganz kahl, glänzend, Blüten hellgelbweiß, Juni bis August, gut duftend, Dolden bis 30 *cm* breit, Frucht nur 4 bis 5 *mm* dick, glänzend schwarzpurpurn, was als var. *maxima* in den Gärten geht, ist nur Typ, sonst noch var. *acutiloba* (var. *laciniata*), Blätter ähnlich wie bei der *nigra*-Form, vielleicht beste Art, feuchtere Plätze an Wasser; ***S. caerúlea (S. glauca),*** NW.-Nordamerika, üppiger als vorige, mehr baumartig, Triebe bereift, Laub mehr blaugrün, Blüten Juni bis Juli, Früchte blauschwarz, dick bereift, (August bis) September, wundervoll bei reichem Fruchtbehang, recht hart; zu erwähnen die Hybride mit *nigra*: *S. Fontenaysii (S. glauca* var. *Fontenaysii)*; ***S. mexicana*** var. ***plantierénsis,*** südliches Nordamerika, starkwüchsig, durch die dichte Behaarung der Triebe und Blätter vor *nigra* ausgezeichnet, blüht im Mai, für wärmere Lagen; ***S. nigra,*** unser schwarzer Holunder, **falscher Flieder,** Europa bis Kaukasus, bis 10 *m*, oft sehr malerisch, Blüten weiß, betäubend riechend, Juni bis Juli, Beeren glänzend schwarz (gute Suppe!); von den vielen Varietäten nennen wir nur: var. ***aurea,*** Blätter prächtig goldgelb, eines der besten gelblaubigen Gehölze, var. *argenteo-marginata*, Blätter schön weiß gerandet, var. *Hessei*, Blättchen bandförmig ungelappt und ungezähnt, Ränder leicht gewellt, var. *laciniata*, Blätter hübsch zerschlitzt, wozu verschiedene Unterformen gehören, und var. *plena*, Blüten halb gefüllt; eigenartig ist var. *pyramidata* (var. *pyramidalis*), schwache Pyramiden bildend, für kleine Gärten passend; hübsch ferner var. ***péndula,*** wenn über Felsen herabhängend; der Typ ist eine der anspruchslosesten Pflanzen zur Verkleidung wüster Orte. — B. Blütenstände eiförmig-rispig, Winterknospen dick: ***S. callicárpa*** *(S. racemosa* var. *callicarpa)*, Nordwestamerika, Japan, bis 4 *m*, wie *pubens*, aber Blättchen nur jung unten an Nerven behaart, Blütenstände mehr breit pyramidal, Früchte korallenrot; ***S. melanocárpa,*** NW.-Nordamerika, breitbuschig, bis 4 *m*, kahl, Blätter 5 bis 9 zählig, Blütenstände bis 10 *cm* lang, Juli, Frucht schwarz, 6 *mm* dick, hübsche Art; ***S. pubens*** *(S. arborescens, S. pubescens, S. leiosperma)*, nördliches Nordamerika, mehr baumartig, Blätter bleibend behaart, Blütenstand lockerer als bei *racemosa*, Mai, Frucht scharlachrot, Juni bis Juli, nebst var. *dissecta* (ähnlich *racemosa laciniata*) hübsche Kulturart; ***S. racemósa,*** **Traubenholunder,** Europa bis Ostasien, rotfrüchtig, im Juni bis Juli, dann sehr zierend, bei var. *flavescens* (var. *xanthocarpa*), Früchte gelb mit orange Backen, ferner var. *aurea*, Laub goldgelb, var. *laciniata* (var. *serratifolia*), Blättchen tief zerschlitzt, var. *plumosa*, Blättchen tief gefranst, var. *plumoso-aurea*, Laub wie vorige, aber goldgelb, var. *tenuifolia*, Blättchen schleierartig, fädig zerschlitzt u. a. m., verträgt sehr trockene Lagen, meidet Kalk; ***S. Sieboldiána*** *(S. Thunbergiana* der Gärten, *S. racemosa* var. *Sieboldiana)*, dunkelgrüne, japanische Art, von voriger abweichend durch: Blättchen lang zugespitzt, Austrieb braunrot, Frucht kleiner.

Sambucus japonica siehe *Euscaphis*. — **Sandbaum** siehe *Ammodendron*. — **Sandbirne** siehe *Peraphyllum*. — **Sanddorn** siehe *Hippophaë*. — **Sandmyrte** siehe *Leiophyllum*.

Santolina Chamaecyparissus *(S. incana)*, **Heiligenblume** (Compositen). Aromatischer, niederliegend-aufstrebender, bis 50 *cm* hoher, wintergrüner Strauch, Blätter hübsch grauweiß, abwechselnd, kammartig-fiederteilig, Blütenköpfchen gelb, langgestielt, 2 *cm* breit, Juli bis August; var. *viridis (S. viridis, S. virens)* wächst lockerer, hat längere, dünnere, kahle Blätter und ist weniger hart; Kultur in warmen, sonnigen Lagen in gut durchlässigem Boden; Schutz gegen Winternässe; Vermehrung durch Stecklinge und Samen; Verwendung für Gesteinspartien und bei Schnitt auch als Einfassung.

Abb. 438. *Sarcobatus vermiculatus*, Fettholz, 1 *m*. (Phot. A. Purpus.)

***Sapindus Drummóndii*, Seifenbaum** — Sapindaceen. — Nordamerikanischer, sommergrüner Baum, bei uns strauchig, Blätter gefiedert, 8–18 zählig, abwechselnd, Blüten gelblichweiß, in Rispen, im Juni, Frucht kugelig, beerenartig, schwarz; für recht warme, geschützte Lagen in gutem, durchlässigem Boden versuchswert; Vermehrung durch Samen (warm) und halbreife Stecklinge unter Glas.

Sapindus chinensis siehe *Koelreuteria paniculata*.

***Sarcobátus vermiculátus*, Fettholz** — Chenopodiaceen. — Bis 2 *m* hoher, graugrüner, nordwestamerikanischer Strauch (Abb. 438), Blätter lineal, abwechselnd, halbzylindrisch, Blüten 2häusig, unscheinbar, in schachtelhalmartigen Ähren, Juni bis Juli; nur für Gehölzfreunde in warmen, trockenen Lagen; Vermehrung durch Samen und krautige Stecklinge angetriebener Pflanzen.

Abb. 439. Blütentriebe von *Sarothamnus scoparius*, Besenstrauch. (Phot. A. Purpus.)

Sarcocócca — Buxaceen. — Aufrechte, kahle, immergrüne Sträucher mit abwechselnden, glänzenden Blättern, einhäusigen, blumenblattlosen weißlichen Blüten in kurzen, achselständigen Trauben und beerenartigen roten oder schwarzen Früchten; Kultur in jedem nicht zu schweren Gartenboden; Vermehrung durch Sommerstecklinge und Samen; Verwendung als gute Immergrüne für halbschattige warme Lagen. Verdienen mehr Beachtung.

S. Hookeriána (*S. pruniformis* var. *Hookeriana*), Nordwesthimalaya, bis 1 *m*. Blätter aus keiligem Grunde länglich lanzettlich, undeutlich geadert; am härtesten wohl die niedrigere ***S. húmilis*** (*S. Hookeriana* var. *humilis*), Westchina, Frucht blauschwarz; ebenso die noch schmälerblättrige var. *digyna* aus Mittelchina; sowie ***S. ruscifólia***, West- und Mittelchina, bis 2 *m*. Blätter mehr eiförmig, Früchte dunkelscharlach, Oktober bis Februar; weniger hart ist ***S. saligna (S. pruniformis)*** aus dem Himalaya, Blätter deutlich 3 nervig, schmal-lanzettlich, geschwänzt, Früchte eiförmig, purpurn.

Sarothámnus[58]) ***scopárius*** (*S. vulgaris, Genista scoparia, Spartium scoparium*), **Besenstrauch** — Leguminosen. — Aufrechter, bis 2 *m* hoher, rutig verzweigter sommergrüner Strauch, Zweige bei unseren Formen nur jung schwach behaart. Blätter einfach oder 3 zählig. Blüten gelb, seitenständig, zu Scheintrauben gehäuft (Abb. 439), Mai bis Juni, bekannter heimisch-südeuropäischer Strauch, von dem besonders var. ***Andreánus*** (*Genista Andreana*) (Abb. 440) mit gelben und purpurnen Blüten für Kultur wertvoll, auch var. *albus* (var. *ochroleucus*), Blüten blaßgelb, sowie sehr hübsche neuere Farbenzüchtungen wie „Butterfly", gelb mit dunklem Grunde, Fahne hellgelb, „Fire fly", Flügel dunkel mit gelber Kante, Fahne hellrot unterwaschen, „May fly", Flügel orange überlaufen, Fahne hellgelb, „Daisy Hill", Flügel und Fahne weißgelb mit rötlichem Schein, Schiffchen schwefelgelb, ferner var. *pendulus* (var. *prostratus*), eine niedrigere Form (Abb. 441); sonst wie *Cytisus*, nur ganz jung gut verpflanzbar, sehr empfehlenswert.

Sássafras variifólium (*S. officinale*, ***Laurus Sassafras***), **Fieberbaum** — Lauraceen. — Strauch oder Baum, wie Abb. 442, aus O.-Nordamerika. Blätter abwechselnd, sommergrün, durchscheinend gepunktet, aromatisch, sehr schön tiefgrün, im Herbst orangerot, Blüten gelblich, 2häusig, wenig auffällig, April bis Mai, Früchte glänzend dunkelblau auf gerötetem Stiel, anfangs September; Kultur in geschützter, warmer Lage in gut durchlässigem, nicht Nässe haltendem Boden; Vermehrung durch Samen (nach Reife), am

Abb. 440. *Sarothamnus scoparius* var. *Andreanus*, 1,5 *m*. (Phot.: Bot. Vilmorin, Verrières)

besten wohl Ausläufer, auch Wurzelschnittlinge; V e r w e n d u n g als schön belaubter, kleiner Baum in milderen Gegenden, wegen der dicken, langen Wurzeln verträgt er späteres Verpflanzen kaum. Jetzt auch der ähnliche, größere ***S. Tzúmu*** (*Pseudosassafras Tzumu*) aus Mittelchina, in Kultur, kahler, Blätter länger, wohl ziemlich hart.

Saturéja (*Microméria*) ***montana*****, Pfefferkraut, Bohnenkraut** — L a b i a t e n. — Niederliegend aufstrebender aromatischer Halbstrauch (Abb. 443) aus dem südlichen Mittel- und Südeuropa, Blätter gegenständig, lineal-lanzettlich, Blüten weiß mit rötlich, scheinwirtelig-ährig, Juli bis August; diese und verwandte Arten wie *S. illýrica*, früher blühend, und *S. pygmaéa*, kompakter, rötlichviolett, Spätherbst, sind in Gesteinsanlagen an sonnigen, trockenen, warmen Plätzen brauchbar; V e r m e h r u n g durch Stecklinge, Samen und Teilung.

Sauerbaum siehe *Oxydendrum*. — **Sauerdorn** siehe *Berberis*. — **Scharlacheiche** siehe *Quercus coccinea*. — **Scheinakazie** siehe *Robinia*. — **Scheineller** siehe *Clethra*. — **Scheinfelsenbirne** siehe *Exochorda*. — **Scheinhasel** siehe *Corylopsis*. — **Scheinheide** siehe *Adenostoma*. — **Scheinkastanie** siehe *Castanopsis*. — **Scheinkerrie** siehe *Rhodotypus*. — **Scheinmispel** siehe *Lindleya*. — **Scheinquitte** siehe *Chaenomeles*. — **Schindeleiche** siehe *Quercus imbricaria*.

Abb. 441. *Sarothamnus scoparius* var. *pendulus*, niedriger Besenstrauch, 20—25 *cm*. (Phot. A. Purpus)

Schinus depéndens *(Duvaua spinéscens)* Anacardiaceen. — Immergrüner Dornstrauch aus den südamerik. Hochgebirgen, Blätter abwechselnd, oboval, Blüten am alten Holz an dornigen Kurztrieben, grünlichgelb, Mai, Früchte pfefferkorngroße, trockene, purpurne Beeren; hat in Hort. Plantières bis — 17° C ausgehalten und sollte von erfahrenen Pflegern in warmen, schattigen Lagen erprobt werden. Siehe sonst C. Schneider, Ill. Handb. d. Laubholzk. II. S. 1021.

***Schizándra*, Spaltkölbchen** Magnoliaceen. Sommergrüne Schlingsträucher mit abwechselnden, langgestielten lebhaft grünen, durchscheinend gepunkteten, einfachen Blättern, Blüten (ein- oder) zweihäusig, in wenigblütigen achselständigen Büscheln, Kelch und Kronenblätter gleichartig, 9 bis 12. Früchte beerenartig, hängende Trauben bildend; Kultur in gutem frischen humosen Gartenboden in geschützter Lage, etwas halbschattig; Vermehrung durch Samen, Ableger sowie krautige Stecklinge unter Glas; Verwendung als sehr hübsche, zur Fruchtzeit außerordentlich zierende Schlinger für Mauern, Zäune, Hecken, Felsen, Bäume, ähnlich wie etwa *Celastrus*.

Abb. 442. *Sássafras variifolium*, Fieberbaum, 17 *m*. (Phot. L. Graebener, Karlsruhe.)

S. chinénsis *(Maximowiczia sinensis)*, Mandschurei, Nordchina, Japan, bis über 10 *m*. Blätter spitz eielliptisch, entfernt gezähnt, unten nur jung auf Nerven behaart, Blüten zweihäusig, duftend, rosaweiß, etwa 15 *mm* breit, Mai bis Juni, Frucht scharlach, bis tief in Winter. ***S. glaucéscens***, Mittelchina, sehr ähnlich voriger, Blätter unterseits blaugrau, Blüten orangerot; ***S. Hénryi*** *(S. hypoglauca)*, Mittelchina, durch flügeligdreikantige Triebe ausgezeichnet, Blätter unten graublau, Blüten rahmgelb, lang gestielt, siehe Abb. 441; ***S. rubriflóra*** *(S. chinensis* var. *rubriflora)*, Mittelchina, bis 6 *m*, kahl, Blätter länglich-oval bis schmal elliptisch, rötlich gerandet, kurz gezähnt, bis 15 : 7 *cm*. Blüten einzeln, tief rotbraun, bis 3 *cm* breit, Früchte kar-

Abb. 443. *Satureja montana*, 35 *cm*. (Phot. A. Purpus.)

mesinrot: ***S. sphenanthéra***, West- und Mittelchina, bis 5 *m*. Blüte zierlich, rotbraun, kahl, Blätter breit oval, fein gezähnelt, Stiele rot, Blüten einzeln, außen grünlich, innen orange, bis 2 *cm*. Mai bis Juni. Frucht scharlach, prächtig, für warme Lagen.

Schizonótus siehe *Holodiscus*.

Schizophrágma hydrangeoides (*Cornidia integerrima* und *Hydrangea petiolaris* mancher Gärten), Spalthortensie — Saxifragaceen. Niederliegend-aufrechter oder mit Haftwurzeln kletternder Strauch wie Abb. 445 aus Japan. Blätter sommergrün, gegenständig, breit herzeiförmig, langgestielt, grob gezähnt, oben tiefgrün, unten blaugrau, wenig seidig behaart. Blütenstände wie bei *Hydrangea*, aber sterile Randblüten mit nur einem großen weißen Kelchblatt. Juli; Kultur und Vermehrung wie *Hydrangea*; Verwendung in geschützten Lagen zur Bekleidung von Mauern, Felsen und anderen Stützpunkten. Weniger hart ist ***S. integrifólium*** (*S. hydrangeoides* var. *integrifolium*) aus West- und Mittelchina, üppiger, Blätter dicker, spitz oval, fast ganzrandig, unten deutlicher behaart. Sepalen der sterilen Blüten bis 6 *cm* lang, weiter zu erproben.

Schlehe siehe *Prunus spinosa*. — **Schleifenblume** siehe *Iberis*. — **Schlinge** siehe *Viburnum*. — **Schneckenklee** siehe *Medicago*. — **Schneeball** siehe *Viburnum*. — **Schneebeere** siehe *Symphoricarpus*. — **Schneeblume, Schneeflockenbaum** siehe *Chionanthus*. — **Schneeglöckchenbaum** siehe *Halesia*. — **Schneeheide** siehe *Erica carnea* und *Chiogenes*. — **Schneelocke** siehe *Neviusia*. — **Schönfrucht** siehe *Callicarpa* und *Euscaphis*. — **Schönhülse** siehe *Calophaca*. — **Schönknöterich** siehe *Calligonum*. — **Schottische Zaunrose** siehe *Rosa rubiginosa*. — **Schüsselhortensie** siehe *Platycrater*. — **Schuppenheide** siehe *Cassiope*. — **Schusserbaum** siehe *Gymnocladus*. — **Schwarzbirke** siehe *Betula nigra*. — **Schwarzdorn** siehe *Prunus spinosa*. — **Schwarzerle** siehe *Alnus glutinosa*. — **Schwarzeiche** siehe *Quercus velutina*. — **Schwarzesche** siehe *Fraxinus nigra*. — **Schwarznuß** siehe *Juglans nigra*. — **Schwarzpappel** siehe unter *Populus*. — **Schweifähre** siehe *Stachyurus*. — **Schweiffrucht** siehe *Cercocarpus*.

Securinéga ramiflóra (*Géblera suffruticosa*, *Acidóton ramiflorus*), **Hartholz** — Euphorbiaceen. — Bis 2 *m* hoher, rutiger, feinzweigig überneigender Strauch aus Sibirien, Nordchina, Triebe grünlich, Blätter sommergrün, einfach, abwechselnd, Blüten unansehnlich, grünlich, meist 2häusig, Früchte kugelig, kapselartig; Kultur in jedem durchlässigen Boden in sonniger Lage; Vermehrung durch Samen und krautige Stecklinge unter Glas; Verwendung für Gehölzfreunde im Garten und auf großen Gesteinsanlagen. Härter, in allen Teilen größer und robuster ist die meist einhäusige ***S. flueggeoides*** (*S. japonica*, *Flueggea japonica*) aus Japan, siehe Abb. 446, junges Holz mehr gebräunt.

Sédum populifólium, **Fetthenne** — Crassulaceen. — Locker rasiger, bis 0,4 *m* hoher, kahler, sibirischer Halbstrauch, Blätter bis zirka 6 *cm* lang, dicklich, gefransigezähnt, lang gestielt, pappelähnlich, Blüten rispig gehäuft, weiß oder rötlich, Juli bis August; Kultur in sonniger Lage in Felsgruppen; Vermehrung durch Samen; Verwendung für Gehölzfreunde, auch als Einfassung im Garten.

Seidelbast siehe *Daphne*. — **Seidenwurmdorn** siehe *Cudrania*. — **Seifenbaum** siehe *Sapindus*.

Sémele andrógyna (*Ruscus androgynus*) — Liliaceen. — Dem *Ruscus hypophyllum* ähnlicher, aber schlingender Strauch von den Kanaren, bei dem die Blüten am Rande der Scheinblättter (Phyllocladien), nicht auf der Mitte, sitzen; nur ganz im Süden des Gebietes versuchswert.

Senécio Gréyii, **Kreuzkraut** — Compositen. — Immergrüner, bis meterhoher Strauch aus N.-Neuseeland (Abb. 641), alle Teile wollig filzig, Blätter abwechselnd, länglich-eiförmig, oberseits satt-

Abb. 444. *Schizandra Henryi*, 3 *m*.
(Lang- Veitch and Sons.)

grün, hell gerandet, Blüten sattorangegelb in kopfigen Rispen; Kultur nur in warmen sehr geschützten Lagen in durchlässigem Boden in den südlicheren Teilen des Gebietes; sonst guten Winterschutz; Vermehrung durch Samen und halbreife oder auch reife Stecklinge unter Glas; Verwendung nur für erfahrene Pfleger. Ebenso ***S. elaeagnifólius***, Neuseeland, mit mehr seidiger Behaarung und gelben, aber strahlenlosen Blüten, das gleiche mag für andere Arten gelten; auch *S. calcarius* aus Mexiko wurde in Darmstadt versucht.

Sericothéca siehe *Holodiscus*.

Serissa fóetida (*S. japónica*) ist eine bis meterhohe, wohl wintergrüne, etwas übelriechende chinesisch-japanische Rubiacee mit jasminartigen, duftlosen Blüten im Sommer; wohl nur für wärmste Lagen versuchswert, in Freilandkultur kaum versucht.

Abb. 445. *Schizophragma hydrangeoides*, Spalthortensie, an Mauer, 1,50 *m*. (Phot. A. Purpus.)

Shephérdia (*Lepargyraea*) ***argéntea*, Büffelbeere** — Elaeagnaceen. Sommergrüner, bis 4 *m* hoher, sparrig-dorniger Strauch (Abb. 447), mittl. Verein. Staaten, alle Teile silberschülfrig. Blätter schmallänglich. Blüten unscheinbar, 2 häusig, gelblich, vor dem Blattausbruch im März bis April, aber ovale rote Früchte im Sommer recht zierend und eßbar (gutes Gelée); Kultur in sandigem, frischem Boden in offener Lage; Vermehrung durch Samen (stratifizieren), Ableger oder Veredlung auf *Hippophaë rhamnoides*; Verwendung als schöner Strauch für Vorpflanzungen im Park, auch in größeren Gärten. — Ebenfalls hübsch

Abb. 446. *Securinéga flueggeoides*, Hartholz, 1,50 *m*. (Phot. A. Purpus.)

ist ***S. canadénsis*** (Abb. 448), etwas niedriger, dornlos. Triebe rotbraun schülfrig. Blätter oval, grün, unterseits weiß und braun. Frucht gelblich, ungenießbar, liebt Halbschatten, aber gut für trockene, steinige Hänge. Eine Hybride beider Arten ist *S. goettingensis*.

Sibiraéa (*Spiraea*) ***laevigáta*, Blauspire** — Rosaceen. — Aufrechter oder aufstrebender, etwas steifer, bis 1 *m* hoher, kahler, sommergrüner Strauch aus dem Altai-Sibirien, Blätter früh treibend, abwechselnd, breit länglich, ganzrandig, bläulichgrün, Blüten klein, weiß, 2häusig, in zu Rispen gehäuften Scheinähren, Mai; Kultur in jedem guten Gartenboden in warmer, sonniger Lage; Vermehrung durch Samen; Verwendung im Garten und für Vorpflanzungen. — Die westchinesische var. *angustata* hat schmälere Blätter. — Interessant ***S. tomentósa*** aus Yunnan, kaum 50 *cm*, Blätter länglich oboval, unten jung seidig behaart, Blüten gelbgrün; für Kalkfelsen, noch zu erproben.

Sideritis spinosa und andere Arten siehe im Staudenbuche. — ***Sideróxylon*** siehe *Bumelia*. — **Silberahorn** siehe *Acer saccharinum*. — **Silberbeere** siehe *Elaeagnus argentea*. — **Silberglocke** siehe *Halesia*. — **Silberkraut** siehe *Dryas*. — **Silberlinde** siehe *Tilia petiolaris* und *tomentosa*. — **Silberpappel** siehe unter *Populus*. — **Silberweide** siehe *Salix alba*. — **Silberwinde** siehe *Convolvulus*. — **Silberwurz** siehe *Dryas*.

Abb. 447. *Shephérdia argéntea*, Büffelbeere, 2 *m*. (Phot. A. Purpus.)

Siléne fruticósa*, Leimkraut** — Caryophyllaceen. — Rosettigblättriger Halbstrauch aus Sizilien und Griechenland mit aufstrebenden knotigen Blütentrieben. Blätter gegenständig, lanzettlich spatelig, graugrün, Blüten rosa, in Doldentrauben, Juli bis August; nur für erfahrene Pfleger als Felsenpflanze in warmen, sonnigen Lagen, Schutz gegen Winternässe, hübsch aber empfindlich. — Vielleicht härter ist die kahle, mehr blaugraue ***S. chloraefólia aus Kleinasien.

Singrün siehe *Vinca*.

Sinofranchétia (*Holboellia*) ***chinensis*** — Lardizabalaceen. — Hoher, mit *Akebia* verwandter, sommergrüner, kahler Schlingstrauch aus Zentralchina. Triebe bereift, Blätter 3 zählig, blaugraugrün, Blüten unansehnlich, weißlich, in langen überhängenden Ähren. Früchte schön blaupurpurn; noch zu erproben; Kultur usw. wohl wie *Akebia*, dürfte härter als *Stauntonia* sein.

Sinoménium acútum (*S. diversifolium*, *Menispermum acutum*, *Cocculus diversifolius* und *C. heterophyllus*) — Menispermaceen. — Hoher kahler Schlingstrauch aus Japan und China, Triebe rund, Blätter sommergrün, glän-

Abb. 448. *Shephérdia canadénsis*, 1,50 *m*. (Phot. A. Purpus.)

zend, spät verfärbend, meist spitz herz-eiförmig, 5 bis 7-fächernervig, ganzrandig oder 3 bis 5 lappig, langgestielt, bis 15 *cm* lang. Blüten klein, grünlichgelb, in schlanken hängenden endständigen Rispentrauben, Juni, Frucht blauschwarze, erbsengroße Steinfrucht, September bis Oktober; Kultur usw. wohl wie *Menispermum*; schöner Schlingstrauch für warme Lagen.

Sinowilsónia Hénryi — Hamamelidaceen. — Sommergrüner, mittel- und westchinesischer Baum bis 12 *m*, Blätter ähnlich *Hamamelis*, etwas an Linden erinnernd, stumpfgrün, kurz gestielt, sternhaarig. Blüten in hängenden Trauben, näher *Corylopsis*, aber eingeschlechtlich und ohne Petalen, gelblich, unansehnlich. Mai, Früchte sternhaarige Kapseln; Kultur wie *Hamamelis*; Vermehrung durch Samen und Ableger, oder Veredelung auf *Hamamelis*; Verwendung nur für Gehölzfreunde, da wohl sehr interessant, aber wenig schmuckvoll; im Arnold Arboretum hart.

Abb. 449. *Skimmia japonica*, 60—70 *cm*. (Phot. A. Purpus.)

Skimmia, Skimmie — Rutaceen. — Aromatische, immergrüne, kaum bis 1 *m* hohe Sträucher aus Japan, China, Blätter abwechselnd, einfach, durchscheinend gepunktet. Blüten klein, grünlichweiß, in ährigen Rispen, oft 2 häusig, Mai bis Juni, Frucht rote, beerenartige Steinfrucht; Kultur in warmen, gegen Sonne im Winter geschützten Lagen, in etwas humosem, sandig-lehmigem, durchlässigem Boden im Halbschatten; Vermehrung durch Samen (nach Reife oder stratifizieren) und Stecklinge unter Glas; Verwendung als prächtiges, immergrünes Unterholz, auch für Randpflanzungen in geeigneten Lagen, erwies sich in Darmstadt härter als Kirschlorbeer, vertragen die rauchige Stadtluft, Früchte sehr zierend im Winter.

S. japónica Thbg. (*S. fragrans* und *S. fragrantissima*, männlich, *S. obláta*, weiblich). Japan, bis 1 *m*, wie Abb. 449, Blätter an den Triebenden gedrängt, bleich- oder gelblichgrün, länglich-oboval, Blüten zweihäusig!, Frucht korallen- oder glänzend scharlachrot, rundlich; viele Kulturformen wie var. *Veitchii*, großblättrig; hierher gehört auch die nicht hybride *S. intermédia* (*S. rubella*), (Abb. 450), Blütenstände und Knospen gerötet, wohl nur männlich; der Bastard mit der folgenden ist ***S. Foremánii***, mit schönen großen tiefgrünen mehr rundlichen Blättern, Früchte zum Teil etwas birnförmig, hierher wohl auch *S. Rogersii*; die ***S. Fórtunei*** muß jetzt heißen ***S. Reevesiána*** (*S. japonica* Ldl.), China, Blätter dunkler, deutlicher zugespitzt, Blüten normal, Früchte verkehrt eiförmig, dunkler, sehr zu empfehlen, da alle Pflanzen reich zu fruchten pflegen.

Abb. 450. *Skimmia intermedia*, 80 *cm*. (Phot. A. Purpus.)

***Smilax rotundifólia*, Stechwinde** Liliaceen. — Bis 6 *m* hoch rankender Strauch aus O.-Nordamerika, Zweige bestachelt, Blätter zweireihig, sommergrün, nur in milden Gegenden etwas wintergrün, eirundlich, Blüten unansehnlich, gelbgrün, doldig, Frucht blauschwarz, erbsengroß, Herbst; Kultur in frischer,

Abb. 451. *Sóphora japonica* als Alleebaum. (Phot. C. Heicke, Frankfurt a. M.)

halbschattiger, geschützter Lage in gutem Boden; Vermehrung durch Samen nach Reife, keimt schwer, Ausläufer und Teilung; Verwendung als hübsche, außer in den rauheren Lagen ganz harte Schlingpflanze. — Ebenso hart auch ***S. hispida*** aus O.-Nordamerika, mit nicht kriechendem Wurzelstock, dicht fein ungleich bestachelten Zweigen. Blätter breitoval, größer. Blütentriebe meist unbewehrt. Frucht auch blauschwarz. — Weitere Arten siehe bei C. Schneider, Ill. Handb. der Laubholzk. II., S. 862.

Smirnówia turkestánica ist ein bis 80 *cm* hoher Steppenstrauch, von dem das bei *Eremosparton* Gesagte gilt.

Smodingium argutum, eine Anacardiacee aus dem Kaplande und Natal, dürfte bei uns nur Kalthauspflanze sein, außer im mediterranen Teile des Gebietes.

Sommereiche siehe *Quercus robur*. — **Sommerlinde** siehe *Tilia platyphyllos*. — **Sonnenröschen** siehe *Helianthemum*.

***Solánum Dulcamára*, Nachtschatten, Bittersüß** — Solanaceen. — Bekannter heimischer, kahler, sommergrüner, giftiger Strauch bis über 1 *m*, oft etwas kletternd, Blätter abwechselnd, ei- oder spießförmig, Früchte eiförmig, scharlachrot; Kultur in feuchtem wie trockenem Boden, auch schattig; Vermehrung durch Samen und Ausläufer; Verwendung nur in größeren Anlagen, sonst Vorsicht! Eine ähnliche niedrige, nicht schlingende, chinesische Art ist *S. septemlobum* (*S. Dulcamara* var. *manshuricum*).

***Sóphora*, Schnurbaum** — Leguminosen. — Sommergrüne Sträucher oder meist Bäume. Blätter abwechselnd, unpaar gefiedert. Blüten traubig oder rispentraubig. Frucht rosenkranzartig eingeschnürte Hülse; Kultur in jedem tiefgründigen, guten Boden in offenen, warmen, nicht zu feuchten Lagen; Vermehrung durch Samen (Frühjahr) oder die Formen durch Veredlung auf typische *japonica*; Verwendung siehe unten.

S. japónica, Japan, bekannter, bis über 15 *m* hoher, breit und etwas verworren verästelter Baum (Abb. 451), Zweige grün, eigenartig riechend. Blättchen 7 bis 17, oberseits sattgrün, Blüten gelblichweiß, Juli bis August, rispentraubig, Fruchtstände auch auffällig, bekannt ist die steil hängende var. *pendula*, eine der auffälligsten Trauerformen, sowie var. ***violácea*** (*S. violacea*), Blättchen 15 bis 17, unterseits dicht behaart, Blüten lilarosa, schon kleine Pflanzen blühend, September; ferner var. ***Korolkówii*** (*S. Korolkowii*), Blättchen länger, unterseits gleich jungen Trieben fein behaart, Blüten grünlichweiß, etwas duftend; hierher auch *S. sinensis* mit hellrosa Blüten und 11 bis 17 unten behaarten Blättchen; ***S. viciifolia*** (*S. Davidii*, *S. Moorcroftiana* var. *Davidii*), West- und Mittelchina, niedriger, dorniger Strauch, bis 1 *m*, Blätter nur 5 bis 6 *cm* lang, Blüten weiß oder bläulichweiß mit violettem Kelch, traubig, hängend, Juni bis Juli, für recht warme, trockenere Lagen, hübsch, aber selten.

Sorbária (meist als *Spiraea*, auch als *Schizonotus* oder *Basilima* gehend), **Fiederspire** — Rosaceen. — Bis 2 *m* oder höhere, buschige Sträucher. Blätter sommergrün, abwechselnd, gefiedert, groß. Blüten klein, weiß, in großen endständigen Rispen, Juni bis Juli

25*

oder später: Kultur in jedem nahrhaften Gartenboden in geschützten Lagen, sonnig; Vermehrung wie *Spiraea* durch Samen, Teilung, Stecklinge und vor allem Ausläufer; Verwendung als ausgezeichnete Blütensträucher; wo sie durch Frost leiden, ist starker Rückschnitt gut, in rauhen Lagen Bodendecke.

Abh. 452. *Sorbaria assurgens*, 2,5 *m*. (Phot. A. Purpus.)

S. Aitchisonii* (*S. angustifólia*)**, Afghanistan, Kaschmir, bis über 2 *m*, Blättchen unter 12 *mm* breit, einfach oder undeutlich doppelt gesägt, 15 bis 21, kahl, Blütenstände bis 30 *cm*, Juli bis August (September), schön; ***S. arbórea, Zentralchina, baumartig, bis 6 *m*, Blättchen 13 bis 15, sehr spitz eilanzettlich, über 12 *mm* breit, scharf doppelt gesägt, Blütenstände breit offenrispig, Juli bis August, in Kultur var. *glabra*, Blätter kahl, und var. *subtomentosa*, Blätter sternhaarig, harte, gute Art; ***S. assúrgens***, Mittelchina, bis 3 *m*, wie Abb. 452, Blättchen 13 bis 17, doppelt gesägt, oft sichelig, unten an Nerven behaart, Blüten Juli, schön; ***S. grandiflóra*** (*S. alpina*), Ostsibirien, kaum 1/4 *m* hoch, Einzelblüten bis 10 *mm* breit, aber Blütenstände nur kurz rispentraubig, Juni bis Juli, treibt äußerst früh aus, für große Gesteinsanlagen; ***S. Lindleyána***, NW.-Himalaya, bis über 3 *m*, Blättchen länger und spitzer als bei *sorbifolia*, Blütenstände dicht, aber einfach behaart, frei über dem Laube, Juli bis August, breit offen, schön aber in Härte durch *Aitchisonii* und *assurgens* übertroffen, Früchte hangend; ***S. sorbifólia***, NO.-Asien, bis 2 *m*, Grundstamm weit kriechend, Austrieb bronzefarben, Blütenstände unbehaart, blüht vor *Lindleyana* im Juni bis Juli, Früchte aufrecht, bekannteste Art; ***S. stellípila***, Japan, wie vorige, aber Blätter unterseits weißlich büschelhaarig, auch Blütenstände, Juli bis August, ganz hart.

Sorbária millefolium siehe *Chamaebatiaria*.

Sorbarónia — Rosaceen — Diese Gattung umfaßt die Hybriden zwischen *Aronia* und *Sorbus*, sofern man beide Gattungen getrennt hält, wie es sich wohl empfiehlt. Es gehören hierher:

S. alpina (*Sorbus alpina*, *Aronia densiflora* und *A. Willdenowii*), stellt *Sorbus Aria* × *Aronia arbutifolia* dar; ***S. Dippelii*** (*Sorbus Dippelii*), ist *Sorbus Aria* × *Aronia melanocarpa*; ***S. fallax*** (*Sorbus heterophylla* Dipp., *Aronia heterophylla* Zabel), ist *Sorbus Aucuparia* × *Aronia melanocarpa*; ***S. hybrida*** (*Sorbus hybrida* Moench, *Azarolus heterophylla* Borkh., *Sorbus spuria* Pers., *Pyrus heterophylla* Dur., *Aronia hybrida* Zabel, *Sorbaronia heterophylla* C. Schn.) entspricht *Sorbus Aucuparia* × *Aronia arbutifolia*; ***S. sorbifólia*** (*Mespilus sorbifolia* Poir., *Aronia Watsoniana* Roem., *Sorbus Sargentii* Dipp., *Sorbus sorbifolia* Hedl.), ist *Sorbus americana* × *Aronia melanocarpa*; alle diese Hybriden sind recht kulturwert, sich aber oft sehr ähnlich und in bezug auf Zierwert noch genau zu beobachten.

Sorbopýrus auriculáris (*Pyrus auricularis*, ***P. Pollvéria***, *Sorbus Bollwylleriana*, *Bollwylléria auricularis*), **Hahnbuttenbirne**, ist ein interessanter Bastard von *Pyrus communis* × *Sorbus Aria*, er bildet bis 8 *m* hohe, birnenähnliche Bäume (Abb. 453) und hält in den Merkmalen die Mitte zwischen den Eltern. Für Gehölzfreunde. Kultur usw. wie *Sorbus* oder *Pyrus*.

Sórbus (vielfach auch als *Pyrus* gehend), **Eberesche, Mehlbirne** — Rosaceen. — Sträucher oder Bäume. Blätter abwechselnd, sommergrün, einfach oder gefiedert. Blüten meist weiß, nicht groß, aber in reichblütigen Doldentrauben, meist Mai bis Juni. Frucht meist rote, kleine Apfelfrucht; Kultur in jedem guten, nicht zu armen und nicht zu feuchten Boden, meist sonnig wie halbschattig; Vermehrung durch Samen oder die Formen mit Vorteil durch Veredlung auf *Crataegus oxyacantha*, diese Unterlage soll besser sein als *Sorbus Aucuparia* oder *S. Aria*; Verwendung als zum Teil prächtige Zier- und Fruchtgehölze, vergleiche das bei den Arten Gesagte.

ALPHABETISCHE LISTE DER ERWÄHNTEN LATEINISCHEN NAMEN.

(Die Ziffern bezeichnen die Seitenzahlen.)

A. Alle Blätter unpaar gefiedert (Gruppe *Aucupária*, **Eberesche, Vogelbeere**): **S. americána** (*S. microcárpa*), O.-Nordamerika, kleiner Baum, bis 12 *m*, Winterknospen kahl, Blättchen 11 bis 17, schärfer gespitzt und gesägt, Früchte kaum 6 *mm* dick, glänzend scharlachrot, hübsche Herbstfärbung, hart; zwischen dieser Art und *Aucuparia* ist der Bastard **S. spléndida**, der als *sambucifolia* in den Gärten geht, Blättchen breiter, Früchte größer als bei *americana*; **S. Aucupária**, gemeine Eberesche, Europa, Westasien bis Sibirien, bis 15 *m*, Winterknospen behaart, Blättchen 9 bis 15, Serratur ziemlich grob und kurz, Frucht zirka 9 *mm* dick, von Formen wertvoll var. *Dirkenii*, Blätter gelb getönt, var. **morávica** (var. **dulcis**), die eßbare mährische Eberesche, Frucht größer, ziemlich wohlschmeckend, ähnlich ist var. *rossica*, von der *moravica* gibt es eine f. *laciniata* mit eingeschnittenen Blättern; ferner var. *pendula*, Trauerform; alle färben sich im Herbst recht hübsch, fast alle Arten

Abb. 453. *Sorbopyrus auricularis*, Hahnbuttenbirne, 8 *m*. (Orig.: Breslau, Botan. Garten.)

Abb. 454. *Sorbus Vilmorinii*, 4 *m*. (Orig.: Hort. Vilmorin, Les Barres.)

der *Aucuparia* sind zur Fruchtzeit sehr zierend im Park: ***S. commixta*** **(*S. japónica*** Koch.), Japan, ist *americana*-ähnlich. Belaubung zierlicher: ***S. decóra*** (*S. americana* var. *decora*, *S. sambucifolia* Hort.), nordöstl. Nordamerika, sehr nahe der *americana*, aber Blättchen 7 bis 15, kürzer zugespitzt. Blüten größer, Früchte 8 bis 9 *mm* dick, sehr zierend im Herbst: ***S. discolor*** **(*S. pekinénsis*)**, Nordchina, ähnlich *commixta*, Blättchen 13 bis 17, Früchte fast durchscheinend weißlich oder gelblich rosa, schön; ***S. pohuashanensis***, Nordchina, Knospen und Blätter behaart, Blättchen 13 bis 15, Nebenblätter groß, bleibend, Frucht 8 *mm* dick, rot; ***S. tianshánica***, Turkestan, oft strauchig, kahl, Zweige glänzend rotbraun, Blättchen glänzend sattgrün, 11 bis 15, durch große, bis 2 *cm* breite, weiße, etwas nickende Blüten ausgezeichnet. Früchte bis 12 *mm* dick, rot, schöne Art; ***S. Vilmorinii*** (*S. foliolósa* der Gärten), Tracht wie Abb. 454, Zentralchina, Blättchen klein, 19 bis 29, Rhachis etwas geflügelt, Blütenstände rostig behaart, Früchte hellrosenrot, noch selten, sehr hübsch. Ferner dürften aus China teils in Kultur sein, teils bald kommen *S. Esserteauiana*, *S. hupehensis* nebst var. *apérta* (*S. aperta*) und var. *laxiflóra* (*S. laxiflora*), *S. Prattii* (*S. munda*, *S. pogonopétala*) und *S. Sargentiana*, von denen *S. hupehensis* die beste zu sein scheint. — An die *Aucuparia*-Gruppe schließt sich eng an die in den Blättern der *Aucuparia* sehr ähnliche ***S. doméstica*** (*Cormus domestica*, *Pyrus Sorbus*), der Speierling, Südeuropa. Blättchen 11 bis 17, unten flockig behaart, Früchte birnenartig, über 12 *mm* dick, gelbrot, wenn teigig genießbar, als Fruchtbaum zuweilen angebaut.

B. Blätter alle einfach, nur gezähnt, oder (bei den Hybriden mit voriger Gruppe) zum Teil fiederlappig bis fast gefiedert: I. Früchte mit bleibendem Kelch, Fruchtknoten (außer bei *torminalis*) halboberständig (Gruppe *Aria* oder *Hahnia*, **Mehlbirne**, nebst *Torminaria*, **Elsbeere**): ***S. Ária*** (*Aria nivea*), Europa, bis 10 *m*, allbekannte Mehlbirne mit einfachen, unterseits weißfilzigen Blättern mit 8 bis 12 Nervenpaaren. Früchte orange oder scharlachrot, diese Art und die folgenden Formen sind zu den schönsten Ziersträuchern zu rechnen in bezug auf Belaubung und Früchte. var. *chrysophylla*, Austrieb goldgelb, var. ***majéstica*** (var. *Decaisneána*, *S.* oder *Aria majestica*, *Aria Decaisneana*), ob aus Nepal ?, großblättrige, herrlich silberweiße Kulturform, eine analoge, mehr pyramidale Form scheint var. *lutescens* zu sein, im Austrieb gelblich; ***S. Chamaeméspilus***, Zwergmispel, 1 bis 3 *m*, fast kahl, Blätter nur bis 7,5 *cm* lang, feinzähnig Blüten rosa mit aufrechten Petalen, Früchte eiförmig, orange bis braunrot, auffällige europäische Gebirgsart von hübscher Laubtracht; ***S. cuspidáta*** (*S. vestita*, *S. nepalénsis*, *Cormus lanata*, *Pyrus Aria* var. *himalaica* Hort.), NW.-Himalaya, baumartiger Strauch, dicktriebig, Zweige erst weißfilzig, dann purpurn, Blätter bis 23 : 12 *cm*, unten prächtig weißfilzig, noch schöner als *S. Aria majestica*, aber nicht so hart, im Fruchtbau wie *domestica*; ***S. Hostii***, eine Bastardform *S. Chamaemespilus* × *S. Mougeoti*, schön tiefgrün belaubt, Frucht groß, rot; ***S. hýbrida*** Linné (*Pyrus fennica*, *Pyrus pinnatifida*), nach Rehder Bastard *S. Aucuparia* × *S. intermedia*, in den Gärten als *S. quercifolia* und *S. quercoides* gehend; damit wird aber auch meist vereint der Bastard *S. Aucuparia* × *S. Aria*; *S. hybrida* var. ***thuringiaca*** Rehder, in seinen zahlreichen Formen mit bald mehr, bald minder gefiederten Blättern, als Formen gehören hierher *S. decurrens*, *S. semipinnata*, *S. thuringiaca*, man vergleiche über solche Formen auch C. Schneider, Handb. d. Laubholzkunde I., S. 674 ff., kulturell für Liebhaber recht wertvoll; ***S. intermédia*** (***S. scándica***, *S. suecica*), Oxelbirne, Schweden, Norwegen, wird oft mit den eben besprochenen Formen verwechselt, aber Blätter ganz ungefiedert wie bei *aria*, doch Nervenpaare nur 6 bis 9; ***S. lanáta***, NW.-Himalaya, oft mit *cuspidata* verwechselt, Blätter bis 17 *cm*, Frucht wie *Aria*, noch selten in Kultur, sehr hübsch; ***S. latifólia*** (*Torminaria latifolia*), Mitteleuropa, bis 10 *m*, schöne breit- und glänzendblättrige, an *torminalis* erinnernde Art, die kein Bastard *S. aria* × *torminalis* ist, sondern dieser ist *S. decipiens*; ***S. Mougeótii***, mitteleuropäische Gebirge, hübsche, *Aria*-ähnliche Art, Blätter breiter, spitzer gelappt; ***S. torminális*** (*Torminaria Clusii*), bekannte **Elsbeere**, bis 20 *m*, (Abb. 455), schön glänzend belaubt, Blätter rundlich, tief und spitzlappig, unten zuletzt kahl und grün, Ovar unterständig, Frucht braun, rundlich, wegen Belaubung hübsch.

Abb. 455. *Sorbus torminalis*, Elsbeere, 25 *m*.
(Orig.; Hort. Grafenegg bei Wien.)

II. Fruchtkelch abfallend, eine ringförmige Narbe lassend, Fruchtknoten ganz unterständig (Gruppe *Micromeles*, Zwergapfel). — a) Blätter unterseits kahl oder nur leicht behaart: ***S. alnifólia*** (*Micromeles alnifolia*, *Pyrus Miyabei*), Japan, Mandschurei bis Mittelchina, Baum bis über 20 *m* (Abb. 456), Blätter breit bis elliptisch-eiförmig, bis 8 : 4,5 *cm*, Nervenpaare 6 bis 10, Blütenstände 6 bis 12 blütig, Mai, Griffel 2, Frucht purpurrot mit gelb, kugelig-elliptisch, September bis Oktober; ***S. caloneúra*** (*Micromeles* und *Pyrus caloneura*), Mittelchina,

Strauch oder kleiner Baum, Blätter länglich-verkehrt-herzförmig oder -elliptisch, bis 7,5 *cm*, Nervenpaare 10 bis 12, Blütenstände vielblütig, Mai, Griffel 5, Früchte braun, birnförmig, Oktober; ***S. meliosmifólia***, Mittelchina, wie vorige, aber Blätter mit 18 bis 24 Nervenpaaren, bis 20 *cm* lang, Frucht fast kugelig, braunrot. — b) Blätter unterseits bleibend grau- oder silberweiß filzig: ***S. Fólgneri*** (*Micromeles* oder *Pyrus Folgneri*), Mittelchina, breitästiger kleiner Baum, Zweige filzig, Blätter spitz-eielliptisch, bis 7 : 3,8 *cm*, oben sattgrün, Nervenpaare 8 bis 9, Blütenstände vielblütig, Mai, Griffel 3, Frucht rot, eiförmig, Oktober, sehr zierende Art; ***S. japónica*** Hedl. (*Micromeles japonica*, *Sorbus Koehnei*), Japan, wie *alnifolia*, aber Triebe weißgraufilzig, Blätter bis 12 : 8 *cm*, oben kaum kahlend, unten grauweißfilzig, Nervenpaare 11 bis 13, Früchte karminrot, weiß gepunktet.

Abb. 456. *Sorbus alnifolia*, Zwergapfel, 2,20 *m*. (Phot. A. Purpus.)

Sorbus alpina, S. Dippelii, S. heterophylla, S. hybrida, S. Sargentii, S. sorbifolia und ***S. spuria*** siehe *Sorbaronia*. — ***Sorbus arbutifolia, S. atropurpurea, S. floribunda, S. melanocarpa*** und ***S. nigra*** siehe *Aronia*. — ***Sorbus Bollwyleriana*** siehe *Sorbopyrus*. — ***Sorbus glabra*** und ***villosa*** siehe *Photinia*. — **Spalthortensie** siehe *Schizophragma*. — **Spaltkölbchen** siehe *Schizandra*. — ***Spártium*** siehe *Cytisus*. — ***Spartocýtisus*** siehe *Cytisus*. — **Speierling** siehe *Sorbus domestica*. — **Spindelbaum** siehe *Evonymus*. — ***Spinovitis*** siehe *Vitis*. — **Spirstrauch** siehe *Spiraea*.

Spiraea[39]**, Spirstrauch** Rosaceen. — Meist niedrige oder mittelhohe, sommergrüne Sträucher, Blätter einfach, abwechselnd, Blütenstände traubig, doldentraubig oder rispigscheinährig, Blüten klein, weiß, rosa oder rot, Frucht trockene Balgkapsel; Kultur in jedem Gartenboden, meist ohne besondere Ansprüche an Lage und Standort, doch im allgemeinen frischen Boden liebend; Schnitt der frühblühenden Gruppe nach Blüte, die spätblühenden im Winter; Vermehrung durch Samen (Frühjahr oder Herbst), zumeist durch krautige oder reife Stecklinge, viele auch durch Teilung; Verwendung als ausgezeichnete Blütensträucher im Garten wie im Parke, einige auch im Alpinum, vergleiche die Formen, von denen wir nur eine Auswahl nennen können.

ALPHABETISCHE LISTE DER ERWÄHNTEN LATEINISCHEN NAMEN.

(Die Ziffern bezeichnen die Seitenzahlen.)

ÜBERSICHT DER HAUPTGRUPPEN

A. Blütenstände doldig oder einfach doldentraubig (also Verästelungen einblütig), frühblühende Formen, April bis Mitte Juni, Gruppe 1 *Chamaedryon*.

B. Blütenstände flach doldenrispig oder rispig scheinährig, Juni bis September blühende Arten.

a. Blütenstände flach doldenrispig (ebensträußig), breiter als hoch: Gruppe 2 *Calospira*, S. 395.

b. Blütenstände mehr rispig scheinährig, so hoch oder deutlich höher als breit: Gruppe 3 *Spiraria*, S. 396.

Gruppe 1. *Chamaedryon*: 1. Blüten in sitzenden Dolden, ohne oder nur mit kleinen Blättchen am Grunde (oder nur die tiefer stehenden Dolden auf beblätterten Stielen): **S. argúta,** Bastard zwischen *Thunbergii* und *multiflora*. Tracht wie Abb. 457, bis 1,5 *m*. Triebe behaart, Blätter länglich lanzettlich, gesägt, Blüten reinweiß, April bis Mai, einer der allerbesten Frühjahrsblüher; **S. calcícola,** Westchina, 0,3 bis 1 *m*. Blätter elliptisch, kahl, ganzrandig, reizende wohl harte Hochgebirgsart; **S. hypericifólia,** Südosteuropa bis Sibirien, bis über 1 *m*, meist in der Form var. **obováta** (*S. obovata*) in Kultur. Blätter stumpf oboval, über Mitte gekerbt, Blüten ziemlich klein, weiß, durch die Hybriden übertroffen: **S. multiflóra,** prächtige, der *arguta* ähnliche Hybride von *crenata* mit *hypericifolia*. Blätter mehr oboval, blüht etwas später als *arguta*; **S. prunifólia,** Nordchina-Japan, kaum über 1 *m*.

Abb. 457. *Spiraea arguta*, 1,5 *m*. (Phot. A. Rehder.)

Blätter länglich eiförmig, behaart, in Kultur fast nur var. **plena,** hübsch belaubte, anfangs Mai blühende Art für geschützte Lagen; **S. Thunbérgii,** Nordchina-Japan, breit überneigend verästelt, zierlich belaubt, Blätter lineal-lanzettlich, gesägt, Blüten reinweiß, April bis Mai, reizender wertvoller Frühblüher wie Abb. 458. — II. Blüten in Doldentrauben auf beblätterten Stengeln. — a) Blätter ganzrandig oder nur gegen Spitze gezähnt oder gekerbt: **S. cana,** Osteuropa, dicht buschig wie Abb. 459, Blätter spitz-elliptisch, grau behaart; **S. crenata** (*S. crenifolia*), Osteuropa bis Altai, bis 1 *m*, erinnert an *hypericifolia*, aber alle Blätter 3-nervig, Blütenstände gestielt, blüht etwas später, Mai; **S. mollifólia,** westl. Mittelchina, bis 2 *m*, Triebe kantig, Winterknospen lang, Blätter länglich-elliptisch, weich seidig behaart, interessante Art; **S. myrtilloides,** Mittelchina, 2 bis 3 *m*, Blätter eiförmig oder länglich-oboval, ganzrandig, locker behaart, Blüten weiß, Mai bis Juni, für Gehölzfreunde; **S. nippónica (S. bracteáta),** Japan, bis 2 *m*, Blätter rundoval oder elliptisch, blüht reich, aber nur an kräftigen Trieben, Laub tiefgrün bis spät im Herbst; **S. média** (*S. confusa*), Südosteuropa bis Japan, bis 2 *m*, steht *chamaedrifolia* nahe, aber

Abb. 458. *Spiraea Thunbergii*, 1 *m*. (Phot. J. Hartmann, Dresden.)

Triebe rund und Blätter meist nur wenig gezähnt, besonders bei var. *subintegerrima* (*S. oblongifolia*), blüht reich im Mai; hübscher der Bastard mit *chamaedrifolia*: **S. oxýodon.** — b) Blätter eingeschnitten gesägt oder gelappt: **S. blanda** (*S. Reevesiana robusta* oder *nova* Hort.), ein Bastard von *cantoniensis* mit *chinensis*, bis 1,5 *m*, Blätter unten graufilzig, Blüten groß, weiß, Mai bis Juni, für geschützte Lagen; **S. cantoniénsis** (*S. Reevesiana*), China bis Japan, in Kultur fast nur var. **lanceáta** (*S. Reevesiana fl. pl.*), Laub schön grün, lange frisch bleibend, schmal rhombisch-lanzettlich, Blüten groß, weiß, gefüllt, Mai bis Juni, nur für warme Lagen; **S. chinénsis** (*S. pubéscens* Ldl.), Ost- und Mittelchina, bis 1,5 *m*, in allen Teilen gelbgrau behaart, Blätter eiförmig, oft dreilappig, blüh reich weiß im Mai, ist aber nur in warmen Lagen brauchbar; in rauheren Lagen dafür **S. pubéscens** Turcz., Nordchina, Behaarung grau; **S. Schinabéckii,** schöne

Abb. 459. *Spiraea cana*, 1 *m*. (Phot. A. Purpus.)

Hybride der *chamaedrifolia* mit *trilobata*, erinnert an *Van Houttei*, reich weißblühend; **S. trilobáta** (*S. triloba*), Nordchina, bis Turkestan, buschig, bis 1 *m*, kahl, Blätter rundlich, meist dreilappig, unten blaugrün, Zierwert übertroffen durch die Hybride mit *cantoniensis*: **S. Van Hoúttei** (*S. aquilegifolia* var. *Van Houttei*), bis 1,5 *m*, Blätter stumpf rhombisch-oboval, kahl, oben tief-, unten blaugraugrün, in Blüte spätes Gegenstück zu *arguta*, ausgezeichnet. Mai bis Juni.

Abb. 460. *Spiraea pumilionum*, 20 *cm* hoch, 40—45 *cm* Durchmesser. (Phot. A. Purpus.)

Gruppe II. *Calospira*: A. Zwergsträucher, etwas niederliegend. Blütezeit Mai bis Juni, oft nochmals August: **S. decúmbens**, Kärnten, Krain, Südtirol, bis 20 *cm*, Blätter spitzoval, gegen Spitze scharf gesägt, kahl, dagegen alles behaart bei **S. Hacquétii**, und hierzu der Bastard bei der **S. pumilíonum**, wie Abb. 460, alle drei gut für Felsanlagen. — B. Aufrechte Sträucher, meist höher: a) Blütenstände an meist kurzen Seitentrieben längs der gewöhnlich übergebogenen einjährigen Hauptzweige: α) Blüten rosa, zweihäusig: **S. bella** (*S. expansa* Wall., *S. ovata* und *S. coccinea* Hort.), Himalaya, Triebe kantig (bei der weiß blühenden echten *expansa* Koch [*S. fastigiáta*] rundlich), Blätter spitz eielliptisch, fast kahl, unten weißlich oder blaugrau, Blüten im Juni, nur für warme Gegenden. — β) Blüten weiß, normal: **S. canéscens** (geht als *S. cuneata*, *cuneifolia*, *flagellata*, *flagelliformis*, *rotundifolia* und *vaccinifolia* in den Gärten), Himalaya, dicht sparrig ästig, 1 bis 2 *m*, treibt auffällige peitschenförmige kantige Langtriebe, Blätter breit bis verkehrt eiförmig, fast sitzend graugrün, unten weich behaart, Blüten etwas rahmweiß, sehr reich im (Juni bis) Juli, für warme Lagen sehr gut; **S. Hénryi**, Mittelchina, 1 bis 4 *m*, Tracht wie Abb. 461, Winterknospen kurz, Blätter länglich oboval, grob gezähnt, unten etwas zottig behaart, ebenso Blütenstände, diese besonders schön bei var. *notabilis*, Juni, schöne kulturwerte Art, ebenso die sehr ähnliche **S. Wilsonii**, Mittel- und Westchina, mit mehr trübgrünem weniger gezähntem Laub und kahlen Blütenständen;

Abb. 461. *Spiraea Henryi*, 75 *cm*. (James Veitch and Sons.)

S. longigémmis, Nordwestchina, bis 1 *m*. Triebe rundlich, Winterknospen länger als Blattstiele, Blätter kahl, eilanzettlich, doppelt gesägt, Blütenstände locker, Juni, hübsch; ähnliche Knospen hat ***S. Rosthórnii*** (*S. Prattii*), westl. Mittelchina, bis 2 *m*, Blätter tiefer gezähnt, unten behaart, lebhaft hellgrün, sehr kulturwert; ***S. Sargentiána***, westl. Mittelchina, bis 2 *m*, erinnert an *canescens*, Triebe rundlich, Blätter länglich-elliptisch, fast ganzrandig, unten behaart, Blüten leicht rahmweiß, Juni, schön aber nicht so hart wie vorhergehende Arten; ***S. Veitchii***, Mittelchina, bis 3,5 *m*, Blätter stumpf länglich eiförmig, oben kahl, ganzrandig, blüht reich im Juni bis Juli, späteste und wohl schönste dieser Gruppe. — b) Blütenstände an langen aufrechten Jahrestrieben endständig: α) Blütenstände kahl: hierher die ostasiatische ***S. betulifólia*** und die sehr nahe stehenden Amerikaner ***S. densiflóra*** (*S. betulifolia* var. *rosea*, *S. splendens*, *S. rosea*, *S. arbuscula*), ***S. lúcida*** (*S. corymbosa* var. *lucida*) und ***S. virginiána***, alle drei nur für Gehölzfreunde. — β) Blütenstände behaart: ***S. albiflóra*** (*S. japonica* var. *alba*, *S. leucantha*), Japan, bis 40 *cm*, ähnlich *Bumalda*, aber Blüten weiß; ***S. bulláta*** (*S. crispifolia*), kleine japanische Zwergform, bis 35 *cm*, Blätter rundoval, etwas blasig runzelig, Blüten dunkelrosa, Juli bis August, für Steingarten und Einfassungen; ***S. Bumálda*** (*S. pumila*, *S. japonica* var. *Bumalda*), Bastard zwischen *albiflora* und *japonica* (Abb. 462), kaum über 50 *cm*, Zweige steif, kantig, fast kahl, Blätter eilanzettlich, scharf doppelt gesägt, kahl, Blüten tief rosa, als beste Formen können gelten var. „Anthony Waterer", prächtig karminrot, beste rotblühende niedrige Form, Juli bis September, etwas höher ist die Sorte „Walluf", ferner var. ***Froébeli*** (*S. callosa* var. *Froebeli*), üppiger, Blätter breiter oval; ein Bastard zwischen *bullata* und *Bumalda* ist ***S. Lemoinei*** (*S. Bumalda* var. *ruberrima* Hort.), erinnert an *bullata*, blüht rosa; ***S. corymbósa*** (*S. crataegifolia*), östl. Verein. Staaten, kaum über 60 *cm*, Blätter stumpf eiförmig, kahl, unten blaugrau, Blüten weiß, Mai bis Juni, wertvoller der Bastard mit *albiflora*: ***S. supérba***, Blätter länglich, spitz, Blüten etwas größer, rosa, Juni bis Juli; sehr schön eine weitere Kreuzung der *superba* mit *japonica*: ***S. Margaritae***, bis 1 *m*, Triebe und Blattunterseiten etwas behaart, Blüten rosa, Juni bis August; ***S. japónica*** (*S. callosa*), China bis Japan, in Kultur besonders var. ***Fórtunei*** (*S. Fortunei*), bis 1,25 *m*, Triebe rundlich, Blätter spitz länglich-lanzettlich, doppelt gesägt, oben rauhlich, unten blauweiß, Blüten hell- oder dunkelrosa, Juni bis Juli, verschiedene wilde Formen in Japan und China, für uns bedeutsam var. *atrosanguinea*, Blütenstände filzig, Blüten tief rosa, ähnlich var. *ruberrima*, weniger behaart; sonst siehe *Bumalda* und *albiflora* und Bastarde.

Abb. 462. *Spiraea Bumalda*, 0,6 *m*. (Orig.: Hort. Széchenyi, Nagyvárad.)

Gruppe III. *Spiraria*: 1. Blütenstandrispen etwa so breit wie hoch (Bastarde von *Calospira* mit *Spiraria*): ***S. conspícua*** (*S. albiflora* × *S. alba*), bis 75 *cm*, Blätter spitz länglich elliptisch, fast kahl, Blüten rosaweiß, Juli bis September, sehr ähnlich sind *S. syringaeflóra* und *S. semperflórens*; ***S. Fontenaysi*** (*S. fontenayensis*, *S. canescens* × *S. salicifolia*), bis 1,5 *m*, Blätter stumpf länglich-eiförmig, unten hell bläulichgrün, fast kahl, Juni bis Juli.

Blüten weiß (var. *alba*) oder rosa (var. *rosea*), ähnlich ***S. pruinósa*** (*S. brachybótrys, S. luxurians, S. canescens* × *S. Douglasii*), Blätter unten filzig, Blüten rosa; ***S. nótha*** (*S. corymbosa* × *S. latifolia*), bis 75 *cm*, Blätter stumpf breitoval, fast kahl, Blüten weiß oder rosa, Juli bis August; ***S. sansouciána*** (*S. Nobleana* Hook., *S. Regeliána, S. japonica* × *S. Douglasii*), bis 1 *m*, Triebe und Blattunterseiten filzig, Blätter aus keilförmigem Grunde länglich-lanzettlich, Blüten rosa, sind sehr hübsch; ***S. Watsoniána*** (*S. Douglásii* var. *Nobleana, S. Nobleana* Zab.) ist voriger sehr ähnlich, aber Blattgrund gerundet, stellt natürliche Hybride zwischen *S. densiflora* und *Douglasii* dar; sehr ähnlich ist ***S. pachystáchys*** (*S. corymbosa* × *S. Douglasii*), Blätter breiter, Blüten heller rosa. — II. Blütenstände schmal rispig, länger als breit (eigentliche *Spiraria*): ***S. alba*** (*S. salicifólia* var. *paniculáta, S. lanceoláta*), östl. Verein. Staaten, bis 1,5 *m*, mit weißen Blüten und die nahe verwandte ***S. salicifólia*** aus Südosteuropa bis Japan, mit rosa Blüten, beide mit behaarten Blütenständen, sowie ***S. latifólia*** (*S. salicifolia* var. *latifolia, S. carpinifolia, S. bethlehemensis* Hort.) aus den östl. Verein. Staaten mit weißen Blüten und kahlen Blütenständen, sind alle drei durch die folgenden Arten und Hybriden an Zierwert übertroffen: ***S. Billiárdii*** (*S. Douglasii* × *S. salicifolia*), bis 1,25 *m* (Abb. 463), Blätter spitz länglich-lanzettlich, unterseits meist nur jung graufilzig, Blüten lebhaft rosa, Juli bis August, sehr ähnlich ist, was in den Gärten als *S. bethlehemensis rubra, S. californica, S. Constantiae, S. eximia, S. Lenneana* und *S. triumphans* geht; ***S. Douglásii***, westl. Nordamerika, bis 2 *m*, Triebe behaart, Blätter länglich, stumpf, unten weißfilzig, Blüten tief rosa, Juli bis August, Früchte kahl; sehr nahe steht ***S. tomentósa*** aus dem östl. Nordamerika, bis 1 *m*, Blätter spitz länglich-eiförmig, Blüten rosa oder purpurn, früher, Früchte behaart, ohne Ausläufer, die die meisten Arten der Gruppe *Spiraria* besitzen; ***S. Menziésii*** (*S. Douglasii* var. *Menziesii*), nordwestl. Nordamerika, Blätter länglich-oboval, unten hellgrün, kahlend, Blüten schön rosa, Juni bis August, hübsche wilde Art, was unter diesem Namen in den Gärten geht, ist meist *S. Billiardii* oder eine Form davon, zu diesem Bastard gehören *S. Menziesii* var. *eximia* und var. *triumphans*, welch letzte vielleicht die schönste Form der *Spiraria*-Gruppe ist.

Abb. 463. *Spiraea Billiardii*, 1 *m*. (Orig., Hort. Szechenyi, Nagyvarad.)

Spiraéa Aitchisónii, S. arborea, S. grandiflora, S. Lindleyána und **S. sorbifólia** siehe *Sorbaria*. — **Spiraéa amurensis, capitata** und **opulifolia** siehe *Physocarpus*. — **Spiraea ariaefolia** siehe *Holodiscus*. — **Spiraea grandiflora** siehe auch *Exochorda*. — **Spiraea laevigata** siehe *Sibiraea*. — **Spiraea millefólium** siehe *Chamaebatiaria*. — **Spiraea pectinata** siehe *Luetkea*.

Spiraeánthus Schrenkianus (*Spiraea Schrenkiana*) ist ein Wüstenstrauch aus der Songarei, der bei uns noch nicht versucht wurde; siehe C. Schneider, Handb. d. Laubholzkunde I., S. 492.

Spitzahorn siehe *Acer palmatum*. — **Stachelbeere** siehe *Ribes* — **Stachelkraftwurz** siehe *Acanthopanax*.

Stachyúrus praécox, Schweifähre — Stachyuraceen. — Bis 3 *m* hoher, etwas überhängender, sommergrüner Strauch aus Japan. Triebe glänzend rotbraun, Blätter abwechselnd, einfach, hellgrün, Blüten gelblich, unangenehm riechend, im März bis April vor den Blättern in achselständigen, steif hängenden, ährigen Trauben; Kultur in geschützten, warmen Lagen etwas halbschattig in gutem, durchlässigem Boden; Vermehrung durch Samen, Ableger und krautige Stecklinge (Glashaus); Verwendung in milderen Gegenden als interessante Frühblüher, doch leiden die nackt überwinternden Blütenknospen leicht durch Fröste. Sehr ähnlich der etwas üppigere ***S. chinénsis*** aus Mittelchina, Triebe stumpf gefärbt, Blätter mehr kerbig gesägt, blüht etwas später.

Staehelina uniflosculósa — Compositen. — Niederliegend-aufstrebender, bis 30 *cm* hoher, grauweißfilziger, sommergrüner Strauch (Abb. 464) aus Griechenland, Blätter wechselständig, oblong, Blütenköpfchen klein, violett, in Scheindolden, Juli bis September; Kultur als Felsenpflanze in warmen, sonnigen Lagen mit Schutz gegen Winternässe, für erfahrene Pfleger in milderen Gegenden; Vermehrung durch Samen, Sommerstecklinge (unter Glasglocke) und Teilung.

Abb. 464 *Staehelina uniflosculosa*, 20 *cm*. (Phot. A. Purpus.)

***Staphyléa*, Pimpernuß** — Staphyleaceen. — Sommergrüne Sträucher. Blätter gegenständig, 3 bis 7 zählig, Blüten ziemlich ansehnlich, weiß, rispentraubig. Frucht aufgeblasene Kapsel; Kultur in gutem Gartenboden in warmer, sonniger bis halbschattiger Lage; Schnitt nach Blüte soweit nötig, im Winter hie und da auslichten; Vermehrung durch Samen (Frühjahr), Ableger und krautige Stecklinge getriebener Pflanzen; Verwendung der schöneren Formen als hübsche Blütensträucher, *S. pinnata* auch als Unterholz; die Früchte bleiben lange hängen.

A. Blätter stets nur dreizählig: I. Mittelblättchen kurz, bis kaum 12 mm, gestielt: ***S. Bumálda***, Japan, kaum über 1 *m*, Blätter zierlich, unterseits nur an Nerven behaart. Blütenstände sitzend, aufrecht, locker, gelblichweiß, Juni, der Strauch verkahlt unterwärts nicht so leicht und treibt früher als die anderen Arten. — II. Mittelblättchen länger gestielt, auch Blütenstände gestielt: ***S. holocárpa*** (*S. lohocarpa*), Mittelchina, baumartig, bis 8 *m*, Blättchen unterseits nur gegen Grund etwas behaart, Blüten vor oder mit Blattausbruch im Frühjahr, in hängenden Rispen, weiß oder rosa, schön, scheint zum Treiben geeignet; ***S. trifólia***, östl. Nordamerika, bis 6 *m*, Blätter unterseits behaart, Blüten in nickenden Doldenrispen, weiß, April bis Mai, ohne großen Zierwert aber gutes Unterholz; zu dieser Gruppe auch die empfindlicheren ***S. Bólanderi***, Kalifornien, mit stumpfeiförmigen Blättchen und Blütenständen wie Abb. 465, sowie *S. Emódi* aus dem Himalaya mit länglichen Blättchen und hängenden Rispentrauben. — B. Blätter (wenigstens an Langtrieben) 3 bis 7 zählig ***S. cólchica*** (*Hoibrenkia formosa* Hort.), Kaukasus, bis 4 *m*, Blättchen unterseits kahl und glänzend grün, Blütenstände aufrecht, breitrispig, bei var. *laxiflora*[70]) dünnrispig, hängend. Blüten weiß, Mai bis Juni. Kapseln (nach Bean) bis 10 *cm* lang; schön blühend und gut zum Treiben; eine üppige Form mit größeren Blättern ist var. ***Coulombiéri*** (*S. Cou-*

Abb. 465. Blütenzweige von *Staphyléa Bolanderi*. (Phot. A. Purpus.)

Abb. 466. *Stephanandra Tanakae*, Kranzspire. (Phot. A. Purpus.)

lombieri), die von manchen gleich *elegans* als Bastard angesprochen wird, zu *Coulombieri* die f. *grandiflora*, die als besonders gut in Blüte gilt; ein echter Bastard mit *pinnata* ist **S. élegans** mit großen nickenden Blütenständen und einer gedrungenen, reich rosaweiß blühenden Form var. **Héssei** *(S. colchica* var. *Hessei)*; **S. pinnáta**, Europa-Westasien, baumartig bis 6 *m*, Blätter unterseits stumpf bleichgrün, Blütenknospen fast kugelig, Rispen traubig, hängend. Kapsel nur bis 3 *cm* lang, hart, aber in Blüte nicht so schön wie vorhergehende Formen.

Stauntónia hexaphýlla — Lardizabalaceen. — Mit *Akebia* verwandter, immergrüner Schlingstrauch aus Japan, Blätter wechselständig, handförmig zusammengesetzt, 5—6 zählig, Blüten in gestielten, 2—4 blütigen Scheindolden, weißlichviolett, Frucht walnußgroße Beere, violettpurpurn, bis 6 *cm* lang; Kultur ähnlich *Akebia*, aber sehr empfindlich und nur für recht geschützte warme Lagen, besonders Seeklima.

Stechdorn siehe *Paliurus*. — **Stechginster** siehe *Ulex*. — **Stechpalme** siehe *Ilex*. — **Stechwinde** siehe *Smilax*. — **Steinapfel** siehe *Osteomeles*. — **Steineiche** siehe *Quercus sessiliflora*. — **Steinklee** siehe *Medicago*. — **Steinkraut** siehe *Alyssum*. — **Steinkresse** siehe *Aethionema*. — **Steinlinde** siehe *Phillyrea*. — **Steinsame** siehe *Lithospermum*.

***Stephanándra*, Kranzspire** — Rosaceen. — Zierliche, bis 1,5 *m* hohe, sommergrüne, zweizeilig belaubte Sträucher (Abb. 466). Blätter abwechselnd, einfach, lappenzähnig, Blüten klein, weiß, rispentraubig, Juni bis Juli; Kultur in jedem etwas humosen Gartenboden in warmer Lage, sonnig; Vermehrung durch Samen, Ausläufer Teilung und krautige, auch reife Stecklinge; Verwendung als reizende Gartensträucher, besonders *S. Tanakae* wegen der prächtigen, lange andauernden Herbstfärbung.

S. incisa *(S. flexuósa)*, Japan, zierlich überhängend, Blätter bis 7 *cm*, wohl spitz, aber Lappung stumpflich, Staubblätter 10, Juni; **S. Tanákae**, Japan, etwas üppiger, Blätter bis 12 *cm*, spitzlappiger, Staubblätter 20, blüht etwas später und reicher.

Sternhortensie siehe *Decumaria*.

Sterculia (*Firmiana*) ***platanifólia*** ist ein an der Riviera viel angepflanzter japanisch-chinesischer Baum, der aber für uns wohl bedeutungslos ist.

Stévia salicifolia ist eine mexikanisch-texanische Composite, die an *Iva* erinnert, Blüten weiß; Kultur usw. etwa wie *Baccharis*, aber viel empfindlicher.

Stewartia siehe *Stuartia*. — **Stieleiche** siehe *Quercus robur*. — **Storaxbaum** siehe *Styrax*. — **Strahlengriffel** siehe *Actinidia*.

Abb. 407. *Stranvaesia Davidiana*, 1,25 *m*. (James Veitch and Sons)

Stranvaésia *(Strangwaysia)* ***Davidiána*** *(S. Henryi)*, **Stranvaesie** Rosaceen. Immergrüner mittelchinesischer Strauch (Abb. 407), in Heimat oft Baum, bis 8 *m*. Triebe behaart, Blätter abwechselnd, einfach, ganzrandig, länglich-lanzettlich, fast kahl, Blüten in endständigen Ebensträußen, weiß, Juni. Früchte karminrot; Kultur usw. ähnlich *Photinia*; hart und besonders zur Fruchtzeit zierend; verdient viel Beachtung als immergrüner Strauch, auch für Halbschatten; ebenso var. ***undulata*** *(S. undulata)*, die bei uns niedriger Strauch bleibt und etwas welligrandige breitere Blätter und korallenrote Früchte hat; empfindlicher ist ***S. Nússia*** *(S. glaucescens, S. glauca)*, Himalaya. Blätter fein gezähnt, Frucht orangerot.

Strauchimmortelle siehe *Ozothamnus*. **Strauchwegerich** siehe *Plantago*. — **Strohblume** siehe *Helichrysum*.

***Stuártia*, Scheinkamelie** — Theaceen. — Sommergrüne, bei uns kaum über 3 *m* hohe Sträucher, Rinde abblätternd glatt, Blätter abwechselnd, einfach, sattgrün, Blüten weiß, groß, Juli bis August, Frucht holzige Kapsel; Kultur in gutem, frischem, humosem, durchlässigem Boden in warmer, sonniger Lage; Vermehrung durch Samen, Ableger und reife Stecklinge (Glashaus); Verwendung als prächtige, zur Blütezeit höchst ansehnliche, im Herbst sich meist wundervoll verfärbende Ziersträucher, die sich im Arnold Arboretum recht hart gezeigt haben und mehr Beachtung verdienen.

S. pentágyna *(Malachodendron ovatum)*, O.-Nordamerika, bis 5 *m*. Blattgrund mehr rundlich, Blüten bis 9 *cm* breit, offen, mit oft 6 Petalen, Griffel 5, frei; ***S. Pseudocamellia*** (Abb. 408), Japan, höher. Blätter beidendig zugespitzt, im Herbst dunkel bronzepurpurn, Blüten mehr halbkugelig, 5 bis 7 *cm* breit, Petalen 5, Griffel verbunden.

***Stýrax*, Storaxbaum** Styracaceen. — Sommergrüne Sträucher oder Bäume. Blätter einfach, abwechselnd, Blüten büschelig oder traubig, weiß, Frucht steinfruchtartig; Kultur in gutem, etwas frischem, humosem, durchlässigem Gartenboden, in warmer, sonniger Lage, in rauheren Gegenden Bodenschutz und eventuell Winterdecke; Vermehrung durch Samen (nach Reife), Ableger und zuweilen Veredlung auf *Halesia*, Stecklinge wachsen nur selten; Verwendung als schön belaubte, reichblühende Sträucher für Garten und Park, mehr freistehend auf Rasen.

S. americána (*S. glabrum*, *S. laevigatum*), südöstl. Vereinigte Staaten, Strauch, bis 3,5 *m*, wie *japonica*, aber Blätter etwas mehr behaart, gleichmäßig kurz zugespitzt, Kelch und Blütenstiele behaart, blüht vom April ab, nicht so hart und schön wie *japonica*; ***S. dasyántha***, Mittelchina, bis 10 *m*, junge Triebe rotbraunbehaart, Blätter schwach glänzend, gelblichgrün, spitz elliptisch, bis 10 *cm*, gesägt, Blüten in Rispentrauben, weiß, Juli, Härte zu erproben; ***S. Hemsleyána***, Zentralchina, baumartig, Blätter breit oval, bis 15 *cm*, fein entfernt gezähnt, Blütenstände langtraubig, bis etwas rispig, weiß, Juni, schön, auch noch zu erproben; ***S. japónica***, Japan, China (Abb. 469), bekannteste Art, bis 10 *m*, Blätter fast kahlend, mit abgesetzter deutlicher Zuspitzung, Blüten in 3 bis 6 blütigen, hängenden, kahlen Trauben, sehr duftend, Mai bis Juni, für kleine Anlagen sehr hübsch, hart, wie auch ***S. Obássia***, China bis Japan, baumartig, Blätter groß, rundoval, bis 20 *cm*, unterseits feinfilzig, Blütentrauben groß, bis 16 *cm*, Blüten bis 2,5 *cm* lang, Juni, prächtig, in Jugend Schutz; ***S. Wilsonii***, Mittelchina, sparriger, dichter Strauch, bis 1,5 *m*, schon jung blühend, Blätter oval, nur 2,5 *cm* gezähnt, unterseits filzig, Blüten zu 3 bis 7 büscheltraubig, weiß, für geschützte Lagen.

Abb. 468. *Stuartia Pseudocamellia*, junge Pflanze 1,40 *m*. (Phot. A. Purpus.)

***Suaeda fruticosa*, Kelchmelde,** ist ein mediterraner Salzstrauch mit fleischigen, linealen Blättern, von dem das bei *Sarcobatus* Gesagte gilt.

Süßholz siehe *Glycyrrhiza*. — **Sumach** siehe *Rhus*. — **Sumpfeiche** siehe *Quercus palustris*. — **Sumpferle** siehe *Iva*. — **Sumpfheidelbeere** siehe *Vaccinium uliginosum*. — **Sumpfporst** siehe *Ledum palustre*. — **Sumpfrose** siehe *Rhodora*. — **Surenbaum** siehe *Cedrela*. — ***Svida alternifolia*** siehe *Cornus alternifolia*.

Sycópsis sinénsis — Hamamelidaceen. — Immergrüner hoher Strauch aus Zentralchina, Blätter abwechselnd, einfach, unterseits büschelhaarig; Blüten kopfig, wenig ansehnlich, Frucht trockne, eiförmige, behaarte Kapsel; Kultur usw. wie *Hamamelis*; Vermehrung durch Samen (nach Reife), Ableger im Sommer oder Stecklinge von angetriebenen Pflanzen, Frühjahr; Verwendung als an geschützten Orten selbst im Arnold Arboretum harte Immergrüne, die mehr erprobt werden sollte.

Symphoricárpus (*Symphória*), **Schneebeere** — Caprifoliaceen. — Niedrige oder mittelhohe, ausläufertreibende Sträucher, Blätter sommergrün, einfach, gegenständig, Blütenstände kurzährig oder gebüschelt, Blüten ziemlich klein, Frucht saftige Scheinbeere, meist lange bleibend; Kultur in jedem nicht zu armen Gartenboden in fast jeder Lage, man vergleiche die Arten; Rückschnitt und Auslichten wenn nötig im Winter; Vermehrung durch Ausläufer und krautige wie reife Stecklinge, auch Samen; Verwendung siehe Arten.

A. Blumenkronröhre breitglockig, so lang oder kürzer als die Blumenkronabschnitte:

Abb. 469. *Styrax japonica*, japanischer Storaxstrauch, 3,5 *m*. (Phot. A. Rehder.)

S. acútus *(S. mollis* var. *acutus, S. mollis* Hort.), westl. Verein. Staaten, kleiner, niedergestreckter Strauch, Blätter meist unter 2 *cm* lang, spitz-eiförmig oder lappenzähnig, unterseits blaugrau, Blüten klein, rosa, Staubblätter und Griffel eingeschlossen, Juni bis Juli, Frucht weiß, August bis September, für Felsanlagen zu empfehlen; ***S. Héyeri***, ein Bastard *occidentalis* mit *racemosus*, sehr hübsch, sonst *occidentalis* recht ähnlich; ***S. occidentalis***, Michigan bis Rocky Mts., bis 1 *m*, aufrecht, zuerst austreibend, Blätter derb, groß, selbst an Blütenzweigen 4 bis 8 *cm* lang, Blüten ansehnlicher als bei *racemosus*, rötlichweiß, Staubblätter und Griffel vorragend, Juni bis August, Frucht weiß, bis 1 *cm* dick, schöner als *racemosus* und auch ganz hart; ***S. orbiculátus*** *(S. vulgáris, Symphoria conglomerata)*, östl. Verein. Staaten, **Korallenbeere,** bis 1 *m*, dicht, ausgebreitet verzweigt, Blätter rundlich, Blüten dicht gebüschelt, grünlichrot, Früchte schön rot, klein, gedrängt, Laub lange bleibend, gutes Unterholz, auch durch Früchte recht zierend, eine gelbrandige Form ist var. *variegátus* (var. *aureo-reticulatus* oder *aureo-variegatus)*; ***S. racemósus*** *(S. albus* var. *laevigatus)*, Nordamerika, meist nicht über 1,5 *m*, Blätter stumpf elliptisch, kahl, einer der allerbesten Sträucher für Unterholz, durch die weißen Beeren im Winter zierend, die typische *S. albus* Blake *(Vaccinium album* L.), geht als *racemosus* var. *pauciflorus* in den Gärten, niedriger. — B. Blumenkronröhre röhrig, 2 bis 5 mal so lang wie die Kronenabschnitte: ***S. oreóphilus***, W.-Nordamerika, kleiner Strauch mit meist gelappten Langtriebblättern, Blüten rötlich, Juni bis Juli, Früchte weiß, für Gehölzfreunde in kleinen Gärten; ähnlich ***S. rotundifólius***, doch sind die Kulturformen unter diesen Namen zum Teil unsicher.

Sýmplocos paniculáta **(*S. crataegoides*). Blaubeere** — Symplocaceen. — Sommergrüner Strauch oder baumartig (Abb. 470) aus China bis Japan, dicht breit wagerecht verästelt, Triebe behaart, Blätter einfach, wechselständig, oboval, etwas gelbgrün, unterseits etwas behaart, Blüten rispentraubig, an Kurztrieben, weiß, *Crataegus*-artig duftend, Mai bis Juni, Früchte beerenartig, kugelig, kobaltblau: Kultur in gut durchlässigem Boden in warmer, sonniger Lage, soll Kalk meiden; Vermehrung durch krautige Stecklinge unter Glas, auch Ableger, Samen liegen zwei Jahre; Verwendung im Garten und Park, wertvoll, vor allem wegen der seltenen auffallenden Fruchtfarbe.

Syringa[3]), **Flieder, falscher Holler** — Oleaceen. — Meist hohe, sommergrüne Sträucher. Blätter gegenständig, einfach, ganzrandig, selten fiederschnittig. Blüten meist lila oder weiß, in schönen Rispen, gewöhnlich gut duftend. Frucht kleine längliche Kapsel; Kultur in jedem guten nahrhaften, etwas humosen, nicht nassen Boden in warmer, sonniger Lage; Schnitt der Gruppe A. I. nach Blüte, im Winter nur Auslichten, bei den Sommerblühern Schnitt nach Bedarf im Winter; Vermehrung durch Samen und Ausläufer, auch krautige Stecklinge angetriebener Pflanzen, meist aber die Sorten durch Veredlung auf die Stammarten, durch Stecklinge vor allem *chinensis*- und *persica*-Formen; Verwendung als erstklassige Blütenpflanzen, man vergleiche das unten Gesagte.

ALPHABETISCHE LISTE DER ERWÄHNTEN LATEINISCHEN NAMEN.
(Die Ziffern bezeichnen die Seitenzahlen.)

A. (B. siehe S. 405) Blütenröhre lang, den Kelch weit überragend, Staubblätter eingeschlossen, höchstens Staubbeutelspitzen zwischen den Kronenlappen hervorragend (Untergattung *Eusyringa*). — I. (II. siehe S. 404) Blütenstände am alten Holze aus Seitenknospen ohne Einschaltung von Blättern hervorgehend. Blüten vor oder mit Blattausbruch (Gruppe *Vulgares*). — a) Staubbeutel dunkelviolett, Blätter unterseits wenigstens jung behaart: ***S. Juliánae***, Mittelchina, breiter Strauch, bis 1,5 *m*, Zweige behaart, Blätter spitz eielliptisch, unten besonders an Nerven behaart, nur bis 5 *cm* lang, Blütenstände bis 10 *cm*, außen tief lilapurpurn, duftend, Mai bis Juni, sehr schöne reichblühende Art für den Garten; ***S. pubéscens*** (*S. villósa* Decn., *S. villosa* var. *ovalifólia*), Nordchina, sparriger Strauch, 1,5 bis 5 *m*, Triebe kahl, etwas 4 kantig, Blätter dunkelgrün, rhombisch-eiförmig bis rundoval, bis 8 *cm*, unten besonders an Rippe behaart, Blütenstände bis 12 : 6 *cm*, meist früh im

Abb. 470. *Symplocos paniculata*, Blaubeere, 3 *m*. (Phot. A. Rehder.)

Mai, hellila, stark nach Jasmin duftend, in geschützten Lagen sehr schön; an *pubescens* schließt sich an die in der Herkunft unsichere in Nordchina nur kultiviert bekannte reizende kleine **S. Méyeri,** die schon als sehr kleine Pflanze blüht und dichte kopfige Blütenstände entwickelt, Blüte fein und langröhrig, zu beobachten. — b) Staubbeutel gelb oder nur wenig gerötet. — α) Blätter gefiedert, Blättchen 7 bis 9: **S. pinnatifólia,** Mittelchina, aufrechter bis 1,5 *m* hoher Strauch, kahl, Blütenstände weißlich-rosa, klein, etwa 5 bis 6 *cm*, wenig ansehnlich, interessante Art, Kulturwert noch fraglich. — β) Blätter einfach, bei *persica laciniata* etwas fiederschnittig. — 1. Blätter besonders unten etwas schimmernd filzig, auch Blütenstände reich behaart: **S. Koehneána** (*S. velutina* Hort., nicht Komarow), wahrscheinlich Nord- oder Mittelchina, Triebe behaart, Blätter eiförmig oder lanzettlich, bis 8 *cm*, Blütenstände bis 10 *cm*, Blüten lila, ähnlich *pubescens*, aber Antheren hell; die echte *S. velutina* Kom. hat eine durch drüsige Haare ausgezeichnete Behaarung und ist nicht in Kultur, sowenig wie die echte *S. tomentella*, die der *villosa* nahe steht. — 2. Blätter nie schimmernd filzig, meist kahl oder stark kahlend: Blattgrund breit abgestutzt bis herzförmig: **S. affinis** (*S. oblata* var. *alba* Hort.), Nordchina, hoher locker verästelter Strauch, junge Triebe und Blätter fein behaart, Blätter ähnlich *oblata*, aber kaum über 8 *cm* breit, Blütenstände locker, bis 15 *cm* lang, weiß, April bis Mai; lilapurpurne Blüten hat die stärker behaarte var. **Giráldii** (*S. Giraldii*), beide in Blüte widerstandsfähiger gegen Kälte als die sonst schönere **S. obláta,** Nordchina, Triebe und Blätter kahl, diese jung bronzefarben, bis über 12 : 10 *cm*, schöne rote Herbstfärbung, Blütenstände dicht, bis 15 : 8 *cm*, fliederfarben, in günstigen Jahren von anfangs April ab; schön die Hybride mit *vulgaris*: **S. hyacinthiflóra,** die nur gefüllt bekannt ist und eine prächtige frühe Form darstellt, auch gute Herbstfärbung der Blätter, ist an der Entstehung der besten Gartenformen der *vulgaris* beteiligt: **S. vulgáris,** Südosteuropa bis Afghanistan, bis über 5 *m*, altbekannter wertvoller Zierstrauch, Triebe und Blätter kahl, diese spitz-eiförmig, bis 10 : 6 bis 7 *cm*, Blütenstände bis 25 *cm*, Blüten violett, Mai, hiervon viele meist hybride Kulturformen, als ausgezeichnete Gartensorten gelten: einfache: „Alba grandiflora", groß weiß, „Charles X.", dunkel lilarot, „Congo", dunkelrot, „Frau Bertha Dammann", weiß, „Gloire des Moulins", hellrosa, „Marie Legray", in Knospe rahmfarben, dann reinweiß, „Aline Mocqueris", dunkelrot, „Mad. Fr. Morel", rosalila, sehr große Rispen, „Emil Liebig", Knospe lebhaft rosa, im Aufblühen heller, „Marlyensis", („rubra de Marly"), lilarot, „Negro", tief violett-purpurn, „Pasteur", weinrot, großblumig, „Andenken an Ludwig Späth", dunkelpurpurn, sehr große Rispen, „Ambroise Verschaffelt", rosa-lila. — Gefüllte: „Belle de Nancy", seidig rosa mit weißer Mitte, „Michel Buchner", hellila, groß, stark gefüllt, „Condorcet", lilablau, „Charles Joly", tiefdunkel purpurn, „Mad. Abel Chatenay", milchweiß, „Comte Horace de Choiseul", lilapurpurn, „Jeanne d'Arc", weiß, „Mad. Lemoine", eine der schönsten weißen, ebenso „Miss Ellen Willmott", „Le printemps", zart rosalila, früh, „Léon Simon", rosa bis blaulila, und viele andere. — Blattgrund keilig: **S. chinénsis** (*S. dubia*, *S. rothomagensis*, *S. varina*), eine alte Kreuzung zwischen *vulgaris* und *persica*, bis 4 *m*, kahl, Blätter eilanzettlich, reichblühend, lila oder weiß (var. *alba*), hellpurpurn (var. *metensis*), tief purpurn (var. *Saugeana* oder var. *rubra*) und gefüllt (var. *duplex*), wertvolle Art für große Anlagen, Mai bis Juni; **S. microphýlla** (*S. Dielsiana*), Mittel- und Nordchina, kleiner Strauch, bis 1 *m*, sieht wie eine Miniaturausgabe der *Julianae* aus, für Liebhaber; **S. pérsica,** ebenfalls orientalische Kulturform, der wilde Typ dürfte *S. afghanica* sein, bis 1,5 bis 2 *m*, Blätter lanzettlich, bei var. *laciniáta* (*S. pinnata*, *S. pteridifólia*, *S. filicifólia* Hort.), fiederlappig eingeschnitten, meist in allen Teilen kleiner, sonst noch eine weiße Form, var. *alba* (*S. Steencruysii* Hort.), und eine rote, var. *rubra*: gute Gartenpflanze für Mai bis Juni.

II. Blütenstände am Ende diesjähriger beblätterter Triebe, also nach Blattausbruch (Gruppe *Villosae*): **S. Emódi** (*S. villosa* var. *Emodi*), Himalaya, bis 3 *m*, ausgezeichnet durch unterseits glatte weiße Blätter und aus den zurückgebogenen Kronenlappen hervorragende Antheren, Blüten Juni, weißlich lila, Duft wenig angenehm, hübsche nicht ganz harte Art für Liebhaber; **S. Josikaéa,** Ungarn, bis 4 *m*, Blätter unten ebenfalls weißlich, aber leicht gerunzelt, Blüten tief violett, Kronenlappen aufrecht, Antheren tief in Röhre sitzend, Juni; wertvoller die Hybride mit *villosa*: **S. Hényri** (*S. Bretschneideri hybrida*), hierher die Sorten *villosa* „Lutèce", „eximia" (*S. Josikaea eximia*), mehr an *villosa* erinnernd, aber Blütenstände schmäler pyramidal, lockerer, Blüten mit höher eingefügten Antheren: **S. refléxa,** Mittelchina, bis 5 *m*, Blätter eilänglich bis elliptisch-oblong, unten an Nerven behaart, bis 13 *cm*

Abb. 471. *Syringa pekinensis*, 5 *m*. (Phot. A. Rehder.)

lang, Blütenstände hängend, bis 20 *cm*, ganz eigenartiger Typ, rosa, in Knospe karmin, Juni (bis Juli), Früchte aufrecht zurückgekrümmt; nahe steht ***S. Komarówii***, Nordwestchina, hier sind aber die Blütenstände kürzer, dichter, mehr minder wagrecht abstehend bis nickend, lila, eigenartig, eine Form davon ist var. ***Sargentiána*** *(S. Sargentiana)*, etwas dunkler in Blüte; ebenfalls hart und sehr beachtenswert; ***S. Sweginzówii***, Ostasien, bis über 3 *m*, steht *villosa* nahe, aber Blätter am Grunde rundlicher, kaum über 10 *cm* lang, Blütenstände lockerer, bis 25 *cm*, gelbweiß mit rosa, duftend, Juni, zuweilen als *pubescens* in Kultur, reichblühend; ***S. villósa*** *(S. Bretschneideri, S. Emodi* var. *rosea*, *S. pubescens* Hort. zum Teil), Nordchina, bis 6 *m*, üppiger Strauch, Blätter ziemlich elliptisch, am Grund keilig, bis über 15 *cm*, unten blaugrau, an Nerven behaart, Blüten in großen dichten Rispen (bis 30 *cm* lang), rosalila oder weißlich, unangenehm duftend, Antheren unter dem Saum der Krone, Ende Mai bis Juni, in großen Pflanzen sehr wirkungsvoll, aber übertroffen durch ***S. Wólfii***, Nordchina, mit riesigen bis 30 : 16 *cm* messenden Rispen und ziemlich kleinen hellila Blüten, duftend, sehr zierend; ***S. yunnanénsis***, Westchina, ähnlich *villosa*, aber Blätter schmäler, kahler, bis 8 *cm*, Blütenstände kleiner, lockerer, bis 15 *cm*, Blüten rosaweiß, Juni, hübsch für Liebhaber.

B. Blütenröhre kurz, kaum den Kelch überragend, Staubblätter mit längeren Staubfäden die Krone überragend, Blüten klein, weiß, Ligusterduft (Untergattung *Ligustrina*): ***S. amurénsis*** (*S. ligustrina* oder *S. sibirica* Hort.), Mandschurei, Strauch bis 4 *m*, sonst wie *japonica*, aber Blätter unten kahl, plötzlich zugespitzt, schöner ist ***S. japónica***, Japan, Baum bis über 10 *m*, Tracht aufrecht, wie Abb. 39, Blätter breit oval bis elliptisch, sich allmählich zuspitzend, unten behaart, bis 17 : 10 *cm*, Blütenrispen bis 30 : 18 *cm*, milchweiß, Juni bis Juli, sehr hübsche Art; ***S. pekinénsis***, Nordchina, großer Strauch bis 5 *m*, Tracht überneigend (Abb. 471), Blätter spitz schmal-lanzettlich, bis 12 : 5 bis 6 *cm*, Blütenstände lockerer, kahl, bis 15 *cm* lang, sehr kulturwert. — Eine eigenartige Art mit immergrünen Blättern ist *S. sempervirens* aus Südwestchina, sie gleicht in der Tracht sehr einem Liguster

Abb. 472. *Támarix pentandra*, 4 *m*. (Orig.: Hort. Vilmorin, Les Barres.)

und geht jetzt als *Parasyringa*. Blätter breitoval, kaum etwa 4 *cm* lang. Blüten weiß, in dichten bis 7 *cm* langen Rispen. Frucht etwas fleischig, aber aufspringend, noch zu erproben.

Tamarinde, falsche Bezeichnung für **Tamariske**, *Tamarix*. Die echte Tamarinde ist eine Leguminose und kommt als Tropenpflanze für uns nicht in Betracht.

***Támarix*, Tamariske** Tamaricaceen. – Rutig und schlank verzweigte Bäume oder Sträucher (Abb. 472), Blätter abwechselnd, klein, schuppenförmig. Blüten klein, rosa oder weißlichrosa, zumeist zu großen Scheinrispen gehäuft; Kultur in gutem, frischem, durchlässigem, etwas humosem Boden in warmer, sonniger oder leicht beschatteter Lage, aber freistehend; Schnitt der Sommerblüher im Winter, der Frühblüher nach Blüte, nach Bedarf; Vermehrung durch krautige Stecklinge unter Glas, Steckholz und eventuell Veredlung im Haus, Samenzucht mit Vorsicht; Verwendung als sehr charakteristische Ziersträucher, die auch ohne Blüten sich gut abheben und als Vorpflanzungen, Gruppen im Rasen usw. vorteilhaft zu verwenden sind.

A. Blütenstände an jungen Zweigen seitlich, zu endständigen Rispen gehäuft (Sommerblüher): ***T. gállica***, West- und Südeuropa, bis 10 *m*, Blätter kahl, spitz rhombisch-oval, blaugraugrün, Blüten in Knospe kugelig, rosa, mit 5 abfälligen Petalen, ab Juni, eine spätblühende, hellgrüne Form ist var. *elegans* (*T. elegans*); ***T. pentándra*** (*T. Pallasii*, *T. hispida aestivalis* Hort., *T. caspica* Hort.) Südrußland bis Persien, (Abb. 472), Blätter spitz-lanzettlich, Blüten rosa, Petalen bleibend, Brakteen eilanzettlich, August bis September, prächtige Art; ***T. odessána***, Südrußland, aufrechter Strauch, bis 1,5 *m*. Blütenstände aufrecht, breit rispig, wie *pentandra*, aber Brakteen pfriemlich, wie bei ***T. chinénsis***, China, diese aber baumartig, oft überhängend mit nickenden Blütenständen; zu den Spätblühern gehört auch ***T. hispida*** (*T. kashgarica*), Transkaspien, Strauch mit behaarten Trieben und Blättchen.

B. Blütenstände am alten Holz seitenständig (Frühblüher): ***T. tetrándra***, Griechenland bis Kleinasien, bis 5 *m*, lebhaft grün, Blüten rosa mit 4 aufrechten abfälligen Petalen und meist 4 Griffeln, April bis Juni; als *tetrandra* in Kultur oft ***T. parviflóra*** (*T. tetrandra* var. *purpurea*), Südeuropa, bis 6 *m*, Petalen ausgebreitet, bleibend, meist 3 Griffel, harte frühe

Art; schön aber auch ***T. juniperina*** (*T. japonica, T. plumosa* und auch *T. chinensis* mancher Gärten), Japan, Nordchina, Verzweigung fedrig, Blätter frisch hellgrün, Blüten 5 zählig.

Tamarix germanica siehe *Myricaria*.

Tapiscia sinensis Staphyleaceen. — Bis etwa 8 *m* hoher, neuer, zentralchinesischer, sommergrüner Baum (Abb. 473), Blätter abwechselnd, unpaar gefiedert, 5 bis 7 zählig, bis 40 *cm* lang, Blüten klein, gelb, duftend, rispig, achselständig, Früchte schwarz, beerenartig; vielleicht wie *Euscaphis* zu behandeln, jedenfalls noch zu erproben.

Tecoma siehe *Bignonia*; die echte ***Tecoma*** (*Tecomaria*) ***capensis*** ist gelegentlich in Südtirol im Freien anzutreffen, sonst nur Kalthauspflanze.

Ternstroemia japonica (*Cleyera japonica* Thbg.): immergrüner japanischer Strauch mit kahlen, ganzrandigen Blättern und einzelnen, weißen, 1 *cm* breiten Blüten im Sommer und roten, gelben, kirschenartigen Früchten, bei uns höchstens ganz im Süden versuchswert; Vermehrung durch reife Stecklinge.

Abb. 473. *Tapiscia sinensis*, 35 *m*, in der Heimat in Zentralchina: W.-Szetschwan: am Fuß des Mt. Wa-wu, Hang-ya-Hsien.
(Photographiert E. H. Wilson; mit Genehmigung von Professor C. S. Sargent.)

Tetracentron sinense — Magnoliaceen. — Sehr hoher, zentralchinesischer Baum, in Tracht an *Cercidiphyllum* erinnernd, Blätter sommergrün, wechselständig, breit oval, Blüten winzig, blumenblattlos, in langen Ähren; vielleicht wie *Cercidiphyllum* zu verwerten, hat sich aber bisher im Arnold Arboretum nicht als so hart und wüchsig wie dieses erwiesen; in warmen Lagen zu erproben; bei Hesse in Kultur.

Tetranthera siehe *Litsea*.

Teucrium Chamaedrys*, Gamander** — Labiaten. — Niederliegend-aufsteigender, immergrüner, am Grunde verholzender, Ausläufer treibender, zottig behaarter Halbstrauch aus Europa bis West-Sibirien, Blätter einfach, gegenständig, tiefgrün, Blüten purpurn oder rosa in etwas einseitigen, traubigen Scheinwirteln, Juli bis September; Kultur in sonnigen Lagen zwischen Felsen oder als Einfassung; Vermehrung durch Ausläufer; Verwendung dieser Art und von ***T. montanum, Südeuropa Orient, mit ganzrandigen Blättern und weiß bis gelben Blüten in kopfigen Blütenständen, im Gesteinsgarten. Die etwas höheren Sträucher, wie *T. Marum, T. creticum* u. a. kommen nur für den Süden des Gebietes in Betracht.

Teufelsspazierstock siehe *Aralia spinosa*. — **Texanische Felsenbirne** siehe *Fendlera*. — ***Thamnocalamus*** siehe unter *Bambusaceen*. — ***Thea*** siehe *Camellia*. — ***Thermopsis*** siehe *Piptanthus*. — ***Thlaspi cordatum*** siehe *Aethionema*.

Thymelaea (*Passerina*) ***nivalis***: halbniederliegender, immergrüner, *Daphne*-ähnlicher Halbstrauch aus den Pyrenäen, bis 20 *cm*, Blätter quirlig, lineal, dicklich, Blüten gelb, einzeln in Blattachseln, (März bis) April; für erfahrene Kenner im Alpinum in warmen Lagen wie *Daphne* zu behandeln.

Thymus dalmaticus und ***Th. Serpyllum*** siehe Staudenbuch.

Tilia[72]), **Linde** Tiliaceen. — Bekannte, meist hohe, schön belaubte, sommergrüne Bäume. Blätter abwechselnd, einfach, meist schief rundlich-eiförmig. Blüten wenig ansehnlich, duftend, honigreich, grünlich oder gelblichweiß, in Trugdolden, die von einem trockenhäutigen Hochblatt gestützt sind. Früchte rundliche Nüßchen; Kultur in jedem kräftigen, nicht zu trockenen Boden; Vermehrung durch Samen (nach Reife), Ableger und die Sorten vor allem durch Veredlung auf die Stammformen; Verwendung als ausgezeichnete Park- und Alleebäume. Die Formen sind oft schwer klarzustellen wegen der vielen Hybriden.

ALPHABETISCHE LISTE DER ERWÄHNTEN LATEINISCHEN NAMEN.

(Die Ziffern bedeuten die Seitenzahlen.)

A. (B. siehe S. 409) Blattunterseite grün oder blaugraugrün, kahl oder Behaarung nur aus einfachen Haaren bestehend. — I. Blattunterseiten und Zweige behaart. Blüten ohne Staminodien: ***T. platyphýllos*** (*T. grandifólia*, *T. europaea* L. zum Teil), großblättrige oder **Sommerlinde,** Mittel- und Südeuropa, bis über 45 *m*. Krone breitpyramidal. Blätter stumpfgrün, meist auch oben etwas behaart, unten hellgrün, rundlich, herz-eiförmig, plötzlich kurz zugespitzt, etwa 10 : 8,5 *cm*. Blütenstände meist 3 blütig, hängend, Juni. Frucht kugelig bis birnförmig, filzig, dickschalig, 3 bis 5 rippig, sehr variabler prächtiger Parkbaum, gegen Trockenheit empfindlich, nicht für Straßen, hervorzuheben var. *corallina* (var. *rubra*), junge Zweige gerötet, oft verwechselt mit *T. rubra*; var. *aúrea*, junge Zweige goldgelb, var. *laciniáta* (var. *asplenifólia*, var. *filicifólia*, *T. europaea* var. *laciniata*), kleinerer dichterer Baum mit tief unregelmäßig eingeschnittenen Blättern, var. *vitifolia* (var. *serratifolia* Hort.), Blätter leicht dreilappig oder undeutlich mehrlappig. — II. Blattunterseiten kahl, nur achselbärtig. — a) Achselbärte auch in den untersten Nervenwinkeln vorhanden. — 1. Blätter unten blaugraugrün, die feinen Nerven 3. Ordnung nicht deutlich: ***T. cordáta*** (*T. ulmifólia*, *T. parvifólia*, *T. microphýlla*, *T. silvéstris*, *T. europaéa* L. zum Teil), kleinblättrige oder **Winterlinde,** Nord- und Westeuropa bis Kaukasus, Mittelitalien und Nordbalkan, bis über 25 *m*. Krone unregelmäßig breit säulenförmig. Triebe bald kahl. Blätter rundlich-herzförmig, meist nicht über 6 bis 7 *cm* lang und breit, oben glänzend sattgrün. Blütenstände fast aufrecht, 5 bis 7 blütig, ohne Staminodien, gute Honiglinde, Juni bis Juli. Früchte kugelig, filzig, schwach gerippt, dünnschalig, ohne besondre Formen; ***T. japónica*** (*T. cordata* var. *japonica*), Japan, sehr ähnlich *cordata*, etwas kleinerer Baum. Blütenstände bis 40 blütig. Blüten mit Staminodien, Juli; ***T. mongólica,*** Mongolei bis Nordchina, kleiner Baum, bis 12 *m*. Triebe kahl, gerötet, Blätter oben dunkelgrün, glänzend, meist etwas dreilappig, grob gezähnt, birkenartig, im Austrieb gerötet. Blütenstände 6 bis 12 blütig, mit Staminodien, Juli, sehr eigenartige gute Art. — 2. Blätter unten grün, die feinen Nerven 3. Ordnung deutlich: ***T. euchlóra*** (*T. dasystyla* Kirchn. und Hort., *T. rubra* var. *euchlora* Dipp.), **Krim-**

linde, wahrscheinlich Bastard der *rubra* mit *cordata*, etwas überneigend verästelter Baum, bis 20 *m*, Triebe kahl, grün, Blätter aus schief herzförmigem Grunde eirundlich, plötzlich zugespitzt, oben glänzend grün, unten heller, nur mit bräunlichen Achselbärten, regelmäßig spitzzähnig, 5 bis 7,5 *cm* breit, Blütenstände 3 bis 7 blütig, hängend, Frucht eiförmig, leicht 5 rippig, dickschalig, filzig, sehr wertvoller Straßen- und Parkbaum, leidet wenig unter Insekten; ***T. rubra (T. caucásica,*** *T. corinthiaca)*, Südosteuropa bis Kaukasus, hoher Baum, junge Zweige rot, kahl, Blätter in Form ähnlich *platyphyllos*, Färbung und Textur wie bei *euchlora*, wird oft mit dieser verwechselt, ist aber wohl kaum echt in Kultur, hier dafür die *platyphyllos* var. *corallina*; ***T. vulgáris (T. intermédia,*** *T. hollandica*, *T. europaea* L. zum Teil), **Zwischenlinde, holländische Linde,** wahrscheinlich eine natürliche Hybride zwischen *cordata* und *platyphyllos*, die seit langem verbreitet wurde und vor allem in England häufig ist, sehr großer, breit pyramidenförmiger, unregelmäßig verästelter Baum, Blätter schief rundlich-herzförmig, etwa 9 bis 10 *cm* breit, oben stumpfgrün, Zähne kurz gespitzt, Blütenstände 5 bis 10 blütig, ähnlich *platyphyllos*, aber etwa eine Woche später, guter Straßenbaum, wirft nur in heißen Sommern das Laub früh und leidet durch Blattläuse.

b) Achselbärte am Blattgrund der Unterseite fehlend, Blätter groß, bis über 15 *cm* lang, Blüten mit Staminodien: ***T. glabra (T. americána*** Auct., nicht L.), östl. Nordamerika, hoher Baum, bis über 45 *m*, Triebe kahl grün, Blätter sehr bald ganz kahl, oben sattgrün, unten etwas glänzend hellgrün, im Herbst gelb, Blütenstände vielblütig, hängend, kahl, Juli, besonders große Blätter hat var. *macrophylla (T. americana* var. *mississipiensis* Hort.); hübsch sind die Bastarde mit *cordata*: ***T. Spaéthii,*** und mit *petiolaris* (oder *tomentosa*): ***T. spectábilis*** *(T. alba* var. *spectabilis*, *T. Blechiana)*, nebst var. ***Móltkei*** *(T. Moltkei)*.

B. Blätter mit Sternhaaren oder sternhaarfilzig, Blüten stets mit Staminodien. — I. Zweige kahl oder sehr schnell ganz kahlend (vergleiche auch unten *T. Henryana* und *T. spectabilis*): ***T. heterophýlla*** (*T. macrophylla* mancher Gärten), südöstl. Verein. Staaten, Baum bis 16 *m*, Blätter aus schief abgestutztem Grunde eiförmig, allmählich zugespitzt, fein drüsenzähnig, unten bräunlich oder weißfilzig, ohne Achselbärte, bis 13 : 10 *cm*, Stiele 3,5 bis 4 *cm*, Blütenstände vielblütig, hängend, Juni, Frucht ellipsoid, rostbraun behaart, sehr hübsch belaubte Art; hierher var. ***Michaúxii*** *(T. alba* Mchx., *T. Michauxii* Nutt.), Blätter stärker herzförmig, gröber gesägt, unten nur bräunlich behaart; sehr nahe steht ***T. monticola*** *(T. heterophylla* Auct. zum Teil), östl. Verein. Staaten, kleinerer Baum, bis 20 *m*, Zweige kräftiger, Blätter länglicher, bis 17 *cm*, Filz stets weiß, Stiel bis 7 *cm*, Blüten kleiner; ***T. neglécta*** (*T. Michauxii* Sarg., *T. pubescens* Hort.), östl. Nordamerika, bis 30 *m*, Krone breit, oft überhängend, Zweige kahl, rot, Blätter schief herzeiförmig, langzugespitzt, bis 15 *cm*, unten graugrün, ohne deutliche Achselbärte, Blütenstände vielblütig, Juli, Frucht flachkugelig, bis 10 *mm*, diese Art wird oft mit der südlicheren empfindlicheren ***T. caroliniána*** Mill. (***T. pubéscens*** Ait.) vermengt, doch sollen hier nach Sargent die Stern(Glieder-)haare der Blattunterseite nicht wie bei *neglecta* fest angepreßt, sondern leicht ablösbar sein, daher Bärte deutlicher; ***T. Olivéri*** (*T. pendula* Engl.), Mittelchina, bis 25 *m*, Triebe kahl, glänzend rotbraun, Blätter eiförmig, bis 12 : 10 *cm*, kurzzähnig, in Färbung und Textur wie *T. tomentosa*, Blütenstände hängend, etwa 20 blütig, Juni, Frucht kugelig, dickschalig, scheint recht brauchbar; ***T. Túan,*** Mittelchina, kaum über 10 *m*, ausgezeichnet durch breitovale, fast ganzrandige Blätter, unten graufilzig und achselbärtig, bis 13 *cm* lang, Zähne kurz aufgesetzt, Fruchtstände mit sehr langen Brakteen, zu versuchen. — II. Auch einjährige Zweige noch behaart: ***T. Henryána,*** Mittelchina, bis 26 *m*, Tracht ähnlich *tomentosa*, junge Triebe und Blätter im Austrieb stark weißfilzig, diese breit oval, bis 13 *cm* lang, unten bis auf Achselbärte zuletzt ziemlich kahlend, Zähne meist fein grannig aufgesetzt, Blütenstände vielblütig, Juni bis Juli, Früchte etwas oboval, deutlich 5 kantig, ebenfalls vielversprechende Art; ***T. intónsa*** *(T. tonsura)*, westl. Mittelchina, bis 20 *m* (steht der echten *chinensis* Max. [*T. Paroniana* Diels] sehr nahe, die wohl noch nicht in Kultur ist), Triebe lang behaart, Blätter rundlich-eiförmig, bis 12 *cm* breit, oben lebhaft grün, fast kahl, unten locker graufilzig und rostig gebartet, Blüten zu 1 bis 3, Juli, Frucht eiförmig, 5 kantig, zu versuchen; ***T. mandschúrica,*** Mandschurei, Nordchina, Korea, ähnlich *tomentosa*, aber Haarfilz gelblich oder bräunlich, Blätter größer, langspitziger gezähnt, Frucht meist ohne Rippen, noch selten; ***T. Maximowicziána*** *(T. Miyabei, T. Miqueliana* Sarg.), Japan, hoher Baum bis über 40 *m*, Blätter rundlich-eiförmig, unten graufilzig, an Rippe und Nerven bräunlich, Achselbärte deutlich, Blüten zu 10 bis 18 in filzigen hängenden Blütenständen, Frucht kugelig, 5 rippig, dickschalig: ***T. Miqueliána*** Max., nur kultiviert aus Japan bekannt, Blätter eiförmig oder dreieckig-eiförmig, lang zugespitzt, unregelmäßig und grob kurzspitzig gesägt, unten graufilzig, ohne Bärte, oft stark kahlend, bis 12 *cm* lang, spät abfallend, Blüten zu 10 bis 20, Frucht fast kugelig, am Grunde 5 rippig, eigenartig, kulturwert; ***T. petioláris*** Hook. f., nicht DC. (*T. tomentosa* var. *petiolaris, T. alba* Koch, *T. americana* var. *pendula* Hort.), nur kultiviert bekannt, steht *tomentosa* sehr nahe, aber Tracht überhängend, Stiele länger als halbe Blattspreite, bis 8 *cm*, verkahlend, Früchte fünffurchig, schöner Parkbaum; sehr nahe steht ***T. orbiculáris,*** die wegen der oben glänzenden Blätter und kürzeren Blattstiele als Bastard mit *euchlora* angesprochen wird, wertvoller Parkbaum; ***T. tomentósa*** *(T. argéntea, T. alba* Ait., *T. alba* var. *pyramidalis)*, **Silberlinde,** Osteuropa, Kleinasien, breit pyramidaler großer schöner Baum, bis über 35 *m*, Blätter rundlich, etwa 8 *cm* breit, unten schön weißfilzig, Rand kurz gesägt, Stiele nur bis 4,5 *cm*, behaart, Blütenstände hängend, 7 bis 10 blütig, Juli, Blüten sollen gleich denen von *petiolaris* giftig für Bienen sein, Früchte leicht 5 kantig, sehr schöner Park- und Alleebaum, wie vorige sehr widerstandsfähig gegen Trockenheit, Krankheiten und Insekten.

Toóna siehe *Cedrela*. — **Torfmyrte** siehe *Pernettya*. — ***Torminária*** siehe *Sorbus*. — ***Toxicodéndron*** siehe *Rhus*. — ***Tóxylon*** siehe *Maclura*.

Trachelospérmum[?] ***divaricátum*** (*Lerochistomum*): immergrüne, halbwindende, strauchige Apocynacee aus Japan mit einfachen, gegenständigen Blättern und weißen, duftenden Blüten in Doldenrispen, die nur ganz im Süden des Gebietes in Bozen und Meran als Freilandpflanze an Mauern dienen kann. Das Gleiche gilt vom mittel- und ostchinesischen ***T.*** (*Rhynchospérmum*) ***jasminoides,*** das mehr behaart ist, stumpfe, nicht lang zugespitzte Blütenknospen hat und aus dessen offenen Blütenschlunde die Antheren nicht wie bei *divaricatum* etwas hervorragen.

Traganth siehe *Astragalus*. — ***Tragopýrum*** siehe *Atraphaxis*. — **Traubenapfel** siehe *Raphiolepis*. — **Traubendorn** siehe *Danaë*. — **Traubeneiche** siehe *Quercus sessiliflora*. — **Traubenholunder** siehe *Sambucus racemosa*. — **Traubenkirsche** siehe *Prunus* (Gruppe *Padus*). — **Traubenspire** siehe *Luetkea*. — ***Tricuspidária*** siehe *Crinodendron*.

Tripetaléia paniculáta: eine der *Elliottia racemosa* nächstverwandte wenig bekannte Ericacee aus Japan, aber mit 3 zähligen Blüten, bis 1,5 *m*, Blätter sommergrün, abwechselnd, ganzrandig, Blütenstände endständige Rispen, weiß mit rosa, August; Kultur wie die kleineren Felsenrhododendren, hat sich im Arnold Arboretum hart gezeigt, liebt Halbschatten.

Triphásia trifoliata Hort. siehe *Citrus trifoliata*. Die echte ***T. trifolia*** hat gepaarte Achseldorne, 3 zählige becherförmige Blüten und einsamige Früchte. Für uns belanglos.

Tripterýgium Regélii (*T. Wilfórdii* Rgl. nicht Hook. f.) — Celastraceen. — Himbeerartiger, sommergrüner, bis 1 *m* hoher ostasiatischer Strauch, mit kantigen, warzigen, rotbraunen Trieben, Blätter abwechselnd, einfach, lebhaft grün, Blüten klein, weißlichgrün, duftend, in ansehnlichen Rispen im Juli bis August, Frucht 3 flügelig; Kultur in jedem Gartenboden; Vermehrung durch Samen und Stecklinge; Verwendung als interessanter Strauch für große Gesteinshänge; jetzt auch ***T. Forrestii*** aus Westchina in Schottland in Kultur, ebenso brauchbar, Fruchtstände bei beiden zierend.

Trochodéndron aralioides, **Radbaum** — Trochodendraceen. — Mit *Euptelea* verwandter immergrüner aromatischer Baum aus Japan, Blätter abwechselnd, einfach gezähnt, Blüten in endständigen aufrechten Trauben, Juni; verdient Beachtung in warmen Lagen. Siehe C. Schneider, Ill. Handb. d. Laubholzk. I., S. 269.

Trochostigma siehe *Actinidia*. — **Trompetenbaum** siehe *Catalpa*.

Tsusiophýllum Tanákae: kleinstrauchige Ericacee aus Japan, niederliegend, den Rhododendren der *Tsusia*-Gruppe ähnelnd, Triebe borstig, Blätter spitzoboval-elliptisch, unterseits blaugrau, Blüten zu 1—2, röhrig, weiß oder rosa, behaart; jetzt im Arnold Arboretum, vielleicht so hart wie *Rhododendron Kaempferi*; Kultur usw. wie andere alpine Ericaceen.

Türkische Hasel siehe *Corylus Colurna*. — **Tulpenbaum** siehe *Liriodendron*. — **Tupelobaum** siehe *Nyssa*. — **Uferheide** siehe *Myricaria*.

Ugni Molinae (Eugénia oder *Myrtus Ugni*): hübsche immergrüne, kleinstrauchige Myrtacee aus Südchile, die in warmen, geschützten Lagen im Süden des Gebietes brauchbar scheint; siehe C. Schneider, Ill. Handb. d. Laubholzk. II., S. 1040.

Ulex europaéus, **Stechginster, Hecksame** — Leguminosen. — Im Westen und Norden des Gebietes bekannter, bis meterhoher, sehr dorniger Strauch (Abb. 474), die Blätter bzw. der Stiel sind in stechende Scheintriebe verwandelt, aber auch die echten Zweige verdornen, Blüten achselständig, tiefgelb (bei var. *plenus* gefüllt), April bis Juni, Früchte kleine, vom bleibenden Kelch fast verdeckte Hülsen; Kultur in sandigem, durchlässigem Boden in warmer, sonniger Lage, liebt Seeklima!, sonst Winterschutz, wenigstens gute Bodendecke; Vermehrung durch Samen, im Mai an Ort und Stelle, da Verpflanzen nicht gut vertragen wird, auch durch krautartige Stecklinge oder besondere Formen durch Veredlung auf Stammart (Glashaus); Verwendung in geeigneten Gegenden als prächtiger

Frühblüher, in großen Massen sehr wirkungsvoll, auch an Felsen; *U. nanus* ist eine niedrigere, weniger starre im Herbst blühende westeuropäische Art; über weitere siehe C. Schneider, Ill. Handb. d. Laubholzk. II., S. 58 bis 59.

Ulmus[74]**, Ulme, Rüster** - Ulmaceen. — Meist hohe und sommergrüne Bäume. Blätter einfach, abwechselnd. Blüten unscheinbar vor den Blättern, April. Früchte geflügelt, bald abfallend; Kultur in tiefgründigem, etwas feuchtem Boden, zum Teil aber auch trockenere Lagen; Vermehrung der Typen durch Samen (gleich nach Reife), Sorten durch Ableger oder durch Veredeln auf *campestris* und *scabra;* Verwendung der meisten Formen als wertvolle Park- und Straßenbäume.

ALPHABETISCHE LITSE DER ERWÄHNTEN LATEINISCHEN NAMEN.
(Die Ziffern bedeuten die Seitenzahlen.)

A. (B. siehe S. 415) Blüten im Frühjahr vor den Blättern erscheinend. Perigonlappen kurz und breit, nicht oder kaum bis über die Mitte reichend. Blätter sommergrün. I. Blüten und Früchte lang und zierlich gestielt, hängend. Früchte gewimpert oder ganz behaart. a) Früchte durchaus behaart und dicht gewimpert. Samen gegen Fruchtausschnitt eingefügt. Zweige meist korkig: ***U. aláta***, südöstl. und mittlere Verein. Staaten. breitkroniger Baum, bis 20 *m*. Zweige meist mit zwei gegenständigen Korkflügeln, kahl. Blätter schief eiförmig oder elliptisch-lanzettlich, doppelt gesägt, derb, unten behaart, bis 6,5 *cm* lang. Stiele kaum 5 *mm* lang. Früchte etwa 1 *cm* lang, ihre Stiele kaum doppelt so lang, wie Perigon, in Kultur seltene Art für wärmere Lagen; ***U. racemósa*** *(U. Thomásii)*, nordöstl. und mittl. Nordamerika, großer Baum. Triebe behaart, später unregelmäßig korkig. Blätter oval, am Grunde ungleich, doppelt gesägt, unten behaart, 8 bis 13 *cm*. Früchte etwa 2 *cm* lang, harte nicht häufige Art. — b) Früchte nur dicht gewimpert, Samen mehr in Fruchtmitte sitzend, auch Blattränder gewimpert. Zweige nicht korkig: ***U. americána*** *(U. alba)*, Weißrüster, östl. und mittl. Verein. Staaten, riesiger schöner Baum mit überhängenden Ästen, bis über 45 *m*. Triebe jung behaart. Blätter elliptisch oder eiförmig, in oder unter Mitte am breitesten, 8 bis 15 *cm*, oben zuletzt etwas rauh, unten meist kahl, doppelt gesägt, Stiele meist 8 bis 10 *mm* doppelt so lang wie Knospen, prächtige harte Art, eine Form mit besonders stark überhängenden Ästen geht als var. *pendula*; ***U. laévis (U. pedunculáta, U. effúsa,*** *U. ciliáta)*, Flatterrüster, Mitteleuropa, Westasien, breitkroniger Baum, bis über 35 *m*, wie vorige aber Blätter mehr oboval, über der Mitte am breitesten, unten behaart. Stiele kaum bis 5 *mm* lang, nur wenig die spindelförmigen Knospen überragend, als Zierbaum ohne besonderen Wert.

Abb. 474. *Ulex europaeus*, gemeiner Stechsame, 80 *cm*.
(Phot. A. Purpus in Guernsey, normann. Inseln.)

II. Blüten und Früchte kurz gestielt, in dichten Büscheln, nicht hängend — a) (b. siehe S. 415) Blätter doppelt gesägt, am Grunde ungleich, meist über 5 *cm* lang. α) Samen vom Fruchtausschnitt deutlich entfernt, ziemlich in der Mitte der Frucht sitzend. — 1. Früchte in der Mitte auf der Samenansatzstelle behaart: ***U. elliptica***, Kaukasien, Zweige glatt, nur behaart, Blätter länglich-elliptisch, unten leicht behaart, noch wenig bekannte Art, die wohl nirgends echt in Kultur ist, da sie immer verwechselt wird mit ***U. fúlva*** *(U. rubra;* hierher die *U. Heyderi, U. elliptica* und *U. sibirica* Hort.), Rotulme, östl. Nordamerika, breitkroniger Baum, bis über 25 *m*. Knospen dicht rostig behaart. Triebe rauh (oder höckerig), auch behaart. Blätter sehr schief und spitz länglich-oboval, oben sehr rauh, unten behaart, 10 bis 16 *cm*, derb, sehr gut gekennzeichnete interessante Art. — 2. Früchte ganz kahl, Zweige glatt, Blätter ungewimpert: ***U. Bergmanniána***, Mittel- und Westchina, Baum 10 bis 28 *m*. Triebe kahl. Blätter spitz länglich-oboval oder elliptisch, oben etwas rauhlich, unten nur in den Achseln der 17 bis 23 Nerven gebartet, bis 12 cm. Früchte fast rundlich-oboval, im Arnold Arboretum in Kultur, noch näher zu erproben; ***U. glábra*** Huds. *(U. campéstris* L. zum Teil, *U. scabra* Mill., ***U. montána)***, Bergulme, Europa bis Westasien, sehr bekannte und geschätzte Art, bis über 45 *m*, ohne Ausläufer. Rinde lange glatt bleibend, niemals korkig, junge Triebe behaart, einjährige deutlich gebräunt, Blätter breit- oder länglich-oboval, an Blütenzweigen nie dreilappig, Grund sehr ungleich, Stiele sehr kurz. Früchte länglich-oboval oder etwas rhombisch-elliptisch, hierher sehr viele Gartenformen, die meist unter *montana* (auch *scabra)* gehen, als wichtigste seien genannt: var. *atropurpúrea*, Blätter trübpurpurn, etwas gefaltet; var. *Camperdównii (U. Camperdownii, U. montana pendula* Hort.), Zweige hängend, aber Krone ziemlich kugelig; var. *crispa (U. crispa, U. aspleniifólia)*, Blätter schmal, eingeschnitten doppelt gesägt und verbogen, langsam wachsend, nur für Liebhaber von Wert: var. *fastigiáta (U. exoniénsis, U. Fordii, U. plumosa pyramidalis* und *U. pyramidalis* der Gärten).

Exeter-Ulme, steife Säulenform, Blätter ziemlich klein, dunkel, häufig verbogen; var. **cornúta** *(U. campestris* var. *cornuta, U. scabra* var. *tricuspis, U. triserrata* und *U. tridens* Hort., *U. montana* var. *lobata* und var. *corylifolia, U. glabra* var. *grandidentata)*, Blätter der üppigen Triebe spitz dreilappig, nicht zu verwechseln mit *U. laciniata*; var. *lutescens*, Blätter gelb, ohne Belang; var. *nana*, langsam wachsende, breite, halbkugelige, kleinblättrige Zwergform; var. *pendula (U. montana pendula* Loud., *U. montana horizontalis)*, Hänge-Bergrüster, hübsche breit flachkronige Form mit stark hängenden Zweigen; ***U. laciniáta*** *(U. montana* var. *laciniata* Trautv., *U. major* var. *heterophylla* Maxim.), Nordostchina, Mandschurei bis Japan, vertritt dort die Bergrüster, von der sie hauptsächlich abweicht durch fast kahle oder bald kahlende junge Triebe, die im ersten Jahre gelbgrau sind, sowie die auch an Fruchtzweigen an der Spitze 3 bis (5) lappigen Blätter, hübsche harte Art.

Abb. 475. *Ulmus foliacea* var. *suberosa*, Korkrüster, die korkflügeligen Zweige zeigend. (Orig.; Prater bei Wien.)

β) Samen über der Fruchtmitte oder dicht an Spitze am Einschnitt sitzend: 1. Früchte auf Samenansatzstelle (und zuweilen auch sonst) behaart: ***U. Davidiána***, Nordchina, steht der *japonica* nahe, noch zu beobachten, jetzt im Arnold Arboret in Kultur; in der gleichen Gegend tritt auch die jetzt ebenfalls eingeführte ***U. macrocárpa*** Hance (? *U. rotundifolia* Carr.) auf, die aber der *glabra* näher steht und nach den jungen Pflanzen zu urteilen durch Zweige mit zwei flachen Korkflügeln ausgezeichnet ist, die Früchte sind bis 2,5 *cm* lang und durchaus behaart und gewimpert, ebenfalls noch zu beobachten. — 2. Früchte ganz kahl (selten bei *U. japonica* ein paar Haare auf der Fruchtansatzstelle): ***U. foliácea*** *(**U. campéstris*** L. zum Teil und der meisten Autoren, ***U. glábra*** Mill. nicht Hudson, ***U. nitens*** Moench, *U. campestris* var. *laevis* und var. *glabra, U. surculosa* var. *glabra)*, Feldulme, Europa, Westasien, Baum bis 40 *m*, mit Ausläufern und tief gefurchter Borke. Zweige meist kahl, einjährige meist rotbraun. Blätter oval bis oboval, spitz, sehr ungleich, oben glatt, unten zuletzt nur bärtig in den Achseln der 8 bis 14 Nerven, Stiel bis 13 *mm*. Früchte meist rundlich-oboval, sehr viele Formen, die meist unter *campestris* gehen: vor allem var. ***suberósa*** *(U. suberosa)*, die Korkrüster, Zweige mehr minder stark korkig geflügelt, siehe Abb. 475, hierher die Hängeform var. *propendens (U. suberosa* oder *U. microphylla* var. *pendula* Hort.); ferner seien von Gartenformen der Feldruster genannt: var. *Dampieri (U. campestris* var. *Dampieri)*, Wuchs schmal pyramidal, Blätter an Kurztrieben gedrängt, breit oval, ganz ähnlich ist var. *Wredei (U. campestris Dampieri Wredei, U. Wredei aurea)*, aber Blätter gelb; var. *monumentalis (U. campestris monumentalis)*, Säulenform, Blätter gedrängt, ziemlich kurzgestielt und oben etwas rauhlich; var. *pendula (U. nitens* var. *pendula)*, Hänge-Feldrüster; var. ***umbraculifera*** *(U. campestris* var. *umbraculifera, U. densa)*, Kugelrüster, persisch-armenische Form mit dicht kugeliger Krone, siehe Abb. 476, in rauheren Lagen Ersatz der Kugelakazie, hierher die Formen der Gärten var. *gracilis (U. campestris umbraculifera gracilis)*, Krone mehr eiförmig, Blätter kleiner, var. *Koopmanni (U. campestris* var. *Koopmannii, U. Koopmannii)*, Krone ebenfalls mehr oval, Zweige heller, Blätter mehr eiförmig, und var. *Rueppellii (U. campestris* var. *Rueppellii)*, wie *umbraculifera*, aber Triebe etwas behaart.

später leicht korkig. Blätter ziemlich klein, etwas rauh; var. *variegáta (U. campestris* var. *argenteo-variegata)*, Blätter weißbunt; var. *Webbiana (U. campestris* var. *Webbiana)*, pyramidal, Blätter längs gefaltet; siehe auch die Formen unter *hollandica* und *procera*; im Anschluß an *foliacea* sei der Bastard mit *pumila*: ***U. arbúscula*** erwähnt, der sehr kulturwert zu sein scheint; ***U. holländica*** Miller *(U. Dippeliana)*, unter diesem Namen werden jetzt die zahlreichen Bastardformen der Berg- mit der Feldulme vereint, die wichtigsten sind nach Rehder: var. ***major*** *(U. major, U. scabra* var. *major, U. campestris* var. *major)*, die Holland-Ulme, üppiger Baum mit Ausläufern und tief gefurchter Rinde, junge Triebe kahl, Blätter mit 12 bis 14 Nervenpaaren, sattgrün, glänzend und glatt, Stiel etwa 6 bis 7 *mm*, Samen den Grund des Fruchteinschnittes berührend; var. ***végeta*** *(U. vegata, U. glabra* var. *vegeta, U. Huntingdonii)*, Huntingdon-Ulme, wie vorige aber Blattnervenpaare meist 14 bis 18, Samen mehr der Fruchtmitte genähert; var. *péndula (U. glabra* var. *pendula* Loud., *U. Smithii)*, Hängeform der Bastard-Ulme; var. ***bélgica*** *(U. belgica, U. batavina, U. latifólia, U. campestris* var. *latifolia)*, belgische Ulme, Triebe behaart, Blätter oben etwas rauh, mit 14 bis 18 Nervenpaaren, Stiele sehr kurz, in allem der Bergrüster

Abb. 476. *Ulmus foliacea* var. *umbraculifera*, Kugelrüster. (Phot. C. Heicke, Frankfurt a. M.)

näher stehend; var. *Dumóntii (U. belgica* oder *U. campestris* var. *Dumontii)*, wie vorige aber ziemlich breit pyramidal; var. *Klémmer (U. campestris* var. *Klemmer, U. campestris* var. *Clemmeri, U. Klemeri)*, üppiger glattborkiger Baum mit schmal pyramidaler Krone, Triebe behaart, Blätter oben etwas rauhlich, Nervenpaare etwa 12, Früchte mehr wie bei der Feldulme; var. ***supérba*** *(U. montana* var. *superba, U. superba, U. praestans)*, schmal pyramidaler, glattrindiger Baum, Triebe kahl, Blätter glatt, aber mit 15 bis 18 Nervenpaaren, Stiel 6 bis 8 *mm*; var. *Pitteursii (U. Pitteursii)*, üppiger Baum mit Blättern wie die Bergulme, sehr wüchsig; ***U. japónica*** *(U. campestris* var. *japonica)*, die Feldulme Ostasiens, in Japan bis über 30 *m* hohe Bäume bildend, die an *U. americana* erinnern. Zweige behaart und etwas rauhlich, zuweilen korkig, Blätter derb, jung unten weich behaart, später beiderseits etwas rauh, oboval bis elliptisch, bis 10 *cm*, Nervenpaare 12 bis 16, Stiel 4 bis 6 *mm*, schöne harte Art; ***U. prócera*** *(**U. campéstris*** L. zum Teil; *U. atinia, U. vulgáris, U. germánica, U. glabra* var. *pilifera, U. pilifera, U. aspérrima, U. glabra* var. *pubéscens, U. campestris* var. *pubescens)*, Englische Ulme, England, West- und Südeuropa, vielfach verkannte, sehr große Bäume bildende Art. Borke tief gefurcht, Ausläufer meist zahlreich, Triebe behaart, nie korkig, Blätter sehr schief breit oval, oben tief grün und rauh, unten weich behaart, bis 8 *cm*, Nervenpaare etwa 12, Stiele behaart, etwa 4 bis 5 *mm*, Früchte rundlich, prächtige Art, hierher die Kulturformen: var. *argenteo-variegata (U. campestris* var. *argenteo-variegata)*, Blätter weißbunt; var. ***Berárdii*** *(U. campestris* var. *Berardii, U. glabra pubescens Berardii)*, buschig, Blätter länglich, mit wenigen groben Zähnen, fast kahl, bis 2,5 cm, *Zelkova*-artig; var. *purpúrea (U. campestris* var. *purpurea)*, Blätter purpurn überlaufen; var. *purpuráscens (U. campestris myrtifolia purpurea, U. glabra pubescens purpurascens, U. campestris purpurascens)*, Blätter kleiner als bei voriger, kaum über 2,5 *cm*; var. *Van Houttei (U. campestris* „Louis Van Houtte", *U. glabra pubescens Van Houttei)*, Blätter gelb gezeichnet; var. ***viminális*** *(U. campestris* var. *viminalis, U. campestris* var. *grácilis, U. glabra pendula viminalis, U. glabra pendula antárctica, U. antarctica, U. stricta* Hort.), Zweige hängend, leicht behaart, Blätter oboval-oblong, eingeschnitten doppelt gesägt, oben rauh, unten etwas behaart, 2,5 bis 7 *cm*, eine weißbunte Form ist var. *viminalis marginata* und eine gelbe var. *viminalis aurea*; ***U. Wilsoniána***, Mittelchina, 15 bis 25 *m*, steht *japonica* nahe, aber Zweige braun oder purpurn, Knospenschuppen zweifarbig, Blätter auf der längeren Seite mit bis über 18 Nervenpaaren, Früchte mehr breit verkehrt-eiförmig, jetzt im Arnold Arboret in Kultur, zu erproben.

b) Blätter einfach gesägt, Grund ziemlich gleich, 2,5 bis 5 *cm* lang: ***U. púmila*** *(U. humilis, U. pumila microphylla, U. campestris pumila, U. microphylla, U. sibirica* Hort.), Mandschurei bis Nordwestchina, Strauch oder Baum, 5 bis 13 *m*, Blätter elliptisch-eiförmig bis -lanzettlich, fest, sattgrün und glatt oben, unten jung behaart, Früchte klein, daher Samen fast in Mitte stehend, schöne harte Art, jetzt auch häufiger in Kultur var. ***arbórea*** *(U.* ***pinnatoramósa***, *U. turcestánica)*, Turkestan, Baum, Zweige junger Pflanzen sehr deutlich fiederig verzweigt, auch eine Hängeform var. *pendula (U. parvifolia pendula* und *Planera repens* der Gärten).

B. Blüten im Sommer oder Herbst in den Achseln diesjähriger Blätter, Perigon in tiefe schmale Zipfel bis fast zum Grund gespalten, Blätter winter- bis immergrün: ***U. parvifólia*** *(U. chinensis, U. virgata, U. Shirasawana)*, Japan, Nordostasien bis Mittelchina, Strauch bis Baum, bis 25 *m*, Triebe reichlich behaart, Blätter denen von *pumila* sehr ähnlich, derber, zuletzt ganz kahl, Nervenpaare bis 16, Früchte bis 12 : 9 *mm*, hübsche Art, die ziemlich hart ist; nahe steht die ***U. serótina*** aus den südöstl. Verein. Staaten, die im Arnold Arboret auch ziemlich hart ist, sie hat fast traubige vielblütige Blütenstände und dicht behaarte und gewimperte Früchte und Fruchtstiele, Blätter lang zugespitzt, doppelt gesägt.

Umbellulária *(Oreodáphne, Tetranthéra)* ***califórnica*, Berglorbeer** — Lauraceen. — Aufrechter, immergrüner, aromatischer Strauch oder Baum, in Heimat bis 30 *m*, zuletzt kahl, Blätter abwechselnd, dicht, dünn lederig, tiefgrün, durchscheinend gepunktet, einfach, ganzrandig. Blüten in end- und achselständigen gestielten Dolden, klein, grünlich, duftend, fast das ganze Jahr. Frucht pflaumenähnlich, gelb mit rot, zuletzt purpurn, bis 3 *cm* lang; Kultur in frischem, nicht trockenem Boden etwa wie *Prunus Laurocerasus*, warme, halbschattige Lage; Vermehrung durch Samen und Stecklinge im Herbst; Verwendung als prächtiger immergrüner Strauch, der viel mehr versucht werden sollte, Schutz gegen starke und lange Besonnung.

Unform siehe *Amorpha*.

Ungnádia speciósa: mexikanische Sapindacee mit gefiederten Blättern und großen Blättchen die wohl nur für erfahrene Gehölzfreunde im Süden des Gebietes Interesse hat. Siehe C. Schneider Ill. Handb. d. Laubholzk. II., S. 258.

Urostélma chinénsis siehe *Metaplexis japonica*.

***Vaccinium*, Heidelbeere, Preißelbeere** — Ericaceen. — Meist niedrige, sommer- oder immergrüne Sträucher. Blätter abwechselnd, einfach. Blüten glockig, einzeln oder traubig Frucht saftige, vielsamige Beere; Kultur meist in gut humosem, frischem, durchlässigem Gartenboden, halbschattig; Vermehrung durch Samen (nach Reife), krautige Stecklinge, Teilung und Ableger; man vergleiche sonst die Arten!

Abb. 477. *Vaccinium corymbosum*, 0,5 *m*. (Orig.; Kew Gardens.)

A. Blätter sommergrün, höchstens wintergrün, nicht deutlich derb lederig: ***V. arbóreum***, O.-Nordamerika, sparrig, baumartig, bis über 4 *m*, Blätter etwas wintergrün, härtlich, beiderseits glänzend grün. Blüten weiß. hübsch. lockertraubig. Mai bis Juni. Frucht schwarz. ungenießbar. für wärmere Gegenden in trockeneren, sandigen Böden. halbschattig. gewiß sehr brauchbar; ***V. Arctostáphylos,*** Kleinasien bis Kaukasus. aufrechter Strauch bis 3 *m*. Blätter bis 9 *cm* lang. fein gezähnelt. Blüten büscheltraubig. rötlichweiß. Mai. Frucht schwarz. eßbar. ziemlich hart. als Unterholz in lichten Beständen zu empfehlen. noch selten; ***V. corymbósum*** (Abb. 477). O.-Nordamerika. bis 4 *m*. fast kahl. Zweige gelbgrün. warzig. Blätter hellgrün. ganzrandig. prächtigste Herbstfärbung. Blüten weiß oder etwas rosa. gebüschelt. Mai bis Juni. Beeren blauschwarz. wohlschmeckend. harter. hübscher Zier- und ausgezeichneter Fruchtstrauch. frische. moorige Lagen als Unterholz: ***V. hirsútum,*** O.-Nordamerika. bis 0.5 *m*, Triebe grün. furchig. etwas 4 kantig. Blüten und Früchte borstlich behaart. Frucht August: ***V. Myrtillus,*** unsere gemeine **Heidelbeere,** kaum über 30 *cm*. auch mit weißen und roten *(V. scopárium)* Beeren. für Liebhaber; ***V. pennsylvánicum.*** O.-Nordamerika. halbniederliegend. bis 0.6 *m*, Blätter spitz-elliptisch. beiderseits grün. gesägt. Blüten ziemlich weiß. Früchte süß. reifen am frühesten von den amerikanischen Arten. für trockene Lagen recht brauchbar: ***V. stamineum,*** O.-Nordamerika. bis 1.5 *m*. Blätter beiderseits behaart. unterseits grau. Blüten weiß oder rötlich. mit herausragenden Staubblättern. April bis Juni. Frucht zuletzt bläulich. ungenießbar. hübsch wie *arboreum*. aber härter: ***V. uliginósum,*** unsere **Sumpfheidelbeere, Moorbeere,** kriechend. bis 35 *cm*. mit fast wintergrünen, ganzrandigen. unterseits bläulichen Blättchen. Blüten langgestielt. zu 2 bis 4. weiß oder rosa. Frucht hechtblau. süß. für Gesteinspartien usw., feuchtere. moorige Orte: für Felsanlagen auch das niedrige amerikanische ***V. caespitósum,*** Blüten einzeln.

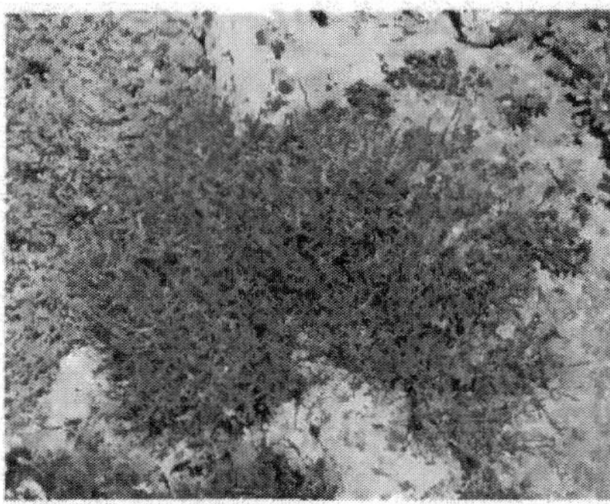

Abb. 478. *Vella spinosa*, 20 *cm*. (Phot. A. Purpus, Kew Gardens.)

B. Blätter deutlich immergrün. Blüten 4 zähnig. Staubblätter 8: ***V. macrocárpon,*** nordamerikanische Moosbeere. in allem üppiger als folgende. Blätter stumpf-oval. Früchte bis 2 *cm* dick. wird jetzt für feuchte Moor- und Sandböden als Kulturpflanze empfohlen!; ***V. Oxycóccus*** (*Oxycoccus palústris*). heimische **Moosbeere,** für Liebhaber an moorigen Stellen. Blätter spitz-oval. Blüten hellpurpurn. Beeren zuletzt blutrot. bis 10 *mm* dick: ***V. Vitis-Idaéa,*** unsere gemeine **Preißelbeere,** kriechend. kahl. Blätter stumpf-oval. Blüten weiß oder rosa. Frucht scharlachrot. selten weiß. liebt mehr trockene Lagen. Kiefernwälder usw., für Liebhaber brauchbar.

Vaccinium brachýcerum und ***resinosum*** siehe *Gaylussacia*. — ***Vaccinium cantábricum*** siehe *Daboecia*.

Vauquelinia corymbósa ist eine immergrüne mexikanische Rosacee mit kleinen Blüten in Trugdolden, von der das bei *Lindleya* Gesagte gilt.

Vella spinósa — Cruciferen. — Niedriger, dornige Polster bildender spanischer Felsenstrauch (Abb. 478), Blätter lineal, dicklich, borstlich gewimpert, Blüten gelb mit violett, in 3—5 blütigen, endständigen Trauben, Juni bis Juli; Kultur in Felspartien in sonnigsten, trockenen Lagen mit gutem Schutz gegen Nässe, für erfahrene Pfleger; Vermehrung durch Samen und Stecklinge aus jungem Holze; ebenso die höhere, dornlose ***V. Pseudocýtisus*** mit größeren, verkehrt eilanzettlichen Blättern und vielblütigen Blütenständen; interessant, aber heikel.

Verbéna júncea siehe *Baillonia*.

***Veronica,* Ehrenpreis** — Scrophulariaceen. Kleine. immergrüne Sträucher aus Neuseeland. Blätter paarweis gegenständig. meist dachziegelig. Blüten endständig. kleintraubig. Sommer; Kultur in recht warmen. sonnigen. geschützten Lagen und gut durchlässigem Boden als Felsenpflanze mit Winterschutz; Vermehrung durch Teilung und krautige oder reife Stecklinge. auch Samen (Frühjahr): Verwendung nur für spezielle Liebhaber. besonders im Süden des Gebietes.

Frühling im Buchenwald.

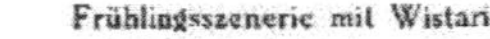

Frühlingsszenerie mit Wistarien.

V. cupressoides (Abb. 479), 10 bis 30 *cm* hoch. Blätter schuppig, dachziegelig. Blüten hellblau; ähnlich ***V. Hectorii***, bis 50 *cm*, Blüten rosa oder weiß; ***V. pinguifolia*** (Abb. 480), bis 1 *m*, Blätter bis 12 *mm* lang, Blüten weiß; ***V. Traversii***, bis 50 *cm*, Blätter vierreihig, bis 2,5 *cm* lang, Blüten weiß.

Abb. 479. *Veronica cupressoides*, 40 *cm*.
(Phot. A. Purpus, Wisley, England.)

Vibúrnum[1], **Schneeball, Schlinge** — Caprifoliaceen. — Meist hohe, sommer- oder wintergrüne Sträucher (Abb. 481 bis 492), Blätter gegenständig, meist ziemlich groß, einfach oder gelappt, Blüten klein, aber in meist recht ansehnlichen Doldenrispen, oder mehr schirmförmig. Frucht beerenartige Steinfrucht; K u l t u r im allgemeinen in jedem guten, frischen, durchlässigen Gartenboden in vorwiegend sonniger Lage, trockenere Plätze vertragen z. B. *acerifolium*, *dilatatum*, *Lantana*, *pubescens*, *prunifolium*, wogegen z. B. *alnifolium* Halbschatten und feuchtere Lagen liebt; Schnitt frühblühender Arten soweit nötig nach Blüte, sonst im Winter, meist nur Auslichten; V e r m e h r u n g durch Samen (nach Reife oder stratifizieren), z. B. *alnifolium*, *Lantana*, *molle*, *prunifolium*; meist durch krautige Stecklinge unter Glas (die immergrünen), aus Steckholz wachsen *dentatum* und *Opulus*. Ableger empfehlen sich für *tomentosum* und Formen; V e r w e n d u n g als zum Teil ganz hervorragende Ziersträucher im Park und Garten, solche wie *Lantana* und *Opulus* als Decksträucher usw., siehe die Arten.

ALPHABETISCHE LISTE DER ERWÄHNTEN LATEINISCHEN NAMEN.
(Die Ziffern bezeichnen die Seitenzahlen.)

A. (B. siehe S. 425) Blütenstände flach ebensträußig mit von einem Zentrum entspringenden Hauptachsen. — A. (B siehe S. 423). Blattnervenpaare von der Mittelrippe aus bis in die Randzähne durchlaufend.

Abb. 480. *Veronica pinguifolia* 40 *cm*. (Phot. A. Purpus, Darmstadt)

I. (II. siehe unten) Blätter meist dreilappig, mit 3 (bis 5) vom Blattgrunde aus fächerförmig entspringenden Hauptnerven, stets sommergrün. Früchte rot (Gruppe *Opulus*). a) Randblüten unfruchtbar und vergrößert. Blattstiele drüsentragend: ***V. americánum*** (*V. Opulus* var. *americanum*, *V. edule*, *V. trilobum*, *V. opuloides*, *V. Oxycoccus*), nördl. Verein. Staaten bis Britisch Columbien, sehr ähnlich *Opulus*, Wuchs etwas breiter, Austrieb gerötet. Blätter unten kahl, Stiele mit breiter flacher Furche und kleinen Drüsen. Frucht lebhaft korallenrot, Juli bis Winter, von Vögeln unberührt; ***V. Opulus***, Europa bis Nordasien, bis 4 *m*. Blätter bis 12 : 10 *cm*, unten etwas behaart. Stiel mit enger Furche und größeren discusartigen Drüsen. Antheren gelb, Blüten Mai bis Juni, Frucht August, scharlach bis blutrot, schön, auch guter Deckstrauch und Unterholz, wertvoll die Formen var. *nanum* (var. *pygmaeum*) kleine, selten blühende Zwergform, kaum über 50 *cm*, var. ***stérile*** (*V. roseum*, *V. rosáceum* Hort.), gefüllter Schneeball, alle Blüten steril, weiß oder rosa, sehr schmuckvoll, ferner var. *aureum*, Laub bronzefarben austreibend, dann gelblich, und var. *xanthocarpum*, Frucht gelb; ***V. Sárgentii***, Nordchina bis Japan, wie vorige doch Tracht kompakter, siehe Abb. 40, Rinde der älteren Zweige korkig, obere Blätter der Zweige oft verlängert und ungelappt. Antheren purpurn. Frucht rundlicher, in Blüte schön, weniger reich fruchtend. — b) Alle Blüten fruchtbar. Blattstiele ohne Drüsen: ***V. acerifólium***, östl. Verein. Staaten, 1 bis 2 *m*. Triebe nur jung behaart, rotbraun. Blätter ahornartig, aus herzförmigem Grunde dreilappig, bis 13 *cm* breit, unten weich grauhaarig bis fast kahl, mit zahlreichen feinen schwarzen Punkten. Blütenstände bis 8 *cm* breit. Mai bis Juni. Frucht erst rot, dann blauschwarz, August bis September, verträgt trockenere halbschattige Lagen; nahe steht das kleinasiatische ***V. orientále***, Abb. 481, gut unterschieden durch das Fehlen der Punkte auf den Blattunterseiten, nicht ganz so hart; ***V. kansuénse***, Nord- und Mittelchina, bis 2 *m*, Zweige kahl. Blätter tief 3 bis 5 lappig, kaum über 5 *cm* lang, nur an Nerven behaart. Blütenstände 3,5 *cm* breit, etwas rosaweiß. Frucht rot, hübsche harte Art.

Abb. 481. Blütenzweig von *Viburnum orientale*. Phot. A. Purpus

II. Blätter ungelappt, nur mehr minder gezähnelt. a) (b siehe S. 421) Winterknospen nackt (nicht von ein oder mehr Paar Schuppen umschlossen). — 1. Blüten mit bis 1 *cm* langer Röhre, Staubblätter eingeschlossen: ***V. Carlésii***, Korea, Abb. 482, niedriger, breiter Strauch, bis 80 *cm*, alle Teile sternfilzig, Blätter breitoval, bis 5 *cm* breit, oberseits trübgrün, behaart, unten filzig, Stiele nur 4 bis 6 *mm*, Blütenstände 4 bis 8 *cm* breit, alle Blüten fruchtbar, erst rosa, dann weiß, gut duftend, April-Mai, prächtige zum Treiben geeignete Art, hart; ihr steht nahe die japanische ***V. bitchuiénse***, lockerer verzweigt, Blätter und Blütenstände kleiner, weniger schön. — 2. Blüten nicht so lang röhrig, Staubblätter herausragend: ***V. alnifólium*** *(V. lantanoides)*, nordöstl. Nordamerika, sparrig-ausgebreiteter, oft etwas niederliegend-wurzelnder, selten über 2 *m* hoher Strauch, Triebe sternfilzig, später purpurgrau, Blätter groß, rundoval, bis 20 *cm* lang, schön weinrot im Herbst, Blütenstände bis 15 *cm* breit, weiß, mit sterilen Randblüten, Mai (bis Juni), bei var. *praecox* drei Wochen früher, Frucht schwarzpurpurn, August, schöne Art für frische schattige Lagen; das japanische Gegenstück dazu ist

Abb. 482. *Viburnum Carlesii*, 1 *m*, kleine Pflanze. (Phot. A. Purpus.)

Abb. 483. *Viburnum tomentosum* var. *Mariesii*, 2 *m*. (… Veitch and Sons.)

Abb. 484. *Viburnum tomentosum*, 1,5 *m*. (Phot. A. Rehder.)

Abb. 485. *Viburnum tomentosum* var. *plenum*, 2 *m*. (Phot. A. Rehder.)

V. furcátum, Wuchs mehr aufrecht, bis 5 *m*; **V. cotinifólium** (*V. multrátum*), Nordwesthimalaya, breiter Strauch, bis über 3 *m*, sehr an *Lantana* erinnernd, aber Blattzähnung stumpfer, Blütenstände leicht gewölbt, mit meist nur 5 Strahlen, nicht ganz hart; **V. Lantána,** wollige Schlinge, Europa, Westasien, bis über 3.5 *m*, alle Teile grau sternfilzig, Blätter aus meist herzförmigem Grunde eiförmig, bis 15 : 10 *cm*, Zähnung eng, ziemlich scharf, Blütenstände bis 10 *cm* breit, etwas betäubend duftend, weiß, Mai bis Juni, Kelch fast kahl, Frucht erst lebhaft rot, dann glänzend schwarz, anspruchslos, verträgt ziemlich trockene Lagen, liebt Kalk; **V. Veitchii,** Mittelchina, ähnlich voriger, wenig über 1 *m*, Blätter entfernter, etwas geschweift gezähnt, Kelch grau sternfilzig, recht schmuckvoll. — b) Winterknospen von 1 bis 2 (selten mehr) Paar Schuppen umschlossen. — 1. Blätter immergrün, lederig: **V. japónicum** Sprg. (*V. macrophýllum*), aufrechter kahler Strauch, bis 1,5 *m*, Blätter breit oval, glänzend grün, 7 bis 15 *cm* lang, Blütenstände bis 10 *cm* breit, weiß, Mai bis Juni, Frucht kugelig, rot, schöne Art, etwa so hart wie *Evonymus japonicus*, sollte mehr versucht werden. — 2. Blätter sommergrün, häutig. — α) (β siehe S. 425) Blattstiele ohne Nebenblätter. — 1. Blütenstände mit sterilen vergrößerten Randblüten: **V. tomentósum** (*V. plicatum*), Japan, Mittelchina, üppiger Strauch bis 3 *m*, Tracht wie Abb. 484, Zweige sternhaarfilzig, Blätter breit- oder länglich-oval, oberseits sattgrün, fast kahl, unten sternhaarig, grau, Herbst dunkelbraunrot, Blütenstände seitenständig, bis 10 *cm* breit, sterile Blüten lang gestielt, weiß, Juni, Frucht korallenrot, zuletzt aber blauschwarz, prächtige Art, hierher var. **Mariésii,** Abb. 483, wenig verschieden vom Typ, var. **plénum** (*V. plicatum* var. *plenum*, *V. tomentosum* var. *plicatum*), alle Blüten steril, siehe Abb. 485, härter und schöner. — 2. Blütenstände ohne sterile Randblüten. — Früchte rot, Blattgrund rundlich oder breitkeilig: **V. dilatátum,** Japan, Nord- und Mittelchina, aufrechter, bis 4 *m* hoher Strauch, wie Abb. 486, Triebe jung rauhhaarig, Blätter rundoval, bis 12 *cm* breit, beiderseits behaart, Blütenstände bis 15 *cm* breit, reinweiß, Mai bis Juni, Frucht scharlach, lange bleibend, schöner harter reichblühender Strauch; **V. theiferum,** Mittel- und Westchina, kahler, bis 4 *m* hoher Strauch, Blätter sattgrün, leicht glänzend, spitz-eilänglich, Stiele 10 bis 15 *mm*, Blütenstände bis 5 *cm* breit, weiß, Mai bis Juni, Frucht lebhaft rot, Oktober, schöne harte Art; ähnlich ist das japanische **V. phlebotríchum,** aber Blätter kleiner, unten auf Nerven etwas seidenhaarig, Stiele nur bis 6 *mm* lang, was in Kultur als diese Art geht, ist wohl stets **V. Wrightii,** Japan, bis 4 *m*, Triebe fast kahl, Blätter rundlich-oboval, nur auf Nerven unten etwas behaart, bis 14 *cm* lang, Stiele 8 bis 18 *mm*, Blütenstände bis 15 *cm* breit, Mai bis Juni, Frucht kugelig, glänzend blutrot, September bis Oktober, eine niedrigere Form ist var. *Hessei* (*V. Hessei*), in allen Teilen kleiner. — Früchte blauschwarz, Blattgrund meist herzförmig: **V. dentátum,** östl. Nordamerika, bis über 5 *m*, Triebe und Blätter kahl, diese oval, scharf und spitz gezähnt, bis 10 *cm*

Abb. 486. *Vibúrnum dilatatum*, 1,5 *m*. (Phot. A. Rehder.)

Abb. 487. *Viburnum venosum* var. *Canbyi*, 3,5 *m*. (Phot. A. Rehder.)

lang, Stiele 1,5 bis 2,5 *cm*. Blütenstände bis 8 *cm* breit, weiß, Mai bis Juni. Frucht fast kugelig, Oktober, liebt feuchte Lagen; ***V. venósum*** (geht auch fälschlich als *V. molle*, *V. Hanceanum* und *V. nepalense*), östlich Verein. Staaten, wie voriges aber nicht so üppig, die Zweige und Blattunterseiten behaart, Blätter breitoval, bis 10 : 7 *cm*. Blüten Juni, besonders schön var. ***Cánbyi*** (*V. laevigatum* Hort.), Blätter und Blütenstände größer, siehe Abb. 487.

Abb. 488. *Viburnum pubescens*, 2,5 *m* (Phot. A. Rehder.)

β) Blattstiele mit (oft winzigen) Nebenblättern. — 1) Blattstiele im Mittel deutlich über 1 *cm* lang: ***V. betulifólium,*** Mittel- und Nordchina, fast ganz kahler, bis 3 *m* hoher Strauch, Blätter derb, rhombisch oder länglich oval, bis 6:4 *cm*, sattgrün, Blütenstände bis 10 *cm* breit, weiß, Juni, Früchte rot, fast kugelig, hübsch, hart; ***V. dasyánthum,*** Mittelchina, bis 2 *m*, Zweige glänzend dunkelpurpurn. Blätter nur unten spärlich behaart, sattgrün, oval, bis 12 *cm* lang, mit kurzen aufgesetzten Zähnen, Stiel bis 2 *cm*. Blütenstände bis 10 *cm* breit, Blumenkrone und Ovar behaart, sonst wie ***V. hupehénse,*** Mittelchina, Triebe und Blattunterseiten sternhaarig. Blätter spitz breiteiförmig, bis 7:6 *cm*, Blüten Mai bis Juni, Frucht dunkelrot, August, härter als vorige: ***V. lobophýllum*** Nord- und Mittelchina, wie *betulifolium* aber Blätter breit eiförmig bis oboval, bis 11 : 8,5 *cm*, unterseits etwas behaart, Blütenstände kleiner, bis 3 *cm* lang gestielt: ***V. molle*** *(V. Demetriónis)*, mittl. Verein. Staaten, bis 4 *m*, ausgezeichnet durch die abblätternde Rinde der älteren Zweige. Blatter breit herz-eiförmig, unten weich behaart, bis 13 *cm* lang, Stiele bis 5 *cm*. Blütenstände bis 10 *cm* breit, etwas gelblich weiß, Mai. Frucht blauschwarz, August, hübsche harte Art. — 2) Blattstiele im Mittel nur 5 bis 9 *mm* lang: ***V. ichangénse*** *(V. erosum* var. *ichangense)*, Mittelchina, bis 3 *m*, Triebe jung behaart, Blätter spitz eilanzettlich, oberseits rauh, unten behaart, bis 6,5 *cm* lang, Blütenstände bis 4 *cm* breit, Früchte rot, ziemlich hart; ***V. pubéscens,*** Ostnordamerika, bis 2,5 *m*, wie Abb. 488, Triebe schnell kahlend, rotbraun, Blätter spitz-eiförmig, bis 8 *cm* lang, unten graugrün, weich behaart, Herbstfärbung tief purpurn, Blütenstände bis 6 *cm* breit, weiß, Juni, Früchte schwarzpurpurn, fast ganz kahl ist var. ***affine*** *(V. affine)*.

Abb. 489. *Viburnum rhytidophyllum* mit Früchten, 1 *m*. (James Veitch and Sons)

B. Blattnervenpaare vor dem Rande im Adernetz sich auflösend. — I. (II. siehe S. 424) Blätter lederig, immergrün. — a) Blätter am Grunde mit drei vorspringenden Hauptnerven: ***V. cinnamomifólium,*** Mittelchina, kahler, baumartiger Strauch, bis 6 *m*. Blätter länglich-elliptisch, bis 12 *cm*. Blütenstände 10 bis 16 *cm* breit, weiß, Frucht glänzend blauschwarz, gleich den beiden folgenden Arten in milderen Lagen zu erproben; ***V. Davidii,*** Mittelchina, niedriger kompakter Strauch. Blätter elliptisch-oboval, bis 15 : 7 *cm*, unten in Achseln gebartet. Blütenstände bis 7 *cm* breit, trübweiß, Früchte dunkelblau, dürfte die härteste der drei Immergrünen sein; ***V. propínquum,*** Mittelchina, buschiger Strauch, Triebe kantig, Blätter länglich-elliptisch, dunkel glänzend grün, Blütenstände bis 8 *cm* breit, Blüten grünlich weiß, Frucht blauschwarz, zur Fruchtzeit recht zierend. — b) Blätter mit Fiedernervenpaaren. — 1. Blätter und Zweige kahl oder spärlich behaart: ***V. cylindricum*** *(**V. coriáceum**)*, Himalaya bis Mittelchina, baumartig, bis 15 *m*, kahl, Zweige etwas warzig, Blätter länglich-eiförmig, lang zugespitzt, oberseits wachsig stumpfgrün, bis 16 : 6 *cm*, Blütenstände bis 10 *cm* breit, gelblich oder rötlich-weiß, Juni, Früchte blauschwarz: ***V. Harryánum,*** Westchina, buschig, bis 1,5 *m*, junge Triebe fein behaart, Blätter rundlich-oboval, bis 2,5 *cm*, ligusterartig. Blütenstände klein, weiß. Frucht glänzend schwarz, sehr interessant und zu erproben, wohl ziemlich hart: ***V. Tinus*** *(Tinus laurifolius, V. Laurustinus* Hort.), Mittelmeergebiet, dichter buschiger Strauch, bis 3 *m*. Blätter glänzend grün, spitz schmal-oval, bis 12 *cm* lang, unten nur in Achseln etwas behaart. Blütenstände bis 10 *cm* breit, weiß oder rosa, duftend, Mai bis Juli (im Süden ab März), Frucht schwarz, nur für südliche warme Lagen im Freien, die chinesischen Arten sind härter. — 2. Blätter und Zweige filzig oder flockig behaart: ***V. rhytidophýllum***, westliches und mittleres China, hoher Strauch bis 5 *m*, siehe Abb. 489, alles sternfilzig. Blätter sehr groß, bis 20 *cm*, länglich oval, oben stark runzelig und glänzend, unten erhaben netznervig. Blütenstände bis 18 *cm* breit, schon im Herbst ausgebildet, gelblich-weiß, Mai bis Juni. Frucht erst rot dann schwarz, September bis Oktober, prächtige recht harte Art, liebt warme Lagen, wo das Holz gut ausreift; ein Bastard mit *Lantana* vorhanden[?]. ***V. útile***, Mittelchina, lockerer oder dichter breiter Busch, bis 1,5 *m*, siehe Abb. 490, Zweige jung graufilzig, Blätter schmal-eiförmig, bis 6 *cm*, unten weißfilzig, oben glänzend grün. Blütenstände bis 8 *cm* breit, weiß, duftend, Mai, Früchte blauschwarz, blüht schon als kleine Pflanze reich, sehr wertvoll.

Abb. 490. *Vibúrnum útile*, 1 *m*, junge Pflanze. (James Veitch and Sons.)

II. Blätter sommergrün, häutig. — a) Winterknospen beschuppt. — 1. Blätter unregelmäßig kerbzähnig oder ganzrandig. Blütenstände deutlich gestielt: ***V. cassinoides*** *(V. nudum* var. *cassinoides, V. squamátum)*, östliches Nordamerika, bis 1,5 *m* oder etwas baumartig, wie Abb. 491. Triebe, Blattstiele und Blütenstand fein bräunlich schülferig. Blätter fest, oben stumpfgrün, entfernt gezähnelt, länglich-oval, bis 9 *cm*. Blütenstände bis 12 *cm* breit, weiß, Juni bis Juli, Frucht tief blauschwarz, hübsche Art, härter als ***V. nudum***, bis 4 *m*, hauptsächlich abweichend durch glänzende fast ganzrandige Blätter und doppelt so lange Blütenstandstiele. — 2. Blätter deutlich eng und scharf sägezähnig. Blütenstände fast sitzend: ***V. Lentágo*** *(V. pyrifólium* Hort.), Schafbeere, östl. Nordamerika, oft baumartig bis 10 *m*. Triebe schülferig. Blätter oval mit lang vorgezogenen Spitzen, glänzend etwas gelbgrün, nur unten an Rippe etwas schülferig, bis 10 *cm* lang. Stiele meist mit geschweiften Randsaum. Blütenstände bis 12 *cm* breit, rahmweiß, etwas duftend, Mai bis Juni, Frucht blauschwarz, lange bleibend, auch für Halbschatten geeignet; ***V. prunifólium*** *(V. pyrifolium* Poir.), mittl. und südöstl. Verein. Staaten, sonst wie vorige, doch Winterknospen nicht langspitzig, Blätter stumpfer, breit-eiförmig, Herbst prächtig weinrot oder scharlach, Stiele nicht oder kaum gesäumt, Blütenstände schon ab April und Früchte kleiner; sehr nahe steht ***V. rufidulum*** *(V. prunifolium* var. *ferrugineum, V. ferrugineum* und *V. rufotomentósum)*, südöstl. Verein. Staaten, besonders abweichend durch die rostig behaarten Knospen und Blattstiele, Laub sehr tiefgrün, blüht etwas später.

b) Winterknospen nackt, alle Teile sternhaarig: ***V. burejaëticum*** (*V. burejánum*). Mandschurei bis Mittelchina, wenig verzweigt, bis 6 *m*, Blätter ziemlich stumpf ei-elliptisch, unten bis auf Nerven stark kahlend, bis 7 *cm* lang, Stiel 5 bis 13 *mm*, Blütenstände bis 5 *cm* breit, Frucht blauschwarz, selten echt, hart; ***V. macrocéphalum***, Ost- und Mittelchina, breiter Strauch bis 4 (bis 7) *m*, Blätter zuweilen etwas wintergrün, oval, bis 10 *cm* lang, unten sternhaarig, Stiele 10 bis 15 *mm*, Blüten gelblich weiß, in bis 10 *cm* breiten Blütenständen, etwas duftend, die wilde Form ist var. ***Keteleérii*** (*V. Keteleerii, V. arboréscens*), der eigentliche Typ hat nur sterile Blüten in kugeligen, bis 20 *cm* breiten Blütenständen und geht als var. ***stérile*** (*V. Fórtunei* Hort.), prächtige Form, aber nicht ganz hart in rauheren Lagen.

Abb. 491. *Vibúrnum cassinoides*, 1 *m*. (Phot. A. Rehder)

B. Blütenstände gestreckt rispenförmig, breit pyramidal oder halbkugelig. – a. Blätter immergrün: ***V. Hénryi***, Mittel- und Westchina, Abb. 492, oft baumartig, bis 5 *m*, Triebe steif, kahl, Blätter derb, länglich-oboval, Nerven nicht ganz durchlaufend, bis 12 *cm*, glänzend grün, unten leicht sternhaarig an Nerven, Blütenstände steif pyramidal, am Grunde bis 10 *cm* breit, Frucht erst rot dann schwarz, wohl ziemlich hart, versuchswert; ***V. odoratissimum*** (*V. Awabucki* und *V. Awafuki* Hort.), Indien, Südchina, Japan, Strauch bis 4 *m*, kahl, Zweige dick, warzig, Blätter länglich-elliptisch, glänzend grün, bis 16 *cm*, Blütenstände 15 : 18 *cm* zur Fruchtzeit, Blüten weiß, duftend, Mai bis Juni, Früchte erst rot dann schwarz; nur für wärmste Lagen versuchswert. — b. Blätter sommergrün: ***V. fragrans***, Nordchina, Blätter länglich-oboval, scharf gezähnt, unten kahl, Blütenstände bis 3.5 *cm* hoch, vor den Blättern, Blüten röhrig, erst rosa, dann weiß, duftend, sehr schöne Art, augenscheinlich hart, sollte sehr versucht werden; ***V. Siebóldii*** (*V. reticulátum* Hort.), Japan, steifer breiter Strauch, bis 4 *m*, Zweige dick, jung behaart, Blätter groß, oboval, bis 12 : 9 *cm*, oben glänzend sattgrün, unten scharf genervt, behaart, Blütenstände bis 10 *cm* breit, rahmweiß, Mai bis Juni, Früchte erst rosa, dann blauschwarz, bald abfallend, Blätter gerieben unangenehm riechend, geht auch als *japonicum* und *latifolium*, hübsche ziemlich harte Art.

***Vinca*, Singrün, Immergrün,** — Apocynaceen. — Bekannte kriechende, immergrüne Halbsträucher, Blätter kreuzgegenständig, einfach, sattgrün, Blüten einzeln, blau, gestielt, (März), April bis August; Kultur in jedem nicht zu feuchten Gartenboden in schattiger Lage; Vermehrung durch Teilung und Stecklinge; Verwendung als ausgezeichnete Schattenpflanze, auch für trockenere Lagen, ferner bekannte Grabpflanze.

V. major, Europa, Kleinasien, mehr verholzend, Triebe bis 80 *cm*, nicht wurzelnd, Blattgrund mehr herzförmig, Blätter bis 8 *cm* lang, eine hübsche gelbweißbunte Form ist var. *elegantissima*, Blüten blau, violett oder weiß, größer als bei folgender, *major* ist nicht überall ganz so hart, doch schöner, liebt humosen, frischen Grund, Rückschnitt alter Triebe im Frühjahr empfehlenswert; ***V. minor***, auch Nordeuropa bis Kaukasus, sterile Triebe bis 30 *cm*, wurzelnd,

Blätter 2 bis 5 *cm* lang, Blüten blauviolett, weiß (var. *alba*), auch gefüllt, ebenso einfach blau (var. *coerulea*) und rosa (var. *rosea*), sowie purpurn (var. *atropurpurea*) und die gefüllte var. *purpurea plena*, schön auch var. *albo-variegata* (var. *argenteo-variegata*), Blätter weißbunt, und var. *aureo-variegata*, goldbunt, überall gut zu verwenden.

Abb. 492. *Viburnum Henryi*, mit Früchten, 90 *cm*, junge Pflanze. (James Veitch and Sons.)

Virgilia siehe *Cladrastis*.

***Viscum album*, Mistel** — Loranthaceen. — Bekannte immergrüne Schmarotzerpflanze mit glänzenden, weißen, gelben oder roten Beeren, die auf den verschiedensten Bäumen oft in Menge auftritt. Für Kultur wohl belanglos, doch kann man sie leicht einbürgern, indem man die Samen an junge Zweige der Wirtspflanzen anklebt.

Vitex incisa (*V. Negundo* var. *incisa*), **Keuschbaum, Mönchspfeffer** — Verbenaceen. — Nordchinesischer, baumartiger Strauch, bis 4 *m*. Blätter sommergrün, gegenständig, fingerförmig 5 zählig mit linealllanzettlichen, eingeschnitten gezähnten, bei var. ***multifida*** (*Agnus-castus incisa* var. *multifida*) tief fiederschnittigen Blättchen. Blüten hellviolett, duftend, rispig-ährig, August bis September; Kultur in warmen, sonnigen Lagen in frischem, aber gut durchlässigem Boden; Schnitt nach Bedarf gegen Frühjahr; Vermehrung durch krautartige Stecklinge oder Ableger in leichtem Boden; Verwendung für günstige Lagen als hübscher Herbstblüher. — ***V. Agnus-cástus***, Südeuropa und Westasien, mit bis 7 zähligen Blättchen, ist nicht ganz so hart, blüht aber reicher und treibt nach Zurückfrieren wieder aus.

Vitis (siehe auch unter *Ampelópsis* und *Parthenocissus*), **Wein, Rebe** — Vitaceen. — Bekannte Schlingpflanzen, die mit blattgegenständigen Ranken klimmen, Zweige mit gestreifter Rinde. Blätter sommergrün, einfach, handförmig gelappt. Blüten rispig, unansehnlich, Blumenkrone mützenförmig verklebt, als Haube abfallend. Früchte bekannt; Kultur in jedem nicht zu armen, durchlässigen Gartenboden in sonniger und halbschattiger Lage; Vermehrung durch Stecklinge, Ableger und Veredlung; Verwendung als prächtige Schlinger zur Bekleidung von Mauern, Laubengängen, Bäumen usw. — Von den vielen Arten seien als beste folgende hervorgehoben:

ALPHABETISCHE LISTE DER ERWÄHNTEN LATEINISCHEN NAMEN.
(Die Ziffern bezeichnen die Seitenzahlen.)

A. Zweige mit feinen hellen Rindenhöckerchen gepunktet, Rinde sich nicht in Streifen ablösend (Gruppe *Muscadinia*): ***V. rotundifólia*** (*V. vulpina* vieler Gärten), echte Fuchsrebe, südöstliche Verein. Staaten, üppiger Schlinger, Ranken unverzweigt, an jedem dritten Knoten fehlend, Blätter herzförmig rundoval, derb, glänzend gelbgrün, 5 bis 10 *cm* breit, Beeren groß, reiflos, Moschusgeschmack; in Kultur oft mit *rupestris* verwechselt, nicht so hart; empfindlicher ist die sehr ähnliche *V. Munsoniana*. — B. Zweige ohne Rindenhöckerchen mit in Streifen abfasernder Rinde (Gruppe *Euvitis*). — I. Blätter (wenigstens teilweise) dreizählig: ***V. Piasétzkii*** (*Ampelopsis Davidiana*), Mittelchina, Wuchs mäßig stark, junge Triebe behaart und drüsenborstig, Blätter oben sattgrün, unten grau, etwas bräunlich behaart, Herbstfärbung blutrot oder bronzefarben; sehr ähnlich ist ***V. Pagnúccii*** mit kahlen Trieben; beide hübsche Zierarten für nicht zu rauhe Lagen. — II. Blätter stets einfach, höchstens tief gelappt. — a) Zweige mit Drüsenborsten oder Stacheln: ***V. Dávidii*** (*Spinovitis Davidii*, *V. Davidiana*, *V. armata*), Mittel- und Westchina, Stachelrebe, üppige Art, Zweige kahl, aber bestachelt, Blätter herzförmig, bis 20 *cm* breit, oben glänzend, unten blaugraugrün, nur in Achseln behaart, sonst bestachelt, Frucht schwarz, sehr eigenartige wertvolle Zierart, besonders in der var. ***cyanocárpa*** (*V. armata* var. *cyanocarpa*, *V. armata* var. *Veitchii* Abb. 493), die sich im Herbst prächtig rot färbt; gleich der folgenden für geschützte Lagen; ***V. Romanétii*** (*V. rutilans*), Mittelchina, Triebe drüsenborstig und behaart, Blätter dreilappig, 10 bis 23 *cm* breit, besonders jung unten weiß behaart, Frucht schwarz. — b) Zweige nie drüsenborstig oder bestachelt. — α) Ranken fortlaufend, an jedem Knoten vorhanden: ***V. Labrúsca*** (*V. Blandii*), nördliche Fuchsrebe, östl. Vereinigte Staaten, dort wichtige Kulturrebe, bei uns nur für Zierzwecke. Triebe flockig behaart, Blätter kaum gelappt, rundlich-herzförmig bis 18 *cm* breit, Beeren groß, dunkelpurpurn, Fuchsgeschmack. — β) Ranken an jedem dritten Knoten fehlend. 1. Blätter derb, unterseits braun- oder weißflockig-filzig oder blaugrau: ***V. aestivális***, Sommerrebe, östl. und mittl. Vereinigte Staaten, sehr üppig, Triebe rund, meist kahl, Blätter tiefherzförmig, 3 bis 5 lappig, bis 30 *cm* breit, oben tiefgrün, unten rostig behaart.

Abb. 493. *Vitis Davidii* var. *Veitchii*, Stachelwein, 4,5 *m*. (James Veitch and Sons

Beeren schwarz mit Reif, hart; ***V. bicolor***, Blaurebe, etwas nördlicher als vorige, abweichend von ihr durch bereifte Triebe, unterseits blaugraue Blätter ohne Rosthaare, sehr gute harte Art; ***V. cinérea***, süße Winterrebe, Triebe behaart, Blätter etwas dreieckig herz-eiförmig, unten aschgrau oder bräunlich filzig, Beeren schwarz, nach Frost süß; ***V. Coignétiae*** (*V. congésta* Hort.), Japan, üppig, Triebe rund, rostig-filzig, Blätter rundlich-herzförmig, bis 25 *cm* breit, schwach 3 bis 5 lappig, unten bleibend rostig-filzig, Herbstfärbung prächtig scharlachrot, Beeren kugelig, schwarz mit purpurnem Reif, eine der besten Arten; ***V. Doaniána***, südl. mittl. Verein. Staaten, üppig, Blätter sehr derb, bläulich-bleichgrün, unten wie Triebe weißfilzig, herz-eiförmig, spitz dreilappig, Frucht blauschwarz, süß; ***V. pentágona***, Mittelchina, Triebe und Blattunterseiten rötlich graufilzig, Blätter im Umriß fünfeckig, ziemlich dünn, Grund abgestutzt, bis 14 *cm* lang, hübsche Zierart für geschützte Lagen; ***V. Thunbérgii*** (*V. Sieboldii* Hort.), Japan, mäßig üppig, Triebe 5 kantig, Blätter ähnlich *Labrusca*, tief 3 bis 5 lappig, 6 bis 10 *cm* breit, unten gleich Trieben rostfilzig, Beeren klein, blaupurpurn, pfefferkorngroß, hübsche selten echte Art. — — 2. Blätter dünn, beiderseits mehr oder minder grün und glänzend: ***V. amurénsis***, Mandschurei bis Nordchina, üppig, junge Triebe rot, locker flockig behaart, mit dicken festen Scheidewänden, Blätter rundlich-herzförmig, 3 bis 5 lappig, bis 25 *cm* breit, im Herbst purpurn, Beeren klein, hart, schön; ***V. cordifólia***, Winterrebe, südöstl. Verein. Staaten, sehr üppig, Triebe meist kahl, Blätter herz-eiförmig, mit enger Stielbucht, oben glänzend grün, 7 bis 11 *cm* breit, auch unten kahlend, Beeren kugelig, schwarz, nach Frost eßbar; ***V. flexuósa***, Japan, Korea, zierlich, wie Abb. 494, Triebe höchstens ganz jung behaart, Blätter herz-eiförmig, glänzend grün, 5 bis 8 *cm* breit, unten etwas auf Nerven behaart, Beeren schwarz, erbsengroß, schöne Zierart, ebenso die etwas kleinerblättrige var. *parvifolia* (var. *Wilsonii*), prächtige metallisch bronzefarbene Herbstfärbung; ***V. pulchra***, China oder Japan, üppig, Triebe gerötet, Blätter ähnlich *Coignetiae*, schwach 3 lappig, bis 25 *cm* breit, unten behaart, Herbst prächtig bronzepurpurn, sehr hübsche Art; ***V. reticuláta*** (*V. Wilsonae*), Mittelchina, Triebe kahl, Blätter fast nierenförmig, bis 7 *cm* breit, unten an Nerven behaart, Frucht blauschwarz, zu versuchen; ***V. rupéstris***, Sandrebe, südöstl. Verein. Staaten, bis 1,2 *m*, wenig schlingend, meist ohne Ranken, Triebe kahl, Blätter nierenförmig, bis 10 *cm* breit, glänzend bläulichgrün, kahl, Beeren blaupurpurn, wohlschmeckend; ***V. vulpína*** (*V. ripária*, *V. odoratissima*, *V. odorata*), Uferrebe, **Duftrebe**, östl. Nordamerika, üppig, kahl, Triebe mit dünnen Scheidewänden, Blätter dünn, breit herzförmig, spitz 3 lappig, Blüten sehr süß duftend, Beeren klein, blau bereift, bekannte harte wüchsige Art.

Abb. 494. *Vitis flexuosa* var. *parvifolia*.
(Orig.; Hort. Veitch, Coombe wood.)

Vitis aconitifolia, V. Delavayana, V. heterophylla, V. megalophylla, V. repens u. a. siehe *Ampelopsis*. — ***Vitis Henryana, V. quinquefolia, V. tricuspidata, V. Veitchii, V. vitacea*** u. a. siehe *Parthenocissus*. — ***Vitis-Idaea*** siehe *Vaccinium Vitis-Idaea*. — **Vogelbeere** siehe *Sorbus* (Gruppe *Aucuparia*). — **Vogelkirsche** siehe *Prunus avium*. — ***Volkaméria japonica*** siehe *Clerodendron trichotomum*.

Wachsmyrte siehe *Myrica*. — **Waldrebe** siehe *Clematis*. — **Walnuß** siehe *Juglans*. — **Wandelklee** siehe *Desmodium*. — **Wasserdost** siehe *Eupatorium*. — **Wassereiche** siehe *Quercus nigra*. — **Wasserulme** siehe *Planera*. — **Wegdorn** siehe *Rhamnus*. — **Weichsel** siehe *Prunus* (Gruppe *Mahaleb*).

Abb. 495. Blütentriebe von *Wistéria floribunda* var. *macrobotrys* (*W. multijuga*). (Phot. A. Rehder.)

Weide siehe *Salix*. — **Weideneiche** siehe *Quercus Phellos*. — **Weigela, Weigelie** siehe *Diervilla*. — **Wein, Weinrebe** siehe *Vitis*. **Weißbirke** siehe *Betula alba* und *B. pendula*. — **Weißbuche** siehe *Carpinus*. **Weißdorn** siehe *Crataegus*. — **Weißeiche** siehe *Quercus alba*. — **Weiße Raute** siehe *Boenninghausenia*. **Weißerle** siehe *Alnus incana*. — **Weißesche** siehe *Fraxinus americana*.

Whipplea modésta: niedergestreckter, wurzelschlagender Strauch der Saxifragaceen aus Kalifornien, der bei uns nicht in Kultur zu sein scheint; in Darmstadt erfroren.

Whipplea utahensis siehe *Fendlerella*.

Wikstroëmia canéscens: japanische Thymelaeacee, die für Freilandkultur höchstens im Süden in Betracht kommen kann; als Papierpflanze wichtig.

Wilder Rosmarin siehe *Ledum*. — **Wilder Wein** siehe *Ampelopsis*. — **Winde** siehe *Convolvulus*. — ***Wintera*** siehe *Drimys*. — **Winterbeere** siehe *Ilex* (*Prinos*-Gruppe). — **Wintereiche** siehe *Quercus sessiliflora*. — **Winterlinde** siehe *Tilia cordata*.

Wistéria[77]) (*Wistária, Kraunhia*), **falsche Glycine, Wistarie** — Leguminosen. Prächtige sommergrüne Schlingpflanzen (Abb. 12 und 495). Blätter unpaar einfach gefiedert. Blüten schön, in hängenden oder nickenden Trauben, im Mai bis Juni. Frucht große 2klappige Hülse; Kultur in frischem, nahrhaftem, aber gut durchlässigem Boden in warmer, geschützter, sonniger Lage, in rauheren Gegenden mindestens in Jugend Schutz; Vermehrung meist durch Veredlung auf Wurzeln von *sinensis*, auch durch Ableger, Wurzelschnittlinge und schwache Sommerstecklinge unter Glas; Verwendung als unübertreffliche schönblühende Schlinggewächse in allen nicht zu rauhen Lagen; da sie dicke Wurzeln haben, ist Verpflanzen älterer Exemplare schwierig, nur mit Topfballen ratsam; sie blühen oft erst spät, sollen nicht dicht neben andere Gehölze gepflanzt werden, da ihre Wurzeln für sich allein viel Platz und Nahrung beanspruchen.

ALPHABETISCHE LISTE DER ERWÄHNTEN LATEINISCHEN NAMEN.
(Die Ziffern bezeichnen die Seitenzahlen.)

W. floribúnda DC. *(W. brachybótrys* S. & Z., *W. polystáchya* zum Teil), Japan, Blättchen 15 bis 19, nur ganz jung angepreßt behaart. Blütentrauben 10 bis 35 *cm* lang. Blüten violett oder blauviolett, etwa 2,5 *cm* lang, Mai (bis Juni), hierher folgende Formen: var. *alba (W. multijuga* var. *alba)*, Trauben 30 bis 60 *cm*, Blüten weiß, var. *rosea (W. multijuga* var. *rosea)*, Trauben 30 bis 45 *cm*, hellrosa, Spitzen von Kiel und Flügeln purpurn, var. *violaceo-plena (W. chinensis* oder *sinensis fl. pl.)*, violett, sowie vor allem var. ***macrobótrys*** *(W. macrobotrys* Sieb., ***W. multijuga*** Van Houtte, *W. chinensis* var. *macrobotrys* oder var. *multijuga)*, Trauben über 50 *cm*, in Japan gelegentlich bis 1,6 *m*, siehe Abb. 495; der kurztraubige Typ ist in Kultur selten, aber hart, dafür *venusta*; eine hübsche Hybride der *floribunda* mit *sinensis* ist *W. formosa* Rhd.; ***W. frutéscens*** *(Bradléia frutescens)*, südöstl. Vereinigte Staaten, nicht so üppig wie vorige, Blättchen 9 bis 13 (bis 15), Trauben nur 10 bis 15 *cm*, oft etwas aufrecht, Blüten nur bis 18 *mm* lang, klein, lilapurpurn mit Gelb, Juni bis August, nur für warme Lagen; schöner und kaum empfindlicher ist die südlichere ***W. macrostáchys*** mit bis 25 *cm* langen lockeren Trauben und meist 9 Blättchen, hierher die *W. magnifica (W. frutescens magnifica)*, Trauben bis 60blütig; ***W. (Krainhia) japónica*** *(Millétia japonica)*, Japan, Korea, Blättchen glänzend grün, 9 bis 13, Trauben bis 25 *cm*, Blüten weiß, nur etwa 12 *mm* lang, Fahne am Grunde ohne die für die anderen Arten bezeichnenden Läppchen, Juli bis August, als Spätblüher wertvoll für warme Lagen; ***W. sinénsis*** Sweet ***(W. chinénsis*** DC., *W. polystachya* zum Teil), Mittelchina, siehe Abb. 12, von *floribunda* insbesondere abweichend durch nur 11 bis 15 Blättchen, die unterseits etwas behaart sind, und größere voll offen über 2,5 *cm* breite Blüten in 20 bis 30 *cm* langen Trauben, etwa 2 Wochen früher, mauve oder lila, bei var. *alba (W. chinensis* var. *albiflora)* weiß; ***W. venústa*** Rehd. & Wils. *(W. brachybotrys* var *alba, W. sinensis* var. *brachybotrys* Hort. Jap.), Nordostchina, in Japan kultiviert, ausgezeichnet gegen *sinensis* durch bleibende samtige Behaarung beider Blattseiten, kurze breite Rispen, 10 bis 15 *cm*, wagrecht spreizende Blütenstiele, sehr große Blüten, weiß, Mai, hart.

Abb. 496. *Xanthóceras sorbifolia*, Gelbhorn, 1,5 *m*. Phot. A. Rehder.

Wollknöterich siehe *Eriogonum*. — **Wolltraube** siehe *Eriobothrya*. — **Wundklee** siehe *Anthyllis*.

***Xanthóceras sorbifólia*, Gelbhorn** Sapindaceen. Kleiner, bis 8 *m* hoher, sommergrüner Baum aus Nordchina (Abb. 496). Blätter abwechselnd, unpaar gefiedert, bis 17zählig. Blüten weiß, in schönen, aufrechten dichten, bis 25 *cm* hohen Trauben im Mai bis Juni. Früchte roßkastanienartige Kapseln; Kultur in durchlässigem, lehmig-sandigem Boden in warmer, mehr trockener Lage, in rauheren Gegenden in Jugend Winterschutz; Schnitt kaum nötig;

Vermehrung durch Samen (stratifizieren, leichter Boden) und Wurzelstecklinge (Bodenwärme); Verwendung als zur Blütezeit recht hübsche, eigenartige Erscheinung im Park.

Xanthorrhiza *(Zanthorhiza)* ***apiifólia*, Gelbwurz** Ranunculaceen. — Gelbholziger, am Grunde verholzender, 0,3 bis 0,6 *m* hoher, sommergrüner Kleinstrauch (Abb. 497), Blätter 3 zählig oder meist einfach bis doppelt unpaar gefiedert, an *Actaea* erinnernd. Blüten wenig ansehnlich, grünlichgelb, in überhängenden Rispentrauben, April bis Mai; Kultur am besten in feuchteren, schattigen Lagen, doch wenig wählerisch; Vermehrung durch Ausläufer, oder Teilung im Frühjahr; Verwendung wegen der schönen, im Herbst goldgelben Blätter im Garten, Park und Gesteinsanlagen; verdient mehr Beachtung für ganz niedrige Hecken.

Abb. 497. *Xanthorrhiza apiifolia*, Gelbwurz, 80 *cm*. (Phot. A. Purpus.)

Xanthóxylum *(Zanthoxylum)* ***americanum*** *(Z. fraxineum, Z. ramiflorum)*, **Gelbholz** Rutaceen. — Strauchig oder baumartig, bis über 5 *m*. Zweige mit unter den Knospen gepaarten Stacheln, Blätter abwechselnd, sommergrün, unpaar gefiedert, 5 bis 11 zählig, sattgrün, unterseits behaart, aromatisch, Blüten unansehnlich, grünlich, gebüschelt, vor den Blättern im April (bis Mai), Frucht schwärzlich; Kultur in gutem, durchlässigem Boden; Vermehru g durch Samen, Ableger und Wurzelschnittlinge; Verwendung für Gehölzfreunde im Garten und Park, recht hart. — Vielleicht noch hübscher und ähnlich hart ***X. Búngei*** *(Z. Bungeanum)*, Nordchina, Äste mit breiten, flachen Stacheln, Blätter kahler, glänzender, Blüten erst im Mai nach den Blättern in kurzen Rispen. Zu erproben auch ***X. alátum*** var. ***planispinum*** *(Z. planispinum)*, China bis Japan, in warmen Lagen etwas wintergrün, Blättchen 3 bis 5, Spindel geflügelt, Blüten im Juni, Frucht rot, warzig, Sept.

Xilósma ligustrina siehe *Andromeda*.

Xylósma *(Hisingera)* ***racemósa*** *(Myroxylon racemosum)* — Flacourtiaceen. — Von diesem japanisch-ostchinesischen immergrünen Strauch oder kleinen Baum ist die mittelchinesische var. ***pubéscens*** jetzt in Amerika und England in Kultur, in Heimat bis 30 *m*, Triebe mit scharfen Achseldornen, kahl, Blätter abwechselnd, einfach, spitzeiförmig, glänzend grün, gesägt, bis 7 *cm*, Blüten in kurzen achselständigen Trauben, klein, gelb, duftend, August bis September, Frucht schwarzpurpurn, erbsengroß, November bis Dezember; Vermehrung durch Samen und wahrscheinlich halbreife Stecklinge unter Glas; sollte in warmen geschützten Lagen versucht werden.

Abb. 498. *Yucca karlsruhensis*, winterharte Palmenlilie. (Phot. L. Graebener, Karlsruhe.)

York und Lankaster-Rose siehe *Rosa damascena* var. *versicolor*. — **Ysop** siehe *Hyssopus*.

Yúcca[*] ***fláccida*, Palmenlilie** Liliaceen. Stammloser Halbstrauch aus den südöstl. Verein. Staaten mit Ausläufern. Blätter immergrün, rosettig, etwa 50 *cm* lang und 1 bis 4 *cm* breit, grün oder leicht blaugrün, ungezähnt, Rand fein abfasernd, Blüten in endständigen, vielblütigen Rispen, weiß mit rahmfarbenem Hauch, breitglockig, Juli bis August, Griffel länglich, weiß, Frucht eine Kapsel; Kultur in gut durch-

Abb. 499 *Zelkova serrata*, japanische Zelkowe, 18 *m*. (Phot. L. Graebener, Karlsruhe.)

lässigem, tiefgründigem, nahrhaftem Boden, am besten in geneigten Lagen, damit kein Wasser stagniert; an warmem, sonnigem Standort; Vermehrung durch Samen und Ausläufer; Verwendung als interessanter harter Strauch.

Diese Art geht meist als ***Y. filamentósa*** in den Gärten, die selten echt ist und im wesentlichen durch etwas steifere, 2,5 *cm* breite, nicht blaugrüne kürzer zugespitzte Blätter abweicht. Sehr empfehlenswert ist der Bastard dieser Art mit ***Y. glauca*** *(Y. angustifolia)*, die 6 bis 12 *mm* breite Blätter und einen grünen, geschwollenen Griffel hat; ***Y. karlsruhensis*** (Abb. 498), der in der Farbe und Gestalt der zirka 1,5 *cm* breiten Blätter an *glauca* gemahnt, höher wird und reich blüht; ***Y. recurvifólia*** *(Y. gloriosa* var. *recurvifolia, Y. recurva, Y. pendula)*, Blätter 5 *cm* breit, grün, stark zurückgekrümmt, Rand durchscheinend gezähnt, nur leicht abfasernd, nicht ganz so hart, aber zu empfehlen. Weitere Arten siehe bei C. Schneider, Ill. Handb. d. Laubholzk. II., S. 855.

Zahnwehholz siehe *Xanthoxylum*. — ***Zanthorhiza*** siehe *Xanthorrhiza*. — ***Zanthóxylum*** siehe *Xanthoxylum*. — **Zapfennuß** siehe *Platycarya*. — ***Zauschnéria californica*** siehe „Unsere Freilandstauden".

Zelkóva *(Abelicea, Planéra)*. **Zelkowe** Ulmaceen. — Sträucher bis große, sommergrüne Bäume (Abb. 499), Blätter abwechselnd, einfach, parallelnervig, Blüten einhäusig, unscheinbar, achselständig, April bis Mai, Frucht schief, steinfruchtartig; Kultur usw. wie *Ulmus*, kann auch auf *Ulmus* veredelt werden, was aber nicht zu empfehlen ist.

Z. serráta (Z. acumináta, Z. hirta, Z. Keáki), Mandschurei, Korea, Japan, schöner, bis 30 *m* hoher Baum, wie Abb. 499, Blätter lang zugespitzt, bis 9 *cm* lang, schärfer gezähnt, härter als ***Z. ulmoides (Z. carpinifólia***, *Z. crenata)* aus Nordpersien, Kaukasus, bei uns meist Strauch, Blätter kleiner, meist nicht über 5 *cm* lang, kurz zugespitzt, mehr kerbzähnig, liebt warme Lagen.

Zelkova Davidii oder ***Z. Davidiana*** siehe *Hemiptelea*. — ***Zenóbia*** siehe *Andromeda*. — **Zerreiche** siehe *Quercus cerris*. — **Zimtrose** siehe *Rosa cinnamomea*. **Zitrone** siehe *Citrus*. — **Zitterpappel** siehe unter *Populus*. — ***Zizyphus Paliurus*** siehe *Paliurus*.

Zizyphus sativa (Z. vulgáris), **Judendorn**: ein mediterran-asiatischer Strauch, für den das bei *Paliurus* Gesagte gilt, er unterscheidet sich von diesem vor allem durch die schwarzroten, pflaumenähnlichen Steinfrüchte, die eßbar sind; Kultur usw. siehe *Paliurus*, nur dürfte *Zizyphus* eher heikler sein.

Zuckerahorn siehe *Acer saccharum*. — **Zuckerbirke** siehe *Betula lenta*. **Zürgel** siehe *Celtis*. — **Zweiflügel** siehe *Dipteronia*. — **Zwergapfel** siehe *Micromeles*. — **Zwergbirke** siehe *Betula nana*. — **Zwergmandel** siehe *Prunus nana*. — **Zwergmispel** siehe *Cotoneaster* und *Sorbus Chamaemespilus*. — **Zwergporst** siehe *Loiseleuria*. — **Zwergrösel** siehe *Rhodothamnus*. — **Zwetsche, Zwetschke** siehe *Prunus domestica*. — **Zwillingsblüte** siehe *Linnaea*.

Zygophyllum Fabago — Zygophylaceen. — Mehr staudiger Halbstrauch aus den mittelasiatischen Steppen. Blätter dicklich, einpaarig. Blüten und Früchte wenig auffällig, nur für erfahrene Pfleger als Felsenpflanze in sonniger, trockener Lage von Interesse; Vermehrung durch Samen (lauwarm), halbreife Stecklinge (unter Glas). Das *Z. Fabago* der Gärten ist vielleicht eine verwandte, am Grunde mehr verholzende Art.

XII.
LISTE DER BESTEN FORMEN FÜR DEN BLUMENSCHNITT[?]

Alnus cordata, *A. oregona* u. a., Kätzchen
Amelanchier canadensis
Amorpha canescens
Berberis-Arten, wie *canadensis*, *vulgaris purpurea* u. a., Geruch unangenehm
Betula, Kätzchen
Buddleja Davidii und Formen
Ceanothus americana, *C. versaillensis* und andere Hybriden.
Clematis-Arten, wie *paniculata* u. a.
Chaenomeles japonica-Formen
Clerodendron
Clethra acuminata und *alnifolia*
Corylus, Kätzchen, schnell vergänglich
Cotoneaster hupehensis
Crataegus monogyna-Formen
Cytisus, meiste Arten
Daphne cneorum, *D. Mezereum*
Deutzia discolor major, *D. gracilis*, *D. Lemoinei* und die weiteren hybriden Gartenformen
Diervilla florida-Gartenformen
Elsholtzia Stauntonii
Erica
Exochorda-Arten
Genista tinctoria plena
Hydrangea, vor allem *arborescens grandiflora*, *opuloides*-Formen und *paniculata grandiflora*
Holodiscus discolor
Jasminum nudiflorum, *officinale*
Kalmia
Kerria japonica flore-pleno
Laburnum, besonders *L. Watereri*
Lonicera, viele Arten, auch schlingende
Ligustrum sinense, *L. Stauntonii*
Magnolia, alle Frühblüher
Malus, siehe Hauptliste S. 265
Paeonia suffruticosa-Gartenformen
Philadelphus, besonders *Lemoinei*-Formen und die anderen Hybriden
Prunus, vor allem *P. avium fl. pl.*, *P. Cerasus fl. pl.*, *P. persica*-Formen, *P. serrulata*-Formen, *P. spinosa fl. pl.*, *P. triloba fl. pl.*
Pterostyrax hispida
Rhododendron, die meisten Arten, besonders die der Gruppe *Azalea*
Ribes aureum, *R. Gordonianum*, *R. sanguineum*
Rosa, Wildrosen-Arten in Knospe schneiden, ferner vor allem die Rankrosen
Rubus, wie *Linkianus*, *ulmifolius bellidiflorus*
Salix, Kätzchen, vor allem von *Caprea*, *daphnoides* und anderen Frühblühern
Spiraea, meiste Arten
Sarothamnus scoparius-Formen
Sorbaria
Staphylea
Syringa
Tamarix
Viburnum, vor allem *Carlesii*, *Opulus*, *tomentosum*, *utile*
Xanthoceras sorbifolia

XIII.
LISTE DER BESTEN FORMEN FÜR DIE TREIBEREI

(die mit * bezeichneten können durch abgeschnittene Triebe im Winter zur Blüte gebracht werden).

Acer palmatum-Formen
* *A. rubrum*
* *Alnus glutinosa*, *A. incana aurea*
Amelanchier canadensis
Andromeda floribunda, *A. japonica*
Berberis stenophylla
* *Chaenomeles japonica*, auch zum Treiben
* *Chimonanthus praecox*
Chionanthus
Clematis montana, *C. paniculata* und viele großblumige Gartenformen
Clethra alnifolia
* *Cornus mas*, *C. officinalis*
* *Corylopsis pauciflora*, auch zum Treiben
* *Corylus Avellana* und Formen
Crataegus monogyna-Gartenformen
Cytisus praecox, *C. purpureus*
* *Daphne Mezereum*, auch zum Treiben
Deutzia Lemoinei und Formen, auch *D. crenata*, *D. discolor*, *D. gracilis*
Diervilla, Formen der *praecox*-Klasse
* *Dirca palustris*
Erica carnea
Exochorda
* *Forsythia*, besonders Formen von *intermedia* zum Treiben
* *Hamamelis japonica*, *H. mollis*, auch zum Treiben
Hydrangea opuloides-Formen, *H. paniculata grandiflora*
* *Jasminum nudiflorum*, auch zum Treiben
Kalmia
Kerria
Laburnum
* *Lonicera coerulea*, *L. fragrantissima*, *L. Standishii*
Magnolia stellata und die japanischen Hybriden, auch zum Treiben

Malus, besonders *atrosanguinea, floribunda, micromalus, Scheideckeri*
Neviusia alabamensis
**Osmaronia cerasiformis*
Paeonia suffruticosa
**Parrotia persica*
Prunus Avium, **P. amygdalo-persica*, **P. baldschuanica, P. blireana, P. Cerasus*, **P. Davidiana, P. japonica, P. nana, P. persica, P. serrulata*, **P. subhirtella, P. triloba, P. yedoënsis* u. a., alle erblühen auch in abgeschnittenen Trieben
Rhododendron dahuricum, R. praecox, und viele Formen besonders der Gruppe *Azalea*
Ribes aureum, R. sanguineum
Rosa, besonders Rankrosensorten, wie „Crimson Rambler", „Hiawatha" u. a.
Salix acutifolia, S. Caprea, S. daphnoides
Spiraea arguta, S. prunifolia, S. Vanhouttei
Staphylea colchica
Syringa chinensis rubra, S. vulgaris und Gartenformen
Viburnum alnifolium praecox, V. Carlesii, V. macrocephalum sterile, V. Opulus sterile, V. plicatum
Wistaria chinensis
Xanthoceras sorbifolia

XIV.

FORMENZUSAMMENSTELLUNGEN NACH BESONDEREN BODENBEDINGUNGEN

a) Für normalen Boden und sonnige oder halbschattige, genügend frische Lagen.

(Bei den mit * bezeichneten sind die in Klammer genannten Formen gute Decksträucher.)

Abelia, sonnig
Acanthopanax
Acer, meiste Formen
Actinidia, halbschattig
Aesculus
Ailanthus
Akebia
Alnus incana
Amorpha fruticosa
Ampelopsis
Andrachne colchica
Aralia, sonnig
Aristolochia
Baccharis, sonnig
Bambusaceen, nahrhafte frische Erde
Berberis
Berchemia
Betula, meist leichterer sandiger Boden
Buddleja, sonnig
Callicarpa
Calophaca, sonnig
Campsis
**Caragana* (*arborescens*)
**Carpinus* (*Betulus*)
Carya, beste Böden
Caryopteris, sonnig
Cassinia, sonnig
Castanea
Catalpa, sonnig
Ceanothus, sonnig
Cedrela
Celastrus
Celtis, sonnig
Cercidiphyllum
Chaenomeles
Chamaebatia, halbschattig
Chimonanthus
Chionanthus, sonnig
Citrus trifoliata, halbschattig
Cladrastis
Clematis
Clerodendron, sonnig
Clethra, halbschattig
Cocculus
**Colutea* (*arborescens*)
Coriaria, sonnig
**Cornus*, meiste Arten Halbschatten
Coronilla, sonnig
Corylopsis, warme Lage
**Corylus* (*Avellana, maxima*), meist halbschattig
**Cotoneaster*, für Halbschatten und als Decksträucher z. B. *integerrima, multiflora, racemiflora*
Crataegomespilus
**Crataegus*
Crataemespilus
Cydonia
Cyrilla, warm, feucht
Daphniphyllum, halbschattig
Davidia
Decaisnea
**Deutzia* (*scabra* und var. *crenata*)
Diervilla
Diospyros
Dirca
Disanthus
Doxantha, sonnig
Elaeagnus
Elliottia, halbschattig
Elsholtzia, sonnig
Enkianthus, halbschattig
Eucommia
Euptelea
Euscaphis
**Evonymus* (*europaea*)
Exochorda
**Fagus* (*sylvatica*, in Jugend)
Fontanesia, halbschattig
Forsythia, sonnig
Fothergilla, sonnig
Fraxinus, frischen Boden
Fuchsia, warm
Grewia
Gymnocladus
Halesia
Halimodendron, sonnig
Hamamelis, halbschattig
Helwingia
Hibiscus, sonnig
Hippophaë
Holodiscus ariaefolius
Hovenia
Hydrangea, zum Teil Halbschatten
Hymenanthera
Idesia, lichter Schatten, warm
Indigofera, sonnig
Itea
Jamesia, sonnig
Jasminum
Juglans
Kalmia
Kerria
Koelreuteria, sonnig
Laburnocytisus
**Laburnum* (*anagyroides*)
Lespedeza, sonnig
Leycesteria, sonnig
**Ligustrum* (*vulgare*), halbschattig
Liquidambar
Liriodendron
**Lonicera* (*coerulea, tatarica*), halbschattig
Maackia
Magnolia
Malus
Menispermum
Mespilus
Myrica asplenifolia, Sandboden
Neillia
Orixa
Osmanthus
Osmaronia
Ostrya
Oxydendrum
Pachysandra, halbschattig
Pachystima, mehr schattig
Paeonia
Parrotia
Parrotiopsis
Paulownia, sonnig
Pentastemon, sonnig
Periploca
Perowskia, sonnig
Petteria, sonnig
Phellodendron

*Philadelphus (coronarius, inodorus, latifolius u. a.)
Phillyrea, halbschattig
Photinia, halbschattig
*Physocarpus (opulifolius)
Plagiospermum
Platanus
Platycrater
Poliothyrsis
Populus
Potentilla
*Prunus, meiste Arten (Mahaleb, Padus, spinosa)
Ptelea
Pterostyrax
Pueraria
Pyrus
Quercus
*Rhamnus (catharticus, trockener; Frangula, feuchter)
Rhodotypus
Rhus
*Ribes (aureum, floridum, grossularia, nigrum u. a.)
Robinia, sonnig
Rosa
Rubus crataegifolius, wüste Plätze
Salix
*Sambucus (nigra u. a.), halbschattig
Sassafras, warm, Unterholz
Schizandra, halbschattig
Securinega
Shepherdia
Sibiraea
Smilax, halbschattig
Sophora, sonnig
Sorbaria
Sorbopyrus
Sorbus
*Spiraea (alba, chamaedryfolia, Douglasii, media, tomentosa u. a.)
Stachyurus
Staphylea (pinnata)
Stephanandra, sonnig
Stuartia, warm
Styrax, sonnig
*Symphoricarpus (orbiculatus, racemosus)
Symplocos, sonnig
*Syringa, sonnig (vulgaris, chinensis)
Tilia
Ulex, sonnig
Ulmus
Umbellularia, halbschattig
Vaccinium, meist halbschattig
Veronica
*Viburnum (Opulus, Lantana)
Vitex, sonnig
Vitis, halbschattig
Wistaria
Xanthoceras
Xanthoxylum
Zelkova.

b) Für trockene sonnige Lagen

(Vergleiche auch das Kap. IX über Felsensträucher.)

Acer campestre, A. monspessulanum, A. Negundo pruinosum, A. saccharum
Adenocarpus
Aethionema grandiflorum
Agave, sehr trocken
Albizzia, für den Süden
Alnus incana, A. viridis
Amelanchier utahensis, A. vulgaris
Amorpha canescens, A. microphylla
Anthyllis
Argyrolobium, liebt Kalk
Artemisia
Ascyrum stans, sandig
Astragalus
Atraphaxis
Atriplex
Berberis dictyophylla, B. vulgaris, B. Wilsonae
Betula pendula
Bigelowia
Calluna, siehe S. 62
Calophaca
Calycotome
Caragana, meiste Arten
Caryopteris
Ceanothus Fendleri
Celtis occidentalis
Chamaebatia
Cistus
Colutea arborescens, C. orientalis
Convolvulus cneorum, sonnig
Coriaria
Cornus Hessei, C. sanguinea
Coronilla Emerus
Cotoneaster integerrima, C. rotundifolia, C. tomentosa
Crataegus Crus-galli, C. coccinea, C. monogyna und viele Amerikaner
Cytisus decumbens
Dorycnium
Edgeworthia, warme Lage
Elaeagnus angustifolia, E. argentea
Erinacea
Eriogonum
Eurotia
Evonymus purpureus
Fallugia
Fendlera
Forestiera neomexicana, liebt Kalk
Fumana
Genista, viele Arten
Globularia
Gutierezia
Halimodendron argenteum
Haplopappus
Hedysarum
Helianthemum
Hippophaë rhamnoides
Hypericum aureum, H. densiflorum, H. hircinum
Hyssopus
Iberis semperflorens
Indigofera Gerardiana
Lavandula
Lepargyrea
Linum arboreum
Lonicera Altmannii, L. coerulea, L. rupicola, L. spinosa Alberti, L. tibetica
Lycium
Medicago
Morus
Myrica asplenifolia
Ononis
Paliurus
Parrotia
Peraphyllum
Perowskia
Petteria
Petrophytum
Phlomis
Plantago
Populus tremula
Potentilla Friedrichsenii, P. fruticosa
Prunus acida, P. fruticosa, P. Mahaleb, P. nana, P. serotina, trockenste Sandböden, P. spinosa
Pyrus salicifolia
Quercus ilicifolia
Rhamnus Alaternus, R. catharticus, dahuricus, R. pumilus u. a.
Rhus canadensis, trocken steinig, R. glabra, R. typhina
Ribes cruentum, R. diacantha, R. leptanthum, R. montigenum u. a.
Robinia Pseudacacia und Formen
Rosa heliophila, R. spinosissima u. a.
Rubus fruticosus, R. odoratus, R. omeiensis
Salix acutifolia, S. daphnoides, S. irrorata
Salvia
Sambucus racemosa, trocken
Santolina
Sarcobatus
Sarothamnus
Satureja
Sedum
Shepherdia canadensis
Silene
Sophora viciifolia
Spiraea arguta, S. blanda, S. triloba
Staehelina
Syringa vulgaris
Teucrium Chamaedrys
Thymus Serpyllum
Ulex
Ulmus foliacea (U. campestris)
Vella
Viburnum Lantana
Yucca

28*

c) für feuchte oder moorige, sowie salzige Lagen

(vergleiche hierzu Kap. VIII über Ericaceen; die für Salzboden geeigneten Formen sind mit einem * bezeichnet).

Acer Negundo, *A. saccharinum*, etwas feuchte Sandböden
Alnus, meiste Arten feucht
Andromeda
Baccharis salicina, feucht
Bambusaceen, siehe S. 107
Betula alba, *B. humilis*, *B. nana*, *B. pumila*
Bryanthus
Carya amara u. a.
Cassiope
Cephalanthus, schlammiger Grund, seichtes Wasser
Chamaedaphne
Clethra
Cornus stolonifera, feucht
Daboecia
Dirca
Echinopanax, schattig
**Elaeagnus angustifolia* und *E. latifolia*
Empetrum, moorig oder felsig, nicht sonnig
Fraxinus americana, *F. excelsior*, feucht
Gaultheria
**Hippophaë*, feucht
Iva
Kalmia
Ledum
Leitneria
**Lycium rhombifolium*
Myrica Gale, moorig, *M. pennsylvanica*
Myricaria, feucht, sonnig
Nemopanthus
Nyssa silvatica, feucht
Osmaronia
Pernettya, etwas moorig
Phyllodoce, Moorbeet
Populus alba, *P. canadensis*, *P. nigra*, feucht
Quercus palustris, *Q. phellos*, feucht
Rhamnus alnifolia, *R. Frangula*, feucht
Rhododendron viscosum, feucht sumpfig
Rhodothamnus, feucht aber steinig
Rhus Vernix
Ribes lacustre
Rosa palustris
**Salix acutifolia*, *S. daphnoides*
S. aurita, *S. cinerea*, *S. incana*, *S. repens* (moorig) u. a. feucht
Sambucus canadensis, feucht
Shepherdia argentea
Spiraea Douglasii, *S. hypericifolia*, *S. tomentosa*
Vaccinium corymbosum, *V. macrocarpum*, *V. oxycoccus*, *V. uliginosum*
Viburnum alnifolium, *V. cassinoides*, *V. dentatum*, *V. Opulus*, feucht

d) Schattengehölze und als Unterholz geeignete Formen

(vergleiche hierzu Kap. IV und Liste XXI der immergrünen Formen).

Acer campestre und *monspessulanum*, Unterholz, trockene Lagen, *A. palmatum*, lichter Schatten, *A. spicatum*, Unterholz, *A. tataricum*
Adelia acuminata, Unterholz, etwas feucht
Aesculus parviflora, aber Wuchs in Sonne schöner, kompakter
Akebia quinata, schattig
Alnus incana, *A. viridis*
Amelanchier alnifolia, *A. canadensis*, *rotundifolia*, lichter Schatten, trockenere Lage
Aristolochia
Aucuba
Berberis, die immergrünen Arten; auch laubabwerfende in lichtem Schatten
Buxus
Carpinus Betulus
Clethra alnifolia, feucht
Cornus mas, *C. sanguinea*, *C. stolonifera*
Corylopsis pauciflora, *C. spicata*
Corylus Avellana
Crataegus monogyna, *C. oxyacantha*
Danaë racemosa
Daphne Mezereum, *D. Blagayana*
Diervilla Lonicera
Epigaea, schattig
Evonymus verrucosa, auch *vulgaris*, *japonica* und *radicans*
Fontanesia phillyreoides, halbschattig
Forsythia viridissima, Unterholz
Gaultheria, schattig
Hedera, verträgt tiefen Schatten
Hypericum calycinum, schattig
Ilex Aquifolium, *I. glabra*
Kalmia angustifolia, *K. polifolia*
Kerria japonica, Schattengehölz
Laburnum, Unterholz
Ligustrum, meiste Arten der Gruppe B, S. 245 besonders *L. ovalifolium*, *L. vulgare* und Formen
Lonicera gracilipes, *L. nigra*, *L. tatarica*, *L. xylosteum* u. a.
Orixa japonica, Schattengehölz
Osmanthus
Pachysandra
Philadelphus coronarius, Unterholz, *P. Falconeri*, *P. grandiflorus*, *P. latifolius*
Physocarpus opulifolius, Unterholz
Prunus Padus, *P. Laurocerasus*, ferner als Unterholz *P. serotina*, *P. virginiana*.
Rhamnus Frangula, schattig, feucht, auch *R. fallax*, *R. imeretinus*, schattig, als Unterholz auch *R. catharticus*
Rhododendron, meiste Arten
Ribes alpinum, *R. diacantha*, als Unterholz auch *R. aureum*, *R. Grossularia*, *R. nigrum*, *R. rubrum*, *R. sanguineum*
Rubus parviflorus; ferner *R. fruticosus*, *R. laciniatus* in tiefem Schatten als Bodendecke.
Ruscus
Salix Caprea, Unterholz
Sambucus canadensis, *S. nigra*, *S. racemosa*, Unterholz
Sarcococca
Smilax
Solanum Dulcamara
Sorbaria sorbifolia, Unterholz
Sorbus Aucuparia, *S. torminalis*, Unterholz
Spiraea chamaedrifolia und *ulmifolia*
Staphylea pinnata
Symphoricarpus orbiculatus, *S. racemosus*
Tilia parvifolia, Unterholz
Ulmus foliacea (*U. campestris*), Unterholz
Vaccinium Arctostaphylos, *V. corymbosum*, *V. Myrtillus* u. a.
Viburnum acerifolium, auch als Unterholz *V. nudum* und *V. Opulus*
Vinca minor
Xanthorrhiza

XV.
FORMENZUSAMMENSTELLUNGEN NACH DER BLÜTEZEIT.

a) Frühblüher (Januar oder Anfang März bis Ende Mai)

(vergleiche auch unter b).
Die römischen Ziffern geben die Monate an.

Acer saccharinum, A. rubrum, III—IV
Adelia IV—V
Aesculus Hippocastanum, A. carnea, V
Akebia, IV—V
Alnus, meist II—III, in Kätzchen
Alyssum spinosum, V(—VI)
Amelanchier, IV—V
Andrachne colchica, IV—V
Andromeda, (IV—)V—VI
Arbutus, V
Arctostaphylos uva-ursi, von V ab
Argyrolobium, V(—VI)
Asimina, V(—VI)
Azara, II—III
Benzoin aestivale, IV
Berberis, V—VI
Betula, (II—)III—IV, in Kätzchen
Cassiope tetragona, III—IV
Cercidiphyllum, IV—V
Cercis, V
Chaenomeles, Ende III—V,
Chamaedaphne, IV—V(—VI)
Chimonanthus, II—III
Citrus trifoliata, V
Clematis alpina, V, *C. montana,* V(—VI)
Cornus florida, V, *C. mas,* III—IV
Corokia, V
Corylopsis, (III) IV—V
Corylus, II—III
Cotoneaster, meist V—VI
Crataegomespilus, V—VI
Crataegus, V—VI
Crataemespilus, V
Cydonia oblonga, V
Cytisus, meiste Arten, V, *C. praecox, C. kewensis* und *C. Beani,* oft schon IV
Daphne, meist V—VI, *D. Mezereum* II—IV, *D. Blagayana,* IV—V
Decaisnea, IV—V
Decumaria, IV—V
Deutzia, V—VI
Diervilla, einige Formen V
Dipelta floribunda, IV—V
Dirca palustris, IV—V
Distylium, III—IV
Edgeworthia, IV
Ehretia, V—VI
Elliottia, V
Empetrum, V
Enkianthus perulatus, IV—V
Epigaea, III—IV
Erica carnea, II—IV
Euscaphis, V
Exochorda, IV—V
Forsythia, III—IV, beste *intermedia spectabilis*
Fothergilla alnifolia, V, *F. major,* V(—VI)
Fraxinus; Gruppe A, S. 209 V(—VI); sonst IV(—V)
Garrya, II—IV
Gaultheria, V—VII
Gaylussacia, V
Genista, V(—VII)
Halesia, V(—VI)
Hamamelis japonica, H. mollis, (I—)II—III
Hymenanthera, III—IV
Iberis semperflorens, V—VI
Idesia, V
Jasminum nudiflorum und *J. primulinum,* (II—)III—IV
Kalmia, V(—VI)
Kerria, V(—VI)
Laburnum anagyroides, V(—IV)
Lindera, IV—V
Leiophyllum, V(—VI)
Lonicera alpigena, V; *Altmanni,* IV—V; *canadensis,* IV—V; *coerulea,* IV—V; *fragrantissima,* IV—V; *Ferdinandi,* V(—VI); *hispida,* IV—V; *involucrata,* V—VI; *Korolkowii,* V—VI; *Morrowii,* V—VI; *nigra,* V—VI; *oblongifolia,* V—VI; *pileata,* IV—V; *pyrenaica,* V; *Standishii,* III—IV; *tangutica,* V(—VI); *tatarica,* V—VI; *Webbiana,* IV—V
Magnolia, Gruppe A, S. 259, erste *M. stellata, M. kobus borealis*
Mahonia, IV—V, zum Teil früher
Malus, meist V(—VI)
Mespilus, V
Orixa, V
Osmaronia, III—IV
Paeonia suffruticosa, V—VI
Parrotia, IV—V
Paulownia, IV(—V)
Peraphyllum, V
Pernettya, V(—VI)
Phellodendron, V
Phillyrea, IV—V
Populus, III—IV, Kätzchen
Prinsepia sinensis, III—IV
Prunus communis, Davidiana, Fenzliana, mandshurica, III bis IV; *P. avium, Cerasus, fruticosa, japonica, nana, pendula, pseudocerasus,* IV—V, sonst fast alle Arten V
Pyrus, IV—V
Pyxidanthera, IV—V(—VI)
Rhododendron dahuricum, III—IV, *R. praecox,* III; *R. intricatum,* V; *R. racemosum,* IV; *R. Smirnowii,* VI; *R. canadense,* IV—V; *R. flavum* und *R. ponticum* nebst Hybriden meist V; siehe S. 339; *R. Kaempferi,* IV—V; *R. rosmarinifolium,* IV—V
Rhodotypus, V, oft bis VIII
Rhus canadensis und *R. trilobata,* IV—V
Ribes zumeist IV—V, siehe S. 352
Robinia pseudoacacia, V—VI; *R. hispida* und *R. viscosa,* V—VI
Rosa Hugonis, Willmottae, V
Rubus deliciosus, V; *spectabilis,* (III—)IV
Salix, meist III—IV
Sambucus pubens, V
Sarothamnus, V—VI
Sassafras, vor den Blättern, III—IV
Shepherdia, III—IV
Sibiraea, V
Sorbus, meist Ende V
Spiraea, siehe die Arten der Gruppe A, S. 393
Stachyurus, III—IV
Staphylea, V
Stauntonia, IV
Styrax americanus, IV—V
Symplocos, V—VI
Syringa, IV—V, Arten der Gruppe A, S. 403
Tamarix tetrandra, IV—V(—VI)
Ulex, IV—V(—VI)
Ulmus, IV
Umbellularia, II—VI
Vaccinium arboreum, V; *corymbosum,* V; *hirsutum,* V—(VI); *stamineum,* IV—V(—VI)
Viburnum Carlesii, utile, Wrightii, V
Vinca, IV—V(—VIII)
Wistaria, V(—VI)
Xanthoceras V(—VI)
Xanthorrhiza, III—IV
Xanthoxylum, IV—V

b) Sommerblüher (Anfang Juni bis Ende August)

(vergleiche auch unter a und c)

Abelia-Arten, VII—VIII
Acanthopanax, VII—VIII
Acer spicatum, VI—VII
Actinidia, VI(—VII)
Adenocarpus, VI—VII
Adenostoma, (V—)VI
Aesculus chinensis, A. turbinata, VI
A. Pavia (V—)VI
A. parviflora, VII—VIII

Aethionema grandiflorum, VI
Ailanthus, VII
Albizzia, VII—VIII
Amorpha, VI—VII
Andromeda, zum Teil bis VI
Anisostichus, VII—VIII
Anthyllis, V—VI
Aralia, VIII—IX
Arctostaphylos, VI—VII
Aristolochia, VI—VII
Ascyrum stans, VII—VIII
Astragalus, VI—VII
Atraphaxis, VI—VIII(—X)
Berchemia, VII—VIII
Bignonia (VI—)VII—VIII
Bruckenthalia, VII—IX
Buddleja, VII—VIII(—X)
Calceolaria violacea, (V—)VI
Callicarpa, VI—VIII
Calluna, VII—IX
Calophaca, VI(—VII)
Calycanthus, VI—VII, *C. occidentalis*, VII—VIII
Capparis, VII—VIII(—IX)
Caryopteris, VII—VIII
Cassinia, VIII
Cassiope hypnoides, VI—VII
Castanea, VI—VII
Catalpa, VI—VII(—VIII)
Ceanothus, VII—VIII(—IX)
Cephalanthus, (VII—)VIII(—IX)
Chamaebatia, VI—VII
Chamaebatiaria, VII—VIII
Chionanthus (V—)VI
Cistus (V—)VI
Cladrastis lutea, (V—)VI
Clematis, meist VI, von VII—IX z. B. *Davidiana*, *Flammula*, *glauca*, *Jouiniana*, *paniculata*, *tubulosa*, *vitalba*, *viticella*
Clethra, VII(—IX)
Colutea, (V—)VI, meist bis VII—VIII
Cornus, meiste Arten VI, im Juli *brachypoda*, *macrophylla*, *paucinervis*
Cytisus capitatus, *C. leucanthus*, *C. nigricans*, VI(—VII)
Daphne cneorum, auch VI—X
Davidia, VI—VII
Diervilla-Arten
Dorycnium, VI
Dryas, V—VI
Elaeagnus, VI
Enkianthus, Gruppe B, S. 194, V—VI
Erica ciliaris, *Tetralix* VI—IX; *E. vagans*, VIII—IX
Escallonia, VI—VIII
Evodia VI(—VII)
Fallugia, V—VIII
Fendlera, (V—)VI
Fontanesia, VI—VII
Fuchsia, VII(—X)
Fumana, VI—VIII
Genista, (V—)VII
Globularia, (V—)VII
Grewia, VII—VIII
Gutierrezia, VII(—IX)
Gymnocladus, (V—)VI
Halesia diptera, VI
Halimodendron, VI—VIII
Helianthemum (V—)VII
Helwingia V
Holboellia, VII—VIII
Hydrangea, meiste Arten VII—VIII, *H. Bretschneideri*, VI(—VII)
Hypericum, meist VII—VIII(—IX)
Hyssopus, VI—IX
Indigofera Gerardiana, VII—VIII, *Kirilowii* und *reticulata*, (V—)VI
Itea, VI—VII
Jamesia, VI
Jasminum Beesianum, (V—)VI, *fruticans*, VI—VII, *J. officinale*, VII—VIII
Koelreuteria, VII—VIII
Laburnocytisus Adami, (V—)VI
Laburnum alpinum, VI(—VII)
Lagerstroemia, (V—)VI—VII
Lavandula, VII—VIII
Lavatera, VII—VIII
Ledum, V—VIII
Leptodermis, VI
Lespedeza, VII—VIII(—IX)
Ligustrum VI—VII, beziehungsweise VII—VIII (—IX), siehe S. 244
Linnaea, VI—VIII
Liriodendron, VII—VIII
Lithospermum, (V—)VI
Lonicera arizonica, VI—VIII; *Caprifolium*, (V—)VI; *deflexicalyx*, (VI); *etrusca*, (V—) VI; *Giraldii*, VI; *Henryi* VI—VII; *hirsuta*, VI; *iberica*, VI; *japonica*, VI—IX; *Ledebouri*, VI—VII; *Maackii*, VI; *Myrtillus*, VI—VII, *nervosa* VI; *orientalis*, (V—)VI; *rupicola* VI—VII, *Ruprechtiana*,(V)—VI; *spinosa* var. *Alberti* VI; *prolifera*, VI—VII; *sempervirens*, VI—VIII; *syringantha*,(V) VI; *tibetica*, VI—VIII; *xylosteum*, V—VI
Lupinus, VI—VIII
Lycium, VI, meist bis IX
Maackia, VI—VIII
Magnolia, Gruppe B, S. 261
Medicago, (V—)VI
Menispermum, VI—VII
Menziesia, VII
Metaplexis, VII—VIII
Microglossa, VIII—IX
Myricaria, VII—VIII
Nandina, VI—VII
Neillia, VI—VII
Neviusia VI—VII
Ononis VI—VIII
Osmanthus, VI—VII
Oxydendrum VI—VIII
Pentstemon fruticosus, (V—) VI; *P. heterophyllus*, VII
Periploca, VI—VIII
Petrophytum, VIII
Petteria VI
Philadelphus, VI—VII
Phlomis, VII—VIII; oft von V ab
Photinia, (V—)VI
Phyllodoce, (V—)VI—VII
Physocarpus, VI—VII
Platycrater, VII(—IX)
Polygala, (V—)VI(—IX)
Polygonum, VI—VIII(—IX)
Potentilla, (V—)VI(—IX)
Prunus lusitanica, VI
Ptelea, VI
Pterostyrax, VI
Pueraria, VII—VIII
Purshia, VI
Pyracantha, (V—)VI
Raphiolepis, (VI—)VII(—VIII)
Rhododendron azaleoides VI; *R. ferrugineum*, VI—VII, *R. hirsutum*, VI—VII; *R. hybridum*, meiste Formen (V—)VI; siehe Seite 339; *R. intermedium*, VI—VII, *R. kamtschaticum*, VI—VII(—VIII); *R. Kotschyi*, V. *R. lapponicum*, VII, *R. maximum*, VI—VII; *R. occidentale*, VI—VII; *R. punctatum*, VI; *R. viscosum*, V—VI
Rhodothamnus, (V—)VI
Rhus javanica (*R. Osbeckii*, *R. vernicifera* u. a.) VII—VIII
Robinia luxurians, VII—VIII(—IX), *R. Kelseyi*, (V—) VI, *R. Pseudoacacia semperflorens*, VIII
Rosa anemonaeflora, *Penzanceana setigera*, VII—VIII; sonst meist Juni, siehe aber die Sorten S. 364
Rubus, meist VI—VIII
Salix Bockii, VII, *S. magnifica*, VI
Salvia, VI—VII
Sambucus, meist VI bis VIII
Santolina, VII—VIII
Sarcobatus, VI—VII
Satureja, VII—VIII
Schizophragma, VII
Sedum populifolium, VII—VIII
Silene fruticosa, VII—VIII
Skimmia, (V—) VI
Sophora japonica, VII—VIII, *S. viciifolia* VI—VII
Sorbaria, VI—VII—VIII
Sorbopyrus, VI
Sorbus (V—)VI
Spiraea, siehe die Arten S. 395
Staehelina, VII—IX
Stephanandra, VI—VII
Stranvaesia, VI
Stuartia, VII—VIII
Styrax, (V—)VI—VII
Symphoricarpus, VI—VII(—VIII)
Syringa (V—)VI—VIII, Arten der Gruppe A, II. S. 404 und B, S. 405
Tamarix, Gruppe A, S. 406
Teucrium VI—VIII(—IX)
Thymus, VI—VIII(—IX)
Tilia, VI—VII
Tripterygium, VII
Vaccinium macrocarpum, *V. oxycoccus*, *V. uliginosum*, *V. Vitis-Idaea*, (V—)VI—VII(—VIII)
Viburnum, meiste Arten (V—) VI; *V. cassinoides*, *V. dentatum*, *V. nudum*, *V. pubescens* bis VII
Yucca, VII—VIII

c) Spätblüher (Anfang September bis November)
(vergleiche auch unter b).

Abelia grandiflora, noch blühend
Alnus maritima, IX
Aralia spinosa, IX—X
Arbutus Unedo, IX—X
Artemisia, (VIII)—X
Baccharis, IX—X
Bigelowia, (VIII)—IX
Bruckenthalia, bis IX
Buddleja, (VIII—) X
Calluna, noch blühend
Caryopteris, bis IX
Catalpa japonica, bis IX
Ceanothus-Hybriden, bis X
Cephalanthus, bis IX
Clematis, bis X blühen z. B. *apiifolia, coccinea, dioscoreifolia, integrifolia, Jouiniana, Vitalba, Viticella.*
Clerodendron, bis IX
Clethra, bis IX
Daboecia, bis X
Disanthus, X
Elsholtzia, IX—X
Erica, bis IX—X
Fuchsia, bis X
Genista hispanica und *tinctoria*, oft bis IX
Gordonia Altamaha, IX—X
Hamamelis virginica, X—XI
Hibiscus, VIII—IX
Hydrangea arborescens und *paniculata*, bis X
Hypericum Moserianum und *patulum Henryi*, X
Indigofera amblyantha, IX—X, *Gerardiana*, bis IX
Lespedeza, oft noch IX—X
Leycesteria, bis IX
Lonicera Heckrottii
Lycium, oft bis X
Olearia, bis IX
Oxydendrum, bis IX
Perowskia, (VIII—) IX—X
Rosa chinensis semperflorens u. a.
Spiraea tomentosa, bis IX
Teucrium Chamaedrys, bis IX
Vitex, bis IX

XX.
FORMENZUSAMMENSTELLUNGEN NACH DER BLÜTENFARBE.

a) weiße oder fast weiße Farbentöne.
(Bei den mit * bezeichneten Formen sind die Blütenstände besonders ansehnlich.)

Acer spicatum
Actinidia arguta, Kolomikta
Adenostoma
**Aesculus Hippocastanum*, mit rötlich, *A. parviflora*, weiß
Alyssum spinosum, weiß mit rötlichem Hauch
**Amelanchier*, weiß
**Andromeda*, meist weiß
Arbutus, weiß (oder rot)
Arctostaphylos, weiß (oder rötlich)
Arctous alpina, weiß
Astragalus, weiß mit rot
Baccharis, weißlich
Berchemia, grünlichweiß
Caragana jubata, weißlich
**Carpenteria*, weiß
Cassinia, schmutzigweiß
Cassiope, weiß oder wachsweiß
**Castanea*, weiß
**Catalpa bignonioides*, weiß mit gelb und violettpurpurner Zeichnung, *C. speciosa* ähnlich aber Zeichnung schwächer
**Ceanothus americana, C. Fendleri*, weiß,
Cephalanthus, weiß
Chamaebatia, weiß
**Chamaebatiaria*, weiß
Chamaedaphne, weiß
**Chionanthus*, weiß
**Cistus ladaniferus, laurifolius, salvifolius*, weiß, oft gelber Nagel
Citrus trifoliata, weiß
**Cladrastis lutea*, weiß,
**Clematis apiifolia, Flammula, montana, nutans, virginiana, Vitalba*, siehe Hybriden S. 152 3
**Clethra*, weiß
**Cornus*, meiste Arten
**Cotoneaster*
Crataegomespilus
Crataegus
Crataemespilus
Cydonia vulgaris, mit zartrosa
Cyrilla
Cytisus leucanthus
Damnacanthus
**Daphne alpina, D. Blagayana, D. oleoides*
**Davidia*
**Decumaria*
**Deutzia*
**Diervilla*, einige Gartenformen der *Weigela*-Gruppe
**Dorycnium*, weiß
**Dryas octopetala*
Ehretia, weißlich
**Elliottia*
Enkianthus cernuus und *perulatus*
**Erica arborea* und von meisten anderen Arten weiße Formen
Eriobothrya
**Eriogonum*, weißgelb oder rosa
**Escallonia Philippiana*, weißlich
**Eucryphia*
**Exochorda*
**Fallugia*
Fendlera, weiß mit rötlichem Saum
Fontanesia
Fothergilla, weißlich
**Fraxinus Bungeana, F. Mariesii, F. Ornus*
**Gymnocladus*, grünlichweiß
**Halesia*
**Helianthemum*-Formen
**Hydrangea arborescens, H. Bretschneideri, H. opuloides*-Formen *H. paniculata*, zuletzt rötlich, *H. petiolaris, H. radiata, H. vestita*
Iberis semperflorens, weißlich mit rosa
Itea
**Jamesia americana*
**Jasminum officinale*
**Kalmia latifolia alba*
**Ledum*
Leiophyllum, weiß bis rosa
**Ligustrum*, weiß oder gelblich
Loropetalum
Maackia, weißlichgrün
**Magnolia*, meist weiß oder rahmweiß, siehe auch unter rot
**Malus baccata, M. cerasifera, M. florentina, M. prunifolia, M. Sargentii*
Menispermum, weißlichgrün
Menziesia, weißgrün
Mespilus, weiß
Nandina, weißlich

Neillia thyrsiflora
Neviusia, weiße Staubgefäße
Olearia, weißlich
Osmanthus, weiß
*_Oxydendrum_, weiß
Pachysandra, weißlichgrün
Peraphyllum, weiß mit rosa
Pernettya, weiß mit rosa
Philadelphus, weiß oder rahmweiß bis gelblich
Phillyrea decora
Photinia, weiß
Physocarpus, weiß
Platycrater, grünlichweiß mit rötlich
*_Polygonum_, weiß mit rosa
Potentilla mandshurica, _P. Salessowii_, _P. Vilmoriniana_
*_Prunus_, vor allem die Arten von S. 306 ab
Ptelea, weißlichgrün
Pterostyrax, weiß
Pyrus, weiß
Raphiolepis
*_Rhododendron occidentale_, _R. rosmarinifolium_, _R. viscosum_ und viele _R. hybridum_-Formen, siehe S. 339
*_Rhodotypus_, weiß
*_Rhus javanica_, _R. vernicifera_, weißlich
*_Ribes niveum_, _R. cereum_
*_Robinia pseudoacacia_
*_Rosa anemonaeflora_, milchweiß _R. arvensis_ „Ruga“, _R. laevigata_ weiß, _R. moschata_, _R. multiflora_, _R. sericea_, _R. spinosissima_, milchweiß, _R. Wichuraiana_; siehe sonst vor allem die Rankrosensorten S. 361
Rubus deliciosus, _flagelliflorus_, _incisus_, _Kochneanus_ _leucodermis_, _parviflorus_
*_Sambucus_, oder mehr gelblich
Satureja, weiß mit rötlich
*_Schizophragma_
Sedum populifolium, weiß oder rötlich
Sibiraea, weiß,
Skimmia, weißgrün
Sophora viciifolia, weißgelb mit bläulich
*_Sorbaria_, weiß
*_Sorbopyrus_, weiß
*_Sorbus_, fast alle Formen weiß oder rahmweiß
*_Spiraea_, weiß: alle Formen der Gruppe I, ferner S. 395, Gruppe II und _S. alba_
*_Staphylea_, weiß
Stauntonia, weißlich mit violett
Stephanandra, weiß
Stranvaesia, weiß
*_Stuartia_, weiß
*_Styrax_, weiß
*_Symplocos_, weiß
*_Syringa_, Arten der Gruppe B, S. 405, ferner _S. affinis_ und Formen von _S. chinensis_, _S. persica_, _S. vulgaris_
*_Ternstroemia_
*_Thymus Serpyllum_-Formen
Tripterygium, weißlich
Vaccinium, meiste Arten, weiß oder rötlichweiß siehe S. 416.
Veronica pinguifolia, _V. Traversii_
*_Viburnum_, meiste Arten weiß
*_Xanthoceras_, weiß
*_Yucca_, weiß oder rahmweiß

b) gelbe, orange oder grünliche Farbentöne.

Adelia, gelb
Adenocarpus, gelb
Aesculus chinensis und _turbinata_, gelblichweiß; _A. octandra_, gelblich
Ailanthus, gelbgrün
Andrachne colchica, grünlichgelb, unscheinbar
Anthyllis Hermanniae, gelb
*_Aralia_, weißgelb
Aristolochia, gelbgrün mit rotbraun
Argyrolobium, goldgelb
Artemisia, gelblich
Ascyrum stans, hellgelb
*_Berberis_, hellgelb bis orange, zuweilen rötlicher Anflug
Bigelowia, sattgelb
*_Calceolaria violacea_, gelblich mit lila
*_Calophaca_, goldgelb
Calycotome, gelb
Caragana, meist gelb
Catalpa ovata, Grund gelblich, Zeichnung orange und violett
*_Chimonanthus_, gelb mit bräunlichrot
*_Clematis tangutica_, sattgelb; _C. glauca_ und _orientalis_, gelblich
*_Colutea_, gelb, bei _orientalis_ orangerotbraun
*_Cornus mas_, _C. officinalis_
Corokia, gelbweiß
Coronilla Emerus, gelb mit rötlich
Corylopsis, hellgelb
*_Cytisus_, meiste Arten
Daphne Laureola, gelbgrün
Decaisnea, grüngelb
*_Dendromecon_, gelb
Diervilla Lonicera und Verwandte
Dirca, hellgelb
Distylium, gelb
*_Dryas Drummondii_, gelblich
Edgeworthia, gelb
Elaeagnus, gelblich
Euscaphis, gelbgrün
Evonymus, meist gelbgrün
*_Forsythia_, heller oder dunkler gelb
Fumana, gelb
*_Genista_, gelb
Grewia, gelblichweiß
Gutierrezia, gelb
Hamamelis, gelb, bei _japonica_ mit violettrot
Haplopappus, gelblich
Hedera, grünlichgelb
*_Helianthemum_-Formen, orange und gelbe Töne
Helwingia, grünlich
Hymenanthera, gelblichweiß
*_Hypericum_, heller oder dunkler gelb
Kadsura, gelb
*_Kerria_, sattgelb
*_Koelreuteria_, gelb
Lindera gelblich,
Liriodendron, gelbgrün mit orange
*_Lonicera_, siehe Arten ab S. 251
*_Lupinus arboreus_, schwefelgelb mit Blau
Lycium pallidum, gelbweißgrün mit rosa
Magnolia acuminata, grünlichweißgelb
Mahonia, gelb
*_Medicago_, gelb mit orange
Orixa, grünlich
*_Osmaronia_, gelbweiß
Paeonia lutea, gelb
Parrotia, gelblich mit rot

Petrophytum, schmutzig gelblichweiß
Petteria, gelb
Phellodendron, grünlichgelb
*Phlomis, sattgelb
Plagiospermum, lebhaft gelb
Potentilla, meiste Arten goldgelb
Purshia, gelb
Rhamnus, gelbgrün
*Rhododendron flavum, sattgelb bis orange, außerdem R. molle und die Hybriden beider in gelben und rotgelben Tönen
Ribes americanum, gelbweiß; Arten mit grünlichweißen Blüten siehe S. 440, R. aureum, gelb, R. Gordonianum, gelbrot, R. tenue, grüngelb
*Rosa Hugonis, R. lutea, gelb, R. xanthina, goldgelb, R. rubiginosa-Formen, R. spinosissima lutea
Santolina, gelb
*Sarothamnus, gelb und gelb mit Rot
Sassafras, gelblich
Securinega grünlich
Senecio, gelb
Shepherdia, gelblich
*Sophora japonica, gelbweiß
Stachyurus, gelblichgrün
*Syringa Emodi, gelblichweiß
Tilia, gelblichweiß oder grünlich
Ulex, tiefgelb
Xanthoxylum, grünlich

c) rote, rosa oder purpurne Farbentöne.

*Abelia-Arten, rosaweiß
*Acer rubrum, rot
*Aesculus carnea, heller oder dunkler fleischrot
*Aethionema grandiflorum, rosapurpurn
*Albizzia, hellrosa
Amorpha microphylla, purpurlich
*Andromeda Mariana und polifolia, zum Teil rosa
*Anisostichus capreolatus, orangerot
Anthyllis montana, rosa oder purpurn
Asimina triloba, braunrot
Atraphaxis, rosa (Fruchtkelch)
Aucuba, trübdunkelpurpurn
Bignonia chinensis, scharlach bis karmin- od. blutrot; B. radicans, orange und scharlach oder purpurn
*Bruckenthalia, rosa
*Calluna, der Typ lilarosenrot
Calycanthus fertilis, hellbräunlichpurpurrot, floridus, bräunlichdunkelpurpurn, occidentalis, ziegelrot mit bräunlichpurpurn
*Camellia, rosa bis purpurn
*Capparis, hellrosenrot
*Cercis canadensis, rosenrot, C. chinensis und Siliquastrum, mehr violettrot
*Chaenomeles japonica und Maulei, heller oder dunkler rot, siehe S. 143
*Cistus villosus, rosa bis purpurn
Clematis coccinea, scharlachrot, crispa, rosa, pseudococcinea, rosa bis scharlach-purpurn, montana rubens, rosa, Viorna, stumpfrot, siehe auch Hybriden S. 152 3
*Cornus florida rubra
*Cotoneaster horizontalis, rosaweiß
*Crataegus monogyna und oxyacantha-Formen, siehe S. 171
*Cytisus purpureus, purpurn, var. albocarneus, fleischfarben, C. versicolor, mehr gelblichweiß
Daboecia, bläulichrot
*Daphne arbuscula, Cneorum, Mezereum, rosa
*Deutzia purpurascens, rosa, und andere
*Diervilla (Gruppe Weigela), rosa, rot oder mehr ins Gelbliche, lachsfarben
*Dipelta, blaßrosa mit gelb oder purpurrötlich
Empetrum, rosa bis purpurn
*Enkianthus, rotgelb oder trübrot
*Erica, meist rosa bis purpurn
*Eriogonum Wrightii, rosa
*Escallonia langleyensis, karmesinrosa
Evonymus atropurpurea, E. occidentalis, purpurn
*Fuchsia, scharlachrot mit violett
Gaultheria, rötlichweiß
Gaylussacia, rosa (oder weiß)
Halimodendron Halodendron purpureum, rosenrot
*Hedysarum, violettpurpurn
*Helianthemum-Formen
Holboellia, purpurn mit Grün
*Hydrangea involucrata, rosalila mit weiß, H. opuloides-Formen, H. quercifolia, rötlichweiß
*Indigofera, rosen- oder purpurrot
*Jamesia americana rosea, rosa
*Kalmia angustifolia und K. latifolia, rosa oder rot, K. polifolia, lilarosa
*Laburnocytisus Adami, schmutzigpurpurn (mit gelb und purpurn)
*Lagerstroemia, rosa
*Lavatera, purpurn
*Lespedeza bicolor, karminrot
*Leycesteria, rötlichweiß mit purpurnen Hochblättern
Linnaea, hellrosa
*Lithospermum, purpurviolett
*Lonicera, siehe Arten ab S. 251
Lycium, meist rötlich
*Magnolia liliflora und M. Soulangeana-Formen, purpurn bis rosa mit weiß
*Malus, meist rosa, in Knospe dunkler; tiefrot ist M. Niedzwetzkyana, siehe auch unter weiß
*Myricaria, blaßrot bis weißlich
*Ononis fruticosa, O. rotundifolia, rosa mit karmin
*Paeonia suffruticosa, Typ purpurn, sonst siehe S. 280
Phyllodoce, rot oder hell bläulichpurpurn
Polygala Chamaebuxus, gelblichweiß mit braunrot, oder bei var. purpurea, purpurn
*Prunus, zumeist Gruppe I, S. 305 und II S. 306
Pseudocydonia sinensis, rosa
Pyxidanthera, rosa dann weiß
*Rhododendron, meiste Arten und Formen in Tönen von Rosa bis Purpurn, siehe ab S. 334
*Ribes glutinosum, rosenrot, R. sanguineum, blutrot; R. cruentum, purpurbraun, R. speciosum, tiefrot u. a. siehe S. 355
*Robinia hispida, rosa, R. Kelseyi, karminrosa, R. luxurians, rosa, R. viscosa, rosaviolett
*Rosa californica, R. carolina, R. gallica, R. Helenae, R. macrophylla, R. microphylla, R. pendulina, R. rubiginosa, R. rubrifolia, R. rugosa, R. setigera, R. tomentosa, R. Watsoniana, R. Willmottiae, siehe sonst vor allem die Rankrosen-Sorten S. 361
Rubus Kuntzeanus, rosa, laciniatus, rosa, lasiostylus, rot, odoratus, rot, phoenicolasius, rosa, spectabilis, rot, triphyllus, rosa
Silene fruticosa
Sorbus Chamaemespilus, rosa
*Spiraea: rote Töne, die Gruppen III u. IV, S. 396 7
*Symphoricarpus, rötlich
*Syringa, Gartenformen, siehe S. 404
*Tamarix, rosa
*Teucrium, meist purpurn
*Thymus Serpyllum, rosa, rot
Xanthorrhiza apiifolia, purpurbraunrot

d blaue, lila oder violette Farbentöne

(siehe auch unter c).

Akebia bräunlichviolettrot
Amorpha canescens, *A. fruticosa*, violettblau
**Buddleja*, meist lila, rosalila, violettpurpurn, oft mit gelbem Schlund
Callicarpa, purpurviolett und hellblaupurpurn
**Caryopteris incana*, hellviolett
**Ceanothus versailliensis*, azurblaue Töne
**Clematis alpina*, blauviolett, *Davidiana*, indigoblau, *crispa*, violett, *Hendersonii*, blau, *Viticella*, lilablau, siehe vor allem die Hybriden S. 152 3
**Clerodendron*, lilapurpurn
Disanthus, violettpurpurn
Elsholtzia, bläulichrosa
Globularia, blau
**Halimodendron*, violett mit weiß
Hibiscus, violett
**Hydrangea opuloides*-Formen
Hyssopus, blauviolett
Lavandula, blau
Leptodermis, dunkelviolett
**Lespedeza Sieboldii*, violettrot
Microglossa, lila mit gelb
**Paulownia*, violettblau
**Pentstemon*, lilapurpurn oder violettrot
Periploca, schmutzigviolett
**Perowskia*, blauviolett
Pueraria, violett
**Rhododendron caucasicum*, blaßlila, *R. catawbiense*, lila, *R. yedoense*, lilarosa, siehe auch S. 339
**Rhodothamnus*, violettrosenrot
**Salvia officinalis*
Sophora japonica violacea, lilarosa
Staehelina, violett
**Syringa*, siehe S. 404
Veronica cupressoides, hellblau
**Vinca*, blau oder violett
Vitex, hellviolett
Wisteria, hell-lila oder hellviolett

XVII.

GEHÖLZE MIT SCHÖNGEFÄRBTEN FRÜCHTEN, FRUCHTSTÄNDEN, ODER ESSBAREN FRÜCHTEN.

(Die römischen Ziffern geben die Monate der Fruchtreife an.)
Die mit * bezeichneten sind ziemlich auffallend zur Fruchtzeit.

Acanthopanax, schwarz, VIII—XI
Acer crataegifolium, VIII X, schön rötlich in Massen; *A. Ginnala*, VIII IX, lebhaft rötlich; *A. pseudoplatanus* **erythrocarpum*, rot geflügelt, VI; *A. spicatum*, gerötet, VII—VIII; *A. tataricum*, jung gerötet, VI—VII; *A. rubrum*, rot, V
Actinidia chinensis, rötlich, VIII—IX
Akebia, braunrot, bereift, VIII
Amelanchier, blauschwarz oder bereift schwarzpurpurn bis schwarz, VI—VII—XI
Ampelopsis aconitifolia, gelb, VIII—IX; *A. brevipedunculata* und *heterophylla*, amethyst- oder hellblau gepunktet, VIII—X
Arbutus, rot, erdbeerartig, VII—X
**Arctostaphylos*, rot, VIII—IX
Arctous, schwarz, IX—XI
Ardisia japonica, weiß, Sommer; **A. crispa*, rot, VIII—XII
Asimina triloba, gelb, eßbar, VIII—IX
**Aucuba*, glänzend rote Beeren, schön, (zweihäusig!) X—II
Azara, orange Beeren
**Baccharis*, weiße Federrispen, IX XI
Berchemia racemosa, erst rot, dann schwarz; *B. scandens*, blauschwarz, IX—X
**Berberis*, meist VII—XII, siehe S. 114 19, rote Töne oder blauschwarz
Broussonetia, fleischige, orangerote Scheinfrüchte, VIII—X
**Callicarpa*, purpurviolett, beerenartig, IX—X
Catalpa, IX—III, lange Hülsen in Massen
**Celastrus*, orangegelb mit roten Samen, IX—I
Celtis australis, violettbraun, *C. occidentalis*, orange, VIII—X
**Chaenomeles*, gelb mit rotorangener Tüpfelung, quittenartig, süßduftend, IX—X
Chionanthus virginica, VIII—X, schwarz
Citrus trifoliata, gelb, walnußgroß, VIII—X
**Clematis apiifolia*, *graveolens*, *tangutica*, *Vitalba*, silbrige Fruchtstände, IX—XII
Clerodendron, blau, IX—X
Cocculus carolina, *C. orbiculatus*, schwarzblau, IX—X
Coriaria japonica, erst rot, dann schwarzviolett, *C. myrtifolia*, erst grüngelb, dann schwarz, VIII—IX; **C. terminalis*, lebhaft gelb, VII—X
**Cornus*, rot, weiß, schwarz, siehe S. 157,60
Corylus Avellana, *maxima*, *Colurna* und *colurnoides*, eßbar
**Cotoneaster*, meiste Arten, rot oder schwarz, siehe S. 164 67, sehr schön *C. racemiflora songoorica*, lebhaft rot, auch *C. bullata* und *divaricata*
**Crataegus*, besonders *C. Arnoldiana*, kugelig, lebhaft rot, *C. coccinea* (Wildfutter), *C. cordata*, *C. Crus-galli* und var. *pyracanthifolia*, *C. fissa*, *C. macracantha!*, *C. pinnatifida*, *C. tomentosa* usw., siehe S. 167/71
Cydonia vulgaris, gelb, herrlich duftend, zum Einmachen
**Damnacanthus*, korallenrot, X I
**Danaë*, rot
**Daphne Mezereum*, rot (auch gelb), VII—IX
Davidia, rötlichbraun, VIII—IX
Decaisnea bläulich, VIII—IX
Diospyros, tomatenähnlich, gelbrot oder orange
Dirca, blaßgelb, wie kleine Pflaume, VI VII
Dryas, Federschweiffrucht
Ehretia, klein, gelb
Elaeagnus angustifolia, gelb; *E. argentea*, silbrig, *E. multiflora edulis*, orange, rot beschuppt (eßbar)
Empetrum, schwarz oder rot
**Evonymus*, gelb mit rot, am schönsten wohl *latifolius*, (VIII) IX—X
Fallugia, Federschweiffrucht
Fraxinus Mariesii, bronzerot
Gaultheria Shallon, blauschwarz, VIII—IX, *G. procumbens*, hellrot, X—XI
Gaylussacia, hellblau, VII—IX
Gleditschia, große braune Hülsen, Winter
Gymnocladus, sehr große Hülsen, Winter
Halesia tetraptera, grün, VIII X
Hedera, rote, gelb- und orangefrüchtige Beeren der var. *arborescens*, IX XII

**Hippophaë*, orangerot oder gelb, IX—III
Holboellia, große Scheinbeeren, wohl Spätsommer
Hymenanthera, weiße Beere, VI—IX
Hypericum Androsaemum, schwarzpurpurn
Idesia, orangerotbraun, wie kleine Kirschen, IX—X
**Ilex Aquifolium*, rote oder gelbe Beeren, IX—III, *I. crenata* und *glabra*, schwarz, *I. decidua*, *laevigata* und *Sieboldii*, orangerot IX—X; *I. verticillata*, scharlachrot oder gelb, IX—I
Jasminum fruticans, schwarz
Juglans, Walnüsse, bei *J. regia* eßbar, VII—X
**Kadsura*, scharlachrot, X—XII
Koelreuteria, aufgeblasene Kapsel, IX—X
Leycesteria, braunschwarze Beere, X—XI
Ligustrum, schwarze oder purpurschwarze (*L. sinense*) Beeren, VIII—XI, bei *L. vulgare chlorocarpum* gelbgrün
Lindera Benzoin, VIII—IX, rot
Linnaea, ockergelbe Beere, VIII—X
Lonicera, meist rotfrüchtig, siehe S. 251, schwarze Früchte haben: *L. involucrata*, *L. nigra*, *L. orientalis* und *L. coerulea*, schwarzblau; blau sind *L. Giraldii*, *L. alseosmoides*
**Lycium*, rote Beeren, VII bis Herbst
Maclura, orangenartig, ungenießbar, IX
Magnolia hypoleuca, *M. kobus*, *M. tripetala*, rote Fruchtstände, IX—X
Mahonia, bläulich, meist Spätsommer
**Malus*, siehe S. 263, Äpfelchen oft prächtig rot oder gelbrot, VIII—X
Menispermum, schwärzliche Steinfrucht, Herbst
Mespilus, braun, nach Frost genießbar
Morus, rote oder weiße Scheinbeere, VI—VIII
Myrica carolinensis, mit blaugrauem Wachsüberzug, *M. Gale*, golddrüsig
Nandina, IX—X, erbsengroß, rot
Nemopanthus, rot, Herbst
Osmaronia, blauschwarz, wie kleine Pflaumen, VII—VIII
Parthenocissus quinquefolia und *P. vitacea*, schwarzpurpurn, IX—XI
Peraphyllum, kleine Äpfelchen, gelb mit rotbraun, VIII
**Pernettya*, rote oder weiße Beeren, IX—X
Phellodendron, schwarz, beerenartig, VIII—IX
**Photinia laevis*, scharlachrot oder gelbrot, IX—X
Picrasma, lebhaft rot, IX—X
Plagiospermum, scharlachrot, VI—VII?
Platanus, hängende Köpfchen, Winter
**Polygonum*, vor allem *Aubertii*, *baldschuanicum*, rötlich, IX—X
**Prunus*, vor allem die echten Kirschen, S. 306, die Kirschpflaumen, S. 314 und die Pflaumen, S. 313, ferner *P. Laurocerasus* und *P. lusitanica*, schwarz, in Trauben
Ptelea, hopfenartig
Pterocarya, grüne hängende Fruchtstände im Sommer
**Pyracantha*, rot oder gelbrot, IX—X, wenn nicht von Vögeln verzehrt bis III
Pyrus, besonders *sinensis*, VIII—X
Raphiolepis, blauschwarz, IX—X
Rhamnus, wenig auffällig, purpurschwarz, beerenartig, VIII—X
Rhaphithamnus, glänzend blau, Herbst
Rhodotypus, glänzend schwarz, hart IX—XI
**Rhus Cotinus*, federige Früchte, VIII—IX, *R. glabra*, *R. typhina*, dicke, rote Fruchtkolben, VIII—XII, *R. javanica*, Früchte gelbrot, X
Ribes, siehe die Arten S. 353, Johannis- und Stachelbeeren, VI—IX; besonders schön *R. fasciculatum*, rot, bis in den Winter bleibend
Robinia Kelseyi, Früchte purpurn, VIII
Rosa, siehe die Arten, vor allem *R. rugosa*, *R. pendulina*, *R. microphylla*, *R. pomifera* u. a.
Rubus, meist rot, Himbeeren, Brombeeren, siehe S. 371
**Ruscus*, Winter, rote Beeren
**Sambucus canadensis*, schwarzpurpurn; *S. caerulea*, schwarz mit stark blauem Reif, prächtig! *S. nigra* (auch weiße Form) und *S. melanocarpa* schwarz, *S. pubens* und *S. racemosa*! rot
**Sassafras*, glänzend dunkelblau auf gerötetem Stiel, Spätherbst
Schizandra, rot, Herbst
**Shepherdia argentea*, rot, eßbar, *S. canadensis*, gelblich Sommer
Sinofranchetia, blaupurpurn, Herbst
**Skimmia*, rot, beerenartig, Winter
Smilax, blauschwarz, Herbst
Solanum Dulcamara, rot, Spätsommer
Sophora japonica, perlschnurartige Hülsen, Herbst
**Sorbus*, fast alle Arten, meist rote Töne, besonders die *Aucuparia*-Gruppe siehe S. 389
Staphylea, aufgeblasene braune Kapsel, VIII—X
Stauntonia, violettpurpurn, VII—VIII
**Stranvaesia*, (VIII—) IX—II, karmin- u. korallenrot
**Symphoricarpus occidentalis*, weiß, *S. orbiculatus*, rot, *S. occidentalis*, *S. racemosus*, weiß, Herbst-Winter
**Symplocos*, blau, Herbst
Umbellularia, purpurn, pflaumenähnlich, Sommer
**Vaccinium*, meiste Arten blauschwarz oder schwarz, auch rot, selten weiß, siehe S. 416 VII—IX
**Viburnum*, rot oder schwarz, VII—X (—XII), besonders die *Opulus*-Formen siehe S. 418
**Vitis*, meist schwarz mit blauem Duft, besonders *V. Labrusca* „Isabella"
Xanthoceras, kastanienartige Kapseln, Herbst
Zanthoxylum planispinum, rot, IX
Zizyphus sativa, schwarzrot, pflaumenähnlich, Spätsommer

XVIII.
FORMENZUSAMMENSTELLUNGEN SOMMERGRÜNER GEHÖLZE NACH DER LAUBFÄRBUNG.[86]

a) farbiger Austrieb

(vergleiche auch unter b)

Acer campestre postelense, bräunlich; *A. c. Schwerini*, bräunlichpurpurn; *A. Drummondii*, braunrot, grau behaart; *A. griseum*, rot; *A. laetum horticola*, blutrot; *A. mandshuricum* und *A. nikoënse*, bronziert braunrot; *A. Negundo odessanum*, bronze; *A. pictum*, bräunlich; *A. platanoides* „Prinz Handjeri", schön kupfrig goldig; *A. pl. Reitenbachi*, rot; *A. pl. Schwedleri*, tiefblutrot; *A. pl. Walderseei*, grünlichbraun mit rosa; *A. pseudoplatanus Leopoldi*, kupfrig; *A. ps. Worleei*, dunkelorange; *A. saccharinum lutescens*, leuchtendgelb; *A. truncatum*, rot

Aesculus neglecta rosea, rosa
Alnus Spaethii, purpurbraun bis dunkelviolett
Amelanchier canadensis, rotbraun
Aronia arbutifolia, tief braunrot
Bambusaceae, siehe die Angaben auf S. 107/12
Berberis Giraldii, leuchtend rotbraun
Carpinus yedoënsis, silbrig, rote Knospenschuppen
Catalpa hybrida purpurea, dunkelpurpurn
Carrierea calycina, rot
Cercidiphyllum japonicum, rosa mit braunrot
Cornus Kesselringii, dunkelbraun
Crataegus oxyacantha Gireoudi, weißbunt mit rosa
Decaisnea Fargesii, bläulich-violett
Euptelea, bronzefarben braun
Exochorda Giraldii, rötlich bronziert
Maackia hupehensis, junge Blätter auffällig silbergrau behaart
Malus floribunda purpurea, blutrot, *M. Halliana*, hell bräunlichrot, *M. Niedzwetzkyana*, leuchtend braunrot
Nandina domestica, rote Form
Physocarpus opulifolius luteus, gelb
Populus alba und *P. pekinensis*, silberweiß; *P. canadensis aurea*, bronzefarben, dann gelb
Prunus cerasifera Pissardi und *Moseri pl.* und *P. spinosa purpurea*, purpurn; *P. serrulata sachalinensis* u. a. braunrot; *P. Ssiori*, bronzefarben
Quercus palustris Reitenbachi, lebhaft karminrot; *Q. robur sanguinea*, purpurn; *Q. sessiliflora purpurea*, purpurbraun
Salix cordata purpurascens, rot; *S. lanata*, weißfilzig; *S. repens rosmarinifolia*, Unterseite der Blätter weiß; *S. pyrifolia*, braunrot
Sambucus racemosa aurea, braunrot; *S. Sieboldiana*, braunrot
Sorbus Aria chrysophylla, goldgelb
Spiraea japonica, purpurlich; *S. Bumalda Froebeli*, rot
Ulmus foliacea Wredei und *U. procera Van Houttei*, gelb, Sommerfärbung wechselnd
Viburnum burejaeticum, lebhaft bronziert; *V. Lantana versicolor*, rötlich altgold; *V. opulus aureum*, bronze; *V. Sargentii*, braunrot

b) farbiges Sommerlaub.

Acer campestre laetum, lichtgrün; *A. c. postelense*, gelb; *A. c. pulverulentum*, weiß bestäubt; *A. laetum aureum*, rotgelb; *A. Negundo argenteovariegatum*, weißbunt; *A. N. elegans*, gelbgerandet; *A. N. odessanum*, gelb; *A. platanoides Schwedleri*, düster rötlichgrün; *A. pseudoplatanus atropurpureum* und *purpurascens*, Blattunterseiten tief purpurviolett, auch *purpureodigitatum*; *A. p. Leopoldi*, Blätter weiß, gelb und rot gescheckt; *A. p. Worleei*, Blätter goldgelb
Actinidia Kolomikta, Blattspitzen oft weiß mit rosa
Aesculus Hippocastanum Memmingeri, Blätter weißgelb bestäubt
Alnus glutinosa rubrinervia, tiefgrün mit roten Adern und roten Stielen; *A. incana aurea*, leicht goldgelb
Ampelopsis Henryana, Blätter weiß gezeichnet, *A. heterophylla variegata*, weißbunt
Berberis vulgaris atropurpurea, tiefpurpurn, gute Färbung
Betula pendula purpurea, purpurlich
Catalpa bignonioides aurea, grünlichgelb; *C. ovata atropurpurea*, rotbraun
Colutea orientalis, blaugraugrün
Cornus alba Spaethii, goldrandig bis goldgelb, sehr gut; *C. a. argenteo-marginata*, weißgerandet, ebenfalls gut; *C. brachypoda variegata*, weiß berandet; *C. Hessei*, schwärzlichgrün; *C. mas argenteo-marginata*, weiß gerandet
Corylus Avellana atropurpurea, purpurn, var. *aurea*, gelb; *C. maxima purpurea*, wertvollste Bluthasel
Daphne Laureola purpurea, purpurn
Elaeagnus angustifolia und *argentea*, silberweiß
Fagus sylvatica purpurea, tief purpurn bis schwarzrot, besonders beim Austrieb, ebenso var. *Zlatia*, gelb
Fraxinus pennsylvanica aucubaefolia, goldscheckig
Halimodendron argenteum, graugrün
Hippophaë salicifolia, silbergrau
Kerria japonica variegata, weißbunt
Laburnum anagyroides chrysophyllum, goldgelb
Ligustrum vulgare aureum, gelb, var. *aureo-variegatum*, gelbgescheckt, var. *glaucum albo-marginatum*, blaugrün mit schmalem weißen Rande; *L. ovalifolium aureum* (var. *aureo-elegantissimum*) gelbbunt
Lonicera japonica flexuosa aureo-reticulata, gelbbunt; *L. tatarica Fenzlii*, gelbbunt, mäßig
Malus Niedzwetzkyana, braunrotgrün
Morus alba aurea, reingelb
Philadelphus coronarius aureus, anfangs goldgelb, dann hellgrün
Platanus acerifolia Suttneri, stark weiß bestäubt
Populus alba-Formen und *P. tomentosa*, Blattunterseiten silberweiß, *P. canadensis aurea*, gelb
Prunus cerasifera Pissardi und *P. spinosa purpurea*, purpurn bis braunrotgrün
Ptelea trifoliata aurea, goldgelb
Pyrus salicifolia, silbergrau, *P. elaeagnifolia*, mehr graugrün
Quercus Robur Concordia, goldgelb; var. *atropurpurea*, purpurn, var. „Fürst Schwarzenberg", weiß bestäubt
Ribes nigrum aureum, gelbbunt
Rosa rubrifolia, rot und hechtblau überlaufen
Salix alba splendens, unterseits silbrig
Sambucus nigra aurea, schön goldgelb, gut; var. *argenteo-marginata*, weiß gerandet; *S. racemosa aurea*, goldgelb
Shepherdia argentea, silbrig; *S. canadensis*, rostbraunschülfrig
Sorbus Aria, besonders var. *majestica*, Blattunterseiten silberweiß, ebenso *S. cuspidata*, *S. lanata*; *S. Aria* var. *chrysophylla*, gelb; *S. Aucuparia Dirkenii*, gelb
Symphoricarpus orbiculatus aureo-variegatus, gelbgerandet
Syringa Emodi aurea, gelb
Tamarix odessana, graugrün
Tilia petiolaris, *T. tomentosa* u. a. unterseits schön silberweiß
Ulmus foliacea argenteo-marginata, weißrandig, *U. procera* var. *purpurascens*, rotbraun; *U. procera* „Louis Van Houtte", gelb; *U. glabra atropurpurea*, purpurrot, *U. glabra fastigiata aurea*, gelb
Viburnum Lantana aureum, goldgelb; *V. Opulus aureum*, dunkler oder heller gelb.

c) Herbstfärbung.

Acer argutum, sattgelb mit rot, spät; *A. crataegifolium*, rot; *A. circinatum*, rot; *A. Davidi*, gelb und rot; *A. diabolicum*, rötlichgelb; **A. Ginnala*, prächtig rot und gelb, leider Laub schnell fallend; *A. laetum rubrum*, goldig gelb; *A. insigne Van Volxemi*, goldgelb; *A. macrophyllum*, hellorange; *A. mandshuricum*, rein rosafarben, früh färbend; *A. Negundo*, gelb; **A. nikoënse*, rot; **A. palmatum*, dunkler oder heller purpurn; **A. platanoides*, gelb und rot; *A. p. Reitenbachi*, tiefer rot; *A. rubrum*, besonders var. *Schlesingeri* und *tomentosum*, tiefrot; *A. rufinerve*, rot; *A. saccharinum lutescens*, goldgelb; *A. spicatum*, orangescharlach; **A. tataricum*, rot und gelb

Aesculus Hippocastanum, gelb mit orange

Akebia lobata, dunkel bronzefarben; *A. quinata*, braunpurpurn

**Amelanchier alnifolia*, rein gelb; *A. canadensis*, goldgelb oder rötlich; *A. ovalis*, orange bis rotbraun

Andromeda racemosa, scharlach, auch *A. Mariana*

**Arctous alpina*, scharlach

Aronia arbutifolia, glühend rot bis rotorange

**Berberis diaphana*, dunkelkarmin; *B. circumserrata*, lebhaft scharlach; *B. amurensis*, *B. lucida*, orange bis leuchtend rot; *B. Thunbergii*, glänzend rot und orange, auch *B. concinna*, *B. dictyophylla*, *B. koreana*, *B. Wilsonae* u. a.

Betula-Arten, mehr minder gelb, bei *Medwediewii* mehr orangerot

Carpinus caroliniana, bronziert orangescharlach

Carya-Arten, gelb bis orangebraun, mäßig schön

**Catalpa bignonioides*, schön hellgelb

**Cercidiphyllum japonicum*, hellgelb mit rot

Cladrastis lutea, sattgelb

**Cornus*-Arten, am schönsten *florida*, ganz wundervoll!, auch *officinalis*

Corylus americana, rotbraun, *C. Avellana*, gelb

Cotoneaster lucida, *C. rotundifolia* u. a., rotgelb, *C. horizontalis*, scharlach

**Crataegus*, gelb und rot bis scharlach, besonders gut bei *Carrierei*, *cordata*, *dahurica*, *intricata*

Cyrilla racemiflora, rotorange

Deutzia scabra, gelb, mäßig

**Disanthus cercidifolia*, weinrot

Enkianthus perulatus u. a., gelbrot bis scharlach

Evonymus alata, karminrot, früh färbend; *E. sanguinea*, purpurn

**Fagus ferruginea*, meist schöner rot als *F. sylvatica*, diese oft nur gelb mit braunrot

Fothergilla, purpurn

Forsythia suspensa Sieboldii, schön dunkel violettbraun

**Fraxinus americana acuminata*, prächtig purpurn mit gelb

Gleditschia, hellgelb

Gordonia Altamaha, purpurlich

Gymnocladus, ziemlich hellgelb

Hamamelis, gelb (bis orangepurpurn)

Hydrangea quercifolia, rot

Itea virginica, rot

Juglans cinerea, gelb, mäßig wie alle *Juglans*

Koelreuteria paniculata, gelb

Lindera, gelb

**Liquidambar styraciflua*, karminrot

**Liriodendron*, satt goldorangegelb

Maackia, lebhaft gelb

Magnolia, meist nur gelb mit bräunlichen Tönen

Malus crataegifolia, prächtig rotgelb; *M. fusca*, *M. Sieboldii*, wie auch andere ostasiatische und nordamerikanische Arten, gelb mit roten Tönen

Nandina domestica, leuchtend rot

**Nyssa silvatica*, scharlachrot

Oxydendrum, scharlach mit gelben Tönen

**Parrotia*, sehr schön goldgelb mit scharlach

Parrotiopsis, nur gelb

Parthenocissus quinquefolia, *vitacea* und *tricuspidata*, in prächtigen roten Tönen

Phellodendron, gelb, *P. amurense*, lebhaft rein gelb

Photinia laevis, brennend scharlachrot

Picrasma, orangescharlach

Platanus, wechselnd gelb

Populus, meist gelb mit braun

Prunus **Avium*, *P. Maximowiczii*, *P. Padus*, *P. pumila*, *P. serotina*, *P.* **serrulata*, *P. triflora*, gelb mit rot oder goldbraun

**Quercus alba*, prächtig violettrot, ähnlich bei *Q. Prinus*, *Q. coccinea* und *palustris*, orangerot bis scharlach, *Q. Phellos*, gelb, *Q. pontica*, *Q. borealis*, braunrot bis satt blutrot, sehr wechselnd, ähnlich *Q. imbricaria*

Rhamnus Frangula, gelb

Rhododendron, die pontischen und japanischen Azaleen, meist prächtig orangerot

**Rhus copallina*, lebhaft braunrot; *R. cotinoides*, scharlachrot, auch *R. Toxicodendron*, *R. javanica*, scharlach und *typhina*, schön, nicht giftig; *R. vernicifera* und *Vernix*, sehr schön, aber giftig; *R. Cotinus*, gelb mit rot

Ribes aureum, rot; *R. americanum*, rotbraun

Rubus siehe S. 371

Sassafras variifolium, orangerot

Sorbus americana, *S. serotina*, prachtvoll hell- bis braunrot und die meisten Arten der *Aucuparia*-Gruppe, orangerot; *S. Tschonoskii*, goldigscharlach

Spiraea Margaritae, hellgelbrot; *S. prunifolia*, rot; *S. Thunbergii*, rot, dabei lange grün

Stephanandra Tanakae, scharlachorange bis bräunl.

Stuartia pseudocamellia, dunkelbronzepurpurn; *S. monadelpha*, braunrot

Syringa **oblata*, weinrot; *S. pekinensis*, meist nur gelb

Tilia euchlora u. a., gelb, mäßig

Ulmus americana, gelb; ebenso *foliacea*, schöner ist *U. pumila*

Vaccinium corymbosum, scharlach und karmin, ähnlich *V. canadense*, *hirsutum*, *pennsylvanicum*, *vacillans*

**Viburnum acerifolium*, tiefpurpurn; *V. alnifolium*, scharlachrot; *V. cassinoides*, rotbraun; *V. Carlesii*, dunkel bronzepurpurn; *V. dilatatum*, gelb; *V. Opulus* (und *americanum*) scharlach; *V. nudum* und *prunifolium*, scharlach, braunrot; *V. tomentosum* u. a.

**Vitis amurensis*, rotpurpurn; *V. Coignetiae*, prächtig scharlachrot mit gelb; *V. Davidii*, schillernd rot und braun; *V. flexuosa*, metallisch weinrot; *V. pulchra*, purpurn

d) besonders tiefes Grün.

Acer Heldreichii

Aesculus Hippocastanum

Alnus glutinosa, trüb und *A. japonica*, glänzender

Ampelopsis brevipedunculata

Betula Medwediewii

Catalpa

Chionanthus

Corylopsis, blaugrün

Forsythia viridissima

Fraxinus americana, *F. Mariesii*

Hovenia

Ligustrum Quihoui
Menispermum canadense
Osmaronia, dunkelblaugrün
Quercus tinctoria
Rhamnus alpina, R. chlorophora
Rosa rugosa
Salix Pierotii
Sassafras
Sophora japonica
Sorbus Hostii
Ulmus, besonders *glabra*-Formen
Viburnum prunifolium
Vitis amurensis

e) besonders lichtes Grün.

Acer laetum, A. circinatum
Berchemia
Gleditschia
Quercus macrocarpa
Rhamnus utilis
Sorbaria sorbifolia
Staphylea Bumalda
Ulmus elliptica
Viburnum dentatum, V. Lentago, V. Sieboldii

f) besonders glänzendes Grün.

Acer cissifolium, A. glabrum, A. insigne, A. pictum, A. pennsylvanicum
Actinidia arguta
Alnus japonica
Arctous alpina
Betula lenta
Caragana Chamlagu
Carrierea
Castanea
Celtis Bungeana
Cephalanthus
Chaenomeles japonica, Maulei
Chimonanthus
Cocculus carolinus
Cornus glabrata
Cotoneaster nitens
Crataegus Carrierei, C. macracantha, C. pinnatifida, C. prunifolia u. a.
Danaë racemosa
Decumaria
Diospyros virginiana
Euptelea
Hamamelis mollis, metallischgrün
Laburnum alpinum
Maclura
Periploca sepium
Populus canadensis, balsamifera, nigra u. a.
Prunus serotina
Rosa lucida
Salix lucida
Sassafras
Tilia euchlora
Sorbus chamaemespilus, latifolia, torminalis
Vaccinium arboreum
Viburnum Henryi, V. nudum, V. prunifolium
Vitis flexuosa, V. rupestris
Xanthoxylum Bungei

XIX.

GEHÖLZE MIT FARBIGEN TRIEBEN, AUFFALLENDER RINDENFÄRBUNG DES STAMMES, SOWIE BESONDERS BESTACHELTEN ODER BEDORNTEN TRIEBEN.

a) Triebe oder Stammrinde gefärbt.

(Die mit * bezeichneten Formen wirken wie winter- oder immergrün.)

Acer laetum rubrum, rot; *A. Negundo violaceum*, Triebe dunkelviolett bereift; *A. pennsylvanicum*, älteres Holz fein längs hellstreifig, ähnlich *A. rufinerve*; bei *A. pennsylv. erythrocladum* Triebe rot gestreift; *A. tegmentosum*, Rinde fein weiß gestreift
Alnus incana aurea, Winterholz gelbrot
Bambusaceae: siehe die Angaben im einzelnen S. 107/12
Berberis dictyophylla, junge Triebe bereift; *B. virescens*, Triebe rot
Betula alba, weißrindig; *B. davurica*, Rinde kaffeebraun; *B. Ermanii*, abrollende Stammrinde gelbweiß; *B. Koehnei*, wohl das reinste Weiß der Rinde; *B. lenta*, Stamm kirschbraun, Rinde nicht abblätternd; *B. lutea*, Rinde dunkelgelbbraun, abkräuselnd; *B. Maximowicziana*, Rinde kirschbraun; *B. nigra*, Rinde rotbraun; *B. papyrifera*, Rinde blendend weiß; *B. pendula*, Rinde weiß, bald borkig; *B. populifolia*, Rinde weiß, bald borkig
Carya ovata, Borke lang aufreißend
**Citrus trifoliata*, grün
Cornus alba, Zweige blutrot, var. *sibirica* lebhaft korallenrot; *C. Kesselringii*, Zweige düster rotbraun, fast schwarz; *C. sanguinea*, blutrot, bei var. *viridissima*, grün; *C. stolonifera*, braunrot, bei var. *flaviramea* hellgelb
Corylus Avellana aurea, Triebe gelblich
Crataegus monogyna xanthoclada, Triebe gelb
Elaeagnus angustifolia, Triebe silberweiß; *E. argentea*, Zweige silbrig mit braun
Fraxinus excelsior aurea, junge Zweige goldgelb
Hippophaë rhamnoides, junge Triebe silbrig
**Jasminum nudiflorum*, jüngere Zweige grün
**Kerria japonica*, Holz grün, bei var. *vittato-ramosa* Zweige gelbgescheckt
Laburnum, junges Holz grün
Lonicera coerulea graciliflora, Triebe im Frühjahr bläulichrot
Malus floribunda purpurea u. *M. Niedzwetzkyana*, Zweige braunrot
Parrotia, Borke abblätternd, ähnlich Platane
Platanus, Stamm durch abblätternde Rinde gelbgrün gescheckt
Populus alba, Stamm weißgraugrün
Prunus Maackii, hellgelbe Rinde, Stamm birkenartig abblätternd, auch bei *P. serrula tibetica*.
Pseudocydonia sinensis, Stamm platanenartig abschülfernd, gelb gefleckt
Rosa rubrifolia, Triebe hechtblau überlaufen; *R. sericea pteracantha*, Zweige auffällig rot bestachelt
Rubus biflorus quinqueflorus, incisus, lasiostylus, leucodermis, Linkianus, Zweige stark bereift
Salix acutifolia, Zweige tiefbraun, bereift, *S. alba vitellina*, Zweige gelb, bei *f. britzensis*, rotgelb; *S. daphnoides jaspidea*, stark bereifte Zweige; ebenso *S. irrorata* u. a. *S. purpurea*, Zweige purpurn

**Salsola*
Sarothamnus scoparius, grüntriebig
Sassafras, Zweige grün
Shepherdia argentea, Zweige silbrig; *S. canadensis*, Zweige bräunlich beschuppt
Sophora japonica, Zweige grün
**Spartium*, grüntriebig
Stuartia pseudocamellia, Borke glatt, hellgrau, platanenartig abblätternd
Tilia euchlora, junge Zweige lebhaft grün; *T. platyphyllos aurea* und *corallina*, junges Holz gelb und gerötet; *T. rubra*, Zweige rot oder gelb
Vaccinium Myrtillus, grünzweigig

b) bestachelt oder bedornt.

Acanthopanax, verschiedenartig bestachelt
Adelia neomexicana, etwas verdornend
Ailanthus Vilmorinii, bestachelt
Anthyllis Hermanniae, dornig
Aralia, bestachelt
Astragalus, verdornte Blattspindeln
Atraphaxis spinosa, dornig
Berberis, bedornt
Bumelia lycioides, dornig
Caesalpinia japonica, bestachelt
**Calycotome*, dornig
Capparis, dornig
Caragana, dornig
Celastrus flagellaris
**Citrus trifoliata*, dornig
**Colletia*
Crataegus, meist dornig
Cudrania tricuspidata, dornig
Damnacanthus, feindornig
Echinopanax, stachelborstig
Elaeagnus, meist dornig
**Genista hispanica* u. a., dornig
Gleditschia, verzweigte Stammdorne
Halimodendron, stechende Blattspindeln
Hippophae, dornig
Maclura, dornig
Paliurus, dornig
Plagiospermum, dornig
Prunus angustifolia, *P. spinosa*, dornig
Pyracantha
Pyrus, meiste Formen dornig
Rhamnus, siehe die Arten S. 330
Rosa, bestachelt, vor allem *R. omeiensis pteracantha*
Rubus adenophorus, *R. phoenicolasius*, Triebe dicht rötlich bestachelt
Shepherdia argentea, dornig
Smilax, bestachelt
Ulex, dornig
Vella, dornig
Vitis Davidii, bestachelt
Xanthoxylum, bestachelt

XX.

GEHÖLZE MIT RIECHENDEN BLÜTEN ODER AROMATISCHEM LAUBE.

(Die mit * bezeichneten riechen nicht gut.)

Abelia grandiflora, *A. triflora*
Actinidia arguta
Aesculus parviflora
**Ailanthus*, betäubend
Artemisia, Laub aromatisch
**Asimina triloba*
Calycanthus floridus, nach Erdbeeren
Carya, Blätter gerieben etwas aromatisch
Caryopteris. Laub aromatisch
**Castanea americana*
Cedrela, alle Teile unangenehm riechend
Cephalanthus americanus, riecht leicht
**Cestrum Parqui*, unangenehm
Chaenomeles sinensis, lieblich
Chamaebatia, alles aromatisch
Chamaebatiaria, alles aromatisch
Chimonanthus, gewürzig
Choisya, nach Orangen
Citrus trifoliata, nach Orangen
Cladrastis lutea
**Clerodendron foetidum*, alles unangenehm
Clematis Buchaniana, *C. paniculata* u. a.
Clethra
Corylopsis
**Crataegus*
Daphne, meisten Arten
Decumaria
Edgeworthia
Ehretia, honigduftend
Elaeagnus, bei *angustifolia* sehr stark
Elsholtzia, Laub aromatisch
Epigaea
Eriobothrya
Fothergilla
Haplopappus, Laub balsamisch drüsig
Hyssopus Strauch aromatisch
Iberis semperflorens
Idesia
Ilex
Juglans, Laub aromatisch
Lavandula, aromatisches Laub
Ledum
**Ligustrum*
Lindera, Blatt aromatisch
Linnaea, nach Heliotrop duftend
Lonicera americana, *japonica*, *Caprifolium*, *fragrantissima*, *Maackii*, *Myrtillus*, *rupicola*, *Standishii*!
*Magnolia *Fraseri*, *glauca*, *grandiflora*, *hypoleuca*, *parviflora*, *denudata*, *stellata*, **tripetala*
Myrica, alles aromatisch
**Orixa*, Laub unangenehm riechend
Osmanthus Delavayi
Osmaronia, fein duftend
Pachysandra
Periploca
Perowskia, Strauch aromatisch
Petteria
Phellodendron, Laub riechend
Philadelphus, besonders stark duften: *Lemoinei*, *microphyllus*, *pubescens*, auch viele *coronarius*-Formen
Plagiospermum
Prunus Mahaleb, Holz duftend (Weichsel)
Ptelea trifoliata
Pterostyrax
Rhododendron azaleoides, *R. flavum* und viele Hybriden, *R. rosmarinifolium*, *R. viscosum*
Rhus aromatica, alles aromatisch
Ribes aureum, das Laub ist aromatisch bei **R. nigrum* (unangenehm), *R. orientale* u. a.
Robinia Pseudoacacia
Rosa centifolia, *R. gallica*, *R. Mariae-Graebneriae*, *R. rubiginosa* (Laub), siehe auch die Rankrosenarten „Aglaia" u. a., ferner *R. rugosa* „Conrad Ferdinand Meyer"
Rosmarinus, Pflanze aromatisch
Rubus odoratus
Sambucus, meist betäubend riechend

Sassafras, Blätter aromatisch
Schizandra chinensis
**Stachyurus*
Staphylea colchica
Styrax japonica
Syringa, meiste Formen, siehe S. 404; die Arten der *Ligustrina*-Gruppe unangenehm duftend
Thymus Serpyllum, alles aromatisch
Tilia, honigreich
Tripterygium
Umbellularia, auch Laub aromatisch
Viburnum Carlesii, *V. lantana*
Vitex
Vitis vulpina
Wisteria floribunda macrobotrys, *W. polystachya*

XXI. IMMERGRÜNE GEHÖLZE.

(Die mit * bezeichneten sind besonders schön belaubt.)

Acer creticum sempervirens, *A. orientale nanum*
Andromeda, siehe Gruppe A, S. 98
Arbutus
Arctostaphylos
Ardisia
Aristotelia
**Aucuba*
**Azara*
Bambusaceen
Baccharis patagonica, *B. salicina*
Berberidopsis
Berberis, siehe S. 118
Bruckenthalia
Bryanthus
Bumelia
Bupleurum fruticosum
Buxus
Calluna
**Camellia japonica*
Carpenteria
Cassinia
Cassiope
**Castanopsis*
Ceanothus cuneatus
Cercocarpus
Chamaedaphne
Chiogenes
**Choisya*
**Cistus ladaniferus*, *laurifolius*
Clematis Armandii, *C. calycina*
Corema
Corokia
Cotoneaster buxifolia, *Dammeri*, *Franchetii*, *Henryi*, *pannosa*, *salicifolia floccosa*
Cowania
Daboecia
Damnacanthus
Danaë racemosa
Daphne, Arten der Gruppe A, S. 176
**Daphniphyllum*
Diapensia
Diplopappus
Distylium
Dryas
**Elaeagnus*, Gruppe B, S. 193
Empetrum
Epigaea
Ercilla
Erica, siehe Artikel S. 62
**Eriobothrya*
Eriogonum umbellatum
**Eucryphia*
Evonymus, Gruppe B, Seite 203
Fallugia
Garrya
Gaultheria
Gaylussacia
Hedera
Holboellia
Hymenanthera
Hypericum calycinum
Hyssopus
Iberis semperflorens
**Ilex*, Gruppe A, S. 228
Illicium
Kadsura
**Kalmia*
Laurus
Lavandula
Ledum
Leiophyllum
**Ligustrum*, Arten der Gruppe A, S. 244
Lindleya
Linnaea
Lithospermum
Loiseleuria
Lonicera Giraldii, *L. implexa*, *L. japonica*, *L. nitida*, *L. pileata*
Loropetalum
**Magnolia grandiflora*
Mahoberberis Neubertii, besonders var. *ilicifolia*
**Mahonia*
**Olea*
Olearia
**Osmanthus*
Pachysandra
Pachystima
Pernettya
**Phillyrea decora*
Phlomis fruticosa
Photinia glabra
Phyllodoce
Polygala Chamaebuxus
Prunus, Gruppe *Laurocerasus*
Purshia
Pyracantha
Pyxidanthera
Quercus, siehe Gruppe B, S. 327
Raphiolepis
Rhamnus Alaternus, *R. californicus*, *R. tomentella*
Rhododendron, siehe die Arten S. 343 und S. 334
Ribes laurifolium
**Rosa Banksiae*, *R. laevigata*, *R. sempervirens*, *R. Wichuraiana* und Hybriden
Rubus Henryi, *flagelliformis*, *Parkeri*, *ic..angensis*, *tricolor*
Ruscus
Salvia officinalis
Santolina
**Sarcococca*
Satureja
Schizandra Henryi
**Senecio*
**Skimmia*
Smilax excelsa
**Stauntonia*
Stranvaesia Davidiana und var. *undulata*
**Ternstroemia*
Teucrium
Trochodendron
Ulex
Ulmus parvifolia
Umbellularia
Vaccinium macrocarpum, *V. Oxycoccus*, *V. uliginosum*, *V. Vitis Idaea*
Veronica
Viburnum Henryi, *V. foetidissimum* *V. rectangulum*, *V. rhytidophyllum*, *V. utile*
Vinca
Yucca
Xanthoxylum planispinum

XXII. WINTERGRÜNE GEHÖLZE.

(Man beachte hierzu das in Kap. IV Gesagte, ferner die in Liste XIX mit * bezeichneten Formen, die wie wintergrün wirken.)

Abelia grandiflora
Akebia
Andromeda pulverulenta
Anisostichus capreolatus
Berberis aristata, *B. chitria*, *B. Lycium*, nicht ausgesprochen

Buddleja variabilis typica, durch Spättriebe
Bumelia lycioides
Ceanothus Fendleri
Coriaria, zum Teil
Cornus paucinervis
Cotoneaster, siehe Arten der Gruppe A, S. 164
Crataegus Crus-galli, C. Carrierei, C. grignonensis
Cyrilla racemiflora
Escallonia
Evonymus americana
Ficus pumila
Fremontia
Helianthemum
Hypericum
Jasminum fruticans, J. nudiflorum, J. primulinum
Kadsura
Ligustrum Ibota var. *myrtifolium, L. ovalifolium, L. vulgare sempervirens; L. Quihoui* und *sinense*
Lonicera fragrantissima, L. Henryi, L. sempervirens, L. Standishii, zum Teil
Magnolia glauca
Malus angustifolia
Myrica
Nandina domestica
Osteomeles Schwerinae
Prunus Cuthbertii
Quercus Ambrozyana, fulhamensis, Koehnei, laurifolia, Libani, lucombeana, Pseudoturneri
Rhamnus Frangula eximia, R. hybrida
Rhododendron dahuricum sempervirens
Ribes Gayanum
Rubus, viele Arten
Smilax
Spiraea cantoniensis
Symphoricarpus Heyeri, S. occidentalis
Vaccinium arboreum
Viburnum cotinifolium

XXIII.

SOMMERGRÜNE GEHÖLZE MIT BESONDERS WIRKSAMER BLATTTRACHT.

Acanthopanax ricinifolius und var. *Maximowiczii*, große gelappte oder geteilte Blätter; ferner *A. senticosus, A. Henryi, A. Simonii*
Acer palmatum-Formen, *A. saccharinum, A. japonicum*, verschieden gelappt; *A. insigne* und *A. macrophyllum, A. parviflorum*, großblättrig; *A. carpinifolium*, hainbuchenartig; *A. nikoense, A. cissifolium*, dreiteilig; *A. mandshuricum, A. Negundo*, gefiederte Blätter
Actinidia chinensis, bräunlich filzig, rundlich
Aesculus, groß, handlappig
Ailanthus, große Fiederblätter, besonders *A. altissima pendulifolia*
Ampelopsis megalophylla, groß, gefiedert
Aralia, große Fiederblätter
Aristolochia macrophylla, groß, rund
Asimina, groß, schön geformt
Bambusaceae, siehe S. 407/12
Broussonetia, wechselnd gelappt, besonders die bizarre *B. papyrifera laciniata*, fein zerschlitzt
Carpinus cordata, groß
Carya, gefiedert
Castanea, groß
Catalpa, groß
Cedrela, Fiederblatt
Cercidiphyllum, rundlich
Cladrastis lutea, gefiedert
Cocculus, schön langoval
Coriaria, gefiedert
Cornus brachypoda, C. macrophylla, auch *C. asperifolia* und *C. rugosa*, groß
Davidia, groß
Decaisnea, gefiedert
Disanthus, groß, rundlich
Edgeworthia, groß
Eucommia, groß
Euptelea, breitoval
Euscaphis, gefiedert
Evonymus latifolia, groß
Ficus Carica, groß, gelappt
Fraxinus, meiste Arten gefiedert
Gleditschia, fein gefiedert
Gymnocladus, großes Fiederblatt
Hedera Helix hibernica, groß
Hydrangea quercifolia, groß, gelappt
Idesia, groß
Juglans, Fiederblatt
Koelreuteria, Fiederblatt
Liriodendron, spitzlappig
Liquidambar, gelappt
Maackia, gefiedert
Magnolia hypoleuca, macrophylla, tripetala, großlaubig
Mahonia, gefiedert
Meliosma, groß
Myrica asplenifolia, fiederteilig
Nandina, Fiederblatt
Parthenocissus tricuspidata, wechselnd gelappt
Paulownia, groß
Phellodendron, gefiedert
Platanus, groß, gelappt
Populus heterophylla, P. lasiocarpa, groß
Pterocarya, gefiedert
Quercus, siehe S. 323
Rhamnus alpinus, R. costatus, R. fallax, R. imeretinus, groß
Rhus, meiste Arten, siehe S. 349, besonders die geschlitzten Formen
Robinia Pseudoacacia unifoliola
Rubus, gelappt oder gefiedert
Salix, meist schmallänglich, aber *S. magnifica* groß, breit
Sambucus, gefiedert
Senecio Greyi, gerandet
Sinowilsonia, groß
Sinofranchetia, groß
Sorbus, viele Arten, siehe S. 380, groß oder gefiedert
Styrax Hemsleyana, St. Obassia, groß
Syringa oblata, groß
Tamarix, fein, nadelschuppig
Tilia americana, T. heterophylla, T. mongolica u. a., groß oder schön
Viburnum dilatatum, V. alnifolium, V. cotinifolium, groß oder schön
Vitis, meiste Arten gelappt, besonders *V. armata, V. Coignetiae*
Wisteria, gefiedert

XXIV.
SCHLING- UND KLETTERGEHÖLZE.

(Die mit * bezeichneten besitzen schöne Blüten.)

Actinidia, schlingend
Akebia, schlingend
Ampelopsis, siehe S. 97
Anisostichus, Rankenkletterer
Aristolochia, schlingend
**Berberidopsis*, leicht schlingend
Berchemia, schlingend
Bignonia, schlingend u. kletternd
Celastrus, schlingend
**Clematis*, schlingend
Cocculus, schlingend
Decumaria, kletternd
Evonymus radicans, kletternd
Ficus pumila, kletternd
Forsythia suspensa, etwas rankend
Hedera, kletternd
**Hydrangea petiolaris*, kletternd
Jasminum nudiflorum, *J. officinale*, leicht rankend
Kadsura, leicht schlingend
Lardizabala
**Lonicera*, schlingend, siehe Gruppe II, S. 254
Menispermum, schlingend, bis 4 *m*
Metaplexis, schlingend, bis 3 *m*
Periploca, schlingend
Polygonum, schlingend
Pueraria, schlingend
**Rhus radicans*, kletternd
**Rosa*, siehe die „Rankrosen", S. 361
**Rubus*, meist rankend, siehe S. 371
**Schizandra*, schlingend
**Schizophragma*, kletternd
**Sinofranchetia*, schlingend
Sinomenium
Smilax, rankend
Stauntonia, schlingend
Tecoma
Trachelospermum
**Vitis*, schlingend
**Wistaria*, schlingend

XXV.
GEHÖLZE MIT BESONDERER TRACHT.

(Die empfehlenswertesten sind mit * bezeichnet.)

a) Pyramiden- und Säulenformen.

Acer platanoides columnare
Acer rubrum columnare
Acer saccharinum pyramidale
Acer saccharum monumentale
Aesculus Hippocastanum pyramidalis
Alnus glutinosa pyramidalis
Betula pendula pyramidalis
Corylus Colurna, breit pyramidal
Crataegus monogyna stricta
Fagus sylvatica pyramidalis
Magnolia acuminata, breit pyramidal
Morus alba pyramidalis
Platanus acerifolia pyramidalis
**Populus alba pyramidalis* (*P. Bolleana*), **P. nigra italica*, *P. plantierensis*
**Quercus Robur fastigiata*
Robinia pseudoacacia pyramidalis
Sambucus nigra pyramidata
Sorbus Aucuparia fastigiata
Tilia platyphyllos pyramidalis; *T. tomentosa*, breit-pyramidal
Ulex europaeus strictus
Ulmus glabra var. *fastigiata*; *U. foliacea monumentalis* und andere Formen, siehe S. 413; ebenso Formen der *U. hollandica*.

b) Hängeformen.

**Acer saccharinum pendulum* und *Wieri*
Alnus incana pendula
**Betula pendula*, *B. populifolia*
**Caragana arborescens pendula*, *C. pygmaea*, veredelt
Carpinus Betulus pendula
Corylus Avellana pendula
Cotoneaster multiflora
Crataegus monogyna pendula
**Fagus sylvatica pendula*
Forsythia suspensa
**Fraxinus excelsior pendula*
Halimodendron, auf *Caragana* veredelt
Juglans regia pendula
Laburnum anagyroides pendulum
**Malus* „Elise Rathke" und „Exzellenz Thiel"
Morus alba pendula
**Populus tremula pendula* und *tremuloides pendula*
**Prunus avium pendula*, *P. fruticosa pendula*, **P. subhirtella pendula*
Pyrus salicifolia
Quercus robur pendula, *Q. Toza pendula*
Robinia pseudoacacia pendula
**Salix alba vitellina pendula*, *S. babylonica*, **S. blanda*, auch *S. Caprea pendula*, *S. purpurea pendula*
**Sambucus nigra pendula*
Sarothamnus scoparius pendulus
**Sophora japonica pendula*
Sorbus Aucuparia pendula
Tilia petiolaris, leicht hängend
Ulmus americana var. *pendula*, *U. foliacea* var. *pendula* und var. *propendens*; *U. glabra* var. *pendula* und andere Formen von *U. procera*, *U. pumila*, siehe S. 415

c) Kugel- und Schirmformen.

Acer campestre compactum, dichte runde Büsche
**Acer platanoides globosum*, Kugel
Aesculus Hippocastanum umbraculifera, kugelig
Albizzia, schirmförmig
Broussonetia papyrifera laciniata, rundbuschig
Caragana arborescens nana, rundlicher Busch
Catalpa bignonioides nana, niedrige Kugelbüsche
Cornus pumila, Kugelbusch, ebenso *C. mas nana*
Crataegus monogyna u. *oxyacantha*-Formen, Kugel
Fraxinus excelsior globosa, Kugel
Kalmia latifolia myrtifolia, kugeliger Busch
Morus alba globosa, Kugel
Lonicera tatarica nana, Kugelbusch
Philadelphus coronarius nanus, dichtbuschig
Prunus Cerasus globosus, kugelig
Ribes alpinum pumilum, dichtbuschig
Robinia pseudoacacia umbraculifera, Kugel, var. **tortuosa*, schirmförmig
**Ulmus foliacea* var. *umbraculifera*, kugelig
Viburnum Opulus nanum, Kugelbusch

d) Malerische Kronenformen.

Acer Negundo, im Alter
A. saccharinum
Aesculus Hippocastanum, im Alter; jung breitpyramidal
Ailanthus
Betula nigra und andere Arten
Carpinus japonica
Carya
Celtis occidentalis, sehr malerisch
Corylus Colurna, alt
Ficus Carica
Gleditschia
Gymnocladus
Juglans
Liriodendron
Magnolia tripetala
Platanus
Populus, meiste Arten
Quercus
Rhus javanica, R. typhina
Robinia
Sophora japonica
Tilia
Ulmus

XXVI.

ZUSAMMENSTELLUNG VON BÄUMEN NACH WUCHS UND STÄRKE.

a) Schnellwüchsige Formen.

Acer Negundo und meiste Formen; *A. insigne Van Volxemi, A. saccharinum*, auch *A. platanoides, A. pseudoplatanus* und *A. Trautvetteri*
Aesculus Hippocastanum
Ailanthus glandulosa
Alnus glutinosa, A. hirsuta, A. japonica, A. Spaethii und *A. subcordata*
Betula pendula, B. Ermanii, B. Koehnei, B. Maximowicziana, B. populifolia
Carya cordiformis (C. amara)
Castanea sativa
Catalpa bignonioides, C. speciosa
Corylus Colurna
Elaeagnus angustifolia
Fagus sylvatica
Fraxinus americana, F. excelsior, F. pennsylvanica
Gleditschia
Juglans nigra, Sieboldiana, Vilmoriniana
Liriodendron
Magnolia acuminata, M. hypoleuca, M. tripetala
Malus cerasifera
Paulownia tomentosa
Platanus
Populus, vor allem *berolinensis, canadensis, Eugenei, lasiocarpa, robusta, trichocarpa*
Prunus avium, cerasifera, Padus, serotina, serrulata „Hisakura"
Pterocarya fraxinifolia
Pterostyrax hispida
Quercus borealis, coccinea, fulhamensis, palustris, macranthera
Robinia luxurians, R. Pseudoacacia, R. Holdtn britzensis
Salix acuminata, daphnoides, dasyclados, fragilis, lanceolata, Russeliana u. a.
Sambucus glauca, S. nigra
Sorbus Aucuparia, S. sambucifolia, S. serotina
Tilia americana, Moltkei, platyphyllos, Spaethii, spectabilis, vulgaris u. a.
Ulmus hollandica var. *vegeta* und var. *superba, U. japonica*, auch Formen der *U. glabra*
Viburnum Opulus

b) Trägwüchsige Formen.

Acer campestre, crataegifolium, monspessulanum, nikoënse, viele *palmatum*-Formen, *platanoides globosum, rubrum*
Aesculus discolor
Alnus glutinosa incisa, A. incana orbicularis
Betula Medwediewii
Crataegus Carrierei, C. orientalis
Fraxinus Ornus
Gymnocladus
Ilex Aquifolium
Liquidambar
Maackia
Parrotia persica
Populus tristis, P. angustifolia
Quercus macranthera, Libani, robur atropurpurea
Rhus glabra laciniata
Sorbus Hostii, S. torminalis
Syringa japonica
Tilia japonica, T. mongolica
Ulmus foliacea-Formen: wie *argenteo-marginata, Dampieri, monumentalis.*
Viburnum acerifolium

c) Sehr große Bäume, die über 25 *m* Höhe erreichen.

(bis über 40 m hohe mit * bezeichnet)

Acer insigne, A. Negundo, A. nigrum, A. platanoides, A. pseudoplatanus, A.* rubrum, A.* saccharum, A.* saccharinum, A. Trautvetteri*
Aesculus Hippocastanum, A. carnea
Ailanthus
Alnus glutinosa, A. incana
Betula Koehnei, B. lenta, B. lutea, B. Maximowicziana* bis 30 *m*, *B. nigra, B.* papyrifera, B. pendula, B.* occidentalis*
Carpinus Betulus
Carya alba, laciniosa, ovata
Castanea dentata, sativa*
Catalpa speciosa*, in Heimat
Cedrela sinensis
*Celtis australis, * occidentalis*
Cercidiphyllum
Corylus Colurna, chinensis
*Fagus ferruginea, * sylvatica*
Fraxinus americana* und var. *juglandifolia, F.* excelsior, F. lanceolata, F. nigra, F. pennsylvanica*
Gleditschia ferox, G. sinensis, G. triacanthos
Gymnocladus
Juglans cathayensis, J. cinerea, J. nigra, J. regia
Liquidambar
** Liriodendron*
Magnolia acuminata, hypoleuca
Nyssa sylvatica
Platanus
Populus alba, P. canadensis, P. candicans, P. canescens, P.* Eugenei, P.* balsamifera, P. Maximowiczii, P. robusta, P. Tacamahaca, P.* tomentosa*
Prunus serotina

Robinia Pseudoacacia
Salix alba
Tilia, meiste Arten und Formen
Ulmus americana, U. elliptica, U. foliacea, U. fulva, U. glabra, U.* hollandica, U.* japonica, U. laevis*
Zelkova serrata*, in Heimat
Quercus alba, borealis, bicolor, castaneaefolia, Cerris, coccinea, conferta, imbricaria, macranthera, macrocarpa, palustris, robur, tinctoria, sessiliflora

d) Mittelgroße Bäume von über 10–15 *m* Höhe.

Acer caesium, A. campestre, A. carpinifolium, A. laetum, A. nikoënse, A. parviflorum, A. pennsylvanicum, A. pictum
Aesculus chinensis, glabra, hybrida, octandra
Alnus hirsuta, A. japonica, A. rubra
Betula alba, davurica, Ermanii, grossa, japonica und var., *populifolia*
Carpinus caroliniana, cordata, japonica
Carrierea
Castanea crenata
Catalpa bignonioides
Cercis canadensis
Cladrastis lutea
Juglans mandshurica, J. Sieboldiana
Koelreuteria bipinnata
Maackia
Magnolia grandiflora, Kobus, tripetala
Malus Tschonoskii
Ostrya
Paulownia
Populus heterophylla, lasiocarpa, tremula, tristis, trichocarpa
Prunus avium, Maackii, serrulata var. *sachalinensis, Ssiori, Simonii*
Pterocarya
Pyrus ussuriensis
Quercus phellos, marylandica, dentata, glandulifera, serrata, Toza
Robinia viscosa
Sophora japonica
Sorbus, fast alle Arten der Gruppe A, siehe S. 389 auch *S. torminalis*
Tilia mongolica

e) Kleine Bäume von etwa 5 bis 10 *m* Höhe.

Acanthopanax ricinifolius
Acer circinatum, A. cissifolium, A. crataegifolium, A. diabolicum, A. Heldreichii, A. spicatum, A. tataricum, A. truncatum
Aesculus Pavia, turbinata
Alnus cordata
Asimina triloba
Betula Medwediewii
Broussonetia
Carpinus orientalis
Castanopsis
Catalpa Bungei
Celtis Tournefortii
Cercis chinensis und *Siliquastrum*
Cornus florida, C. Wilsoniana
Crataegus Crus-galli, C. coccinea, C. monogyna, C. mollis
Davidia, in Heimat höher.
Diospyros
Laconmia
Fraxinus Bungeana, F. Ornus
Gleditschia caspica
Halesia
Hippophae salicina
Hovenia
Idesia
Juglans rupestris
Koelreuteria paniculata
Magnolia liliflora, Soulangeana
Malus, meiste Arten
Morus
Oxydendrum
Phellodendron
Picrasma
Poliothyrsis
Populus laurifolia, tremuloides, suaveolens (in Heimat alle höher)
Prunus alleghaniensis, americana, angustifolia, Armeniaca, cerasifera, Cerasus, cornuta, domestica, emarginata, Lannesiana, Mahaleb, Mume, nigra, Padus, pendula, pennsylvanica, salicina, serrulata-Formen, *sibirica, subhirtella*
Pterostyrax
Pyrus betulaefolia, P. elaeagnifolia, P. heterophylla, P. Michauxii, P. salicifolia
Quercus fulhamensis, Libani, lucombeana, macedonica, pontica, Pseudoturneri
Rhus glabra, R. javanica, R. typhina, R. vernicifera
Robinia luxurians
Salix Caprea, S. daphnoides, S. dasyclados, S. incana, S. lasiandra, S. nigra, S. Perotii, S. sitchensis
Sambucus nigra
Sassafras
Sorbopyrus
Sorbus Aria, S. hybrida, S. intermedia, S. lanata, S. latifolia
Styrax japonicus, St. obassia
Syringa japonica
Tapiscia
Ulmus arbuscula, U. parvifolia, U. pumila
Umbellularia (bei uns)
Xanthoceras (oft nur Strauch)
Zelkova ulmoides (bei uns)

XXVII.

ZUSAMMENSTELLUNG VON STRÄUCHERN NACH GRÖSSE.

a) Großsträucher 3 bis 5 *m*.

Acer mandschuricum, A. Ginnala, A. glabrum, A. trifidum
Aesculus parviflora
Alnus rugosa und *serrulata*
Amelanchier alnifolia, A. asiatica, A. canadensis, A. ovalis, A. oblongifolia, oder kleine Bäume
Andromeda japonica
Aralia
Arbutus Unedo
Bambuseen, siehe S. 107

Bumelia lycioides
Buxus sempervirens arborescens
Calycanthus occidentalis
Caragana arborescens
Castanea pumila
Chionanthus
Clethra
Colutea arborescens
Cornus alternifolia, brachypoda, florida, mas, officinalis, siehe auch unter b.
Corylus Avellana, C. maxima
Crataegomespilus
Crataegus, meiste Arten
Crataemespilus
Cudrania tricuspidata
Cydonia vulgaris
Daphniphyllum
Elaeagnus angustifolia
Euptelea
Euscaphis
Evonymus latifolia u. a.
Exochorda
Fontanesia
Hamamelis mollis, japonica, virginiana
Hippophae rhamnoides
Ilex decidua, I. laevigata
Laburnum anagyroides
Ligustrum japonicum, L. lucidum, L. ovalifolium
Lindera obtusiloba
Lonicera Maackii, L. tatarica
Magnolia glauca, salicifolia
Mespilus
Osmaronia
Parrotia, bis 4 m
Parrotiopsis, bis 3,5 m
Prunus amygdalo-persica, communis, Davidiana, Fenzliana, Laurocerasus, lusitanica, persica, spinosa, virginiana
Ptelea
Pyracantha
Rhamnus Frangula
Rhododendron catawbiense, viele R. hybridum-Formen, R. maximum
Rhus cotinus, R. cotinoides, R. Vernix
Ribes aureum
Robinia hispida, R. Kelseyi
Salix acuminata, S. lucida, S. viminalis
Sambucus glauca, S. mexicana, S. melanocarpa
Securinega flueggeoides
Shepherdia argentea
Sinowilsonia
Sorbaria arborea, S. Lindleyana
Sorbus Vilmorinii, S. Aria zum Teil, S. Mougeoti
Staphylea, meiste Arten
Stuartia
Styrax Hemsleyanus
Syringa Josikaea, S. oblata, S. villosa, S. vulgaris
Tamarix
Vaccinium arboreum
Viburnum americanum, V. dentatum, V. dilatatum, V. Hessei, V. Lentago, V. molle, V. nudum, V. Opulus, V. prunifolium, V. Sargentii, V. Sieboldii
Vitex agnus-castus, V. incisa

b) Mittelsträucher 1 bis 3 m.

Acanthopanax
Acer palmatum-Formen
Aesculus humilis
Alnus viridis
Amelanchier rotundifolia, bis 2 m
Amorpha fruticosa
Arctostaphylos Manzanita
Aronia
Artemisia tridentata
Aucuba
Baccharis halimifolia
Bambuseen, siehe S. 107
Berberis, meiste sommergrüne Arten, siehe S. 115, aber auch immergrüne, wie acuminata, Julianae, stenophylla
Betula pumila
Bigelowia, bis 1,5 m
Buddleja
Buxus, meiste Formen
Callicarpa bis etwa 1,5 m
Calycanthus fertilis und floridus
Caragana Boisi, frutex, jubata, microphylla
Carpenteria, bis 2 m
Cephalanthus
Cercocarpus, bis 2 m
Chamaebatiaria
Chimonanthus
Clerodendron
Colutea media, orientalis
Cornus alba, sanguinea, stolonifera, u. a., siehe S. 157
Coronilla Emerus
Corylopsis
Corylus americana, heterophylla, Sieboldiana, rostrata
Cotoneaster, meiste Arten
Crataegus monogyna compacta
Cytisus elongatus u. a. bis gegen 2 m
Daphne Mezereum, bis 2 m
Deutzia discolor, scabra u. andere
Diervilla, wüchsigere Formen
Dipelta, bis 1,5 m
Dirca
Disanthus
Distylium
Edgeworthia
Ehretia
Elsholtzia, bis 1,5 m
Enkianthus
Erica arborea
Evonymus, meiste Arten
Forestiera
Forsythia
Fothergilla major
Fraxinus Mariesii
Grewia oppositifolia
Halimodendron
Hibiscus
Hydrangea arborescens, H. Bretschneideri, H. opuloides, H. paniculata, H. quercifolia, H. vestita
Ilex crenata, I. glabra, I. Pernyi, I. Sieboldii, I. verticillata
Itea virginica
Jasminum nudiflorum
Kalmia latifolia
Laburnocytisus Adamii
Laburnum alpinum
Lagerstroemia
Lavatera
Lespedeza bis 2 m
Leycesteria, bis 1,5 m
Ligustrum acuminatum, L. amurense, L. Ibota, L. Quihoui, L. sinense, L. Regelianum, L. Stauntonii, L. vulgare
Lindera Benzoin
Lonicera alpigena, L. Altmannii, L. canadensis, L. deflexicalyx, L. gracilipes, L. iberica, L. Korolkowii, L. Morrowii, L. nervosa, L. oblongifolia, L. orientalis, L. Ruprechtiana, L. Standishi, L. tatarica, L. tibetica, L. Webbiana, L. xylosteum
Loropetalum
Mahonia Bealei
Malus Sargentii, Sieboldii
Myrica pennsylvanica, bis 1,5 m
Myricaria, bis 2 m
Nandina bis 2 m
Nemopanthus
Orixa
Osmanthus, bis 1,5 m
Paliurus, bis 2 m
Peraphyllum, bis 1,5 m
Petteria, bis 2 m
Philadelphus coronarius, Falconeri, hirsutus, latifolius, pekinensis, Magdalenae, sericanthus
Phillyrea decora, bis 2 m
Photinia, bis 1,5 m
Physocarpus amurensis und opulifolius, bis 3 m, P. capitatus, bis 2 m
Plagiospermum
Prunus baldschuanica, japonica, Laurocerasus Mischeana und serbica, maritima, Petzoldii tomentosa und triloba
Purshia, bis 2 m
Pyracantha, bis 2 m
Rhamnus alaternus, R. alpinus, R. californicus, R. cathartica, R. davuricus, R. fallax, R. imeretinus, R. japonicus, R. lanceolatus
Rhododendron amoenum, R. azaleoides, R. dahuricum, R. flavum, R. hybridum, viele Gartenformen, R. molle und Hybriden, R. occidentale, R. ponticum, R. Smirnowii, R. viscosum
Rhodotypus

Ribes floridum, R. Gordonianum, R. multiflorum, R. nigrum, R. niveum, R. petraeum, R. rubrum, R. sanguineum
Rosa californica, R. canina, R. carolina, R. cinnamomea, R. centifolia, R. Hugonis, R. lutea, R. macrophylla, R. microphylla, R. moschata, R. multiflora, R. omeiensis pteracantha, R. pendulina, R. pisocarpa, R. rubiginosa, R. rubrifolia, R. rugosa, 1,5 *m, R. Willmottae*
Rubus biflorus quinqueflorus, R. deliciosus, R. odoratus, R. nutkanus
Salix adenophylla, S. gracilistyla, S. cordata, S. purpurea, S. sericea u. a.
Sambucus canadensis
Sarcococca, bis 2 *m*
Sarcobatus, bis 2 *m*
Sarothamnus, bis 2 *m*
Securinega ramiflora, bis 2 *m*
Shepherdia canadensis
Solanum Dulcamara bis 1,5 *m*
Sorbaria sorbifolia, S. stellipila
Sorbus chamaemespilus
Spiraea, meist nicht über 1,5–2 *m*: *S. alba, S. arguta, S. Billiardii S. bracteata, S. cantoniensis, chamaedrifolia* und var. *ulmifolia, S. chinensis, S. canescens, S. Douglasii, S. Henryi, S. media, S. nobla, S. pachystachys, S. salicifolia, S. Sanssouciana, S. tomentosa, S. Van Houttei, S. Veitchii, S. Wilsonii.*
Stachyurus
Staphylea Bumalda, Bolanderi
Styrax americanus
Syringa chinensis, S. Julianae S. persica, S. Sweginzowii
Tripterygium
Vaccinium Arctostaphylos, V. corymbosum
Viburnum acerifolium, V. alnifolium, V. burejaeticum, V. Carlesii, V. cassinoides, V. erosum, V. Henryi, V. lantana, V. macrophyllum, V. Mariesii, V. orientale, V. pubescens, V. rhytidophyllum bis 4 *m, V. rotundifolium, V. tomentosum, V. utile, V. venosum, V. Wrightii.*

c) Kleinsträucher, 0,5 bis 1 *m*.

Abelia, oft bis 1,5 *m*
Adenocarpus
Amelanchier stolonifera
Amorpha microphylla
Andrachne colchica
Andromeda, meiste Arten bei uns, siehe S. 98
Artemisia Abrotanum, camphorata und *procera*
Atraphaxis Muschketowii
Atriplex canescens
Azara, wird bis 3 *m*
Baccharis salicina
Berberis concinna, sibirica und viele der immergrünen Arten, siehe S. 118
Betula humilis und *B. nana*
Bupleurum fruticosum, bis 1,5 *m*
Calophaca
Calycotome
Caragana aurantiaca, brevispina, Chamlagu, Gerardiana, pygmaea, spinosa
Caryopteris
Cassinia
Ceanothus americanus und *C. versaillensis*
Chamaebatia
Choisya
Clematis Davidiana, tubulosa
Cneorum tricoccum
Convolvulus Cneorum
Coriaria
Cotoneaster disticha, C. Simonsi
Cytisus, meiste Arten
Damnacanthus
Deutzia gracilis auch *D. Sieboldiana* und *Lemoinei*-Formen
Diervilla, meiste Formen
Diplopappus chrysophyllus
Escallonia
Eurotia
Evonymus verrucosa (bis 2 *m*)
Fallugia
Fendlera (bis 2 *m*)
Fothergilla alnifolia
Fuchsia
Gaultheria Shallon
Genista ovata, G. radiata, G. tinctoria
Grewia parviflora
Hedera Helix hibernica
Hedysarum
Helwingia
Hydrangea involucrata
Hymenanthera, meist niedriger
Hypericum, meiste Arten
Indigofera, bis 1,5 *m*
Iva
Jamesia
Jasminum floridum
Kalmia angustifolia
Kerria
Ledum
Ligustrum lucidum var. *coriaceum, L. Delavayanum, L. strongylophyllum*
Lonicera coerulea, L. hispida, L. involucrata, L. myrtilloides, L. Myrtillus, L. nitida, L. pyrenaica, L. rupicola, L. spinosa var. *Alberti*
Lupinus arboreus
Mahonia aquifolium, M. repens
Menziesia
Microglossa
Myrica asplenifolia, M. Gale
Neviusia, bis 1,5 *m*
Olearia
Paeonia arborea (bis 2 *m*)
Pernettya
Philadelphus microphyllus und zum Teil auch *Lemoinei*-Formen
Phlomis
Platycrater
Potentilla Friedrichseni, fruticosa, Salessowii, Veitchii
Prunus fruticosa, P. incana, P. Laurocerasus Zabeliana, P. nana, P. pumila (bis 1,5 *m*)
Rhamnus prunifolius, R. saxatilis
Rhododendron arbutifolium, R. canadense, R. ferrugineum, R. hirsutum, R. intermedium, R. Kotschyi, R. punctatum, R. rosmarinifolium, R. Wilsonii
Rhus canadensis, R. Toxicodendron, R. trilobata
Ribes alpestre, R. alpinum, R. cereum, R. cruentum, R. diacantha, R. inebrians, R. lacustre, R. leptanthum
Rosa omeiensis-Formen, *R. rugosa*-Formen, *R. villosa, R. Watsoniana, R. xanthina*
Ruscus aculeatus
Salix candida, S. repens
Salvia
Senecio
Sibiraea
Skimmia
Sophora viciifolia
Sorbaria grandiflora
Spiraea albiflora, S. bella, S. cana, bis 0,6 *m, S. cinerea, S. crenata, S. conspicua, S. hypericifolia, S. japonica, S. Menziesii, S. prunifolia, S. Bumalda, S. Thunbergii*
Stephanandra (bis 1,5 *m*)
Symphoricarpus
Ulex europaeus
Vaccinium hirsutum

d) Zwergsträucher, 0,10 bis 0,50 *m*.

(Die mit * bezeichneten sind niederliegend; vergleiche aber auch Liste c.)

**Acaena*
Adenostoma
**Aethionema grandiflorum*
Alyssum spinosum
Amorpha canescens
Andromeda polifolia
**Astragalus*, meist polsterartig
Atriplex portulacoides
Berberis buxifolia nana, candidula, cretica, empetrifolia, Wilsonae (auch höher)
Bruckenthalia, heideartig

Anthyllis
**Arctostaphylos uva-ursi*
Ardisia
**Argyrolobium*
Artemisia frigida
Ascyrum stans
**Calceolaria violacea*, Halbstrauch
**Calluna*
**Cassiope*
Ceanothus Fendleri
**Chamaedaphne*
Cornus Hessei
Cotoneaster adpressa, C. congesta, C. Dammeri, C. Dielsiana, C. horizontalis, C. microphylla, alles niederliegend ausgebreitet
**Cytisus decumbens, C. purgans*
Daboecia
Danaë
**Daphne*, meiste Arten, zum Teil niederliegend
**Diapensia*, rasig
**Dorycnium*
**Dryas*
Erica, meiste Arten
**Empetrum*
**Epigaea*
**Eriogonum*
Evonymus nana, **E. radicans*
**Fumana*
**Gaultheria procumbens*
**Gaylussacia*
Genista hispanica, **G. pilosa*, **G. sagittalis*
**Globularia*, Halbstrauch
Gutierrezia
Haplopappus
**Helianthemum*
Hypericum calycinum
Hyssopus
**Iberis semperflorens*
**Jasminum Beesianum*
Kalmia polifolia
Lavandula
**Leiophyllum*
Leptodermis
**Linnaea*
**Lithospermum*
**Loiseleuria*
Lonicera pileata
**Luetkea*
**Medicago*
Neillia thyrsiflora
Ononis, bis 0,6 *m*
**Pachysandra*
Pachystima
Pentstemon fruticosus
**Petrophytum*
**Phyllodoce*
Plantago
**Polygala Chamaebuxus*
Potentilla dahurica, bis 1 *m*
Prunus fruticosa pendula, P. prostrata
Pyxidanthera, rasig
**Rhamnus pumila, R. saxatilis*, (auch höher)
Rhododendron caucasicum, bis 1 *m*, *R. intricatum*, **R. kamtschaticum*, **R. lapponicum, R. racemosum*
**Rhodothamnus*
Rosa berberidifolia, R. gallica, R. heliophila, R. spinosissima
Ruscus
**Salix herbacea, S. polaris, S. reticulata, S. retusa, S. serpyllifolia, S. uva-ursi*
Santolina
Sarothamnus scoparius prostratus
Satureja montana
**Sedum populifolium*
**Silene fruticosa*
Spiraea bullata, S. decumbens, S. Hacqueti, S. Bumalda „Anthony Waterer", *S. pumilionum*
Staehelina, bis 30 *cm*
**Teucrium chamaedrys*
**Thymus serpyllum*
**Vaccinium macrocarpum, V. Myrtillus*, **V. oxycoccus, V. pennsylvanicum*, **V. uliginosum*
**Vinca*
Xanthorrhiza

XXVIII. HALBSTRÄUCHER[78])

(Die mit * bezeichneten sind als solche zu behandeln).

Amorpha canescens, A. microphylla
**Buddleja nivea*, **B. Davidii*-Formen
**Ceanothus americanus* und hybride Gartenformen
Clematis Davidiana
**Clerodendron*
Coriaria
Elsholtzia
Fuchsia gracilis
Genista ovata, G. tinctoria
**Hydrangea arborescens macrocephala*, **H. radiata*
Hypericum ascyrum u. a., **H. patulum Henryi*
Indigofera Kirilowii, **I. Gerardiana*
**Lespedeza Sieboldii*
Microglossa albescens
**Pentstemon*
Perowskia
Teucrium
**Viburnum macrocephalum sterile*

XXIX. ZUSAMMENSTELLUNG ÜBER AUSTRIEBSZEIT UND BLATTFALL.

a) frühtreibend (März bis Anfang April).

(*früheste)

Acanthopanax senticosus
Acer insigne
**Betula japonica mandshurica*
Caragana frutex, C. jubata
**Chamaebatiaria*
**Cotoneaster multiflora, C. Zabelii*
Crataegus **chlorosarca, dahurica, C. Schroederi*
Deutzia gracilis
Evonymus latifolius, E. planipes, E. yedoensis
**Exochorda Albertii, E. Giraldii*
Hydrangea petiolaris
Kerria
Lonicera Altmannii, L. alpigena, L. arizonica, L. coerulea, L. gracilipes, L. fragrantissima, L. Hallii, L. japonica, L. microphylla, L. Morrowii, L. muscaviensis, L. Standishii, L. tatarica
Malus Arnoldiana, M. baccata, M. Sargentii, M. Zumi
Osmaronia cerasiformis
**Paeonia suffruticosa*
Philadelphus coronarius, P. floribundus
Potentilla **Friedrichsenii, P.* **fruticosa, P. Salesovii*
**Prinsepia sinensis*
Prunus cerasifera Pissardii, P. incana, **P. Padus commutata, P. Ssiori.*
Ribes aciculare, **R. alpinum, R. aureum, R. burejense, R. cereum, R. diacantha, R. dikuscha, R. Giraldii, R. leptanthum, R. prostratum* u. a.
Sambucus canadensis, **S. nigra, S. racemosa*
Sibiraea laevigata
Sorbaria **grandiflora*, **S. sorbifolia, S. stellipila*
Spiraea arguta, S. chamaedrifolia, S. media, S. prunifolia
Viburnum acerifolium, V. alnifolium praecox, V. dahuricum, V. Lantana, V. prunifolium

b) s p ä t t r e i b e n d (meist erst Mai).

(* spätester)

Acanthopanax ricinifolium var. *Maximowiczii*
Acer Heldreichii, A. insigne velutinum, A. Trautvetteri
Ailanthus
Amorpha fruticosa
Aralia chinensis
Calycanthus floridus
Carya
Castanea crenata
Catalpa
Cedrela
Cephalanthus
Cercis Siliquastrum
**Chionanthus virginica*
Cladrastis lutea
Cornus florida, C. Kousa
Crataegus flava
Celtis, meist
Fagus sylvatica
Forestiera acuminata
Fothergilla alnifolia
Fraxinus, meiste Formen
Gleditschia
Gymnocladus
Hibiscus syriacus
Hydrangea paniculata, H. quercifolia
Ilex, meist
Itea virginica
Juglans
Liquidambar
Maackia
Magnolia acuminata, M. tripetala
Morus
Myrica pennsylvanica
Oxydendrum
Paulownia
Platanus
Populus serotina
Quercus lyrata, pontica, pseudoturneri, palustris, robur
Robinia
Rubus, meiste
Sophora japonica
Syringa villosa
Tamarix
Tilia americana
Xanthoxylum
Xanthoceras

c) f r ü h e r (s c h n e l l e r) B l a t t f a l l.

Acanthopanax senticosus sehr früh
Acer Negundo
Aesculus glabra, A. neglecta, sehr früh
Alnus incana
Amelanchier, fast alle Arten
Amorpha
Asimina triloba
**Aralia chinensis*
Betula, meiste Arten
Calophaca
Caragana, meiste Arten
Colutea
Cornus mas
Crataegus macracantha
Daphne Mezereum
Dirca palustris
Evonymus alatus, E. europaeus, u. a.
Exochorda, E. Giraldii, sehr früh
Fraxinus cinerea sehr früh, *F. mandshurica, F. pennsylvanica*
Juglans cinerea, u. a.
Lonicera alpigena, L. tatarica
Maackia amurensis
Osmaronia (Nuttallia)
Phellodendron amurense
Philadelphus Lemoinei, P. Schrenkii, P. tenuifolius
Prunus Maackii, P. serrulata sachalinensis (P. Sargentii)
Ribes coloradense, R. prostratum, R. sanguineum
Sambucus racemosa
Sorbus alpina, S. americana, S. Aucuparia, S. sambucifolia, S. scandica
Spiraea media, S. chamaedrifolia
Syringa amurensis, S. japonica
Tilia euchlora, T. platyphyllos, T. vulgaris
Viburnum Opulus

d) s p ä t e r B l a t t f a l l.

(siehe auch die Liste XXII.)

Acer carpinifolium, A. Drummondii, A. orientale, A. palmatum, A. platanoides „Prinz Handjery“, *A. Davidii, A. saccharinum heterophyllum*
Actinidia arguta
Alnus cordata
Amelanchier asiatica
Aronia arbutifolia
Baccharis halimifolia
Berberis diaphana, B. dictyophylla, B. heteropoda
Buddleja
Caragana Boisii, C. chamlagu
Carpinus Betulus, C. yedoensis
Castanea crenata, C. vesca
Ceanothus hybridus
Chaenomeles japonica
Chimonanthus
Clethra acuminata, C. alnifolia
Cornus Hessei, C. pumila, C. stricta
Corylus Colurna
Cotoneaster acuminata, C. applanata, C. bullata, C. Franchetii, C. nitens, C. Zabelii
Crataegus Carrierei, C. fissa, C. flava, C. grignonensis, C. populifolia
Diervilla, meiste Formen
Elaeagnus
Evonymus latifolius
Fagus lucida, F. orientalis u. a.
Forsythia, besonders *intermedia vitellina*
Fothergilla alnifolia
Hamamelis japonica, H. virginiana
Hibiscus syriacus
Kerria
Laburnum
Ligustrum Regelianum, L. vulgare
Lonicera fragrantissima, L. Ledebourii, L. Standishii u. a.
Magnolia Kobus, M. stellata
Malus atrosanguinea, M. crataegifolia, M. floribunda, M. micromalus, M. ringo
Neviusia
Oxydendrum
Parrotia persica
Periploca graeca, P. sepium
Petteria ramentacea
Philadelphus brachybotrys, P. Falconeri, P. hirsutus, P. insignis, P. nepalensis, P. yokohamae
Platanus
Poliothyrsis sinensis
Potentilla-Arten
Prunus incana, P. Mahaleb, P. persica, P. serotina
Quercus coccinea, Q. imbricaria, Q. nigra, Q. robur Q. Tozu, Q. tinctoria
Rhamnus californicus, R. Pallasii, R. tomentellus, R. utilis
Ribes alpinum, R. lacustre
Rubus inermis, R. innominatus, R. laciniatus, R. R. ulmifolius bellidiflorus u. a.

Sophora
Sorbaria arborea
Sorbus serotina
Smilax rotundifolia
Spiraea arguta, S. cantoniensis, S. chinensis, S. Douglasii, S. Menziesii, S. Thunbergii, S. Van Houttei
Stephanandra Tanakae
Symphoricarpus orbiculatus
Ulmus crassifolia, U. hollandica superba, U. pumila
Vaccinium corymbosum
Viburnum cotinifolium, V. Carlesii, V. cassinoides, V. macrocephalum, V. Sieboldii, V. venosum

XXX. HECKENGEHÖLZE.

a) für größere Hecken, starken Schnitt vertragend.

(Die mit * bezeichneten eignen sich für Baumwände.)

*Acer *campestre, A. monspessulanum, A. tataricum*
**Aesculus Hippocastanum*, auch *A. carnea*
Berberis vulgaris
Buxus sempervirens
Caragana arborescens
**Carpinus Betulus, C. caroliniana*
Chaenomeles japonica
Citrus trifoliata, warme Lagen
Cornus mas, auch *C. sanguinea*
Cotoneaster acutifolia, C. lucida
Crataegus monogyna, C. oxyacantha, C. Crusgalli u. a.
Cydonia vulgaris
Elaeagnus angustifolia, für trockne Lagen, *E. pungens*, im Süden
Fagus sylvatica
Gleditschia triacanthos, hohe Hecken
*Ilex *Aquifolium, I. opaca*
Ligustrum vulgare, L. ovalifolium, L. Ibota
Lonicera coerulea, L. tatarica
Lycium chinense und *halimifolium*, für wilde Hecken
Maclura, in warmen Gegenden
Mahonia Aquifolium
Paliurus, in warmen Gegenden
Philadelphus coronarius
Physocarpus opulifolius
Platanus acerifolia
Prunus spinosa, auch *P. cerasifera Pissardi, P. Mahaleb* und **P. Laurocerasus*
Pyracantha coccinea
Quercus robur
Rhamnus catharticus
Ribes divaricatum var. *Douglasii*, auch *R. alpinum, R. alpestre giganteum*
Robinia Pseudoacacia
Rosa rubiginosa, R. rubrifolia
Rubus, wilde Hecken
Spiraea cana, S. chamaedrifolia, S. media, S. salicifolia
Syringa Josikaea, S. villosa, S. vulgaris; S. persica, für niedrige Hecken
Tilia cordata
**Ulmus glabra, U. foliacea*, auch *U. hollandica*
Viburnum cassinoides, V. dentatum, V. Opulus
Zizyphus, in warmen Gebieten

b) für kleine, mehr freiwüchsige Zierhecken.)

(Die mit * bezeichneten sind Blütengehölze, die anderen nur durch Laub wirksam.)

**Abelia grandiflora*
Acanthopanax pentaphyllus albo-marginatus
Acer palmatum-Formen
**Aesculus humilis*
Andrachne colchica
**Andromeda Catesbaei*
Atriplex Halimus
**Berberis buxifolia nana, B. stenophylla, B. Thunbergii, B. Wilsonae*
Buxus obovata, B. sempervirens suffruticosa
Cornus Hessei, C. pumila
**Corylopsis pauciflora*
Cotoneaster Franchetii
Crataegus monogyna compacta
**Cytisus praecox*
**Deutzia gracilis* und *D. discolor*-Formen
**Escallonia*, für den Süden
Evonymus japonicus
**Fuchsia gracilis*, für den Süden
**Hibiscus syriacus*, warme Lagen
Ilex crenata
**Kerria japonica plena*
*Lonicera *Alberti, L. nitida, *L. pileata, L. tatarica Leroyana, *L. syringantha Wolfii*
Mahonia Aquifolium
Myrica asplenifolia
Osmanthus Aquifolium
**Philadelphus Lemoinei*-Formen und andere Hybriden, *P. microphyllus*
**Potentilla Friedrichsenii, P. fruticosa*
Rhus trilobata
Ribes alpinum pumilum aureum
**Rosa nitida, micrugosa, rugosa*
**Rhododendron amoenum*
**Spiraea albiflora, S. arguta, S. Bumalda*-Formen, *S. Margaretae, S. ulmifolia, S. Van Houttei*
*Viburnum nudum, V. rhytidophyllum, *V. utile*
Xanthorrhiza apiifolia

XXXI. LISTE DER BESTEN STRASSEN- UND ALLEEBÄUME[81]).

(Die mit * bezeichneten Formen sind in erster Linie als Straßenbäume brauchbar.)

Acer laetum rubrum, nur bedingt zu empfehlen
A. Negundo, besonders in den Formen *odessanum* und *pruinosum*, gegen Rauch empfindlich
A. pictum, für enge Villenstraßen in günstigen Lagen
A. platanoides, besonders in den Formen *Lorbergii, Reitenbachii* und ** Schwedleri*, für engere Straßen ** globosum*; liebt gleich folgender Art freiere Stadtteile, da sonst leicht pilzkrank, sehr empfindlich gegen Leuchtgas
*A. * Pseudoplatanus*, besonders in den Formen, *atropurpureum, erythrocarpum* und *Worleei*, auch hier gilt das oben Gesagte

A. saccharinum, für breite geschützte Straßen, jung schneiden, nicht zu trockener Stand; die Formen *laciniatum*, *pendulum* und *Wieri* sind weniger schön

A. saccharum, in Amerika sehr empfohlen

Aesculus Hippocastanum, für breite Alleen in nicht zu trockenem, tiefgründigem Boden, nicht im Stadtinnern, geeigneter noch die gefüllt blühenden Formen, auch *f. umbraculifera*

A. carnea (*A. rubicunda*) und Formen

Ailanthus glandulosa, nur für wärmere Lagen und breite Alleen, nicht in Städten, leidet durch Gas

Albizzia fürs Mediterrangebiet

Alnus glutinosa, nur für feuchte Lagen

Betula pendula (*B. verrucosa*), sehr malerisch, namentlich für arme, aber nicht zu trockene Sandböden

B. Maximowicziana, wegen Laubschönheit zu versuchen!

B. papyrifera, breitere Kronen als *pendula*, wie bei dieser durch Schnitt gute Kronenentwicklung herbeiführen

Broussonetia für südlichere Gegenden als kleine Alleebäume

Carya, siehe das bei *Juglans* Gesagte!

Castanea sativa, für genügend warme Gebiete und tiefgründigen Urgesteinsboden, breite Alleen im Freien

Catalpa speciosa in warmen Gebieten für breite Alleen recht empfehlenswert

Cedrela sinensis, siehe das bei *Ailanthus* Gesagte!

*Celtis * australis* für heiße, südliche Lagen, auch in Stadt brauchbar

C. occidentalis härter, aber nur für ganz breite Alleen versuchswert, da er erst schön, wenn er im Alter die breiten malerischen Kronen entwickelt

Cercidiphyllum japonicum, in warmen Lagen in gutem Boden für Alleen versuchswert

Corylus Colurna, in genügend frischem, nahrhaftem Boden für breite Alleen

*Crataegus * monogyna albo-plena* und *punicea*, wie *C. oxyacantha Paulii* und andere Formen als kleine Kronenbäumchen für schmale Straßen, aber nicht zu heiß im Stadtinnern

C. Carrierei, *coccinea*, *grignonensis* u. a. auch versuchswert

Fagus sylvatica und var. *purpurea*, nur für freie Lagen als Straßenbaum (Tiergärten, Parks), bei erstem Austrieb pflanzen

Fraxinus americana, für freie breite Alleen

F. excelsior für feuchte Lagen, saugt den Boden sehr aus; auch var. *diversifolia* (var. *monophylla*), und var. *globosa* (var. *nana*)

F. Ornus, für schmale Alleen und vor allem südlichere Gebiete

F. pennsylvanica (*F. pubescens*) nebst der Form *lanceolata*, wie *americana* zu empfehlen

Gleditschia triacanthos, für leichten Boden, schnellwüchsig, lockerer Schatten, breite Alleen

Gymnocladus canadensis, siehe das bei *Ailanthus* Gesagte!

Juglans cinerea, freie Lage, breite Alleen, reicher, tiefgründiger Boden, schön

J. nigra, wie vorige

J. regia, wie auch die ostasiatischen Arten in geeigneten Lagen ebenfalls brauchbar

Koelreuteria paniculata, wärmere Gebiete, schmale Straßen, nicht im Stadtinnern, zur Blütezeit prächtig

Laburnum anagyroides (*Cytisus Laburnum*) für warme Lagen, schmale Straßen in Villenvororten

Liriodendron tulipifera, tiefgründigen Boden, freie Lagen, breite Alleen, leider schwer verpflanzbar (kurz vor Austrieb, Pfahlwurzel schonen!)

Maclura pomifera, südliche Gegenden

Magnolia acuminata, wie *Liriodendron*

M. grandiflora, prächtiger, immergrüner Alleebaum im Mediterrangebiet

Malus: die Kulturäpfelbäume für Landstraßen nicht nur nützlich, sondern auch schön

*Platanus * acerifolia*, einer der allerbesten, unempfindlichsten Allee- und Straßenbäume, gut Schnitt vertragend; die angebliche Gefährlichkeit der sich ablösenden Wollhaare sehr übertrieben, schmutzt aber etwas durch Rinde und Früchte

P. orientalis, ähnlich in wärmeren Gebieten

Populus: alle Pappeln sind schnellwüchsig, sie gehen flach und weit mit den Wurzeln, den Boden ungemein aussaugend, sonst folgende recht zu empfehlen, wo diese Nachteile ohne Belang sind und der Boden genügend feucht ist, sie sollen zum Teil gegen Leuchtgas im Boden ziemlich widerstandsfähig sein

P. alba, besser var. ** pyramidalis* (var. *Bolleana*)

*P. * berolinensis*, eine der besten; auch *P. * canadensis*

P. candicans; *P. * canescens*

*P. nigra * italica* (*fastigiata*, *pyramidalis*), bekannte Pyramidenpappel, prächtig für Straßen in der Landschaft

P. trichocarpa

Prunus avium und *Cerasus*, die Kulturkirschen, wie *Malus*; besonders die gefüllten Formen

P. cerasifera Pissardi (*P. Myrobalana purpurea*) recht brauchbar und schön für kleinere Villenstraßen, Promenaden; Urteile verschieden

P. serotina für Sandboden und trocknere Lagen zu erproben

P. serrulata-Formen, etwa wie *Pissardi* zu erproben; ebenso *P. virginiana*

Pterocarya fraxinifolia, brauchbar, bildet niedrige Stämme, gut schneiden

*Quercus * borealis* (*Q. rubra*), wie *coccinea*

Q. Cerris in wärmeren Lagen wie *robur*, *Q. * coccinea* und die andern Roteichen besonders für leichtere Böden, feucht, wie auch in trockeneren Lagen

*Q. * palustris*, wie vorige, hat immer viel trockenes Holz

*Q. * robur* (*Q. pedunculata*), für gute tiefgründige Böden, bei durchlässigem Untergrund auch in sandigeren Lagen, für breite Alleen, in der Stadt auch var. *fastigiata* brauchbar

Q. pseudoturneri (*Q. Aizoon*) sollte in guten Böden und geschützten Lagen in schmäleren Alleen mehr versucht werden, ebenso *Q. Koehnei*

*Q. * sessiliflora*, wie *robur*

*Robinia * Pseudoacacia*, für Alleen in heißen, trokkenen Lagen, auch Sandboden, sehr anspruchslos; sonst für engere Straßen ganz besonders empfehlenswert *f. * Bessoniana*, auch *f. inermis* recht brauchbar

Salix Caprea versuchswert in der Landschaft; auch „Kopfweiden" unter Umständen passend, siehe Abb. 4

*Sophora * japonica* in geeignetem Klima hübsch, namentlich in Industriegebieten und an Bahnhöfen versuchswert, verträgt Trockenheit und Hitze, wenig wählerisch

Sorbopyrus auricularis (*Pyrus Pollveria*) wie *Sorbus*

Sorbus (zum Teil auf *Crataegus monogyna* veredeln sonst zu kurzlebig)

S. Aria, für schmale Alleen, Holz durch Fruchtanhang leicht brechend, schön belaubt die Formen *majestica*, **lutescens* und ähnliche

S. Aucuparia, für Gebirgsstraßen, sonst auch *f. Dirkenii*, *f. dulcis*, ebenso *S. hybrida*

S. intermedia (*S. scandica*) gilt als ein mittelgroßer, gegen rauhe Lagen und dürftigen Standort recht empfindlicher Baum

Tilia, die Gattung enthält viele ausgezeichnete Allee- und Straßenbäume

T. **cordata* (*T. parvifolia*) wenig empfindlich gegen Stadtluft, aber lange nicht so wüchsig und schön wie *vulgaris* u. a.

T. **euchlora*, schön belaubter Straßenbaum, aber nicht so gut in Städten wie *vulgaris* oder *tomentosa*, Urteile recht verschieden

T. Moltkei, für Alleen, ebenso *T. orbicularis* und *T. petiolaris* (*T. alba* Hort.)

T. platyphyllos für große Alleen, allbekannt, aber nicht für die Stadt geeignet; ebenso *T. spectabilis* (*alba spectabilis*)

T. Spaethii, für kleine Straßen

T. **tomentosa* für Alleen und auch als Straßenbaum in der Stadt ganz hervorragend

T. vulgaris (*T. hollandica*, *T. intermedia*) gilt als einer der allerbesten Alleebäume, über den Wert als Straßenbaum urteilt man sehr verschieden

Ulmus; es empfiehlt sich nur männliche Exemplare anzupflanzen; die Ulmen sind meist gegen Stadteinflüsse recht widerstandsfähig und gehören zu denjenigen Bäumen, die auch in ungünstigsten Lagen am ehesten sich bewähren. Viele unklare Gartenformen! *U.* **foliacea umbraculifera* für enge Straßen, selbst in minder guten Böden, auch die Form *monumentalis* sehr hübsch für Straßen

U. **hollandica vegeta* recht gut, ebenso var. **Pitteursii* und var. **superba* (*U. praestans*)

U. glabra (*U. montana*) für große Alleen; auch *f. fastigiata* (*f. pyramidalis*)

XXXII.

ANMERKUNGEN.

Wie in der dritten Auflage des Staudenbuches haben wir es auch hier für am richtigsten gehalten, die erläuternden Zusätze und Anmerkungen in einem besonderen Kapitel zusammen zu stellen. Wir können dabei nur wiederholen, was wir an dem angegebenen Orte sagten. In diesen Anmerkungen ist es unsere Absicht, auf irgendwie bedeutsame botanische oder gärtnerische Aufsätze und Arbeiten hinzuweisen, die dem Leser wichtige Ergänzungen zu dem von uns hier Gebotenen bringen. Wir konnten ja sehr vieles nur ganz kurz streifen. Vielfach erforderte auch die Namengebung eine Erläuterung, da wir im Texte des Besonderen Teiles aus verschiedenen Gründen es unterlassen mußten, Autoren zu zitieren oder wissenschaftliche Hinweise einzuschalten. Die Hinzufügung der Autoren zu den lateinischen Namen hat im Grunde nur für den Pflanzenfreund oder Kenner Zweck, der sich botanisch sehr eingehend mit den einzelnen Formen befaßt. Für den Gärtner und Liebhaber im allgemeinen ist sie zwecklos. Wir müssen danach trachten, die Namengebung immer einheitlicher durchzuführen und dabei, soweit es nur geht, auch in der Praxis Hand in Hand mit der Wissenschaft zu gehen. Die in diesen Kulturhandbüchern angewendeten Namen decken sich im wesentlichen auch mit den in dem großen maßgebenden amerikanischen Gartenbuche von Bailey (Standard Cyclopedia of Horticulture) gebrauchten. In unserer gärtnerischen und auch forstlichen Praxis herrschen noch eine Reihe alter Namen vor, die die neuere Wissenschaft gemäß den Wien-Brüsseler Regeln für die botanische Namengebung ablehnen muß. Nach und nach müssen auch wir versuchen, den botanisch gültigen Namen in der gärtnerischen Praxis Anerkennung zu verschaffen. Freilich wird das noch lange dauern. Doch diese Kulturhandbücher sollen eine Unterlage dafür geben. Auch in der „Gartenschönheit" werden sie künftig der dort befolgten Namengebung zu Grunde gelegt werden. Für den nicht mit der Wissenschaft vertrauten Pflanzenfreund ist allerdings zunächst vieles verwirrend. Er sollte sich immer mehr daran gewöhnen, deutsche Namen zu gebrauchen. Hierfür machen wir fast überall Vorschläge, doch wird die Einbürgerung guter deutscher Namen für so viele neue ausländische Pflanzen noch Jahre erfordern. Wer hierfür Vorschläge zu machen hat, möge sich melden.

[1]) Wer sich über Vermehrung insbesondere eingehend unterrichten will, sei verwiesen auf die schöne Schrift von St. Olbrich, Vermehrung und Schnitt der Ziergehölze (1899).

[2]) Citat aus J. Hartwig, Illustriertes Gehölzbuch.

[3]) Citat aus Petzold, Die Landschaftsgärtnerei.

[4]) Citat aus J. Hartwig, Illustriertes Gehölzbuch.

[5]) Weitere Bilder aus Malonya siehe in der Gartenschönheit, so Band II, S. 182 bis 184, und an anderen Stellen.

[6]) In den Mitteilungen der Dendrologischen Gesellschaft für Österreich-Ungarn, I, Heft 1 bis 4 (1911 bis 1912), haben die gleichen Autoren in einer ausführlichen Darstellung unter Beigabe genauer meteorologischer Tabellen zur Kennzeichnung des Petersburger Klimas eine bedeutend umfangreichere Übersicht der für den Norden tauglichen und untauglichen Gehölze gegeben.

[7]) Man vergleiche auch die Liste der Felsensträucher aus dem botanischen Garten in Darmstadt in den Mitt. D. D. G. (1921) 339.

[8]) Man vergleiche weitere Einzelheiten auch in dem Aufsatz des Verfassers in Mitt. Dendrol. Ges Oestr.-Ungarn I. no. 1 bis 2 (1911 bis 1912).

[9]) Man vergleiche hierzu auch die in Anmerkung 1 citierte Schrift.

10) Den Angaben im Besonderen Teile wurde in erster Linie das neueste und umfangreichste dendrologische Werk von Camillo Schneider, Illustriertes Handbuch der Laubholzkunde, Band I bis II und Registerband, Jena, 1904 bis 1912, (citiert unten C. S., I oder II), zu Grunde gelegt. Da aber seit Abschluß dieses Buches sehr wichtige Neuerscheinungen vorliegen, wurden auch diese soweit als möglich eingehend berücksichtigt. Es sind im wesentlichen folgende: L. H. Bailey, The Standard Cyclopedia of Horticulture, 3. ed., vol. I—VI, New York, 1919, (citiert unten Bailey I bis VI), ein bereits im Staudenbuche gebührend gewürdigtes treffliches Werk (wie wir schon im Vorwort hervorgehoben haben), worin die meisten Gehölzgattungen von unserem Mitarbeiter Alfred Rehder, dem besten Dendrologen der Jetztzeit, der im Arnold Arboretum tätig ist, bearbeitet wurden. — W. J. Bean, Trees and shrubs hardy in the British Isles, vols. I—II, Ausgabe New York 1915, (citiert unten Bean, I oder II). Ein ganz ausgezeichnetes, freilich für englische Verhältnisse abgestimmtes Werk. Bean ist unter den Dendrologen Englands einer der ersten und als genauer Beobachter bekannt, auf dessen Angaben man sich verlassen kann. — C. S. Sargent, Bulletin of Popular Information, Arnold Arboretum, new ser. ab vol. I; diese populär gehaltenen Mitteilungen des bekannten Direktors des Arnold Arboretum enthalten gerade für uns sehr wichtige kulturelle und phaenologische Hinweise; C. S. Sargent, The Journal of the Arnold Arboretum, vols. I—II, 1919 bis 1921, (citiert unten Jour. A. A. I oder II), das in erster Linie botanische Beiträge enthält, worunter Rehder's Aufsätze "New species, varieties and combinations from the herbarium and the collections of the Arnold Arboretum" für uns am bedeutsamsten sind. — Wie wir schon in dem Vorwort sagten, wurden auch die Jahrbücher der Deutschen Dendrologischen Gesellschaft bis 1921, (citiert unten Mitt. D. D. G. mit Jahreszahl) durchgesehen.

11) *Acanthopanax*: zum Teil nach Harms, Übersicht über die Arten der Gattung *Acanthopanax* in Mitt. D. D. G. (1918) 1 bis 39, mit Abb.

12) *Acer*: vergleiche C. S. II. 192 ff., wo die Arbeiten von Schwerin, in Gartenflora (1897) 161, Pax in Engler, Pflanzenreich IV. Fam. 163 (1903) und Rehder in Sargent, Trees and Shrubs I. 175 (1905) verwertet wurden. Heute beziehen wir uns auf Rehders Angaben in Bailey I, 195 (1919).

13) *Acer palmatum*-Formen vergleiche bei C. S. II. 208, Abb. 135, und v. Oheimb in Mitt. Dendrol. Ges. Östr.-Ungarn I. no. 4 (1912)

14) *Ailanthus*: vergleiche Sargent in Bull. Pop. Inf. Arn. Arb. n. ser. VI. no. 15, p. 57.

15) *Alnus*: siehe C. Schneider in Sargent, Plant. Wils. II. 488 (1916) und auch Callier's letzte Aufstellung in Mitt. D. D. G. (1918) 39 ff.

16) *Amelanchier*: siehe Wiegand in Rhodora XIV. 117 (1912). Wir folgen hier A. Rehder, in Bailey, I.

17) *Ampelopsis*: in den Gärten werden die Gattungen *Ampelopsis*, *Parthenocissus* und *Vitis* ständig zusammengeworfen. Alle drei sind aber gut geschieden und leicht zu erkennen, denn *Vitis* hat gestreifte zweijährige Zweige mit früher oder später abfasernder Rinde und gelbbraunem Marke, die Blütenblätter sind mützenförmig verklebt und fallen als Haube ab. Bei den beiden anderen Gattungen ist die Rinde der zweijährigen (und älteren) Zweige ungestreift, fasert nicht ab; das Mark ist weiß und die Blumenblätter sind frei und breiten sich beim Aufblühen aus. Bei *Ampelopsis* sind die Zweige über den Knoten meist deutlich eingeschnürt und die Rankenenden stets ohne Haftscheiben, während bei *Parthenocissus* die Zweige ohne diese Einschnürung sind und die Rankenenden fast stets (wenn auch zuweilen nur schwach entwickelte) Haftscheiben tragen. — Zu *Ampelopsis* vergleiche auch Rehder in Jour. A. A. II. 174.

18) *Anisostichus*: siehe Rehder in Mitt. D. D. G. (1913) 261.

19) Bambusaceen: Die früher nach Pfitzer in Mitt. D. D. G. 1902, 1905 und 1907, sowie nach Houzeau de Lehaie, Le Bambou 1903 bis 1908, gegebenen Angaben wurden durch Herrn Hofgärtner Nohl (Mainau) revidiert; vergleiche auch dessen Aufsatz in Mitt. D. D. G. 1915 und 1920; sowie in Gartenschönheit III, S. 35. — In den Mitt. Dendrol. Ges. Östr.-Ungarn I (1912) ist eine Übersetzung enthalten von H. Droin, Principes de culture des Bambous Rustiques envisagés comme Plantes Rhizomateuses, aus Le Bambou, I. no. 2 (1906). — In der Bearbeitung von C. O. Beadle in Bailey I. 444, ist der Name *Bambusa* für gewisse Arten beibehalten worden.

20) *Berberis*; vergleiche hierzu vor allem die Arbeit über die chinesischen Arten von C. Schneider in Östr. Bot. Zeitschr. (1916), p. 313, bis (1918), p. 284 (Schluß), sowie die dort (1916) p. 313 citierte weitere Literatur.

21) *Berberis*-Hybriden: Unter den kultivierten Formen sind sehr viele hybriden Ursprunges und wissenschaftlich noch nicht genügend geklärt. Sehr wichtige neue Hybriden zwischen laubabwerfenden Arten, wie *vulgaris* und *amurensis* und immergrünen, wie *acuminata*, *Veitchii* u. a. hatte der leider im Januar 1922 verstorbene Dr. Walter Van Fleet in Bell Station bei Washington, D. C., Verein. Staaten, angestellt. Darüber ist anscheinend bis jetzt (Oktober 1922) nichts Näheres veröffentlicht worden. Solche Kreuzungsversuche sollten auch in Mitteleuropa vorgenommen werden, da sie die Gewinnung von winterharten wintergrünen Sträuchern für rauhe Lagen versprechen.

22) *Betula*: die ostasiatisch-himalayischen Arten wurden bearbeitet von C. Schneider in Sargent, Pl. Wils. II, 455 (1916), mit Bestimmungsschlüssel.

23) *Bignonia*: Über die Anwendung dieses Namens an Stelle von *Campsis* vergleiche Rehders in Anmerkung 18 citierten Aufsatz.

24) *Carpinus*: die ostasiatischen Arten wurden bearbeitet von C. Schneider in Sargent, Pl. Wils. II 425 (1916), mit Bestimmungsschlüssel.

25) *Carya*: über die Wintermerkmale siehe W. Trelease, Plant materials of decorative Gardening. The woody plants 60 (1917), und Winter Botany 18 (1918). — Ferner über Kulturarten und Hybriden C. S. Sargent in Bull. Pop. Inf. A. A. VI, 49 (1920).

26) *Catalpa*: zum Teil nach Rehder in Bailey, II. 684; siehe auch Notiz von Sargent in Bull. Pop. Inf. A. A. VI, 49 (1920).

27) *Cercidiphyllum*: siehe Harms in Mitt. D. D. G. (1917) 71.

28) *Citrus*: vergleiche hierzu vor allem die Arbeiten von W. T. Swingel; wie in Sargent, Pl. Wils. II (1914), und auch in Bailey, II. 780. Er hat für *Citrus trifoliata* die Gattung *Poncirus* wieder aufgenommen und stellt *C. japonica* zu *Fortunella*.

29) *Clematis*: Viele Angaben nach der von Rehder revidierten Bearbeitung in Bailey, II. 787.

30) *Colletia*: siehe auch Bean, I. 376.

31) *Columella*: siehe Rehder in Journ. A. A. II. 177 (1921).

32) *Corylus*: über die asiatischen Arten vergleiche C. Schneider in Sargent, Pl. Wils. II. 443 (1916).

33) *Cotoneaster*: Bei dieser Uebersicht folgen wir in erster Linie Rehder in Bailey, II. 865; ziehen aber auch Bean zu Rate und Angaben von Sargent in Bull. Pop. Inf. Arn. Arb. Für Steingärten ist die dem Boden anliegende *C. Dammeri* sehr wertvoll, ebenso einige in Pruhonitz gut gedeihende, noch unbestimmte von C. Schneider aus Yunnan eingeführte Formen.

34) *Crataegus*: Hier ist besonders bei den zahllosen nordamerikanischen Arten die Auswahl sehr schwer. Wir lehnen uns an die Angaben von Dunbar und vor allem von Rehder in Bailey, II. 878, an, sowie an Sargents Hinweise in Bull. Pop. Inf. A. A. II. 58 (1916), VI, 21 (1920). Genauere Beschreibungen würden zu weit führen, man vergleiche C. S. I. 767, und II, 1005.

35) *Cytothamnus*: Da *Sarothamnus* eine eigene gute Gattung bildet, schlage ich für die Hybriden mit *Cytisus* diesen neuen Namen vor. Beschreibung meist nach Bean, I. 458. Siehe auch Bot. Mag. t. 8482.

36) *Deutzia*: hier folgen wir ganz Rehder, dem besten Kenner der Gattung; siehe Pl. Wils. I. 14 und III. 422, (1917) sowie in Bailey, II. 992, in Jour. A. A. 106 (1920); vergleiche aber auch C. S., II. Nachtrag p. 930.

37) *Echinopanax*: siehe Harms in Mitt. D. D. G. (1918) 34.

38) *Exochorda*: nach Rehder in Mitt. D. D. G. (1914) 58.

39) *Fagus*: siehe Rehder & Wilson in Pl. Wils. III. 190 (1916) über die chinesischen Arten, sowie Sargents Angaben in Bull. Pop. Inf. A. A. VI. no. 11.

40) *Fuchsia*: siehe auch Bailey, III. 1299.

41) *Gleditsia*: nach Rehder in Bailey, III. 1346.

42) *Hedera*: zum Teil nach Bean, I. 606, und Rehder in Bailey, III. 1437, der sich zumeist auf Toblers Monographie von 1912 stützt, die bei C. Schneider, II. 422, noch nicht benutzt werden konnte.

43) *Ilex*: bei den Gartenformen von *I. Aquifolium*, die zum Teil hybriden Ursprungs sind, wurden die Angaben von Bean, I. 643, und Rehder in Bailey, III. 1038 zu Rate gezogen. Loesener hat außer seiner Monographie, die von C. S. II. 421, zu Grunde gelegt wurde, auch in Mitt. D. D. G. (1919) 1, eine Uebersicht veröffentlicht. Die Gartenformen bedürfen sehr einer Klarlegung auf Grund vergleichender langjähriger Beobachtungen an lebenden Pflanzen. Die von Loesener wieder aufgenommene Goeppertsche Namengebung und Einteilung entspricht nicht den internationalen Nomenklaturregeln und kann nicht als Grundlage für eine richtige Bewertung und Benennung der Formen angesehen werden.

44) *Ligustrum*: Außer C. S., II. 794 wurden auch die Angaben bei Bean, II. 23, Höfker in Mitt. D. D. G. (1915) 51, sowie Rehder in Bailey IV. 1860 und Pl. Wils. II. 600 zu Rate gezogen.

45) *Lindera*: über die Voranstellung des Namens *Benzoin* vor *Lindera* siehe Rehder in Journ. A. A. I. 144 (1919).

46) *Loiseleuria*: über die Anwendung des Namens *Azalea* für *Loiseleuria* siehe Rehder in Journ. A. A. II. 156 (1921).

47) *Lonicera*: im wesentlichen alles nach Rehder, der auch die Gattung bei C. Schneider, II. 681 bearbeitet hat.

48) *Magnolia*: man vergleiche die Angaben von Graebener in Mitt. D. D. G. (1920) 73. Wir folgen hier im wesentlichen Rehder in Bailey, IV. 1964. Die Namengebung ist verworren und sollte endlich genau nach den internationalen Regeln festgelegt werden, freilich muß dann für *Magnolia hypoleuca* der Name *M. obovata* gebraucht werden.

49) *Mahonia*: in letzter Zeit wurden viele neue chinesische Arten beschrieben; siehe C. Schneider in Pl. Wils. I. 380 (1913) und Takeda in Notes Bot. Gard. Edinburgh (Jan. 1917). Eine weitere Uebersicht der altweltlichen Arten wird Schneider in Journ. A. A. (1923) geben.

50) *Malus*: siehe Rehder in Pl. Wils. II. 279 (1915) und in Mitt. D. D. G. (1914) 258 (Gruppe *Coronariae*) und in Journ. A. A. II. 47 (1920), sehr wichtige Arbeit über die Einteilung der Gattung. Ferner auch Sargent in Bull. Pop. Inf. A. A. III, no. 5 (1917), VII. no. 2 (1921).

51) *Morus*: siehe C. Schneider in Sargent, Pl. Wils. III. 292 (1916), über die asiatischen Arten.

52) *Philadelphus*: Das meiste nach Rehder, der Schneiders Darstellung, I. 362, und die Koehneschen Arbeiten (zuletzt in Pl. Wils. I. 1911/12) durch seine Arbeiten im Journ. A. A. I. 195 (1920) und II. 154 (1921) mannigfach ergänzt und berichtigt hat. Leider hat Rehder die Gattung nicht auch in Bailey IV 2579 bearbeitet. Eine Anordnung in Form einer Bestimmungstabelle mußte vorläufig unterbleiben, da diese sehr ausführlich hätte werden müssen und die vielen Hybriden sich kaum einfügen lassen. Man vergleiche Moore's Versuch in Bailey IV. 2579.

53) *Platanus*: meist nach der neuesten Arbeit von A. Henry & M. G. Flood, The history of the London Plane in Proc. R. Irish Acad. XXXV. sect. B. no. 2 (1919), worin die hybride Natur der *P. acerifolia* endgiltig bestätigt wird. Ueber *P. orientalis* siehe auch Sprenger in Mitt. D. D. G. (1915) 1.

[54]) *Populus*: Man vergleiche die wichtige Übersicht von Bailey, V. 2753, wo er auch A. Henry's Arbeiten in Henry & Elwes, Trees of Great Brit. and Irel. VII (1913) und in Trans. R. Scot. Arb. Soc. XXX, pt. I (1914?) berücksichtigt hat. Das letzte Wort, namentlich über die Deutung mancher alter Namen und vieler Hybriden, ist noch nicht gesprochen. Die Benennung der ostnordamerikanischen Schwarzpappeln war besonders verworren. Da man aber jetzt (siehe Farewell in Rhodora XXI. 101 (1919) und Sargent in Journ. A. A. II. 62 (1919) nachgewiesen hat, daß Linné unter seiner *P. balsamifera* die Schwarzpappel und n i c h t die Balsampappel verstand, so hat man einen unzweifelhaft ältesten Namen für all die *deltoides, angulata* usw. Für die Balsampappel tritt Miller's Name *P. tacamahacca* ein.

[55]) *Populus canadensis*: Siehe hierzu die Angaben von Grundner in Mitt. D. D. G. (1921) 55. Moench's Art ist kaum einwandfrei sicher zu stellen, dürfte aber nicht mit *candicans* zusammenfallen, wie Dode glaubt; siehe auch Ascherson & Graebner, Syn. IV. 51 (1908). Als nächstältester Name käme nach Henry's Auffassung *P. angulata* Aiton 1789 in Betracht; diese ist seit 1750 in England und Frankreich in Kultur, bei uns aber empfindlicher und stellt jedenfalls eine extreme Form der Hybride dar. Dann wäre noch als vielleicht sicherster Name *P. marilandica* Bosc bei Poiret (1816) anwendbar.

[56]) *Prunus*: Siehe außer C. Schneider, I. 589 und II. 973 die dort noch nicht berücksichtigten Arbeiten von E. H. Wilson, The Cherries of Japan (1916), Koehne in Mitt. D. D. G. (1917) I und Bailey's Bearbeitung, V. 2822. Viele gute Hinweise von Bean wurden benutzt. — Hingewiesen sei auch auf *P. Laurocerasus Fiesserana* Schwerin in Mitt. D. D. G. (1921) 322, eine vom *schipkaensis* stammende Form, die als Lorbeerersatz empfohlen wird. Ähnliches gilt von *P. lusitanica pyramidalis*, die in Weener sich als härter als der Typ gezeigt hat.

[57]) *Pyrus*: siehe A. Rehder, Synopsis of the Chinese species of *Pyrus* in Proc. Am. Acad. Arts Sci. L. 225 (1915), und dessen Angaben in Journ. A. A. II. 59 (1920). Vergleiche auch Sargent in Bull. Pop. Inf. A. A. VI. 13 (1920). — Die europäisch-westasiatischen Formen bedürfen auch noch sehr einer sorgfältigen Bearbeitung auf Grund von Beobachtungen an lebendem Material. — Die Vereinigung der Gattungen *Malus* und *Pyrus* unter *Pyrus*, wie sie leider auch noch von Bailey, V. 2866, vorgenommen wird, ist ganz zu verwerfen. Dann muß man folgerichtig auch *Sorbus* einbeziehen und wirft damit eine ganze Anzahl sehr gut geschiedener Gattungen zusammen.

[58]) *Quercus*: Wie Sargent in Rhodora XXVIII. 45 (1916) und früher dargelegt hat, ist *Q. rubra* Linné mit *Q. falcata* Michaux identisch. Die e c h t e R o t e i c h e der Nordstaaten ist *Q. borealis* Michaux f. und insbesondere var. *maxima* (*Quercus rubra* var. Linné. *Q. rubra* Duroi et Auct. al., *Q. rubra maxima* Marshall). — Über die zahlreichen in Amerika beobachteten Bastarde hat W. Trelease eine Aufstellung gegeben.

[59]) *Quercus hispanica*: siehe Rehder in Jour. A. A. I. 133 (1919), der Henry's Darlegungen in Henry & Elwes, Trees of Great Brit. and Irel. V. 1261 (1910) zugrunde legt.

[60]) *Quercus Ambrozyana*: über die wintergrünen Hybriden siehe auch die Darlegungen von Graf I. Ambrózy-Migazzi in Mitt. D. D. G. (1921) 216, besonders wegen der als Unterlagen zu verwendenden Formen für verschiedene Lagen und Böden.

[61]) *Rhamnus*: die chinesischen Arten wurden bearbeitet von C. Schneider in Sargent, Pl. Wils. II. 232 (1914).

[62]) *Rhododendron*: für sehr viele Kulturangaben sind wir Herrn v o n O h e i m b, Woislowitz, zu Danke verpflichtet. Man vergleiche auch dessen Darlegungen in Mitt. Dendrol. Ges. für Östr.-Ungarn I. no. 2 (1912) und dort auch in no. 4 und 6 die Angaben von Van Nes und R. Seidel. Wichtig sind ferner die Arbeit von Rehder & Wilson in Sargent Pl. Wils. I. 503 (1913) und deren ausgezeichnetes Werk „A monograph of Azaleas" (April 1921). Außerdem wurden hier zu Rate gezogen die Angaben von Rehder in Bailey, V. 2937, und von Bean. Interessant sind auch Sargents Darstellungen in Bull. Pop. Inf. A. A. VII. no. 3, 7 und 8 (1921). Ebenso der Artikel von S. Mottet in Rev. Horticole (1922) 150. Die englische Rhododendron-Society hat 1917 durch Millais ein großes illustriertes Werk herausgegeben, das hier nicht benutzt werden konnte.

[63]) *Ribes*: nach C. Schneider I. 399 und II. 943, wo die wichtigste Literatur verwertet und zitiert wurde.

[64]) *Rosa*: Übersicht in der Hauptsache nach Rehder in Bailey VI. 2983. Siehe sonst C. S. I. 536 und II. 969; für europäische Wildrosen vergleiche die Bearbeitung in Ascherson & Graebn., Syn. VI. Die neuen chinesischen Arten siehe in Sargent, Pl. Wils. II. 304 (1915), sie wurden zum großen Teile auch schon behandelt in dem Prachtwerk „The Genus Rosa" von E. Willmott (1910–14). — Über Edelrosen siehe Gartenschönheit, Bd. III, 121. Im Verlage der Gartenschönheit erscheint im Frühjahr 1923 ein modern ausgestattetes Rosenbuch.

[65]) *Rubus*: die letzten Arbeiten von Focke sind bereits von C. S., II. 962, verwertet, mit Ausnahme der Bearbeitung in Pl. Wils. I. 48 (1911), die aber etwas zu knapp ist.

[66]) *Salix*: Diese Gattung enthält noch mehr gute kulturwerte Arten, Formen und Bastarde, als wir hier anführen. Sehr viele Kulturformen sind aber schwer zu bestimmen und in der Namengebung sehr unsicher. Außer der Bearbeitung in C. S. I. 23 (1904) und v. Seemen in Ascherson & Graebner, Syn. IV. 54 (1908) sind vor allem wichtig die Arbeiten von C. Schneider über die chinesischen Arten (mit Einschluß aller weiteren aus Ostasien und dem Himalaya) in Sargent, Pl. Wils. III. 16 (1916), wo ein Bestimmungsschlüssel gegeben wird, und über die amerikanischen Arten: A conspectus of Mexican, Westindian and Southamerican species and varieties of *Salix* in Bot. Gaz. LXV. 1 (1918), sowie I. The species related to *Salix arctica* Pall., l. c. LXVI. 117 (1918); II. The species related to *Salix glauca*, l. c. 318 (1918); III. A conspectus of American species and varieties of sections *Reticulatae, Herbaceae, Ovalifoliae* and *Glaucae*, l. c., LXVII. 27 (1919); IV. The species and varieties of section *Longifoliae*, l. c. 309 (1919); V. The species of the *Pleonandrae* group in Jour. A. A. I. 1 (1919); VI. The species of the

sections *Phylicifoliae, Sitchenses* and *Brewerianae* l. c. 67 (1919); VII. The species of the section *Adenophyllae*. — Sect. *Balsamiferae*, l. c. I. 147 (1920; VIII. The species of the sections *Chrysantheae* and *Candidae*. — *Salix Wolfii* Bebb and ist systematic position, l. c. 211 (1920); IX. The species of the sections *Discolores* and *Griseae*, l. c. II. 1 (1920); X. The species of the sections *Fulvae* and *Roseae*. — *Salix Maccalliana*, l. c. 65 (1920); XI. Some remarks on the species of section *Cordatae*. — Some remarks on the geographical distribution of the American willows, l. c. II. 185 (1921), und XII. Systematic enumeration of the sections, species, varieties and forms of American willows. — Analytical keys to the species of American willows. — Index, l. c. III. 61 (1922). Ferner sei auf alle Arbeiten von C. R. Ball, A. Töpffer und vor allem S. J. Enander hingewiesen. Hinsichtlich der wissenschaftlichen Gliederung der Gattung siehe C. Schneider in Österr. Bot. Zeitschr. (1915), p. 273.

[67] *Sambucus*: siehe F. Graf Schwerin, Revisio generis Sambucus in Mitt. D. D. G. (1920) 194.

[68] *Sarothamnus*: siehe E. Ulbrich, Benennung und Formenkreis des Besenginsters in Mitt. D. D. G. (1921) 129; Auszug aus des Verfassers Buch: Der Besenginster (1920).

[69] *Spiraea*: als Ergänzung zu C. S., I. 453 und II 959, siehe Rehder in Sargent, Pl. Wils. I. 434 (1913), sowie dessen Bearbeitung bei Bailey.

[70] *Staphylea colchica* var. *laxiflora*: siehe Baas-Becking in Mitt. D. D. G. (1921) 124.

[71] *Syringa*: siehe außer C. S., II. 771 und dessen Bearbeitung der chinesischen Arten in Sargent, Pl. Wils. I. 297 (1912) und III. 433 (1917), auch C. Sargents Notizen in Bull. Pop. Inf. Arn. Arb. n. ser. III. no. 6 (1917), IV. no. 7 (1918), V. no. 5 (1919) und VI. nos. 5 und 9 (1920).

[72] *Tilia*: Angaben im wesentlichen nach Rehder & Wilson in Sargent, Plant. Wils. III. 363 (1915), sowie Rehder in Bailey VI (1919) und Sargent in Bot. Gaz. LXVI, 421 (1918). Sargent behandelt hier die nordamerikanischen Arten und spricht über die Notwendigkeit den Namen *T. americana* L. auszuschalten, für *pubescens* Ait. den Namen *caroliniana* Mill. zu nehmen etc.

[73] *Trachelospermum*: siehe C. Schneider in Sargent, Pl. Wils. III. 336 (1916). Das echte *T. divaricatum* (L.) Kanitz ist nicht identisch mit *T. jasminoides* Lem. (*T. divaricatum* Schum.).

[74] *Ulmus*: In dieser Gattung ist insbesondere die Namengebung mancher europäischen Arten sehr verworren. Eine eingehende Durchsicht der unten zitierten Arbeiten gibt darüber genaue Auskunft. Hier sei nur folgendes kurz hervorgehoben. Unsere Bergulme, bekannt als *U. montana*, muß *U. glabra* Hudson heißen, der sie nach der glatten Borke benannte, während Miller später den Namen *glabra* für die Feldulme wegen der glatten Blätter brauchte und die Bergulme *U. scabra* nannte, da deren Blätter oben rauh sind. Für die Feldulme hat man bisher meist den Namen *U. campestris* Linné beibehalten, der aber mit vielleicht noch mehr Recht der Bergulme zugesprochen werden kann, wie dies Kerner z. B. tat. Man hatte auch später den Namen für die englische Ulme verwendet, die jetzt *U. procera* heißt. Leider war inzwischen, ehe der Name *U. foliacea* Gilibert für die Feldulme aufgenommen wurde, schon der Name *nitens* Moench für diese angewandt worden, so daß die Namengebung dieser Art ganz besonders verwirrend ist. Wenn man den Namen *campestris* ausschaltet, so muß *U. foliacea* genommen werden, denn dieser Name ist sicher noch besser begründet als *nitens*. Die sehr häufigen hybriden Kulturformen sind zumeist unter *U. hollandica* einzureihen.

Seit der Bearbeitung der Ulmen in C. S. I. (1904) sind folgende wichtige Arbeiten erschienen: Moss in Gard. Chron. ser. 3, LI (1912); Cambridge Brit. Flora II (1914). — Henry in Elwes & Henry, Trees Great Brit. a. Irel. VII (1913). — C. Schneider in Sargent, Pl. Wils. III (August 1916), umfassend die Ulmen Ostasiens und des Himalaya; in Oestr. Bot. Zeitschr. (1916), p. 21—34, 65—82, Beiträge zur Kenntnis der Gattung *Ulmus*. I. Gliederung der Gattung und Übersicht der Arten; II. Ueber die richtige Benennung der europäischen Ulmen-Arten. — Rehder in Bailey VI (März 1917); in Jour. A. A. I. 137/42 (1919), insbesondere über *U. procera*. — Sargent in Bull. Pop. Inf. A. A. n. ser. IV. no. 10 (1918).

[75] *Viburnum*: eine gute Uebersicht über mehr als 100 Arten gibt C. S. II. 638, die sich zumeist auf A. Rehders Arbeiten gründet. Siehe auch dessen Bearbeitung in Sargent, Pl. Wils. I. 106 (1911). — Bei Hesse in Weener ist ein Bastard zwischen *V. lantana* und *rhytidophyllum* dadurch entstanden, daß letzte auf jene veredelt war, die Unterlage durchtrieb und blühte und so die immergrüne Art befruchtet wurde. Noch zu beobachten.

[76] *Vitis*: außer C. S. I. 300 und II. 1032, siehe besonders die Uebersicht bei Bailey. Eine moderne grundlegende Bearbeitung der Gattung fehlt noch.

[77] *Wisteria*: siehe Rehder & Wilson in Sargent, Pl. Wils. II. 509 (1916) und Sargent in Bull. Pop. Inf. A. A. n. s. III. 29 (1917).

[78] *Yucca*: es sei vermerkt, daß die aus Sprenger's Nachlaß in den M. D. D. S. (1920) 96 leider veröffentlichten Notizen über zahllose Kreuzungen von sehr fraglichem Werte sind und namentlich die Namengebung verwirren.

[79] Bei der Bearbeitung der Tabellen unterstützte uns vor allem Herr Paul Kache, worauf wir schon im Vorwort hinwiesen. Viele Angaben darin haben nur relativen Wert. Es wäre uns sehr erwünscht, von vielen Seiten ergänzende Hinweise zu erhalten.

[80] An der Ausarbeitung der Abschnitte a bis c dieser Liste hat Herr Dr. Fritz Graf Schwerin einen hervorragenden Anteil, man vergleiche dazu dessen Artikel S. 97.

[81] Dieser Liste liegen zum Teil Angaben zugrunde, die Herr Gartendirektor C. Heicke, Frankfurt a. Main, in einem Artikel über Allee- und Straßenbäume macht, der in den Mitt. der Dendrol. Ges. für Oesterr.-Ungarn I. Heft 3—6 (1912) erschienen ist. Wir müssen uns hier sehr kurz fassen und auf die wichtigsten Hinweise beschränken.

KEIN LESER
DER KULTURHANDBÜCHER VERSÄUME
SICH DURCH
DIE

Gartenschönheit

über alles das auf dem Laufenden zu erhalten, was mit der Pflege und Verwendung der Stauden und Gehölze in unseren Gärten und Parks zusammenhängt. Die bisher erschienenen Bände enthalten eine Fülle wertvollster Angaben und einen außerordentlichen Reichtum an guten farbigen und schwarzen Bildern, wie sie bisher noch in keiner Zeitschrift geboten wurden

---

Die Gartenschönheit
erscheint monatlich und wird in Gemeinschaft mit
KARL FOERSTER *und* CAMILLO SCHNEIDER
herausgegeben von OSKAR KÜHL

DIE
GARTENSCHÖNHEIT
bildet eine unentbehrliche Ergänzung zu
den drei Kulturhandbüchern

VERLAG DER GARTENSCHÖNHEIT · G. M. B. H.
BERLIN-WESTEND

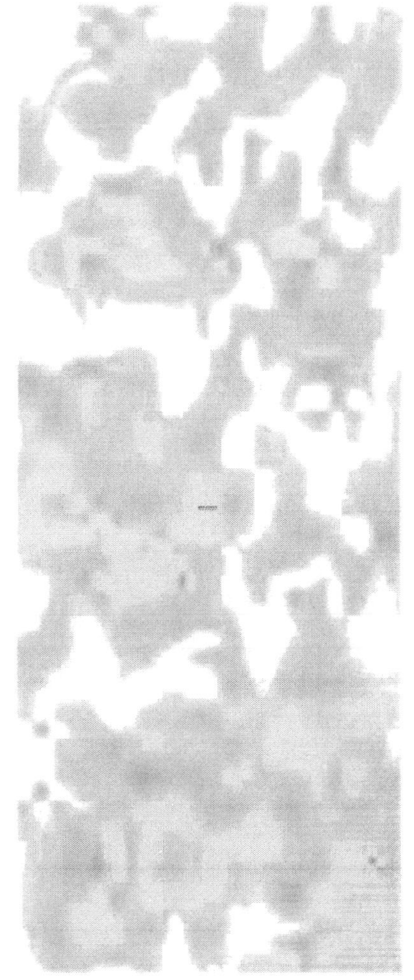

FSC
www.fsc.org
MIX
Papier aus ver-
antwortungsvollen
Quellen
Paper from
responsible sources
FSC® C141904

Druck:
Customized Business Services GmbH
im Auftrag der KNV-Gruppe
Ferdinand-Jühlke-Str. 7
99095 Erfurt